STUDENT'S
ENGLISH - CHINESE
CHINESE - ENGLISH
DICTIONARY

学生英汉汉英词典

丁申宽　梁国相　编

外语教学与研究出版社

(京) 新登字 155 号

责任编辑: 甘美华

封面设计: 张杰栋

学生英汉汉英词典

XUESHENG
YINGHAN HANYING
CIDIAN

丁申宽　梁国相　编

* * *

外语教学与研究出版社出版发行

(北京西三环北路 19 号)

新华书店总店北京发行所经销

华利国际合营印刷有限公司印刷

开本 787×960　1/32　18.5 印张　667 千字

1988 年 10 月第 1 版　1997 年 2 月第 18 次印刷

印数: 920001—1020000 册

* * *

ISBN 7 - 5600 - 0484 - 9

H·226

定价: 17.80 元

目 录

前　言

这本《学生英汉汉英词典》是适合我国普通中学和高等学校(文、理、工科)的学生以及自学英语者使用的小型英语工具书,也可供英语教师教学上参考。

本词典的收词范围是英语基础词汇,包含了我国初级和高级中学使用的新编英语课本(也包括旧版英语课本)中的全部单词、复合词和词组;还包含了高等学校英语专业一、二年级以及文、理、工科本科生在大学英语一级至六级(College English Stages 1—6)所要掌握的总词汇(依据高等教育出版社、上海外语教育出版社出版的《大学英语教学大纲》中所列的词汇表)。中华人民共和国国家教育委员会制定的1987年全国各类成人高等学校招生考试复习大纲英语词汇表中所有单词和词组也已包含在本词典内。此外还参考各类辞书扩收相当数量的其它常用词语。本词典收词总数为:(1)英汉部分:单词(包括派生词)10 000,复合词1 900,词组2 700;(2)汉英部分:单字2400,复词10 000。这个数量已可满足学生课内课外的学习需要。

为了便利读者查检时知道所查单词(或词组)是否见于课本,本词典采用专门的符号标示:凡属初中英语课本中的单词和词组,均在前端标以*符号;凡属高中英语课本中的单词和词组,均在前端标以▲符号;出现在练习、补充材料中的词语则加上圆括号,分别标以(*)和(▲)。读者也可依据这些符号选择自己需要熟记、掌握的词汇,兼作复习之用。

本词典的编法与一般词典有所不同。

(A)**英汉部分**的特点是:(1)词组与单词分开编排,另立词组部分,既便于比较词组的各种结构类型,收到融汇贯通的好处,又便于读者按词组前端所注*▲符号分清哪些词组是见于课本的,并可按自己的需要集中学习或复习英语词组。相应地,单词部分的排列就更加集中醒目,便于查检。(2)词条中增添同义(近义)词(符号⇨)、反义(相对)词(符号←)、使用注意(符号▶)等三项,读者可以查一词而获知更多的词，扩大词汇量，并可掌握许多词在发音、词义或语法上需注意之点。例如：**dry** … 干的 (← **wet**)；口渴的 (⇨ **thirsty**) **comradely** … 同志般的 ▶ 此词不是副词。(3) 词条中选收适量的分写复合词，除见于课本的以外，还扩收一部分实用的、有特定译法的复合词，编排在释义之后，用双柱号"‖"区分。例如：

condense *vt.* …… 浓缩；压缩 ‖ ～*d* milk 炼乳

back *a.* 后面的；过时的 ‖ ～ number 过期刊物

(B) 汉英部分的特点是：(1) 课本中的英语单词、词组的汉语释义，均尽量编入；有些词见之于课本而一般汉英词典未予收入的，如"温血"*a.* warm-blooded；"恃强欺弱的人"*n.* bully；"性格的培养"*n.* character-training。(2) 除按一般顺序编法外，还适当采用"逆序"编法，即将词头(单字或复词)置于最末，倒上去编排。例如："**报**"的逆序编排有"日报"(daily)、"画报"(pictorial magazine)、"晚报"(evening paper)、"星期日报"(Sunday newspaper)；又如："**星期**"项下的逆序编排有"这个星期"(this week)、"上个星期"(last week)、"下个星期"(next week)、"下下个星期"(the week after next)、"两星期"(*n.* fortnight)。这样，可将课本中出现过的一部分词语以及其他比较实用的词语，尽可能地收入并有助于读者熟记和使用。

本词典还选收了一部分常用的词缀(前缀、后缀)，作简要的说明并加例证，以便读者通过构词成分的分析理解本书所未收的许多派生词的基本意义，收到举一反三之效。

编写这样一本词典是个新的尝试，谬误不妥之处在所难免，敬希读者批评指正。

编 者
1987 年 11 月

体例说明

A. 英汉部分

一、单词

1. 本词典英语单词均按字母顺序排列,用黑正体印刷。
2. 有两种以上拼法的词,作如下处理:
   ① 加圆括号。如: **colo(u)r**.
   ② 另立词条,注明与某个词相同。如: **theater** [美] = **theatre**.
3. 拼写相同,但词源、词义不同的词,分立词条,在右上角注数码字。如: **light**[1], **light**[2].
4. 关于复合词的立条或附列,见本说明 A. 七。

二、注音

1. 本词典采用国际音标,标示于方括号内。可读可不读的音素用白斜体表示。重音符号['] 置于重读音节的音标符号的前上方;有两个以上重读音节的词,用['] 表示主重音,用[,] 表示次重音(置于音标符号的前下方)。如: **consideration** [kən,sidəˈreiʃn]。
2. 一个词若有两种以上发音,用逗号分开;如英、美发音差别较大,或有弱发音,则分别标出。如: **direct** [diˈrekt, dai-]; **lieutenant** [lefˈtenənt, 美: luː-]; **of** [ɔv,(弱)əv]。
3. 一个词因词性或词义不同而发音有差异时,在有关词性之后或有关词义之前另行注音。如: **contact** [ˈkɔntækt] *n.* ... *vt.* [kənˈtækt]; **aged** [ˈeidʒid] *a.* 年老的…, [ˈeidʒd] …岁的。

三、词性

1. 词性用白斜体表示。如: *n., v.* (详见"略语表")。
2. 一个词有几种词性,择其主要或常见者标出。有时因释义相同而合并,如: *v.,n.* 各类动词按其用法分别标为 *vt., vi., v.aux.* 等;如一个动词兼有及物与不及物两种用法,一般统标为 *v.*。

四、词形变化

1.动词的不规则变化形式以白斜体表示,排在圆括号内。过去式与过去分词,不论异形或同形,均用逗号隔开。少数特殊变化的现在分词(如 **die** 的现在分词 dying),排在过去式与过去分词之后,用分号隔开。一个动词可以有不规则变化和规则变化的,则在这两种变化之间用分号隔开。

2.名词的复数不规则变化形式以白斜体表示,加注"复数",排在圆括号内。词目本身是复数形式,则在词性后用方括号注明"复数"。

3.形容词和副词的比较级、最高级的不规则变化形式以白斜体表示,排在圆括号内,比较级与最高级之间用逗号分开。

五、释义

1.一个词有多种词义时,词义较近者用逗号分开,差异较大者用分号分开。释义一般按词的本义、常用义、通用义、引伸义、专业性词义的次序排列。

2.释义前有时用不同的括号表示词的修辞色彩、词源、学科、用法等,如:〈口语〉、〈儿语〉;[英]、[美];〔体育〕、〔语法〕;《常用复数》、《加 the》等。

六、词组

1.本词典所收英语词组作为单独的部分编排,主要是"动词＋介词(或副词)"、"介词＋名词"等构成的词组,兼收一部分课本中的熟语。

2.词组按其中心词的字母顺序排列。详见本词典"词组"部分前面的"使用说明"。

七、复合词

1.连写的复合词,以及用连字号连接的复合词,均单立词条,如 **armchair, exercise-book**。

2.分写的复合词收在相应的词条内,排在释义之后,用双柱号"‖"隔开,本词部分用代字号"～"表示。如: tail coat(燕尾服)收在 **tail** 条中,作 ‖ ～ coat。

B. 汉 英 部 分

一、本词典所收的汉语条目分单字与复词两种。单字用大号字体,复词用小号字体加上鱼尾号"【】"。由单字、复词衍生的常用词语加上空心鱼尾号"〖〗"。如: 从 (cóng) …【从来】…〖～没有〗…。

二、单字条目按汉语拼音字母顺序排列。同音异调的字按"四声"(符号 ˉ ˊ ˇ ˋ)顺序排列;同音同调的字按笔画多少排列;同字异音或异调的字按音序或"四声"顺序排列(如: **重** chóng, zhòng; **倒** dǎo, dào),在条末互注另一个拼音,用菱形号"◇"标示, 如: ◇重(zhòng)。

三、复词条目按第一个字(字数多的再按第二个字)的汉语拼音字母顺序,排列在单字条目内,不注音。

四、条目采用对应的英语释义。英语单词除明显的名词、动词外,一般注明词性(词性使用的略语见"略语表")。释义中单词与词组(或复合词)之间用斜线"/"隔开。同一词性的多种释义一般用逗号分开。条目中所收的常用词语一律用空心鱼尾号,其中与本条目单字或复词相同的部分用代字号"～"表示。

符 号 与 略 语

A. 符 号

~ 代字号。在英汉部分，用于代表本词条的词目；在汉英部分，用于代表本条目的单字或复词。

* 星号。用于词目的左上角，表示该词(或词组)见于初中英语课本(1-6册)的课文。

(*) 加括号的星号。用于词目的左上角，表示该词(或词组)见于初中英语课本(1-6册)的练习、补充材料。

▲ 三角号。用于词目的左上角，表示该词(或词组)见于高中英语课本(1-3册)的课文。

(▲) 加括号的三角号。用于词目的左上角，表示该词(或词组)见于高中英语课本(1-3册)的练习、补充材料。

⇨ 空心箭头号。表示后面的词是前面释义的同义(或近义)词。

← 反向箭头号。表示后面的词是前面释义的反义(或相对)词。

‖ 双柱号。表示后面是分写(无连字号)的复合词。

/ 斜线号。在英汉部分的词条中，用以分隔各个复合词；在汉英部分的条目中，用以分隔英语单词与词组(或复合词)。

▶ 侧三角号。用于词条末，表示"使用注意"，指该词在使用时应注意之点。

[ ] 方括号。用于:

① 注明音标。如: ['hɔrəbl]。

② 注明使用地区和词源。如: [英][美][法]。

③ 表示可用来代换的部分。如: tourist agency [bureau]是指 tourist agency 或 tourist bureau 均可释作"旅行社"；又如: **aboard** … 在船[飞机,车]上 … 是指 aboard 可释作"在船上"，"在飞机上"，"在车上"。

④ 对词性加注补充说明。如: **a** *art.* [不定冠词]；**children**

6

n. [复数]。

⑤ 表示首字母大写。如：**god** *n.* 神；[G-]上帝。

( ) 圆括号。用于：

① 注明不规则的词形变化。如：**go** … (*went* [went], *gone* [gɔn])。

② 对释义加注补充说明。如：**alas** … 哎呀！(表示悲哀、遗憾、不安等)；**devote** … 献(身)；**relief** … (痛苦、负担等的)减轻。

③ 括出可省略的部分。如：**dialog**(**ue**)；宇(宙)航(行)员。

④ 归并近似的两种释义。如：**splash** … 飞溅(声)；**repose** … (使)休息。

⑤ 在某些动词的释义中注明宾语或主语。如：**transmit** *vt.* 转运(货物)；**run** … *vi.* (机器)转动。

⑥ 在某些形容词的释义中规定范围。如：**temperate** *a.*(气候)温和的。

⑦ 注明地名的有关说明。如：**London** … 伦敦(英国首都)。

⑧ 在词缀的使用说明中注出汉译文。如：**re-** *pref.* … *resist* (反抗)。

〈 〉尖括号。用于注明修辞色彩。如：〈口语〉、〈书面语〉。

《 》双尖括号。用于说明用法、场合等。如：《用作表语》、《时间·空间》、《加 the》。

〔 〕六角括号。用于注明学科、属性等。如：〔音乐〕、〔总称〕。

【 】鱼尾号。在汉英部分，用于表示本条目中的复词。如：生 … 【生产】…。

〖 〗空心鱼尾号。在汉英部分，用于表示由单字或复词衍生的常用词语。如：【生产】…〖～责任制〗…。

- 连字号。用于单词移行时分音节；原有连字号相连的复合词需移行时，则用二个连字号，如 warm-blooded 的分音节为：warm--。还用以代替单词的注音中与前一注音的相同部分，如：**partake** [pɑːˈteik] *v.* (*partook* [-ˈtuk], *partaken* [-ˈteikən])。

B. 略　语

a.	adjective	形容词
ad.	adverb	副词
art.	article	冠词
conj.	conjunction	连词
int.	interjection	感叹词
n.	noun	名词
num.	numeral	数词
pref.	prefix	前缀
prep.	preposition	介词
pron.	pronoun	代词
sb.	somebody	某人
sth.	something	某物
suf.	suffix	后缀
v.	verb	动词
v.aux.	auxiliary verb	助动词
vi.	intransitive verb	不及物动词
vt.	transitive verb	及物动词
(弱)		弱发音
[英]		主要用于英国
[美]		主要用于美国
[法]		来源于法语

国际音标读法

元 音

[i:]	bee	[bi:]					
[i]	pin	[pin]		[ə:]	girl	[gə:l]	
[e]	net	[net]		[ə]	ago	[ə'gəu]	
[æ]	map	[mæp]		[ei]	name	[neim]	
[ɑ:]	art	[ɑ:t]		[əu]	know	[nəu]	
[ɔ]	dog	[dɔg]		[ai]	wide	[waid]	
[ɔ:]	law	[lɔ:]		[au]	loud	[laud]	
[u]	put	[put]		[ɔi]	boy	[bɔi]	
[u:]	too	[tu:]		[iə]	here	[hiə]	
[ʌ]	cut	[kʌt]		[ɛə]	care	[kɛə]	
[uə]	poor	[puə]					

辅 音

[p]	pen	[pen]		[s]	six	[siks]	
[b]	bed	[bed]		[z]	zoo	[zu:]	
[t]	tea	[ti:]		[θ]	thin	[θin]	
[d]	desk	[desk]		[ð]	this	[ðis]	
[k]	come	[kʌm]		[ʃ]	shop	[ʃɔp]	
[g]	get	[get]		[ʒ]	measure	['meʒə]	
[m]	mate	[meit]		[h]	hat	[hæt]	
[n]	nine	[nain]		[r]	red	[red]	
[ŋ]	song	[sɔŋ]		[tʃ]	child	[tʃaild]	
[l]	lake	[leik]		[dʒ]	judge	[dʒʌdʒ]	
[f]	fact	[fækt]		[w]	way	[wei]	
[v]	very	['veri]		[j]	yes	[jes]	

A. 英汉部分

（Ⅰ）

单　词

A, a

*a [ei, (弱) ə] *art.* [不定冠词] 一(⇨one)；一个[件,本,…]；每一(⇨every)；任一(⇨any)；同一(⇨same)；《加在人名、头衔之前》有一位，像…的人 ▶以元音音素开头的单词前用 an，如 an hour (每小时).

a- [ə] *pref.* ①表示 on, to, in, into, toward 之意，如 *a*chieve (达到)，*a*shore (在岸上)，*a*sleep (睡着的). ②强调之意，如 *a*rise (发生)，*a*wake (觉醒).

⁽ᴬ⁾aback [ə'bæk] *ad.* 向后，后退地(⇨backwards)

*abacus ['æbəkəs] *n.* 算盘

⁽ᴬ⁾abandon [ə'bændən] *vt.* 抛弃；放弃；遗弃

abate [ə'beit] *v.* 减，减少，减退(⇨decrease)；缓和(痛苦)；降低(价格)；废止(⇨abolish)；消除(障碍)

abbey ['æbi] *n.* 修道院，大寺院，大教堂

abbreviate [ə'bri:vi,eit] *vt.* 简略，省略；缩短，缩写

abbreviation [ə,bri:vi'eiʃən] *n.* 缩写，节略；缩写式，缩写词

ABC [,eibi:'si:] *n.* 初步，入门

abdomen ['æbdəmən, æb'dəu-] *n.* 腹，下腹部(⇨belly)

⁽*⁾Abe [eib] 艾贝 (男名，Abraham ['eibrəhæm] 的昵称)

abhor [ab'hɔ:] *vt.* 憎恶，厌恶(⇨detest) (← love)

abide [ə'baid] *vt.* 忍受，容忍 ▶一般用在否定句中.　　　「capacity)

⁽ᴬ⁾ability [ə'biliti] *n.* 能力，本领(⇨skill)；《常用复数》才能，才华，才干(⇨

*able ['eibl] *a.* 能(…)的，会(…)的；有能力的；能干的 ‖ an ～ man 能者，能人 ▶can 前不能加 may, must, shall, will, have been 等，可用 be able to (do) 替代.

-able [əbl] *suf.* 表示"可能的，易于，适于，具备…性质的"，如 eat*able* (可吃的)，suit*able* (适当的)，agree*able* (使人愉快的)，pay*able* 可支付的，peace*able* (和平的).　　　　　　　　　　　　　　　「的

abnormal [æb'nɔ:məl] *a.* 反常的；不正常的(← normal)；变态的；畸形

▲aboard [ə'bɔ:d] *ad.* 在船[飞机,车]上；上船[飞机,车]上 *prep.* 在…(船，飞机,车)上，搭乘(船,飞机,车)

abode [ə'bəud] *n.* 住所，住处

abolish [ə'bɔliʃ] *vt.* 废除；取消

abolition [,æbə'liʃən] *n.* 废除；消除

abominable [ə'bɔminəbl] *a.* 可憎的，可恶的；讨厌的(⇨horrible)

abound [ə'baund] *vi.* 富有；充满；大量存在

*about [ə'baut] *prep.* 关于；在…的各处；在…周围(⇨around)；在…附近 *ad.* 附近；大约；到处；在周围

*above [ə'bʌv] *prep.* 在…上面；高于；胜过 *ad.* 在上面；上述 *a.* 上面的；上述的 *n.* 上面 ▶注意与 on 的区别.

abreast [ə'brest] *ad.* 齐排；并肩

abridge [ə'bridʒ] *vt.* 删节, 摘要; 缩短 ‖ ~*d* version 节本

abridg(e)ment [ə'bridʒmənt] *n.* 节略; 节本, 摘要

abroad [ə'brɔːd] *ad.* 向国外, 在国外; 向海外, 在海外; 到处; 传开

abrupt [ə'brʌpt] *a.* 突然的(⇨sudden); 出其不意的; 陡峭的(⇨steep); 粗鲁的, 无礼的

abruptly [ə'brʌptli] *ad.* 突然(⇨suddenly); 粗鲁地

^**absence** ['æbsəns] *n.* 不在场, 缺席(← presence); 缺乏

absent ['æbsənt] *a.* 缺席的, 不在(场)的(← present); 缺课的, 旷职的; 心不在焉的, 发呆的 *vt.* [əb'sent]《用 ~ oneself 的形式》缺席, 缺课, 旷职 ▶形容词与动词重音不同.

absent-minded ['æbsnt'maindid] *a.* 心不在焉的, 恍惚的(⇨dreamy); 出神的

^**absolute** ['æbsəluːt] *a.* 绝对的, 无条件的; 完全的(⇨complete); 纯粹的 ‖ ~ zero 绝对零度

absolutely ['æbsəluːtli] *ad.* 绝对地; 完全地(⇨entirely); 〈口语〉当然, 一定(⇨certainly) ▶口语中也有 [,æbsə'luːtli] 的发音.

^**absorb** [əb'sɔːb, -'zɔːb] *vt.* 吸收(水、热、光等);《用于抽象意义》吸取, 接受; 吸引(注意); 使精神贯注

absorption [əb'sɔːpʃən, -'zɔːp-] *n.* 吸收; 全神贯注

abstain [əb'stein] *vi.* 戒; 避免; 弃权

^**abstract** ['æbstrækt] *a.* 抽象的(← concrete); 难理解的; 深奥的 *n.* 摘要 *vt.* [æb'strækt] 提取; 使抽象化; 摘录 ‖ ~ noun 抽象名词 ▶形容词、名词与动词的重音不同.

absurd [əb'səːd] *a.* 荒唐的, 不合理的, 可笑的(⇨foolish)

abundance [ə'bʌndəns] *n.* 丰富; 富裕, 充裕

abundant [ə'bʌndənt] *a.* 丰富的(⇨rich); 充裕的; 大量的(← scarce)

abuse [ə'bjuːz] *vt.* 滥用(职权); 虐待; 辱骂(⇨insult) *n.* [ə'bjuːs] 滥用; 虐待; 辱骂; 陋习 ▶动词与名词的末尾发音不同.

abyss [ə'bis] *n.* 深渊, 无底洞 ▶常作抽象意义使用.

academic [,ækə'demik] *a.* 学院的; 学术的

academy [ə'kædəmi] *n.* (高等)专科学校, 学院; 学会, 研究院

acceleration [æk,selə'reiʃən] *n.* 加速度, 加速作用

accelerate [æk'seləreit] *v.* 加速; 促进

accelerator [ək'seləreitə] *n.* (汽车的)油门; (电子)加速器; 催化剂

accent ['æksənt] *n.* 重音; 口音, 腔调; 音调 *vt.* [æk'sent] 重读; 加重音符号; 强调 ▶名词与动词重音不同.

^**accept** [ək'sept] *vt.* 接受(⇨receive)(← refuse); 承认, 认可; 答应

(*)**acceptable** [ək'septəbl] *a.* 可接受的; 受欢迎的(⇨welcome); 合意的

acceptance [ək'septəns] *n.* 接受; 承认; 验收

access ['ækses] *n.* 接近; 通路; 入口

accessible [æk'sesəbl] *a.* 易接近的; 易得到的; 易受影响的

accessory [æk'sesəri] *n.* 附属品, 附件; 妇女服饰中的小配件(指手套、手提包等); 同谋者, 从犯 *a.* 附属的; 附加的; 同谋的

^**accident** ['æksidənt] *n.* 事故; 意外之事, 偶然的事

accidental [,æksi'dentl] *a.* 意外的, 偶然的(⇨casual)

accidentally [,æksi'dentəli] *ad.* 意外地, 偶然地

accommodate [ə'kɔmədeit] vt. 容纳(⇨contain)；留宿；提供(住宿)；供应(⇨provide)；使适应

accommodation [ə‚kɔmə'deiʃən] n. 住宿，膳宿

accompaniment [ə'kʌmpənimənt] n. 陪伴；伴随物；伴奏，伴唱

accompanist [ə'kʌmpənist] n. 伴奏者   「身行李

accompany [ə'kʌmpəni] vt. 陪同，伴随；伴奏 ‖ accompanied baggage 随

▲**accomplish** [ə'kɔmpliʃ] vt. 完成(任务)；达到(目的)；取得…成就

accomplished [ə'kɔmpliʃt] a. 完成了的，竣工的；有教养的，有修养的；熟练的 ‖ ～ facts 既成事实

accomplishment [ə'kɔmpliʃmənt] n. 完成；成就；《常用复数》才能

accord [ə'kɔːd] vi. 一致   vt. 给予(许可)；一致；调和

accordance [ə'kɔːdəns] n. 符合，一致(⇨agreement)；协调

according [ə'kɔːdiŋ] prep.《与 to 连用，置句首》按照，根据

accordingly [ə'kɔːdiŋli] ad. 因此，于是(⇨therefore)；相应地

accordion [ə'kɔːdiən] n. 手风琴

▲**account** [ə'kaunt] n. 理由(⇨reason)；原因；(关于事件、人物等的)报道，叙述，描写；计算；帐目 vi. 说明(理由)；解释 ‖ ～ book 帐簿

accountant [ə'kauntənt] n. 会计员

accredit [ə'kredit] vt. 授权；委派；信任；认可

accumulate [ə'kjuːmju‚leit] vt. 积累，积蓄 vi. 堆积(⇨heap)；累积

accuracy ['ækjurəsi] n. 准确度，精密度

accurate ['ækjurit] a. 准确的；精密的

accurately ['ækjuritli] ad. 准确地；精确地，精密地

accusation [‚ækjuː'zeiʃən] n. 指责；控告，起诉，罪状，罪名；谴责

accusative [ə'kjuːzətiv] n.〔语法〕宾格 a. 宾格的

accuse [ə'kjuːz] vt.《与 of 连用》控诉；指责，非难；告发 ‖ the ～d 被告

accustom [ə'kʌstəm] vt. 使习惯

accustomed [ə'kʌstəmd] a. 惯常的，习惯的；《与 to 连用》习惯于…的

acetylene [ə'setiliːn] n. 乙炔；电石

ache [eik] vi. 痛   n. (持续的)疼痛，酸痛 ▶注意与 pain 的区别.

achieve [ə'tʃiːv] vt. 完成(功绩等)；达到，实现(⇨accomplish)

▲**achievement** [ə'tʃiːvmənt] n. 完成；成就，功绩

acid ['æsid] n. 酸 a. 酸(味)的 ‖ ～ rain (大气污染产生的)酸雨

acknowledge [ək'nɔlidʒ] vt. 承认(⇨admit)；表示感谢；通知收到

acknowledg(e)ment [ək'nɔlidʒmənt] n. 承认；证实；感谢

acorn ['eikɔːn] n. 橡子，橡实

(▲)**acquaint** [ə'kweint] vt. 使熟悉，使认识，使了解；告知(⇨inform)

acquaintance [ə'kweintəns] n. 相识，熟悉；熟人

acquire [ə'kwaiə] vt. (经努力而)取得，获得；(通过学习而)学得(⇨get)

acquisition [‚ækwi'ziʃən] n. 取得，获得；得到的东西(或人)

acre ['eikə] n. 英亩(约等于4047平方米)

acrid ['ækrid] a. 辛辣的

acrobat ['ækrəbæt] n. 杂技演员

(▲*)**across** [ə'krɔs] prep. 横过，穿过；在…对面 ad. 横过；交叉地

▲**act** [ækt] n. 行动；行为(⇨deed)；动作；(戏剧的)幕；法令，条例 vi. 行

动; 做, 做事; (机械等)起作用 *vt.* 扮演(角色)

acting ['æktiŋ] *n.* 演技, 表演 *a.* 代理的

▲**action** ['ækʃən] *n.* 作用; 动作; 活动; 行为; 行动(⇨movement)

activate ['ækti.veit] *vt.* 使活动; 使活性化; 使带放射性

◆**active** ['æktiv] *a.* 活动的; 积极的; [语法]主动的(← passive) ‖ ～ capital 流动资本 / ～ officer 现役军官 / ～ service 现役 / ～ voice 主动语态

actively ['æktivli] *ad.* 积极地; 活跃地; 活泼地

activist ['æktivist] *n.* 积极分子

(▲)**activity** [æk'tiviti] *n.* 《常用复数》活动; 积极性; 能动性 ‖ social *activities* 社会活动 / subjective ～ 主观能动性 ▶注意与 action 的区别.

actor ['æktə] *n.* 男演员

actress ['æktris] *n.* 女演员

▲**actual** ['æktjuəl, -tʃ-] *a.* 实际的(⇨real); 现实的; 真的

▲**actually** ['æktʃuəli] *ad.* 实际上(⇨really); 居然, 竟

acute [ə'kju:t] *a.* 尖锐的(⇨sharp)(←dull); 敏锐的; 急性的(←chronic); 强烈的(⇨violent); 激烈的 ‖ ～ angle 锐角 ▶"钝角"是 obtuse angle.

A. D. ['ei'di:] (拉丁语 Anno Domini 的缩略) 公元 (= in the year of the Lord) ▶用于年份之前, 如 A. D. 700 (公元 700 年).

ad [æd] *n.* 〈口语〉广告 (= advertisement) ‖ classified ～ 分类广告 / ～ column (报纸的)广告栏

ad- [əd] *pref.* 表示"方向, 变化, 增加"之意, 如 *ad*apt (改编), *ad*vance (前进), *ad*venture (冒险).

Adam ['ædəm] 亚当(男名)

adapt [ə'dæpt] *vt.* 使适应; 改编; 改写

adaptation [.ædəp'teiʃən] *n.* 改编, 改编本; 改装; 适应

add [æd] *v.* 加; 增加; 补充说(或写) ‖ ～*ing* machine 加法机, 计算器

addition [ə'diʃən] *n.* 附加; 加法; [美] 增建(部分)

additonal [ə'diʃənəl] *a.* 附加的; 另外的, 额外的

adequate ['ædikwit] *a.* 足够的; 适当的

▲**address** [ə'dres, 美: 'ædres] *n.* 地址, 住址, 通讯处; 致词 *vt.* (在信封上)写地址; 向…讲话, 向…致词 ‖ ～ book 通讯录

adhere [əd'hiə] *vi.* 粘着; 坚持

adieu [ə'dju:] *int.* 再会(⇨good-bye) *n.* 告别(⇨farewell)

adjacent [ə'dʒeisənt] *a.* 接近的; 邻近的(⇨ near); 紧接着的(⇨close)

(*)**adjective** ['ædʒiktiv] *n.* 形容词 (略作: *a.* 或 *adj.*) ‖ ～ clause 形容词从句 / ～ phrase 形容词短语

adjoin [ə'dʒɔin] *v.* 接, 邻接; 毗连

adjust [ə'dʒʌst] *vt.* 调节; 调整; 校准; 使适应(⇨adapt)

adjustable [ə'dʒʌstəbl] *a.* 可调整的

adjustment [ə'dʒʌstmənt] *n.* 调整; 调节; 调整器

administer [əd'ministə] *vt.* 经营, 管理(⇨manage); 执行(⇨execute)

administration [əd.mini'streiʃən] *n.* 经营, 管理; 行政机关; 政府 ([英] government) ‖ civil ～ 民政

admirable ['ædmərəbl] *a.* 令人钦佩的(⇨estimable); 值得赞美的; 极好的, 极妙的(⇨excellent)

admiral ['ædmərəl] *n.* 海军上将; 舰队司令; [英]商船队长 ‖ rear ～ 海军少将 / vice ～ 海军中将

(A)**admiration** [,ædmə'reiʃən] *n.* 赞赏, 钦佩; 美慕

▲**admire** [əd'maiə] *vt.* 欣赏; 赞美; 钦佩; 美慕

admission [əd'miʃən] *n.* 接纳, 允许进入(入学、入会、入场等); 入场费

(A)**admit** [əd'mit] *vt.* 让…进入; 准许(入学、入场) (⇨allow); 接纳; 容纳; 承认(⇨acknowledge) *vi.* 容许 ▶不能用双宾语结构.

***adolescent** [,ædə'lesənt] *a.* 青春期的(⇨young); 不成熟的(⇨immature) *n.* 年轻人, 青少年(⇨youth)

(*)**adopt** [ə'dɔpt] *vt.* 采用, 采纳, 通过; 收养

adoption [ə'dɔpʃən] *n.* 采用, 采纳; 收养

adore [ə'dɔ:] *vt.* 崇拜(⇨worship); 敬慕; 〈口语〉极喜爱

adorn [ə'dɔ:n] *vt.* 装饰(⇨decorate); 修饰

(A)**Adrian** ['eidriən] 艾德里安(姓或男名)

(A)**adult** ['ædʌlt, ə'dʌlt] *a.* 成熟的(⇨mature); 成人的 *n.* 成人(⇨grown--up) ‖ ～ education 成人教育

▲**advance** [əd'vɑ:ns, 美: -væns] *vi.* 进展, 前进; (地位、价格)升高 *vt.* 促进, 推进; 使升级(⇨promote) *n.* 进步, 进展; 前进; 涨价; 预付; 借支 ‖ ～ ticket 预售票

▲**advanced** [əd'vɑ:nst, 美: -vænst] *a.* 程度高的, 高级的; 前进的, 先进的 ‖ ～ worker 先进工作者

advantage [əd'vɑ:ntidʒ] *n.* 利益(⇨gain); 优点, 长处

advantageous [,ædvən'teidʒəs] *a.* 有利的; 有帮助的

(A)**adventure** [əd'ventʃə] *n.* 冒险, 冒险活动; 奇遇; 〈用复数〉冒险记

adventurer [əd'ventʃərə] *n.* 冒险家; 投机者

adventurous [əd'ventʃərəs] *a.* 大胆的; 富于冒险精神的; 充满危险的

▲**adverb** ['ædvə:b] *n.* 〔语法〕副词 ‖ interrogative ～ 疑问副词 / relative ～ 关系副词

(*)**adverbial** [əd'və:biəl] *a.* 副词的, 状语的 *n.* 状语 ‖ ～ clause 状语从句

adversary ['ædvəsəri] *n.* 仇敌(⇨enemy); 对手(⇨opponent)

adversity [əd'və:siti] *n.* 不幸(⇨misfortune); 逆境

advertise ['ædvətaiz] *v.* 登广告; 通知

advertisement [əd'və:tismənt, 美: ,ædvə'taiz-] *n.* 广告; 宣传

***advice** [əd'vais] *n.* 劝告(⇨counsel); 忠告; 建议; 意见(⇨opinion) ▶拼写发音不要与动词 advise 相混.

advisable [əd'vaizəbl] *a.* 合适的, 得当的

(A)**advise** [əd'vaiz] *vt.* 劝告, 忠告; 向…建议(⇨suggest) ▶拼写发音不要与名词 advice 相混.

adviser, advisor [əd'vaizə] *n.* 顾问; 劝告者 ‖ legal ～ 法律顾问

advisory [əd'vaizəri] *a.* 劝告的; 顾问的, 咨询的 ‖ ～ service 咨询服务

advocate ['ædvəkeit] *vt.* 主张, 提倡; 鼓吹 *n.* [-kit] 辩护者; 拥护者; 倡导者 ▶动词与名词末音节发音不同.

Aegean [i:'dʒi:ən] *a.* 爱琴海的; 〈加 the〉爱琴海

aerial ['ɛəriəl] *a.* 空气的; 空中的, 航空的 *n.* 天线 ‖ ～ ladder (消防)云梯 / ～ railway 高架铁道

aeroplane ['ɛərəplein] n. 飞机([美] airplane)

afar [ə'fɑː] ad. 在远处,从远处;到远方

▲**affair** [ə'fɛə] n. 事情,事件;《用复数》事务,业务 ‖ current ～s 时事 / foreign ～s 外交(事务) / The Ministry of Foreign Affairs 外交部

affect[1] [ə'fekt] vt. 假装;爱好

⚠**affect**[2] [ə'fekt] vt. 影响;感动(⇨move);(疾病)侵袭

affection [ə'fekʃən] n. 爱,爱情;柔情

affectionate [ə'fekʃənit] a. 满怀深情的,热情的

⚠**affectionately** [ə'fekʃənitli] ad. 充满深情地;慈爱地

affirm [ə'fəːm] vt. 肯定;断言

affrmative [ə'fəːmətiv] n. 肯定 a. 肯定的(← negative)

afflict [ə'flikt] vt. 使苦恼,折磨

▲**afford** [ə'fɔːd] vt.《与 can 或 be able to 连用》力足以…,买得起…,担负 得起(费用),抽得出(时间);产生;提供 ┃very.

***afraid** [ə'freid] a.《用作表语》怕的,害怕的,担心的 ▶口语中常加副词

***Africa** ['æfrikə] n. 非洲

***African** ['æfrikən] a. 非洲的;非洲人的 n. 非洲人

***after** ['ɑːftə, 美: 'æf-] prep.《时间·顺序·位置》在…之后;仿照;追随;追求 conj. 在…之后(← before) ad. 在后,随后

***afternoon** [ˌɑːftə'nuːn, 美: 'æf-] n. 下午,午后 ‖ ～ tea 午后茶点

afterward(s) ['ɑːftəwəd(z), 美: 'æf-] ad. 后来, 以后(⇨later)

***again** [ə'gen, ə'gein] ad. 又,再,再次;重新

***against** [ə'genst, ə'geinst] prep. 反对;对着,逆…;违反;靠在;以…为背景

***age** [eidʒ] n. 年龄;时代;〈口语〉《用复数或加 an》长时间

-age [-idʒ] suf. 表示"行为, 状态, 费用, 集合"之意, 如 baggage (行李), passage (通道), postage (邮费), marriage (结婚), village (村庄), courage (勇气).

⚠**aged** ['eidʒid] a. 年老的; ['eidʒd] …岁的 ▶注意两种不同的发音.

agency ['eidʒənsi] n. 动作,作用;经售,代理,代办处 ‖ travel ～ 旅行社

agent ['eidʒənt] n. 代理人;经销商;旅行社;特工人员

aggravate ['ægrəveit] v. 鼓动,煽动;使焦虑,使不安

aggression [ə'greʃən] n. 侵略

aggressive [ə'gresiv] a. 侵略性的;爱寻衅的;活跃的;有进取心的

aggressor [ə'gresə] n. 侵略者

agitate ['ædʒiˌteit] vt. 搅动,使激动;鼓励 vi. 鼓动

agitation [ˌædʒi'teiʃən] n. 搅动;激动;鼓动 ┃的区别.

***ago** [ə'gəu] ad.(距今)…前,以前 ▶常用于一般过去时态.注意与 before

agony ['ægəni] n. 极度的痛苦,苦恼

***agree** [ə'griː] vi. 同意,赞成,(意见)一致(⇨assent)(← disagree) ▶与 to, with, on, in, about 搭配时含义不同.

agreeable [ə'griːəbl] a. 令人愉快的(⇨pleasant);适意的;随和的;一致 的;可以同意的

agreement [ə'griːmənt] n. 一致;同意(⇨consent);协议

agricultural [ˌægri'kʌltʃərəl] a. 农业的

⚠**agriculture** ['ægriˌkʌltʃə] n. 农业(⇨farming);农艺

•**ah** [ɑː] *int.* 啊!(表示喜悦、惊讶、叹息、轻蔑、痛苦等)

•**aha** [ɑːˈhɑː] *int.* 啊哈!哎呀!(表示得意、嘲弄、惊奇、喜悦等)

ahead [əˈhed] *ad.* 向前;在前面,在前头;提前

▲**aid** [eid] *vt., n.* 帮助,辅助,援助(⇨help)   「书面语。

ailment [ˈeilmənt] *n.* (轻微的)病痛,疾病(⇨sickness, illness) ▶多用于

▲**aim** [eim] *vt.* 把…瞄准,对准 *vi.* 瞄准;志在 *n.* 目的,目标;志向

aimless [ˈeimlis] *a.* 漫无目标的;无目的的

•**air** [ɛə] *n.* 空气;大气;《加 the》空中 ‖ ～ command 空军司令部 / ～
    conditioner 空(气)调(节)装置 / ～ force 空军 / ～ letter 航空信 / ～
    pollution 大气污染 / ～ pressure 气压

▲**aircraft** [ˈɛəkrɑːft, 美 -kræft] *n.*(复数: *aircraft*)飞行器;飞机;飞艇 ‖ ～
    carrier 航空母舰

airfield [ˈɛəfiːld] *n.* 飞机场 ▶特指小型飞机起降的机场.

▲**air-filled** [ˈɛəfild] *a.* 充满空气的

▲**airless** [ˈɛəlis] *a.* 缺少空气的;不通风的

airline [ˈɛəlain] *n.* (定期)航线;《用复数》航空公司 ‖ ～ ticket 飞机票

airliner [ˈɛə,lainə] *n.* (大型)定期客机,班机

airmail [ˈɛəmeil] *n.* 航空信

airman [ˈɛəmən] *n.*(复数: *-men* [ˈmən]) 飞行员,航空员;飞机师

airplane [ˈɛəplein] *n.* 飞机([英] aeroplane)

▲**airport** [ˈɛəpɔːt] *n.* 飞机场;航空站

airship [ˈɛə,ʃip] *n.* 飞船,飞艇

airway [ˈɛəwei] *n.* 航线;《用复数》航空公司

aisle [ail] *n.* (剧场、列车)走道 ▶ s 不发音;与 isle (小岛)同音.

ajar [əˈdʒɑː] *ad., a.* (门窗等)微开着(的),半开着(的)

▲**Al** [æl] 阿尔(男名, Albert 的昵称)

-al [əl] *suf.* ①表示"…的, …似的, …的性质的", 如 comical (滑稽的),
    national (国家的), personal (个人的). ②由动词构成名词, 如 arrival
    (到达), denial (否定).

▲**alarm** [əˈlɑːm] *n.* 警报;警报器;惊慌 *vt.* 使不安;警告 ‖ ～ bell 警钟,警
    铃 / ～ clock 闹钟

▲**alas** [əˈlæs] *int.* 哎呀!(表示悲痛、遗憾、不安等)

▲**Alaska** [əˈlæskə] *n.* 阿拉斯加州 (美国)

▲**Albert** [ˈælbət] 阿尔伯特(人名)

album [ˈælbəm] *n.* 照相簿;集邮簿;签名纪念册;唱片套

alcohol [ˈælkəhɔl] *n.* 酒精;酒

alcoholic [,ælkəˈhɔlik] *a.* 酒精的;含酒精的;酒精中毒的 *n.* 酗酒者;饮
    酒过度的人

ale [eil] *n.* 淡啤酒

alert [əˈləːt] *a.* 警惕的(⇨watchful);机敏的(⇨nimble);活跃的 *n.* 警戒
    (状态);警报(⇨alarm)

▲**Alexander** [,æligˈzɑːndə] 亚历山大 (人名)

▲**Alfred** [ˈæfrid] 阿尔弗雷德(男名)

algebra [ˈældʒibrə] *n.* 代数

Alice [ˈælis] 艾丽斯(女名)

alien ['eiliən] *a.* 异国的, 外国的(⇨foreign); 相异的; 异己的 *n.* 外侨, 侨民; 外国人(⇨foreigner)

alienate ['eiliəneit] *vt.* 使疏远, 使脱离; 没收; 让渡(财产的)所有权

alignment [ə'lainmənt] *n.* 排成直线; 结盟 ▶ 又拼写为 alinement.

alike [ə'laik] *a.* 《用作表语》相似的, 相同的(⇨same) *ad.* 同样地, 相等 ▶定语用 similar.

(•)**alive** [ə'laiv] *a.* 《用作表语》活的(← dead); 活着的, 在世的; 活泼的; 有生气的 ▶定语用 living.

alkali ['ælkə,lai] *n.* 碱

•**all** [ɔ:l] *a.* 一切的, 所有的; 整个的, 全部的(⇨whole); 完全的(⇨complete); 完全; 全部; 都 *pron.* 全体, 全部; 一切; 所有的人 ▶注意 all 作单数或复数使用的场合.

allege [ə'ledʒ] *vt.* (尤指在拿不出证据的情况下)断言; 声称

allergic [ə'lə:dʒik] *a.* 过敏性的, 变应性的

alley ['æli] *n.* 弄, 巷, 胡同; (花园中的)小径

alliance [ə'laiəns] *n.* 同盟, 联盟 「盟军

allied [ə'laid, 'ælaid] *a.* 联盟的, 联合的; [A-] 盟军的 ‖ the *Allied* Forces

allot [ə'lɔt] *vt.* 配给, 分配

(▲)**allow** [ə'lau] *vt.* 允许(← forbid); 让(⇨let); 承认(⇨admit) ▶ "允许, 让"后可接宾语+不定式; "承认"后可接 that 从句.

allowance [ə'lauəns] *n.* (定期的)津贴, 补助; 零用钱; 折扣(⇨discount); 认可(⇨admission)

alloy ['ælɔi] *n.* 合金

allure [ə'ljuə] *vt.* 勾引; 诱惑(⇨tempt); 吸引(⇨fascinate)

allusion [ə'lu:ʒən] *n.* (间接)提到; 暗示; 引喻(⇨reference)

▲**ally** [ə'lai] *v.* 结盟, (使)结合 *n.* ['ælai] 同盟者, (同)盟国; 盟邦 ▶动词与名词重音不同.

almanac ['ɔ:lmə,næk] *n.* 年历; 历书; 年鉴(⇨yearbook)

almighty [ɔ:l'maiti] *a.* 全能的, 万能的; [美]非常的 ‖ the *Almighty* 上帝

almond ['ɑ:mənd] *n.* 杏核, 杏仁; 扁桃

•**almost** ['ɔ:lməust] *ad.* 几乎, 差不多; 差一点就…

alms [ɑ:mz] *n.* [复数]《单复数两用》施舍物, 救济金, 救济品

aloft [ə'lɔft] *ad.* 在空中; 在高处 *a.* 在空中的; 在高处的

•**alone** [ə'ləun] *a.* 《用作表语》单独的(⇨single) *ad.* 只有; 单独地, 独自 ▶注意与 lonely (孤独的)的区别.

•**along** [ə'lɔŋ] *prep.* 沿着 *ad.* 一道, 一起; 向前

alongside [ə,lɔŋ'said] *ad., prep.* 在(…)旁; 横靠; (和…)并排

aloof [ə'lu:f] *a.* 《用作表语》离开的, 避开的 *ad.* 离开, 避开

•**aloud** [ə'laud] *ad.* 出声地; 大声地(⇨loudly) ‖ read ∼ 朗读 「字母

▲**alphabet** ['ælfəbit] *n.* 字母, 字母表; 初步 ‖ manual ∼ (聋哑者用的)手语

(▲)**alphabetical** [,ælfə'betikəl] *a.* 按字母顺序的

Alps [ælps] *n.* 阿尔卑斯山脉

•**already** [ɔ:l'redi] *ad.* 已, 已经; 早已 ▶否定句用 yet. 不要与 all ready (全准备好了)相混.

▲**Alsace** ['ælsæs] *n.* 阿尔萨斯 (法国东北部一地区)

*also ['ɔ:lsəu] *ad.* 也 *conj.* 还，而且 ▶否定句用 either.

altar ['ɔ:ltə] *n.* 祭坛，(基督教教堂内的)圣坛

alter ['ɔ:ltə] *v.* 改变，变更

alteration [,ɔ:ltə'reiʃn] *n.* 改动，变更；改造

alternate ['ɔ:l'tə:nit] *a.* 交替的；间隔的；轮流的 *v.* ['ɔ:ltə:neit] (使) 交替；(使)轮换 ‖ *alternating* current 交流电 ▶形容词与动词重音不同.

alternative [ɔ:l'tə:nətiv] *a.* 二者选一的；选择性的 *n.* 二者择一；抉择

▲although [ɔ:l'ðeu] *conj.* 尽管，虽然，即使(⇨though) ▶常用于句首.

altitude ['æltitju:d] *n.* 高，高度(⇨height)；海拔 ‖ ～ sickness 高山病

alto ['æltəu] *n.* 男声最高音；女低音；中音部 *a.* 中音部的

▲altogether [,ɔ:ltə'geðə] *ad.* 完全地(⇨completely)；全部(⇨in all)；总共，总而言之

alum ['æləm] *n.* 明矾

alumin(i)um [,ælju'miniəm, 美: ə'lu:mənəm] *n.* 铝

*always ['ɔ:lwiz, -wəz, -weiz] *ad.* 一直，经常；总是；永远(⇨forever) ▶此词在句中放在动词前后的位置与 often 同.

*am [æm; (弱) əm, m] be 的第一人称单数现在式

▲A. M., a.m. [,ei'em] (拉丁语 ante meridiem 的缩略)上午，午前(← P. M., p. m.)；由午夜至中午 ▶一般以小写用于数字之后，如 9 a. m. (上午九时)，12:05 a. m. (凌晨零点零五分).

amateur ['æmətə, 美: -tʃuə] *n.* 业余爱好者；外行

amaze [ə'meiz] *vt.* 使惊愕，使大为吃惊

amazement [ə'meizmənt] *n.* 惊奇，诧异

*amazing [ə'meiziŋ] *a.* 令人惊异的，了不起的

ambassador [æm'bæsədə] *n.* 大使

▲amber ['æmbə] *n.* 琥珀，琥珀色，黄褐色

ambient ['æmbiənt] *a.* 包围的；周围的

ambiguous [æm'bigjuəs] *a.* 含糊的，模棱两可的

ambition [æm'biʃən] *n.* 雄心；野心；抱负，志向

ambitious [æm'biʃəs] *a.* 志向大的，有雄心的

ambulance ['æmbjuləns] *n.* 救护车[船，飞机]；野战医院

ambush ['æmbuʃ] *n.* 埋伏 *vt.* 伏击；隐蔽

amen ['ɑ:'men, 'ei'men] *int.* 阿门！(希伯来语，意为"请听我愿"，基督教徒祈祷结束时用语)

amendment [ə'mendmənt] *n.* 改正，修正；修正条款，修改处

*America [ə'merikə] *n.* 美洲；美国

*American [ə'merikən] *a.* 美洲的；美国的 *n.* 美洲人；美国人；美国英语 ‖ ～ English 美国式英语 / ～ football 橄榄球

amiable ['eimiəbl] *a.* 亲切的；和蔼的；温柔的；友好的(⇨friendly)

amid, amidst [ə'mid; ə'midst] *prep.* 在…当中

amiss [ə'mis] *ad.* 错误地；不适当地

(▲)ammonia [ə'məuniə] *n.* 氨

ammunition [,æmju'niʃən] *n.* 弹药，军火

*among [ə'mʌŋ] *prep.* 在…当中，在…之间 ▶among 一般用于"三个以上之间"，between 用于"二者之间".

amongst [ə'mʌŋst] *prep.* = among

amount [ə'maunt] *vi.* 总计；等于   *n.* 数量；总数，总额，合计(⇨total)

ampere ['æmpɛə] *n.* 安培(电流强度单位)

ample ['æmpl] *a.* 充分的，足够的，富裕的(← scanty)；宽敞的

amplifier ['æmplifaiə] *n.* 扩音器，放大器

amplify ['æmplifai] *vt.* 放大，扩大；详述

amplitude ['æmpli.tju:d] *n.* 广阔，宽大；振幅；偏角；射程

ᴬ**amuse** [ə'mju:z] *vt.* 使高兴，使欢喜；给…以娱乐，逗…乐;《用 ～ oneself 的形式》消遣，自娱   「娱乐场

ᴬ**amusement** [ə'mju:zmənt] *n.* 娱乐，消遣;《用复数》文娱活动 ‖ ～ park

amusing [ə'mju:ziŋ] *a.* 有趣的(⇨delightful)；令人发笑的(⇨funny)

****an** [æn，(弱) ən] *art.* [不定冠词] 一；一个[件，本，…](参见：a) ▶用于以元音音素开头的单词前。

-an [ən] *suf.* 表示"…的；…地方的人，…人"之意，如 Australi*an* 澳大利亚的；澳大利亚人)，Europe*an* (欧洲的；欧洲人)，republic*an* (共和国的)，orph*an* (孤儿).

analog(ue) ['ænəlɔg] *n.* 类似物，相似物 ‖ ～ computer 模拟计算机

analogy [ə'nælədʒi] *n.* 类似，相似；类推

ᴬ**analyse** ['ænəlaiz] *vt.* 分析；分解 ▶又拼写为 analyze [美].

analysis [ə'næləsis] *n.* (复数：*analyses* [-si:z]) 分析；解析

analytic(al) [.ænə'litik(əl)] *a.* 分析的；解析的‖ ～ chemistry 分析化学/ ～ geometry 解析几何

analyze [美] = analyse

anatomy [ə'nætəmi] *n.* 解剖学

-ance [-əns] *suf.* 表示"性质，状态"之意，如 import*ance* (重要性)，resist-*ance* (抵抗)，assist*ance* (援助)。▶也用 -ancy.

ancestor ['ænsistə] *n.* 祖先，祖宗

anchor ['æŋkə] *n.* 锚 *v.* 抛锚，停泊

ᴬ**ancient** ['einʃənt] *a.* 古代的；古老的(⇨old)

****and** [ænd；(弱) ənd，ən，nd，n] *conj.* 和，同；而；又；兼 ▶此词在不同场合有多种含义，如"然后"、"后来"、"就"、"于是"等。

anecdote ['ænikdəut] *n.* 轶事，奇闻

anew [ə'nju:] *ad.* 重新，再(⇨again)

angel ['eindʒəl] *n.* 天使，安琪儿；天使般的人

ᴬ**anger** ['æŋgə] *n.* 怒，愤怒；发怒，生气   *vt.* 激怒，使生气

angle ['æŋgl] *n.* 角；角度，观点 ▶不要与 angel (天使)相混。

****angrily** ['æŋgrili] *ad.* 生气地，发怒地，愤怒地

****angry** ['æŋgri] *a.* 《常与 at, with, about 连用》发怒的，生气的，愤怒的

****animal** ['æniməl] *n.* 动物，牲畜，兽(⇨beast) *a.* 动物的

animate ['ænimit] *a.* 有生命的；有生气的 *vt.* [-meit] 使有生命；使有生气；激励 ▶注意末音节发音。

ᴬ**ankle** ['æŋkl] *n.* 踝，脚脖子 ▶发音不要与 uncle ['ʌŋkl] 相混。

annals ['ænəlz] *n.* 编年史；历史记载；年刊

annex [美] = annexe

annexe ['æneks] *n.* 附加建筑，增建；附件；(旅馆)分部

anniversary [ˌæniˈvəːsəri] *n.* 周年纪念日

▲**annouce** [əˈnauns] *vt.* 宣布, 宣告; 通告; 预告; 发表

announcement [əˈnaunsmənt] *n.* 通告, 布告, 告示; 声明

announcer [əˈnaunsə] *n.* 播音员; 报幕员

annoy [əˈnɔi] *vt.* 使烦恼; 打扰(⇨bother); 妨害; 扰乱(⇨disturb)

annoyance [əˈnɔiəns] *n.* 烦恼; 烦恼事

annoying [əˈnɔiiŋ] *a.* 烦人的, 讨厌的

annual [ˈænjuəl] *a.* 每年的; 年度的

annually [ˈænjuəli] *ad.* 每年; 每年一次

anode [ˈænəud] *n.* 阳极

anonymous [əˈnɔniməs] *a.* 不具名的, 匿名的

▲**another** [əˈnʌðə] *a.* 再一, 又一, 另一; 别的; 不同的(⇨different) *pron.* 再一个, 又一个; 另一个; 别人, 别的东西

▲**answer** [ˈɑːnsə, 美: ˈænsə] *v.* 回答, 答复(⇨reply) *n.* 回答; 答案, 解答

▲**ant** [ænt] *n.* 蚂蚁 ‖ ～ cow 蚜虫

-ant [ənt] *suf.* 表示 "…的, 具有…性质的; …的人" 之意, 如 dist**ant** (远的), brilli**ant** (光辉的), serv**ant** (仆人), assist**ant** (助手).

antagonist [ænˈtægənist] *n.* 敌手, 对手; 对抗者; 竞争者

antarctic [ænˈtɑːktik] *a.* 南极的; 南极地区的 *n.* 《加 the》 [A-] 南极地区

▲**Antarctica** [ænˈtɑːktikə] *n.* 南极洲

antecedent [ˌæntiˈsiːdənt] *a.* 先行的; 先时的; 先前的(⇨previous) *n.* 〔语法〕先行词; 《用复数》履历

antenna [ˌænˈtenə] *n.* 天线 ▶英国一般用 aerial.

anti- [ˈænti] *pref.* 表示 "反对, 排斥" 之意, 如 **anti**social (反社会的), **anti**septic (防腐剂).

antibiotic [ˌæntibaiˈɔtik] *n.* 抗生素, 抗菌素

anticipate [ænˈtisipeit] *vt.* 预期; 预先考虑到; 抢先, 占先; 过早做(某事) ▶注意与 expect 的区别.

antique [ænˈtiːk] *a.* 古代的; 古风的 *n.* 古物, 古玩, 古董

antiquity [ænˈtikwiti] *n.* 古, 旧; 古代(尤指中世纪前)

▲**antler** [ˈæntlə] *n.* 鹿角, 鹿角的一枝

antonym [ˈæntənim] *n.* 反义词(← synonym)

anxiety [æŋˈzaiəti] *n.* 忧虑, 担心; 渴望

▲**anxious** [ˈæŋkʃəs] *a.* 《常与 about, for 连用》担心的 (⇨concerned); 忧虑的, 渴望的 (⇨eager)

anxiously [ˈæŋkʃəsli] *ad.* 担心地; 急切地

▲**any** [ˈeni] *a.* 《疑问句》多少, 一些(⇨some); 《肯定句》任何的, 不管, 谁都; 《否定句》什么也, 一点也 *pron.* 一个, 一些; (无论)哪个, (无论)哪一些 *ad.* 少许(⇨somewhat) ▶any 指两个以上任一个, 不要与 either 相混.

▲**anybody** [ˈeniˌbɔdi] *pron.* 任何人, 无论谁(⇨everyone); 谁(都)

anyhow [ˈenihau] *ad.* 不管怎样; 总之; 《否定句》无论如何也; 《肯定句》以任何方法

▲**anyone** [ˈeniˌwʌn] *pron.* 谁; 任何人(⇨anybody); 无论谁 ▶口语用 anybody. anyone 只用于指人, any one 可指人或物.

▲**anything** [ˈeniθiŋ] *pron.* 任何事(物); 什么事(物)

*anytime ['eni,taim] *ad.* 在任何时候

anyway ['eniwei] *ad.* 不管怎样,无论如何 (= anyhow)

anywhere ['eniwɛə] *ad.* 无论何处,任何地方;哪里都

apart [ə'pɑːt] *ad.* 分离,相隔,分开

apartment [ə'pɑːtmənt] *n.* 公寓房间 ([美] flat)

ape [eip] *n.* 猿;模仿者

apologise = apologize

*apologize [ə'pɔlədʒaiz] *vi.*《与 to 连用》道歉,谢罪

*apology [ə'pɔlədʒi] *n.* 道歉;辩解;认错

apostrophe [ə'pɔstrəfi] *n.* 省字符,撇号['] ▶表示省略,如 don't; 表示所有格,如 John's pen.

appalling [ə'pɔːliŋ] *a.* 令人震惊的;可怕的;蹩脚的

apparatus [,æpə'reitəs] *n.* 仪器;设备;(一套) 器械

apparel [ə'pærəl] *n.* 服装,衣服 (⇨clothes, dress, garment) *vt.* 给…穿衣;给…盛装打扮

apparent [ə'pærənt] *a.* 明显的,显而易见的 (⇨obvious);表面的,外观的;看得见的 (⇨visible)

apparently [ə'pærəntli] *ad.* 明显地,显然;外表上

appeal [ə'piːl] *vi., n.* 请求;恳求;呼吁;上诉,吸引(力)

appear [ə'piə] *vi.* 出现,呈现,显露;出版;出场;来到;显得;似乎 (⇨seem);看来像;好像(是)

appearance [ə'piərəns] *n.* 出现,呈现;出场;露面;外貌,外表

appease [ə'piːz] *vt.* 使平息 (⇨pacify);满足 (⇨satisfy)

appendicitis [ə,pendi'saitis] *n.* 阑尾炎

appendix [ə'pendiks] *n.* 附录;补遗;阑尾

appetite ['æpitait] *n.* 胃口,食欲;(一般的) 欲望

applaud [ə'plɔːd] *v.* 鼓掌,喝采;称赞

applause [ə'plɔːz] *n.* 欢呼;鼓掌欢迎;喝采;称赞

*apple ['æpl] *n.* 苹果;苹果树

appliance [ə'plaiəns] *n.* 器具;设备

applicable ['æplikəbl] *a.* 合适的;合用的

applicant ['æplikənt] *n.* 申请人

application [,æpli'keiʃən] *n.* 应用;申请;专心;努力 ‖ ~ form 申请表

apply [ə'plai] *v.* 运用,应用;申请 (⇨ask);专心致志于

appoint [ə'pɔint] *vt.* 任命,委任;指定(时间、地点);约会

appointment [ə'pɔintmənt] *n.* 任命;约定(见面),约会

apposition [,æpə'ziʃən] *n.* 并列;〔语法〕同位,同格

appositive [ə'pɔzitiv] *a.* 同位的 *n.* 并列;〔语法〕同位语,同位词

appreciable [ə'priːʃəbl] *a.* 看得出的;值得注意的

*appreciate [ə'priːʃieit] *vt.* 欣赏,鉴赏;感激;赞赏

appreciation [ə,priːʃi'eiʃən] *n.* 评价;欣赏;珍惜;感激;赞赏

appreciative [ə'priːʃiətiv] *a.* 有欣赏力的,欣赏的;感激的

apprehend [,æpri'hend] *vt.* 了解 (⇨understand);领会;忧虑,惧怕

apprentice [ə'prentis] *n.* 学徒,徒弟;初学者

approach [ə'prəutʃ] *v.* 接近,走近,逼近;处理(问题);交涉 *n.* 途径,路

子,方法 ▶此词作及物或不及物动词时均不用介词.

(A)**appropriate** [ə'prəupriit] *a.* 适当的,相当的

approval [ə'pru:vəl] *n.* 许可;赞许(⇨praise);同意;批准

approve [ə'pru:v] *v.* 批准;审定;赞成

approximate [ə'prɔksimit] *a.* 近似的;约略的

approximately [ə'prɔksimitli] *ad.* 大约,几乎,将近

apricot ['eipri,kɔt] *n.* 杏;杏树;杏黄色

•**April** ['eiprəl] *n.* 四月(略作: Apr.) ‖ ～ Fools' Day 愚人节(西方习俗)

apron ['eiprən] *n.* 围裙

apt [æpt] *a.* 适当的,《用 be ～ to 的形式》易于…的(常指不好的事)

aptitude ['æptitju:d] *n.* 自然倾向;(学习某方面知识或技能的)才能,资质

•**Arab** ['ærəb] *a.* 阿拉伯的 *n.* 阿拉伯人

Arabia [ə'reibiə] *n.* 阿拉伯半岛

(•)**Arabian** [ə'reibiən] *a.* 阿拉伯的;阿拉伯人的 *n.* 阿拉伯人

Arabic ['ærəbik] *a.* 阿拉伯的;阿拉伯人的;阿拉伯语言(或文学、文化等) *n.* 阿拉伯语 ‖ ～ numeral 阿拉伯数字

arbitrary ['ɑ:bitrəri] *a.* 任性的;专断的

arbo(u)r ['ɑ:bə] *n.* 凉亭;树荫;棚架

arc [ɑ:k] *n.* 弧;弧形,弓形

•**arch** [ɑ:tʃ] *n.* 拱门;桥洞;拱形结构

arch- [ɑ:tʃ] *pref.* 表示"主要的,首位的",如 *arch*enemy(头号敌人), *arch*bishop(大主教).

archaeologist [,ɑ:ki'ɔlədʒist] *n.* 考古学家

archbishop [,ɑ:tʃ'biʃəp] *n.* 大主教

archer ['ɑ:tʃə] *n.* 弓箭手;射箭运动员

▲**architect** ['ɑ:kitekt] *n.* 建筑师

▲**architecture** ['ɑ:kitektʃə] *n.* 建筑;建筑学

▲**arctic** ['ɑ:ktik] *a.* 北极的,北极地区的 *n.*《加 the》[A-] 北极地区 ‖ the *Arctic* Ocean 北冰洋
                                  「烈酒

(A)**ardent** ['ɑ:dənt] *a.* 热情的(⇨ enthusiastic);热心的;热烈的 ‖ ～ spirits

ardo(u)r ['ɑ:də] *n.* 热情,热心,热诚

arduous ['ɑ:djuəs] *a.* 艰苦的;艰巨的,费劲的

•**are** [ɑ:, (弱)ə] be 的第二人称单数以及各人称复数的现在式

▲**area** ['εəriə] *n.* 地面;面积;地区;领域

arena [ə'ri:nə] *n.* (古罗马圆形剧场中央的)竞技场地;竞技场;竞争场所

▲**aren't** [ɑ:nt] are not 的缩合式

▲**argue** ['ɑ:gju:] *v.* 争论;讨论;辩论(⇨ discuss);主张

▲**argument** ['ɑ:gjumənt] *n.* 论据,论点;议论;争论;辩论

•**arise** [ə'raiz] *vi.* (*arose* [ə'rəus], *arisen* [ə'rizn]) 出现;(问题等)发生; (风、雾等)起,升起;起来

aristocracy [,æris'tɔkrəsi] *n.* 〔总称〕贵族;贵族统治

aristocrat ['æristəkræt] *n.* 贵族;贵族似的人

aristocratic [,æristə'krætik] *a.* 贵族的,贵族般的
                                   「家)

▲**Aristotle** ['æristɔtl] 亚里斯多德(384-322 B. C.,古希腊哲学家和科学

▲**arithmetic** [ə'riθmətik] *n.* 算术 ▶"数学"是 mathematics.

▲**Arizona** [ˌæriˈzəunə] *n.* 亚利桑那州 (美国)

•**arm**¹ [ɑ:m] *n.* 臂,手臂;胳膊

arm² [ɑ:m] *n.* 《常用复数》武器(⇨weapons) *vt.* 使武装;装备,配备 ‖ ～s race 军备竞赛

armament [ˈɑ:məmənt] *n.* 军备;军械;武装

armchair [ˈɑ:mtʃɛə, ˌɑ:mˈtʃɛə] *n.* 扶手椅

armistice [ˈɑ:mistis] *n.* 休战,停战 ‖ ～ agreement 停战协定

armo(u)r [ˈɑ:mə] *n.* 甲胄;装甲 ‖ submarine ～ 潜水服

▲**armo(u)red** [ˈɑ:məd] *a.* 穿戴盔甲的;装甲的 ‖ ～ car 装甲车

•**army** [ˈɑ:mi] *n.* 军队;陆军

⑷**armyman** [ˈɑ:mimən] *n.* (复数: -men [-mən]) 军人

•**around** [əˈraund] *ad.* 在周围;在附近;[美]到处 *prep.* 在…周围(或附近)(⇨about)

▲**arouse** [əˈrauz] *vt.* 唤起;唤醒;引起;激起

⑷**arrange** [əˈreindʒ] *vt.* 安排;布置;整理;归类;调解 *vi.* 安排,筹备

arrangement [əˈreindʒmənt] *n.* 排列;整理;《常用复数》安排;协定 ‖ ～ committee 筹备委员会

array [əˈrei] *vt.* 排列 *n.* 列阵

▲**arrest** [əˈrest] *vt., n.* 拘留,逮捕(⇨seize);阻止

▲**arrival** [əˈraivəl] *n.* 到来;到达;到达的人(或物) ‖ ～ card 入境证

•**arrive** [əˈraiv] *vi.* 到达,抵达(某地);达到(结论、年龄);(时间)到来 ▶注意与 reach 的区别.

arrogant [ˈærəgənt] *a.* 傲慢无礼的(⇨haughty);骄傲自大的

▲**arrow** [ˈærəu] *n.* 箭;箭头记号[←]   「美术馆

⑷**art** [ɑ:t] *n.* 艺术;美术;技艺;人工;《用复数》文科,人文学科 ‖ ～ gallery

artery [ˈɑ:təri] *n.* 动脉

⑼**article** [ˈɑ:tikl] *n.* 物品,商品;(报刊)文章,论文;(法令的)条款;[语法]冠词 ‖ definite ～ 定冠词 / indefinite ～ 不定冠词

artificial [ˌɑ:tiˈfiʃəl] *a.* 人工的,人造的;人为的 ‖ ～ satellite 人造卫星 / ～ hill 假山 / ～ tooth 假牙

•**artist** [ˈɑ:tist] *n.* 艺术家;美术家,画家

artistic [ɑ:ˈtistik] *a.* 艺术的;美术的

-ary [əri] *suf.* 表示"…的,与…有关的;作…的人,与…有关的人或物",如 military (军事的), ordinary (普通的), secretary (秘书), library (图书馆), dictionary (词典)

•**as** [æz, (弱) əz] *ad.* 一样,同样地 *conj.* 当…的时候(⇨when);像…一样;由于(⇨since);虽然(⇨though) *pron.* 像…那样的人(或物) *prep.* 「为,当作

ascend [əˈsend] *vt.* 登上;上升(⇨ go up) (← descend)

ascent [əˈsent] *n.* 上升(← descent);登高;斜坡;(一段)阶梯

ascertain [ˌæsəˈtein] *vt.* 探查;查明

ascribe [əˈskraib] *vt.* 归因于,将…归于

▲**ash** [æʃ] *n.* 灰;《常用复数》灰烬,灰堆   「主语

⑷**ashamed** [əˈʃeimd] *a.* 《用作表语》羞耻的,惭愧的,害臊的 ▶只能以人作

ashore [əˈʃɔ:] *ad.* 在岸上,向岸上,到岸上

ashtray [ˈæʃtrei] *n.* 烟灰缸,烟灰盘

▲**Asia** [ˈeiʃə] *n.* 亚洲

Asian [ˈeiʃən, -ʒən] *a.* 亚洲的；亚洲人的 *n.* 亚洲人

aside [əˈsaid] *ad.* 在旁边，向旁边；在一边，到一边

◆**ask** [ɑːsk, 美: æsk] *vt.* 问，询问 *vi.* 问，要求，请求，邀请(⇨invite) *vi.* 查询，要求，问候 ▶注意与特定的介词搭配

◆**asleep** [əˈsliːp] *a.* 《用作表语》睡着的(←awake)；熟睡的；长眠的

aspect [ˈæspekt] *n.* 样子，外表(⇨appearance)；方向(⇨direction)；方面(⇨phase)；(房子、窗的)朝向；(动词的)体

asphalt [ˈæsfælt, 美: -fɔːlt] *n.* 沥青

aspiration [ˌæspəˈreiʃən] *n.* 愿望(⇨desire)；热望(⇨longing)；抱负；热望的目标；送气音，吐气音

aspire [əˈspaiə] *vi.* 渴望

aspirin [ˈæspərin] *n.* 阿司匹林(药片)

ass [æs] *n.* 驴；傻瓜

assassinate [əˈsæsineit] *vt.* 暗杀，行刺

assault [əˈsɔːlt] *vt., n.* 袭击，攻击

assemble [əˈsembl] *v.* 集合(⇨gather)；装配(⇨fit)；组装

assembly [əˈsembli] *n.* 集会；会场；(机械)装配 ‖ ～ line 装配线

assent [əˈsent] *vi.* 同意(⇨consent) *n.* 同意(⇨agreement)；赞成

assert [əˈsəːt] *vt.* 声称(⇨declare)；断言(⇨affirm)

assess [əˈses] *vt.* 估定(税额)；评价；征收

assessment [əˈsesmənt] *n.* 估定(额)；评价(额)；估价

▲**assign** [əˈsain] *vt.* 指定，指派，分派；分配

assignment [əˈsainmənt] *n.* 分配的任务；指定的作业

assimilation [əˌsimiˈleiʃən] *n.* 吸收，同化，消化

▲**assist** [əˈsist] *vt.* 帮助(⇨help)；援助；协助

assistance [əˈsistəns] *n.* 帮助；援助

◆**assistant** [əˈsistənt] *n.* 助手，助理；助教；图书管理员 *a.* 辅助的；助理的 ‖ ～ professor 助教

associate [əˈsəuʃi,eit] *vt.* 把…联系起来；联想 *vi.* 结交 *n.* [əˈsəuʃiit] 伙伴；同事(⇨companion)；同行 ▶动词与名词末音节发音不同.

association [əˌsəusiˈeiʃən] *n.* 联合；交往；协会，社团

assume [əˈsjuːm] *vt.* 承担；认为；假定；假装(⇨pretend)

assumption [əˈsʌmpʃən] *n.* 掌握；担任；假定

assurance [əˈʃuərəns] *n.* 确信，自信(⇨self-confidence)；保证；保险(⇨ 「insurance)

▲**assure** [əˈʃuə] *vt.* 使确信；使放心；保证 ([美] insure)

assuredly [əˈʃuədli] *ad.* 确定地，无疑地

▲**astonish** [əˈstɔniʃ] *vt.* 使惊讶(⇨surprise)

astonished [əˈstɔniʃt] *a.* 大吃一惊的

astonishment [əˈstɔniʃmənt] *n.* 惊讶，吃惊

astound [əˈstaund] *vt.* 使震惊，使大吃一惊

astray [əˈstrei] *ad.* 迷途，入歧途；离正道

▲**astronaut** [ˈæstrənɔːt] *n.* 宇(宙)航(行)员

astronomer [əˈstrɔnəmə] *n.* 天文学家

astronomic(al) [ˌæstrəˈnɔmik(əl)] *a.* 天文学的；天体的；极其巨大的

astronomy [əs'trɔnəmi] *n.* 天文学

asylum [ə'sailəm] *n.* 避难所, 庇护所, 收容所

'at [æt, (弱) ət] *prep.* 《地点·位置》在, 于; 《时间》在…; 《方向·目标》对, 向; 《状态·从事》正在…; 《速度·价格》按, 以; 《原因》因…

ate [et, 美: eit] eat 的过去式

-ate [(形) it, (动) eit] *suf.* 表示"有…的, 使··, 做…"之意, 如 fortun*ate* (幸运的), liber*ate* (解放), concentr*ate* (集中).

athlete ['æθli:t] *n.* 运动员, 运动选手

athletic [æθ'letik, ə θ-] *a.* 运动的, 体育的 ‖ ~ meeting 运动会 / ~ sports 运动比赛

-ation ['eiʃən] *suf.* 表示"行为, 状态, 过程, 结果"之意, 如 observ*ation* (观察), liber*ation* (解放), civiliz*ation* (文明).

-ative [,eitiv, ətiv] *suf.* 表示"有…性质的, 有…倾向的, 有·· 关系的", 如 quantit*ative* (定量的), authorit*ative* (有权威的).

▲**Atlantic** [ət'læntik] *a.* 大西洋的 *n.* 《加 the》大西洋

atlas ['ætləs] *n.* 地图集

▲**atmosphere** ['ætməsfiə] *n.* 大气, 大气层; 空气; 气氛

atmospheric [,ætməs'ferik] *a.* 大气的

▲**atom** ['ætəm] *n.* 原子; 微粒 ‖ ~ bomb 原子弹

▲**atomic** [ə'tɔmik] *a.* 原子的, 原子能的 ‖ ~ energy 原子能 / ~ nucleus 原子核 / ~ pile 原子反应堆

attach [ə'tætʃ] *vt.* 把…贴上, 附上; 使隶属; 《用被动语态》爱慕, 依恋

attachment [ə'tætʃmənt] *n.* 连接(物); 附件; 依恋

▲**attack** [ə'tæk] *vt., n.* 进攻, 打击, 攻击

attain [ə'tein] *vt.* 得到; 达到(目的) *vi.* 达到(状态)

⁽▲⁾**attempt** [ə'tempt] *n.* 企图; 试图 *vt.* 尝试(⇨try); 试图

*'**attend** [ə'tend] *vt.* 出席, 参加; 照顾

attendance [ə'tendəns] *n.* 出席, 参加; 照料 ‖ ~ book 签到簿 「随的

attendant [ə'tendənt] *n.* 服务员; 值班员; 护理人员; 随员; 出席者 *a.* 伴

*'**attention** [ə'tenʃən] *n.* 注意, 留心, 关心; 立正(的姿势)

attentive [ə'tentiv] *a.* 注意的; 专心的; 殷勤的

▲**attentively** [ə'tentivli] *ad.* 注意地; 聚精会神地, 专心地; 殷勤地

attic ['ætik] *n.* 阁楼, 顶楼

attitude ['ætitju:d] *n.* 态度; 姿势

attorney [ə'tə:ni] *n.* 辩护律师

attract [ə'trækt] *vt.* 吸引; 引诱, 诱惑

attraction [ə'trækʃən] *n.* 引力; 吸引; 魅力; 吸引人的事物

attractive [ə'træktiv] *a.* 有吸引力的; 扣人心弦的; 有魅力的, 动人的, 迷人的, 诱人的 (⇨charming)

⁽*⁾**attribute** ['ætrbju:t] *n.* 属性; 〔语法〕定语, 修饰语 *vt.* [ə'tribju:t] 把…归于, 归因于 ▶ 名词与动词重音不同.

⁽*⁾**attributive** [ə'tribjutiv] *a.* 〔语法〕定语的 *n.* 〔语法〕定语

auction ['ɔ:kʃən] *n.* 拍卖

audacious [ɔ:'deiʃəs] *a.* 大胆的, 勇敢的 (⇨ bold); 莽撞的

audible ['ɔ:dibl] *a.* 可闻的; 听得见的(⇨hearable)

⁽*⁾audience ['ɔːdiəns] *n.* 观众, 听众, 读者; 谒见, 接见 ▶作整体用时, 动词用单数形式, 不定冠词用 an, 如 *an* audience *of* 500 (500位听众).

auditorium [,ɔːdi'tɔːriəm] *n.* 礼堂, 会场; 观众席, 旁听席

⁎August ['ɔːgəst] *n.* 八月(略作: Aug.)

⁎aunt [ɑːnt, 美: ænt] *n.* 姨妈, 姑妈, 伯母, 婶母, 舅母;《对年长妇女的称呼》阿姨, 大娘

auntie ['ɑːnti] *n.* = aunt ▶口语中对 aunt 的亲热称呼.

aural ['ɔːrəl] *a.* 听觉的   「苦行

austerity [ɔ'steriti, ɔː-] *n.* 严肃(⇨severity); 严峻; 简朴; 节制;《用复数》

⁎Australia [ɔ'streiljə] *n.* 澳洲; 澳大利亚

⁎Australian [ɔ'streiljən] *a.* 澳洲的; 澳大利亚的; 澳大利亚人的 *n.* 澳洲人; 澳大利亚人

▲Austria ['ɔstriə] *n.* 奥地利

Austrian ['ɔstriən] *a.* 奥地利的; 奥国的; 奥地利人的 *n.* 奥地利人

⁎author ['ɔːθə] *n.* 作者, 作家   「(⇨official)

authoritative [ɔː'θɔritətiv, ə'θɔr-] *a.* 有权威的; 专横的; 命令式的; 官方的

authority [ɔ'θɔriti, 美: ə'θɔr-] *n.* 权威, 权力; 威信;《用复数》当局

auto ['ɔːtəu] *n.* 〈口语〉汽车 (= automobile)

auto- ['ɔːteu, ɔːtə] *pref.* 表示"自, 自身, 自动"之意, 如 *auto*biography (自传), *auto*nomy (自治).

autobiography [,ɔːtəubai'ɔgrəfi] *n.* 自传

autocar ['ɔːtəuka:] *n.* 汽车

automat ['ɔːtəmæt] *n.* 自动机; [美]自助餐厅

automate ['ɔːtəmeit] *v.* (使)自动化

automatic [,ɔːtə'mætik] *a.* 自动的

automatically [,ɔːtə'mætikəli] *ad.* 自动地; 机械地

automation [,ɔːtə'meiʃən] *n.* 自动化; 自动操作

automobile ['ɔːtəməbiːl, ,ɔːtəmə'biːl] *n.* 汽车 ([英] motorcar)

⁎autumn ['ɔːtəm] *n.* 秋天, 秋季 ([美] fall)

auxiliary [ɔːg'ziljəri, ɔːk-] *a.* 辅助的; 补助的 ‖ ～ verb 助动词

avail [ə'veil] *v.* 有益, 裨益; 有效用 *n.* 利益; 效用

availability [ə,veilə'biliti] *n.* 可用性; 有效价值; 可得性

available [ə'veiləbl] *a.* 可用的; 可得到的; 可达到的; 有效的

avenge [ə'vendʒ] *vt.* 替…报仇(⇨revenge); 为…雪耻; 报复

avenue ['ævinjuː] *n.* 林荫道; [美]大街, 大道

average ['ævəridʒ] *a.* 平常的, 一般的, 平均的 *n.* 平均(数); 一般水准 *vt.* 平均为…

aviation [,eivi'eiʃən] *n.* 飞行, 航空; 飞行术; 航空学; 飞机制造业

aviator ['eivi,eitə] *n.* 飞行员, 飞机驾驶员

⁽*⁾avoid [ə'vɔid] *vt.* 避免; 躲开, 回避 ▶后接动名词作宾语.

await [ə'weit] *vt.* 等候

▲awake [ə'weik] 〈awoke [ə'wəuk], awoken [ə'wəukən]; 或 -d, -d〉 *vt.* 唤醒, 弄醒, 使醒; 使觉悟 *vi.* 醒, 觉醒; 醒悟 *a.*《用作表语》醒着的; 警觉的; 意识到的

awaken [ə'weikən] *v.* 唤起, 唤醒 (= awake)

award [ə'wɔ:d] *vt.* 授予,颁发　*n.* 奖品,奖金

aware [ə'wɛə] *a.*《用作表语》意识到的;有觉悟的;知道的;发觉的

*•**away** [ə'wei] *ad.* 在远处;(离)开,离去;不在

awe [ɔ:] *n.* 敬畏;畏惧　*vt.* 使敬畏;威吓

▲**awful** ['ɔ:fəl] *a.* 可怕的(⇨terrible);厉害的;〈口语〉极坏的,糟糕的

awfully ['ɔ:fəli] *ad.* 非常,很;可怕地

awhile [ə'hwail] *ad.* 片刻,暂时,一会儿

awkward ['ɔ:kwəd] *a.* 笨拙的(⇨clumsy);不灵活的;棘手的

awkwardly ['ɔ:kwədli] *ad.* 笨拙地;不熟练地

awoke [ə'wəuk]　awake 的过去式和过去分词

(•)**awning** ['ɔ:niŋ] *n.* 遮篷

ax(e) [æks] *n.* (复数: *axes* ['æksiz]) 斧

axial ['æksiəl] *a.* 轴的

axis ['æksis] *n.* (复数: *axes* ['æksi:z]) 轴;轴心

axle ['æksl] *n.* (车轮的)轴

azalea [ə'zeiljə] *n.* 杜鹃花

azure ['æʒə, 'æʒjuə] *a.* 天蓝色的,蔚蓝的　*n.* 天蓝色;蔚蓝

B, b

babble ['bæbl] *v.* (幼儿)呀呀学语;唠叨,喋喋不休

*•**baby** ['beibi] *n.* 婴儿;幼畜　▶代词常用 it.

baby-sit ['beibi'sit] *v.* (*baby-sat* [-sæt], *baby-sat*)〈口语〉(代人临时)照看婴孩(或小孩)

*•**back** [bæk] *n.* 背,背部,背脊;后面(← front) *a.* 后面的;过时的　*ad.* 回(原处);向后;落后(⇨behind) *v.* (使)倒退;支持(⇨support) ‖ ~ number 过期刊物

bachelor ['bætʃələ] *n.* 单身汉;学士 ‖ *Bachelor* of Arts [Science] 文[理]学士

backbone ['bækbəun] *n.* 脊骨,脊柱;支柱;骨干

backdoor ['bækdɔ:] *n.* 后门　*a.* 后门的;不正的

▲**background** ['bækgraund] *n.* 背景(← foreground);经历,学历;配乐

backstage ['bæksteidʒ] *n.* 后台　*a.* 后台的,幕后的;秘密的

backstroke ['bækstrəuk] *n.* 仰泳;(网球)反拍

▲**backward** ['bækwəd] *a.* 向后的;落后的;智力差的

▲**backward(s)** ['bækwəd(z)] *ad.* 向后(← forward, forwards);倒;退步;反;(顺序)相反　▶backwards 多用于英国, backward 多用于美国.

▲**back-yard** [,bæk'jɑ:d] *n.* 后院

▲**Bacon** ['beikən], Francis　培根 (1561-1626, 英国哲学家和作家)

bacon ['beikən] *n.* 咸肉,熏肉

bacteria [bæk'tiəriə] *n.* [bacterium 的复数] 细菌　▶此词单数一般不用.

*•**bad** [bæd] *a.* (*worse* [wə:s], *worst* [wə:st]) 坏的(← good);低劣的;恶的(⇨evil);不良的;(食物等)腐败的;有害的(⇨harmful);病痛的(⇨

sick) ‖ ~ check 空头支票

bade [bæd, beid] bid 的过去式

badge [bædʒ] *n.* 徽章, 证章; 标志

badger ['bædʒə] *n.* 獾 *vt.* 烦扰

*	**badly** ['bædli] *ad.* (*worse* [wə:s], *worst* [wə:st]) (很) 坏 (← well); 拙劣地; 〈口语〉非常, 厉害地, 大大地 ▶表达感情时, 常与 feel 连用, 如: I feel ~. (我感到难受.)

  badminton ['bædmintən] *n.* 羽毛球

△	**bad-tempered** ['bæd,tempəd] *a.* 心情不佳的; 脾气极坏的

  baffle ['bæfl] *vt.* 困惑 (⇨puzzle); 阻挠; 难住

*	**bag** [bæg] *n.* 袋, 口袋; 提包, 书包; 背包

△	**baggage** ['bægidʒ] *n.* 行李 ([英]) luggage) ‖ ~ rack (车上的) 行李架 ▶量词用 a piece of.

  Baird [bɛəd] 贝尔德(姓)

△	**bait** [beit] *n.* 饵, 诱饵; 诱惑 *vt.* 引诱, 诱惑

  bake [beik] *v.* 烘, 焙, 烤 (⇨roast)

  baker ['beikə] *n.* 烘面包师傅; 面包店主

  bakery ['beikəri] *n.* 面包店

*	**balance** ['bæləns] *v.* (使) 平衡, (用天平) 称 *n.* 平衡; 天平 (⇨scales); 秤; 差额; 余额

  balcony ['bælkəni] *n.* 阳台, 露台; (剧场的) 二楼包厢

  bald [bɔ:ld] *a.* 秃的; 露骨的, 无掩饰的

  bale [beil] *n.* (货物) 包, 捆 *vt.* 打包

  baleen [bə'li:n] *n.* 鲸须

*	**ball**[1] [bɔ:l] *n.* 球; 球状物; 子弹 (⇨bullet); 丸子

  ball[2] [bɔ:l] *n.* 舞会

  ballad ['bæləd] *n.* 民谣, 民歌; 歌谣

  ballet ['bælei, 美; bæ'lei] *n.* 芭蕾舞; 芭蕾舞曲

△	**balloon** [bə'lu:n] *n.* 气球; 飞船

  ballot ['bælət] *n.* 选票; 投票 (⇨vote) *vi.* 〈与 for 连用〉投票

  ballpoint ['bɔ:lpɔint] *n.* 圆珠笔 ▶又作 ballpoint pen 或 ball pen.

△	**Baltic** ['bɔ:ltik] *a.* 波罗的海的 ‖ the ~ Sea 波罗的海

△	**bamboo** [,bæm'bu:] *n.* 竹

  ban [bæn] *vt.* 禁止; 查禁, 取缔 *n.* 禁止; 禁令

*	**banana** [bə'nɑ:nə, 美: -'næ-] *n.* 香蕉

*	**band**[1] [bænd] *n.* 队, 乐队; 一群, 一伙 ‖ jazz ~ 爵士乐队

*	**band**[2] [bænd] *n.* 带 (⇨belt); 绳 (⇨cord) *v.* 团结, 联合; 绑扎

  bandage ['bændidʒ] *n.* 绷带 *vt.* 用绷带包扎

  bandit ['bændit] *n.* 土匪; 强盗 (⇨robber); 歹徒

△	**bang** [bæŋ] *n.* 砰的一声 *v.* 猛敲; 砰地 (把门或盖) 关上

  banish ['bæniʃ] *vt.* 放逐 (⇨exile); 驱逐出境; 排除, 消除 (⇨exclude)

  banishment ['bæniʃmənt] *n.* 放逐, 驱逐出境

*	**bank**[1] [bæŋk] *n.* 银行 ‖ ~ card 银行信用卡

*	**bank**[2] [bæŋk] *n.* (河、海、湖的) 岸 (⇨shore); 堤 (⇨dike)

△	**banker** ['bæŋkə] *n.* 银行家; 银行高级职员 ▶银行的一般职员可称 clerk.

banking ['bæŋkiŋ] *n.* 银行业;银行业务

(▲)**banknote** ['bæŋknəut] *n.* 纸币,钞票

bankrupt ['bæŋkrʌpt] *a.* 破产的,倒闭的 *n.* 破产者 *vt.* 使破产

bankruptcy ['bæŋkrʌptsi] *n.* 破产,倒闭 ‖ ～ law 破产法

banner ['bænə] *n.* 旗,旗帜(▷flag);横幅

banquet ['bæŋkwit] *n.* 宴会(▷feast) ‖ wedding ～ 结婚宴会

baptism ['bæptizəm] *n.* (基督教)洗礼,浸礼

*__**bar** [bɑː] *n.* 棒,棍;栏,杆;栅;碍障物;酒吧,小饮食店 *vt.* 阻挡,拦住;妨碍 ‖ ～ gold 金条

barbarian [bɑːˈbɛəriən] *n.* 野蛮人(▷savage) *a.* 野蛮的(▷barbarous);未开化的;无教养的

barbarous ['bɑːbərəs] *a.* 野蛮的(▷savage);暴虐的

barber ['bɑːbə] *n.* 理发师 ▶多指为男性理发的,区别于 hairdresser.

barbershop ['bɑːbəˌʃɔp] *n.* 理发店([英] barber's shop)

bard [bɑːd] *n.* 诗人(▷poet);(古代)吟唱诗人

bare [bɛə] *a.* 光秃的(▷bald);赤裸的(▷naked);无遮盖的,《与 of 连用》没有…的,缺乏…的;空无(设备)的,仅有的

(▲)**barefoot** ['bɛəfut] *ad.* 赤脚地 *a.* 赤脚的 ▶又作 barefooted. 「别.

barely ['bɛəli] *ad.* 几乎不能,勉强;仅仅 ▶注意与 hardly, scarcely 的区

*__**bargain** ['bɑːgin] *n.* 契约(▷compact);交易(▷trade);廉价品 *vi.* 商谈;谈生意 ‖ ～ sale 大减价

barge [bɑːdʒ] *n.* 驳船;游艇

baritone ['bærəˌtəun] *n.* 男中音

(▲)**bark¹** [bɑːk] *n.* 吠声,狗叫声 *vi.* (狗、狐等)吠,叫

bark² [bɑːk] *n.* 树皮

barley ['bɑːli] *n.* 大麦 ‖ ～ sugar 麦芽糖

barm [bɑːm] *n.* 酵母

barn [bɑːn] *n.* 谷仓;厩

barometer [bəˈrɔmitə] *n.* 气压表,晴雨表

baron ['bærən] *n.* 男爵;[美]巨商 ‖ press ～ 报业大王

barracks ['bærəks] *n.* [复数]《单复数两用》兵营

barrel ['bærəl] *n.* 大桶,琵琶桶;一桶(容量单位);枪管,炮管·(钢笔的)吸水管 笔身 ‖ ～ organ 手摇风琴

barren ['bærən] *a.* 贫瘠的(▷sterile)(← fertile);不毛的;不结果的(▷fruitless);不孕的(▷childless) ▶发音与 baron(男爵)相同

barrier ['bæriə] *n.* 障碍(物);栅栏;关卡

barrow ['bærəu] *n.* 手推车;担架 「垒

(▲)**base¹** [beis] *n.* 基地;基础(▷basis);底部(▷bottom);根据地;(棒球的)

base² [beis] *a.* 卑鄙的,卑劣的(▷mean);低级的;低音的

baseball ['beisˌbɔːl] *n.* 棒球(运动)

(▲)**basement** ['beismənt] *n.* 地下室;地窖;(建筑物)底层

bashful ['bæʃfəl] *a.* 害羞的,羞怯的(▷shy) ▶多用在小孩怕羞

basic ['beisik] *a.* 基本的 根本的;基础的

(▲)**basically** ['beisikəli] *ad.* 基本上;根本地;本来

*__**basin** ['beisn] *n.* 水盆,面盆;(河的)流域;盆地

basis ['beisis] *n.* (复数: *bases* ['beisi:z]) 基础(⇨foundation); 根据;

•**basket** ['bɑ:skit, 美: bæs-] *n.* 篮,筐,篓,一篮所装的量

•**basketball** ['bɑ:skit,bɔ:l, 美: 'bæskit-] *n.* 篮球(运动)

bass [beis] *n.* 低音(部); 低音歌手; 低音乐器

bassoon [bə'su:n] *n.* 巴松管, 低音管

bastard ['bɑ:stəd] *n.* 私生子; 假货 *a.* 私生的; 冒牌的

•**bastil(l)e** [bæs'ti:l] *n.* 城堡式监狱; 《加 the》(B-) 巴士底狱

•**bat**¹ [bæt] *n.* (网球、乒乓球等的)球拍, (棒球)球棒 球板

•**bat**² [bæt] *n.* 蝙蝠

bath [bɑ:θ, 美: bæθ] *n.* 浴, (洗)澡; 浴室; 浴缸

bathe [beið] *vt.* 给…洗澡; (用药水)泡, 浸 *vi.* (在河、海、游泳池里)洗澡; 游泳 ▶拼写发音不要与 bath 相混。

bath-house ['bɑ:θhaus] *n.* 澡堂

bathroom ['bɑ:θ,rum, -ru:m] *n.* 浴室, 卫生间

battalion [bə'tæliən] *n.* (军队的)营

batter¹ ['bætə] *vt.* 捶, 击, 敲 *vi.* 作连续猛击

batter² ['bætə] *n.* (棒球)击球员

battery ['bætəri] *n.* 电池; 炮兵连

▲**battle** ['bætl] *n.* 战役; 战斗; 斗争(⇨combat); 斗争(⇨struggle) ‖ ～ front 前线 / ～ line 战线

battlefield ['bætl,fi:ld] *n.* 战场 战地

battleship ['bætl,ʃip] *n.* 战舰

bawl [bɔ:l] *v.* 大喊, 大叫

(•)**bay**¹ [bei] *n.* (海、河等的)湾 ▶比 cove 大, 小于 gulf

bay² [bei] *n.* 吠声; 绝境 *v.* 吠叫

▲**bayonet** ['beiənit, -net] *n.* (枪上的)刺刀

baza(a)r [bə'zɑ:] *n.* 市场, 集市; 义卖场; 杂货店

▲**B. C.** (= before Christ) 公元前

•**be** [bi:, (弱) bi] (现在式: *am, are, is;* 过去式: *was, were;* 过去分词: *been;* 现在分词: *being*) *vi.* 是; 在; 成为 *v. aux.* 《与现在分词连用》正在…(进行时态)《与过去分词连用》被…(被动语态)

▲**beach** [bi:tʃ] *n.* 海滨, 河滩, 湖滨

bead [bi:d] *n.* 水珠; (有孔)小珠

beak [bi:k] *n.* (鹰等的)嘴, 喙; 钩鼻 ▶注意与 bill² 的区别

▲**beam** [bi:m] *n.* 光柱, 光束(⇨ray); 射线; 横梁(⇨girder) *vi.* 发光; 微笑

bean [bi:n] *n.* 豆; 豆形果实, 蚕豆 ‖ ～ curd 豆腐

•**bear**¹ [bɛə] *v.* (*bore* [bɔ:], *borne* [bɔ:n] 或 *born* [bɔ:n]) 支承; 支持(⇨support); 负担; 佩, 带(⇨wear)《常与 can't, couldn't 连用》忍受, 忍耐(⇨endure); 承受; 结(果实); 生育 ▶在被动句中表示"出生"时 使用过去分词 born.

•**bear**² [bɛə] *n.* 熊; 笨拙的家伙 ‖ polar ～ 北极熊

beard [biəd] *n.* (下巴上的)胡子, 络腮胡子, (麦)芒

bearer ['bɛərə] *n.* 搬运者; 运载工具; 持票人, 会结果实的植物

bearing ['bɛəriŋ] *n.* 仪态; 举止(⇨behavior); 关系;《用复数》方向; 轴承

•**beast** [bi:st] *n.* 兽, 牲畜; 四足动物

*beat [bi:t] v. (beat, beaten ['bi:tn]) 敲, 打(⇨strike); 打败(⇨defeat); 战胜(⇨vanquish); (心脏等)跳动; (风雨等)拍打 n. 拍子, 节拍

beaten ['bi:tn] beat 的过去分词 a. 挨了打的; 打败了的

beating ['bi:tiŋ] n. 打; 鞭打; 打败; (心)跳动

*beautiful ['bju:təfəl] a. 美丽的(⇨pretty) (← ugly); 优美的(⇨graceful); 美好的(⇨fine); 〈口语〉极好的(⇨excellent)

beautifully ['bju:təfəli] ad. 优美地, 完美地; 极好地 「美容院

▲beauty ['bju:ti] n. 美, 美好; 美人儿; 美丽的东西 ‖ ～ salon [shop, parlor]

beaver ['bi:və] n. 海狸; 水獭

became [bi'keim] become 的过去式

*because [bi'kɔz, bikəz] conj. 因为(⇨as, for) ad. 〈与 of 连用〉由于

beckon ['bekən] v. (以头、手等动作示意的)召唤; 招呼

*become [bi'kʌm] (became [bi'keim], become) vi. 变得, 变成; 成为(⇨grow) vt. 适合(⇨suit)

*bed [bed] n. 床; 花坛, 苗圃; 河床

bedding ['bediŋ] n. 床上用品

▲bedroom ['bedrum, -ru:m] n. 卧室, 寝室 「灯

bedside ['bed,said] n. (特指病人的)床边 a. 床边用的 ‖ ～ lamp 床头

(•)bedtime ['bed,taim] n. 就寝时间

*bee [bi:] n. 蜂, 蜜蜂; 忙碌的人

beech [bi:tʃ] n. 山毛榉

(•)beef [bi:f] n. 牛肉

▲been [bi:n, (弱) bin] be 的过去分词

beer [biə] n. 啤酒; 〈口语〉一杯(或一瓶)啤酒 ‖ small ～ 淡啤酒

beet [bi:t] n. 甜菜

(•)Beethoven ['beithəuvən], Ludwig van 贝多芬(1770-1827, 德国大作曲家)

beetle ['bi:tl] n. 甲虫

befall [bi'fɔ:l] v. (befell [-'fel], befallen [-'fɔ:lən]) 发生; 降临 ▶指不好的事发生或降临.

*before [bi'fɔ:] prep. 〈时间〉在…以前; 〈位置〉在…前面(⇨in front of); 〈顺序·选择〉与其…宁可; 高于 conj. 做…之前, 未…之前(← after) ad. 在(现在)之前, 以前(⇨earlier)

beforehand [bi'fɔ:,hænd] ad. 事先, 预先

*beg [beg] v. 请求(⇨ask for); 恳求(⇨pray); 乞讨

began [bi'gæn] begin 的过去式

beggar ['begə] n. 乞丐, 穷人

*begin [bi'gin] v. (began [bi'gæn], begun [bi'gʌn]) 开始(⇨start)

beginner [bi'ginə] n. 初学者; 生手; 创始人

beginning [bi'giniŋ] n. 开始; 起源(⇨origin); 开端

beguile [bi'gail] vt. 诱骗; 消磨(时间)

begun [bi'gʌn] begin 的过去分词

behalf [bi'hɑ:f, 美: -'hæf] n. 利益(⇨interest)

*behave [bi'heiv] vi. 举动(⇨act); 行为(⇨conduct); 表现

behavio(u)r [bi'heiviə] n. 行为(⇨conduct); 举止(⇨manners); 性能

*behind [bi'haind] prep. 〈场所〉在…后面(← in front of); 〈时间〉较…为

晚, 迟于…;《力量》较…为差, 不如…   *ad.* 在后, 向后; (工作等)落后(⇨ slow, late); 过期   「看哪!

behold [bi'həuld] *v.* (**beheld** [bi'held], *beheld*)〈书面语〉看(⇨see) *int.*

Behrman ['bɛəmən] 贝尔曼(男名)

▲**being**[1] ['bi:iŋ] be 的现在分词

▲**being**[2] ['bi:iŋ] *n.* 生物; 存在; 生存;《作为动名词》被…的事 ‖ human ～人

▲**Belgian** ['beldʒən] *n.* 比利时人 *a.* 比利时的; 比利时人的

▲**Belgium** ['beldʒəm] *n.* 比利时

▲**belief** [bi'li:f] *n.* 相信(⇨trust); 信念, 信仰; 信心(⇨faith); 信任

believable [bi'li:vəbl] *a.* 可相信的, 可信任的

believe [bi'li:v] *v.* 相信(← doubt); 信仰; 认为(⇨think)

believer [bi'li:və] *n.* 信徒

bell [bel] *n.* 铃, 钟; 门铃; 钟声;《用复数》喇叭裤 ‖～ tower 钟楼

bellow ['beləu] *v.* (牛)吼叫; (风)呼啸

▲**bellows** ['beləuz] *n.*《单复数两用》风箱; 减压舱

belly ['beli] *n.*〈口语〉肚子(⇨abdomen); 腹部; 胃(⇨stomach)

▲**belong** [bi'lɔŋ] *vi.* 属, 附属; 归(某人)所有

belonging [bi'lɔŋiŋ] *n.*《用复数》(个人)所有物, 财产

beloved [bi'lʌvd] *a.*《用作表语》为…所爱的;《用作定语》[bi'lʌvid] 受爱戴的; 心爱的(⇨dear) ▶注意两种不同的发音.

below [[bi'ləu] *prep.* 在…下面, 在…以下(⇨beneath) (← above) *ad.* 在下, 向下; 下边

belt [belt] *n.* 带(⇨ribbon); 皮带; 腰带(⇨gridle); 地带(⇨zone) ‖ the green ～ 绿化地带

▲**bench** [bentʃ] *n.* 长凳, 条凳; 工作台 ▶注意与 chair 的区别.

▲**bend** [bend] (*bent* [bent], *bent*) *vt.* 弄弯, 使弯曲 *vi.* 弯曲(⇨cure); 屈身; 屈服; 拐角处

beneath [bi'ni:θ] *prep.* 在…(正)下方(⇨under); 不值得 *ad.* 在下方

beneficial [,beni'fiʃəl] *a.* 有益的(⇨useful)

▲**benefit** ['benifit] *n.* 利益(⇨advantage); 恩惠(⇨favour); 好处 *vi.* 受益, 得益(⇨profit) *vt.* 有益于, 有利于

benevolent [bi'nevələnt] *a.* 好心肠的(⇨kind); 仁慈的(← malevolent)

(*)**Benjamin** ['bendʒəmin] 本杰明(男名)   「好; 倾向

bent [bent] bend 的过去式和过去分词 *a.* 弯曲的(← straight) *n.* 爱

bequeath [bi'kwi:θ, -kwi:ð] *vt.* 遗留, 遗赠

▲**Berlin** [bə:'lin] *n.* 柏林

berry ['beri] *n.* 浆果, 莓 ▶与 bury (埋藏)同音.   「同音

berth [bə:θ] *n.* (火车、轮船上的)铺位; 泊位 *v.* 停泊 ▶与 birth (出生)

beseech [bi'si:tʃ] *vt.* (**besought** [bi'sɔ:t], *besought*; 或 *-ed, -ed*) 恳求

beside [bi'said] *prep.* 在…旁边(⇨near); 与…相比

▲**besides** [bi'saidz] *ad.* 而且; 还有 (⇨moreover); 此外 (⇨in add tion) *prep.* 除…之外(还有)

best [best] *a.* [good 的最高级]最好的, 最优的, 最佳的 *ad.* [well 的最高级]最好地, 最佳地;〈口语〉非常, 最, 极 *n.* 竭力; 最好的东西; 最佳的状态(或部分); 最好的衣服 ‖ ～ seller 畅销书(或唱片等)

bestow [bi'stəu] *vt.* 赠给;授予 ▶不用双宾语.注意与 give 的区别.

△**bet** [bet] *v.* (bet, bet; 或 betted, betted) 赌,打赌 *n.* 打赌;赌注

betray [bi'trei] *vt.* 背叛;出卖;泄漏(秘密)

●**better** ['betə] *a.* [good 的比较级] 更好的;较好的 *ad.* [well 的比较级] 更好地;(情绪、身体状况等)好转,更佳 *n.* 较好的东西;较优者

Betty ['beti] 贝蒂(女名)

●**between** [bi'twi:n] *prep.* 在(两者)之间,在…和…之间 *ad.* 在中间 ▶注意与 among 的区别.

beverage ['bevəridʒ] *n.* 饮料

beware [bi'wɛə] *vi.* 当心;提防

△**bewilder** [bi'wildə] *vt.* 迷惑(⇨puzzle);弄糊涂(⇨confuse);使发愣

bewitch [bi'witʃ] *vt.* 施魔法于;蛊惑   「远处

beyond [bi'jɔnd] *prep.* 在…的那边,超过,超出…的范围 *ad.* 在那边;在

bi- [bai] *pref.* 表示"二,两,双;重"之意,如 bicycle (自行车) bimonthly (双月刊),bipedal (两足的)

bias ['baiəs] *n.* 偏见(⇨prejudice);成见;偏爱(⇨tendency)

△**Bible** ['baibl] *n.* 〈加 the〉(基督教的)圣经;(犹太人的)圣经(旧约)

●**bicycle** ['baisikl] *n.* 自行车,脚踏车 ▶口语常称 bike.

bid [bid] *v.* (bade [bæd, beid], bidden ['bidn]; 或 bid, bid) 命令,吩咐;(拍卖时)出价 *n.* 投标 ▶bid (吩咐)后可接不带 to 的动词不定式

bidden ['bidn] bid 的过去分词

●**big** [big] *a.* 大的(⇨large)(← little);长大了的;巨大的(⇨huge);〈口语〉重大的;伟大的(⇨great) ▶表示形体的大,用 big 或 large 均可;一般 big 指体积大, large 指面积大.

△**bigness** ['bignis] *n.* 大,巨大

●**bike** [baik] *n.* 〈口语〉自行车 (= bicycle) *vi.* 骑自行车

-bility ['biliti] *suf.* 由 -able, -ible 等形容词变过来的名词,如: movability (可移动性), sensibility (敏感性).

△**bill**¹ [bil] *n.* 帐单([美] check);票据;清单;招贴(⇨poster);广告(⇨ advertisement);议案;纸币,钞票([美] note)

bill² [bil] *n.* 鸟嘴,喙 ▶注意与 beak 的区别.

billiards ['biljədz] *n.* [复数]〈常用作单数〉台球,弹子戏

billion ['biljən] *num.* (英国)兆,万亿;(美国)十亿

△**billionth** ['biljənθ] *num.* [英]第一万亿(个),一万亿分之一;[美]第十亿(个),十亿分之一

billow ['biləu] *n.* 巨浪;〈用复数〉海

bin [bin] *n.* 贮藏箱 ▶垃圾箱为 dustbin.

△**bind** [baind] *vt.* (bound [baund], bound) 捆,绑,缚;包扎;装订;(以义务等)约束(⇨oblige)

binding ['baindiŋ] *n.* 装订;封面纸 *a.* 有约束力的   「(生物学)

bio- [baiəu] *pref.* 表示"生命,生物"之意,如 biography (传记), biology

biography [bai'ɔgrəfi] *n.* 传,传记(⇨life)

△**biological** [,baiə'bɔdʒikəl] *a.* 生物学(上)的 ‖ ~ time clock 生物钟 / ~ warfare 细菌战

●**biology** [bai'ɔlədʒi] *n.* 生物学

▲**birch** [bə:tʃ] *n.* 桦树, 桦木; 白桦

◆**bird** [bə:d] *n.* 鸟; 禽类

▲**birdcage** ['bə:dkeidʒ] *n.* 鸟笼

birdie ['bə:di] *n.* 〈儿语〉小鸟

Birmingham ['bə:miŋəm] *n.* 伯明翰 (英国城市)

▲**birth** [bə:θ] *n.* 诞生, 出生; 分娩; 出身(⇨**origin**)

◆**birthday** ['bə:θdei] *n.* 生日, 诞辰

birthplace ['bə:θpleis] *n.* 诞生地, 出生地; 故乡

biscuit ['biskit] *n.* 饼干([美] cracker); [美]小点心 (一种水果面包)

▲**bishop** ['biʃəp] *n.* (基督教的)主教; (国际象棋中的)象

◆**bit**¹ [bit] *n.* 一点儿, 一些, 少量

bit² [bit]   bite 的过去式和过去分词

(*)**bite** [bait] *v.* (*bit* [bit], *bitten* [bitn]) 咬; 叮   *n.* 咬; 咬伤 ▶不要与 sting (刺, 螫)相混.

biting ['baitiŋ] *a.* 刺痛的; 辛辣的; 刺激性的

bitten ['bitn]   bite 的过去分词

▲**bitter** ['bitə] *a.* (味道)苦的; 痛苦的; 严酷的; 辛酸的; 抱怨的

▲**bitterly** ['bitəli] *ad.* 苦苦地; 悲痛地, 沉痛地

bitterness ['bitənis] *n.* 苦味; 苦难; 痛苦

◆**Black** [blæk] 布莱克(姓)

◆**black** [blæk] *a.* 黑的, 黑色的(← white); 暗的, 黑暗的(⇨dark); 不吉的 (⇨evil); 非法的(⇨illegal)   *n.* 黑(色); 〈口语〉黑人(⇨Negro) ‖ ~ market 黑市 / ~ magic 妖术

blackberry ['blækbəri] *n.* 黑莓

blackbird ['blæk,bə:d] *n.* 乌鸫; 山鸟类的鸟(其雄鸟为黑色)

◆**blackboard** ['blækbɔ:d] *n.* 黑板

blacken ['blækən] *v.* (使)变黑, (使)变暗; 诽谤

blackness ['blæknis] *n.* 黑, 黑色; 黑暗; 阴郁

▲**blacksmith** ['blæk,smiθ] *n.* 铁匠, 锻工

blade [bleid] *n.* 刀口, 刀锋; 刀片; (草的)叶

◢**blame** [bleim] *vt.* 责备(⇨reproach); 责怪; 谴责   *n* 非难; 过失

◆**blank** [blæŋk] *a.* 空白的; 茫然的   *n.* 空白; 空白处; (没填过的)表格(⇨form) ‖ ~ check 空白支票

▲**blanket** ['blæŋkit] *n.* 羊毛毯, 毯子; 毡 ‖ ~ bombing 地毯式轰炸

▲**blast** [blɑ:st, 美: blæst] *vt.* 炸毁; 摧毁(⇨destroy)   *n.* 爆炸, 爆破; 汽笛声

blaze [bleiz] *n.* 火焰(⇨flame); 直射的强光   *vi.* 冒火; 照耀(⇨shine)

bleach [bli:tʃ] *v.* 漂白; 变白 ‖ ~ing powder 漂白粉

bleak [bli:k] *a.* 寒冷的; 荒凉的; 暗淡的

bleat [bli:t] *vi.* (羊、牛犊)鸣叫; 诉苦   *n.* 鸣叫声; 哭泣; 唠叨

bled [bled]   bleed 的过去式和过去分词

◢**bleed** [bli:d] *v.* (*bled* [bled], *bled*) 流血; 出血; 放血

bleeding ['bli:diŋ] *a.* 流血的

blend [blend] *v.* 混合(⇨mix); 交融, 混成一体   *n.* 混合(物)   「于

◢**bless** [bles] *vt.* (-ed, -ed) 或 blest [blest], blest) 祝福; 祈祷; 保佑; 赐福

blessed ['blesid] *a.* 神圣的; 有福的; 高兴的 ▶注意发音.

blessing ['blesiŋ] *n.* 祝福；(餐前或餐后的)祷告

blew [blu:] **blow**[1] 的过去式

blight [blait] *n.* (植物)枯萎病；坏影响；受挫折 「死胡同

*blind** [blaind] *a.* 瞎的；盲目的(⇨sightless) *n.* 窗帘；百叶窗 ‖ ～ alley

blindly ['blaindli] *ad.* 盲目地

blindness ['blaindnis] *n.* 盲目；愚昧

blink [bliŋk] *vi.* 闪烁(⇨twinkle)；眨(眼) *n.* 一瞬间，一瞥(⇨glimpse)

bliss [blis] *n.* 极乐，福气；天堂

blister ['blistə] *n.* 水疱，浓疱；气泡

blitz [blits] *n.* 闪电战

blizzard ['blizəd] *n.* 暴风雪

*block** [blɔk] *n.* (木、石的四方形的)大块；积木；一排楼房；两条平行街间的距离；[美]街区 *vt.* 阻塞(通路等)；封锁 ‖ ～ letters 印刷体大写字母

blockade [blɔ'keid] *n.*, *vt.* 封锁

blond, blonde [blɔnd] *a.* 金发白肤碧眼的；头发淡黄色的 *n.* 金发白肤碧眼的人 ▶blond 用于男性，blonde 用于女性.

*blood** [blʌd] *n.* 血，血液；血统 ‖ ～ bank 血库 / ～ brother 亲兄弟 / ～ group [type] 血型 / ～ pressure 血压 / ～ test 验血 / ～ transfusion 输血 / ～ vessel 血管 「的)

-blooded ['blʌdid] *a.* 《用以构成复合词》…血的(如：cold-blooded 冷血

bloody ['blʌdi] *a.* 流血的；血腥的；残酷的(⇨cruel)

bloom [blu:m] *n.* (特指观赏植物的)花(⇨flower)；开花；开花期 *vi.* 开花；繁荣(⇨flourish)

blossom ['blɔsəm] *n.* (特指果树的)花(⇨flower)；开花(期) *vi.* 开花；兴旺；发展(⇨develop)

blot [blɔt] *vt.* 弄脏；(用吸墨纸)吸干 *vi.* 沾染；渗开 *n.* 污点；缺陷 ‖ blotting paper 吸墨纸

blouse [blauz, 美: blaus] *n.* (妇女、儿童穿的)衬衫

*blow**[1] [bləu] (*blew* [blu], *blown* [bləun] *vi.* (风)吹；(汽笛)叫；(喇叭)吹奏 *vt.* (风)刮；(口)吹；爆炸，爆裂

*blow**[2] [bləu] *n.* (肉体的)重击；(精神的)打击

*blowhole** ['bləu,həul] *n.* (海豚、鲸鱼等的)鼻孔

blown [bləun] **blow**[1] 的过去分词 *a.* 吹胀的；(花)开着的

*blue** [blu:] *a.* 蓝色的；青色的；苍白的；沮丧的(⇨depressed) *n.* 蓝色，青色 ‖ ～ blood 贵族 / ～ book 蓝皮书 / ～ film 色情影片

bluebird ['blu:,bə:d] *n.* 蓝知更鸟；会带来幸福的东西

bluff [blʌf] *a.* 陡峭的 *n.* 悬崖，峭壁(⇨cliff)

blunder ['blʌndə] *n.* 大错，失策 *v.* 犯大错

*blunt** [blʌnt] *a.* 钝的(⇨dull) (← sharp)；迟钝的；粗鲁的

blur [blə:] *n.* 污迹，污点 *vt.* 弄脏；使模糊(⇨dim)

blush [blʌʃ] *vi.* 脸红；惭愧 *n.* 面红耳赤，羞色

boar [bɔ:] *n.* (未阉的)公猪；野猪

board [bɔ:d] *n.* 甲板；木板，板；[美]黑板；委员会；部，局，厅 *vt.* 用板盖上(船，车，飞机) *vi.* 供膳；包饭 ‖ ～ of directors 董事会，理事会

boarder ['bɔ:də] *n.* 寄宿生；搭伙者

boast [bəust] v., n. 自夸,夸耀,吹嘘

▲**boat** [bəut] n. 小船;艇;小轮船 vi. 乘船旅行;划船(游玩) ‖ ～ race 划船比赛 ▶口语中也指大轮船 (= ship).

▲**boating** ['bəutiŋ] n. 划船(游玩)

boatman ['bəutmən] (复数: -men [-mən]) n. 船工;出租小艇者

*▲**Bob** [bɔb] 鲍勃(男名, Robert 的昵称)

bob [bɔb] n. (妇女、小孩的)短发 vt. 剪短(头发)

bobby ['bɔbi] n. 〈口语〉警察 ‖ ～ pin 小发夹 ([美] hairgrip)

bodily ['bɔdili] a. 身体的;肉体的 ad. 全体;亲自

*▲**body** ['bɔdi] n. 身体;物体;躯干(⇨trunk);尸体(⇨corpse);团体;组织;群;大量;主要部分

bodyguard ['bɔdigɑ:d] n. 卫士,警卫;〔总称〕卫队

bog [bɔg] n. 沼泽(地)

▲**boil** [bɔil] v. (使水或其他液体)沸腾,煮沸;(水)开

boiler ['bɔilə] n. 锅炉;煮器

boisterous ['bɔistərəs] a. 狂暴的;狂风暴雨的;喧闹的(⇨noisy)

⒜▲**bold** [bəuld] a. 大胆的 (⇨ fearless);勇敢的 (⇨ brave);冒失的 (⇨ imprudent);无礼的;醒目的(⇨obvious)

⒜▲**boldfaced** [,bəuld'feist] a. (印刷)黑体的;鲁莽的

boldly ['bəuldli] ad. 大胆地;粗鲁地

boldness ['bəuldnis] n. 大胆;鲁莽

bolt [bəult] n. 插销;螺栓;闪电 v. 闩门;关窗

▲**bomb** [bɔm] n. 炸弹 vt. 轰炸,投弹 ▶末尾的 b 不发音.

▲**bomber** ['bɔmə] n. 轰炸机 ▶注意发音.

▲**bombshell** ['bɔmʃel] n. 炸弹,令人大为震惊的意外事件

bond [bɔnd] n. 契约;债券;《用复数》镣铐

▲**bone** [bəun] n. 骨,骨头 ‖ ～ ash 骨灰

bonnet ['bɔnit] n. (妇女、儿童戴的无边有带)软帽 ([美] hood);机罩

bonus ['bəunəs] n. 奖金(⇨reward);红利

bony ['bəuni] a. 骨的;多骨的;瘦的.

*▲**book** [buk] n. 书;(书的)卷,篇 vt. 登记,预定;订票 ‖ ～ token 书券 / ～ing clerk 售票员 / ～ing office (车站)售票处

bookbinder ['buk,baində] n. 装订工人

bookcase ['buk,keis] n. 书橱,书箱

bookkeeper ['buk,ki:pə] n. 簿记员,记帐员

booklet ['buklit] n. 小册子;印刷品

▲**bookmark** ['bukmɑ:k] n. 书签

bookseller ['bukselə] n. 书商

bookshelf ['bukʃelf] n. 书架(的一层)

▲**bookshop** ['bukʃɔp] n. 书店 ([美] bookstore)

⒜▲**bookstore** ['bukstɔ:] n. 书店 ([英] bookshop)

boom [bu:m] n. 隆隆声;兴旺(← slump) vi. 作隆隆声;(突然)繁荣

*▲**boot** [bu:t] n. 《常用复数》高统鞋;[美] 长统靴;保护罩

booth [bu:ð, 美: bu:θ] n. 摊棚,售货亭;电话亭;(餐馆、咖啡馆的)雅座

booty ['bu:ti] n. 战利品;赃物

[▲]border ['bɔ:də] *n.* 边缘;国境,边界(⇨frontier)　*v.* 邻接,接壤(⇨adjoin)

bore¹ [bɔ:] *vt.* 钻(孔)(⇨drill);凿(井)

[△]bore² [bɔ:] *vt.* 使厌倦(⇨tire);令(人)厌烦　*n.* 无聊的人(或事)

bore³ [bɔ:]　bear¹ 的过去式

[*]born [bɔ:n]　bear¹ 的过去分词　*a.* 天生的;出生于…的;出身于 ··的 ‖ a ～ fool 天生的傻子

borne [bɔ:n]　bear¹ 的过去分词

borough ['bʌrə, 美: 'bə:rou] *n.* (有一定自治权的)市,镇,区

[*]borrow ['bɔrəu] *vt.* 借,借入(← lend);借用

bosom ['buzəm] *n.* 胸;胸怀(⇨heart) ‖ ～ friend 知已 ▶人体的胸(部) 一般用 chest, breast.

[▲]boss [bɔs] *n.* 〈口语〉工头;老板;头子,首脑

[*]Boston ['bɔstən] *n.* 波士顿(美国城市)

botanical [bə'tænikəl] *a.* 植物(学)的 ‖ ～ garden(s) 植物园

botany ['bɔtəni] *n.* 植物学

[*]both [bəuθ] *a.* 两;双　*ad.*《与 and 连用》两个都;不仅…而且,既…又 (←neither … nor)　*pron.* 两个,二者;俩;双方 ▶在句中的位置与 all (所有,都)相同.

[▲]bother ['bɔðə] *vt.* 打扰,麻烦;扰乱(⇨trouble)　*vi.* 烦闷　*n.* 麻烦的事

[*]bottle ['bɔtl] *n.* 瓶;一瓶的容量

^(*)bottom ['bɔtəm] *n.* 底,底部(⇨base);下部;末端(← top)

bough [bau] *n.* 大树枝(⇨branch)

bought [bɔ:t]　buy 的过去式和过去分词

boulder ['bəuldə] *n.* 大砾石;圆石

`bounce [bauns] *vi.* 弹起;反跳　*vt.* 跳(⇨jump);弹回　*n.* 弹力;活力

bound¹ [baund] *vi., n.* 跳(⇨jump);弹回

bound² [baund] *n.*《常用复数》境界(线);界限(⇨limit)　*vt.* 接境;划界

bound³ [baund]　bind 的过去式和过去分词　*a.* 被束缚的;密切关联的

bound⁴ [baund] *a.*《用作表语》(驶)往…去的

[▲]boundary ['baundəri] *n.* 分界线;边界

boundless ['baundlis] *a.* 无限的,无边无际的

bounty ['baunti] *n.* 慷慨(⇨generosity);小费;奖励金(⇨reward)

[▲]bouquet [bəu'kei, bu:-] *n.* 花束

bourgeois ['buəʒwɑ:, 美: buə'ʒwɑ] *n.* (复数: *bourgeois*) 中产阶级成员;资产阶级分子　*a.* 中产阶级的,资产阶级的

bourgeoisie [,buəʒwɑ:'zi] *n.*《加 the》中产阶级,资产阶级

[▲]bow¹ [bəu] *n.* 弓;弓形(物);蝴蝶结;眼镜框,眼镜脚 ‖ ～ tie 蝴蝶结领结 ▶发音不要与 bow², bow³ 相混.

`bow² [bau] *vi.* 点头;低头,屈服;弯腰;鞠躬　*n.* 鞠躬,敬礼

bow³ [bau] *n.* 船首(← stern)

bowel ['bauəl] *n.*《用复数》肠子 ‖ the large ～s 大肠

bower ['bauə] *n.* 树荫处;凉亭

[*]bowl [bəul] *n.* 碗,钵;--碗的容量

bowling ['bəuliŋ] *n.* (滚球)击柱戏,保龄球

[*]box¹ [bɔks] *n.* 箱,盒;一箱的容量;包厢　*vt.* 装箱

box[2] [bɔks] *v.* 捆;拳击　*n.* 一巴掌;一拳

boxer ['bɔksə] *n.* 拳击家,拳击　　　　　　　　　　　　　　「赛

(●)**boxing** ['bɔksiŋ] *n.* 拳击(运动) ‖ Chinese ～ 太极拳 / ～ match 拳击比

***boy**[bɔi] *n.* 男孩,少年;儿子(⇨son);侍者;练习生 ‖ ～ scout 童子军

boycott ['bɔikət] *vt., n.* 抵制;断绝往来

boyfriend ['bɔifrend] *n.* 男朋友

***boyhood** ['bɔihud] *n.* 少年时代,童年时代

boyish ['bɔi-iʃ] *a.* 少年的;男孩似的;孩子气的

▲**brace** [breis] *n.* 支架;固定器(矫形用);曲柄;前(或后)大括号;**《用复数》**
裤子吊带 ‖ leg ～s 腿固定器

bracelet ['breislit] *n.* 手镯;〈口语〉**《常用复数》**手铐

(●)**bracket** ['brækit] *n.* 支架;**《常用复数》**括号　*vt.* 加括号

brag [bræg] *vi.* 夸,吹牛(⇨boast)　*n.* 自夸;吹牛者

braid [breid] *n.* 编带;发辫;(衣服的)镶边

▲**Braille, braille** [breil] *n.* 布莱叶盲文;点字(法)　*vt.* 用盲文印刷(或写)

▲**brain** [brein] *n.* 脑,脑髓;**《用复数》**脑子;**《常用复数》**脑力,智能 ‖ ～
drain 人才外流 / ～ fag 神经衰弱

brake [breik] *n.* 刹车,闸,制动器　*v.* 刹车,制动 ▶与 break (打破)同音

bran [bræn] *n.* 麸,糠

▲**branch** [brɑːntʃ, 美: bræntʃ] *n.* 树枝;枝条,分枝;(河的)支流,(铁路的)
支线;分行,分局;支部;支店;(学问的)部门,分科　*vi.* 分支;分叉;分歧

brand [brænd] *n.* 商标(⇨trademark);牌子;烙印;污名　*vt.* 铭刻;使蒙上
污名 ‖ ～ing iron 烙铁

brandy ['brændi] *n.* 白兰地(酒)

brass [brɑːs, 美: bræs] *n.* 黄铜;黄铜制品;铜管乐器 ‖ ～ band 铜管乐队

***brave** [breiv] *a.* 勇敢的(⇨bold);有勇气的(←cowardly);无畏的

▲**bravely** ['breivli] *ad.* 勇敢地

▲**bravery** ['breivəri] *n.* 勇敢,大胆(⇨courage)

bravo ['brɑːvəu] *int.* 好!

brawl [brɔːl] *vi.* 争吵　*n.* 口角,吵架

brazen ['breizn] *a.* 黄铜制的;厚颜无耻的

(▲)**Brazil** [brə'zil] *n.* 巴西

Brazilian [brə'ziljən] *a.* 巴西的　*n.* 巴西人

breach [briːtʃ] *n.* 违背,违反;破裂;突破口

***bread** [bred] *n.* 面包;食物(⇨food);生计(⇨livelihood)

breadth [bredθ, bretθ] *n.* 宽,阔;宽度(⇨width);幅

***break** [breik] (*broke* [brəuk], *broken* ['brəukən]) *vt.* 打破,折断;违背
(约定),违犯(规则);破(记录);中断,停止(⇨stop)　*vi.* 破裂;破晓　*n.*
(课间、工间)休息时间;暂停,中断

breakdown ['breikdaun] *n.* 崩溃;故障;损伤;衰弱

breaker ['breikə] *n.* (冲击海岸的)白浪;轧碎机

***breakfast** ['brekfəst] *n.* 早餐

▲**breast** [brest] *n.* 胸,胸膛;胸部(⇨chest);乳房　*vt.* 对抗;用胸部顶 ‖ ～
cancer 乳腺癌 / ～ stroke 俯泳

***breath** [breθ] *n.* 气息,呼吸;一口气;微风

breathe [bri:ð] *v.* 呼吸, 吸入

breathless ['breθləs] *a.* 喘气的; 屏息的

bred [bred] breed 的过去式和过去分词

breeches ['britʃis] *n.* 《用复数》马裤; 〈口语〉裤子(⇨trousers)

breed [bri:d] *v.* (*bred* [bred], *bred*) (动物)生育; 繁殖; 饲养 *n.* 品种

breeding ['bri:diŋ] *n.* 教养; 养殖

breeze [bri:z] *n.* 微风, 和风

brethren ['breðrən] *n.* [brother 的古体复数] (宗教上的)兄弟

brew [bru:] *v.* 酿造(啤酒等); 调配(饮料); 煎(药)

bribe [braib] *n.* 贿赂, 行贿, 受贿 *vt.* 行贿, 收买

▲**brick** [brik] *n.* 砖, 砖块; (玩具)积木

bride [braid] *n.* 新娘

bridegroom ['braidgrum] *n.* 新郎

◆**bridge**[1] [bridʒ] *n.* 桥, 桥梁 *vt.* 架桥

bridge[2] [bridʒ] *n.* 桥牌(一种纸牌游戏)

bridle ['braidl] *n.* 马勒, (马)笼头; 控制物(⇨controls) *vt.* (给马)戴上笼头; 克制(⇨restrain)

brief [bri:f] *a.* 简短的(⇨short); 简洁的(⇨concise) *n.* 短文; 简短的声明; 摘要, 大纲 *vt.* 提要, 概述; 向…介绍情况(或交代任务)

▲**briefly** ['bri:fli] *ad.* 简短地; 简言之

brigade [bri'geid] *n.* (军队的)旅, (专职的)团队

◆**bright** [brait] *a.* 明亮的, 耀眼的; 光明的; 伶俐的(⇨intelligent); 聪明的(⇨clever); 快乐的

brighten ['braitn] *vi.* 发亮; 晴朗, 快活起来 *vt.* 使明亮; 使开朗; 使活跃

brightly ['braitli] *ad.* 明亮地, 辉煌地; 伶俐地

brightness ['braitnis] *n.* 光明, 辉煌; 光泽; 聪明伶俐

▲**brilliant** ['briliənt] *a.* 光辉的(⇨sparkling); 辉煌的; 有才能的

▲**brilliantly** ['briliəntli] *ad.* 灿烂地; 亮闪闪地; 出色地

brim [brim] *n.* (碗、杯的)边, 缘(⇨edge, rim); 帽边 *v.* 满到边缘

◆**bring** [briŋ] *vt.* (*brought* [brɔ:t], *brought*) 拿来(⇨fetch); 带(来); 引导, 导致(⇨lead); 提出(证据等)

brink [briŋk] *n.* (河、峭壁的)边缘; 紧要关头

brisk [brisk] *a.* 活泼的(⇨lively); 活跃的(⇨active); 轻快的; 兴旺的

briskly ['briskli] *ad.* 活泼地, 轻快地

▲**bristle** ['brisl] *n.* (动植物的)短而硬的毛, 刚毛; (猪)鬃 *vi.* (毛发)竖起; 充满, 密布 ▶ t 不发音.

▲**bristly** ['brisli] *a.* (毛发等)短而硬的; 林立的. ▶ t 不发音.

▲**Britain** ['britn] *n.* 不列颠(英格兰、威尔士和苏格兰的总称); 英国(⇨England)

◆**British** ['britiʃ] *a.* 英国的; 英国人的 *n.* 《加 the》英国人 ‖ the ~ Isles 不列颠诸岛(也称英伦诸岛)

brittle ['britl] *a.* 易碎的(⇨breakable); 脆弱的(⇨frail)

▲**broad** [brɔ:d] *a.* 广阔的(⇨vast); 宽的(⇨wide)(← narrow); 明朗的; 宽宏大量的, 豁达的

▲**broadcast** ['brɔ:dkɑ:st, 美: -kæst] *v.* (*broadcast, broadcast*; 或 *-ed, -ed*)

(用无线电或电视)广播,播送   *n.* 广播,播音

broaden ['brɔ:dn] *v.* 加宽,扩大

broil [brɔil] *vt.* 烧(肉),烤(肉)

broke [brəuk]   break 的过去式

broken ['brəukən]   break 的过去分词   *a.* 破裂的,折断的;间断的;支离破碎的 ‖ ～ English 蹩脚英语 / ～ money 零钱 / ～ line 虚线

broker ['brəukə] *n.* 经纪人,掮客;旧货商

bronze [brɔnz] *n.* 青铜(色);青铜制品

▲**brooch** [brəutʃ] *n.* 胸针,饰针

brood [bru:d] *vi.* 孵;沉思   *n.* 一窝(小鸡)

▲**brook** [bruk] *n.* 小河,溪(⇨stream)

broom [bru:m, brum] *n.* 扫帚

broth [brɔθ, brɔ:θ] *n.* 肉汤,肉汁

•**brother** ['brʌðə] *n.* 兄弟;同胞

brotherhood ['brʌðə,hud] *n.* 兄弟关系,手足之情

brotherly ['brʌðəli] *a.* 兄弟的,兄弟般的;情同骨肉的

brought [brɔ:t]   bring 的过去式和过去分词

▲**brow** [brau] *n.* 《常用复数》眉,眉毛;前额(⇨forehead)

•**Brown** [braun]   布朗(姓)   「红糖

▲**brown** [braun] *a.* 棕色的,褐色的,咖啡色的   *n.* 棕色,褐色 ‖ ～ sugar

bruise [bru:z] *n.* 伤痕;外伤 *v.* 打伤,撞伤,挫伤

•**brush**[1] [brʌʃ] *n.* 刷子,毛刷;毛笔,画笔 *vt.* 刷,擦,拂,掸   *vi.* 擦过

▲**brush**[2] [brʌʃ] *n.* 灌木丛;灌木丛地带   「遇战

▲**brush**[3] [brʌʃ] *n.* 小冲突;遭遇战 ‖ a close ～ with death 险些丧命的遭

brutal ['bru:tl] *a.* 兽性的(⇨savage);残忍的(⇨cruel) ‖ ～ winter 严冬

brute [bru:t] *n.* 畜生(⇨beast);禽兽(⇨animal);残忍的人 *a.* 没有理性的;横蛮的;残忍的 ‖ ～ force 暴力

bubble ['bʌbl] *n.* 泡沫;气泡,水泡 ‖ ～ gum 泡泡糖

buck [bʌk] *n.* 雄鹿;雄兔;公羊;纨绔子弟

bucket ['bʌkit] *n.* 水桶,提桶(⇨pail);一桶的容量

buckle ['bʌkl] *v.* 把…扣住   *n.* 带扣

bud [bʌd] *n.* 蓓蕾;芽   *v.* 萌芽,发芽;含苞欲放

Buddhism ['budizəm] *n.* 佛教

Buddhist ['budist] *n.* 佛教徒   *a.* 佛的;佛教的

▲**buddy** ['bʌdi] *n.* 〈美口语〉伙伴,弟兄(尤指士兵间称呼)

budget ['bʌdʒit] *n.* 预算 ‖ ～ account 分期付款

▲**buffalo** ['bʌfələu] *n.* 水牛;(北美洲的)野牛

▲**bug** [bʌg] *n.* 臭虫;[美]昆虫,虫子(⇨insect);窃听器

bugle ['bju:gl] *n.* 喇叭;军号

•**build** [bild] *v.* (*built* [bilt], *built*) 建筑,建造;建立;建设(⇨construct)

•**builder** ['bildə] *n.* 建筑者,建筑工人;建设者

•**building** ['bildiŋ] *n.* 建筑物;房屋;大楼 ‖ ～ blocks 玩具积木

built [bilt]   build 的过去式和过去分词

bulb [bʌlb] *n.* 灯泡;球状物;球茎

bulge [bʌldʒ] *n.* 膨胀;凸出部分   *v.* (使)膨胀

bulk [bʌlk] *n.* 容积, 体积(⇨volume); 大小(⇨size); 大量; 大部分; 主体 ‖ ～ buying 大量收购

'Bull [bul] 布尔(姓)

▲bull [bul] *n.* (未阉割的)公牛 ‖ ～ ring 斗牛场

bulldog [ˈbuldɔg] *n.* 牛头犬; 顽固者; 勇猛坚决的人

▲bullet [ˈbulit] *n.* 枪弹, 子弹(⇨ball); 弹丸

▲bulletin [ˈbulitin] *n.* 公报; 公告, 布告; 快报 ‖ ～ board 布告牌

◆bully [ˈbuli] *vt.* 威吓, 欺侮 *n.* 暴徒; 恃强欺弱的人

▲bump [bʌmp] *v.* 碰, 撞, 撞击; 颠簸 *n.* 撞击; 肿块

bumper [ˈbʌmpə] *n.* (汽车)保险杆; 缓冲器

(▲)bun [bʌn] *n.* 小圆甜面包

bunch [bʌntʃ] *n.* (一)束, (一)扎, (一)串

bundle [ˈbʌndl] *n.* 捆, 束; 包裹;《用单数》〈口语〉一大堆 *v.* 捆, 扎, 包

bungalow [ˈbʌŋgələu] *n.* (别墅式的)平房

bunny [ˈbʌni] *n.* 〈口语〉小白兔

buoy [bɔi] *n.* 浮标, 浮筒; 救生圈(= lifebuoy) ▶发音与 boy (男孩)相同.

buoyant [ˈbɔiənt] *a.* 能浮的; 轻快的

▲burden [ˈbəːdn] *n.* 负担, 重担; 担子(⇨load) *vt.* 使负重担; 使劳累

bureau [ˈbjuərəu] *n.* (复数: bureaux [ˈbjuərəuz] 或 bureaus) (政府机关的)局, 处; 社; 办公署, 办事处 (⇨ office); 办公桌; [美]衣柜 ‖ informatiom ～ 新闻处 / travel ～ 旅行社

bureaucracy [bjuəˈrɔkrəsi] *n.* 官僚主义; 官僚机构

burglar [ˈbəːglə] *n.* 夜贼, 窃贼(⇨thief)

burglary [ˈbəːgləri] *n.* 夜盗行为; 盗窃

burial [ˈberiəl] *n.* 埋葬; 葬礼 ‖ ～ ground 墓地

▲burn [bəːn] *v.* (burnt [bəːnt], burnt; 或 -ed, -ed) 烧, 烧毁; 燃烧

burner [ˈbəːnə] *n.* 灯头, 煤气头; 燃烧器

burnt [bəːnt] burn 的过去式和过去分词 *a.* 烧伤的

(▲)burrow [ˈbʌrəu, 美: ˈbəːr-] *n.* (狐, 兔等的)地洞, 穴; (地下)躲避处

▲burst [bəːst] *v.* (burst, burst) 破裂· 爆炸; 迸发, 突然发作; 冲破; 突破 *n.* 缺口; 突破; 爆发

▲bury [ˈberi] *vt.* 埋葬; 埋藏; 遮盖(⇨cover)

◆bus [bʌs] *n.* 公共汽车; 大客车 ‖ ～ stop 公共汽车停车站

▲bush [buʃ] *n.* 灌木, 矮树; 灌木丛, 矮树丛

bushel [ˈbuʃəl] *n.* 蒲式耳(谷类水果的计量单位, 约合 36 升)

bushmaster [ˈbuʃˌmɑːstə] *n.* 一种美洲产的大毒蛇

bushy [ˈbuʃi] *a.* 灌木丛生的; 灌木似的; 浓密的

busily [ˈbizili] *ad.* 忙, 忙碌地

◆business [ˈbiznis] *n.* 工作; 事务; 职责; 职业(⇨occupation); 生意; 商业(⇨commerce); 工商企业; 商号(⇨company) ‖ ～ card 业务用名片 / ～ school 职业学校 ▶此词为两音节, 注意发音.

businessman [ˈbiznismən] *n.* (复数: -men [-mən]) 商人; 企业家

bust [bʌst] *n.* 胸像, 半身像; (妇女的)胸部

bustle [ˈbʌsl] *vi.* 忙乱; 奔忙; 慌张 *n.* 喧闹; 忙乱 ▶ t 不发音.

◆busy [ˈbizi] *a.* 忙的(← free); 繁忙的; 热闹的; 繁华的; [美]电话占线

•**but** [bʌt, (弱) bət] *conj.* 但是, 可是; 然而 (⇨yet)   *prep.* 除了 (⇨except)
  pron. [关系代词] 没有不…的 *ad.* 不过, 只 (⇨only) ▶注意与 except
  的区别; but 只用于 all, no, nobody, everywhere, everything 等之后.

(•)**butcher** ['butʃə] *n.* 屠夫; 肉商; 刽子手

  butler ['bʌtlə] *n.* 男管家

  butt [bʌt] *v.* 碰撞, 撞上

(•)**butter** ['bʌtə] *n.* 黄油, 白脱 (油) ‖ peanut ～ 花生酱

(•)**butterfly** ['bʌtəflai] *n.* 蝴蝶

(•)**button** ['bʌtn] *n.* 钮扣, (电铃等的) 按钮, 电钮 ‖ call ～ 信号按钮

•**buy** [bai] *vt.* (*bought* [bɔːt], bought) 买 (← sell) (⇨purchase) ▶可带双
  宾语, 当双宾语易位时要用介词 for.

  buyer ['baiə] *n.* 买主, 购买者 (← seller); 消费者 ‖ ～'s market 买方市场

  buzz [bʌz] *vi.* (蜂、蝇等) 嗡嗡叫   *n.* 嗡嗡声; 蜂鸣器 ‖ ～ saw 圆锯

•**by** [bai] *prep.* 《位置》在…近旁, 靠近 (⇨near); 《时间》在…以前, 在…期
  间, 不迟于, 到…时为止; 《方法·手段·动因》被, 由 (⇨through), 依 (⇨
  according to), 靠, 通过, 根据 *ad.* 在旁, 在附近; 经过 (⇨past)

•**bye-bye** ['bai'bai] *int.* 〈口语〉再会, 回头见 ▶good-bye 的非正式形式.

  bypass ['baipɑːs] *n.* 旁道 *vt.* 迂回; 绕过

  byproduct ['bai,prɔdəkt] *n.* 副产品

C, c

(•)**cab** [kæb] *n.* 出租马车; 出租汽车 (⇨taxi); (司机) 驾驶室

•**cabbage** ['kæbidʒ] *n.* 卷心菜, 洋白菜

  cabin ['kæbin] *n.* (简陋木制) 小屋; 船舱; 飞机座舱 ‖ log ～ (用圆木搭建
  的) 小木屋 / ～ class 二等 (船) 舱

  cabinet ['kæbinit] *n.* 柜, 橱; [C-] 内阁   「car 缆车

(•)**cable** ['keibl] *n.* 缆, 粗索; 电缆, 海底电缆; 钢丝绳 *v.* 打 (海底) 电报 ‖ ～

  cacao [kə'kɑːəu, -'keiəu] *n.* 可可, 可可树

  cadence ['keidəns] *n.* 调子; 节奏; 韵律

  cadre ['kɑːdə, 美: 'kɑːdrə] *n.* 干部; 骨干; 骨架

(•)**cafe, café** ['kæfei, 美: kæ'fei] *n.* 咖啡馆; 餐馆; 简易食堂

  cafeteria [,kæfi'tiəriə] *n.* (顾客自端食物进餐的) 自助餐馆, 自助食堂

•**cage** [keidʒ] *n.* 笼; 鸟笼, 兽槛; 囚笼, 牢房

•**cake** [keik] *n.* 饼, 糕, 蛋糕; (一) 块

  calamity [kə'læmiti] *n.* 灾祸, 灾害, 灾难 (⇨disaster); 不幸事件

  calcium ['kælsiəm] *n.* 钙

•**calculate** ['kælkjuleit] *vt.* 计算 (⇨ count); 《常用被动式》打算 (⇨
  intend); 计划 (⇨plan); 〈美口语〉认为, 以为 (⇨count)

  calculation [,kælkju'leiʃən] *n.* 计算; 估计; 打算; 深思熟虑

  calculator ['kælkjuleitə] *n.* 计算器; 计算者

  calculus ['kælkjuləs] *n.* 微积分

calendar ['kælində] *n.* 日历, 月历; 历法

calf¹ [kɑ:f, 美: kæf] *n.* 小牛, 犊; 仔

calf² [kɑ:f, 美: kæf] *n.* 小腿肚, 腓

calibration [,kælə'breiʃən] *n.* 校正,《常用复数》刻度

calico ['kæli,kəu] *n.* 白布(作床单等用);[美]印花布(作女装用)

(A)**California** [,kæli'fɔ:njə] *n.* 加利福尼亚州(美国)

*call** [kɔ:l] *v.* 叫, 喊(⇨shout); 叫醒(⇨awaken); 称呼(⇨name); 召集(⇨summon); 邀请(⇨invite); 打电话给(⇨telephone); 拜访 *n.* 叫声, 喊声; 呼喊; 通话; 号召; (短暂的)访问; 信号; 点名 ‖ ～ box 公用电话亭

calling ['kɔ:liŋ] *n.* 职业(⇨profession); 拜访; 感召 ‖ ～ card 名片

*calm** [kɑ:m] *a.* 平静的, 安静的(⇨quiet); 沉着的; 冷静的(⇨cool) *n.* 平静, 镇静 *v.* (使)镇定; (使)平静

*calmly** ['kɑ:mli] *ad.* 平静地; 冷静地, 沉着地

calorie ['kæləri] *n.* 卡(热量单位)

Cambridge ['keimbridʒ] *n.* 剑桥 (英国城市)

came [keim] come 的过去式

*camel** ['kæməl] *n.* 骆驼

^**camera** ['kæmərə] *n.* 照相机, 摄影机 ‖ TV ～ 电视摄像机

camp [kæmp] *n.* 兵营(⇨barracks); 营地; 野营; 阵营 *v.* 露营, 设营 ‖ ～ bed 行军床 / ～ chair 折叠椅

^**campaign** [kæm'pein] *n.* 战役(⇨battle); (竞选等)运动 *vi.* 从事运动; 参加战役; 竞选 ▶注意拼写发音.

campus ['kæmpəs] *n.* [美]校园, 学校场地

*can**¹ [kæn, (弱) kən] *v. aux.* (过去式 could [kud, (弱) kəd])《能力》能, 会;《怀疑》可能;《许可》可以(⇨may);《口语》不妨;《疑问句》会…吗?《否定句》不会… ▶ 需用作不定式、现在分词、过去分词时, 可用 be able to 替代.

(A)**can**² [kæn] *n.* (金属)罐; (保藏食物的)罐头, 听子([英] tin)

(**a**)**Canada** ['kænədə] *n.* 加拿大

Canadian [kə'neidjən] *a.* 加拿大的 *n.* 加拿大人

^**canal** [kə'næl] *n.* 运河; 沟渠; 管道; 水道 ‖ the Suez *Canal* 苏伊士运河

canary [kə'nɛəri] *n.* 金丝雀 ‖ ～ yellow 淡黄色

^**cancel** ['kænsəl] *vt.* 取消; 盖(邮)戳注销; (划线)删去

^**cancer** ['kænsə] *n.* 癌; 毒瘤; (社会的)弊端; 积习

candid ['kændid] *a.* 坦率的(⇨frank); 正直的; 公正的

candidate ['kændidit, 美, -deit] *n.* 候选人; 报名者; 投考者

^**candle** ['kændl] *n.* 蜡烛

cando(u)r ['kændə] *n.* 正直; 坦率(⇨frankness)

*candy** ['kændi] *n.* 糖果([英] sweets); 冰糖 ▶复数 candies 指各种糖果.

*cane** [kein] *n.* (竹、藤等的)茎; 甘蔗; 棍, 棒; 手杖(⇨stick) ‖ ～ chair 藤椅 / ～ sugar 蔗糖

^**cannibal** ['kænibəl] *n.* 吃人的人; 同类相食的动物

^**cannon** ['kænən] *n.* (旧式)大炮; 榴弹炮; (军用飞机上的)机关炮 ▶现今大炮称 gun.

cannot ['kænɔt, (弱) 'kænət] 不会, 不能; 不可能(← must) ▶can 的否定

式;在美国通常分写 (can not).

▲**canoe** [kə'nu:] *n.* 独木舟,皮筏

***can't** [kɑ:nt, 美: kænt] cannot 的缩合式

Canterbury ['kæntəbəri] *n.* 坎特伯雷(英国城市)

canto ['kæntəu] *n.* 长诗中的篇章(⇨chapter)

canvas ['kænvəs] *n.* 帆布;帐篷;画布;油画

△**canyon** ['kænjən] *n.* 峡谷

***cap** [kæp] *n.* 便帽,(无边的)帽子;(瓶)盖,(笔)套 *vt.* 给…戴帽;覆盖

capable ['keipəbl] *a.* 有能力的;有才能的;能干的(⇨able);《用作表语, 与 of 连用》能…的

capacitance [kə'pæsətəns] *n.* 电容,电容量

capacitor [kə'pæsətə] *n.* 电容器

capacity [kə'pæsiti] *n.* 能力(⇨ability);能量;容量;容积(⇨volume);资 格;地位(⇨position) ▶多指人或物的潜在能力,注意与 ability 的区别.

cape[1] [keip] *n.* 海角,岬

cape[2] [keip] *n.* 披肩

***capital** ['kæpitl] *n.* 首都;首府,省会;资本;资方;大写(字母) *a.* 资本的; 基本的,重要的;大写的;极好的 ‖ ～ city 首都 / ～ letter 大写;标题

capitalism ['kæpitəlizəm] *n.* 资本主义   「的

capitalist ['kæpitəlist] *n.* 资本家;资本主义者 *a.* 资本家的;资本主义

Capitol ['kæpitl] *n.* 《加 the》美国国会大厦

***captain** ['kæptin] *n.* 首领(⇨leader);船长,(飞机)机长,(球队的)队长; 陆军上尉,海军上校

captive ['kæptiv] *n.* 俘虏(⇨prisoner);被监禁者

captivity [kæp'tiviti] *n.* 监禁;被捕;束缚(← freedom)

△**capture** ['kæptʃə] *vt.* 捕获(⇨seize);抓住(⇨catch);夺取;赢得(奖品); 引起(注意) *n.* 捕获;夺取;战利品

***car** [kɑ:] *n.* 车;车辆(⇨vehicle);汽车,小汽车(⇨motor-car) ([美] automobile);轿车(⇨sedan);(火车)车厢(⇨coach) ‖ ～ park 停车场

caramel ['kærəməl] *n.* (着色或调味用的)焦糖;饴糖

caravan ['kærəvæn] *n.* (往返于沙漠的)商队;大篷车;(用汽车牵引的)活 动房屋([美] trailer)

▲**carbohydrate** [,kɑ:bəu'haidreit] *n.* 碳水化合物;糖类

▲**carbon** ['kɑ:bən] *n.* 碳;复写纸 (= ～ paper); ～ dioxide 二氧化碳

carcass, carcase ['kɑ:kəs] *n.* (动物的)尸体;(牲畜屠后的)躯体

***card** [kɑ:d] *n.* 厚纸片,卡片;名片;请帖;《用复数》纸牌 ‖ I.D. ～ 身份证 / New Year ～ 贺年片 / catalog(ue) ～ 目录卡 / index ～ 卡片索引

cardboard ['kɑ:dbɔ:d] *n.* 厚纸板 *a.* 用厚纸板做的

cardinal[1] ['kɑ:dənəl] *a.* 基本的(⇨basic);主要的(⇨chief);最重要的 ‖ ～ number 基数

cardinal[2] ['kɑ:dənəl] *n.* 红衣主教

***care** [kɛə] *n.* 注意(⇨attention);小心(⇨carefulness);照料;忧虑(⇨ worry);保护 *vi.* 关心;留心;担心;照顾;喜欢

career [kə'riə] *n.* 生涯(⇨life);经历;专业;职业(⇨occupation) ‖ ～ diplomat 职业外交官

•**careful** ['kɛəfəl] *a.* 仔细的(⇨attentive);小心的,谨慎的(⇨cautious)

•**carefully** ['kɛəfəli] *ad.* 小心地,谨慎地;仔细地

(A)**careless** ['kɛəlis] *a.* 粗心的,草率的(⇨ thoughtless);疏忽的(⇨ inattentive);无忧无虑的

carelessly ['kɛələsli] *ad.* 粗心地(← carefully);轻率地

caress [kə'res] *n., vt.* 爱抚;亲吻(⇨kiss)

cargo ['kɑ:gəu] *n.* (船、飞机,车上的)货物 ‖ ~ boat 货轮

(A)**Caribbean** [,kæri'bi:ən] *a.* 加勒比海的;《加 the》加勒比海

caricature ['kærikətʃə] *n.* 漫画,讽刺画;讽刺文章

•**Carl** [kɑ:l] 卡尔(男名, Charles 的异体)

carnival ['kɑ:nivəl] *n.* 狂欢;欢宴(⇨feasting);嘉年华会(四旬节的前三天起持续一周的狂欢节)

carol ['kærəl] *n.* 颂歌,圣诞颂歌

(A)**Carolyn** ['kærəlin] 卡罗琳(女名, Charles 的女性化)

carp [kɑ:p] *n.* 鲤鱼

•**carpenter** ['kɑ:pintə] *n.* 木工,木匠

▲**carpet** ['kɑ:pit] *n.* 毛毯,地毯

•**carriage** ['kæridʒ] *n.* (四轮)马车(⇨wagon);(火车)客车厢([美] car);运费 ‖ ~ paid 运费已付 / ~ forward 运费由收货人付

carrier ['kæriə] *n.* 搬运工,搬运公司;(自行车)载重架;(汽车等的)行李架;媒介物,病媒 ‖ ~ bag (店中供应的)手提购物袋 / ~ pigeon 信鸽

carrot ['kærət] *n.* 胡萝卜

•**carry** ['kæri] *vt.* 搬,运送(⇨transport);手提,肩挑;携带;担负;支持(⇨support);刊载 *vi.* 传送,传播

•**cart** [kɑ:t] *n.* (双轮)运货马车,大车;手推车

carton ['kɑ:tn] *n.* 纸板盒,纸板箱

cartoon [kɑ:'tu:n] *n.* 时事讽刺漫画;卡通,动画片

cartridge ['kɑ:tridʒ] *n.* 弹药筒;子弹;软片卷轴

carve [kɑ:v] *vt.* 雕,雕刻;切(熟肉)

▲**cascade** [kæs'keid] *n.* 小瀑布

▲**case**[1] [keis] *n.* 情况(⇨situation);事情;场合;事实,实情;令人信服的论点;案件;实例,病例;患者(⇨patient);〔语法〕格 ‖ ~ history 病历 / ~ study 个别情况研究,个案研究

(A)**case**[2] [keis] *n.* 箱子(⇨box);盒子,框架(⇨frame);容器(⇨container)

cash [kæʃ] *n.* 现金,现款(⇨money) *vt.* 兑现 ‖ ~ crop 经济作物 / ~ desk (商店、旅馆等的)收款台 / ~ register 收银机

cashier [kæ'ʃiə] *n.* 出纳员([美] teller)

cask [kɑ:sk, 美: kæsk] *n.* 木桶;一桶的容量 [机

cassette [kæ'set] *n.* 盒式录音带;胶卷暗盒 ‖ ~ tape recorder 盒式录音

•**cast** [kɑ:st, 美: kæst] *v.* (cast, cast) 投,掷,抛(⇨throw);(光、影)投射;指向;分派角色;(蛇)脱皮;浇铸(⇨mould);计算 *n.* 投掷;铸件;演员表;石膏绷带 ‖ ~ iron 铸铁

caster ['kɑ:stə, 美: 'kæstə] *n.* 脚轮;调味瓶

castle ['kɑ:sl, 美: 'kæsl] *n.* 城堡,堡垒 ▶ t 不发音.

•**castor** ['kɑ:stə, 美: 'kæstə] *n.* 蓖麻 ‖ ~ oil 蓖麻(籽)油

casual ['kæʒuəl] *a.* 偶然的, 碰巧的(⇨accidental); 临时的; 随便的; 不小心的(⇨careless) *n.* 意外事件 ‖ ～ clothes 便服 / ～ labourer 临时工

casualty ['kæʒuəlti] *n.* 伤亡人员; 事故, 灾祸

***cat** [kæt] *n.* 猫

▲**catalog(ue)** ['kætələg] *n.* (图书、商品等)目录; 一览表 *vt.* 把…编(入)目(录); 按目录分类

catalyst ['kætəlist] *n.* 催化剂

catastrophe [kə'tæstrəfi] *n.* 大灾祸, 大灾难; (悲剧的)结局(⇨end)

***catch** [kætʃ] *v.* (*caught* [kɔ:t], *caught*) 捉, 捕捉(⇨capture); 抓住, 握住(⇨clasp); 钩住; 接住; 赶上(车、船等); 领会; 听见; 引起(注意); 感染(疾病); 偶然撞见 *n.* 接球; 捕获物; (门窗)搭扣; 挂钩钩

category ['kætigəri] *n.* 种类, 属类; 范畴

cater ['keitə] *v.* 投合; 满足(需要)

caterpillar ['kætə,pilə] *n.* 毛虫; 履带 ‖ ～ tractor 履带拖拉机

cathedral [kə'θi:drəl] *n.* 大教堂

cathode ['kæθəud] *n.* 阴极 ‖ ～ (ray) tube 阴极射线管

Catholic ['kæθəlik] *a.* (罗马)天主教的 *n.* 天主教徒

*‖**cattle** ['kætl] *n.* 《用作复数》牲口, 家畜; 〔总称〕牛

caught [kɔ:t] catch 的过去式和过去分词

▲**cause** [kɔ:z] *n.* 原因; (正当的)理由(⇨reason); 动机(⇨motive); 事业 *vt.* 引起; 造成; 给…带来; 使发生; 促使 ‖ the ～ of socialism 社会主义事业 / the First *Cause* 造物主 ▶ 作使役动词"使, 叫"使用时, 其宾语后面的不定式要带 to.

caution ['kɔ:ʃən] *n.* 谨慎, 小心(⇨carefulness); 告诫, 警告(⇨warning) *vt.* 警告(⇨warn)

cautious ['kɔ:ʃəs] *a.* 谨慎的, 小心的(⇨careful); 慎重的

cautiously ['kɔ:ʃəsli] *ad.* 谨慎地 小心地; 慎重地

cavalier [,kævə'liə] *n.* 骑士; (对女人)献殷勤的男子

cavalry ['kævəlri] *n.* 〔总称〕骑兵, 骑兵部队

▲**cave** [keiv] *n.* 洞, 穴, 窟; 岩洞, 窑洞, 山洞

cavern ['kævən] *n.* 大洞穴, 大山洞; 地下室

cavity ['kæviti] *n.* 体腔

***caw** [kɔ:] *vi.* (乌鸦等)呱呱地叫

cease [si:s] *v., n.* 停止, 中止(⇨stop)

cedar ['si:də] *n.* 雪松; 西洋杉

▲**ceiling** ['si:liŋ] *n.* 天花板; 顶篷 ‖ ～ price (公议的)最高价格

▲**celebrate** ['selibreit] *vt.* 庆祝; 赞美; 歌颂(⇨praise)

celebrated ['selibreitid] *a.* 有名的, 驰名的, 著名的(⇨famous)

▲**celebration** [,selə'breiʃən] *n.* 庆祝; 庆祝会

celery ['seləri] *n.* 芹菜

celestial [si'lestiəl, 美: -tʃəl] *a.* 天的, 天空的, 天上的; 天堂的; 完美的 ‖ ～ body 天体

^(▲)**cell** [sel] *n.* 细胞; 小房间; 单人牢房; 电池; 基层组织 ‖ dry ～ 干电池

▲**cellar** ['selə] *n.* 地窖, 地下室

cello ['tʃeləu] *n.* 大提琴 ▶ 注意发音.

celluloid ['seljulɔid] *n.* 赛璐珞;假象牙

▲**cellulose** ['seljuləus] *n.* (植物、化学)纤维素

cement [si'ment] *n.* 水泥

▲**cemetery** ['semitri, 美: 'semə,teri] *n.* 公墓,墓地

censor ['sensə] *vt.* 审查,检查

censure ['senʃə] *n., vt.* 指责(⇨blame);非难;苛评

census ['sensəs] *n.* 人口调查,人口统计

▲**cent** [sent] *n.* 分(美国、加拿大等国的货币单位, 100 cents = 1 dollar) ‖ per ～ 百分比 (%)

▲**center** = centre

▲**centigrade** ['sentigreid] *a.* 百分度的;摄氏(温度计)的

centigram(me) ['senti,græm] *n.* 厘克 (= 1/100克,略作:cg.)

centiliter [美] = centilitre

centilitre ['senti,li:tə] *n.* 厘升 (= 1/100升,略作:cl.)

centimeter [美] = centimetre

centimetre ['senti,mi:tə] *n.* 厘米,公分 (= 1/100米,略作:cm.)

central ['sentrəl] *a.* 中央的;中心的;主要的(⇨main) ‖ *Central* America 中美洲 / ～ figure 主要人物 / ～ idea 主题思想

▲**centre** ['sentə] *n.* 中心;中央;中枢;(球队的)中锋 *vt.* 集中在;以…为中心 *vi.* 居中 ‖ shopping ～ 商业中心 ▶又拼写为 center [美].

▲**century** ['sentʃəri] *n.* 世纪;百年

cereal ['siəriəl] *n.* 《常用复数》谷物,谷类

ceremony ['seriməni] *n.* 典礼,仪式(⇨formality);礼节 ‖ an official opening ～ 正式的开幕式 / marriage ～ 婚礼/master of *ceremonies* 司仪;(电视、广播等节目的)主持人

▲**certain** ['sə:tn] *a.* 《置名词前》某,某一,某些,一定的;《用作表语》确实的,可靠的,有把握的,确信的;《作代词用》某几个,某些

▲**certainly** ['sə:tnli] *ad.* 的确,必定(⇨surely);有把握;确信地;无疑地;《作回答》当然可以,好的,行

certainty ['sə:tnti] *n.* 确实,确实的事

certificate [sə'tifikit] *n.* 证件,证书;执照;证券;单据 *vt.* [-keit] 批准;发证书给… ▶名词与动词末音节发音不同.

certify ['sə:tifai] *vt.* 证明;宣布 ‖ certified milk (检验合格的)消毒牛奶

▲**chain** [tʃein] *n.* 链,链条;表链;锁链;《用复数》镣铐;一连串 *vt.* 用链拴住;拘禁;束缚 ‖ a mountain ～ 山脉 / ～ reaction 连锁反应

▲**chair** [tʃeə] *n.* 椅子

chairman ['tʃeəmən] *n.* (复数: -men [-mən]) 主席;会长;议长;委员长

▲**chalk** [tʃɔ:k] *n.* 粉笔

▲**challenge** ['tʃælindʒ] *n.* 挑战;考验;难题;激励人去努力完成的困难工作,艰巨任务 *vt.* 向…挑战;邀请…比赛 *vi.* 提出挑战;表示异议

chamber ['tʃeimbə] *n.* 会所;议院;《书面语》室,寝室(⇨room) ‖ ～ music 室内乐 / ～ pot 便壶

chamberlain ['tʃeimbəlin] *n.* 王室内侍;贵族的管家

champagne [ʃæm'pein] *n.* 香槟酒 ▶注意发音.

▲**champion** ['tʃæmpiən] *n.* 优胜者(⇨winner);冠军;斗士(⇨fighter) *vt.*

为…而斗争;拥护;支持(⇨support) ‖ ～ cup 冠军杯 / ～ idiot 大傻瓜

^**championship** ['tʃæmpiənʃip] n. 冠军称号;锦标赛

•**chance** [tʃɑ:ns, 美: tʃæns] n. 机会(⇨opportunity); 运气(⇨luck);可能性(⇨possibility);偶然 vi. 碰巧 vt. 冒…的风险,试试(运气)

chancellor ['tʃɑ:nsələ, 美: 'tʃæn-] n. 大臣;(某些国家的)首相,总理,国务大臣;(某些大学的)校长

chandelier [,ʃændə'liə] n. 枝形吊灯

•**change** [tʃeindʒ] v. 改变, 变化 (⇨ vary); 换 去, 改 换; 交 换 (⇨ exchange);兑换 n. 改变,变化;替换物;找头,零钱

changeable ['tʃeindʒəbl] a. 易变的;可换的;不定的

^**channel** ['tʃænəl] n. 海峡;航道;水道;沟渠;电路,波段;(电视的)频道 ‖ the (English) *Channel* 英吉利海峡

chant [tʃɑ:nt] v. 歌颂;唱歌 n. 赞美诗

chaos ['keiɔs] n. 混乱

chap[1] [tʃæp] n. 〈口语〉家伙(⇨fellow);小伙子(⇨boy) ‖ old ～ (熟人间称呼)老兄,老弟

chap[2] [tʃæp] v. (使)皲裂;(使)变粗糙

^(A)**chapel** ['tʃæpəl] n. 小礼拜堂,小教堂,(医院、学校等的)附属教堂

^**chapter** ['tʃæptə] n. (书籍的)章,回,篇

^**character** ['kæriktə] n. 特性,特征;本性(⇨ nature); 性格; 个性(⇨ individuality);品质(⇨sort);特征(小说、戏剧中的)人物,角色;身份,资格;文字符号;(方块)字

characterise = characterize

characteristic [,kæriktə'ristik] a. 特有的,独特的 n. 特性,特征,特色

characterize ['kæriktəraiz] vt. 表现…的特性;刻划…的性格;…的特点是 ▶又拼写为 characterise

^**character-training** ['kæriktə-'treiniŋ] n. 性格的培养,品质的培养

•**charcoal** ['tʃɑ:kəul] n. 炭;木炭

^**charge** [tʃɑ:dʒ] n. 装填,负荷(⇨load); 指控; 主管; 看管; 责任;《常用复数》费用;袭击,冲锋 vt. 索(价);收(费);控诉;使承担(任务、责任);装(子弹);使(电池)充电;填满(⇨fill)

chariot ['tʃæriət] n. (古时)双轮战车;赛车

charitable ['tʃæritəbl] a. 宽厚的;慈善的

charity ['tʃæriti] n. 宽厚;慈善,慈悲;博爱;施舍

^**Charles** [tʃɑ:lz] 查尔斯(人名)

^**Charlie** ['tʃɑ:li] 查利(男名)

^(•)**charm** [tʃɑ:m] n. 魅力,媚力,吸引力;魔力 vt. 迷住(⇨attract);使陶醉;使高兴(⇨please)

charming ['tʃɑ:miŋ] n. 迷人的,有魅力的,妩媚的;可爱的

^(A)**chart** [tʃɑ:t] n. 海(域)图;航(线)图;图(表) vt. 绘制(海图);制定(航线)

charter ['tʃɑ:tə] n. 宪章;执照;特权(⇨privilege) vt. 特许

chase [tʃeis] vt. 追求(⇨ pursue);追赶,驱逐 n. 追踪;追求(⇨ persuit);《加 the》狩猎

chasm ['kæzəm] n. 断层;裂缝;(感情、兴趣等)重大分歧

chaste [tʃeist] a. (思想等)纯洁的(⇨pure);贞洁的

^**chat** [tʃæt] *vi.* 闲谈, 聊天 *n.* 闲谈, 聊天, 非正式的谈话

^**chatter** ['tʃætə] *vi., n.* 唠叨, 喋喋不休, 饶舌; (鸟雀)啁啾

chauffeur ['ʃəufə, ʃəu'fə:] *n.* (私人)汽车司机 ▶注意发音.

^**cheap** [tʃi:p] *a.* 廉价的, 便宜的 (← dear, costly); 不值钱的

^**cheat** [tʃi:t] *n.* 骗子; 欺诈; 欺骗行为 *vt.* 骗, 骗取 *vi.* 欺诈; 作弊

*****check** [tʃek] *n.* 支票([英] cheque); 餐馆的账单[英] bill); 检查, 核对 *vt.* 制止; (突然)停止(⇨stop); 控制(感情); 检查(⇨examine); 核对; 托运; 寄存 *int.* 〈口语〉懂了! 明白了! 行!

checkup ['tʃek-ʌp] *n.* 检查, 核对; 健康检查

^**cheek** [tʃi:k] *n.* 面颊; 〈口语〉厚脸皮

^**cheer** [tʃiə] *n.* 欢呼, 高呼; 喝采 *v.* 欢呼(⇨applaud); 鼓舞; (使)高兴; (使)振奋(⇨encourage)

^**cheerful** ['tʃiəfəl] *a.* 快乐的, 愉快的, 高兴的(⇨gay)

cheerfully ['tʃiəfəli] *ad.* 高兴地, 愉快地, 快乐地

cheery ['tʃiəri] *a.* 愉快的, 快活的; 兴高采烈的

cheese [tʃi:z] *n.* 干酪, 乳酪

*****chemical** ['kemikəl] *a.* 化学的, 化学上的 *n.* 《常用复数》化学制品, 化学药品 ‖ ~ fibres 化学纤维

*****chemist** ['kemist] *n.* 化学家; 药剂师; 药商 ‖ ~'s shop 药房

*****chemistry** ['kemistri] *n.* 化学

cheque [tʃek] *n.* 支票([美] check)

cherish ['tʃeriʃ] *vt.* 爱护; 珍爱(⇨treasure); 抱有(希望等)

⁽ᴬ⁾**cherry** ['tʃeri] *n.* 樱桃; 樱桃树

chess [tʃes] *n.* 国际象棋

^**chest** [tʃest] *n.* 胸腔, 胸脯(⇨breast); 箱(⇨box); (有抽斗的)柜

chestnut ['tʃesnʌt] *n.* 栗子; 栗树 *a.* 栗色的 ▶注意发音.

^**chew** [tʃu:] *v.* 嚼, 咀嚼; 咬碎; 考虑(⇨consider) ‖ ~ing gum 口香糖

Chicago [ʃi'kɑ:gəu] *n.* 芝加哥(美国城市) ▶注意发音.

*****chick** [tʃik] *n.* 小鸡; 鸡肉

*****chicken** ['tʃikin] *n.* 小鸡; 小鸟; 鸡肉 ‖ ~ pox 水痘

^**chief** [tʃi:f] *n.* 首长, 上司, (组织、集团的)长; 头子; 领袖, 领导者(⇨leader) *a.* 主要的(⇨principal); 重要的(⇨main); 首席的 ‖ ~ engineer 总工程师 / ~ justice 审判长

chiefly ['tʃi:fli] *ad.* 主要地(⇨principally); 首要地; 大部分; 首先; 尤其(是)(⇨especially)

*****child** [tʃaild] *n.* (复数: *children* ['tʃildrən]) 小孩, 儿童; 儿子(⇨son); 女儿(⇨daughter) ‖ natural ~ 私生子

^**childhood** ['tʃaildhud] *n.* 幼年(时代), 童年

childish ['tʃaildiʃ] *a.* 儿童的; 孩子气的, 幼稚的; 蠢的

*****children** ['tʃildrən] child 的复数 ‖ *Children's* Day 儿童节

chill [tʃil] *n.* 寒冷; 凉气; 扫兴 *a.* 冷的, 寒冷的; 冷漠的 *vt.* 冻却; 冷藏; 使扫兴 *vi.* 变冷

chilly ['tʃili] *a.* 凉飕飕的; 冷淡的, 不友好的

chime [tʃaim] *n.* 一组钟; 谐音; 韵律; 和谐

⁽ᴬ⁾**chimney** ['tʃimni] *n.* 烟囱; [美]壁炉 ‖ ~ corner 炉边

chin [tʃin] *n.* 颏；下颔，下巴

*　**China** ['tʃainə] *n.* 中国

　china ['tʃainə] *n.* 瓷器，瓷料

*　**Chinese** [,tʃai'niːz] *a.* 中国的；中国人的；中国话的，汉语的　*n.*（复数：Chinese）中国人；中文，汉语

　chink [tʃiŋk] *n.* 裂缝；裂口；漏洞

　chip [tʃip] *n.* 切屑；碎片；(桌、杯的)缺口；(赌博)筹码

　chirp [tʃəːp] *n.* 鸟叫声；虫鸣声

　chisel ['tʃizəl] *n.* 凿子　*vt.* 凿；雕

　chlorine ['klɔːriːn] *n.* 氯，氯气

　chocolate ['tʃɔkəlit] *n.* 巧克力，巧克力糖

▲　**choice** [tʃɔis] *n.* 选择，挑选；被选的人(或物)；优等品　*a.* 精选的；上等的

(▲)　**choir** ['kwaiə] *n.* (教堂的)唱诗班；歌唱队　*v.* 合唱，合奏

▲　**choke** [tʃəuk] *v.* (使)窒息；哽，噎；阻塞，堵住

　cholera ['kɔlərə] *n.* 霍乱

*　**choose** [tʃuːz] *v.* (chose [tʃəuz], chosen ['tʃəuzn]) 选择(⇨select)；挑选(⇨pick)；选定；甘愿(⇨wish)

　chop [tʃɔp] *vt.* 砍，劈；剁碎　*n.* 砍，劈；排骨，肉块

　chopsticks ['tʃɔpstiks] *n.* [复数] 筷子

　chord [kɔːd] *n.* (乐器的)弦；心弦；和音　*v.* (使)和谐 ‖ vocal ～s 声带

　chorus ['kɔːrəs] *n.* 合唱；合唱队；合唱曲

　chose [tʃəuz] choose 的过去式

　chosen ['tʃəuzn] choose 的过去分词

　Christ [kraist] *n.* 基督

▲　**Christian** ['kristiən, 'kristʃən] *a.* 基督教的　*n.* 基督教徒

▲　**Christianity** [,kristi'æniti] *n.* 基督教

*　**Christmas** ['krisməs] *n.* 圣诞节 (12月25日) (略作：Xmas) ‖ Merry ～! 祝圣诞快乐! / ～ card 圣诞贺片 / ～ Eve 圣诞前夕

　Christmas-tree ['krisməs-triː] *n.* 圣诞树

　chronic ['krɔnik] *a.* 慢性的(疾病)；长期的

　chronicle ['krɔnikl] *n.* 编年史；年代记；历史；记事　*vt.* 记述；使载入编年「史」

　chrysanthemum [kri'sænθəməm] *n.* 菊花

　chuckle ['tʃʌkl] *vi., n.* 抿着嘴轻声地笑；暗自笑

▲　**church** [tʃəːtʃ] *n.* 教堂，礼拜堂；教会；教派；礼拜

(▲)　**churchyard** ['tʃəːtʃjɑːd] *n.* 教堂墓地；教堂院子

　cicada [si'kɑːdə, 美. -'keiː] *n.* 蝉

　cider ['saidə] *n.* 苹果汁；苹果酒

　cigar [si'gɑː] *n.* 雪茄烟

　cigaret(te) [,sigə'ret] *n.* 纸烟，香烟，卷烟 ‖ ～ end 烟蒂

(▲)　**Cincinnati** [,sinsi'næti] *n.* 辛辛那提 (美国城市)

　cinder ['sində] *n.* 未燃尽的煤(或木炭)；煤渣，炉渣，矿渣；《用复数》灰烬

*　**cinema** ['sinimə] *n.* 电影院([美] movie theater)；《加 the》电影，影片([美] movies)

*　**circle** ['səːkl] *n.* 圆，圈(⇨ring)；周期(⇨cycle)；循环；领域(⇨field)；集团；…界　*vt.* 环绕；盘旋 ‖ upper ～s 上流社会

circuit ['sə:kit] *n.* 环行, 巡行; 巡回审判(或传道); 巡回区; 电路

circular ['sə:kjulə] *a.* 圆形的, 环形的; 环循的　　*n.* 通知; 传单; 传阅的文件

^(A)**circulate** ['sə:kjuleit] *vi.* 循环; 流通; 传播　　　　　　　　　　「路

circulation [,sə:kju'leiʃən] *n.* (血液)循环; 传布; 流通; (报刊)发行量, 销

circumference [sə'kʌmfərəns] *n.* 圆周

circumstance ['sə:kəmstæns, -stəns] *n.* 《常用复数》情况, 情形; 环境

circus ['sə:kəs] *n.* 马戏团; 杂技场

cite [sait] *vt.* 引用(⇨quote); 引证; 传讯; 举…为例; 通令嘉奖

[▲]**citizen** ['sitizən] *n.* 公民; 市民

[▲]**citizenship** ['sitizənʃip] *n.* 公民权; 公民身份; 国籍

[●]**city** ['siti] *n.* 市, 城市, 都市

civic ['sivik] *a.* 城市的; 市民的; 公民的

[▲]**civil** ['sivəl] *a.* 公民的; 市民的, 国民的; 民事的; 国内的; 民用的; 文明的; 有礼貌的(⇨polite) ‖ ～ law 民法 / ～ rights 公民权 / ～ servant 公务员, 文职官员 / ～ war 内战

civilian [si'viliən] *n.* 平民, 老百姓; 民法专家　*a.* 平民的; 民间的; 民用的

civilisation = civilization

civilise = civilize

civility [si'viliti] *n.* 礼貌, 礼仪; 客气

civilization [,sivəlai'zeiʃən, 美: -li-] *n.* 文明; 文化; 开化; 教养 ▶ 又拼写为 civilisation.　　　　　　　　　　　　　　　　　　「为 civilise

civilize ['sivəlaiz] *vt.* 使文明, 使开化; 教育, 教导　*vi.* 变得文明 ▶ 又拼写

civilized ['sivəlaizd] *a.* 文明的, 开化的; 有文化的; 有教养的; 文明社会的 ▶ 又拼写为 civilised.

[▲]**claim** [kleim] *vt.* (根据权利)要求(赔偿、付款等); 声称; 主张　*n.* (根据权利而提出的)要求; 主张; 断定

clam [klæm] *n.* 蛤; 蚌; 蚶

clamber ['klæmbə] *v., n.* 攀登; 爬

clamo(u)r ['klæmə] *n.* 喧闹, 吵嚷; (支持者的)叫喊

^(A)**clamp** [klæmp] *vt.* 夹住, 夹紧　*n.* 夹钳, 夹子

clan [klæn] *n.* 大家族, 氏族; 部族; 宗族; 小集团

clang [klæŋ] *v.* (使)发丁当当声, (使)发铿锵声; 丁当声, 铿锵声　　　「声

^(●)**clap** [klæp] *v.* 拍(手), 鼓(掌); 轻拍　*n.* 鼓掌(声); 拍手喝采(声); 破裂

clarify ['klærifai] *vt.* 阐明, 澄清; 使明朗化　*vi.* (液体)澄清; 变为易懂

clash [klæʃ] *v.* 发碰击声; 冲突; 交锋(⇨struggle)　*n.* (金属等)碰击声; (意见等)冲突; 抵触; 不调和

[▲]**clasp** [klɑ:sp, 美: klæsp] *vt.* 紧握(⇨hold); 紧抱; 钩紧, 扣住(⇨fasten)　*n.* 扣子(⇨botton); 钩子(⇨hook); 书夹(⇨clip); 饰针(⇨brooch); 拥抱; 握手(⇨handshake)

[●]**class** [klɑ:s, 美: klæs] *n.* 班, 班级; (一节)课; 阶级; 等级; 种类 ‖ first ～ 第一流 / ～ struggle 阶级斗争

classic ['klæsik] *a.* 古典的; 典范的; 第一流的　*n.* 古典作家; 文豪, 大艺术家; 古典作品; 杰作, 名著　　　　　　　　　　　　　　「古典音乐

classical ['klæsikəl] *a.* 古典的; 古典派的; 经典的; 第一流的 ‖ ～ music

classification [ˌklæsifi'keiʃən] n. 分类, 分级; 等级; 分类法

classify ['klæsifai] vt. 分类, 分等 ‖ *classified* advertisement 分类广告

***classmate** ['klɑːsmeit, 美: 'klæs-] n. (同班)同学 (⇨classfellow); 同窗

***classroom** ['klɑːsrum, 'klɑːsruːm,美: 'klæs-] n. 教室, 课堂

clatter ['klætə] n. (马蹄的)得得声; (刀叉的)铿锵声; (机器的)辘辘声; (谈话的)喧闹声

(*)**clause** [klɔːz] n. 〔语法〕分句, 子句, 从句; (法律、合同等的)条款, 规定

claw [klɔː] n. (鸟、兽的)爪; 爪形工具

(A)**clay** [klei] n. 粘土; 泥土

***clean** [kliːn] a. 清洁的, 干净的 (← dirty); 整洁的; 清白的 (⇨pure) ad. 完全地, 彻底地 (⇨thoroughly) vt. 擦干净, 把…弄干净; 清除, 打扫 ‖ a thorough ～ing 大扫除 / ～ room 绝尘室

cleaner ['kliːnə] n. 清洁工; 洗衣工; 清洁器; [美]洗衣店

cleaning ['kliːniŋ] n. 扫除; 洗涤, 擦洗 ‖ ～ woman 清洁女工

cleanliness ['klenlinis] n. 清洁; 洁癖

cleanly ['klenli] a. 清洁的; 爱清洁的, 经常清洁的 ad. ['kliːnli] 清洁地, 干净地; 利落地 ▶形容词与副词发音不同.

cleanse [klenz] vt. 使清洁 (⇨clean); 清洗; 净化

***clear** [kliə] a. 晴朗的 (⇨sunny); 明亮的 (⇨bright); 清楚的; (声音)清晰的; (道德上)清白的 (⇨innocent); 明白的 (⇨understood); 明显的 (⇨obvious); (颜色)清纯的; 〈口语〉十足的 ad. 清楚地; 完全地 v. 放晴, (使)清楚, 澄清; 清除, 扫除; 办清(手续)

clearing ['kliəriŋ] n. 清除; 林中空地; 票据交换; 汇划结算

▲**clearly** ['kliəli] ad. 显然, 无疑地; 清晰地, 明白地

cleave[1] [kliːv] v. (-d, -d; 或 cleft [kleft], cleft; 或 clove [kləuv], cloven ['kləuvən]) 劈开, 分开, 裂开; 分裂

cleave[2] [kliːv] vi. 固守; 忠于; 粘着 (⇨cling)

cleft [kleft] cleave 的过去式和过去分词 n. 裂缝 (⇨crack); 裂口

▲**clench** [klentʃ] vt. 咬紧(牙关); 握紧(拳头等); 紧紧抓住

clergy ['kləːdʒi] n. 〔总称〕(基督教)牧师; 圣职人员; 教士 ▶常用作复数.

clergyman ['kləːdʒimən] n. (复数: -men [-mən]) 牧师, 教士

(A)**clerk** [klɑːk, 美: kləːk] n. 职员; 办事员; 店员 ([英] shop assistant); 书记员; 秘书 ‖ correspondence ～ 文书   「(⇨able)

***clever** ['klevə] a. 机灵的 (⇨quick); 聪明的 (⇨bright); 伶俐的; 能干的

cleverly ['klevəli] ad. 聪明地; 巧妙地

***click** [klik] n. (锁等的)卡嗒声 vi. 发出卡嗒声   「customer」

client ['klaiənt] n. (律师的)委托人; (医生的)病家; (商店的)顾客 (⇨

cliff [klif] n. 悬崖; (尤指海岸的)峭壁

(A)**climate** ['klaimit] n. 气候; 风土; 地带; 气氛, 风气; 社会思潮 ▶注意与 weather (天气) 的区别.

climax ['klaimæks] n. 顶点; (故事的)高潮

***climb** [klaim] v. 爬; 攀登 (⇨ascend); 登上 (⇨mount); 上升

climber ['klaimə] n. 登山运动员 ▶ b 不发音

clime [klaim] n. 地区, 地方; 风土; 气候

cling [kliŋ] vi. (*clung* [klʌŋ], clung) 粘着 (⇨stick); 紧握; 依靠; 坚持

clinic ['klinik] *n.* 诊所, 门诊部, 医务室

clinical ['klinikəl] *a.* 临床的 ‖ ~ thermometer 体温表

clip[1] [klip] *vt.* 剪; 剪短; 修剪

▲**clip**[2] [klip] *n.* 夹, 钳; 回形针; 夹子 *vt.* 夹住, 钳牢; 别上

clique [kli:k] *n.* 集团; 派系, 帮派

cloak [kləuk] *n.* 斗篷, 大氅; 掩护物; 伪装 *v.* 掩盖, 掩饰

cloakroom ['kləukru:m, -rum] *n.* 衣帽间; 行李寄放处, 临时寄物处

*clock** [klɔk] *n.* 钟, 时钟

clockmaker ['klɔk,meikə] *n.* 钟表匠

clockwise ['klɔk-waiz] *a.* 顺时针的, 右转的

cloister ['klɔistə] *n.* 修道院; 隐居地; (修道院等的)回廊, 走廊

*close**[1] [kləuz] *vt.* 关, 关闭(⇨shut); 封闭; 结束; 使接近 *vi.* 关门; 结束, 停止; 靠拢 *n.* 结束; 终止(⇨end) ‖ ~ d circuit 闭路式(电视) / clos- ing time (商店等)关门时间, 打烊时间

*close**[2] [kləus] *a.* 靠近的(⇨near); 密切的; 秘密的(⇨secret); 亲密的(⇨ intimate); 狭窄的(⇨narrow); 严密的(⇨strict) *ad.* 靠近地, 密切地; 紧密地; 仔细地 ▶ 发音与 close[1] 有别.

▲**closely** ['kləusli] *ad.* 紧密地; 仔细地; 精密地; 严密地

close-lying [,kləus'laiiŋ] *a.* 紧贴着的

▲**closet** ['klɔzit] *n.* 小房间; 私室; 厕所, 盥洗室; [美]壁橱

⁽▲⁾**cloth** [klɔθ, klɔ:θ] *n.* (复数: *cloths* [klɔθs; 美: klɔ:θs, klɔ:ðz]) 布; 衣料; 织物 ▶复数形不要与 clothes 相混.

clothe [kləuð] *vt.* 给…穿衣; 覆盖; 装备 ▶拼写发音不要与 cloth 相混.

*clothes** [kləuðz] *n.* [复数] 衣服(⇨clothing) ▶量词用 a suit of.

*clothing** ['kləuðiŋ] *n.* 〔总称〕衣服(⇨clothes); 衣着

*cloud** [klaud] *n.* 云

*cloudy** ['klaudi] *a.* 多云的; 阴天的; 阴郁的(⇨gloomy); 混浊的; (意思)模 糊不清的(⇨unclear)

clove [kləuv] *n.* 丁香

clover ['kləuvə] *n.* 苜蓿; 三叶草

clown [klaun] *n.* 小丑; 丑角, 粗人 *vi.* 扮小丑

▲**club** [klʌb] *n.* 俱乐部; 社团(⇨society); 棍, 棒(⇨stick)

cluck [klʌk] *v.* (使)发咯咯声 *n.* (母鸡)咯咯声

▲**clue** [klu:] *n.* 线索; 暗示; 思路 *vt.* 为…提供线索; 提示

clump [klʌmp] *n.* (树的)丛; 簇; 一团, 一块

▲**clumsy** ['klʌmzi] *a.* 笨重的(⇨heavy); 笨拙的; 不圆滑的; 愚蠢的

clung [klʌŋ] cling 的过去式和过去分词

▲**cluster** ['klʌstə] *n.* (同类事物或人的)一串, 一簇, 一群, 一组; 辅[元]音群

▲**clutch** [klʌtʃ] *v.* 用手抓住, 攫住 *n.* 抓, 握, 捕; 〈美口语〉关键时刻

co- [kəu] *pref.* 表示"共同, 一起, 互相"之意, 如 *cooperation* (合作), *coworker* (同事), *coexistence* (共处)

⁽▲⁾**coach** [kəutʃ] *n.* 四轮大马车; (铁路的)客车; [英]大轿车; (体育)教练员; (私人)辅导教师 ‖ mail ~ 邮车

coachman ['kəutʃmən] *n.* (复数: -men [-mən]) 马车夫

⁽▲⁾**coal** [kəul] *n.* 煤; 煤炭, 煤块

coarse [kɔːs] *a.* 粗糙的 (⇨rough)；粗劣的 (⇨poor)；粗鲁的 (⇨rude)；粗俗的 (⇨vulgar)；猥亵的 (⇨dirty) ▶与 course（过程）同音.

▲**coast** [kəust] *n.* 海岸 (⇨shore)；海滨 (⇨seaside)

◦**coat** [kəut] *n.* 外套,大衣;上衣 (⇨jacket) *v.* 涂上,包上

coax [kəuks] *v.* 好言相劝;劝诱;哄(骗)

cobbler ['kɔblə] *n.* 皮匠,补鞋匠

cobweb ['kɔbweb] *n.* 蜘蛛网,蜘蛛网状的东西

◦**cock** [kɔk] *n.* 公鸡 (⇨rooster)；雄鸟;(煤气、水)龙头;旋塞

cocktail ['kɔkteil] *n.* 鸡尾酒 *a.* 鸡尾酒的 ‖ ～ party 鸡尾酒会

cocoa ['kəukəu] *n.* 可可粉;可可茶,可可饮料

coco(a)nut ['kəukə,nʌt] *n.* 椰子

▲**cocoon** [kə'kuːn] *n.* 蚕茧

cod [kɔd] *n.* 鳕鱼

▲**code** [kəud] *n.* 法典,法规;代号;电码,密码

coefficient [,kəui'fiʃənt] *n.* 系数

◦**coffee** ['kɔfi, 美: 'kɑfi] *n.* 咖啡,咖啡粉,咖啡豆 ‖ black ～ 不加牛奶的咖啡 / white ～ 加牛奶的咖啡 / ～ bar 小饭店 / ～ house 咖啡馆

coffin ['kɔfin] *n.* 棺材

coherent [kəu'hiərənt] *a.* 粘在一起的;连贯的;易懂的

coil [kɔil] *v.* 卷;盘绕 *n.* (一)卷,(一)圈;线圈

coin [kɔin] *n.* 钱币,硬币 ‖ silver ～ 银币 / small ～ 零钱 / ～ box 公 「用电话(亭)

coincide [,kəuin'said] *vi.* 相符合,相一致,相同

coincidence [kəu'insidəns] *n.* 一致,符合;巧合

coke [kəuk] *n.* 焦炭

col- [kəl, kɔl] *pref.* 表示"共同,一起,互相"之意,如 *col*lective (共有的), *col*league (同事). ▶con- 的变体,用于 1 之前.

◦**cold** [kəuld] *a.* 冷的 (← hot)；寒冷的;冷淡的 *n.* 寒冷;感冒,伤风 ‖ a bad ～ 重感冒,重伤风 / ～ cream 冷霜

▲**cold-blooded** [,kəuld'blʌdid] *a.* (动物)冷血的;(人)无情的 (⇨pitiless)；残酷的 (⇨cruel)

Ⓐ**cold-hearted** [,kəuld'hɑːtid] *a.* 冷淡的;冷心肠的

▲**coldly** ['kəuldli] *ad.* 寒冷地;冷淡地;无情地

collaborate [kə'læbəreit] *vi.* 协作;合作,合著;勾结

collaboration [kə,læbə'reiʃən] *n.* 合作,协作;勾结

collapse [kə'læps] *vi.* 崩溃;倒塌,垮台;晕倒 *vt.* 使折叠 *n.* 倒塌;崩溃;衰弱 ‖ nervous ～ 神经衰弱

▲**collar** ['kɔlə] *n.* 衣领,硬领

colleague ['kɔliːg] *n.* 同事,同僚 ▶注意拼写发音.

collect [kə'lekt] *v.* 收集,搜集;采集;聚集;集合 (⇨gather) *ad., a.* 由收到者付款(的) ‖ call ～ 打对方(受话者)付款的(长途)电话

collection [kə'lekʃən] *n.* 收集;汇集;(诗、文)集;收藏品;募捐;捐款 (⇨contribution)；(一)堆 (⇨pile)

collective [kə'lektiv] *a.* 集体的;共有的 *n.* 集体 ‖ ～ noun 集体名词 / ～ ownership 集体所有制

Ⓐ**collector** [kə'lektə] *n.* 收集者,收藏者;收税员,收款员,收票员

*college ['kɔlidʒ] *n.* 学院(⇨institute)；高等专科学校；[英]公学；[美]大学(⇨university)；学会，社团

collide [kə'laid] *vi.* (车、船等)相撞；冲突；抵触

collision [kə'liʒən] *n.* 碰撞；(意见、利害等)冲突

colonel ['kə:nəl] *n.* 陆军上校；团长 ▶注意发音.

colonial [kə'ləuniəl] *a.* 殖民的，殖民地的

colonialist [kə'ləuniəlist] *n.* 殖民主义者 *a.* 殖民主义者的

colonist ['kɔlənist] *n.* 殖民主义者；殖民地开拓者；殖民地居民，移民

colony ['kɔləni] *n.* 殖民地；侨居地；聚居地；(艺术家等的)一群；群体

colossal [kə'lɔsəl] *a.* 庞大的；巨大的(⇨immense)；〈口语〉非常的

*colo(u)r ['kʌlə] *n.* 色，颜色，色彩；《用复数》颜料(⇨paints) *vt.* 给…着色 *vi.* 变色；脸红

colo(u)red ['kʌləd] *a.* 有色的；混血的 *n.* 有色人种

*colo(u)rful ['kʌləful] *a.* 彩色的；艳丽的；颜色丰富的；精彩的；吸引人的

colt [kəult] *n.* 小(雄)马；新手，生手(⇨greener)

*column ['kɔləm] *n.* 柱，柱状物；(报刊的)专栏

com- [kəm] *pref.* 表示"共同，联合"之意，如 *combine* (结合)，*companion* (同伴). ▶con- 的变体，用于 b, p, m 之前.

*comb [kəum] *n.* 梳子；鸡冠；蜂房 *vt.* 梳，刷；彻底搜查 ▶b 不发音.

combat ['kɔmbæt] *n.* 战斗 (⇨fight)；搏斗，格斗；斗争(⇨struggle) *v.* (与…)斗争；反对(⇨oppose)

combination [ˌkɔmbi'neiʃən] *n.* 结合(体)；联合(体)；化合，组合；合并

*combine [kəm'bain] *v.* (使)结合(⇨join)；(使)联合(⇨unite)；(使)合并；(使)化合 *n.* ['kɔmbain] 联合企业；联合收割机 ▶注意重音.

combustion [kəm'bʌstʃən] *n.* 燃烧；自燃

*come [kʌm] *vi.* (came [keim], come) 来，来到；到达(⇨arrive)；出现(⇨appear)；发生(⇨happen)；变成(⇨become)

comedian [kə'mi:diən] *n.* 喜剧演员，喜剧作家；小丑人物

comedy ['kɔmidi] *n.* 喜剧；喜剧性事件

*comfort ['kʌmfət] *vt.* 安慰(⇨console)；使(身心)舒适(⇨ease) *n.* 安慰；舒适 ‖ ～ station [美]公共厕所

*comforable ['kʌmfətəbl] *a.* 安慰的；舒适的；愉快的；优裕的

comfortably ['kʌmfətəbli] *ad.* 舒适地

comic ['kɔmik] *a.* 喜剧的；滑稽的；引人发笑的 *n.* 喜剧演员；连环漫画

comical ['kɔmikəl] *a.* 滑稽的；好笑的；古怪的

coming ['kʌmiŋ] *a.* 即将来临的，正在到来的 *n.* 来到，到达

comma ['kɔmə] *n.* 逗号[,]

command [kə'mɑ:nd；美：-'mænd] *vt.* 指挥(⇨direct)；命令(⇨order)；统率；控制(⇨control)；俯视 (⇨overlook) *n.* 指挥；命令；控制；司令部 ‖ air ～ 空军司令部

commander [kə'mɑ:ndə，美：-'mæn-] *n.* 指挥员，司令员 ‖ ～ in chief 总司令，最高统帅

commemorate [kə'meməreit] *v.* 庆祝，纪念

commence [kə'mens] *v.* 开始(⇨begin)

commencement [kə'mensmənt] *n.* 开始，开端；毕业典礼(日)

commend [kə'mend] *vt.* 称赞(⇨praise)；表扬,嘉奖；委托(⇨entrust)

comment ['kɔment] *n.* 解说；短评；意见 *vi.* 评论

commentary ['kɔməntəri] *n.* 评注；注释(本)；解说词

commerce ['kɔmə:s] *n.* 商业(⇨trade)；贸易

commercial [kə'mə:ʃəl] *a.* 商业(上)的；商务的；商品化的 *n.* (广播或电视节目中的)广告(⇨advertisement)

commission [kə'miʃən] *n.* 手续费,佣金；委托；委任；代办；委员会

commissioner [kə'miʃənə] *n.* 委员；专员；特派员；地方长官

commit [kə'mit] *vt.* 委托(⇨entrust)；交付；承诺；犯(错,罪)；监禁

committee [kə'miti] *n.* 委员会 ‖ Party ～ 党委 / standing ～ 常委会

commodity [kə'mɔditi] *n.* 商品；日用品；货物 ‖ household *commodities* 家庭用品 / *commodities* fair 商品展览会

*●**common** ['kɔmən] *a.* 公共的,共有的；共用的；共同的；普通的,常见的,一般的；粗俗的；低劣的 ‖ ～ knowledge 常识 / ～ noun 普通名词 / ～ sense 普通见识,实用判断力

▲**commonly** ['kɔmənli] *ad.* 通常(⇨usually)；一般(⇨generally)；普通

commonplace ['kɔmən.pleis] *a.* 平常的；平凡的(⇨ordinary)；陈腐的(⇨trite) *n.* 老生常谈；日常琐事

commonwealth ['kɔmən.welθ] *n.* 全体国民；共和国；联邦；共同体 ‖ the *Commonwealth* of Nations 英联邦

commotion [kə'məuʃən] *n.* 动乱；混乱 (⇨disorder)；骚扰,骚动 (⇨turbulence)；暴乱

commune ['kɔmju:n] *n.* 公社

▲**communicate** [kə'mju:nikeit] *vt.* 传达(⇨transfer)；传送(热、感情、消息等)；传染 *vi.* 通讯；联络；传递信息

communication [kə.mju:ni'keiʃən] *n.* 传达,通信,通讯；联络；交通 ‖ ～s gap (由于情况不沟通而形成的)传沟(即传达思想的鸿沟)

communiqué [kə'mju:nikei, kə.mju:ni'kei] *n.* 〔法〕公报 ‖ joint ～ 联合公报 ▶注意发音

*(●)**communism** ['kɔmjunizəm] *n.* 共产主义

*●**communist** ['kɔmjunist] *a.* 共产主义的；共产党的 *n.* 共产主义者,共产党员 ‖ the Chinese *Communist* Party 中国共产党

▲**community** [kə'mju:niti] *n.* 团体；集团；社区；共同体；共有,《加 the》公众

compact [kəm'pækt] *a.* 紧密的 (⇨dense)；坚实的；(文体)简洁的(⇨concise) *n.* ['kɔmpækt] 紧密；简洁；(附有镜子的)粉盒；小型汽车(=～ car) ▶形容词与名词重音不同.

▲**companion** [kəm'pæniən] *n.* 陪伴,伴随；同伴,同事；伴侣,同忧乐的人

companionship [kəm'pæniən.ʃip] *n.* 友谊；交往；同伴关系

*●**company** ['kʌmpəni] *n.* 同伴,朋友；商号,公司(略作: Co.)；(一)群,(一)队,(一)伙

comparable ['kɔmpərəbl] *a.* 可比较的；相当的；比得上的

*(●)**comparative** [kəm'pærətiv] *a.* 比较的；相当的 *n.*《加the》〔语法〕比较级 ‖ the ～ degree 〔语法〕比较级 / ～ linguistics 比较语言学

▲**comparatively** [kəm'pærətivli] *ad.* 比较地；相当地

*●**compare** [kəm'pɛə] *v.* 比较；对照(⇨contrast)；比喻；比作

comparison [kəm'pærisən] n. 比较;对照;比喻;〔语法〕比较等级

compartment [kəm'pɑ:tmənt] n. (火车车厢等的)分隔间,车室;隔开的部分(⇨division)

compass ['kʌmpəs] n. 罗盘,指南针;《常用复数》圆规;界限;音域 ▶"圆规"的量词用 a pair of.

compassion [kəm'pæʃən] n. 同情(⇨sympathy);怜悯

compatible [kəm'pætəbl] a. 相容的,可共存的;兼容的;谐和的;一致的 ‖ ~ colour TV system 兼容制彩色电视系统

compel [kəm'pel] vt. 强迫,迫使(⇨force)

compensate ['kɔmpənseit] vt. 赔偿,补偿;酬报(⇨reward)

compensation [,kɔmpen'seiʃən] n. 补偿,赔偿;赔偿金(或物)

compete [kəm'pi:t] vi. 比赛(⇨contest);竞争

competent ['kɔmpitənt] a. 有能力的,能干的(⇨able, capable);能胜任的;适当的(⇨suitable)

competition [,kɔmpi'tiʃən] n. 比赛;竞争;竞争者

competitive [kəm'petitiv] a. 竞争(性)的;比赛的;好竞争的

competitor [kəm'petitə] n. 竞争者;比赛者(⇨contestant);对手

compile [kəm'pail] vt. 编辑,编纂;搜集(资料等)

complain [kəm'plein] v. 控诉,控告;投诉,抱怨(⇨grumble);诉苦

complaint [kəm'pleint] n. 诉苦;控告(⇨accusation);疾病(⇨sickness)

complement ['kɔmplimənt] n. 补足(物);(船上)定员;编制人员;〔语法〕补(足)语 ▶与 compliment (n.) 同音.

complete [kəm'pli:t] a. 完全的,完整的;全部的(⇨entire);彻底的(⇨thorough) vt. 完成(⇨finish);结束;使完善(⇨perfect)

completely [kəm'pli:tli] ad. 完全地(⇨wholly);彻底地(⇨thoroughly)

completion [kəm'pli:ʃən] n. 完成;完满;结束

complex ['kɔmpleks] a. 综合的;复杂的(⇨complicated);复合的(⇨compound);合成的 ‖ ~ sentence 主从复合句

complexion [kəm'plekʃən] n. 面色,肤色;外观;形势

complexity [kəm'pleksiti] n. 复杂性;复杂的事物

complicate ['kɔmplikeit] vt. 使复杂(← simplify);使难懂;使恶化

complicated ['kɔmplikeitid] a. 错综复杂的;纷繁的;难懂的

complication [,kɔmpli'keiʃən] n. 复杂化;烦琐;纷乱;并发症

compliment ['kɔmplimənt] n. 称赞,赞扬(⇨praise);恭维(话);敬意;《用复数》问候,贺词 vt. [-ment] 恭维(⇨flatter);赞美;祝贺(⇨congratulate);向…致意 ▶名词与动词末音节发音略异.

comply [kəm'plai] vi. 同意(⇨agree);照…办

component [kəm'pəunənt] a. 组成的,构成的 n. 成分,(组成)部分

compose [kəm'pəuz] vt. 《用被动语态》组成;构成;创作(乐曲等);排(字) vi. 作曲;排字

composed [kəm'pəuzd] a. 平静的(⇨calm);安详的;镇静自若的

composer [kəm'pəuzə] n. 作曲家

composite ['kɔmpəzit] a. 合成的;集成的;综合的

composition [,kɔmpə'ziʃən] n. 写作;作文;作曲;组成;成分

composure [kəm'pəuʒə] n. 镇静(← agitation);沉着

▲**compound** ['kɔmpaund] *a.* 〔语法〕复合的 *n.* 混合物, 化合物; 〔语法〕复合词 *vt.* [kəm'paund] 使混合, 使化合 ‖ ～ sentence 复合句 ▶形容词与动词重音不同.

comprehend [ˌkɔmpri'hend] *vt.* 领会(⇨understand); 包含(⇨include)

comprehension [ˌkɔmpri'henʃən] *n.* 理解, 理解力; (学校中)测验学生语言理解能力的练习

comprehensive [ˌkɔmpri'hensiv] *a.* 理解的; 有理解力的; 全面的(←limited); 综合的; 广泛的(⇨inclusive)

compress [kəm'pres] *vt.* 压缩(⇨press); 浓缩(⇨condense); 使(语言)简练 *n.* ['kɔmpres] (止血、消炎用的)敷布(⇨bandage) ‖ ～ed air 压缩空气 ▶动词与名词重音不同.

comprise [kəm'praiz] *vt.* 包括(⇨include); 包含(⇨contain); 构成

compromise ['kɔmprəˌmaiz] *n.* 妥协; 和解; 折衷方案 *vi.* 妥协; 和解; 让步; 折衷 *vt.* 损害(名誉、利益等) 「务教育

compulsory [kəm'pʌlsəri] *a.* 义务的; 强制的; 必修的 ‖ ～ education 义

computation [ˌkɔmpju'teiʃən] *n.* 计算, 估计

***compute** [kəm'pju:t] *vt.* 计算(⇨count); 估计(⇨estimate).

***computer** [kəm'pju:tə] *n.* 计算机; 电子计算机, 电脑

***comrade** ['kɔmrid, 美: 'kɑmræd] *n.* 同志; 亲密的伙伴; 朋友, 同事

comradely ['kɔmridli, 美: 'kɑmræd-] *a.* 同志般的 ▶此词不是副词.

▲**comradeship** ['kɔmridʃip, 美: 'kɑmræd-] *n.* 同志关系; 同志情谊, 友谊

con- [kən] *pref.* 表示"共同, 加强"之意, 如 *con*temporary (同时代的), *con*solidate (巩固). ▶此前缀用于 c, d, f, g, j, n, q, s, t, v 之前; 尚有 co-, col-, com-, cor- 等变体.

conceal [kən'si:l] *vt.* 隐藏(⇨hide); 遮盖(⇨cover); 隐瞒

concede [kən'si:d] *vt.* 承认(⇨admit); 让与; 容许(⇨allow) *vi.* 让步(⇨yield); (比赛等结束)认输 「自负

conceit [kən'si:t] *n.* 骄傲自满(⇨self-esteem); 自尊自大(⇨egotism);

conceited [kən'si:tid] *a.* 自负的, 自满的

conceivable [kən'si:vəbl] *a.* 可想像的; 想得到的

conceive [kən'si:v] *v.* 想出, 想到; 想像(⇨imagine); 怀孕

concentrate ['kɔnsəntreit] *v.* 集中; 专心; (使)浓缩

concentration [ˌkɔnsən'treiʃən] *n.* 集中; 专心; 浓缩 ‖ ～ camp 集中营

concept ['kɔnsept] *n.* 概念

conception [kən'sepʃən] *n.* 构思; 概念; 怀孕 ‖ ～ control 节育, 避孕

concern [kən'sə:n] *vt.* 涉及, 与…有关; 《用被动语态》担心 *n.* 关系, 关心(⇨care); 关怀; 忧虑(⇨worry)

concerned [kən'sə:nd] *a.* 有关的; 关切的; 担心的

concerning [kən'sə:niŋ] *prep.* 关于(⇨about)

***concert** ['kɔnsət] *n.* 音乐会, 演奏会; 协作; 一致, 和谐

concerto [kən'tʃeə:təu] *n.* 协奏曲

concession [kən'seʃən] *n.* 让步; 特许(权)

concessive [kən'sesiv] *a.* 让步的 ‖ ～ clause 让步从句

concise [kən'sais] *a.* 简明的(⇨brief); 简洁的; 简要的

▲**conclude** [kən'klu:d] *v.* 推断出, 断定(⇨resolve); 结束(⇨finish); 缔结

▲**conclusion** [kən'klu:ʒən] *n.* 结论；终结；结束

concord ['kɔŋkɔ:d] *n.* 一致（⇨agreement）；和谐（⇨harmony）；协定

concrete ['kɔnkri:t, 美: kɑn'kri:t] *a.* 具体的（← abstract）；有形的；实在的；特殊的 *n.* 混凝土

(▲)**condemn** [kən'dem] *vt.* 谴责（⇨blame）；定罪；判刑（⇨sentence）

condense [kən'dens] *vt.* 使凝结；使缩短（⇨shorten）；精简（文章）；浓缩；压缩（⇨compress） ‖ ~*d* milk 炼乳

condenser [kən'densə] *n.* 冷凝器；电容器

•**condition** [kən'diʃən] *n.* 条件；《常用复数》情况，形势；状况（⇨state）；（社会）地位 「从句

conditional [kən'diʃənəl] *a.* 有条件的；〔语法〕条件的 ‖ ~ clause 条件

conduct ['kɔndʌkt, -dəkt] *n.* 行为（⇨behavior）；品行；进行；指导（⇨direction）；处理 *v.* [kən'dʌkt] 进行；引导（⇨lead）；传导；指挥（乐队等） ▶名词与动词重音不同.

conduction [kən'dʌkʃən] *n.* 引导；传导

conductivity [,kɔndʌk'tiviti] *n.* 导电率；传导率

•**conductor** [kən'dʌktə] *n.* （汽车、电车上的）售票员；（火车上的）列车员；乐队指挥；领队；导体；避雷针

cone [kəun] *n.* 锥形物，锥形；蛋卷冰淇淋

confederacy [kən'fedərəsi] *n.* 同盟，联盟；联邦

confederate [kən'fedərit] *a.* 同盟的；联合的 *n.* 同盟者；联合者 *v.* [kən'fedə,reit] （使）结盟；（使）联合；（使）结党 ▶注意末音节发音.

confederation [kən,fedə'reiʃən] *n.* 同盟，联盟；联邦

confer [kən'fə:] *vt.* 授予（学位、称号等）；给予（权利、恩惠等） *vi.* 协商，商议（⇨consult）；交换意见

conference ['kɔnfərəns] *n.* 商议；讨论（⇨discussion）；会谈；（正式的）会议（⇨meeting）；讨论会 ‖ press [news] ~ 记者招待会

confess [kən'fes] *vt.* 供认，坦白；承认（⇨acknowledge）；（听）忏悔 ▶不能用双宾结构.

confession [kən'feʃən] *n.* 承认；认错；供认；忏悔

confide [kən'faid] *vt.* 吐露，透露（秘密等）；托付，委托 「密

confidence ['kɔnfidəns] *n.* 信托（⇨trust）；自信；信心（⇨faith）；秘密，机

(▲)**confident** ['kɔnfidənt] *a.* 有信心的；自信的；有把握的（⇨sure）

confidential [,kɔnfi'denʃəl] *a.* 机密的（⇨secret）；极受信任的；可靠的（⇨trustworthy） ‖ ~ papers 机密文件

configuration [kən,figju'reiʃən] *n.* 外形，轮廓；形相；结构；位列

confine [kən'fain] *vt.* 限制（⇨limit）；禁闭；《用被动语态》卧病，分娩

confirm [kən'fə:m] *vt.* （进一步）证实；肯定；加强（⇨strengthen）；使坚定（信念等）；批准（⇨ratify）

confirmation [,kɔnfə'meiʃən] *n.* 证实；巩固；（基督教）坚信礼，按手礼

confiscate ['kɔnfiskeit] *vt.* 没收；征用；将…充公

conflict ['kɔnflikt] *n.* 斗争（⇨struggle）；倾轧；抵触；冲突；论战；争执 *vi.* [kən'flikt] 相反；抵触；冲突；不一致（⇨disagree） ‖ armed ~ 武装冲突 ▶名词与动词重音不同.

conform [kən'fɔ:m] *v.* （使）符合（⇨accord）；（使）一致（⇨agree）；（使）适

合(⇨adapt);(使)遵照

confound [kən'faund] vt. 混淆(⇨confuse);打乱;弄糊涂;挫败

confront [kən'frʌnt] vt. 面对,面临;和…对抗;与…相对   「认

⁽ᴬ⁾**confuse** [kən'fju:z] vt. 使混乱(⇨disorder);混淆;弄错(⇨mistake);误

confusion [kən'fju:ʒən] n. 混乱,混乱状态;混淆;骚乱

▲**congenial** [kən'dʒi:niəl] a. 性情相似的(⇨similar);志趣相投的;相宜的;惬意的(⇨agreeable)

▲**congratulate** [kən'grætʃuleit] vt. 祝贺,庆贺

▲**congratulation** [kən,grætʃu'leiʃən] n.《常用复数》祝贺,庆贺;贺词

congregation [,kɔŋgri'geiʃən] n. 集合;人群;(教会的)会众

congress ['kɔŋgres] n. (代表)大会;(正式)会议;[C-](美国的)国会

congressional [kən'greʃənəl] a. (代表)大会的;会议的;国会的;议会的

congressman ['kɔŋgresmən] n. (复数:-men [-mən]) [美]国会议员

conjecture [kən'dʒektʃə] n., v. 推测,猜想(⇨guess)

conjugation [,kɔndʒu'geiʃən] n. 〔语法〕动词(的字形)变化   「合

⁽*⁾**conjunction** [kən'dʒʌŋkʃən] n. 〔语法〕连词;结合(⇨combination);联

conjure ['kʌndʒə] v. 念咒召唤;变戏法

▲**connect** [kə'nekt] vt. 连接;衔接;相通,《用被动语态》与…有关

▲**connected** [kə'nektid] a. 连接的;有联系的,有关系的

connection [美] = connexion

connective [kə'nektiv] a. 连接的 n. 〔语法〕连接词语

connexion [kə'nekʃən] n. 连接(⇨link);联系(⇨relation);亲戚 ▶又拼写为 connection [美].

⁽ᴬ⁾**connotation** [,kɔnəu'teiʃən] n. (词等的)涵义;内涵

⁽ᴬ⁾**conquer** ['kɔŋkə] vt. 征服(⇨defeat);克服(⇨overcome);战胜;占领

conqueror ['kɔŋkərə] n. 征服者;胜利者 ▶词尾是 or,不是 er.   「人

conquest ['kɔŋkwest] n. 征服,攻克,占领;征服地,战利品;被赢得欢心的

conscience ['kɔnʃəns] n. 良心,良知

conscientious [,kɔnʃi'enʃəs] a. 认真的;细心的(⇨careful);有良心的

conscientiously [,kɔnʃi'enʃəsli] ad. 认真地;诚心诚意地

conscious ['kɔnʃəs] a. 有意识的;自觉的;知道的(⇨aware);清醒的

consciousness ['kɔnʃəsnis] n. 知觉;意识;觉悟

consecrate ['kɔnsikreit] vt. 奉献;使成为神圣

consent [kən'sent] vi., n. 同意(⇨agree, agreement);许可

consequence ['kɔnsikwəns] n. 结果(⇨result);重要(⇨importance)

consequent ['kɔnsikwənt] a. 因…而引起的;随之发生的

consequently ['kɔnsikwəntli] ad. 因而,所以

conservation [,kɔnsə'veiʃən] n. 保存;保护;守恒

conservative [kən'sə:vətiv] a. 保守的(← progressive);谨慎的 ‖ *Conservative* Party (英国的)保守党

⁽ᴬ⁾**conservatory** [kən'sə:vətri] n. 音乐学院,音乐学校

conserve [kən'sə:v] vt. 保存;保养;把…做成蜜饯 n. ['kɔnsə:v] 蜜饯,果酱 ▶动词与名词重音不同.

▲**consider** [kən'sidə] v. 考虑(⇨ponder);细想,认为(⇨think);把…看作

considerable [kən'sidərəbl] n. 值得考虑的;重要的(⇨important);相当

多的(⇨much)；可观的

considerably [kən'sidərəbli] *ad.* 相当大地；可观地；…得多

considerate [kən'sidərit] *a.* 考虑周到的；体谅的

▲**consideration** [kən,sidə'reiʃən] *n.* 考虑；体谅；照顾；报酬

considering [kən'sidəriŋ] *prep.* 就…来说，鉴于 *conj.* 考虑到，鉴于

▲**consist** [kən'sist] *vi.* 《与 of 连用》(由…)组成，(由…)构成《与 in 连用》在于，寓于，存在于

consistent [kən'sistənt] *a.* 一致的；始终一贯的(⇨constant)

consolation [,kɔnsə'leiʃən] *n.* 安慰(⇨comfort)；慰问

console [kən'səul] *vt.* 安慰(⇨comfort)；慰问

consolidate [kən'sɔlideit] *v.* 巩固；加强；调整

consonant ['kɔnsənənt] *n.* 辅音；辅音字母 *a.* 一致的，符合的；谐音的

conspicuous [kən'spikjuəs] *a.* 引人注目的(⇨remarkable)；明显的，显著的(⇨noticeable)；卓越的(⇨prominent)；突出的(⇨outstanding)

conspiracy [kən'spirəsi] *n.* 阴谋(⇨plot)；密谋策划；共谋

conspire [kən'spaiə] *vi.* 阴谋，密谋；互相勾结；凑合(⇨combine)

constable ['kʌnstəbl] *n.* [英] 警察 (= police)，警官

constancy ['kɔnstənsi] *n.* 坚定(⇨firmness)；坚贞，忠诚

constant ['kɔnstənt] *a.* 不变的；固定的；经常的，不断的(⇨continuous) *n.* 常数，恒量；不变的东西

▲**constantly** ['kɔnstəntli] *ad.* 不变地；不断地；经常地(⇨often, always)

constellation [,kɔnstə'leiʃən] *n.* 星座；灿如明星的群体   「选民

constituent [kən'stitʃuənt] *a.* 组成的，形成的；有选择的 *n.* 成分，要素

constitute ['kɔnstitju:t] *vt.* 构成；形成(⇨form)；任命(⇨appoint)

constitution [,kɔnsti'tju:ʃən] *n.* 组成，构造；宪法；章程；体格，体质

constitutional [,kɔnsti'tju:ʃənəl] *a.* 宪法的；立宪的；体质上的

constraint [kən'streint] *n.* 强迫，强制；抑制；拘束

construct [kən'strʌkt] *vt.* 建造，建立；建设(← destroy)；构(词)；造(句)；作(图) *n.* ['kɔnstrʌkt] 构想；思维的产物 ▶动词与名词重音不同.

construction [kən'strʌkʃən] *n.* 建筑；建造；建设(← destruction)；建筑物(⇨building)；解释；句法结构

constructive [kən'strʌktiv] *a.* 建设性的(← destructive)；积极的

consul ['kɔnsəl] *n.* 领事 ‖ ～ general 总领事

consulate ['kɔnsjulit] *n.* 领事馆；领事职位

◯▲**consult** [kən'sʌlt] *v.* 商量；协商；请教；请(医生)看病；查阅(词典、地图等)；咨询，当顾问

consume [kən'sju:m] *v.* 消费，消耗；毁灭；挥霍；用光；吃光，喝光

consumer [kən'sju:mə] *n.* 消费者(←producer)；用户 ‖ ～('s) goods 消费品，生活资料

consumption [kən'sʌmpʃən] *n.* 消费(← production)；消费量；消耗

contact ['kɔntækt] *n.* 接触；联络，联系(⇨connection)；交往，交际；(电流的)接点；[美] 熟人 *v.* [kən'tækt] (使)接触；(使)联系 ‖ ～ lens 无形眼镜 ▶名词与动词重音不同.

contagious [kən'teidʒəs] *a* 有传染性的(⇨infectious)；有感染力的

▲**contain** [kən'tein] *vt.* 包含，容纳；抑制；等于

container [kən'teinə] *n.* 容器, 器皿; 集装箱

contemplate ['kɔntəmpleit] *vt.* 凝视; 沉思; 反复考虑(⇨consider); 期待

contemporary [kən'tempərəri] *a.* 当代的; 同时代的; 现代的   *n.* 同时代人, 同辈 ‖ ～ lierature 当代文学

contempt [kən'tempt] *n.* 蔑视, 轻视

contem*pt*uous [kən'tempt∫uəs] *a.* 轻视的, 轻蔑的

contend [kən'tend] *vi.* 竞争; 斗争(⇨fight); 争论(⇨argue)

content[1] [kən'tent] *a.* 《用作表语》满足的, 满意的; 甘愿的(⇨willing) *vt.* 使满意(⇨satisfy) *n.* 满足(⇨contentment); 满意

content[2] ['kɔntent] *n.* 内容; 《常用复数》目录; 《只用单数》含量 ▶重音与 content[1] 不同.

contented [kən'tentid] *a.* 满足的; 满意的   「点

contention [kən'ten∫ən] *n.* 竞争; 斗争(⇨struggle); 争论(⇨dispute); 论

contentment [kən'tentmənt] *n.* 满足, 满意

contest [kən'test] *v.* 争夺; 竞争, 竞赛; 争议(⇨argue)   *n.* ['kɔntest] 辩 论; 比赛 ▶动词与名词重音不同.

^(A)**context** ['kɔntekst] *n.* (文章的)上下文; 前后关系; 来龙去脉

▲**continent** ['kɔntinənt] *n.* 大陆, 洲

continental [.kɔnti'nentl] *a.* 大陆的, 大陆性的

continual [kən'tinjuəl] *a.* 连续不断的(⇨continuous); 不停的; 频繁的

continually [kən'tinjuəli] *ad.* 连续地, 不断地; 再三地

continuance [kən'tinjuəns] *n.* 继续, 连续; 持续

continuation [kən.tinju'ei∫ən] *n.* 继续, 连续; 持续

▲**continue** [kən'tinju:] *v.* (使)继续(← cease); 连续; 延续(⇨last); 《用过 去分词》上接(…页)   「进行的

▲**continuous** [kən'tinjuəs] *a.* 连续的(⇨constant); 持续的(⇨unbroken);

continuously [kən'tinjuəsli] *ad.* 连续不断地

contract ['kɔntrækt] *n.* 契约, 合同(⇨agreement) *v.* [kən'trækt] 订约; 承 包; 收缩; 〔语法〕缩写 ▶名词与动词重音不同.

contraction [tən'træk∫ən] *n.* 收缩; 传染

contradict [.kɔntrə'dikt] *v.* 反驳; 否认(⇨deny); 同…矛盾; 顶嘴

contradiction [.kɔntrə'dik∫ən] *n.* 矛盾; 反驳

▲**contrary** ['kɔntrəri] *a.* 相反的(⇨opposed); 相对的; 对抗的 *n.* 《加 the》 相反; 反面; 对立面

contrast ['kɔntrɑ:st, 美: -træst] *n.* 对比(⇨comparison); 对照; 反差   *v.* [kən'trɑ:st, 美: -'træst] (使)对比(⇨compare); 对照, 形成对照 ▶名词 与动词重音不同.

*****contribute** [kən'tribju:t] *v.* 贡献(出); 捐(款); 投(稿)

contribution [.kɔntri'bju:∫ən] *n.* 捐献; 贡献; 捐款; 投稿

contrivance [kən'traivəns] *n.* 发明; 设计; 机械装置; 诡计

contrive [kən'traiv] *v.* 发明(⇨invent); 设计(⇨design); 筹划; 策划; 设法 做到(⇨manage)

▲**control** [kən'trəul] *n.*, *vt.* 控制, 支配; 操纵; 调节; 管理; 掌握

controversy ['kɔntrə.və:si, kən'trɔvəsi] *n.* 争论(⇨argument); 论战

convenience [kən'vi:niəns] *n.* 方便, 便利; 方便的用具, 便利的设施 ‖

public ～ [英]公共厕所

convenient [kən'vi:niənt] *a.* 便利的; 合适的(⇨suited); 方便的

conveniently [kən'vi:niəntli] *ad.* 方便地; 不费事地

convent ['kɔnvənt] *n.* 女修道会, 女修道院

convention [kən'venʃən] *n.* (政治、宗教、教育等的) 会议, 大会(⇨conference); 公约; 协定(⇨agreement); 惯例(⇨custom)

conventional [kən'venʃənəl] *ad.* 惯例的; 常规的; 传统的(⇨traditional) ‖ ～ phrase 口头禅 / ～ war 常规战争 「谈

conversation [ˌkɔnvə'seiʃən] *n.* 会话; 谈话(⇨talk, speech); 非正式会

converse[1] [kən'və:s] *vi.* 谈话, 交谈, 谈论(⇨talk)

converse[2] ['kɔnvə:s, 美: kən'və:s] *n.* 《加the》相反, 反面 *a.* 相反的(⇨opposite); 逆的

conversion [kən'və:ʃən] *n.* 变换, 转化; 兑换; 皈依

convert [kən'və:t] *v.* 转变, 变换; 兑换; 改变信仰 *n.* ['kɔnvə:t] 改变信仰者 ▶动词与名词重音不同.

convey [kən'vei] *vt.* 运送(⇨carry); 运输(⇨transport); 表达; 传递

convict [kən'vikt] *vt.* 宣判…有罪, 定罪 *n.* ['kɔnvikt] 罪犯(尤指长期被监禁的)囚犯 ▶动词与名词重音不同.

conviction [kən'vikʃən] *n.* 证明有罪, 定罪; 信念

convince [kən'vins] *vt.* 使确信, 使信服

convincing [kən'vinsiŋ] *a.* 有说服力的, 使人信服的

△**coo** [ku:] *vi.* (鸽)咕咕地叫 *n.* 咕咕声; 低语声

•**cook** [kuk] *n.* 炊事员, 厨师 *v.* 煮, 烧, 烹调

cooker ['kukə] *n.* 炊具; 烤炉, 烤箱([美] oven)

△**cookie, cooky** ['kuki] *n.* 小圆点心; 甜面包; [美]小甜饼

•**cool** [ku:l] *a.* 凉的(←warm); 凉快的; 冷静的; 冷淡的; 〈口语〉无礼的 *v.* (使)冷却; (使)凉快

cooperate [kəu'ɔpəreit] *vi.* 合作, 协作; 相配合

△**cooperation** [kəuˌɔpə'reiʃən] *n.* 合作, 协作; 配合

cooperative [kəu'ɔpərətiv] *a.* 合作的; 合作化的 *n.* 合作团体, 合作社

△**cooperatively** [kəu'ɔpərətivli] *ad.* 合作地, 抱合作态度地

coordinate [kəu'ɔ:dənit] *a.* 同等的; 平等的(⇨equal); 对等的; (句子) 并列的 *n.* 同等物(或人) *v.* [-neit] (使)同等; (使)协调 ‖ ～ clauses 并列句 ▶注意末音节的发音.

cope [kəup] *vi.* 应付; 处理

copper ['kɔpə] *n.* 铜; 铜币; 铜制品 *a.* 铜的, 铜色的; 铜制的

•**copy** ['kɔpi] *n.* 抄本; 副本; (书报等的)一本, 一份, 一册 *vt.* 抄写, 誊写, 复制, 拷贝, 仿制; 抄袭 ‖ foul [rough] ～ 草稿

△**copybook** ['kɔpibuk] *n.* 习字帖, 习字本

copyright ['kɔpirait] *n.* 版权; 著作权 *a.* 受版权保护的, 有版权的

cor- [kə, kɔ] *pref.* 表示"共同, 一致"之意, 如 correlate (使关联), correspondence (一致). ▶con- 的变体, 用于 r 之前.

coral ['kɔrəl] *n.* 珊瑚 *a.* 珊瑚色的; 桃色的(⇨pink)

△**cord** [kɔ:d] *n.* 细绳; 粗线; (弓的)弦; (体内)索状组织; 带; 软电线 ‖ spinal ～ 脊髓 / vocal ～s 声带

cordial ['kɔ:diəl] *a.* 热诚的; 亲切的 (⇨amiable) *n.* 兴奋剂; 提神的饮料 ‖ a ～ welcome 热诚的欢迎

cordially ['kɔ:diəli] *ad.* 热忱地, 由衷地, 真诚地 ‖ Yours ～ 《信末署名前》[美]您的真诚的

core [kɔ:] *n.* 果核;《加 the》(问题、事情的)核心

cork [kɔ:k] *n.* 软木; 软木塞

*•**corn** [kɔ:n] *n.* 谷物, 谷类 ([美] grain); 小麦; [美]玉米 ([英] maize)

*•**corner** ['kɔ:nə] *n.* 角, 角落; (街道)拐角; (足球)角球

coronation [,kɔrə'neiʃən] *n.* 加冕典礼

corporal[1] ['kɔ:pərəl] *a.* 肉体的, 身体的 (⇨physical) ‖ ～ punishment 体罚

corporal[2] ['kɔ:pərəl] *n.* (陆军)下士

corporation [,kɔ:pə'reiʃən] *n.* 团体, 社团, 法人; 企业; 公司; [美]股份有限公司; 市政当局

corps [kɔ:] (复数: corps [kɔ:z]) *n.* 军; 军团; 特种部队; (外交)使团; (医疗)队 ‖ medical ～ 医疗队 ▶单复数同形, 发音不同. 拼写发音不要与corpse (尸体)相混.

corpse [kɔ:ps] *n.* 尸体 (⇨body); 死尸 ▶动物的尸体为 carcass.

corpuscle ['kɔ:pʌsəl] *n.* 血球; 细胞; 微粒 ▶注意拼写发音.

*•**correct** [kə'rekt] *vt.* 改正, 纠正; 修改; 校正; 告诫 *a.* 正确的 (⇨right); (行为、礼貌等)合适的 「教养

correction [kə'rekʃən] *n.* 改正, 纠正; 校正, 修改; 勘误; 惩治; (对罪犯的)

*•**correctly** [kə'rektli] *ad.* 正确地; 恰当地

correlate ['kɔrileit] *v.* (使)有相互关系; (使)关联 *n.* 相关者

correspond [,kɔri'spɔnd] *vi.* 符合, 一致 (⇨agree); 相当于; 相似; 通信

correspondence [,kɔri'spɔndəns] *n.* 符合, 一致 (⇨agreement); 通信 ‖ ～ school 函授学校

correspondent [,kɔri'spɔndənt] *n.* 通信者; 通讯员; 记者; 特派员 *a.* 符合的, 一致的; 相当的 「的

corresponding [,kɔri'spɔndiŋ] *a.* 符合的, 一致的; 相应的; 通讯的, 通信

corridor ['kɔridɔ:] *n.* 走廊, 回廊; 通道

corrosion [kə'rəuʒən] *n.* 腐蚀, 侵蚀

corrupt [kə'rʌpt] *vt.* 腐蚀, 败坏; 贿赂 *a.* 腐化的; 受贿的; 不诚实的 (⇨dishonest) ‖ ～ officials 贪官污吏

corruption [kə'rʌpʃən] *n.* 腐化, 贪污, 受贿, 败坏; 讹误

cosmetic [kɔz'metik] *n.*《常用复数》化妆品 *a.* 整容的; 装饰性的

cosmic ['kɔzmik] *a.* 宇宙的

cosmopolitan [,kɔzmə'pɔlitn] *a.* 世界主义的; 全世界的; 世界各地都有的

cosmos ['kɔzmɔs] *n.* 宇宙

*•**cost** [kɔst] *v.* (cost, cost) 值(多少钱); 花费(金钱、劳力、时间等) *n.* 成本; 价钱; 费用 (⇨expense)

*•**costly** ['kɔstli] *a.* 昂贵的 (⇨expensive); 贵重的; 豪华的 ▶此词不是副词

costume ['kɔstju:m] *n.* 服饰; 装束; 戏装; 女外套 ‖ ～ ball 化装舞会

cosy ['kəuzi] *a.* 温暖而舒适的, 安逸的 ▶又拼写为 cozy [美].

cot[1] [kɔt] *n.* 轻便小床, 帆布床, 吊床; [英] (有围栏的)童床; [美]行军床

cot[2] [kɔt] *n.* 〈诗〉小屋; 茅屋; (畜)槛

^cottage ['kɔtidʒ] *n.* 村舍; 小屋(⇨cabin); [美]小别墅

°cotton ['kɔtn] *n.* 棉花; 棉纱; 棉布 ‖ ～ goods 棉织品 / ～ mill 纺织厂

^couch [kautʃ] *n.* 长沙发椅, 长椅, 睡椅

°cough [kɔf] *vi., n.* 咳嗽

^could [kud, (弱) kəd] *v. aux.* [can 的过去式]能, 能够; 《与 if 连用, 表示假设》会, 可能; 《建议》应该, 总该; 《can 的礼貌说法》可以…吗?

couldn't [kudnt] could not 的缩合式

⌃council ['kaunsəl] *n.* 政务会; 地方议会; 委员会; 理事会 ‖ the Town Council 市议会 / ～ chamber 会议室

counsel ['kaunsəl] *n.* 劝告, 忠告(⇨advice); 商量; 律师(⇨lawyer); 辩护人 ▶不要与 council 相混.

counsel(l)or ['kaunsələ] *n.* 顾问(⇨adviser); [美]律师; 参赞 ▶词尾是 or, 不是 er.

^count¹ [kaunt] *v.* 点, 数, 计数; 认为(⇨consider) *n.* 计算, 计数 ‖ ～ noun 可数名词 / ～ing frame 算盘

count² [kaunt] *n.* 《用于欧洲大陆》伯爵 ([英] earl)

countable ['kauntəbl] *a.* 可数的, 可计算的 ‖ ～ noun 可数名词

countenance ['kauntinəns] *n.* 面部表情(⇨expression); 面貌, 容貌(⇨features); 支持(⇨support); 赞同

^counter ['kauntə] *n.* 柜台; 计数器, 反对; 还击 *a.* 相反的 *ad.* 相反地

counter- ['kauntə] *pref.* 表示"反, 逆; 对应; 反对"之意, 如 *counter*action (反作用), *counter*view (反对意见), *counter*attack(回击).

counteract ['kauntə,rækt] *vt.* 抵销; 中和

countess ['kauntis] *n.* 伯爵夫人; 女伯爵

^countless ['kauntlis] *a.* 无数的, 数不清的

°country ['kʌntri] *n.* 国家; 国土; 《加 the》乡下; 故乡; 祖国; 地方(⇨region) *a.* 乡下的; 来自乡间的 「下人

countryman ['kʌntrimən] *n.* (复数: -men [-mən]) 同乡, 同胞, 同国人; 乡

countryside ['kʌntrisaid] *n.* (邻近的)农村, 乡下

county ['kaunti] *n.* (英国的)郡; (美国的)县

⌃couple ['kʌpl] *n.* 一对, 一双(⇨pair); 夫妇 *vt.* 连接; 结合

^courage ['kʌridʒ] *n.* 勇气(⇨bravery); 英勇; 胆量

courageous [kə'reidʒəs] *a.* 勇敢的(⇨brave); 无畏的, 有胆量的(⇨bold)

^course [kɔ:s] *n.* 过程; 进程(⇨progress); 道路(⇨path); 经过; (比赛的)跑道; (赛船的)航道; 课程; 疗程; 一道菜 ▶与 coarse (粗糙的)同音.

court [kɔ:t] *n.* 庭院, 院子 (= courtyard); 法院, 法庭; 宫廷; (四面有围墙的)球场 ‖ tennis ～ 网球场

courteous ['kə:tiəs] *a.* 有礼貌的(⇨civil); 客气的; 殷勤的

courtesy ['kə:tisi] *n.* 礼貌; 殷勤; 好意

courtier ['kɔ:tiə] *n.* 廷臣; 奉承者, 谄媚者

courtyard ['kɔ:tjɑ:d] *n.* 庭院, 院子, 天井

°cousin ['kʌzən] *n.* 堂[表]兄弟; 堂[表]姐妹 ▶注意拼写发音.

°cover ['kʌvə] *vt.* 盖, 铺; 遮盖, 覆盖 *n.* 掩蔽; 遮盖物; 封面

⌃covered [kʌvəd] *a.* 覆盖着的

^covering ['kʌvəriŋ] *n.* 覆盖(物); 套, 罩

covet ['kʌvit] *vt.* 垂涎; 妄想; 贪图(他人之物)

**cow¹ [kau] *n.* 母牛, 奶牛

cow² [kau] *vt.* 使害怕, 恐吓

△**coward** ['kauəd] *n.* 懦夫; 胆怯者

cowardice ['kauədis] *n.* 怯懦; 胆小(← bravery); 可鄙   「地

cowardly ['kauədli] *a.* 胆小的, 怯懦的, 可鄙的   *ad.* 胆小地, 怯懦地; 可鄙

cowboy ['kaubɔi] *n.* 牧童; [美]牛仔

co-worker ['kəu,wə:kə] *n.* 共同工作的人; 合作者; 同事

cozy [美] = cosy

crab [kræb] *n.* 蟹; 蟹肉

▲**crack** [kræk] *n.* 裂缝; 破裂声 *v.* (使)发噼啪声; 破译(电码) *a.* 第一流
    的; 呱呱叫的 ‖ ～ hand 能手

cracker ['krækə] *n.* 饼干([英] biscuit); 爆竹

crackle ['krækl] *v.* (使)发噼啪声   *n.* 噼啪爆裂声

-cracy [krəsi] *suf.* 表示"统治, 支配"之意, 如 democracy (民主政治),
    bureaucracy (官僚主义).

cradle ['kreidl] *n.* 摇篮; 发源地; 起源

craft [krɑ:ft, 美: kræft] *n.* 技巧(⇨skill); 手艺(⇨art); (手工)行业;《单
    复数同形》船只, 飞机, 飞船

△**craftsman** ['krɑ:ftsmən, 美: 'kræfts-] *n.* (复数: -men [-mən]) 名匠; 技工,
    有技艺的工人

crafty ['krɑ:fti, 美: 'kræf-] *a.* 狡猾的(⇨cunning); 诡计多端的

crag [kræg] *n.* 危岩

cramp [kræmp] *n.* 抽筋; 痉挛

crane [krein] *n.* 鹤; 吊车, 起重机

crank [kræŋk] *n.* 曲柄; 怪人; 怪念头

▲**crash** [kræʃ] *n.* (坍塌的)轰隆声; (树倒下的)哗啦声; 撞击声; 失败, 瓦解
    vi. (发生很大响声地)冲, 闯, 坠毁   *ad.* 砰地一声

-crat [-kræt] *suf.* 表示"参加者; 支持者; 信奉…政治主张者"之意 如
    democrat (民主主义者), plutocrat (富豪政治家)

crave [kreiv] *vt.* 恳求, 请求; 渴望

crawl [krɔ:l] *vi.* 爬, 爬行(⇨creep); (车、时间等)慢慢行进

crayon ['kreiən] *n.* 彩色粉笔; 彩色蜡笔; 色笔

craze [kreiz] *v.* (使)发狂   *n.* 狂热; 风行的东西

△**crazy** ['kreizi] *a.* 疯狂的(⇨mad); 狂热的;〈口语〉热爱的; (指建筑物等)
    不安全的, 可能坍塌的

creak [kri:k] *n.* 吱嘎声   *vi.* 吱吱嘎嘎地作响

△**cream** [kri:m] *n.* 乳脂, 奶油; 含奶油食品; 雪花膏; 精华 *a.* 奶油色的; 米
    色的 ‖ chocolate ～ 奶油巧克力 / cold ～ 冷霜 / ice ～ 冰淇淋

creamy ['kri:mi] *a.* 含奶油的; 奶油似的; 奶油色的, 米色的

▲**create** [kri:'eit, kri-] *vt.* 创造; 创作; 造成; 引起(⇨cause)

creation [kri'eiʃən] *n.* 创造; 创作; 作品; 宇宙, 万物

creative [kri'eitiv] *a.* 创造的; 创作的; 有创造性的

creator [kri'eitə] *n.* 创造者;《加 the》[C-]造物主, 上帝

▲**creature** ['kri:tʃə] *n.* 生物, 动物;《含有怜爱或轻蔑之意》人, 家伙

credible ['kredibl] *a.* 可以置信的, 可靠的

credit ['kredit] *n.* 相信; 信任 (⇨ trust); 荣誉 (⇨ honour); 赞扬 (⇨ praise); 赊购; 贷方; [美]学分 *vt.* 相信 (⇨believe) ‖ ~ card 信用卡
  creditor ['kreditə] *n.* 债权人; 贷方, 贷项

creed [kri:d] *n.* 教义, 信条; 信念

creek [kri:k] *n.* 小湾, 小港, [美]小河, 支流

creep [kri:p] *vi.* (*crept* [krept], *crept*) 爬, 爬行, 匍匐; 蹑手蹑脚地前进; (时间)不知不觉地过去; (植物)蔓生, 攀缘

cremate [kri'meit, 美: 'kri:-] *vt.* 火化, 火葬

crept [krept] creep 的过去式和过去分词

crecent ['kresənt] *n.* 新月, 月牙; 新月状物 *a.* 新月状的

crest [krest] *n.* (鸟等的)冠; 鸡冠 (⇨comb); 顶饰; (马的)鬃毛; 山顶

▲**crew**[1] [kru:] *n.* 船 (或飞机)上的全体工作人员; 全体水手 (不包括高级船员); 〈口语〉一群人

crew[2] [kru:] crow[2] 的过去式

cricket[1] ['krikit] *n.* 蟋蟀

cricket[2] ['krikit] *n.* 板球

crime [kraim] *n.* 罪过 (⇨offense); 罪行, 犯罪; 错误行为

criminal ['kriminəl] *a.* 犯罪的, 犯法的; 刑事(上)的 *n.* 罪犯; 刑事犯 ‖ the ~ code 刑法 / ~ act 犯罪行为 / ~ action 刑事诉讼

crimson ['krimzən] *n.* 深红色 *a.* 深红色的

cripple ['kripl] *n.* 跛子; 残废的人 (或动物)

crisis ['kraisis] *n.* (复数: *crises* ['kraisi:z]) 危机; 转折点; 决定性时刻; (疾病等的)危急期 ▶注意复数的拼写和发音.

▲**crisp** [krisp] *a.* (饼干等)脆的, 鲜嫩的; (空气等)清新的; (头发)卷曲的

criterion [krai'tiəriən] *n.* (复数: *criteria* [krai'tiəriə]) 准绳; 标准

critic ['kritik] *n.* 批评家, 评论家; 爱挑剔者

(▲)**critical** ['kritikəl] *a.* 批评的, 批判的; 吹毛求疵的; 危急的 (⇨dangerous); 紧要的; 关键性的 (⇨crucial) ‖ ~ moment 关键时刻

▲**critically** ['kritikəli] *ad.* 批判地; 吹毛求疵地; 在危急之际

criticism ['kriti,sizəm] *n.* 批评, 批判; 评论; 指摘

(▲)**criticize** ['kritisaiz] *v.* 批评, 批判; 评论; 指摘, 责备

croak [krəuk] *n.* (蛙、鸦等)呱呱叫声; 嘶哑的声音

▲**crocodile** ['krɔkədail] *n.* 鳄鱼 ‖ ~ tears 鳄鱼的眼泪, 假慈悲

crook [kruk] *n.* 弯曲, 屈角; 〈口语〉骗子, 无赖

crooked ['krukid] *a.* 弯的 (⇨bent); 扭曲的 (⇨twisted); 畸形的; 欺诈的; 不正当的

▲**crop** [krɔp] *n.* 农作物, 庄稼; 收成 (⇨harvest); 大量

▲**cross** [krɔs] *n.* 十字形, 十字形东西; 十字架 *a.* 横的, 交叉的; 〈口语〉不高兴的 *vt.* 越过; 穿过 (马路); 渡过 (河); 画横线; 打叉划掉 (文字等)

▲**Crossett** [krɔ'set] 克罗塞特(姓)

▲**crossing** ['krɔsiŋ] *n.* 交叉(点); 十字路口; 横渡

cross-talk ['krɔs,tɔ:k] *n.* (电话)串音; (英国议会)论争; 顶嘴; 相声

crouch [krautʃ] *vi.* 蹲着; 蜷缩; 低头弯腰

▲**crow**[1] [krəu] *n.* 乌鸦

(●)**crow**[2] [krəu] *vi.* (*crowed* 或 *crew* [kru:], *crowed*) （雄鸡）啼；得意洋洋

▲**crowd** [kraud] *n.* （昆虫的）群（⇨swarm）；人群，群众（⇨masses）；一伙人 *vt.* 挤；挤满，塞满 *vi.* 群集；拥挤

(▲)**crowded** ['kraudid] *a.* 拥挤的，密集的；塞满的

crown [kraun] *n.* 王冠；花冠；《加 the》[C-]王位，君王，王国政府；（货币）克朗 *vt.* 加冕；使圆满完成 ‖ ～ prince 王储

crude [kru:d] *a.* 天然的（⇨natural）；未加工的；未成熟的；粗糙的（⇨raw）；粗制滥造的；粗鲁的（⇨rough）；未开化的 ‖ ～ oil 原油

▲**cruel** ['kruəl] *a.* 残酷的（⇨brutal）；残忍的，凶狠的（← kind）；无情的

cruelly ['kruəli] *ad.* 残酷地

▲**cruelty** ['kruəlti] *n.* 残忍，残酷；残酷的行为

cruise [kru:z] *vi.*, *n.* 巡游，巡航；航行；漫游

cruiser ['kru:zə] *n.* 巡洋舰；游艇

crumb [krʌm] *n.* 《常用复数》面包屑，碎屑；少许；点滴 ▶ b 不发音

▲**crumble** ['krʌmbəl] *v.* 弄碎，破碎；瓦解

crumple ['krʌmpəl] *v.* （使）压皱，（使）起皱；（使）垮台

crusade [kru:'seid] *n.* 十字军；改革（或讨伐）运动

▲**crush** [krʌʃ] *vt.* 压碎；榨；挤进；征服（⇨conquer）；

▲**Crusoe** ['kru:səu] 克鲁索（姓）

crust [krʌst] *n.* 面包皮；外壳；地壳

crutch [krʌtʃ] *n.* 拐杖；支柱；支架

●**cry** [krai] *v.* 哭（⇨weep）；叫喊（⇨shout）；为…而悲伤；流泪 *n.* 哭声；喊声；（动物的）叫声

crystal ['kristl] *a.* 结晶；水晶，水晶制品 *n.* 水晶的；晶体的；透明的

cub [kʌb] *n.* 幼兽；生手；不懂事的小家伙

cube [kju:b] *n.* 立方体；立方，三次幂

cubic ['kju:bik] *a.* 立体的；立方的；三次的 ‖ ～ content 体积

cuckoo ['kuku:, 美: 'ku:ku:] *n.* 杜鹃，布谷鸟

cucumber ['kju:kʌmbə] *n.* 黄瓜

cuff [kʌf] *n.* 袖口

cultivate ['kʌltiveit] *vt.* 耕种；培养（才能、品性）；栽培

cultivation [,kʌlti'veiʃən] *n.* 耕种；栽培；培养，修养，教养

(▲)**cultural** ['kʌltʃərəl] *a.* 文化（上）的；栽培的；教养的

culture ['kʌltʃə] *n.* 文化；精神文明；教养，修养 ‖ intellectural ～ 智育 / moral ～ 德育 / physical ～ 体育

cunning ['kʌniŋ] *a.* 狡猾的，好诈的（⇨sly）；熟练的（⇨skillful）；[美]可爱的，动人的 *n.* 狡猾，诡计

●**cup** [kʌp] *n.* 杯子，小茶杯；酒杯；奖杯；一杯（的量） *vt.* 使（手）成杯状

cupboard ['kʌbəd] *n.* 碗柜；小橱（[美] closet）

cupful ['kʌpful] *n.* 一满杯 ▶此词不是形容词

(▲)**curb** [kə:b] *n.* 勒马绳；井栏；路缘，路的边栏，边石（[英] kerb）

▲**cure** [kjuə] *vt.* 治愈；纠正；消除（弊病等） *n.* 治疗；疗法；对策   「姓」

curie ['kjuəri] *n.* 居里（放射性物质的放射能的强度单位）；[C-]居里（法国

curiosity [,kjuəri'ɔsiti] *n.* 好奇（心）；奇事；古董 ‖ ～ shop 古玩店

▲**curious** ['kjuəriəs] *a.* 奇妙的，不寻常的（⇨strange）；好奇的

▲**curiously** ['kjuəriəsli] *ad.* 奇妙地;好奇地

▲**curl** [kə:l] *n.* 鬈毛,鬈发;卷曲 *v.* (使)卷曲;盘绕

curly ['kə:li] *a.* 卷曲的,鬈的 ‖ ~ hair 鬈发

currant ['kʌrənsi] *n.* 无核小葡萄干;红醋栗 ▶与 current (流行的)同音

currency ['kʌrənsi] *n.* 通货,货币 (⇨money);通用;流通;流传,传播 ‖ foreign ~ 外币

current ['kʌrənt] *a.* 当前的 (⇨present);现行的;流行的;公认的;通用的 *n.* 水流 (⇨stream);气流,电流;潮流 (⇨tide) ‖ ~ assets 流动资产 / ~ English 当代英语 / ~ events 时事 / ~ fashions 时新式样

currently ['kʌrəntli] *ad.* 普遍地,广泛地

curry ['kʌri] *n.* 咖喱;用咖喱调制的菜 ‖ ~ powder 咖喱粉

▲**curse** [kə:s] *n.* 诅咒,恶骂;祸因 *vt.* 咒骂,咒

▲**curtain** ['kə:tn] *n.* (窗、门)帘;(戏院的)幕 ‖ ~ call 谢幕

curve [kə:v] *n.* 曲线;弯曲;《用复数》[美]圆括号(⇨parentheses)

⒜**cushion** ['kuʃən] *n.* 软垫子;坐垫,椅垫,靠垫

custom ['kʌstəm] *n.* 习惯(⇨habit);风俗;惯例(⇨convention);光顾(商店) ▶不要与 customs (关税)相混。

customary ['kʌstəməri] *a.* 通常的,惯例的

⒜**customer** ['kʌstəmə] *n.* 顾客,买主,主顾

customs ['kʌstəmz] *n.* [复数]《单复数两用》关税;《加 the》[C-] 海关

*✱**cut** [kʌt] *v.* (cut, cut) 切,割,砍;剪;删 *n.* 切割;伤口;剪裁,式样;删节;削减 ‖ a short ~ 近路,捷径

cute [kju:t] *a.* 〈美口语〉聪明伶俐的;漂亮的;逗人喜爱的

cutter ['kʌtə] *n.* 裁剪师;切削工人;切割工具;小快艇

-cy [si] *suf.* 表示"性质,状态,行动,职权"之意,如 bankrupt*cy* (破产),infan*cy* (婴儿期),captain*cy*(船长的职位).

cycle ['saikl] *n.* 循环;周期(⇨period);自行车;摩托车;三轮脚踏车 *vi.* 循环;骑乘(自行车等)

cyclist ['saiklist] *n.* 骑自行车(或机器脚踏车)的人

cylinder ['silində] *n.* 圆柱(体);圆筒;汽缸

▲**Czar** [zɑ:] *n.* 沙皇 ▶也可拼写为 Tzar 或 Tsar,第一个字母不发音.

D, d

*✱**dad** ['dæd] *n.* 〈儿语〉爸爸,爹 (⇨ father)

*✱**daddy** ['dædi] *n.* 〈儿语〉= dad

daffodil ['dæfədil] *n.* 喇叭水仙,黄水仙

dagger ['dægə] *n.* 短剑,匕首

dahlia ['deiliə, 美: 'dɑ:l-] *n.* 大丽花;天竺牡丹

▲**daily** ['deili] *a.* 每日的;日常的 *n.* 日报(= ~ newspaper) *ad.* 每日,天天(⇨ every day) ‖ ~ bread 粮食;生计

dainty ['deinti] *a.* 精致的 (⇨ fine)；娇美的 (⇨beautiful)；秀丽的；美味的 (⇨ delicious)；过于讲究的 (⇨ overnice) *n.* 美食，佳品

dairy ['dɛəri] *n.* 牛奶房；牛奶场；乳品店 ‖ ～ cattle 奶牛 ▶拼写发音不要与 daily (日报)、diary (日记) 相混.

daisy ['deizi] *n.* 雏菊

dam [dæm] *n.* 水坝；水堤；水闸

damage ['dæmidʒ] *n.* 损害 (⇨ harm)；损坏 (⇨ injury)；损失；《用复数》赔偿金 *vt.* 损害 (← improve)；毁坏

damn [dæm] *vt.* 诅咒；责骂 (⇨ scold) *int.* 〈诅咒语〉该死!

damp [dæmp] *a.* 潮湿的 (⇨ moist) (← dry) *n.* 潮湿；湿气

***dance** [dɑːns, 美: dæns] *vi.* 跳舞，舞蹈 *n.* 跳舞，舞蹈；舞会；舞曲

(▲)**dancer** ['dɑːnsə, 美: 'dænsə] *n.* 舞蹈演员；跳舞者；舞女

dancing ['dɑːnsiŋ, 美: 'dæns-] *n.* 跳舞，舞蹈 ‖ ～ girl 舞女/ ～ hall 舞厅

dandelion ['dændi,laiən] *n.* 蒲公英

Dane [dein] *n.* 丹麦人

***danger** ['deindʒə] *n.* 危险 (⇨risk) (← safety)；威胁　　　　　　「险人物

***dangerous** ['deindʒərəs] *a.* 危险的 (⇨ risky)；不安全的 ‖ ～ person 危

dangerously ['deindʒərəsli] *ad.* 危险地；垂危地

dangle ['dæŋgl] *v.* (使)摇晃地悬挂着

Danish ['deiniʃ] *a.* 丹麦的；丹麦人的；丹麦语的　　*n.* 丹麦语

***dare** [dɛə] *v. aux.* 《用于否定句或疑问句》敢，竟敢，胆敢 *v.* 敢，胆敢；敢于(面对)；敢冒(危险)

daring ['dɛəriŋ] *a.* 勇敢的 (⇨brave)；大胆的 *n.* 勇敢 (⇨bravery)；大胆

***dark** [dɑːk] *a.* 暗的，黑暗的 (← bright)；深色的，黑色的 (⇨ black)；邪恶的 (⇨wicked)；阴郁的 (⇨gloomy)；隐藏的，无知的　　*n.* 黑暗；天黑；暗处 ‖ ～ deeds 坏事 /～ red 深红色

darken ['dɑːkən] *v.* (使)变暗；(使)变黑；(使)变深；(使)变得阴沉

(▲)**darkness** ['dɑːknis] *n.* 黑暗；黑夜；黄昏；暗处

darling ['dɑːliŋ] *n.* 心爱的人；宠儿 *a.* 亲爱的 (⇨ dear)；心爱的；可爱的

darn [dɑːn] *vt.* 织补(袜子等)　*n.* 织补处，补钉

dart [dɑːt] *n.* 标枪；镖；掷镖(游戏) *v.* 投掷 (⇨ throw)；发射 (⇨shoot)；急冲 (⇨dash)；突进

***dash** [dæʃ] *v.* 猛冲，猛撞 (⇨rush)；急奔；打碎 (⇨break)　*n.* 突进；短跑；破折号 [—] ‖ swung ～ 代字号 [～]

data ['deitə, 'dɑːtə] *n.* [datum 的复数] 资料；数据 ‖ ～ processing 〔电脑〕资料处理，数据处理

date [deit] *n.* 日期，日子；年月日；《美口语》(与异性的)约会　*vt.* 注(明)日期；和…约会 ‖ blind ～ 盲目约会(经人介绍，见面前并不认识对方

datum ['deitəm] *n.* (复数: *data* ['deitə]) 资料，材料；已知数

***daughter** ['dɔːtə] *n.* 女儿 ‖ ～ language 派生语言(如从拉丁语派生的法语、西班牙语等)

(▲)**daughter-in-law** ['dɔːtərinlɔː] *n.* (复数: *daughters-in-law* ['dɔːtəzinlɔː]) 媳妇；继女

(▲)**David** ['deivid]　戴维，大卫(男名)

***dawn** [dɔːn] *n.* 黎明，拂晓 (⇨daybreak)；开端 (beginning) *vi.* 破晓 (←

sunset);开始出现(⇨ appear) ▶拼写发音不要与 down(向下)相混.

*day [dei] n. 日,(一)天;白天(←night);节日;《用复数》时代;时期(⇨ period) ‖ ～ nursery [美]日托幼儿所 / ～ off 休假,假日

daybreak ['deibreik] n. 拂晓(⇨ dawn);黎明

▲daylight ['deilait] n. 日光;黎明;白天(⇨daytime) ‖ ～ saving time 夏令时(略作:D. S. T)

(A)day-long ['deilɔŋ] a. 整天的 ad. 整天地,终日

▲day-school ['deisku:l] n. 走读学校;日校

*daytime ['deitaim] n. 白天,白昼

daze [deiz] vt. 使发昏;使眼花缭乱 n. 迷乱;茫然

dazzle ['dæzl] vt. 使眼花;耀眼;使迷惑 [政区域]

D. C.(= District of Columbia) 哥伦比亚特区(美国首都华盛顿所在的行

de- [di:, di] pref. 表示"否定,相反;除去;降低"之意,如 demobilize (复员),detrain (下火车),depress (压低),design (设计).

*dead [ded] a. 死的;无生命的(← alive);麻木的(⇨numb);无用的(⇨ useless);无动静的(⇨still) n. 《加 the》死者 ‖ ～ end 死胡同 /～ letter 死信 /～ matter 无机物

▲deadly ['dedli] a. 致死的,致命的(⇨fatal)

(*)deaf [def] a. 聋的;装聋的;不愿听的

▲deaf-blind ['defblaind] a. 又聋又哑的

deafen ['defən] vt. 使耳聋,使听不见 vi. 变聋;震聋

deal[1] [di:l] (dealt [delt] , dealt) vt. 分配,分派 (⇨ allot);分发 (← collect);给予(打击) vi. 处理;应付;经营,做买卖(⇨trade)

deal[2] [di:l] n. 量,数量(⇨amount) ▶常与 a great, a good 连用,表示"大量"、"相当多".

dealer ['di:lə] n. 商人(⇨trader)

dealing ['di:liŋ] n. (待人的)行为;打交道;《用复数》交往

dealt [delt] deal[1] 的过去式和过去分词

dean [di:n] n. (大学)教务长,院长,系主任

*dear [diə] a. 亲爱的;心爱的(⇨darling);可爱的;珍视的;昂贵的(⇨ costly) n. 亲爱的人 int. 哎呀!(表示焦急、惊奇、伤心等)

▲dearly ['diəli] ad. 深爱地;热切地;非常地;高价地

*death [deθ] n. 死,死亡(⇨decease) (← life);消亡,毁灭 ‖ ～ toll 死亡人数 /～ rate 死亡率

deathly ['deθli] a. 致死的;死一般的 ad. 死一样地;非常

▲debate [di'beit] v., n. 争论,辩论(⇨dispute);讨论

▲debt [det] n. 债,债务;欠款 ▶b 不发音.

decade ['dekeid, de'keid] n. 十年,十年间;十;十个的一组

▲decay [di'kei] vi. 腐烂(⇨rot) (← flourish);衰败,衰退(← grow);退化;变坏 n. 腐败;衰退

decease [di'si:s] n. 死亡(⇨death) vi. 亡故(⇨die) ▶拼写发音不要与 disease [di'zi:z] (疾病)相混.

deceased [di'si:st] a. 死的,已故的 n. 《加 the》死者 ‖ ～ father 亡父

deceit [di'si:t] n. 欺骗(⇨deception);欺诈;虚假(← honesty);骗术

deceitful [di'si:tfəl] a. 骗人的;欺诈的;不诚实的

deceive [di'si:v] *vt.* 欺骗(⇨cheat); 蒙蔽 *vi.* 行骗

*__December__ [di'sembə] *n.* 十二月(略作: Dec.)

decent ['di:sənt] *a.* 正派的(⇨proper); 体面的, 得体的, 像样的

deception [di'sepʃən] *n.* 欺骗, 哄骗; 受骗; 骗术; 骗人的东西

*__decide__ [di'said] *v.* 决定(⇨determine); 下决心; 选择

decided [di'saidid] *a.* 明显的(⇨clear); 坚决的; 明确的(← uncertain)

decidedly [di'saididli] *ad.* 肯定地; 明确地(⇨definitely); 无疑地

decimal ['desiməl] *a.* 小数的; 十进制的

(△)**decision** [di'siʒən] *n.* 决定, 决心; 决议; 果断

decisive [di'saisiv] *a.* 决定性的(⇨determined); 明确的; 果断的

(△)**deck** [dek] *n.* 甲板, 舱面 ‖ ～ chair (轻便折叠式)躺椅

declaration [,deklə'reiʃən] *n.* 宣布 (⇨ announcement); 公告; 声明 (⇨ statement); 宣言; (原告的)申诉; (证人的)陈述; 证言; 申报　　「陈述句

(*)**declarative** [di'klærətiv] *a.* 公告的; 宣言的; 〔语法〕陈述的 ‖ ～ sentence

▲**declare** [di'klɛə] *vt.* 宣告(⇨pronounce); 宣布(⇨announce); 声明; 断言; 申报(纳税品)

decline [di'klain] *v.* 婉拒, 谢绝(⇨reject) (← accept); 衰退 *n.* 下降, 衰退, 衰弱; 晚期 ‖ *declining* years 晚年

decompose [,di:kəm'pəuz] *v.* 分解; (使)腐败, (使)腐烂

decorate ['dekə,reit] *vt.* 装饰(⇨adorn); 修饰; 给…授勋(章)

decoration [,dekə'reiʃən] *n.* 装饰;《用复数》装饰品; 奖章, 勋章, 绶带

decorative ['dekərətiv] *a.* 装饰的, 装饰性的

decrease [di'kri:s] *v.* 减少; 减小; 减弱 *n.* ['di:kri:s] 减少(⇨decline); 减小(← increase) ▶动词与名词重音不同.

decree [di'kri:] *n.* 法令, 政令; [美]判决

dedicate ['dedikeit] *vt.* 致力; (为某种目的而)献身; 奉献(⇨devote)

deduce [di'dju:s] *vt.* 推论, 演绎

*__deed__ [di:d] *n.* 行为, 行动(⇨act); 功绩(⇨exploit)

deem [di:m] *vt.* 认为(⇨think); 相信(⇨belive)

▲**deep** [di:p] *a.* 深的(← shallow); 深奥的 (⇨profound); (颜色)浓的; (声音)低沉的; 深切的; (感情)深厚的 *ad.* 深深地; 深入地 *n.* 深处

deepen ['di:pən] *v.* 加深; 加重; 深化

▲**deeply** ['di:pli] *ad.* 深深地; 深入地; 深刻地; 衷心地

▲**deep-set** ['di:pset] *a.* (眼睛等)深陷的　　　　　　　　　　　　「音

(*)**deer** [diə] *n.* (复数: *deer*) 鹿 ‖ small ～无名小卒 ▶与 dear(亲爱的)同

▲**defeat** [di'fi:t] *vt.* 战胜, 击败; 挫败 *n.* 战胜, 失败; 挫折

defect [di'fekt, 'di:fekt] *n.* 缺点(⇨ fault); 毛病, 短处; 疵点

defective [di'fektiv] *a.* 有缺点的; 有毛病的; 智力低于常人的 ‖ ～ verb 不完全变化动词(如 may, can 等)

(*)**defence** [di'fens] *n.* 保卫, 防御; 防务; 辩护, 答辩 ‖ ～ works 防御工事 ▶又拼写为 defense [美].

▲**defend** [di'fend] *vt.* 防守, 防御(← attack); 保卫(⇨ protect); 辩护

▲**defender** [di'fendə] *n.* 防御者; 保卫者; 保护人; 辩护人

(*)**defense** [美] = defence　　　　　　　　　　　　　　　　　　　　「守势

(*)**defensive** [di'fensiv] *a.* 防御的(← offensive); 防卫的; 守势的 *n.* 防御;

defer [di'fə:] *vt.* 推迟(⇨delay);使延期

defiance [di'faiəns] *n.* 挑衅;蔑视;违抗

defiant [di'faiənt] *a.* 挑战的;违抗的

deficiency [di'fiʃənsi] *n.* 缺乏(← sufficiency);不足;不足之处

deficient [di'fiʃənt] *a.* 缺乏的(← sufficient);不足的

defile [di'fail] *vt.* 弄脏;玷污

define [di'fain] *vt.* 给(词等)下定义;限定,规定

▲**definite** ['definit] *a.* 明确的(← indefinite);确切的(⇨exact);一定的(⇨certain);限定的(⇨limiting) ‖ ~ article 定冠词 「不错

▲**definitely** ['definitli] *ad.* 明确地;肯定地;无疑地;《用于回答》是的,一点
(A)**definition** [,defi'niʃən] *n.* 定义;解说;释义;清晰度

deflect [di'flekt] *vt.* 打歪,使偏斜

deflection [di'flekʃən] *n.* 歪斜,偏差,弯曲度

deform [di'fɔ:m] *vt.* 毁伤形体,使变形

deformation [,di:fɔ:'meiʃən] *n.* 变形,畸形

▲**deformity** [di'fɔ:miti] *n.* 畸形;残废;残废的人

defy [di'fai] *vt.* 公然反抗;蔑视(⇨scorn);向…挑战

degenerate [di'dʒenərit] *n.* 退化;堕落 *a.* 退化的;堕落的 *vi* [-nəreit] 退化;衰退;堕落 ▶注意末音节的发音。

degradation [,degrə'deiʃən] *n.* 降职,降低地位;退化;堕落 「化

degrade [di'greid] *vt.* 使降级(← promote);使堕落;使(价格)低落;使退

▲**degree** [di'gri:] *n.* 度,度数;程度;等级;(形容词、副词的)级;学位

deity ['di:əti] *n.* 神

▲**delay** [di'lei] *v. n.* 推迟,耽搁,延误,延迟

delegate ['deligit] *n.* (会议等的)代表(⇨representative) *vt.* [-geit] 委派…为代表;委托(⇨depute) ▶名词与动词末音节发音不同。

delegation [,deli'geiʃən] *n.* 代表团

deliberate [di'libərit] *a.* 故意的(← accidental);存心的(⇨willful);深思熟虑的 *v.* [-reit] 仔细考虑;审议 ▶形容词与动词末音节发音不同。

deliberately [di'libəritli] *ad.* 故意地;审慎地 「数》佳肴

delicacy ['delikəsi] *n.* 精美(← coarseness);细致;娇嫩;微妙;《常用复

▲**delicate** ['delikit] *a.* 敏锐的;柔弱的;娇嫩的;纤细的;微妙的;优美的(⇨fine);精致的(← coarse);棘手的 ‖ ~ foods 美味的食物

delicately ['delikitli] *ad.* 精美地;优美地;微妙地

delicious [di'liʃəs] *a.* 美味的;使人愉快的(⇨pleasing)

▲**delight** [di'lait] *n.* 快乐(← distress);高兴(⇨joy);乐事 *vt.* 使高兴,使快乐 *vi.* 喜爱;乐于

delighted [di'laitid] *a.* 高兴的,快乐的 ▶表示感情,只能以人作主语。

delightful [di'laitfəl] *a.* 令人愉快的(⇨pleasant);可爱的(⇨charming)

delinquency [di'liŋkwənsi] *n.* 失职;(少年)犯罪;过失

deliver [di'livə] *vt.* 递送,交付;放弃(⇨surrender);拯救(⇨save);发表(演说);使分娩,给(产妇)接生

deliverance [di'livərəns] *n.* 解救;释放;分娩

delivery [di'livəri] *n.* 交货;投递;说话的方式;分娩;投球

▲**Della** ['delə] 德拉(女名)

delta ['deltə] *n.* (河口的)三角洲

delusion [di'lu:ʒən] *n.* 欺骗; 受骗; 幻想(⇨illusion); 错觉

▲**demand** [di'mɑ:nd, 美: -'mænd] *vt.* 要求(⇨require); 需要(⇨require); 查问(⇨inquire) *n.* 要求; 需求

demeano(u)r [di'mi:nə] *n.* 举止; 态度(⇨manner)

democracy [di'mɔkrəsi] *n.* 民主; 民主主义; 民主政治; 民主国家

democrat ['deməkræt] *n.* 民主主义者; 民主人士

▲**democratic** [,demə'krætik] *a.* 民主的; 民主主义的

demolish [di'mɔliʃ] *vt.* 拆除; 摧毁; 推翻; 〈口语〉吃光

demon ['di:mən] *n.* 魔鬼, 恶魔; 恶棍; 精力过人的人

demonstrate ['demənstreit] *vt.* 证明, 论证; 表明; 演示 *vi.* 示威

demonstration [,demən'streiʃən] *n.* 证实; 表明; 演示; 示威(运动)

demonstrative [di'mɔnstrətiv] *a.* 论证的; 〔语法〕指示的 ‖ ~ pronoun 〔语法〕指示代词

den [den] *n.* 兽穴, 窝; 贼窝

denial [di'naiəl] *n.* 否定, 否认; 拒绝

Denmark ['denmɑ:k] *n.* 丹麦

denomination [di,nɔmi'neiʃən] *n.* 命名; (度量衡、货币等的)单位

(▲)**denotation** [,di:nəu'teiʃən] *n.* 意义, 本义; 象征

denote [di'nəut] *vt.* 指示, 表示; 意味着

denounce [di'nauns] *vt.* 谴责(← praise); 指摘(⇨condemn); 告发

dense [dens] *a.* (液体、气体)浓密的; (人、物)密集的, 稠密的; 愚钝的

density ['densiti] *n.* 密度, 浓度; 稠密

dentist ['dentist] *n.* 牙科医生

(▲)**deny** [di'nai] *vt.* 否定, 否认(← admit); 拒绝; 不给

depart [di'pɑ:t] *vi.* 出发(← arrive); 离开(⇨leave); 改变

▲**department** [di'pɑ:tmənt] *n.* (行政、企业等机构的)部, 司, 局, 处, 科; (大学的)系; [美]院 ‖ the *Department* of Education 教育部 / the *Department* of State 美国国务院 / the Public Works *Department* 市政工程局 / ~ store 百货公司

departure [di'pɑ:tʃə] *n.* 出发(← arrival); 离开; 背离; 改变

***depend** [di'pend] *vi.* 依靠(⇨rely); 依赖; 信赖(⇨trust); 依…而定

dependability [di,pendə'biləti] *n.* 可靠, 可靠性

dependant [di'pendənt] *n.* 受赡养者; 扈从, 侍从

dependence [di'pendəns] *n.* 依靠; 依赖; 信赖; 从属

(▲)**dependent** [di'pendənt] *a.* 依靠的; 依赖的; 依…而定的; 〔语法〕从属的 ‖ ~ clause 从句

depose [di'pəuz] *v.* 罢免; 废黜

(▲)**deposit** [di'pɔzit] *vt.* 放下(⇨lay); 存放(⇨store); 寄存; 储蓄(⇨bank) *n.* 寄存物; 存款; 押金, 保证金; 堆积物

deposition [,depə'ziʃən] *n.* 免职; 废黜; 沉淀; 寄存

depress [di'pres] *vt.* 压低(← raise); 使沮丧(⇨discourage); 使减价(⇨cheapen); 按下

▲**depression** [di'preʃən] *n.* 萧条, 不景气; 沮丧(⇨discouragement)

deprive [di'praiv] *vt.* 〈与 of 连用〉剥夺; 使丧失

depth [depθ] *n.* 深;深度(← shallowness);厚度

deputy ['depjuti] *n.* 代理人;代表;副手;《用作定语》代理,副(的)

derivation [,deri'veiʃən] *n.* 出处(⇨source);语源

derive [di'raiv] *v.* 得到(⇨obtain);引伸;派生,衍生

derrick ['derik] *n.* 人字起重机;(船上用的)摇臂吊杆;钻塔;(油井的)井架

descend [di'send] *v.* 下来,下降,下倾;传下

descendant [di'sendənt] *n.* 后代(← ancestor);后裔;子孙

descent [di'sent] *n.* 下来,下降(← ascent);下倾;血统,家世,出身;遗传

describe [di'skraib] *vt.* 描绘(⇨represent);叙述(⇨account);把…说成

description [di'skripʃən] *n.* 叙述,描写;形容

*desert¹ ['dezət] *n.* 沙漠;荒地(⇨waste) *a.* 荒芜的(⇨wild);不毛的

desert² [di'zə:t] *vt.* 抛弃(⇨ abandon);脱离(⇨ leave) *vi.* 逃亡;开小差

(ᴬ) **deserted** [di'zə:tid] *a.* 无人居住的;空无一人的;荒废了的;被舍弃的

deserve [di'zə:v] *vt.* 应得,应受;值得

▲**design** [di'zain] *n.* 图样;花样;图案(⇨pattern);设计;计划 *vt.* 设计;计划(⇨plan);绘制(⇨draw)

designate ['dezigneit] *vt.* 标明(⇨mark);指出;指定(⇨appoint),任命;把…称为 *a.* [-nit, -neit]《用在被修饰的名词之后》已任命但未就职的

designer [di'zainə] *n.* 设计者;制图员

desirable [di'zaiərəbl] *a.* 值得想望的;合乎需要的;令人满意的

desire [di'zaiə] *n.* 愿望(⇨aspiration);欲望(⇨appetite);要求;请求;渴望之物 *vt.* 想望(⇨long);要求(⇨want);请求(⇨request)

*desk [desk] *n.* 书桌,课桌;办公桌;服务台 ‖ ～ clerk [美](旅馆的)柜台

desolate ['desələt] *a.* 荒芜的,荒凉的,无人居住的;孤寂的(⇨lonely);凄凉的(← delighted)

desolation [,desə'leiʃən] *n.* 荒芜;荒凉;渺无人烟;凄凉;孤寂;荒地

▲**despair** [di'spɛə] *vi.* 绝望;丧失信心 *n.* 绝望;使人绝望的人(或事物)

despairing [di'spɛəriŋ] *a.* 绝望的(⇨hopeless)(← hopeful)

despatch = dispatch

desperate ['despərit] *a.* (因绝望而)不顾一切的(← careful);严重的(⇨serious);危急的(⇨dangerous) ‖ ～ illness 不治之症

(ᴬ) **desperately** ['despəritli] *ad.* 令人绝望地;危急地;极为严重地;拚命地

desperation [,despə'reiʃən] *n.* 绝望;自暴自弃;不顾一切

despise [di'spaiz] *vt.* 看不起(← admire);轻视,鄙视(⇨contemn)

despite [di'spait] *n.* 憎恨;侮辱;轻视;恶意 *prep.* 不管,不顾(⇨ notwithstanding, in spite of) 「相混

dessert [di'zə:t] *n.* (正餐的最后一道) 甜点心或水果 ▶不要与 desert²

destination [,desti'neiʃən] *n.* 目的地;终点;指定地点

destine ['destin] *vt.* 命定,注定;预定;指定 ▶常用被动语态.

▲**destiny** ['destini] *n.* 命运,天命(⇨fate)

*destroy [di'strɔi] *vt.* 破坏(← create);摧毁;毁灭;消灭

destruction [di'strʌkʃən] *n.* 灭亡,毁灭(⇨extinction);摧毁;破坏(← construction)

destructive [di'strʌktiv] *a.* 破坏性的(← creative);毁灭性的(⇨ruinous)

detach [di'tætʃ] *vt.* 拆开(← attach);使分离;派遣

▲**detachment** [di'tætʃmənt] *n.* 分开; 分离; 分遣队; 支队

detail ['di:teil, 美: di'teil] *n.* 细节, 详情; 琐事 *vt.* 详细叙述; 分派

detain [di'tein] *vt.* 拘留; 耽搁(⇨delay)

detect [di'tekt] *vt.* 发现(⇨discover); 察觉, 查出; 侦查, 探测

detection [di'tekʃən] *n.* 察觉(⇨discovery); 侦察; 探测

detective [di'tektiv] *a.* 侦探的; 探测的; 推理的 *n.* 侦探; 刑警 ‖ ~ story [novel] 侦探小说

detector [di'tektə] *n.* 察觉者; 探测器; 检波器

▲**determination** [di,tə:mi'neiʃən] *n.* 决定, 决心; 判断, 断定

determine [di'tə:min] *v.* 决定(⇨decide); 下决心(⇨resolve); 决意; 限定

▲**determined** [di'tə:mind] *a.* 有决心的; 坚决的(⇨resolute)

detest [di'test] *vt.* 嫌恶(← love); 憎恶(⇨hate); 痛恨; 讨厌

detour ['di:tuə] *n.* 弯路; 迂回 *vi.* 迂回, 绕道

Detroit [də'trɔit, di-] *n.* 底特律 (美国城市)

▲**develop** [di'veləp] *vt.* 发展; 开展; 发扬; 使成长; 开发; 冲洗(胶卷) *vi.* 发展; 成长; 形成; 显影

▲**development** [di'veləpmənt] *n.* 发展; 开展, 进展; 开发 ‖ ~ area 开发区

deviate ['di:vieit] *v.* (使)背离, (使)偏离; 越轨

deviation [,di:vi'eiʃən] *n.* 越轨, 偏差, 误差

device [di'vais] *n.* (机械)装置; 器械; 设备; 图案(⇨ pattern)

devil ['devəl] *n.* 魔鬼; 恶棍; 冒失鬼; 家伙 ▶常用于温和的诅咒或加强语气, 如: the poor ~(可怜的家伙), The ~ you did!(你干的好事!).

devise [di'vaiz] *vt.* 设计(⇨design); 想出(办法)

▲**devote** [di'vəut] *vt.* 专心; 把…奉献; 献身(⇨dedicate)

▲**devoted** [di'vəutid] *a.* 专心于…的; 献身…的; 忠诚的(⇨faithful); 热心的; 慈爱的

devotion [di'vəuʃən] *n.* 献身; 忠诚; 热心(⇨zeal); 虔诚

devour [di'vauə] *vt.* 吞食; 挥霍; 贪看, 贪听

(*)**dew** [dju:] *n.* 露水; 小水珠

dewy ['dju:i, 美:'du:i] *a.* 带露水的; 露水的; 似露水的

diagnosis [,daiəg'nəusis] *n.* (复数: *diagnoses* [-si:z]) 诊断; 诊断书

diagram ['daiəgræm] *n.* 图解, 图表, 简图

dial ['daiəl] *n.* (钟表)面; (电话)拨号盘; (仪表的)刻度盘 *vt.* 拨(电话号码); 打电话(给…)

dialect ['daiəlekt] *n.* 方言, 地方话, 土话

dialectic [daiə'lektik] *a.* 辩证的; 辩证法的 *n.* 辩证法(= dialectics); 《常用复数》逻辑论证

dialectical ['daiə'lektikəl] *a.* = dialectic ‖ ~ materialism 辩证唯物论

(*)**dialog(ue)** ['daiələg] *n.* 对话, 对白; 会话(⇨conversation)

diameter [dai'æmitə] *n.* 直径; 透镜放大的倍数

▲**diamond** ['daiəmənd] *n.* 金刚石; 钻石 ‖ ~ anniversary(个人重要事件的)60或75周年纪念 / ~ wedding 钻石婚(结婚60周年)

***diary** ['daiəri] *n.* 日记; 日记簿

Dick [dik] 迪克, 狄克(男名, Richard ['ritʃəd] 的昵称)

dictate [dik'teit] *v.* 口述, (使)听写

⁽*⁾**dictation** [dik'teiʃən] *n.* 听写, 口述

▲**dictator** [dik'teitə] *n.* 独裁者, 专制者

dictatorship [dik'teitəʃip] *n.* 专政; 独裁(政治)

***dictionary** ['dikʃənəri, 美: 'dikʃə,neri] *n.* 字典, 词典

***did** [did] do 的过去式

***didn't** ['didnt] did not 的缩合式

***die** [dai] *vi.* (现在分词 *dying* ['daiiŋ]) 死, 死亡(⇨decease); 消失 (⇨disappear); 枯萎; 熄灭

diesel ['di:zəl] *n.* 柴油机(= engine); 内燃机

diet¹ ['daiət] *n.* 饮食, 食物; (病人的)特种饮食

diet² ['daiət] *n.* (丹麦、日本等国的)国会, 议会

differ ['difə] *vi.* 不同; 不一致(⇨disagree); (意见)不合

▲**difference** ['difərəns] *n.* 不同(←similarity); 差别; 分歧; 差额

***different** ['difərənt] *a.* 不同的(← unlike); 差异的; 各种的(⇨various)

differential [,difə'renʃəl] *a.* 差别的, 特异的, 微分的 *n.* 微分, 差别税

differently ['difərəntli] *a.* 不同地

***difficult** ['difikəlt] *a.* 难的(← easy); 艰难的(⇨hard); 困难的

▲**difficulty** ['difikəlti] *n.* 困难, 艰难(← ease); 费力; 难事; 困境

diffidence ['difidəns] *n.* 缺乏自信(← confidence); 胆怯; 羞怯; 踌躇

diffident ['difidənt] *a.* 缺乏自信的; 胆怯的, 羞怯的; 客气的

diffuse [di'fju:z] *v.* (使热、气体等)散开; (使)扩散; (使)漫射 *a.* [-'fju:s] 扩散的; 冗长的, 累赘的 ▶动词与形容词末尾发音不同.

***dig** [dig] *vt.* (*dug* [dʌg], *dug*) 挖, 掘, 〈口语〉把(指尖等)戳进

▲**digest** [di'dʒest, dai-] *v.* 消化(食物); 领悟; 通晓; 摘要 *n.* ['daidʒest] 摘要(⇨summary); 文摘(⇨abstract) ▶注意发音.

digestion [di'dʒestʃən, dai-] *n.* 消化(作用); 消化力

⁽▲⁾**digestive** [di'dʒestiv, dai-] *a.* 消化的; 有消化力的; 助消化的

digger ['digə] *n.* 挖掘者; 挖掘器

digit ['didʒit] *n.* 手指; 足趾; (0 到 9 中的任一)数字; 位数

digital ['didʒitl] *a.* 数字的 ‖ ～ computer 数字型电子计算机

dignity ['digniti] *n.* 尊贵, 高贵; 庄严; 高位

dike [daik] *n.* 堤, 坝; 沟, 渠; 排水道 ▶又拼写为 dyke.

dilemma [di'lemə, dai-] *n.* 困境; 进退两难

diligence ['dilidʒəns] *n.* 勤勉, 勤奋; 用功(⇨application); 努力

⁽▲⁾**diligent** ['dilidʒənt] *a.* 勤奋的, 用功的(⇨ hard-working); 孜孜不倦的

diligently ['dilidʒəntli] *ad.* 勤勉地, 勤奋地; 努力地; 孜孜不倦地

dilute [dai'lu:t] *vt.* 稀释, 冲淡; 削弱 *a.* 稀释的, 淡的

dim [dim] *a.* 暗淡的(←dark); 朦胧的; 不明亮的; 模糊的(⇨obscure) *v.* (使)变暗淡; (使)变模糊

dime [daim] *n.* (美国、加拿大)一角银币 ‖ ～ novel [美]廉价小说

dimension [di'menʃən, dai-] *n.* 尺寸, 大小; 长[宽, 深]度; 面[体, 容]积

diminish [di'miniʃ] *v.* 缩小, 减少

diminutive [di'minjutiv] *a.* 非常小的; 〔语法〕指小的 *n.* 〔语法〕指小词

dimly ['dimli] *ad.* 模糊地; 隐约地

dimple ['dimpl] *n.* 酒窝; 笑窝; 微凹; 涟漪 *v.* (使)现酒窝

din [din] *n.* 喧闹声 (← noise); 嘈杂声   *v.* 喧闹; 吵闹

dine [dain] *vi.* 吃饭; 用餐   *vt.* 宴请

dingy ['dindʒi] *a.* 肮脏的; 暗黑的

dining ['dainiŋ] *n.* 用餐, 吃饭 ‖ ~ car 餐车

*****dining-room** ['dainiŋ,rum, -.ru:m] *n.* 餐室, 食堂, 饭厅

*****dinner** ['dinə] *n.* (一天中的) 主餐; 正餐 (午餐或晚餐); 宴会 ‖ ~ hour 午休 / ~ party 晚宴

dioxide [dai'ɔksaid] *n.* 二氧化物

*****dip** [dip] *vt.* 泡, 渍, 浸, 蘸; 把…放入又取出; 低下, 降下

diploma [di'pləumə] *n.* 毕业证书; 文凭; 执照

diplomacy [di'pləuməsi] *n.* 外交; 外交手腕

diplomat ['dipləmæt] *n.* 外交家; 外交官员

diplomatic [.diplə'mætik] *a.* 外交 (上) 的; 有外交手腕的; 机智的 (← blunt) ‖ ~ service 外交界, 〔总称〕外交官

diplomatist [di'pləumətist] *n.* = diplomat

dire ['daiə] *a.* 可怕的 (⇨terrible); 悲惨的; 极度的 (⇨extreme)

direct [di'rekt, dai-] *v.* 指导; 指引 (⇨guide); 引向; 指挥 (⇨command); 命令 (⇨order)   *a.* 直的 (⇨straight); 直接的; 直率的   *ad.* 直接地 ‖ ~ current 直流电 / ~ method (外语教学) 直接法 / ~ object 直接宾语 / ~ speech 直接引语

direction [di'rekʃən, dai-] *n.* 指导, 指挥; 方向; 方面;《常用复数》指示 (⇨instructions), 说明 (书)

directly [di'rektli, dai-] *ad.* 径直地, 直接地; 直率地; 立即, 马上 (⇨immediately); 亲自

director [di'rektə, dai-] *n.* 指导者; 主任, 处长, 局长; (公司) 董事; (电影) 导演; (乐队) 指挥

directory [di'rektəri] *n.* 姓名地址录; 工商行名录

dirt [də:t] *n.* 灰尘; 污物; 泥土 (⇨mud); 下流话

*****dirty** ['də:ti] *a.* 脏的 (← clean); 弄脏的; 下流的; (天气) 恶劣的

dis- [dis] *pref.* 表示 "相反, 不, 无" 之意, 如 *disagree* (不同意), *disorder* (无秩序), *disease* (病), *discover* (发现). ▶此词不是形容词.

disable [dis'eibl] *vt.* 使无能; 使残废 ▶此词不是形容词.

disadvantage [.disəd'vɑ:ntidʒ] *n.* 不利 (← advantage); 损害 (⇨harm)

disagree [.disə'gri:] *vi.*《与 with 连用》(与…) 意见不合; 不同意 (← agree); (与…) 不一致; (气候, 食物) 不适合

disagreeable [.disə'gri:əbl] *a.* 令人不愉快的 (← agreeable); 讨厌的

disagreement [.disə'gri:mənt] *n.* 意见不合, 争执 (⇨argument)

*****disappear** [.disə'piə] *vi.* 消失 (← appear) (⇨fade); 消散; 失踪

disappearance [.disə'piərəns] *n.* 不见, 消失; 失踪

disappoint [.disə'pɔint] *vt.* 使失望; 使沮丧

*****disappointed** [.disə'pɔintid] *a.* 失望的; 沮丧的

disappointing [.disə'pɔintiŋ] *a.* 使人失望的, 扫兴的

disappointment [.disə'pɔintmənt] *n.* 失望; 挫折; 使人失望的人 (或事)

disapproval [.disə'pru:vəl] *n.* 不赞成; 不同意; 不满意 (⇨dislike)

disapprove [.disə'pru:v] *v.* 不赞成, 不同意; 不满

disarm [dis'ɑ:m] v. 解除武装; 缴械; 裁减军备

disarmament [dis'ɑ:məmənt] n. 解除武装; 裁军

▲**disaster** [di'zɑ:stə] n. 灾难(⇨catastrophe); 祸害; 天灾 ‖ air ~ 空难

disastrous [di'zɑ:strəs] a. 灾难性的; 悲惨的

disc [disk] n. 圆盘; 唱片

discard [dis'kɑ:d] vt. 丢弃; 扔掉(← retain)

discern [di'sə:n] vt. 看出; 觉察; 辨别(⇨distinguish) vi. 辨明; 分清

discharge [dis'tʃɑ:dʒ] v. 卸(货); 排出; 释放(⇨ release); 发射(⇨ shoot); 解雇(⇨dismiss); 履行 n. 卸货; 流出物; 释放; 发射; 解雇; 偿还

disciple [di'saipl] n. 追随者(⇨follower); 门徒(⇨pupil)

▲**discipline** ['disiplin] n. 纪律; 风纪; 处分; 训练 vt. 使守纪律; 惩罚(⇨ punish); 训练(⇨train)

▲**disclose** [dis'kləuz] vt. 透露(⇨reveal)(← conceal); 揭发; 揭开; 揭露

disco ['diskəu] n. 〈口语〉"迪斯科"舞曲; "迪斯科"舞厅(= discotheque)

▲**discomfort** [dis'kʌmfət] n. 不舒服; 不安; 不快的事 vt. 使不舒适

discontent [,diskən'tent] n. 不满; 不安(⇨uneasiness) vt. 使不满

discord ['diskɔ:d] n. 意见不合; 不和; 不一致(← accord); 不谐和

discotheque ['diskətek] n. "迪斯科"舞厅; 迪斯科舞会; 夜总会

discount ['diskaunt] n. 折扣; 贴现 vt. [dis'kaunt] 打折扣 ‖ ~ store [美] 廉价商店 ▶名词与动词重音不同.

▲**discourage** [dis'kʌridʒ] vt. 使泄气(← encourage); 使失去信心; 妨碍

▲**discouraged** [dis'kʌridʒd] a. 泄气的; 失去信心的

discourse ['diskɔ:s] n. 讲话(⇨speech); 演说; 语篇 vi. [dis'kɔ:s] 讲述; 谈论 ▶名词与动词重音不同.

discover [dis'kʌvə] vt. 发现, 看出(⇨notice); 暴露; 显示 vi. 有所发现

▲**discoverer** [dis'kʌvərə] n. 发现者

▲**discovery** [dis'kʌvəri] n. 发现; 发觉; 被发现的东西

discreet [di'skri:t] a. 谨慎的(⇨careful); 考虑周到的

discreetly [di'skri:tli] ad. 谨慎地, 考虑周到地(⇨cautiously)

discretion [di'skreʃən] n. 谨慎; 考虑周到, 自行决定

discriminate [di'skrimineit] v. 区别(⇨distinguish); 辨别

discrimination [,diskrimi'neiʃən] n. 辨别, 区别; 歧视

discus ['diskəs] n. (比赛用的)铁饼 ‖ the ~ throw 掷铁饼 ▶拼写发音不要与 discuss(讨论)相混.

⊛**discuss** [di'skʌs] vt. 讨论; 商议; 辩论(⇨argue)

▲**discussion** [di'skʌʃən] n. 讨论; 议论; 论述

disdain [dis'dein] n. 蔑视(⇨contempt); 轻视 vt. 藐视(⇨contemn); 看不起; 不屑于

▲**disease** [di'zi:z] n. 病, 疾病(⇨sickness)

⊛**diseased** [di'zi:zd] a. 有病的; 害了病的; 不健全的; 病态的

disgrace [dis'greis] n. 不光彩(←honour); 不名誉; 耻辱, 丢脸(⇨shame) vt. 使丢脸; 玷污

disgraceful [dis'greisfəl] a. 丢脸的; 不名誉的

disguise [dis'gaiz] n. 化装; 假扮, 伪装(⇨mask) vt. 化装(成); 改装(成); 隐瞒(⇨conceal)

disgust [dis'gʌst] *vt., n.* 厌恶;憎恶

^**dish** [diʃ] *n.* 盘,碟;一道菜;《用复数》瓷质餐具,碗盘类

dishonest [dis'ɔnist] *a.* 不诚实的(← honest);不正直的

dishono(u)r [dis'ɔnə] *n.* 耻辱;不名誉;不名誉的行为 *v.* 使丢脸,凌辱

dishono(u)rable [dis'ɔnərəbəl] *a.* 不名誉的,不光彩;可耻的

disillusion [.disi'lu:ʒən] *vt.* 使…幻灭 *n.* 幻灭

disinfectant [.disin'fektənt] *n.* 消毒剂 *a.* 消毒的

disintegration [dis.inti'greiʃən] *n.* 瓦解,崩溃;分裂,分解

(*)**disjunctive** [dis'dʒʌŋktiv] *a.* 〔语法〕转折的;反意的 ‖ ～ conjunction 转 「折连词

disk [disk] *n.* 〔美〕= disc

dislike [dis'laik] *vt., n.* 厌恶(⇨disgust);憎恶;不愿意

disloyalty [dis'lɔiəlti] *n.* 不忠,不忠诚

dismal ['dizməl] *a.* 忧郁的(⇨gloomy)(← gay);凄凉的

dismay [dis'mei] *n.* 惊惶;沮丧 *vt.* 使惊惶(⇨frighten);使丧胆

^**dismiss** [dis'mis] *vt.* 打发走,解散;解雇(← hire);开除(⇨fire)

dismissal [dis'misəl] *n.* 免职,解雇;开除;遣散,解散;〔法律〕驳回,不受理

dismount [dis'maunt] *vt.* 使落下马;卸下;拆卸 *vi.* 下马;下车

(△)**disobey** [.disə'bei] *v.* 不服从(← obey)

(△)**disorder** [dis'ɔ:də] *n.* 杂乱,紊乱(⇨confusion);骚乱;无秩序;轻病,失调 *vt.* 扰乱;使失调 ‖ stomach ～ 胃病

dispatch [dis'pætʃ] *vt.* 派遣,寄发;迅速完成 *n.* 派遣;发送;急件,快信 ▶ 又拼写为 despatch.

dispel [di'spel] *vt.* 驱散(云、雾等);澄清(疑虑等);消除

dispense [di'spens] *vt.* 分配(⇨distribute);给与;配发(药剂)

disperse [di'spə:s] *v.* 驱散;(使)散开(⇨scatter)

displace [dis'pleis] *vt.* 代替;取代(⇨replace)

displacement [dis'pleismənt] *n.* 移置;取代;免职;排水量

^**display** [dis'plei] *vt.* 展览,陈列(⇨show);表现;显示

displease [dis'pli:z] *vt.* 使不高兴;使生气;触怒

displeasure [dis'pleʒə] *n.* 不高兴(← pleasure);不愉快;不满,生气

disposal [di'spəuzəl] *n.* 处理;安排 ‖ sewage ～ 污水处理

dispose [di'spəuz] *v.* 处理;安排;配置

disposition [.dispə'ziʃən] *n.* 性情,脾气;性格(⇨character);意向;倾向(⇨inclination);布置;处理(权)

dispute [di'spju:t] *n., v.* 辩论;争论;争执

disregard [.disri'gɑ:d] *vt.* 忽视(⇨ignore);轻视(⇨slight);不考虑

dissatisfaction [di.sætis'fækʃən] *n.* 不满(⇨discontent);不平

dissatisfy [di'sætisfai] *vt.* 使不满,使不服

dissect [di'sekt, dai'sekt] *vt.* 解剖(⇨anatomize);剖析;仔细分析

dissension [di'senʃən] *n.* 意见分歧(⇨disagreement);不和(⇨quarrel)

dissipate ['disipeit] *v.* 驱散,解散;浪费(⇨waste)

dissolution [.disə'lu:ʃən] *n.* 分解;溶解;(契约等的)解除;消亡

dissolve [di'zɔlv] *v.* 分解;溶解(⇨melt);解散;解除

^**distance** ['distəns] *n.* 距离;远处;间隔;冷淡,疏远

^**distant** ['distənt] *a.* 远的(⇨far);隔离的;遥远的;稀疏的

distillation [,disti'leiʃən] n. 蒸馏, 蒸馏法 〔different〕

distinct [di'stiŋkt] a. 清楚的(⇨clear); 明显的(⇨plain); 迥然不同的(⇨different)

distinction [di'stiŋkʃən] n. 区别, 特征; 荣誉(⇨honour); 卓越

distinctive [di'stiŋktiv] a. 明显的; 有特色的(⇨characteristic); 突出的

distinctly [di'stiŋktli] ad. 清楚地(⇨clearly); 清晰地(⇨plainly); 显然

distinguish [di'stiŋgwiʃ] vt. 区别, 辩别, 使有别于; 使出名

distinguished [di'stiŋgwiʃt] a. 著名的(⇨famous); 杰出的, 卓越的(⇨prominent); 突出的(⇨outstanding)

distort [di'stɔːt] vt. 歪曲, 曲解; 使变形, 使失真

distortion [di'stɔːʃən] n. 弄歪; 变形, 畸变

distract [di'strækt] vt. 分散(注意力); 使分心; 扰乱

⒧**distress** [di'stres] n. 痛苦(⇨suffering)(← comfort); 忧伤; 苦恼; 悲痛; 危难; 不幸 vt. 使苦恼, 使痛苦 ‖ ～ signal 遇险信号

▲**distribute** [di'stribjuːt] vt. 分配; 散发; 分布; 分散(⇨spread)

distribution [,distri'bjuːʃən] n. 分配; 散发; 分布; 批发; 发行

▲**district** ['distrikt] n. 区(⇨region); 行政区; 地区; 区域 ‖ the Military *District* 军区 / *District* of Columbia 哥伦比亚特区

distrust [dis'trʌst] vt., n. 不信任; 怀疑

⒧**disturb** [di'stəːb] v. 妨碍; 打扰(睡眠、休息等); 扰乱; 弄乱

disturbance [di'stəːbəns] n. 打扰; 不安; 骚乱(⇨riot)(← order); 干扰

disunite [disjuː'nait] v. (使)分离, (使)分裂; 使不和, 失和

disuse [dis'juːs] n. 不用; 废弃 vt. [-'juːz] 废止, 停止使用 ‖ ～d car 废车 ▶注意词尾发音.

ditch [ditʃ] n. 沟, 渠, 壕

▲**dive** [daiv] vi., n. (头部向下)跳水; 潜水; 俯冲; 钻研 ‖ fancy ～ 花式跳水

▲**dive-bomber** ['daiv,bɔmə] n. 俯冲轰炸机

diver ['daivə] n. 潜水人, 跳水者

diverge [dai'vəːdʒ] vi. 分叉(⇨fork); 分歧; 背驰 〔different〕

diverse [dai'vəːs] a. (和…)不一样的; 各种各样的(⇨varied); 不同的(⇨different)

diversion [dai'vəːʃən] n. 引开; 转移; 消遣; 娱乐

divert [dai'vəːt, di-] vt. 转移; 使高兴(⇨amuse)

▲**divide** [di'vaid] vt. 分(← unite); 划分; 分开(⇨separate); 分裂; 分配(⇨share); (使)分歧; 〔数学〕除

dividend ['dividənd, -dend] n. 红利; 股息

divine [di'vain] a. 神的(← worldly); 天赐的; 〈口语〉好透了的

divinity [di'viniti] n. 神性; 神力; 神学; 神灵; 神

⒧**division** [di'viʒən] n. 划分; 区分; 区分; 隔开(⇨separation); 界限; 分配(⇨distribution); 分裂; 部门; (军队的)师

divorce [di'vɔːs] n. 离婚; 分离; 脱离 vt. 与…离婚; 使分离; 使脱离

dizzy ['dizi] a. 眩晕的; 眼花缭乱的

*****do** [duː] (*did* [did], *done* [dʌn]) vt. 做, 干; 从事; 实行; 扮演; 给予; 处理 vi. 行动; 合用; 过日子 v. aux.《构成疑问句及否定句用的助动词, 无过去分词, 本身无词义》

dock [dɔk] n. 船坞; 〈美口语〉码头(⇨wharf) v. 入坞, 靠码头

docker ['dɔkə] n. 码头工人

*doctor ['dɔktə] *n.* 医生, 大夫; 博士(作为头衔时用 Dr.)   「principle)
doctrine ['dɔktrin] *n.* 教义, 教条(⇨dogma); 学说(⇨teachings); 主义(⇨
document ['dɔkjumənt] *n.* 文件; 文献; 公文; 证件
documentary [,dɔkju'mentəri] *a.* 文件的; 证件的 ‖ ～ proof 文书证据
dodge [dɔdʒ] *v.* 躲闪, 躲避; 避开 *n.* 躲闪, 躲避; 推托; 妙计
*does [dʌz, (弱) dəz]   do 的第三人称单数现在式
*doesn't ['dʌznt]   does not 的缩合式
*dog [dɔg] *n.* 狗
doggedly ['dɔgidli] *ad.* 顽强地; 固执地
dogma ['dɔgmə] *n.* 教义, 教条; 信条, 定论
doings ['du:iŋz] *n.* [复数] 行动; 举动; 所作所为
(▲) doll [dɔl] *n.* 玩偶, (玩具)娃娃
▲dollar ['dɔlə] *n.* 元(美国、加拿大等国的货币单位, 符号为 $)
(▲) dolphin ['dɔlfin] *n.* 海豚   「*dom* (自由).
-dom [dəm] *suf.* 表示"地位, 领地, …状态"之意, 如 king*dom*(王国), free-
domain [də'mein, dəu-] *n.* 领土, 领地; (研究等的)领域; 范围(⇨field)
dome [dəum] *n.* 圆顶; 穹窿顶
domestic [də'mestik] *a.* 家庭的; 驯养的(← wild); 国内的(← foreign);
    国产的 ‖ ～ affairs 内政 / ～ trade 国内贸易
dominant ['dɔminənt] *a.* 支配的; 统治的; 重要的(⇨principal)
dominate ['dɔmi,neit] *vt.* 支配; 统治; 俯视   「territory)
dominion [də'minjən] *n.* 支配 (⇨ control); 统治 (⇨ rule); 领土 (⇨
donate [dəu'neit] *v.* 捐赠, 捐献
donation [dəu'neiʃən] *n.* 捐献; 捐献物(⇨offering); 捐款
▲done [dʌn]   do 的过去分词
donkey ['dɔŋki] *n.* 驴(⇨ass); 傻子(⇨fool); 固执的人
*don't ['dəunt]   do not 的缩合式
doodle ['du:dl] *vi.* 心不在焉地乱写乱画 *n.* 笨蛋   「sentence)
doom [du:m] *n.* 命运, 厄运(⇨fate); 毁灭; 死亡 *vt.* 注定, 命定; 判决(⇨
*door [dɔ:] *n.* 门; 户
▲doorbell ['dɔ:bel] *n.* 门铃
doorstep ['dɔ:step] *n.* 门前台阶
(▲) doorway ['dɔ:wei] *n.* 门口; 途径
(▲) dope [dəup] *n.* 有毒的药物(如麻醉药或鸦片); 〈口语〉吸毒者
dormitory ['dɔ:mitəri] *n.* 集体寝室; [美](大学)学生宿舍
(▲) Dorothy ['dɔrəθi] 多萝西(女名)
dose [dəus] *n.* (药的)剂量, 用量; 一剂, 一服
▲dot [dɔt] *vt.* 打点于; 点缀 *n.* 小点, 圆点(⇨point)
(*) double ['dʌbl] *a.* 加倍的, 两倍的; 双的; 双重的 *ad.* 两倍地(⇨twice);
    双重地 *n.* 两倍; 倍数 *v.* 加倍, 翻一番; 跑步; 折回 ‖ ～ bed 双人床
▲doubt [daut] *n.* 怀疑; 疑问; 疑惑(⇨uncertainty) *v.* 怀疑(⇨suspect);
    不相信(⇨mistrust) ▶ b 不发音.
doubtful ['dautfəl] *a.* 有疑问的, 可疑的; 不肯定的(← certain)
doubtfully ['dautfəli] *ad.* 怀疑地; 没有把握; 难料地
doubtless ['dautlis] *ad.* 无疑地, 必然地; 很可能

dough [dəu] *n.* 生面团 ▶注意发音.

doughnut ['dəunʌt] *n.* 炸面饼圈, 油煎饼

(A)**Douglas** ['dʌgləs] 道格拉斯(姓)

dove [dʌv] *n.* 鸽子 ▶家鸽常称 pigeon.

***down** [daun] *ad.* 向下, 在下面, 降下, 倒下 *prep.* 下(山、楼), 在…下面, 沿着(路、河)而下(⇨along) *a.* 向下的; 下行的 *vt.* 打倒; 放下; 击落 (飞机) ▶去乡村、南方、商业区、次要地方, 习惯上用 down.

downfall ['daunfɔ:l] *n.* 没落, 灭亡; 垮台; (城市的)陷落; 倾盆大雨

downhearted [,daun'hɑ:tid] *a.* 消沉的; 沮丧的(← happy)

***downstairs** [,daun'stɛəz] *ad.* 在楼下; 到楼下 *a.* 楼下的(← upstairs)

downtown [,daun'taun] *ad.* 在[往]商业区; 在[往]闹区 *a.* 商业区的; 闹区的 *n.* 城市商业区 「用于美国.

▲**downward** ['daunwəd] *ad.* 向下; …以下 *a.* 向下的; 下降的; 下坡的 ▶多

▲**downwards** ['daunwədz] *ad.* 向下; 向地面; …以下

doze [dəuz] *vi.* 打瞌睡 *n.* 小睡(⇨nap) ▶与 dose(剂量)同音.

▲**dozen** ['dʌzn] *n.* (复数: *dozen* 或 *dozens* [-z]) 一打, 12个

***Dr., Dr** ['dɔktə] (= Doctor) …博士

draft [drɑ:ft, 美: dræft] *n.* 草图; 草案, 草稿; 汇票; 选拔; [美]通风; 穿堂风 (= draught) *vt.* 起草; [美]征召 ‖ ～*ing* committee 起草委员会

▲**drag** [dræg] *v.* 拖, 用力拉; 缓慢而费力地引进; 拖延

▲**dragon** ['drægən] *n.* 龙

dragonfly ['drægən,flai] *n.* 蜻蜓 「水道

(A)**drain** [drein] *v.* 排水(或其他液体); (使)滴干; 耗尽 *n.* 排水管; 阴沟; 下

drainage ['dreinidʒ] *n.* 排水; 下水道; 排水设施 ‖ ～ basin 流域

drake [dreik] *n.* 雄鸭

drama ['drɑ:mə, 美: 'dræmə] *n.* 戏剧(⇨play); 剧本; 戏剧性事件 「目的

dramatic [drə'mætik] *a.* 戏剧的(⇨theatrical); 剧本的; 戏剧性的; 令人注

dramatist ['dræmətist] *n.* 剧本作者; 剧作家

dramatize ['dræmətaiz] *vt.* 将…改编成剧本; 演戏似地表现, 夸大地表现

drank [dræŋk] drink 的过去式

drapery ['dreipəri] *n.* 布料; 织物; 窗帘

drastic ['dræstik] *a.* 激烈的; 严厉的

draught [drɑ:ft, 美: dræft] *n.* 草稿, 草案, 草图; 选拔; [美]征兵; 通风, 通风设备; 汇票, 支票; 一饮, 一口; (船的)吃水 *vt.* 起草; 制图; [美]征募 ‖ sleeping ～ 安眠药水 ▶美国用 draft.

***draw** [drɔ:] (*drew* [dru:], *drawn* [drɔ:n]) *vt.* 拉, 拖(⇨pull); 牵; 引出; 抽 出; 提取(存款); 画(素描); 吸入(空气) *vi.* 拖拉; 靠近; 制图 *n.* 抽签

drawback ['drɔ:bæk] *n.* 退款; 欠缺; 弊端; 障碍

drawer[1] ['drɔ:ə] *n.* 抽屉

drawer[2] ['drɔ:ə] *n.* 制图员; 开票人 「为 painting.

***drawing** ['drɔ:iŋ] *n.* (线条)图画; 素描; 图案; 绘图(术); 图样 ▶颜料画

drawing-room ['drɔ:iŋ,rum, -,ru:m] *n.* 客厅; 起居室 「局

drawn [drɔ:n] draw 的过去分词 *a.* (比赛)平局的 ‖ ～ game 赛成平

dread [dred] *v.* 害怕, 恐惧(⇨terror) *n.* 恐惧(⇨fear)

▲**dreadful** ['dredfəl] *a.* 可怕的(⇨terrible); 令人敬畏的; 〈口语〉没意思的

▲**dream** [dri:m] *n.* 梦；愿望　*v.* (*-ed, -ed*; 或 *dreamt* [dremt], *dreamt*) 做梦；梦见；梦想；向往

dreary ['driəri] *a.* 沉闷的(← cheerful)；阴郁的(⇨gloomy)

drench [drentʃ] *vt.* 使湿透；淋透　*n.* 雨淋；弄湿

***dress** [dres] *v.* (给…)穿衣；打扮；梳理　*n.* 女服，连衣裙；服装(尤指外衣)；礼服 ‖ ～ coat 燕尾服 / ～ suit(男子)晚礼服 / ～*ing* table 梳妆台

dressmaker ['dres,meikə] *n.* (女装)裁缝

drew [dru:]　draw 的过去式

▲**drift** [drift] *n.* 漂流，漂流物；吹积物；倾向(⇨tendency)；(漂流或吹积物)一堆　*v.* (使)漂流；(使)吹积

▲**drill** [dril] *n.* 钻；操练；句型练习；反复练习；训练(⇨training) *v.* 在…钻孔；操练；训练

***drink** [driŋk] *v.* (*drank* [dræŋk], *drunk* [drʌŋk]) 喝，饮；为…而干杯；吸收(⇨absorb)；喝酒；干杯　*n.* 饮料；酒；醑酒

▲**drip** [drip] *v.* (使)滴落；(使)滴下；漏下　*n.* 滴落；滴水(声)

***drive** [draiv] *v.* (*drove* [drəuv], *driven* ['drivən]) 驾驶(车)；开车；驱，赶；把(钉等)敲入；迫使　*n.* 驱车旅行

drive-in ['draiv-in] *n.* [美] (顾客留在自己车上享用或办理的)免下车餐馆(或银行，电影院等)　*a.* 服务到车上的；免下车的

***driven** ['drivən]　drive 的过去分词

***driver** ['draivə] *n.* 驾驶员，司机

▲**droop** [dru:p] *v.* (使)垂下；凋萎　*n.* 下垂；衰颓(⇨languish)

***drop** [drɔp] *n.* 滴，点滴；水滴；《用复数》滴剂　*v.* (使)滴下；(使)落下；掉下；(从车、船)下来；跌倒；变弱

drought [draut] *n.* 干旱，旱灾 ▶注意拼写发音.

drove [drəuv]　drive 的过去式

(▲)**drown** [draun] *v.* (把…)淹死；溺死；淹没

drowsy ['drauzi] *a.* 昏昏欲睡的(⇨sleepy)；催眠的；沉寂的

drug [drʌg] *n.* 药；药品；药剂；麻醉药；毒品

drugstore ['drʌgstɔ:] *n.* [美]药房([英] chemist's shop)；[美]杂货店(出售药物、糖果、饮料及其它杂物的商店)

drum [drʌm] *n.* 鼓；鼓声；圆桶；鼓膜

drunk [drʌŋk]　drink 的过去分词　*a.*《常作表语》醉的，喝醉的(← sober)；陶醉的　*n.* 醉汉

drunkard ['drʌŋkəd] *n.* 醉汉，酒鬼，酗酒者

drunken ['drʌŋkən] *a.*《常作定语》喝醉酒的；酗酒的

***dry** [drai] *a.* (*drier* ['draiə], *driest* ['draiist]) 干的(← wet)；干燥的；口渴的(⇨thirsty)；枯燥乏味的，干巴巴的　*vt.* 使干燥　*vi.* 变干，干涸 ‖ ～ battery 干电池 / ～ cleaning 干洗

D. S. T., DST (= Daylight Saving Time) 夏令时

dubious ['dju:biəs, 美: 'du:-] *a.* 半信半疑的；犹豫不决的；可疑的；暧昧的

duchess ['dʌtʃis] *n.* 公爵夫人；女公爵

***duck** [dʌk] *n.* 鸭 ‖ ～('s) egg〔体育〕零分

due [dju:; 美: du:] *a.* 应付的；应有的；到期的，预定应到的；应归于

duel ['dju:əl, 美: 'du:əl] *n.* 决斗；(双方的)争论　*vi.* 决斗

duet [dju:'et, 美: du:'et] *n.* 二重唱; 二重奏

dug [dʌg] dig 的过去式和过去分词

duke [dju:k, 美: du:k] *n.* 公爵; 大公 ▶英国以外的公爵称 prince.

dull [dʌl] *a.* 暗淡的; 迟钝的(← bright); 呆笨的(⇨stupid); 不锋利的(← sharp); 枯燥的(← interesting)

duly [ˈdju:li, 美: ˈdu:li] *ad.* 按时地; 充分地; 适当地

dumb [dʌm] *a.* 哑的, 不能说话的; 无声的(⇨silent) ‖ ～ show 哑剧

ˈ**dumbfound** [dʌmˈfaund] *vt.* 使(人)目瞪口呆; 使惊呆

dummy [ˈdʌmi] *n.* (陈列服装用的)人体模型; 傀儡; 假货; (射击用)人像靶; 〈口语〉笨蛋, 哑巴 ‖ ～ door (舞台的)假门

ˈ**dump** [dʌmp] *n.* 垃圾堆 *vt.* 倒下; 卸下; 扔下

dung [dʌŋ] *n.* (牲畜的)粪; 粪肥 *vt.* 施肥

dungeon [ˈdʌndʒən] *n.* 土牢; 地牢

▲**Dunkirk** [dʌnˈkə:k] *n.* 敦刻尔克(法国北部港市)

duplicate [ˈdju:plikit, 美: ˈdu:-] *a.* 成双的, 成对的(⇨twofold); 复制的; 副的 *n.* 复制品; 副本, 抄件(⇨copy) *vt.* [ˈdju:plikeit, 美: ˈdu:-] 复写; 打印; 复制(⇨reproduce) ▶注意发音.

durable [ˈdjuərəbl, 美: ˈduə-] *a.* 耐用的; 持久的(⇨permanent).

duration [djuˈreiʃən, 美: du-] *n.* 持续(时间); 期间

****during** [ˈdjuəriŋ, 美: ˈduəriŋ] *prep.* 在…期间; 在…的时候

dusk [dʌsk] *n.* 傍晚, 黄昏, 薄暮; 幽暗

dusky [ˈdʌski] *a.* 微暗的(⇨dim); 暗淡的, 黑黝黝的; 忧郁的

dust [dʌst] *n.* 尘土; 垃圾; 粉末 *vt.* 去掉…上的灰尘; 掸(尘); 撒(粉末) ‖ ～ jacket 书套, 护封

ˈ**dustbin** [ˈdʌstbin] *n.* 垃圾箱([美] garbage can)

****dustman** [ˈdʌstmən] *n.* (复数: *-men* [-mən]) 清洁工人; 垃圾清运工([美] garbage collector)

dustpan [ˈdʌstpæn] *n.* 畚箕; 簸箕

dusty [ˈdʌsti] *a.* 积满灰尘的; 尘土一般的; 粉末状的

Dutch [dʌtʃ] *a.* 荷兰的; 荷兰人的; 荷兰语的 *n.* 荷兰语; 荷兰人; 《加 the》〔总称〕荷兰人 [任务]

◀▲**duty** [ˈdju:ti, 美: ˈdu:ti] *n.* 责任, 义务(⇨obligation); 本分; 《用复数》职责,

dwarf [dwɔ:f] *n.* 侏儒(← giant); 矮人(⇨pygmy) [live]

dwell [dwel] *vi.* (*dwelt* [dwelt], *dwelt*; 或 *-ed*, *-ed*)〈书面语〉住; 居住(⇨

dweller [ˈdwelə] *n.* 居民; 居住者

dwelling [ˈdweliŋ] *n.* 〈书面语〉寓所, 住处 ‖ ～ house 住宅

dwindle [ˈdwindl] *vi.* (逐渐)减少; 缩小, 变小(⇨decrease) (← increase)

▲**dye** [dai] (现在分词: *dyeing* [ˈdaiiŋ]) *vt.* 染, 把…染上颜色; 沾染 *vi.* 着色, (染)上色 ▶此词现在分词不要跟 dying(死)相混.

▲**dying** [ˈdaiiŋ] die 的现在分词 *a.* 临终的; 垂死的

dyke [daik] *n.* = dike

dynamic [daiˈnæmik] *a.* 精力充沛的, 活跃的; 动力的

dynamics [daiˈnæmiks] *n.* [复数]《用作单数》力学, 动力学

◀▲**dynamite** [ˈdainəmait] *n.* 甘油炸药; 具有爆炸性(或令人惊羡)的事物

dynamo [ˈdainəmou] *n.* 发电机([美] generator)

▲**dynasty** ['dinəsti, 美: 'dain-] *n.* 王朝; 朝代

E, e

***each** [i:tʃ] *a.* 每 (⇨every); 各, 各自的 *pron.* 各个, 各自 *ad.* 每个, 每人, 各自地 (⇨individually) ▶与 each 有关的动词和代词要用单数.

▲**eager** ['i:gə] *a.* 渴望的; 热心的; 热切的 (⇨anxious)

eagerly ['i:gəli] *ad.* 渴望地; 热心地; 热切地 (⇨anxiously)

eagerness ['i:gənis] *n.* 渴望; 热心; 热望; 殷切的心情

eagle [i:gl] *n.* 雕; 鹰 ‖ ～ eye 锐利的眼光

***ear¹** [iə] *n.* 耳; 耳状物 (水壶等的把手); 听觉, 听力

ear² [iə] *n.* (稻、麦类的) 穗

▲**-eared** [iəd] *a.* 《用以构成复合词》长着…耳朵的 (如: long-*eared*)

earl [ə:l] *n.* 伯爵 ▶英国以外欧洲大陆的国家称 count.

***early** ['ə:li] *a.* 早的 (← late); 初期的; 早日的 *ad.* (时间、时期) 早; 在初期 ‖ the ～ spring 初春 / ～ bird 〈口语〉早起的人

▲**earn** [ə:n] *vt.* 赚得 (⇨gain); 挣得; 赢得 (⇨win); 博得   「挚

▲**earnest** ['ə:nist] *a.* 认真的 (⇨serious); 诚挚的 (⇨sincere) *n.* 认真; 诚

earnestly ['ə:nistli] *ad.* 认真地; 热切地; 诚挚地 (⇨sincerely)

earning ['ə:niŋ] *n.* 《用复数》工资 (⇨wages); 报酬; 利润 (⇨profits); 收入, 收益 (⇨income)

earphone ['iəfəun] *n.* 《常用复数》头戴受话机, 耳机 (⇨headphone); 听筒

earring ['iə,riŋ] *n.* 《常用复数》耳环, 耳饰   「土 (⇨soil)

***earth** [ə:θ] *n.* 《加 the》地球 (⇨globe); 世界 (⇨world); 陆地 (⇨land); 泥

earthenware ['ə:θənwɛə] *n.* 瓦器, 陶器

earthly ['ə:θli] *a.* 地球的; 现世的; 尘世的 (⇨worldly) (← spiritual) ▶此词不是副词.

⁽⁺⁾**earthquake** ['ə:θkweik] *n.* 地震

▲**erthworm** ['ə:θwə:m] *n.* 蚯蚓

▲**ease** [i:z] *n.* 舒适 (⇨comfort); 安心; 容易, 不费力 *vt.* 使舒适; 使安心; 减轻 (痛苦、负担等); 缓和

▲**easily** ['i:zili] *ad.* 容易地; 轻易地, 不费力地; 很可能, 无疑地

***east** [i:st] *n.* 《加 the》东, 东方; 东部 *a.* 东的, 东方的; 自东方来的 *ad.* 在东方; 向东方

Easter ['i:stə] *n.* (耶稣) 复活节 (= Easter Sunday)

▲**eastern** ['i:stən] *a.* 东方的; 朝东的; 从东方来的   「东部

⁽⁺⁾**eastward** ['i:stwəd] *a.* 向东的 *ad.* (= eastwards) 朝东, 向东 *n.* 东方,

eastwards ['i:stwədz] *ad.* 向东, 朝东   「乐椅

***easy** ['i:zi] *a.* 容易的; 安逸的, 舒适的; 从容的 *ad.* 容易地 ‖ ～ chair 安

easygoing [,i:zi'gəuiŋ] *a.* 随和的; 悠闲的; 自由自在的 (⇨free)

***eat** [i:t] *v.* (*ate* [et], *eaten* ['i:tn]) 吃; 喝 (汤); 吃饭

eatable ['i:təbəl] *a.* 可吃的 *n.*《常用复数》食物,食品

eaten ['i:tn] eat 的过去分词

eaves [i:vz] *n.* [复数] 屋檐

ebb [eb] *n.* 退潮;衰落 *vi.* (潮)退(← flow);减退

eccentric [ik'sentrik] *a.* (行为)古怪的(⇨peculiar);偏心的 *n.* 古怪的人

eccentricity [,eksen'trisiti] *n.* 古怪,怪僻;偏心率

△**echo** ['ekəu] *n.* 回听,回音;反响 *v.* 响应;起回声;起共鸣

ecology [i'kɔlədʒi] *n.* 生态(学)

eclipse [i'klips] *n.* (日,月的)蚀 *vt.* (天体)蚀;使失色

△**economic** [,i:kə'nɔmik, ,ek-] *a.* 经济(上)的;经济学的

economical [,i:kə'nɔmikəl, ,ek-] *a.* 节约的(⇨thrifty)(← wasteful);节俭的;经济的;价廉而适用的

economically [,i:kə'nɔmikəli, ,ek-] *ad.* 经济地

economics [,i:kə'nɔmiks, ,ek-] *n.* [复数]《用作单数》经济学

economise = economize

economist [i'kɔnəmist] *n.* 经济学家;节俭的人

economize [i'kɔnəmaiz] *v.* 节约,节省;节省;节俭 ▶又拼写为 economise.

economy [i'kɔnəmi] *n.* 经济;节约 ‖ the national ~ 国民经济

ecstasy ['ekstəsi] *n.* 狂喜;出神,入迷

-ed [d, id, t] *suf.* ①加在规则动词后构成过去式和过去分词, 如 work**ed** (工作), show**ed** (显现).②加在名词之后构成形容词, 表示"有…的, …的"之意, 如 skill**ed**(有技能的), honey**ed** (蜜样甜的).

eddy ['edi] *n.* (空气、水、烟雾、尘土等的)旋涡;涡流 *v.* (使)起旋涡, (使)旋转(⇨whirl)

Eden ['i:dn] *n.* (基督教《圣经》中人类始祖居住的)伊甸园;乐园

△**edge** [edʒ] *n.* 边,边沿(⇨side);(刀剑的)刃

edit ['edit] *vt.* 编订;校订;剪辑 *n.* 编辑 ▶编纂词典用 compile.

edition [i'diʃən] *n.* 版;版本 ‖ first ~ 初版 / paper-back ~ 平装本 / popular ~ 普及版

editor ['editə] *n.* 编辑;编者;校订者 ‖ chief ~(或 ~-in-chief) 总编辑

editorial [,edi'tɔ:riəl] *a.* 编辑的;编者的 *n.* (报纸)社论([英] leading article) ‖ ~ office 编辑室

△**educate** ['edjukeit] *vt.* 教育(⇨teach);教养;训练(⇨train)

△**education** [,edju'keiʃən] *n.* 教育(⇨schooling);教养;训练(⇨training) ‖ moral [intellectual, physical] ~ 德[智,体]育

educational [,edju'keiʃənəl] *a.* 教育的;有教育意义的

-ee [i:] *suf.* 表示"受动者, 被…的人" 之意, 如 employee (雇员), nominee (被提名者), obligee (债权人).

△**eel** [i:l] *n.* 鳝鱼,鳗

-eer [iə] *suf.* 表示"关系者,制作者,管理者"之意, 如 engineer (工程师), auctioneer(拍卖人), volunteer (志愿者).

▲**effect** [i'fekt] *n.* 结果(⇨result);影响;效果;作用;印象;外观;要旨;《用复数》财物 *vt.* 引起;招致;实现

effective [i'fektiv] *a.* 有效的;(法律上)生效的

effectively [i'fektivli] *ad.* 有效地;有力地;实际上

efficiency [i'fiʃənsi] *n.* 效率;功效;效能 ‖ ～ apartment [美]简易公寓 (带有简易厨房和浴室的单元房)

efficient [i'fiʃənt] *a.* 有效率的,高效率的;生效的;有能力的

efficiently [i'fiʃəntli] *ad.* 有效地,能干地

effort ['efət] *n.* 努力;成果,作品

e. g. [i:'dʒi:](拉丁语 = for example) 例如　　　　　　　　　　「yolk 蛋黄

***egg** [eg] n. 蛋;鸡蛋;卵形物 ‖ bad ～〈口语〉坏蛋 / ～ white 蛋白 / ～

eggplant ['egplɑːnt] *n.* 茄子

***Egypt** ['i:dʒipt] *n.* 埃及

***Egyptian** [i'dʒipʃən] *a.* 埃及的;埃及人的 *n.* 埃及人;埃及语

▲**eh** [ei] *int.* 啊! 嗯! 哦! (表示惊奇、疑问、征求同意等)

***eight** [eit] *num.* 八

***eighteen** [ei'ti:n] *num.* 十八

eighteenth [ei'ti:nθ] *num.* 第十八 (个);十八分之一 (的) *n.*《加 the》(月 的)第十八日

eighth [eitθ] *num.* 第八 (个);八分之一 (的) *n.*《加 the》(月的)第八日(缩

eightieth ['eitiiθ] *num.* 第八十 (个);八十分之一 (的)　　　　　「写: 8th)

eighty ['eiti] *num.* 八十　*n.* 八十 (个);《加 the, 用复数》八十年代

▲**Einstein** ['ainstain], Albert　爱因斯坦(1879-1955,生于德国的美籍物理 学家,相对论的创始人)

***either** ['aiðə, 美: 'i:ðə] *a.* (两者之中)任何一个的 *pron.* (两者之中)任何 一个　*ad.*《用于否定句或否定词组后加强语气》也(不)　*conj.*《与 or 连用: either... or ...》或者,要末 ▶代词 either 一般接单数动词."两者 以上某任何一个"要用 any.

eject [i'dʒekt] *vt.* 逐出(⇨expel);排出;撵出

elaborate [i'læbəreit] *vt.* 精心制作;详述　*a.* [-rit] 精巧的;详细的;复杂 的(← simple) ▶动词与形容词末音节发音不同.

elapse [i'læps] *vi.* (时间)过去,消逝　*n.* (时间)的经过

elastic [i'læstik] *a.* 弹性的;有弹力的;灵活的;轻快的　*n.* 橡皮带;松紧 带;橡皮圈 ‖ ～ character 开朗的性格

▲**elbow** ['elbəu] *n.* 肘;弯头

elder ['eldə] *a.*《old 的比较级》年长的;前辈的;资格老的　*n.* 年龄较大 者;《用复数》前辈,长辈 ‖ ～ brother [sister] 哥哥 [姐姐] ▶形容词只 用作定语,限于指人. 比某人年纪大须用 older.

▲**elderly** ['eldəli] *a.* 上了年纪的;过了中年的 ▶此词不是副词.　「子[女]

eldest ['eldist] *a.*《old 的最高级》最年长的 ‖ the ～ son [daughter] 长

▲**elect** [i'lekt] *vt.* 选举;推选(⇨select);选择(⇨choose)　*a.* 当选的

▲**election** [i'lekʃən] *n.* 选;选择 ‖ general ～ 大选

elector [i'lektə] *n.* 有选举权的人,选民

▲**electric** [i'lektrik] *a.* 电的,电力的;导电的;发电的;电动的;令人震惊的 ‖ ～ current 电流 / ～ guitar 电吉他 / ～ shock 触电 / ～ torch 电筒

electrical [i'lektrikəl] *a.* 电的;电气科学的 ‖ ～ apparatus 电气设备

electrician [i,lek'triʃən] *n.* 电机师;电工　　　　　　　　　　　　「电

▲**electricity** [i,lek'trisiti] *n.* 电;电流;电学 ‖ negative [positive] ～ 阴[阳]

▲**electrify** [i'lektrifai] *vt.* 使触电;使充电;使电气化;使震惊

electro- [i'lektrəu] *pref.* 表示"电的, 电解的" 之意, 如 *electro*graph(传真电报), *electro*lize(电解).

electrode [i'lektrəud] *n.* 电极

electron [i'lektrɔn] *n.* 电子 ‖ ～ tube [valve] 电子管

electronic [i,lek'trɔnik] *a.* 电子的; 电子学的 ‖ ～ brain 电脑 / ～ computer 电子计算机 / ～ control 电子控制 / ～ music 电子音乐

elegance ['eligəns], *n.* (举止、服饰、风格等的)优雅; 漂亮

elegant ['eligənt] *a.* 文雅的(⇨fine); 雅致的, 优美的; 有风度的

element ['elimənt] *n.* 元素; 要素; 因素; 成分(⇨component); 分子

elemental [,eli'mentl] *a.* 元素的; 基本的, 初步的

elementary [,eli'mentəri] *a.* 基本的; 初级的(⇨primary); 基础的 ‖ ～ particle 基本粒子 / ～ school [美]小学

elephant ['elifənt] *n.* 象

elevate ['eliveit] *vt.* 提高(⇨lift); 提升(⇨promote); 使高尚; 鼓舞

elevation [,eli'veiʃən] *n.* 高度(⇨height); 海拔; 小山(⇨hill); 高地; 提高地位, 提升; 高尚, 崇高

elevator ['eliveitə] *n.* 电梯([英] lift); 升降机 ‖ ～ operator [美]电梯司机

eleven [i'levən] *num.* 十一

eleventh [i'levənθ] *num.* 第十一(个); 十一分之一(的) *n.*《加 the》(月的)第十一日(缩写: 11th) ‖ the ～ hour 最后时刻

elf [elf] *n.* (复数: *elves* [elvz] 小精灵; 小淘气鬼

eliminate [i'limineit] *vt.* 除去(⇨exclude); 消灭; 删去; 排出

elimination [i,limi'neiʃən] *n.* 除去, 排除(⇨removal); 消灭

Elizabeth [i'lizəbəθ] 伊丽莎白(女名)

ellipse [i'lips] *n.* 椭圆(形) *a.* 椭圆形的

ellipsis [i'lipsis] *n.* 省略; 省略号

elliptical [i'liptikəl] *a.* 椭圆的; 〔语法〕省略的

elm [elm] *n.* 榆木; 榆树

eloquence ['eləkwəns] *n.* 雄辩; 口才; 说服力

eloquent ['eləkwənt] *a.* 雄辩的; 有说服力的

else [els] *ad.*《常接在疑问副词后》其他, 别的, 另外, 此外 *a.*《常接在疑问代词、不定代词后》其他的, 别的(⇨other) *conj.*《与 or 连用》否则, 要不然, (⇨otherwise)

elsewhere [els'wɛə] *ad.* 在别处, 向别处

elusive [i'lu:siv] *a.* 躲避的; 难以捉摸的

emancipate [i'mænsipeit] *vt.* 解放(奴隶等); 使不受束缚(⇨release)

emancipation [i,mænsi'peiʃən] *n.* 解放

embark [im'bɑ:k] *v.* 上船, 上飞机; 从事, 着手

embarkment [im'bɑ:kmənt] *n.* 上船, 上飞机; 着手, 从事

embarras [im'bærəs] *vt.* 使窘迫, 使为难; 妨碍(⇨hinder)

embarrassment [im'bærəsmənt] *n.* 窘迫, 尴尬; (经济上的)困难

embassy ['embəsi] *n.* 大使馆; 大使的职务

ember ['embə] *n.*《常用复数》余火; 余烬(⇨cinders)

embody [im'bɔdi] *vt.* 体现; 使具体化; 包含; 编入

embrace [im'breis] *v.* 拥抱, 紧抱; 包含(⇨include); 信奉; 环绕 *n.* 拥抱

▲embroider [im'brɔidə] *vt.* 绣(花纹); (给故事)添枝加叶; 渲染 *vi.* 刺绣

embroidery [im'brɔidəri] *n.* 绣花; 刺绣(品); 润饰; 渲染

emerald ['emərəld] *n.* 绿宝石; 翠绿色 *a.* 翠绿色的

▲emerge [i'məːdʒ] *vi.* 出现(⇨appear); 形成; (事实)暴露

emergency [i'məːdʒənsi] *n.* 紧急情况; 突然事件; 紧急关头(⇨crisis) ‖ ～ brake 紧急刹车 / ～ door [exit] 太平门 / ～ measure 紧急措施

emigrant ['emigrənt] *n.* 移居外国者; 移民(⇨immigrant)

emigrate ['emigreit] *vi.* 移居外国, 移民

emigration [,emi'greiʃən] *n.* 移居(外国); 移民出境; 〔总称〕移民 ▶注意与 immigration 的区别.

eminence ['eminəns] *n.* 卓越(⇨prominence); 著名; 显赫   「的

eminent ['eminənt] *a.* 著名的(⇨famous); 卓越的(⇨outstanding) 优良

emission [i'miʃən] *n.* 发射(⇨ejection); 放射; 发行额(⇨issue)

emit [i'mit] *vt.* 发出(声音); 放射(光); 发行(纸币)(⇨issue); 发表(意见)

▲emotion [i'məuʃən] *n.* 激动, 兴奋; 感情(⇨sentiment); 情绪, 情感

emotional [i'məuʃənəl] *a.* 感情上的; 情绪上的; 易激动的; 激动人的

▲emperor ['empərə] *n.* 皇帝; 君主; (日本的)天皇

▲emphasis ['emfəsis] *n.* (复数: *emphases* [-siːz]) 强调; 重点; 强音

＊emphasize ['emfəsaiz] *vt.* 强调; 着重; 加强…的语气

emphatic [im'fætik] *a.* 强调的; 着重的; 加强语气的; 有力的

▲empire ['empaiə] *n.* 帝国

empirical [em'pirikəl] *a.* 凭经验的; 经验主义的

employ [im'plɔi] *vt.* 雇用(⇨hire); 使用(⇨use); 使忙于

employee [,implɔi'iː, ,em-] *n.* 雇员, 雇工; 受雇者

employer [im'plɔiə] *n.* 雇用者, 雇主(⇨master)

employment [im'plɔimənt] *n.* 雇用; 职业(⇨calling); 工作(⇨job); 就业 ‖ ～ agency 职业介绍所

empress ['empris] *n.* 女皇; 皇后

empty ['empti] *a.* 空的(← full); 空白的(⇨blank); 没人的; 空洞的; 空虚的; 〈口语〉肚子饿的 *vt.* 倒空; 使空 ‖ ～ talk 废话

en- [in] *pref.* ①表示"置于…之中, 配以…"之意, 如 *en*chain (用链锁住), *en*ring (戴戒指). ②表示"使成某种状态"之意, 如 *en*able (使能够), *en*rich (使富足).

-en [ən] *suf.* ①表示"由…制成的, 含…质的", 如 wood*en* (木制的), gold*en* (金制的). ②表示"使成为, 使变成"之意, 如 deep*en* (使加深), strength*en* (变强).

enable [i'neibl] *vt.* 使能够; 允许; 有助于; 授予…权力 ▶此词不是形容词; 注意发音, 不要与 unable 相混.

enamel [i'næməl] *n.* 搪瓷; 瓷釉; 珐琅

-ence [əns] *suf.* 表示"性质, 状态, 行为"之意, 如 differ*ence* (不同), depend*ence* (依赖), exist*ence* (存在).

enchant [in'tʃɑːnt, 美: -'tʃænt] *vt.* 使陶醉; 使着迷(⇨charm); 使中魔法

enchantment [in'tʃɑːntmənt, 美: -'tʃænt-] *n.* 魔法(⇨magic); 魅力(⇨charm); 着迷

encircle [in'səːkl] *vt.* 围绕, 包围; 使绕行一周

enclose [in'kləuz] *vt.* (用墙、篱等)围住 (⇨surround)；封入 (信封等)；附在里面

enclosure [in'kləuʒə] *n.* 围绕；围墙，篱笆；(书信的)附件

encounter [in'kauntə] *vt.* 遭遇；遇到，偶然相遇 *n.* 遭遇战；冲突 (⇨conflict)；不期而遇

▲**encourage** [in'kʌridʒ, 美: -'kə:r-] *vt.* 鼓励，激励；奖励；促进；赞助

encouragement [in'kʌridʒmənt, 美: -'kə:r-] *n.* 鼓励 (← disapproval)；鼓励物；奖励；赞助

encyclop(a)edia [in.saiklə'pi:diə] *n.* 百科全书；(某一范围的)专科词典

***end** [end] *n.* 末端；尽头，结局 (⇨result)；末尾；限度 (⇨limit)；目的 (⇨purpose)；末日，死亡 *v.* 结束，终止

endanger [in'deindʒə] *vt.* 危及，危害

endeavo(u)r [in'devə] *v.*，*n.* 努力，尽力

ending ['endiŋ] *n.* 结尾；结局；词尾 「环链」

▲**endless** ['endləs] *a.* 无尽的 (← finite)；无止境的；循环的 ‖ ～ chain 循

endow [in'dau] *vt.* 捐助，资助；赋予

endurance [in'djuərəns] *n.* 忍耐 (⇨patience)；忍耐力；持久(力)；耐用

▲**endure** [in'djuə] *v.* 忍受 (⇨suffer)；忍耐；持久；《与 cannot 等否定词语连用》容忍 (⇨bear)

enduring [in'djuəriŋ] *a.* 持久的 (⇨lasting)；不朽的 ‖ ～ peace 持久和平

***enemy** ['enəmi] *n.* 敌人 (← friend)；仇敌 (⇨foe)；[总称]敌军 「active」

energetic [.enə'dʒetik] *a.* 精力充沛的；有力的 (⇨strong)；活跃的 (⇨

energize ['enədʒaiz] *v.* 给与能量；加强，通电；用力

▲**energy** ['enədʒi] *n.* 精力 (⇨vigor)；活力；《用复数》活动力；〔物理〕能，能量 (⇨capacity) ‖ mental ～ 精神力量 / atomic ～ 原子能

enforce [in'fɔ:s] *vt.* 执行，实施；强制；加强；坚持

engage [in'geidʒ] *vt.* 雇用 (⇨hire)；预定 (⇨reserve)；占用 (时间) (⇨occupy)；约定；吸引住(注意力)；《常用被动语态》忙于，从事；订婚

engagement [in'geidʒmənt] *n.* 约会 (⇨appointment)；婚约，订婚，保证 (⇨pledge)；允诺 (⇨promise) ‖ previous ～ 预约 / ～ ring 订婚戒指

▲**Engels** ['engəls], Friedrich 恩格斯 (1820-1895，德国人，共产主义学说创始人之一) 「司机」

***engine** ['endʒin] *n.* 引擎；发动机；机车 (⇨locomotive) ‖ ～ driver 火车

***engineer** [.endʒi'niə] *n.* 工程师；技师 ‖ chief ～ 总工程师

engineering [.endʒi'niəriŋ] *n.* 工程；工程学

***England** ['iŋglənd] *n.* 英格兰；英国 ▶英国通常称 Britain.

▲**English** ['iŋgliʃ] *a.* 英国的；英国人的；英语的 *n.* 英语；《加 the》[总称]英国人 ‖ the Queen's [King's] ～ 纯正英语，标准英语

Ⓐ**Englishman** ['iŋgliʃmən] (复数: -*men* [-mən]) *n.* 英国人，英国男人

engrave [in'greiv] *vt.* 雕上，刻上；铭记

engulf [in'gʌlf] *vt.* 吞没 (⇨overwhelm)；席卷，狼吞虎咽

enhance [in'hɑ:ns, 美: -'hæns] *vt.* 提高 (⇨heighten)；增强，美化

enjoin [in'dʒɔin] *vt.* 命令 (⇨order)；嘱咐；[美]禁止

***enjoy** [in'dʒɔi] *vt.* 喜爱；欣赏；享有(名利等)；享受…的乐趣

enjoyable [in'dʒɔiəbl] *a.* 令人愉快的，使人快乐的；有趣的

enjoyment[in'dʒɔimənt] *n.* 享乐, 欢乐; 乐趣(⇨pleaure)

enlarge [in'lɑ:dʒ] *vt.* 扩大; 扩展 (⇨ extend); 放大 (照片) (⇨ magnify) ‖ ~*d* edition 增订版

enlighten [in'laitn] *vt.* 启发, 开导; 教导(⇨teach); 使摆脱偏见

enlist [in'list] *v.* 征募; 招(兵); 从军; 应征 ‖ ~*ed* man [美] 士兵

enormous [i'nɔ:məs] *a.* 巨大的(⇨huge); 庞大的; 极大的(⇨immense)

*****enough** [i'nʌf] *a.* 足够的; 充分的 (⇨sufficient) *ad.* 足够地; 充分地(⇨ sufficiently) *n.* 足够; 充分 ▶修饰形容词、副词的副词一般都置于被修饰词之前, 但 enough 是后位修饰, 如 hot enough (够热了)

enrich [in'rit ʃ] *vt.* 使富裕; 使丰富, 使肥沃 ‖ ~*ed* food 营养食品

enrichment [in'rit ʃmənt] *n.* 致富; 丰富; 加肥; 增添装饰

enrol(l) [in'rəul] *v.* 登记; 把…编入; 让入伍(或入学, 入会); 参军

ensemble [ɔn'sɔmbl] *n.* [法] 整体; 总效果; 合唱, 合奏; 文工团, 歌舞团

ensure [in'ʃuə] *vt.* 保证, 担保(⇨guarantee); 保护; 赋于

-ent [ənt] *suf.* ①表示"具有…性质的, 关于…的", 如 absorb*ent* (能吸收的), differ*ent* (不同的). ②表示"人物, 药剂"之意, 如 correspond*ent* (通讯员), solv*ent* (溶剂).

entangle [in'tæ ŋgl] *vt.* 使纠缠; 缠住; 牵连(⇨involve)

*****enter** ['entə] *v.* 进入; 加入(← leave); 参加; 把…记入

enterprise ['entəpraiz] *n.* 事业(⇨undertaking); 计划; 进取心; 企业单位

entertain [,entə'tein] *v.* 招待, 款待; 请客; (使…)快乐(⇨please); (使…)感兴趣; 怀抱(希望)

entertainment [,entə'teinmənt] *n.* 招待, 款待; 娱乐(场所)

enthusiasm [in'θju:ziæzəm] *n.* 热情; 热心(← indifference); 积极性

enthusiastic [in,θju:zi'æstik] *a.* 热情的; 热心的(⇨zealous); 热烈的

entire [in'taiə, en-] *a.* 完全的 (⇨whole); 整个的 (⇨complete); 全部的 (⇨total); 全体的 (← partial)

entirely [in'taiəli, en-] *ad.* 完全地(⇨completely); 彻底地; 一概

entitle [in'taitl] *vt.* 为(书等)题名; 给…称号(⇨name); 给…权利

entrance ['entrəns] *n.* 进入; 进口, 入口; 登场; 入场, 入会, 入学 ‖ No ~. 禁止入内 / ~ examination 入学考试

entreat [in'tri:t] *vt.* 恳求(⇨pray); 请求

entreaty [in'tri:ti] *n.* 恳求; 请求

entrust [in'trʌst] *vt.* 委托, 信托; 托管

entry ['entri] *n.* 进入; 入会权; 入口, 通道; 登记; 条目; 参加比赛的人(或物) ‖ dictionary *entries* 词典的条目

enumerate [i'nju:mə,reit] *vt.* 清点; 数(⇨count); 列举

envelop [in'veləp] *vt.* 包, 裹(⇨wrap); 包围; 掩藏(⇨hide) ▶拼写发音不要与 envelope 相混.

envelope ['envələup] *n.* 信封; 封套(⇨covering); 包(皮)纸

envious ['enviəs] *a.* 羡慕的; 妒忌的 ▶两性之间的妒忌多用 jealous.

environment [in'vaiərənmənt] *n.* 围绕; 环境; 四周; 外界

environmental [in,vaiə'rənmentl] *a.* 环境的; 周围的; 外界的

environs ['envirənz, in'vaiərənz] *n.* [复数] 城郊, 郊区; 近郊

envoy ['envɔi] *n.* 使者, 使节; (全权)公使

(△)**envy** ['envi] *n.* 羡慕；妒忌；《加 the》羡慕(或妒忌)的对象 *vt.* 羡慕，妒忌 ▶动词可带双宾语.

epic ['epik] *n.* 史诗；叙事诗 *a.* 史诗般的；有重大历史意义的

epidemic [,epə'demik] *a.* 流行性的；传染的 *n.* (病的)流行

episode ['episəud] *n.* 插曲；(一系列事件中的)一个事件；(一段)情节

epoch ['i:pɔk, 美: 'epɔk] *n.* (新)纪元(⇨era)；(新)时代(⇨age)；时期(⇨period)

epoch-making ['i:pɔk-'meikiŋ] *a.* 划时代的，开辟新纪元的

equal ['i:kwəl] *a.* 相等的，相同的(←different)；平等的；能胜任的 *n.* 同等的人(或物)；对手 *vt.* 等于；比得上 ‖ ～ sign [mark] 等号[=]

equality [i:'kwɔliti] *n.* 平等；相等；同等；均等

equally ['i:kwəli] *ad.* 相等地；相同地；平均地

equation [i'kweiʒən, -ʃən] *n.* 等式，方程(式) ‖ simple ～ 一元一次方程式

(△)**equator** [i'kweitə] *n.* 《加 the》[E-]赤道

equilibrium [,i:kwi'libriəm] *n.* 平衡(⇨balance)

(△)**equip** [i'kwip] *vt.* 装备；配备(⇨furnish)

(△)**equipment** [i'kwipmənt] *n.* 装备；配备；设备；装置(⇨apparatus)

equivalent [i'kwivələnt] *a.* 相等的(⇨equal)；相同的；相当于 *n.* 对应词

(△)**er** [ʌ:, ə:] *int.* 呃，嗯(表示停顿或说话犹豫)

-er [ə] *suf.* ①表示"人，动作者"，如: fighter (战士)，worker (工人)，writer (作家). ②表示"…地方的人，…的居住者"，如: Londoner (伦敦人)，villager (村民). ③表示"与…有关的人，…制作者"，如: hatter (帽商)，geographer (地理学家). ④表示"用于…的工具(或器械)，能做某事的动物"，如 harvester (收割机)，woodpecker (啄木鸟). ⑤加在形容词、副词之后，表示"更…"，如 warmer (更暖和)，faster (更快).

era ['iərə] *n.* 时代，年代(⇨age)；纪元(⇨epoch)

eradicate [i'rædikeit] *vt.* 根除；消灭；连根拔除

erase [i'reiz] *vt.* 擦掉，抹掉，删去(⇨cancel)；干掉，杀害

eraser [i'reizə] *n.* 擦除器；黑板擦；橡皮；消磁器；抹音器

erect [i'rekt] *a.* 直立的(⇨standing)；垂直的(⇨upright) *vt.* 树立(⇨build)；设立；建造；竖起

-ern [ən] *suf.* 表示"…方向的"，如 northern (北方的)，southern (南方的)

erosion [i'rəuʒən] *n.* 腐蚀；侵害；糜烂

erotic [i'rɔtik] *a.* 色情的；性欲的

err [ə:] *vi.* 犯错误；作恶，犯罪

(△)**errand** ['erənd] *n.* 差事；使命

error ['erə] *n.* 错误(⇨mistake)；过失(⇨fault) ‖ spelling ～s 拼写错误

erupt [i'rʌpt] *vi.* (火山等)喷出；迸发，爆发

eruption [i'rʌpʃən] *n.* (火山)喷发；爆发，迸发

-es [iz, əz, z] *suf.* ①构成复数名词的词尾, 如 glasses (眼镜)，bushes (灌木)，potatoes (土豆). ②动词第三人称单数现在时的词尾.

escalator ['eskəleitə] *n.* 自动楼梯([英] moving staircase)

(*)**escape** [i'skeip] *v.* 逃，逃脱；逃避(⇨flee)；避免(⇨avoid)，免除；漏出；被忘掉 *n.* 逃亡，逃走(⇨flight)；免除 ‖ fire ～ 太平梯

escort ['eskɔ:t] *n.* 警卫(队)；护航队(或飞机)；陪同 *vt.* [is'kɔ:t] 护送；陪同(⇨accompany)；护卫(⇨guard) ▶名词与动词重音不同.

-ese [iːz] *suf.* 表示"…(地方)人(的)，…语(的)，…(文)体(的)"之意，如 Chinese (中国的；中国人，中国人的；汉语，汉语的；中国话，中国话的)，journal*ese* (新闻文体)

Eskimo ['eskiməu] *n.* (复数：*Eskimo(e)s, Eskimo*) 爱斯基摩人

especial [iˈspeʃəl] *a.* 特别的(⇨special)；特殊的(⇨particular)

▲**especially** [iˈspeʃəli] *ad.* 特别(是)(⇨specially)；尤其(⇨particularly)

Esperanto [ˌespəˈræntəu] *n.* 世界语

-ess [is, əs] *suf.* 表示"阴性，女性"，如：actress (女演员)，empress (女皇)，lioness (母狮)

▲**essay** ['esei, 'esi] *n.* 散文(⇨prose)；小品文；论说文；随笔

essence ['esəns] *n.* 本质；实质；精华；(香)精 ‖ meat ～ 肉汁

essential [iˈsenʃəl] *a.* 不可缺少的(⇨necessary)；本质的；精华的；基本的 (⇨basic) *n.* 必不可少的东西；《常用复数》要素，要点，本质

essentially [iˈsenʃəli] *ad.* 本质上；基本上；实质上；必定

-est [ist, əst] *suf.* 接在形容词和副词后，构成最高级，如 fattest (最肥的)，highest (最高的)，busiest (最忙的)．

⊛**establish** [iˈstæbliʃ] *vt.* 建立，设立；创办(⇨found)；奠定；确立；证实(⇨prove)；制定；使定居

establishment [iˈstæbliʃmənt] *n.* 建立，设立，成立；创办的机构；企业

estate [iˈsteit] *n.* 地产；财产(⇨property)；产业；遗产 ‖ housing ～ (由私人或公家建造的)住宅小区 / personal ～ 动产

esteem [iˈstiːm] *vt.* 尊敬(⇨respect)；敬重；认为(⇨think) *n.* 尊重，尊敬 ‖ your ～d letter 尊函，大札

estimate ['estimeit] *vt.* 评价；估计(⇨calculate) *n.* [-mit] 估量；(承包人的)估价；判断 ▶动词与名词末音节发音不同．

estimation [ˌestiˈmeiʃən] *n.* 评价；估计；判断；尊敬(⇨honor)

-et [it, ət] *suf.* 表示"小"，如 flower*et* (小花)，is*let* (小岛)．

ⒶⒶ**etc.** [ˌetˈsetərə, it-] (拉丁语 et cetera 的缩略) …等等，…及其它(= and the rest, and so forth [on])

eternal [iˈtəːnəl] *a.* 永恒的(⇨everlasting)；无穷的(⇨endless)；永存的；「不朽的

eternity [iˈtəːniti] *n.* 永恒；无穷；永生

ethics ['eθiks] *n.* [复数]《作单数用》伦理学；《单复数两用》伦理，道德

etiquette ['etiket] *n.* 礼仪，礼节；规矩

etymology [ˌetiˈmɔlədʒi] *n.* 词源，语源；词源学，语源学

Eurasia [juəˈreiʒə, -ʃə] *n.* 欧亚(大陆)

♦**Europe** ['juərəp] *n.* 欧洲

European [ˌjuərəˈpiən] *a.* 欧洲的；欧洲人的 *n.* 欧洲人 ‖ the ～ Community 欧洲共同体

evade [iˈveid] *vt.* 逃避(⇨escape)；躲避；回避；避免(⇨avoid)

evaluate [iˈvæljueit] *vt.* 估价

evaluation [iˌvæljuˈeiʃən] *n.* 估价，评价

♦**Evans** ['evənz] 埃文斯，伊文思(姓)

evaporate [iˈvæpəreit] *vi.* 蒸发，挥发；消失 *vt.* 使蒸发；使脱水；发射(电子) ‖ ～d milk 炼乳

evaporation [iˌvæpəˈreiʃən] *n.* 蒸发(作用)；散发；脱水；(电子的)发射

eve [iːv] *n.* (节日或重大事件发生的)前夕, 前夜 ‖ Christmas *Eve* 圣诞节前夕 / New Year's *Eve* 除夕

even¹ ['iːvən] *a.* 平的 (⇨ level), 平坦的 (⇨ flat); 平稳的; 相等的 (⇨ equal); 偶数的 (← odd); 一致的 *vt.* 使平; 使相等 ‖ ～ number 偶数

even² ['iːvən] *ad.* 《加强语气》甚至(…也), 连(…都), 即使;《加在比较级前》甚至(比…)更, (比…)还要

evening ['iːvniŋ] *n.* 傍晚, 黄昏(⇨dusk); 晚上(从日落至就寝); (联欢形式的)晚会 ‖ English ～ 英语晚会 / ～ dress 晚礼服 / ～ paper 晚报

evenly ['iːvənli] *ad.* 均匀地; 平均地; 均衡地

event [i'vent] *n.* 事件; 大事; (运动会的)比赛项目

eventual [i'ventjuəl] *a.* 最后的; 结局的; 可能发生的

eventually [i'ventjuəli] *ad.* 终于; 最后

ever ['evə] *ad.* 《用于否定句、疑问句或条件句, 加强语气》任何时候, 曾经;《用于特殊疑问句, 加强语气》究竟, 到底;《用于肯定句》总是(⇨always)

evergreen ['evəɡriːn] *a.* 常青的, 常绿的 *n.* 常青树

everlasting [ˌevə'lɑːstiŋ, 美: -'læst-] *a.* 永恒的 (⇨eternal); 永久的; 耐久的; 没完没了的; 冗长的 ‖ ～ life 永生

evermore [ˌevə'mɔː] *ad.* 永远, 永久地; 始终

every ['evri] *a.* 每一, 每个的; 所有的; 全部的; 每隔…的 ‖ ～ four days (或: ～ fourth day) 每隔三天 ▶every 用于两个以上的场合, 只作形容词, 强调全体或全部; each 可作形容词或代词, 强调个人或个别.

everybody ['evribɔdi] *pron.* 人人, 每人(⇨everyone) ▶everybody 与单数动词连用, 但其代词可以是复数; everybody 比 everyone 更口语化.

everyday ['evridei] *a.* 每日的(⇨daily); 日常的; 平常的; 普通的 ‖ ～ 便服 / ～ English (英语)日常用语 / ～ life 日常生活 ▶不要与 every day (每天)相混.

everyone ['evriwʌn] *pron.* 人人, 每人 (= everybody) ▶everyone 与 every one 不同, 后者兼可指物体.

everything ['evriθiŋ] *pron.* 每件事; 事事; 一切事物

everywhere ['evriˌwɛə] *ad.* 到处, 各处, 处处; 无论哪里(⇨anyplace)

evidence ['evidəns] *n.* 证据; 证词; 迹象

evident ['evidənt] *a.* 明显的(⇨clear); 明白的

evidently ['evidəntli] *ad.* 明显地; 昭然若揭地; 显然

evil ['iːvəl] *a.* 邪恶的(⇨wicked); (思想、行为)极坏的; 有害的; 不幸的 *n.* 邪恶; 坏事; 罪恶; 灾祸

evolution [ˌiːvə'luːʃən, evə-] *n.* 发展; 演变; (生物的)进化

evolve [i'vɔlv] *v.* 进展; 发展(⇨develop); 进化, 演化

ex- [iks, eks] *pref.* ①表示"前…, 前任的"之意, 如 ex-president (前任总统), ex-soldier (退伍军人). ②表示"向外, 出自"之意, 如 exclude (除外). ③表示"彻底"之意, 如 exterminate (根除).

(*)exact [iɡ'zækt] *a.* 正确的(⇨correct); 准确的(⇨accurate); 精确的(⇨precise); 精密的

exactly [iɡ'zæktli] *ad.* 正确地; 精确地;《用于加强语气》恰好, 完全;《用作表示赞同的答话》正是, 确实如此

exaggerate [iɡ'zædʒəˌreit] *vt.* 夸张; 夸大(← minimize)

exaggeration [ig,zædʒə'reiʃən] *n.* 夸张(的事); 夸大(的事) 「意

exalt [ig'zɔ:lt] *vt.* 提高(⇨raise), 提升(⇨promote); 赞扬(⇨praise); 使得

exam [ig'zæm] *n.* 〈口语〉考试(= examination)

▲**examination** [ig,zæmi'neiʃən] *n.* 考试, 测验(⇨test); (体格)检查(⇨ checkup); 调查(⇨investigation); 盘问 ‖ medical ～ 体格检查

▲**examine** [ig'zæmin] *vt.* 检查; 调查; 诊察; 测验, 考试; 盘问

***example** [ig'zɑ:mpl, 美: -'zæmpl] *n.* 例子(⇨instance); 例题; 标本, 样本 (⇨sample); 榜样, 模范(⇨model)

▲**exasperate** [ig'zɑ:spə,reit, 美: -'zæs-] *vt.* 触怒(⇨inflame); 使气恼; (对某事)非常生气; 使(疾病、痛苦等)加剧

exasperation [ig,zɑ:spə'reiʃən, 美:-'zæs-] *n.* 激怒, 恼怒, 愤怒; 激化

excavation [,ekskə'veiʃən] *n.* 开凿, 挖掘; 发掘; 挖开的洞(⇨hole)

exceed [ik'si:d] *vt.* 超过(⇨surpass); 大于; 胜过, 逾越(⇨overstep)

exceeding [ik'si:diŋ] *a.* 非常的(⇨extreme); 极度的

exceedingly [ik'si:diŋli] *ad.* 非常地(⇨extremely); 极度地

excel [ek'sel] *v.* 胜过(⇨surpass); 优于; 突出

excellence ['eksələns] *n.* 优秀(⇨superiority); 卓越(⇨distinction); 优越; 长处(⇨merit) 「阁下

Excellency ['eksələnsi] *n.* 阁下(对大使、总督、主教等的尊称) ‖ Your ～

***excellent** ['eksələnt] *a.* 优秀的(← inferior); 杰出的(⇨outstanding); 极好的(⇨fine); 卓越的

***except** [ik'sept] *prep.* 除…外(⇨but, save) *vt.* 《常用于否定句》把…除外 (⇨exclude) *conj.* 除了, 要不是 ▶不要与 expect (期望)相混.

exception [ik'sepʃən] *n.* 例外; 除外

exceptional [ik'sepʃənəl] *a.* 例外的; 异常的, 不平常的(⇨uncommon); 杰出的(← average)

exceptionally [ik'sepʃənəli] *ad.* 异常地(⇨unusually); 罕见地(⇨rarely)

excess [ik'ses, 'ek-] *n.* 超过(← lack); 超额量(⇨surplus); 过量 *a.* 过量的 ‖ ～ postal charges 超重邮费 / ～ baggage [luggage] 超重行李

excessive [ik'sesiv] *a.* 过多的; 分外的(← reasonable); 极度的

excessively [ik'sesivli] *ad.* 过多地, 过分地

exchange [iks'tʃeindʒ] *vt.* 交换; 互换(⇨interchange); 兑换(⇨convert) *n.* 交换; 交易(⇨trade); (外币)兑换; [E-]电话局; 交易所; ▶"交换"的宾语用复数, 如 exchange places (交换位置).

excitable [ik'saitəbəl] *a.* 易激动的

excitation [eksi'teiʃən] *n.* 刺激; 激动; 鼓舞

***excite** [ik'sait] *vt.* 使兴奋, 使激动(⇨stimulate); 刺激; 招致, 引起(⇨ arouse) *vi.* 兴奋; 激动(← calm)

(*)**excited** [ik'saitid] *a.* 兴奋的(← calm); 激昂的(⇨stimulated)

▲**excitedly** [ik'saitidli] *ad.* 兴奋地; 激动地

excitement [ik'saitmənt] *n.* 兴奋(⇨peace); 激动(⇨agitation)

***exciting** [ik'saitiŋ] *a.* 使人激动的, 动人的; 振奋人心的; 来劲的; 精彩的

▲**exclaim** [ik'skleim] *v.* (由于痛苦、愤怒、吃惊等)呼喊, 惊叫; 大声说出

exclamation [,eksklə'meiʃən] *n.* 呼喊(⇨cry); 惊叫(⇨outcry); 惊叹声; 〔语法〕感叹词 ‖ ～ mark [point] 感叹号[！]

exclamatory [ik'sklæmətəri] *a.* 感叹的 ‖ ～ sentence 感叹句

exclude [ik'sklu:d] *vt.* 把…排除在外(⇨except);拒绝接纳(← accept);排斥(⇨prevent)

exclusive [ik'sklu:siv] *a.* 除外的(← inclusive);排他的;孤傲的;专有的;唯一的(⇨only) *n.* 专有权;(新闻)特稿

exclusively [ik'sklu:sivli] *ad.* 只;独占地;专一地;除去…不计

excrete [ek'skri:t] *v.* (动植物的)排泄;分泌

excursion [ik'skə:ʃən] *n.* 短途旅行(⇨tour, trip);集体游览;观光(团)

excuse [ik'skju:z] *vt.* 原谅,宽恕(⇨pardon, forgive);为…辩解,申辩 *n.* [-'kju:s] 原谅,借口,申辨,辩解; ▶动词与名词末尾发音不同.

execute ['eksəkju:t] *vt.* 实行,执行,履行(⇨perform);作成,(通过法定手续)使(契约等)生效

execution [,eksə'kju:ʃən] *n.* 实行,执行,履行,完成;(演奏等的)技巧

executive [ig'zekju:tiv] *a.* 实施的;执行的;行政上的;管理的 *n.* 执行人;经理人员;高级职员;高级行政官员;《加 the》政府行政部门 ‖ ～ committee 执行委员会 / the *Executive* [美]州长,总统

exercise ['eksəsaiz] *n.* 训练,锻炼;练习,习题;运用;行使 *v.* 训练(⇨train);锻炼;实行;行使(权力等);履行(⇨perform)

exercise-book ['eksəsaiz-buk] *n.* 练习簿

exert [ig'zə:t] *vt.* 尽(力),用(力);施加(压力);发挥(才干);行使(职权) ▶用作"尽力"时需加反身代词.

exertion [ig'zə:ʃən] *n.* 尽力(⇨endeavor);努力(⇨effort);行使;运用

exhaust [ig'zɔ:st] *v.* 使筋疲力竭(← strengthen);用完,耗尽(← fill);汲干,使空(⇨empty) *n.* 排出;排出装置

exhaustion [ig'zɔ:stʃən] *n.* 耗尽;枯竭;精疲力尽

exhibit [ig'zibit] *v.* 显示(⇨show),显出;展出(⇨display),陈列 *n.* 展览品,陈列品;[美]展览会 ▶h 不发音.

exhibition [,eksi'biʃən] *n.* 展览,展览会;表演,表现 ▶h不发音.

exile ['eksail, 'egzail] *n., vt.* 流放,放逐

exist [ig'zist] *vi.* 存在;生存,生活(⇨live) ‖ the ～ing condition 现状

existence [ig'zistəns] *n.* 存在(⇨being);生存,生活(⇨living)

exit ['eksit, 'egzit] *n.* 出口,安全门;(演员)退场(⇨departure) *vi.* (人)退出,离去 ‖ ～ visa 出境签证

expand [ik'spænd] *v.* 扩大(⇨enlarge);(使)膨胀;(使)扩张

expanse [ik'spæns] *n.* 宽广;广阔的场所

expansion [ik'spænʃən] *n.* 膨胀;扩张,扩大,扩充

expect [ik'spekt] *vt.* 期待,预期;盼望;期望;指望;〈口语〉以为,料想

expectation [,ekspek'teiʃən] *n.* 期待;预期;期望

expedition [,ekspi'diʃən] *n.* 远征(队),探险(队),考察(队);敏捷,迅速(⇨quickness);派遣

expeditionary [,ekspi'diʃənəri] *a.* 远征的;探险的 ‖ ～ force 远征军

expel [ik'spel] *vt.* 排出(空气等);发射(⇨eject);驱逐,逐出(⇨exile);开除(⇨dismiss) 「empty)

expend [ik'spend] *vt.* 花费(时间、精力、金钱等)(⇨spend);耗尽,用光

expenditure [ik'spenditʃə] *n.* 花费,耗费;费用;支出额;经费

▲**expense** [ik'spens] *n.* 花费；(精力、时间等的)消耗；**〈用复数〉**开支,费用,经费 || travelling ～s 旅费

•**expensive** [ik'spensiv] *a.* 昂贵的 (⇨costly)；高价的；花钱多的

▲**experience** [ik'spiəriəns] *n.* 经验；经历；体验 *vt.* 经历,感受；遭受

experienced [ik'spiəriənst] *a.* 有经验的；熟练的 (⇨skilled)

▲**experiment** [ik'sperimənt] *n.* 实验,试验 (⇨test) *vi.* [-ment] 进行实验 (或试验) ▶注意末音节发音.

experimental [.eksperi'mentl] *a.* 实验的 (⇨testing)；根据经验的

experimentally [.eksperi'mentli] *ad.* 实验地

experimentation [eks,perimen'teiʃən] *n.* 实验,试验

expert ['ekspə:t] *n.* 专家 (⇨ specialist)；能手；熟练者 (⇨ master) *a.* [ek'spə:t] 专门的,内行的；熟练的 (⇨skillful) ▶名词与形容词重音不同.

expire [ik'spaiə] *vi.* 满期；(期限)终止 (⇨end)；死,断气

•**explain** [ik'splein] *v.* 解释 (⇨interpret)；说明 (⇨state)；辩解 (⇨justify)

explanation [.eksplə'neiʃən] *n.* 解释；说明 (⇨statement)；辩解

explanatory [ik'splænətəri] *a.* 说明的,解释的 || ～ notes 注释

explicit [ik'splisit] *a.* 明白的 (⇨plain)；直爽的

▲**explode** [ik'spləud] *v.* (使)爆炸；(使)爆发；(使)爆破

exploit[1] ['eksploit] *n.* 伟业,功绩,成就

exploit[2] [ik'sploit] *vt.* 剥削；开拓,开发；利用 ▶与 exploit[1] 重音不同.

exploration [.eksplə'reiʃən] *n.* 勘探；探测；考察

explore [ik'splɔ:] *v.* 勘探；探测；探讨；考察

▲**explorer** [ik'splɔ:rə] *n.* 探测器；探险者；考察者

explosion [ik'spləuʒən] *n.* 爆炸；(感情的)爆发；激增；〔语法〕爆破(音)

explosive [ik'spləusiv] *a.* 爆炸(性)的；暴躁的；(问题)引起争论的；爆破音的 *n.* 爆炸物；〔语法〕爆破音

export [ik'spɔ:t] *v.* 输出(货物等) (← import) *n.* ['ekspɔ:t] 输出；出口；**〈常用复数〉**输出品 ▶动词与名词重音不同.

exporter [ek'spɔ:tə] *n.* 出口商 (← importer)；输出者

•**expose** [ik'spəuz] *vt.* 使裸露 (⇨ conceal)；揭露,揭发；使曝光

exposition [.ekspə'ziʃən] *n.* 说明,讲解；展览会 ([美]exhibition)

exposure [ik'spəuʒə] *n.* 曝露；暴露；揭发；陈列 (⇨display)；位向,方向 || ～ meter 曝光表

▲**express** [ik'spres] *a.* 明白的 (⇨explicit)；明确的；特殊的 (⇨special)；快速的 *n.* 快车；快递,快运,快汇 *vt.* 表达；表示 (⇨declare)；快递 || ～ post 快邮 / ～ train 快车

▲**expression** [ik'spreʃən] *n.* 表达 (⇨statement)；措词 (⇨wording)；表情；词句,词组,习惯用语 (⇨idiom)

expressway [ik'spreswei] *n.* 高速公路 ([英]motorway)

exquisite [ik'skwizit, 'ekskwizit] *a.* 优美的,精致的 (⇨fine)；精巧的；剧烈的；灵敏的 (← dull)

▲**extend** [ik'stend] *vt.* 延长；扩展 (⇨spread)；伸出(手、脚)；给予 (⇨offer) *vi.* 延伸 (⇨lengthen)；扩大 (⇨enlarge)

extension [ik'stenʃən] *n.* 伸长,伸展；扩大 (← decrease)；延长,附加部分 (⇨addition)；电话分机

extensive [ik'stensiv] *a.* 广大的 (← inclusive)；广阔的 (⇨vast)；广泛的 (⇨broad)；大量的 ‖ ～ reading 博览；泛读

extensively [ik'stensivli] *ad.* 广泛地

extent [ik'stent] *n.* 长度 (⇨length)；广度；范围 (⇨range)；程度

exterior [ek'stiəriə] *a.* 外部的 (⇨outside)；外面的，外表的 (⇨outward)；外界的 (← interior)　*n.* 外部；外表；表面；(戏剧的)外景

exterminate [ik'stə:mineit] *vt.* 根除，灭绝

external [ik'stə:nəl] *a.* 外部的，外面的；在外的；外表的　*n.* 外部；外面；《用复数》外表，外观 ‖ ～ policy 对外政策

^**extinct** [ik'stiŋkt] *a.* 熄灭了的 (⇨dead)；绝种的 (⇨extinguished)；消灭了的 ‖ ～ volcano 死火山

extinguish [ik'stiŋgwiʃ] *vt.* 熄灭(火、光、希望等)；扑灭；消灭；灭绝

^**extra** ['ekstrə] *a.* 额外的 (⇨additional)；外加的；特别的 (⇨unusual) *ad.* 特别；额外　*n.* 额外的东西；(报纸的)号外，增刊；另外收费的项目；临时演员 ‖ ～ edition (报纸)特刊 / ～ pay 额外报酬

extra- *pref.* 表示"…外的，范围外的"，如 *extra*ordinary (格外的)，*extra*-curricular (课外的).

^**extract** [ik'strækt] *vt.* (用力)取出；拔取(牙等)；抽出；提取(精华)；榨出(油质)；摘录，选录　*n.* ['ekstrækt] 提取物；精华；摘录 ▶注意重音.

extraction [ik'strækʃən] *n.* 抽出，拔去；抄摘；出身 (⇨birth)

^**extraordinarily** [ik'strɔ:dənərili] *ad.* 奇特地；非凡地；非常，特别

extraordinary [ik'strɔ:dənəri] *a.* 奇怪的 (⇨strange)；异常的，非常的 (uncommon)；非凡的 (← usual)；特别的 (⇨ special)；附加的 (⇨ additional)；临时的

extravagance [ik'strævəgəns] *n.* 奢侈；浪费；过度；放肆

extravagant [ik'strævəgənt] *a.* 奢侈的 (⇨lavish)；浪费的 (⇨wasteful)；过度的 (⇨excessive)；放肆的 (⇨wild)

extreme [ik'stri:m] *a.* 最远的，末端的，尽头的；极度的 (⇨utmost)；偏激的　*n.* 极端；最大程度

^**extremely** [ik'stri:mli] *ad.* 极端地；极其，非常 (⇨very)

extremity [ik'stremiti] *n.* 末端，尽头；《用单数》极度；《常用复数》激烈措施；《用复数》四肢

•**eye** [ai] *n.* 眼睛；视力 (⇨sight)；视线

eyeball ['aibɔ:l] *n.* 眼球

eyebrow ['aibrau] *n.* 眉，眉毛 ‖ ～ pencil 眉笔

(A)**-eyed** [aid] *a.* 《用以构成复合词》长着…眼睛的(如：one-eyed 独眼的)

(e)**eye-exercise** ['ai-,eksəsaiz] *n.* 眼(睛)保(健)操

eyelash ['ailæʃ] *n.* 睫毛

eyelid ['ai,lid] *n.* 眼睑，眼皮

^**eyesight** ['aisait] *n.* 视力；视觉；视野

F, f

fable ['feibl] *n.* 寓言；传说；虚构的故事(⇨fiction)   「(的)构架

fabric ['fæbrik] *n.* 织物；织品；布(⇨cloth)；结构(⇨structure)；(建筑物

fabricate ['fæbrikeit] *vt.* 制作(⇨make)；装配；捏造，伪造

fabrication [ˌfæbri'keiʃən] *n.* 捏造；谎言；诬告

***face** [feis] *n.* 脸，面部；脸色；面子；表面(⇨surface)；外观 *v.* 面向；朝；面
对(⇨confront)；正视；覆盖(⇨cover) ‖ ～ value 票面价值

▲-faced [feist] *a.*《用以构成复合词》有…面容的

facelift ['feislift] *n.* 整容外科手术；改建，翻新

facilitate [fə'siliteit] *vt.* 使容易，使便利；助长，促进   「施，工具

facility [fə'siliti] *n.* 熟练，灵巧；容易；便利(⇨aids)《常作复数》设备，设

fact [fækt] *n.* 事实(⇨truth)；实际(⇨reality)；实际情况

faction ['fækʃən] *n.* 派别；宗派   「公约数

factor ['fæktə] *n.* 因素，要素；因子，因数；代理商(⇨agent) ‖ common ～

***factory** ['fæktəri] *n.* 工厂(⇨plant, workshop)，制造厂(⇨manufactory)

faculty ['fækəlti] *n.* 才能(⇨ability)；能力(⇨capacity)；官能；(大学的)院
(系)；全体教(职)员 ‖ the ～ of engineering 工学院

fade [feid] *vi.* 褪色(⇨pale)；(花)凋谢，枯萎(⇨wither)；(光、声)渐渐衰
弱(⇨vanish)；消失(⇨disappear) *vt.* 使褪色

Fahrenheit ['færənhait, 'fɑːr-] *n., a.* 华氏温度表(的)(略作：F.)

▲fail [feil] *v.* 失败(←succeed)；不及格；不成功；《后接不定式》不能；未能；
忘记；缺乏，不足；衰退(⇨decline)；使失望(⇨disappoint)；倒闭

▲failure ['feiljə] *n.* 失败(⇨failing)；失败者；失败的经验；缺乏；不足(←
sufficiency)；(健康等)衰退；破产(⇨bankruptcy)

▲faint [feint] *a.* 模糊的(⇨dim)；不明显的；暗淡的(⇨dull)；微弱的(⇨
weak)；虚弱的；感到要昏晕似的 *vi.* 昏晕；变得微弱 *n.* 昏晕；昏厥

faintly ['feintli] *ad.* 模糊地；不清楚地；微弱地；胆怯地

***fair¹** [fɛə] *a.* 公平的，公正的(⇨just)；合理的(⇨reasonable)；尚好的；有
希望的(⇨hopeful)；(天气)晴朗的；清楚的；(肤色)白晰的，(头发)金黄
色的(⇨blond) *ad.* 公平地；公正地；直接地 ‖ ～ play 按照规则的比赛，
公平比赛

fair² [fɛə] *n.* 定期集市(⇨market)；博览会(⇨exhibition)；商品展览会；商
品交易会；[英]公共游乐场 ‖ world's ～ 万国博览会

▲fairly ['fɛəli] *ad.* 公平地；相当地；还算，尚；完全

▲fairy ['fɛəri] *n.* 仙女；小妖精 *a.* 仙女(似)的；幻想中的，虚构的 ‖ ～ tale
[story] 神仙故事，童话

fairyland ['fɛəriˌlænd] *n.* 仙境；奇境

fairy-tale ['fɛəriteil] *n.* 童话；神话故事

faith [feiθ] *n.* 信任(⇨trust)；信念；信仰(⇨belief)；忠诚，保证

faithful ['feiθfəl] *a.* 忠诚的；忠实的(⇨loyal)；守信的；可靠的(⇨reliable)

(A) **faithfully** ['feiθfəli] *ad.* 诚实地; 忠实地; 如实地

fake [feik] *n.* 冒牌货, 赝品 *a.* 假的, 冒充的

***fall** [fɔːl] *vi.* (*fell* [fel], *fallen* ['fɔːlən]) 落下, 降落, 跌倒, 倒下; (温度、价格)降低; (风、声音)减弱; (夜、寂静)降临; 下垂; 堕落; 战死, 死亡; (城市)陷落; (政府、政权)垮台 *n.* 落(在); 跌倒; (物价)下跌; 堕落; 垮台; [美]秋天(= autumn); 〈用复数〉瀑布 ▷此词过去式的拼写发音与动词 fell (砍伐)相同, 不要相混.

fallen ['fɔːlən] fall 的过去分词 *a.* 落下的; 倒下的; 陷落的; 堕落的; 死去的 ‖ ~ woman 〈委婉语〉妓女

(A) **false** [fɔːls] *a.* 假的(← true); 不真实的(⇨untrue); 错误的(⇨wrong); 无信义的; 人造的(⇨artificial) ‖ ~ hair 假发 / ~ teeth 假牙

falsehood ['fɔːlshud] *n.* 虚伪(← truth); 谬误; 谎言(⇨lie)

falter ['fɔːltə] *vi.* 畏缩; 犹豫(⇨hesitate); 摇摆(⇨waver); 结巴地说

***fame** [feim] *n.* 名声(⇨reputation); 声誉(⇨renown)

famed [feimd] *a.* 有名的; 著名的

***familiar** [fə'miliə] *a.* 熟悉的, 常见的(⇨common); 通晓的; 亲密的(⇨intimate) *n.* 熟友, 伴侣

familiarity [fə,mili'æriti] *n.* 熟悉(⇨acquaintance); 通晓(⇨knowledge); 亲近; 随便(⇨liberty)

***family** ['fæməli] *n.* 家; 家庭; 家属, 亲属; 家族; (动植物的)科; (语言的)系 ‖ ~ name 姓 / ~ planning 家庭计划(指计划生育) / ~ tree 家谱

famine ['fæmin] *n.* 饥荒; 奇缺

***famous** ['feiməs] *a.* 著名的(⇨celebrated); 出名的((⇨well-known); 〈口语〉极好的 ▷"臭名昭著的"为 notorious.

(*) **fan**[1] [fæn] *n.* 扇子; 风扇; 扇形物 *v.* 扇; 煽动

fan[2] [fæn] *n.* 〈口语〉(戏、影、球、棋)迷; 狂热者

fanatic [fə'nætik] *a.* 狂热的; 盲信的 *n.* 狂热者

fancy ['fænsi] *n.* 想像力; 想像(⇨imaginaton); 空想; 幻想; 爱好(⇨liking); 嗜好(⇨fondness) *vt.* 想像(⇨imagine); 设想(⇨conceive); (无根据地)相信; 以为; 喜爱; 想要(⇨want) *a.* 颜色鲜艳的; 作装饰用的(⇨ornamental); 昂贵的, 高档的; [美]特选的(商品); 幻想出来的(⇨fanciful) ‖ ~ ball 化装舞会 / ~ dress 化装服

fantastic [fæn'tæstik] *a.* 奇异的; 怪诞的; 空想的; 荒谬的; 〈口语〉极妙的, 了不起的

***far** [fɑː] (*farther* ['fɑːðə], *farthest* ['fɑːðist]; 或 *further* ['fəːðə], *furthest* ['fəːðist]) *ad.* 远(⇨distantly), 遥远地; 久远地; …得多 *a.* 远的(⇨distant); 远方的; (二者之中)较远的

***faraway** ['fɑːrə,wei] *a.* (时间、距离、程度等)遥远的(⇨distant); 远远的; 心不在焉的(⇨absent-minded); 朦胧的(⇨faint)

(A) **fare** [fɛə] *n.* 车费, 船费; (车、船)票价; 乘客; 伙食(⇨food)

farewell [fɛə'wel] *n.* 告别; 辞行 *int.* 再见(⇨good-by); 别了

***farm** [fɑːm] *n.* 农场; 农庄; 饲养场 *v.* 耕作(⇨cultivate); 耕种; 务农 ‖ chicken ~ 养鸡场

***farmer** ['fɑːmə] *n.* 农场主; 农夫 ▶ farmer 指经营 farm (农场)的人, peasant 指贫农、佃农或雇农.

farmhand ['fɑːmhænd] *n.* 农业工人; 农场工人; 雇农

▲**farmhouse** ['fɑːmhaus] *n* 农舍; 农场里的住房

farmyard ['fɑːmjɑːd] *n.* 农场建筑物周围的空地; 仓前空地

far-off [ˌfɑːr'ɔf] *a.* 遥远的(⇨distant); 久远的

far-out [fɑː'raut] *a.* 标新立异的

far-red [fɑː'red] *a.* 远红外的

▲**farsighted** [fɑː'saitid] *a.* 有远见的; 远视的

* **farther** ['fɑːðə] *ad.* [far 的比较级之一] 更远地; 进一步地; 更加地 *a.* [far 的比较级之一] 更远的; 较远的; 进一步的 ▶注意与 further 的区别: farther 限于指具体的距离, further 常指抽象的程度.

farthest ['fɑːðist] *ad.* [far 的最高级之一] 最远地; 最久地 *a.* [far 的最高级之一] 最远的; 最久的

fascinate ['fæsineit] *vt.* 迷住(⇨charm); 强烈地吸引住; 使神魂颠倒

▲**fascinating** ['fæsineitiŋ] *a.* 迷人的; 醉人的; 吸引人的

* **fascination** [ˌfæsi'neiʃən] *n.* 迷惑; 魅力, 吸引力; 迷人之物

fascism ['fæʃizəm] *n.* [常作 F-] 法西斯主义

▲**fascist** ['fæʃist] *n.* [常作 F-]法西斯主义者, 法西斯匪徒 *a.* [常作 F-] 法西斯主义的

fashion ['fæʃən] *n.* 时式(⇨vogue); 流行式样(⇨mode); 方式(⇨way) *vt.* 制作; 形成 ‖ ～ plate 流行服装图样

fashionable ['fæʃənəbl] *a.* 流行的; (赶)时髦的

* **fast**[1] [fɑːst, 美: fæst] *a.* 快的, 迅速的(⇨quick); 牢固的, 紧的(⇨firm) *ad.* 快, 迅速地(⇨quickly); 紧紧地, 牢固地(⇨firmly) ‖ ～ break(篮球) 快攻 / ～ lane 快车道

fast[2] [fɑːst] *vi., n.* 禁食; 斋戒

▲**fasten** ['fɑːsən, 美: fæsən] *vt.* 扎牢, 钉牢, 扣住; 缚, 系(⇨tie); 使固定; 使集中 *vi.* 扣紧; 闩住 ▶t 不发音.

fastener ['fɑːsənə] *n.* 扣件; 钮扣; 扣钉

fastfood ['fɑːstfuːd] *a.* [美]供应快餐的

* **fat** [fæt] *a.* 肥的, 肥胖的(← thin); 肥沃的(⇨rich) *n.* 脂肪; 油脂

fatal ['feitl] *a.* 致命的(⇨deadly); 毁灭的(⇨ruinous); 重要的; 决定命运的(⇨fateful) ‖ ～ wound 致命伤

▲**fate** [feit] *n.* 命运(⇨destiny); 宿命; 毁灭(⇨doom); 死亡(⇨death)

* **father** ['fɑːðə] *n.* 父亲; (天主教的)神甫(⇨priest); 创始人(⇨founder)

father-in-law ['fɑːðərinˌlɔː] *n.* (复数: *fathers-in-law*) 岳父; 公公

fatherly ['fɑːðəli] *a.* 父亲的, 父亲般的; 慈祥的 ▶此词不是副词.

fathom ['fæðəm] *n.* 英寻(长度单位, 等于6英尺, 主要用于测量水深)

fatigue [fə'tiːg] *n.* 疲劳(← weariness); 劳累 *vt.* 使疲劳(⇨tire)

▲**faucet** ['fɔːsit] *n.* (自来水)龙头(⇨[英] tap)

▲**fault** [fɔːlt] *n.* 缺点(⇨failing); 毛病, 错误(⇨mistake); 过错

faultless ['fɔːltlis] *a.* 无过失的(⇨blameless)

faulty ['fɔːlti] *a.* 有过失的, 缺点多的

favo(u)r ['feivə] *n.* 好意(⇨kindness); 欢心; 恩惠(⇨benefit); 帮助(⇨aid); 偏爱 *vt.* 赞成; 偏爱; 赐予; 有助于

favo(u)rable ['feivərəbl] *a.* 善意的; 赞成的; 有利的(⇨useful); 有帮助的

(⇨helpful);顺利的 ‖ ～ wind 顺风 / ～ opportunity 良机

△favo(u)rite['feivərit] n. 最被喜爱的人(或物);宠儿 a. 最被喜爱的

*fear [fiə] n. 害怕(⇨dread);恐惧,忧虑,不安 v. 害怕;担心,担忧 ▶口语常用 be afraid.

fearful ['fiəfəl] a. 可怕的(⇨afraid);害怕的;负心的(⇨worried);〈口语〉极端的(⇨extreme)

fearfully ['fiəfəli] ad. 可怕地;〈口语〉非常(⇨extremely)

*fearless ['fiəlis] a. 不怕的(← cowardly);大胆的(⇨bold);勇敢的;无畏的(⇨courageous)

feasible ['fi:zəbl] a. 可行的,可能的(⇨possible);有理的

△feast [fi:st] n. 盛宴,筵席;(宗教的)节日 vt. 盛宴款待 vi. 参加宴会(⇨banquet);享受;受到款待

feat [fi:t] n. 功绩(⇨achievement);技艺,武艺,演技

△feather ['feðə] n. 羽毛

△feature ['fi:tʃə] n. 特征,特色(⇨characteristic);特点;面容的一部分(眼、口、鼻等)《用复数》五官;容貌;(电影)正片;(报纸)特写;(广播、电视)特别节目 ‖ ～ story(报纸、杂志的)特别报道

*February ['februəri] n. 二月(略作: Feb.)

fed [fed]   feed 的过去式和过去分词

△federal ['fedərəl] a. 联盟的;联合的;联邦的;(美国)联邦政府的

federation [,fedə'reiʃən] n. 联盟,同盟,联合会;联邦,联邦政府

fee [fi:] n. 费(⇨payment);酬金;小费,赏金 vt. 付费给;雇用

feeble ['fi:bl] a. 虚弱的(⇨weak);微弱的,薄弱的

△feed [fi:d] vt. (fed [fed], fed) 喂(养),饲(养);(动物)吃东西 n. 饲料

feedback ['fi:dbæk] n. 反馈;回授

*feel [fi:l] v. (felt [felt], felt) 摸,触,感觉,觉得,感知 ▶feel 后可接不带 to 的动词不定式.

feeler ['fi:lə] n. 触角;触须

△feeling ['fi:liŋ] n. 感觉(⇨sense);触觉,知觉;心情;感情(⇨sentiment);同情(⇨sympathy) a. 富于感情的

*feet [fi:t] n. foot 的复数

feign [fein] vt. 假装(⇨affect);伴作;捏造(⇨invent);杜撰

fell¹ [fel]   fall 的过去式 ▶不要与动词 fell²(砍伐)相混.

fell² [fel] vt. 砍伐;砍倒(树);击倒(人) ▶fell² 是规则动词,不要与不规则动词 fall 的过去式 fell 相混.

△fellow ['feləu] n. 〈口语〉人(⇨man);家伙;小伙子《常用以构成复合词》伙伴,同事 ‖ ～ student 同学 / ～ traveler 旅伴

fellowship ['feləuʃip] n. 伙伴关系;友谊(⇨friendship);合伙,会,团体,联谊会;(大学中的)研究员职位

felt¹ [felt]   feel 的过去式和过去分词

felt² [felt] n. 毡;毡制品

female ['fi:meil] a. 女的,女性的,雌性的(← male) n. 〈口语〉女子,女性(⇨woman, girl);雌性动物

feminine ['feminin] a. 女性的;女人似的;〔语法〕阴性的(← masculine) ‖ ～ gender〔语法〕(名词的)阴性

*fen [fen] *n.* (复数: *fen*) 分(中国辅币的单位)

▲fence [fens] *n.* 栅栏；篱笆；围墙 *v.* 击剑；(用栅栏)拦开

 fencing ['fensiŋ] *n.* 栅栏；篱笆；击剑(术) ‖ iron ～ 铁栅

 ferment ['fə:ment] *n.* 酶；酵素；发酵；激动

 fern [fə:n] *n.* 蕨，蕨类植物

 ferocious [fə'rəuʃəs] *a.* 凶猛的，残忍的；猛烈的

 ferrous ['ferəs] *a.* 铁的

 ferry ['feri] *n.* 渡口；渡船 *vt.* 渡运；渡过；摆渡

 ferryboat ['feribəut] *n.* 渡船，渡轮

 fertile ['fə:tail, 美: 'fə:tl] *a.* 肥沃的(← barren)；富饶的(⇨rich)；多产的
  (⇨productive)；(想象力等)丰富的 ‖ ～ egg 受精卵

 fertility [fə:'tiliti] *n.* 肥沃，多产；(思想等)丰富；生殖率

▲fertilizer ['fə:tilaizə, 美: 'fə:tlaizə] *n.* 肥料(尤指化学肥料)

 fervo(u)r ['fə:və] *n.* 热情(⇨enthusiasm)；热烈

 festival ['festivəl] *n.* 节日；庆祝会(⇨celebration)；(定期举行会演的)音
  乐节，戏剧节；喜庆，欢乐 ‖ music ～ 音乐节   "接".

 fetch [fetʃ] *vt.* 去把(物)取来；把(人)带来；接(人) ▶send 指派人去"请"，

 fetter ['fetə] *n.* 《常用复数》脚镣；束缚 *vt.* 使上脚镣；束缚

 feudal ['fju:dl] *a.* 封建的；封建制度的

 feudalism ['fju:də,lizəm] *n.* 封建制度

*fever ['fi:və] *n.* 发烧；热度 ‖ typhoid ～ 伤寒

▲feverish ['fi:vəriʃ] *a.* 发烧的；有发烧症状的；狂热的

▲few [fju:] *a.* 少数的；不多的；《表示否定》很少的；几乎没有的；《加 a, 表示
  肯定》有些(⇨some)；几个 *n.* 《表示否定》很少数，几乎没有；《加 a, 表
  示肯定》少数，几个；《加 the》少数人

⒜fiber [美] = fibre

⒜fibre ['faibə] *n.* 纤维；纤维质；质地 ‖ ～ glass 玻璃纤维 ▶又作 fiber [美].

 fibrous ['faibrəs] *a.* 纤维质的，纤维状的

 fiction ['fikʃən] *n.* 小说(⇨novel)；虚构的故事(⇨fable)

 fiddle ['fidl] *n.* 〈口语〉小提琴；提琴类乐器 *v.* 无意识而不停地拨动

 fidelity [fi'deliti, fai-] *n.* 忠诚(⇨loyalty)；忠实；翔实；传真性

*field [fi:ld] *n.* 原野；田，地，田地；场地；运动场；战场；(研究、学术)领域(⇨
  area) ‖ ～ event〔体育〕田赛 / ～ glasses 双筒望远镜 / ～ hospital 战
  地医院，野战医院 / ～ marshal (美国)陆军元帅

 fiend [fi:nd] *n.* 恶魔(⇨devil)；极恶的人；〈口语〉…迷，…狂

 fierce [fiəs] *a.* 凶猛的(⇨violent)；残忍的(⇨savage)；强烈的(⇨
  passionate)；极大的(⇨intense) ‖ ～ anger 盛怒 / ～ animals 猛兽

 fiercely ['fiəsli] *ad.* 凶猛地；强烈地；非常地

 fiery ['faiəri] *a.* 火焰的；燃烧着的(⇨flaming)；火一般的；激烈的；暴躁的
  ‖ ～ speech 激昂慷慨的演说 ▶不要拼写成 firery.

*fifteen [fif'ti:n] *num.* 十五

 fifteenth [fif'ti:nθ] *num.* 第十五(个)；十五分之一(的) *n.* 《加 the》(月的)
  第十五日   「写: 5th」

▲fifth [fifθ] *num.* 第五(个)；五分之一(的) *n.* 《加 the》(月的)第五日(缩

▲fiftieth ['fiftiiθ] *num.* 第五十(个)；五十分之一(的)

*fifty ['fifti] *num*. 五十 *n*.《加 the, 用复数》五十年代

fig [fig] *n*. 无花果(树);少许,一点儿

*fight [fait] *v*. (fought [fɔ:t], fought) (与…)打仗;(与…)打架;奋斗,战斗,斗争 *n*. 战斗(⇨battle);斗争(⇨struggle);拳击赛

*fighter ['faitə] *n*. 战士;(职业)拳击手;奋斗者;战斗机,歼击机

▲fighting ['faitiŋ] *n*. 战斗,搏斗;斗争 *a*. 战斗的;搏斗的;斗争的 ‖ street ~ 巷战 / ~ cock 斗鸡

figurative ['figjurətiv] *a*. 比喻的;借喻的,象征的(⇨symbolic)

(*)figure ['figə, 美: -gjə] *n*. 外形(⇨ form, shape);姿态;形象;图形(⇨pattern);图表(⇨diagram);(重要的)人物(⇨person);数字;价格(⇨price) *vt*. 描绘;揣测;表示 *vi*. 出现;计算;考虑;估计 ‖ ~ skating 花式溜冰,花样滑冰

filament ['filəmənt] *n*. 细丝;灯丝;(雄蕊的)花丝

file¹ [fail] *n*. 锉刀 *vt*. 锉;锉平;锉光

file² [fail] *n*. 档案;案卷;合订本;文件夹 *vt*. 使归档;提出(申请等)

file³ [fail] *n*. 行列 *vi*. 纵队行进

*fill [fil] *vt*. 使满;装满;盛满;填充;堵塞 *vi*. 充满

*film [film] *n*. 软片;胶卷;影片;电影;薄膜 ‖ ~ studio〔电影〕摄影棚

filter ['filtə] *n*. 滤纸,过滤器 *v*. 过滤,滤清

filth [filθ] *n*. 污物(⇨dirt);污秽

filthy ['filθi] *a*. 污秽的(⇨dirty);不洁的(← clean);猥亵的(⇨nasty)

fin [fin] *n*. 鳍;鳍状物

final ['fainəl] *a*. 最后的,最终的(⇨last)(← first);决定性的(⇨decisive) *n*.《常用复数》决赛,期终考试 ‖ ~ clause 目的从句

*finally ['fainəli] *ad*. 最后,最终;末了;终于;决定性地(⇨decisively)

▲finance [fai'næns, fi-] *n*. 财政;金融;财政学 ‖ ~ capital 金融资本

financial [fi'nænʃəl, fai-] *a*. 财政(上)的(← fiscal);金融的 ‖ ~ book 帐簿 / ~ year 财政年度,会计年度

financier [fi'nænsiə, fai-; 美: ,finən'siə] *n*. 财政家;金融家

*find [faind] *vt*. (found [faund], found) 找到,寻获;发现(⇨discover);发觉;感到 ▶此词的过去式、过去分词与动词 found²(建立)相同.

finding ['faindiŋ] *n*. 发现,发现物;判定;《用复数》调查结果

*fine¹ [fain] *a*. 美好的;优秀的(⇨superior);漂亮的(⇨elegant);(天气)晴朗的(⇨fair);(身体)好的(⇨well);精细的 *ad*.〈口语〉很好,妙

fine² [fain] *n*. 罚金,罚款 *vt*. 处以罚金

finely ['fainli] *ad*. 很好;精细地;巧妙地

▲fine-meshed [fain-'meʃt] *a*. 细网眼的

*finger ['fiŋgə] *n*. 手指;指状物;(钟表)指针 ‖ ~ mark 指痕,指迹 / index ~ 食指 / little ~ 小指 / middle ~ 中指 / ring ~ 无名指

fingernail ['fiŋgəneil] *n*. 手指甲〔脚趾甲为 toenail〕

*finish ['finiʃ] *vt*. 完成(⇨complete);结束;使完美;吃完,喝完 *vi*. 终止;到达;完成 *n*. 终结(⇨end);(比赛)结束

(▲)Finland ['finlənd] *n*. 芬兰

(▲)fir [fə:] *n*. 冷杉;冷杉木,枞树 ▶与 fur(毛皮)同音.

*fire ['faiə] *n*. 火;炉火;火灾;射击;激情 *vt*. 点燃;开火;放(枪);射出(子

弹）；激起；〈口语〉解雇 *vi.* 射击 ‖ ～ alarm 火警 / ～ brigade [service] 消防队 / ～ extinguisher 灭火器 / ～ fighter 消防人员

△**fire-engine** ['faiə,endʒin] *n.* 消防车，救火车

firefly ['faiəflai] *n.* 萤火虫

△**fireman** ['faiəmən] (复数: -*men* [-mən]) *n.* 消防队员

△**fireplace** ['faiəpleis] *n.* 壁炉，火炉

fireside ['faiəsaid] *n.* 炉边；家庭(生活)

firewood ['faiəwud] *n.* 木柴；柴火

firework ['faiəwə:k] *n.* 烟火

▲**firm**¹ [fə:m] *a.* 坚硬的(⇨hard)；结实的(⇨solid)；牢固的；稳固的；坚定的；坚决的(⇨determined) *ad.* 稳固地；坚定地；牢固地

firm² [fə:m] *n.* 商行(⇨concern)；商号(⇨business)；公司(⇨company)

▲**firmly** ['fə:mli] *ad.* 坚定地，坚决地；牢固地；紧紧地(⇨fast)

firmness ['fə:mnis] *n.* 坚定；坚决，稳固

***first** [fə:st] *a.* 第一的；最初的；第一流的；首先的 *ad.* 首先，最初；第一次 *n.* 《常加 the》第一(名，号等)；《加 the》(月的)第一日(缩写: 1st) ‖ ～ aid 急救 /～ mate [officer] 大副 / ～ person 第一人称

▲**first-class** [,fə:st'klɑ:s, 美,-'klæs] *a.* 头等的；第一流的；〈口语〉极好的

firstly ['fə:stli] *ad.* 第一；首先

first-rate [,fə:st'reit] *a.* 第一流的，极好的

fiscal ['fiskəl] *a.* 财政的(⇨financial)；国库的 ‖ ～ year [美] 会计年度

***fish** [fiʃ] *n.* (复数: *fish* 或 *fishes* ['fiʃiz]) 鱼；鱼肉 *v.* 捕鱼；钓鱼 ‖ ～ story 〈口语〉吹牛

***fisherman** ['fiʃəmən] *n.* (复数: -*men* [-mən]) 渔夫；钓鱼者

***fishing** ['fiʃiŋ] *n.* 捕鱼，钓鱼 ‖ ～ boat 渔船 / ～ tackle 钓具

fission ['fiʃən] *n.* 裂开；裂变

fist [fist] *n.* 拳，拳头

***fit** [fit] *a.* 适合的(⇨suitable)；恰当的(⇨proper)；能胜任的；健壮的(⇨healthy) *v.* (使)适合；(使)配合；(使)合身；(使)胜任；(使)符合；安装

fitness ['fitnis] *n.* 适合；恰当；健康

fitter ['fitə] *n.* 钳工；装配工；为人试样的裁缝

fitting ['fitiŋ] *a.* 适合的；恰当的(⇨proper) *n.* 试穿；穿衣；《常用复数》装置，设备

***five** [faiv] *num.* 五

five-star ['faivstɑ:] *a.* 五星级的；第一流的

***fix** [fiks] *v.* 使固定；安装；修理([英] mend)；安排(⇨arrange)

fixed [fikst] *a.* 固定的；不变的；决定了的(⇨decided)；安排好的(⇨arranged) ‖ ～ capital 固定资金 ./ ～ star 恒星

▲**fixedly** ['fiksidli] *ad.* 固定地；不变地；极注意地

fixture ['fikstʃə] *n.* 附着物；固定装置；设备

▲**flag** [flæg] *n.* 旗(⇨banner)；旗帜 ‖ national ～ 国旗

flake [fleik] *n.* 薄片

flame [fleim] *n.* 火焰(⇨blaze)；火舌 *vi.* 燃烧(⇨burn)；(脸)发红；(感情)爆发

flammable ['flæməbl] *a.* [美]易燃的(← nonflammable)

flannel ['flænl] *n* 法兰绒 *a* 法兰绒的

flap [flæp] *vt.* 拍打;振(翅) *vi.* 飘动;拍翅飞行 *n.* 拍打声 「明弹

▲**flare** [flɛə] *vi.* 闪耀(⇨flash);突然发怒 *n.* 闪耀(⇨flame);照明装置;照

▲**flash** [flæʃ] *vi.* 闪光(⇨glitter);闪亮;(火焰)一闪;(思想)闪现 *vt.* 使闪光;发出(电报) *n.* 闪光;闪光灯,手电筒;闪现,瞬间(⇨moment);电讯

⒜**flashlight** ['flæʃlait] *n.* 〔美〕手电筒;(摄影)闪光灯;(灯塔的)闪光信号灯

flask [flɑ:sk, 美: flæsk] *n.* (实验用的)烧瓶;热水瓶;扁壶

▲**flat**¹ [flæt] *a.* 平的(⇨even);平坦的;平伸的;扁平的;浅的;〔音乐〕降(半)音的 *ad.* 平直地;恰恰正好;〈口语〉直截了当地 *n.* 平面;扁平物;〔音乐〕降号,降半音 ‖ ～ rate 统一价格

flat² [flæt] *n.* 一套房间(⇨suite);公寓(〔美〕apartment)

flatten ['flætn] *vt.* 把…弄平

⒜**flatter** ['flætə] *vt.* 阿谀,奉承,谄媚;《常用被动语态》使满意,使高兴

flatterer ['flætərə] *n.* 谄媚者;奉承者

flattery ['flætəri] *n.* 谄媚,奉承,恭维话

flavo(u)r ['fleivə] *n.* 味道,滋味(⇨taste);香味;佳味 *vt.* 给…调味

flaw [flɔ:] *n.* 裂缝(⇨crack);缺陷(⇨defect) *vt.* 使有缺陷

flax [flæks] *n.* 亚麻;亚麻布;亚麻纤维

flea [fli:] *n.* 蚤 ‖ ～ market 露天旧货市场

flee [fli:] (*fled* [fled], *fled*) *vi.* 逃走(⇨ escape);消散,消失(⇨ disappear);避开;逃避,逃离 ▶发音与 flea(跳蚤)相同.

fleece [fli:s] *n.* (尤指未剪下的)羊毛(⇨wool);羊毛状物(如白云、头发等) *vt.* 剪羊毛;〈口语〉诈取

fleet¹ [fli:t] *n.* 舰队;船队;(统一指挥下的)机群;车队

fleet² [fli:t] *a.* 飞快的;快速的 「伤

▲**flesh** [fleʃ] *n.* 肉;肌肉;《加 the》肉体 ‖ ～ colour 肉色 / ～ wound 轻

▲**fleshy** ['fleʃi] *a.* 肉的;似肉的;多肉的;肥胖的(⇨fat)

flew [flu:] fly 的过去式

flexibility [,fleksi'biliti] *n.* 灵活性,机动性;柔性

flexible ['fleksəbl] *a.* 柔韧的(← stiff);易弯曲的,柔顺的;灵活的

flexibly ['fleksəbli] *ad.* 灵活地

flicker ['flikə] *n., vi.* 闪烁,忽隐忽现(⇨flash)

▲**flight**¹ [flait] *n.* 飞行,飞翔;航程;(飞机)航班;(时间的)飞逝

▲**flight**² [flait] *n.* 逃跑;逃走;(资金的)抽逃

fling [fliŋ] *v.* (*flung* [flʌŋ], *flung*) (用力地)扔(⇨throw);抛(⇨toss);掷,推(⇨push);猛冲(⇨dash)

flint [flint] *n.* 燧石;打火石;(打火机用的)电石 ‖ ～ glass 铅玻璃

▲**flip** [flip] *v.* 翻(开);翻转;(手指)轻弹;(鞭)抽打

flirt [flə:t] *v.* 挥动(扇子等);(女子等)调情(⇨tease)

flit [flit] *v.* 轻快地飞(⇨fly);掠过,迁移(⇨move)

▲**float** [fləut] *v.* (使)浮动,(使)漂浮;飘动;漂泊;游荡

flock [flɔk] *n.* (羊、鸟等)群(⇨herd, flight);人群(⇨crowd) *vi.* 聚集(⇨gather);群集

flood [flʌd] *n.* 洪水,水灾;涨潮;泛滥;大量,大批 *v.* 淹没;泛滥;蜂涌而至,涌到;充斥;布满

flooding ['flʌdiŋ] *n.* 泛滥

'floor [flɔ:] *n.* (室内的)地, 地板;(楼房的)层;(海洋、山洞的)底;(物体的)平面;(专用)场地 ‖ the ground ~ 底层, 一楼([美] the first floor) / the second ~ [英]三楼/[美]二楼 / ~ exercise 徒手体操

▲**flop** [flɔp] *vt.* 猛地跌倒(或躺下, 坐下, 跪下);(鱼)扑拍 *n.* 拍击(声)

flora ['flɔ:rə] *n.* 植物区系;植物志

(A)**Florida** ['flɔridə] *n.* 佛罗里达州 (美国)

flour ['flauə] *n.* 面粉;粉末

flourish ['flʌriʃ, 美: 'flə:r-] *vi.* 繁荣(⇨prosper);(营业)兴旺;茂盛(⇨thrive); 挥舞(⇨wave); 挥动

▲**flow** [fləu] *vi.* 流, 流动;(头发)飘垂 *n.* 流(⇨current);流量

***flower** ['flauə] *n.* 花, 花卉;开花;精华 ‖ ~ arrangement (日本的)插花 / ~ bed 花坛

flown [fləun] fly 的过去分词

flu [flu:] *n.* 〈口语〉流行性感冒(= influenza)

fluctuate ['flʌktjueit] *vi.* 波动, 起伏;动摇(⇨waver)

fluctuation [.flʌktju'eiʃən] *n.* 波动, 不定

fluency ['flu:ənsi] *n.* 流利, 流畅

fluent ['flu:ənt] *a.* 说话(或写作)流利的; 流畅的

(A)**fluid** ['flu:id] *n.* 流体, 流质 *a.* 流动的;流体的;不固定的

fluidics ['flu:idiks] *n.* [复数]〈用作单数〉射流

flung [flʌŋ] fling 的过去式和过去分词

flush [flʌʃ] *v.* 奔流, 涌出;冲洗;(脸)发红; ‖ ~ toilet 抽水马桶

flute [flu:t] *n.* 笛, 长笛

flutter ['flʌtə] *v.* 振翼;拍翅飞行;(使)飘动;颤动

flux [flʌks] *n.* 流出(⇨flow);变迁(⇨change);流量

***fly**[1] [flai] (*flew* [flu:], *flown* [fləun]) *vi.* 飞, 飞行;(时间)飞逝(⇨pass);飘扬(⇨flutter); 逃走(⇨flee) *vt.* 放(风筝等);驾驶(飞机);从…逃开

fly[2] [flai] *n.* 蝇;苍蝇

fly-by-night ['flaibai,nait] *a.* 不可信赖的, 不可靠的 *n.* 没有信誉的企业;借款后潜逃的人

flying ['flaiiŋ] *a.* 飞的, 飞行的;飞舞的, 飘扬的;飞速的;短暂的, 匆匆的 ‖ ~ saucer [disk] 飞碟

foam [fəum] *n.* 泡沫;涎沫 *vi.* 起泡沫;吐白沫

focus ['fəukəs] *n.* 焦点;焦距

fodder ['fɔdə] *n.* 粗饲料(⇨feed)

foe [fəu] *n.* 〈书面语〉反对者;敌人(⇨enemy)

▲**fog** [fɔg] *n.* 雾;(影像)模糊(← clarity);〈口语〉困惑

(A)**foggy** ['fɔgi] *a.* 有雾的;多雾的;模糊的

foil [fɔil] *n.* 箔;金属薄片;锡纸;陪衬物

fold [fəuld] *n.* 摺痕;摺层;摺页 *v.* 对折;折叠;合拢;抱住;覆盖 「的).

-fold [fəuld] *suf.* 表示"…倍;…重", 如 twofold (两倍的), multifold(多倍

foliage ['fəuliidʒ] *n.* 〔总称〕叶子(⇨leaves), 簇叶;叶饰

▲**folk** [fəuk] *n.* 〈词义为复数, 美常用 folks〉人们(⇨people);〈口语〉亲属, 家属 *a.* 民间的 ‖ country ~ 乡下人 / town ~ 城里人 / ~ song 民谣, 民歌 / ~ tale 民间故事[传说] ▶1 不发音

^follow ['fɔləu] vt. 跟随; 沿…前进; 追赶;《时间·次序》接着; 从事(职业); 遵循(⇨obey); 领会(⇨understand) vi. 跟随而来; 产生结果(⇨result)

·follower ['fɔləuə] n. 追随者; 拥护者(⇨supporter); 信徒(⇨disciple); 侍从(⇨attendant)

*following ['fɔləuiŋ] a.《常加 the》接着的; 其次的(⇨next); 下列的 n.《加 the》下列人员;《常用单数》一批追随者 prep. 在…以后 「头

folly ['fɔli] n.〈书面语〉愚笨; 愚蠢(⇨stupidity);《常作 follies》蠢事, 傻念

^fond [fɔnd] a. 喜欢的; 爱好的; 慈爱的; 溺爱的

fondly ['fɔndli] ad. 盲目轻信地; 天真地; 喜爱地

fondness ['fɔndnis] n. 喜爱

*food [fu:d] n. 食物; 食品; 养料(⇨nutrition)

foodstuff ['fu:dstʌf] n. 食品, 食料

*fool [fu:l] n. 傻子, 蠢人; 白痴; 弄臣; 小丑; 受愚弄(或欺骗)的人 v. 愚弄, 欺骗(⇨deceive); 诈取; 开玩笑(⇨joke)

*foolish ['fu:liʃ] a. 笨的, 傻的(⇨stupid); 愚蠢的(⇨silly); 可笑的

^foolishly ['fu:liʃli] ad. 愚蠢地; 可笑地; 荒谬地

*foot [fut] n. (复数: feet [fi:t]) 脚, 足; 英尺; 底部(⇨bottom); 脚步

*football ['futbɔ:l] n. 足球(运动); [美]橄榄球 「合计

footing ['futiŋ] n.《只用单数》立足处, 立足点;《加 a》基础, 地位;《加 the》

^footmark ['futmɑ:k] n. 脚印(⇨footprint)

footpath ['futpɑ:θ] n. 小路; [英]人行道

^footprint ['futprint] n. 脚印, 足迹(⇨footmark)

footstep ['futstep] n. 脚步(声); 足迹; 跨一步的距离

*for [fɔ:, (弱) fə] prep. 为, 为了; 往, 到…去; 对于; 代, 替; 当作; 由于; 尽管;《时间·距离》达, 计 conj.《不用于句首》因为 ▶注意与 because(因为)的区别

for- [fə, fɔ:] pref. 表示"禁, 弃, 拒绝"之意, 如 forbid(禁止), forbear(抑制), forgo(放弃).

forbear [fɔ:'bɛə] (forbore [-'bɔ:], forborne [-'bɔ:n]) vt. 克制(⇨restrain); 抑制 vi. 忍耐; 容忍

*forbid [fə'bid] vt. (forbade [fə'beid] 或 forbad [fə'bæd], forbidden [fə'bidn]) 禁止(⇨prohibit); 不许(← permit)

forbidden [fɔ:'bidn, fə-] forbid 的过去分词 a. 不准许的; 被禁止的

^force [fɔ:s] n. 力(⇨strength); 力量; 势力; 威力; 武力;《常用复数》军队, 部队 vt. 强迫, 迫使(⇨compel); 夺取

forcibly ['fɔ:səbli] ad. 用暴力地; 强制地, 有说服力地; 强烈地

ford [fɔ:d] v. 徒步涉过 n. (可涉水而过的)浅滩

fore [fɔ:, fɔə] ad., prep. 在前 a. 先前的; 前部的 n. 前部

fore- [fɔ:] pref. 表示"先, 前, 预"之意, 如 foresee(预见), foretaste(先尝), forearm(前臂)

forecast ['fɔ:kɑ:st, 美: -kæst] vt. (forecast, forecast; 或 -ed, -ed) 预报(天气); 预测 n. 预报; 预测

forefather ['fɔ:,fɑ:ðə] n.《常用复数》祖先(⇨ancestors); 前人

forefinger ['fɔ:,fiŋgə] n. 食指

foregoing [fɔ:'gəuiŋ] a. 在前的(⇨previous); 前述的

^**forehead** ['fɔrəd, 'fɔːhed] *n.* 额; 前额(⇨brow); 前部

***foreign** ['fɔrin] *a.* 外国的; 在外国的; 外国来的(⇨alien) ‖ ~ capital 外资 / ~ exchange 外汇 / ~ language 外国语 / ~ office 外交部 / ~ trade 对外贸易 ▶注意拼写发音.

foreigner ['fɔrinə] *n.* 外国人(← native); 陌生人(⇨stranger)

^**foreleg** ['fɔːleg] *n.* (四足动物、昆虫等的)前腿

foreman ['fɔːmən] *n.* (复数: -men [-mən])工头, 领班; 陪审团长

foremost ['fɔːməust] *a.* 最先的(⇨primary); 第一流的; 主要的(⇨chief) *ad.* 最先; 最前

forenoon ['fɔːnuːn] *n.* 〈书面语〉上午; 午前   「知

foresee [fɔː'siː] *vt.* (foresaw [-'sɔː], foreseen [-'siːn]) 预见(⇨predict); 预

foresight ['fɔːsait] *n.* 预见的能力; 先见(⇨foreknowledge); 深谋远虑

***forest** ['fɔrist] *n.* 森林(⇨woods); 森林地带

▲(**forester** ['fɔristə] *n.* 林务员; 伐木人; 林地居民

foretell [fɔː'tel] *vt.* (foretold [-'təuld], foretold) 预言(⇨forecast); 预示

forever [fə'revə] *ad.* 永远, 永久地, 永恒地; 继续不断地([英] for ever)

foreword ['fɔːwəːd] *n.* 前言(⇨preface); 序言; 引言(⇨introduction)

forfeit ['fɔːfit] *vt.* 丧失; 失去 ~ed 丧失了的; 被没收了的 *n.* 罚金, 罚款

forgave [fə'geiv] forgive 的过去式

forge [fɔːdʒ] *n.* 锻炉; 锻工间 *v.* 锻造; 伪造

forgery ['fɔːdʒəri] *n.* (签字、文件等的)伪造, 伪造罪; 伪造品, 膺品

***forget** [fə'get] *v.* (forgot [fə'gɔt], forgot 或 forgotten [fə'gɔtn]) 忘记, 遗忘; 想不起; 忽略

forgetfulness [fə'getfəlnis] *n.* 健忘; 疏忽

▲(*)**forgive** [fə'giv] *v.* (forgave [fə'geiv], forgiven [fə'givn]) 原谅, 宽恕(⇨pardon, excuse); 饶恕

^**fork** [fɔːk] *n.* 叉; 餐叉; 干草叉; 岔口   「(⇨hopeless)

forlorn [fə'lɔːn] *a.* 〈书面语〉孤寂凄凉的; 被遗弃的; 不幸的; 几乎无望的

***form** [fɔːm] *n.* 形状(⇨shape); 形式; 形态; 体型; 体制; 体裁; 种类(⇨type, kind); 样式; 方法; 表格; 礼节; 词形; (英美某些初等和中等学校的)年级 *v.* 形成; 建立; (使)组成; 造(句); 列(队)

***formal** ['fɔːməl] *a.* 正式的(⇨official); 拘谨的; 礼仪的(⇨ceremonial); 正规的(⇨regular); 外形的; [语法]规范的 ‖ ~ logic 形式逻辑学

formally ['fɔːməli] *ad.* 正式地; 形式地; 规范地

formation [fɔː'meiʃən] *n.* 形成; 组成; 构成; 编队

former ['fɔːmə] *a.* 先前的, 以前的; (二者之中)前者的(← latter); 前任的, 前… ‖ the ~ 前者 / ~ prime minister 前总理, 前首相

formerly ['fɔːməli] *ad.* 以前; 从前; 原来

formidable ['fɔːmidəbl] *a.* 可怕的(⇨dreadful); 令人生畏的(⇨terrible); 难对付的 ‖ ~ enemy 强敌 / ~ task 艰巨的任务

^**formula** ['fɔːmjulə] *n.* (复数: formulas 或 formulae ['fɔːmjuliː]) 公式; (化学)式; 处方; 客套语; 准则

formulate ['fɔːmjuleit] *vt.* 系统阐述; 表述; 化成公式

formulation [ˌfɔːmju'leiʃən] *n.* 用公式表示

forsake [fə'seik] *vt.* (forsook [-'suk], forsaken [-'seikən]) 遗弃(⇨

desert); 抛弃(⇨abandon)

fort [fɔ:t] *n.* 堡垒(⇨fortress); 炮台; 要塞

forth [fɔ:θ] *ad.* 向前; 向前方(⇨forward); 向外(⇨outwards)

forthcoming ['fɔ:θ,kʌmiŋ] *a.* 即将到来的 ‖ ～ books 即将出版的书

fortieth ['fɔ:tiiθ] *num.* 第四十(个); 四十分之一(的)

fortify ['fɔ:tifai] *vt.* 筑堡于; 设防于; 使坚强; 鼓励

fortitude ['fɔ:titju:d] *n.* 坚忍, 刚毅

fortnight ['fɔ:tnait] *n.* 两星期, 14天

fortress ['fɔ:tris] *n.* 城堡(⇨stronghold); 要塞

fortunate ['fɔ:tʃənət] *a.* 幸运的(⇨lucky); 带来好运的; 吉利的

▲**fortunately** ['fɔ:tʃənitli] *ad.* 幸运地(⇨luckily); 幸亏 「success

⊛**fortune** ['fɔ:tʃən] *n.* 运气(⇨luck); 财富(⇨wealth); 大量财产, 成功⇨

***forty** ['fɔ:ti] *num.* 四十 *n.* 四十(个); 《加 the 用复数》▶四十年代 不要拼成 fourty.

forum ['fɔ:rəm] *n.* (复数: *forums* 或 *fora* ['fɔ:rə]) 讨论会, 座谈会

▲**forward** ['fɔ:wəd] *a.* 向前的(← backward); 前方的; 进步的; 早的, 早熟的 *ad.* 向前(方); 前进; 提前

forwards ['fɔ:wədz] *ad.* = forward

▲**fossil** ['fɔsəl] *n.* 化石; 老顽固 *a.* 化石的; 陈旧过时的

▲**fossilize** ['fɔsəlaiz] *v.* (使)成化石

foster ['fɔstə] *vt.* 培养; 助长(⇨promote); 鼓励(⇨encourage); 心怀(希望); 养育(⇨nurse) ‖ ～ child 养子 / ～ parents 养父母

fought [fɔ:t] fight 的过去式和过去分词

foul [faul] *a.* 不洁的(⇨unclean); 下流的(⇨dirty); 邪恶的; (运动)犯规的; 界外的(球) *n.* 犯规 *v.* 弄脏; (足球等)犯规

found[1] [faund] find 的过去式和过去分词

***found**[2] [faund] *vt.* 建造; 建立, 成立(⇨establish) ▶ find(发现)的过去式和过去分词也是 found, 不要混淆。

⊛**foundation** [faun'deiʃən] *n.* 建立; 创办; 基金(会); 《常作复数》基础(← superstructure)

▲**founder** ['faundə] *n.* 创立者, 奠基者, 缔造者

fountain ['fauntin] *n.* 喷泉, 喷水池; 源泉

fountain-pen ['fauntinpen] *n.* 自来水笔

***four** [fɔ:] *num.* 四

***fourteen** [fɔ:'ti:n] *num.* 十四

▲**fourteenth** [fɔ:'ti:nθ] *num.* 第十四(个); 十四分之一(的) *n.* 《加 the》(月的)第十四日 「写: 4th)

***fourth** [fɔ:θ] *num.* 第四(个); 四分之一(的) *n.* 《加 the》(月的)第四日(缩

fowl [faul] *n.* (复数: *fowl* 或 *fowls*) 母鸡(⇨hen); 家禽; 家禽肉

***fox** [fɔks] *n.* 狐, 狐狸; 狡猾的人

foxy ['fɔksi] *a.* 似狐的; 媚人的; 性感的

▲**fraction** ['frækʃən] *n.* 小部分(⇨part); 一点儿(⇨bit); 片断, 碎片; 分数

fracture ['fræktʃə] *v.* (使)折断; (使)断裂 *n.* 折断, 断裂; 裂缝; 骨折

fragile ['frædʒail, 美: -dʒil] *a.* 脆的; 易碎的; 易损坏的(⇨frail); 不能持久的; 虚弱的(⇨weak)

fragment ['frægmənt] n. 碎片；片断(⇨part)

▲**fragrance** ['freigrəns] n. 芬芳；香味，香气(⇨perfume)

fragrant ['freigrənt] a. 芬芳的(← malodorous)；香的(⇨perfumed)

frail [freil] a. 脆弱的(⇨feeble)；不结实的；易损的(⇨fragile)；虚弱的(⇨weak)；微小的

frailty ['freilti] n. 脆弱，虚弱(⇨weakness)；意志薄弱；(性格等)弱点

frame [freim] n. (建筑物的)骨架；(窗等的)框架；框子；《用复数》眼镜架；体格(⇨body)；骨骼；结构 vt. 给…装框；建造；设计；起草；表达

▲**framework** ['freimwə:k] n. 框架；构架(⇨system)

▲**franc** [fæŋk] n. 法郎(法国、比利时、瑞士等国的货币单位)

*France [frɑ:ns, 美: fræns] n. 法兰西，法国

Francis ['frɑ:nsis, 美: 'fræn-] 弗朗西斯(男名) ‖ St. ～ of Assisi 圣芳济(1181?-1226, 意大利修道士, 圣芳济修道会的创始人)

▲**Francisco** [fræn'siskou] 弗朗西斯科(男名)

Frank [fræŋk] 弗兰克(男名, Francis 的昵称)

frank [fræŋk] a. 坦白的(⇨open)；直率的(⇨straight)；老实的；真诚的 ·

⁽*⁾**Franklin** ['fræŋklin], Benjamin 富兰克林(1706-1790, 美国杰出的科学家和政治家)

frankly ['fræŋkli] ad. 坦白地，直率地；坦率地说

frankness ['fræŋknis] n. 坦率

frantic ['fræntik] a. 激动的；发狂似的；〈口语〉忙乱的

frantically ['fræntikəli] ad. 激动地；发狂似地

fraternity [frə'tə:niti] n. [美]大学生联谊会；兄弟会；兄弟关系；兄弟爱(⇨brotherhood)；友爱(⇨friendship)

fraud [frɔ:d] n. 欺骗(⇨deceit)；欺诈(行为)；骗子；假货

freckle ['frekl] n.《用复数》雀斑

Fred [fred] 弗雷德(男名, Frederick ['fredrik] 的昵称)

▲**Freddie** ['fredi] 弗雷迪(男名)

*free [fri:] a. 自由的(⇨liberal)；不受约束的；免除…的；免费的；空闲的；空着的；摆脱…的 ad. 自由地；免费；松动地 vt. 释放(⇨release)；使自由；使摆脱 ‖ ～ fight 混战 / ～ throw (篮球)罚球

▲**freedom** ['fri:dəm] n. 自由(⇨liberty)

⁽ᴬ⁾**freedom-loving** ['fri:dəm-'lʌviŋ] a. 爱好自由的

▲**freely** ['fri:li] ad. 自由地；随意地

⁽ᴬ⁾**free-thinking** ['fri:-'θiŋkiŋ] a. 有自由思想的

⁽ᴬ⁾**freeway** ['fri:wei] n. 高速公路([英] motorway)

*freeze [fri:z] v. (froze [frəuz], frozen ['frəuzn]) (使)结冰；(使)凝固；(使)冻僵，愣住；冷藏；冻结(物价等)

freezing ['fri:ziŋ] a. 冻结的；极冷的 ‖ ～ cold 严寒 / ～ point 冰点

▲**freight** [freit] n. (运输的)货物(⇨cargo)；运费；货运 vt. 装货(上船)；运输(货物) ‖ ～ car 货车 / ～ train 货运列车

*French [frentʃ] a. 法国的；法国人的；法语的 n. 法语；《加 the》〔总称〕法国人 ‖ ～ leave 不告而别

*Frenchman ['frentʃmən] n. (复数: -men [-mən]) 法国人

frequency ['fri:kwənsi] n. 频繁；频率

frequent ['fri:kwənt] *a.* 经常的;频繁的;常见的　*vt.* [fri'kwent] 常去 ▶形容词与动词重音不同.

frequently ['fri:kwəntli] *ad.* 经常(⇨often);频繁地(⇨repeatedly);屡次

*__fresh__ [freʃ] *a.* 新鲜的;新到的;重新的;(水)淡的;(空气)清新的;(颜色)鲜艳的;精神饱满的;不熟练的 ‖ ～ hand 生手 / ～ milk 鲜牛奶

freshen ['freʃən] *v.* (使)新鲜;(使)变淡

▲**fresh-faced** ['freʃfeist] *a.* 面带稚气的

freshly ['freʃli] *ad.*《用于过去分词前》刚,刚刚;才

freshman ['freʃmən] *n.* (复数: -men [-mən]) (大学的)新生;新手;第一年开始做某事者 ‖ the ～ class (大学)一年级

freshness ['freʃnis] *n.* 新鲜

fret [fret] *v.* (使)烦恼(⇨worry);使烦躁;(使)不安

friction ['frikʃən] *n.* 摩擦;不和;冲突;摩擦力

*__Friday__ ['fraidi] *n.* 星期五(略作: Fr., Fri.)

▲**friend** [frend] *n.* 朋友(← enemy);同伴

friendliness ['frendlinis] *n.* 友好;亲密

*__friendly__ ['frendli] *a.* 友好的(⇨cordial);亲切的;支持的(⇨helpful);有利的(⇨favorable) ▶此词不是副词.

friendship ['frendʃip] *n.* 友谊;友好;友善;亲睦

fright [frait] *n.* 惊恐;惊吓(⇨terror)

*__frighten__ ['fraitn] *vt.* 吓唬,使惊恐(⇨alarm)

*__frightened__ ['fraitnd] *a.* 受惊的,害怕的(⇨afraid)

▲**frightful** ['fraitfəl] *a.* 可怕的(⇨fearful);令人恐怖的;〈口语〉极坏的,讨厌的 ‖ ～ weather 难受的天气

frightfully ['fraitfəli] *ad.*〈口语〉非常

fringe [frindʒ] *n.* (窗帘和服装等的)穗;缘饰;流苏;边缘;(妇女头发的)刘海;(工资以外的)小额福利

fro [frəu] *ad.* 往,去 ▶只用于 to and fro(来回地)短语中.

frock [frɔk] *n.* 女上衣,童外衣;罩衫,工作服

▲**frog** [frɔg] *n.* 蛙,青蛙

*__from__ [frɔm, (弱) frəm] *prep.* 从;从…起;从…来;由;自;依据

*__front__ [frʌnt] *n.*《加 the》前部,前面;前线;正面　*a.* 前面的;正面的;(位置)在前的 ‖ ～ door 正门 / ～ line 第一线 / ～ page (书的)扉页

frontier ['frʌntiə, 'frɔn-] *n.* 国境(⇨border);边境,边疆;《用复数》尖端,新领域 ‖ ～ spirit [美]开拓者精神

frost [frɔst] *n.* 霜;严寒;冰冻

frosty ['frɔsti] *a.* 结霜的,霜冻的;严寒的;(态度)冷淡的(⇨cold)

frown [fraun] *vi.* 皱眉头;蹙额　*vt.* (对人)表示不悦,不赞成

froze [frəuz] freeze 的过去式

frozen ['frəuzən] freeze 的过去分词　*a.* 冻结的;冷冻的

frugal ['fru:gəl] *a.* 节约的(⇨economical);不浪费的(← wasteful);花钱少的;俭朴的(← lavish)

*__fruit__ [fru:t] *n.* 水果;果实;成果(⇨product);结果(⇨result)

fruitful ['fru:tfəl] *a.* 成功的;富有成效的;有好结果的;多产的

fruitless ['fru:tlis] *a.* (经努力)无用的(⇨useless)(← useful);无效的(⇨

vain); 不结果实的 (← fruitful)

frustrate [frʌ'streit] *vt.* 挫败 (⇨defeat); 阻挠; 使无效; 使灰心

frustration [frʌ'streiʃən] *n.* 挫败; 挫折; 受挫

fry¹ [frai] *v.* 油煎; 油炸 *n.* 油煎食品; 油炸食品

fry² [frai] *n.* (复数: fry) 鱼秧, 鱼苗

◆**frying-pan** ['fraiiŋ-pæn] *n.* 长柄平底锅; 煎锅

fuel ['fjuəl, 美: 'fju:əl] *n.* (木柴、煤、油等)燃料 ‖ ～ tank (汽车)油箱

fugitive ['fju:dʒitiv] *a.* 逃亡的 (⇨flying); 短暂的 (← lasting); 易消失的

-ful [fəl] *suf.* ①表示"有…性质, 有…倾向, 易于…的, 可…的", 如 useful (有用的), hopeful (富有希望的), fearful (可怕的). ②表示"充满…, 满 …所需的量", 如 handful (一把), bagful (一满袋).

fulfil(l) [ful'fil] *vt.* 履行 (义务、诺言); 完成 (⇨accomplish); 执行 (⇨ execute); 满足 (希望等) (⇨realize); 结束 (⇨finish)

fulfil(l)ment [ful'filmənt] *n.* 履行; 实现; 完成

****full** [ful] *a.* 满的, 充满的; 挤满(人)的 (⇨crowded); 丰富的; 充分的 (⇨ enough); 正式的 *ad.* 恰恰; 十分 (⇨very); 充分地 *n.* 充分; 全部 (⇨ whole) ‖ ～ dress 礼服 / ～ house 客满, 爆满 / ～ stop 句号

ful(l)ness ['fulnis] *n.* 完全, 充分; 饱 (← hunger); 满

*◆***full-scale** [ful'skeil] *a.* 全部的; 全面的; 完整的; (图样)与原物大小一样的

*◆***full-time** [ful'taim] *a.* 全部工作时间的; 专职的 *ad.* 全部工作时间地; 专职地 ‖ ～ employment 专职工作 / ～ teacher 专任教师

fully ['fuli] *ad.* 充分地; 完全地 (⇨wholly); 彻底地 (⇨thoroughly); 足足

fully-armed ['fuli'ɑ:md] *a.* 全副武装的

fumble ['fʌmbəl] *v., n.* 乱摸, 摸索; 笨拙地处理

fume [fju:m] *n.* 《用复数》(浓烈的)烟, 气, 汽; 《加 a》激动, 发怒 *v.* 发怒; 怒斥; 冒烟, 出汽

****fun** [fʌn] *n.* 有趣的人(或事); 玩笑; 娱乐 (⇨pleasure) ‖ ～ fair 游乐园

*◭***function** ['fʌŋkʃən] *n.* 官能, 功能, 机能; 作用; 职责 *vi.* (器官等)活动; (机器等)运行; 履行…的职责

fundamental [fʌndə'mentl] *a.* 根本的 (⇨essential); 基本的 (⇨basic); 基础的; 最重要的; 非常必要的 (⇨necessary) *n.* 《常用复数》基本原则; 基本原理 (⇨principles)

funeral ['fju:nərəl] *n.* 葬礼; 丧礼; 《常用复数》出殡的行列 *a.* 葬礼的; 丧葬的 ‖ ～ home [parlor] 殡仪馆

*(*)***funny** ['fʌni] *a.* 滑稽可笑的 (⇨comic); 有趣的; 〈口语〉古怪的

*(*)***funny-looking** ['fʌni,lukiŋ] *a.* 样子可笑的; 样子古怪的

*◆***fur** [fə:] *n.* (兽类的)软毛; 毛皮; 皮子; 舌苔

furious ['fjuəriəs] *a.* 狂怒的; 猛烈的; (脾气)狂暴的

furiously ['fjuəriəsli] *ad.* 狂怒地; 猛烈地; 狂暴地; 喧嚣地

fur-lined ['fə:laind] *a.* 衬毛皮的

furnace ['fə:nis] *n.* 熔炉; 炉子

*◆***furnish** ['fə:niʃ] *vt.* 装备; (用家具等)布置(房间); 供应 (⇨supply); 提供

furniture ['fə:nitʃə] *n.* 家具; 装备 ▶ "一套家具"用 a set of, "一件家具" 用 a piece (或 an article) of.

furrow ['fʌrəu] *n.* 犁沟; 车辙; (前额的)皱纹 *vt.* 犁(田); 使起皱纹

further ['fə:ðə] *a.* [far 的比较级之一] 以后的；更多的；进一步的 *ad.* [far 的比较级之一] 进一步地；更远地；更深地；而且，此外 ‖ ～ education 成人教育 ▶另一比较级形式为 father.

furthermore [,fə:ðə'mɔ:] *ad.* 而且，更；此外(⇨besides)

furthest ['fə:ðist] *a.* [far 的最高级之一] 最远的 *ad.* [far 的最高级之一] 最远地；最大程度地 ▶另一最高级形式为 farthest.

fury ['fjuəri] *n.* 狂怒(⇨anger)；暴怒；猛烈

fuse [fju:z] *n.* 导火线；信管；保险丝

fusion ['fju:ʒən] *n.* 熔化，熔合；联合(⇨union)；混合(⇨mixture)；(核)聚变 ‖ ～ bomb 热核弹

△**fuss** [fʌs] *n.* 大惊小怪；无谓纠纷；《加 a》忙乱

△**fussy** ['fʌsi] *a.* 爱挑剔的；大惊小怪的；过分注意细节的

futile ['fju:tail] *a.* 无效的(⇨vain)；无用的(⇨useless)；无益的；不重要的

△**future** ['fju:tʃə] *n.* 将来，未来；前途，远景；〔语法〕将来时 *a.* 将来的，未来的 ‖ ～ tense 将来时态

-fy [fai] *suf.* 表示"使成为，使…化，变成…"，如 satis*fy* (使满足)，lique*fy* (使液化)，puri*fy* (使洁净).

G, g

gaiety ['geiəti] *n.* 快活，欢乐(⇨merriment)；《用复数》狂欢，喜庆 ▶此词的形容词是 gay.

gaily ['geili] *ad.* 快活地；欢乐地(⇨joyfully) ▶又拼写为 gayly.

△**gain** [gein] *v.* 得到(⇨get)；获得(⇨obtain)；挣得；赢得；获利；赚；增加；(经努力而)到达(⇨reach)；利益(⇨profits)；收获 ▶gain 可指得到不应得到的东西，earn 则含有理应得到之意.

gait [geit] *n.* 步态；步法

gale [geil] *n.* 大风，强风，暴风；(突发的)一阵

gall [gɔ:l] *n.* 胆汁；苦的东西 ‖ ～ bladder 胆囊

gallant ['gælənt, gə'lænt；美：gə'lænt] *n.* 英勇的人；时髦人物；(向妇女)献殷勤者 *a.* 勇敢的(⇨brave)；豪侠的；华丽的(⇨showy)；堂皇的(⇨splendid)；(对妇女)献殷勤的

gallery ['gæləri] *n.* 画廊；美术馆；长廊；(剧场中最高的廉价)楼座

gallon ['gælən] *n.* 加仑(液量单位，英制 = 4.546升，美制 = 3.785 升)

gallop ['gæləp] *n.* (马等的)飞跑，奔驰；匆忙 *v.* (使)飞跑，赶 「golosh

galosh [gə'lɔʃ] *n.* 《常用复数》套鞋，高统套鞋(⇨rubbers) ▶又作

gamble ['gæmbl] *v.* 赌博；(用…)打赌(⇨bet)；(拿…)冒险(⇨risk)；投机 *n.* 赌博；冒险；投机

***game** [geim] *n.* 游戏(⇨play)；比赛(⇨match)；运动；(比赛的)一局，一场，一盘；比分，得分；《用复数》运动会

gamma ['gæmə] *n.* 伽马(希腊语的第三个字母：Γ，γ) ‖ ～ rays 伽马射线，γ 射线

▲**gang** [gæŋ] *n.* (囚徒等的)一群; (歹徒等的)一帮; (工具等的)一套(⇨set)

gangster ['gæŋstə] *n.* 歹徒; 匪徒(⇨bandit); 暴徒; 恶棍

gaol [dʒeil] *n.* 监狱, 牢狱(⇨prison) ▶ 又拼写为 jail [美].

▲**gap** [gæp] *n.* 缺口; 裂缝; 距离(⇨distance); 差距; 空隙; 空白(⇨blank)

gape [geip] *v.* 打呵欠; 张口(⇨yawn); 瞪目(⇨gaze); 裂开(⇨split) *n.* 呵欠; 裂口; 目瞪口呆

▲**garage** ['gærɑːʒ, -ridʒ, 美: gəˈrɑːʒ] *n.* 汽车修理厂; 汽车库, 汽车间

garbage ['gɑːbidʒ] *n.* 垃圾, 废物[英] rubbish); (厨房倒弃的)剩饭, 剩菜; 废话(⇨nonsense)

*****garden** ['gɑːdn] *n.* 园子; 庭园; 花园;《常用复数》公园 ‖ ～ party 园游会

gardener ['gɑːdnə] *n.* 园丁, 园林工人; 花匠; 爱好园艺者

gardening ['gɑːdniŋ] *n.* 园艺

garlic ['gɑːlik] *n.* 大蒜

▲**garment** ['gɑːmənt] *n.* 衣服(尤指长袍、外套);《用复数》服装

garret ['gærət, -rit] *n.* 阁楼(⇨attic)

garrison ['gærisən] *n.* 驻军; 卫戍部队; 驻地; 要塞 *vt.* 驻防; 驻守

garter ['gɑːtə] *n.* 吊袜带

*****gas** [gæs] *n.* 气体; 瓦斯; 煤气;《美口语》汽油(⇨gasoline) ‖ ～ fire 煤气炉 / ～ station [美]加油站 / ～ mask 防毒面具

gaseous ['gæsiəs] *a.* 气体的; 气态的

gasoline, -lene ['gæsəliːn] *n.* [美]汽油(⇨petrol)

gasometer [gæˈsɔmitə] *n.* 〈口语〉贮(煤)气罐; 气量计

▲**gasp** [gɑːsp, 美: gæsp] *v., n.* 喘气; 喘; 喘息

*****gate** [geit] *n.* 大门; 出入口, 门道; 闸门 ‖ Golden *Gate* Bridge 金门桥

▲**gateway** ['geitwei] *n.* 门口, 入口; 关口

(*)**gather** ['gæðə] *v.* 聚集(⇨assemble); 集合; 采集(⇨collect); 渐增(速度等); 推测(⇨guess); 收(谷物等) (⇨reap)

gathering ['gæðəriŋ] *n.* 集会(⇨assembly); 脓肿; 衣褶

gauge [geidʒ] *n.* 标准尺寸; 量规; (容量计等)仪表 *vt.* 测量 ▶注意发音.

gauger ['geidʒə] *n.* 计量者; 量器检验员; 计量器

gaunt [gɔːnt] *a.* 瘦削的(⇨lean); 荒凉的(⇨desolate)

gauze [gɔːz] *n.* 纱布; 薄纱

gave [geiv] give 的过去式

(*)**gay** [gei] *a.* 快乐的(⇨merry); 鲜明的; 鲜艳的, 华丽的; 放荡的

gayly ['geili] *ad.* = gaily

▲**gaze** [geiz] *vi., n.* 注视; 凝视

gear [giə] *n.* 齿轮; 传动装置; 排挡; 设备(←equipment); 装置 ‖ ～ lever (汽车)变速杆

geese [giːs] goose 的复数

gem [dʒem] *n.* 宝石(⇨jewel); 珍贵的东西; 精华

gender ['dʒendə] *n.* 〔语法〕性;〈口语〉性, 性别(⇨sex) ‖ feminine ～ 阴性 / masculine ～ 阳性 / neuter ～ 中性

*****general**[1] ['dʒenərəl] *a.* 总的; 综合的; 概括的; 一般的(⇨common); 普遍的; 通用的 ‖ ～ election 普选 / ～ meeting 大会 / ～ public 公众 / ～ store [美]杂货店

general² ['dʒenərəl] *n.* 将军; 将领; 陆军上将 ‖ ~ officers 陆军将领

generalization [,dʒenərəlai'zeiʃ ən] *n.* 一般化; 概括, 综合, 归纳

generalize ['dʒenərəlaiz] *vt.* 概括, 归纳 *vi.* 笼统地讲(或写)

▲**generally** ['dʒenərəli] *ad.* 通常(⇨usually); 一般地; 普遍地; 大概

generate ['dʒenəreit] *vt.* 产生(光、热、电等)(⇨produce); 生育; 引起 ‖ *generating* station 发电厂

generation [,dʒenə'reiʃ ən] *n.* 产生(⇨production); 生育; 发生; (一)代; 世代; 同时代的人 ‖ the future ~ 后代, 下代 / ~ gap 代沟

generator ['dʒenə,reitə] *n.* 发电机([英] dynamo); 发生器

generosity [,dʒenə'rɔsiti] *n.* 慷慨, 宽宏大量; 丰富

generous ['dʒenərəs] *a.* 慷慨的(⇨unselfish); 宽大的; 大方的(← stingy); 丰富的(⇨abundant) ‖ ~ harvest 丰收

generously ['dʒenərəsli] *ad* 慷慨地; 宽大地; 充裕地

genetic [dʒi'netik] *a.* 基因的; 遗传学的; 发展的(⇨developing)

genial ['dʒi:niəl] *a.* 和蔼的; 亲切的; 友好的(⇨friendly); (天气)温和的

'**genie** ['dʒi:ni] *n.* (阿拉伯神话中的)妖魔; 神灵(= jinnee)

▲**genius** ['dʒi:niəs] *n.* 天才(⇨talent); 天赋(⇨gift); 才能(⇨ability); 天才人物; 《加 the》特质

*'**gentle** ['dʒentl] *a.* 和蔼的; 温和的(⇨mild); 文雅的(⇨polite); 驯服的; 适度的(⇨moderate) ‖ ~ sex 〔总称〕女性

*'**gentleman** ['dʒentlmən] (复数: -men [-mən]) *n.* 绅士; 有身份的人; 有教养的人; 上等人; 《男子尊称》阁下, 先生 ‖ ~'s agreement 君子协定

gentleness ['dʒentlnis] *n.* 和蔼; 温和; 文雅

▲**gently** ['dʒentli] *ad.* 温柔地; 柔和地; 轻轻地(⇨softly); 逐渐地

▲**genuine** ['dʒenjuin] *a.* 真正的; 真诚的

geo- [dʒiə, dʒi'ɔ] *pref.* 表示"地球; 地, 地理"之意, 如 geophysics(地球物理学), geology(地质学).

geographer [dʒi'ɔgrəfə] *n.* 地理学家

geographical [dʒiə'græfikəl] *a.* 地理上的, 地理的

*'**geography** [dʒi'ɔgrəfi, 'dʒɔg-] *n.* 地理学

'**geology** [dʒi'ɔlədʒi] *n.* 地质学

geometric(al) [,dʒiə'metrik(əl)] *a.* 几何学的

geometry [dʒi'ɔmitri] *n.* 几何学

germ [dʒə:m] *n.* 微生物; 细菌; 病菌; 胚芽; 起源 ‖ ~ warfare 细菌战

German ['dʒə:mən] *a.* 德国的; 德国人的; 德语的 *n.* (复数: *Germans*) 德国人; 德语 ▶注意复数不是 Germen.

▲**Germany** ['dʒə:məni] *n.* 德国

gerund ['dʒerənd] *n.* 〔语法〕动名词

gesture ['dʒestʃə] *n.* 手势; 姿势, 姿态

*'**get** [get] (*got* [gɔt], *got* 或 *gotten* ['gɔtn]) *vt.* 得到, 获得(⇨obtain, gain, earn); 取来(⇨fetch); 收到(⇨receive); 达到; 使得 *vi.* 到达(⇨reach); 变成, 成为(⇨become)

get-together ['get-tə,geðə] *n.* 《美口语》(非正式的)聚会, 联欢会

ghastly ['gɑ:stli, 美: 'gæst-] *a.* 惨白的(⇨pale); 死人般的(⇨deathly); 可怕的(⇨horrible); 《口语》讨厌的 *ad.* 可怕地; 死人般地

ᴬ**ghost** [gəust] *n.* 鬼;幽灵(⇨spirit);幻影;(电视等)二重像(⇨shade)

▲**giant** ['dʒaiənt] *n.* (神话中的)巨人;巨物;高大的人 *a.* 巨大的;非凡的 ‖ ~ panda 大熊猫

Gibraltar [dʒi'brɔ:ltə] *n.* 直布罗陀(西班牙南端的半岛) ‖ the Strait of ~ 直布罗陀海峡

giddy ['gidi] *a.* 头晕的(⇨dizzy);令人眩晕的;轻浮的(← serious)

▲**gift** [gift] *n.* 赠品,礼物(⇨present);天资,天赋(⇨genius)

gifted ['giftid] *a.* 有天赋的;天才的

gigantic [dʒai'gæntik] *a.* 巨大的(← tiny);巨人似的

giggle ['gigl] *n., v.* 咯咯地笑

gild [gild] *vt.* (-ed, -ed) 或 gilt [gilt], gilt 使镀金;使敷金箔;使光彩夺目

ᴬ**gill** [gil] *n.*《常用复数》鳃

gilt [gilt] gild 的过去式和过去分词 *a.* 镀金的 ‖ ~ top (书籍)烫金顶端

gin [dʒin] *n.* 杜松子酒,金酒

ginger ['dʒindʒə] *n.* 姜,姜块 *a.* 姜黄色的

gingerbread ['dʒindʒə,bred] *n.* 姜饼;姜汁饼干

gipsy ['dʒipsi] *n.* [常用G-] 吉卜赛人;〈口语〉过流浪生活的人 ▶又拼写为 gypsy [美].

giraffe [dʒi'rɑ:f, -'ræf] *n.* 长颈鹿

gird [gə:d] *vt.* (-ed, -ed) 或 girt [gə:t], girt 束,缚;系(紧);佩带,围绕

girdle ['gə:dl] *n.* 腰带(⇨belt);带状物 *v.* 束,围绕

***girl** [gə:l] *n.* 女孩,少女,姑娘;女友;女仆(⇨maidservant)

girt [gə:t] gird 的过去式和过去分词

***give** [giv] *vt.* (gave [geiv], given ['givən]) 给;送给,交给;供给(⇨supply);举行(宴会等)

given ['givən] give 的过去分词 *a.* 规定的,指定的;已知的

ᴬ**glacier** ['glæsiə] *n.* 冰河,冰川

***glad** [glæd] *a.* 高兴的,乐意的(⇨pleased);令人高兴的(⇨pleasant)

glade [gleid] *n.* 林中空地

gladly ['glædli] *ad.* 高兴地,欣然

gladness ['glædnis] *n.* 高兴,欢喜

glance [glɑ:ns, 美: glæns] *n.* 一瞥(⇨glimpse);眼光的闪动,闪光 *vi.* (粗略地)看一下;扫视;闪光(⇨glitter)

gland [glænd] *n.* 腺

▲**glare** [glɛə] *n.*《只用单数》眩目的光;瞪眼;怒视 *vi.* 闪耀(⇨dazzle);怒目而视;瞪眼

▲**glaring** ['glɛəriŋ] *a.* 耀眼的;瞪眼的;怒目而视的 ‖ ~ errors 显著的错误

***glass** [glɑ:s, 美: glæs] *n.* 玻璃,〔总称〕玻璃器皿;玻璃杯;一玻璃杯的量;镜子;《用复数》眼镜 *a.* 玻璃制的

glaze [gleiz] *vt.* 给…装玻璃;给(陶瓷器)上釉 *vi.* 变光亮;(眼光)变呆滞 *n.* (陶器等的)光滑面

gleam [gli:m] *n.* 闪光;微光;反光 *v.* (使)发光

glide [glaid] *vi.* 滑动,滑行;滑翔;(时间等)消逝

▲**glider** ['glaidə] *n.* 滑翔机

glimmer ['glimə] *vi.* 发出微光;隐约地出现 *n.* 闪烁的微光;一点儿

glimps [glimps] *n.* 一瞥(⇨glance) *v.* 瞥见

glint [glint] *vi.* 闪光(⇨glitter); 反光 *n.* 闪光; 光泽

glisten ['glisən] *vi.* 闪光, 发光(⇨sparkle); 反光 ▶t 不发音.

glitter ['glitə] *vi.* 闪烁; 闪闪发光; 引人注目 *n.* 闪光; 魅力; 炫耀

global ['gləubəl] *a.* 球状的; 全球(性)的; 总括的

▲**globe** [gləub] *n.* 球; 球状物;《加 the》地球(⇨earth); 地球仪

▲**gloom** [glu:m] *n.* 黑暗(⇨darkness); 阴暗; 忧愁(⇨joy); 朦胧; 情绪低落 *v.* (使)变暗; 伤心; 忧郁

gloomy ['glu:mi] *a.* 黑暗的(⇨dark); 阴暗的(⇨dusky); 忧伤的

glorify ['glɔ:rifai] *vt.* 赞美(⇨magnify); 颂扬

▲**glorious** ['glɔ:riəs] *a.* 光荣的; 壮丽的; 辉煌的;〈口语〉快活的 (⇨ delightful) ‖ ~ view 奇观, 奇景

gloriously ['glɔ:riəsli] *ad.* 光荣地; 辉煌地

glory ['glɔ:ri] *n.* 光荣; 荣誉; 壮丽; 灿烂 ‖ the Old *Glory* (美国)星条旗

gloss [glɔs] *v., n.* 注释, 注解

glossary ['glɔsəri] *n.* 词汇表; 术语汇编; 小词典

glossy ['glɔsi] *a.* 光滑的(⇨sleek); 有光泽的; 虚饰的

▲⁾**glove** [glʌv] *n.* 手套 「溢

▲**glow** [gləu] *vi.* 发白热光; 灼热; 发光; (脸颊)泛红; (身体)发热; (感情)洋

glowing ['gləuiŋ] *a.* 发白热光的; 灼热的; 热烈的; 光辉的

▲**glucose** ['glu:kəus] *n.* 葡萄糖

▲⁾**glue** [glu:] *n.* 胶; 胶水 *vt.* (用胶水)粘

gnat [næt] *n.* 蚋; 蚊

gnaw [nɔ:] *v.* 咬(⇨bite); 啮, 啃; 折磨; (使)烦恼(⇨worry)

*⁾**go** [gəu] *vi.* (*went* [went], *gone* [gɔn]) 去; 走(⇨walk); 行; 到; 沿…而行; 移动(⇨move); 通向(⇨lead); 达到(⇨arrive); 开始(⇨start); (事物)进行, (机械等)运行(⇨run); 成为(⇨become); (时间)逝去(⇨pass); 死 (⇨die);《用进行式》将要, 打算

go-ahead ['gəuə,hed] *a.* 上进的, 有进取心的; 现代的

▲**goal** [gəul] *n.* 目标(⇨aim); 目的; (足球场上的)球门; 守门员; 得分(⇨ score); (赛跑的)终点

*⁾**goat** [gəut] *n.* 山羊

▲**god** [gɔd] *n.* 神; 偶像; [G-] 上帝

goddess ['gɔdis] *n.* 女神; 被爱慕的女子; 绝世的美女

godfather ['gɔd,fɑ:ðə] *n.* 教父

godmother ['gɔd,mʌðə] *n.* 教母 「进的

going ['gəuiŋ] go 的现在分词 *a.* 现存的; 活着的(⇨living); 现行的; 行

⁽*⁾**gold** [gəuld] *n.* 金; 黄金; 金币; 金器; 金钱; 金色 *a.* 金(制)的; 金色的(⇨ golden) ‖ ~ dust 砂金 / ~ rush 淘金热

⁽*⁾**golden** ['gəuldən] *a.* 含金的; 金(黄)色的; 金(制)的; 很好的; 宝贵的 ‖ ~ opportunity 大好时机 / ~ wedding 金婚纪念(结婚50周年)

goldfish ['gəuld,fiʃ] *n.* 金鱼

goldsmith ['gəuld,smiθ] *n.* 金匠

golf [gɔlf] *n.* 高尔夫(球) *vi.* 打高尔夫球

golosh = galosh

⁽*⁾**gone** [gɔn] go 的过去分词 *a.* 已离开的; 过去的; 消失的; 死亡的

*good [gud] *a.* (*better* ['betə], *best* [best]) 好的; 正当的; 真正的; 合适的 (⇨suitable); 令人满意的 (⇨pleasing); 愉快的, 友好的 (⇨friendly); 完好的, 熟练的 (⇨skillful)《加 a》充分的   *n.* 美德; 长处; 善行, 好事; 好处

*good-by(e) [gud'bai] *int.* 再见! 再会! *n.* 再见; 告别

*good-looking [gud'lukiŋ] *a.* 相貌好看的, 漂亮的

good-natured [gud'neitʃəd] *a.* 和蔼的; 脾气好的; 令人愉快的

goodness ['gudnis] *n.* 善良(←evil); 仁慈; 好意

good-night [gud'nait] *int.*, *n.*《晚上分别时用》晚安, 再见

*goods [gudz] *n.* [复数] 动产; 商品; 货物([美] freight)   ▶此词不是 good 作为名词的复数.

goodwill [gud'wil] *n.* 好意; 友好, 亲善; (企业等的)信誉(⇨credit)

▲googolplex ['gu:gɔlpleks] = $10^{10^{100}}$

*goose [gu:s] *n.* (复数: *geese* [gi:s]) 鹅, 雌鹅; 鹅肉 ‖ ~ egg [美]零分

gore [gɔ:] *vt.* (牛、象等动物以角或长牙)抵伤, 抵破

gorge [gɔ:dʒ] *n.* 山峡; 峡谷

gorgeous ['gɔ:dʒəs] *a.* 绚丽的; 豪华的 (⇨splendid);〈口语〉极好的

gorilla [gə'rilə] *n.* 大猩猩;〈美口语〉暴徒

gospel ['gɔspəl] *n.* 福音; 信条; 绝对真理   「言蜚语

*gossip ['gɔsip] *n.* 闲聊; 流言蜚语; 爱说闲话的人; 长舌妇 *v.* 闲聊; 传播流

got [gɔt] get 的过去式和过去分词

Gothic ['gɔθik] *n.* 哥特式建筑风格; 哥特体; (旧时)粗黑体(活字); 等线体 (活字)   *a.* 哥特式的; 哥特体的; (旧时)黑体的; 等线体的

▲govern ['gʌvən] *vt.* 统治 (⇨rule); 治理; 管理 (⇨manage); 支配 (⇨ command); 控制(⇨control)

▲government ['gʌvəmənt, -vən-] *n.* 统治; 治理; 政治, 政体; [常作 G-] 政府; [G-] 内阁(⇨administration)

▲governor ['gʌvənə] *n.* (英国殖民地的)总督; [美]州长; 地方长官; 主管者; 董事; 理事; 统治者

gown [gaun] *n.* 女式长袍; (妇女或儿童的)睡衣; 长外衣; 大学礼服; 法衣

▲grab [græb] *v.* 急抓; 抓住; 抢

⁽ᵃ⁾Grace [greis] 格雷斯(女名)

⁽ᵃ⁾grace [greis] *n.* 优美, 文雅; 乐意; 恩惠(⇨favour); 宽限(期)

graceful ['greisfəl] *a.* (动作等)优美的; (言谈)文雅的(⇨polished)

gracefully ['greisfəli] *ad.* 优美地; 文雅地

gracious ['greiʃəs] *a.* 有礼貌的; 亲切的; 和蔼的; 仁慈的

graciously ['greiʃəsli] *ad.* 有礼貌地; 亲切地; 仁慈地

*grade [greid] *n.* 等级; 程度; [美](学校的)年级; [美](学科成绩的)评分 (⇨mark) ‖ ~ school [美]小学

gradient ['greidiənt] *n.* 坡度(⇨slope)

gradual ['grædʒuəl] *a.* 逐渐的; 逐步的

gradually ['grædʒuəli] *ad.* 逐渐地; 逐步地

▲graduate ['grædʒuit] *n.* [英]大学毕业生; [美]毕业生   *a.* 有学士学位的; 毕业生的   *v.* [-dʒueit] 从大学毕业; 授予学位; [美](准予…)毕业 ‖ ~ student 研究生   ▶注意末音节发音.   「级

▲graduation [grædʒu'eiʃən] *n.* 毕业; 授予学位典礼; [美]毕业典礼; 分等

graft [grɑːft, 美: græft] n., v. 嫁接; 移植

*__grain__ [grein] n. 谷物, 谷类; 谷粒; 粒子

gram [græm] n. = gramme

^**grammar** ['græmə] n. 语法; 语法规则; 语法书

(▲)**grammatical** [grə'mætikəl] a. 语法的; 合乎语法的

*__gramme__ [græm] n. 克(重量单位, 略作: g., gm., gr.)

gramophone ['græməˌfəun] n. 留声机([美] phonograph); 电唱机

granary ['grænəri] n. 粮仓, 谷仓

^**grand** [grænd] a. 雄伟的(⇨magnificent); 庄严的; 伟大的; 崇高的; 高级的; 重大的; 〈口语〉极好的 ‖ ~ duke 大公 / Grand Tour 星际旅行 [(女)

grandchild ['græntʃaild] n. (复数: -children [-.tʃildrən]) 孙(女); 外孙

granddaughter ['græn.dɔːtə] n. 孙女; 外孙女

grandeur ['grændʒə] n. 宏伟; 壮丽(⇨splendour); 庄严; 伟大

*__grandfather__ ['græn.fɑːðə] n. 祖父; 外祖父

*__grandma__ ['grænmɑː] n. 〈口语〉奶奶; 外婆

*__grandmother__ ['græn.mʌðə] n. 祖母; 外祖母

*__grandpa__ ['grænpɑː] n. 〈口语〉爷爷; 外公

*__grandparent__ ['græn.pɛərənt] n. 祖父或祖母; 外祖父或外祖母;《用复数》祖父母, 外祖父母

grandson ['grænsʌn] n. 孙子; 外孙

granite ['grænit] n. 花岗岩, 花岗石

*__granny__ ['græni] n. 祖母, 外祖母; 老奶奶, 老婆婆

^**grant** [grɑːnt, 美: grænt] vt. 准许(⇨allow); 授予(权利等); 假定…(正确); (姑且)承认(⇨concede)

grape [greip] n. 葡萄; 葡萄藤

graph [grɑːf, 美: græf] n. (曲线)图, 图解 vt. 用图表表示

-**graph** [grɑːf, 美: græf] suf. 表示"书写物, 记录的工具"之意. 如: photograph (照片), telegraph (电报), autograph (亲笔签名).

graphite ['græfait] n. 石墨, 黑铅

^**grasp** [grɑːsp, 美: græsp] vt. 握紧; 抓住(⇨catch); 抱住; 领会(⇨understand); 掌握; 了解 n. 紧握; 抓; 抱; 控制; 理解力

*__grass__ [grɑːs, 美: græs] n. 草; 草地 ‖ ~ roots 基层; 基层群众

(▲)**grass-covered** [grɑːsˈkʌvəd, 美: græs-] a. 被草覆盖着的

grasshopper ['grɑːsˌhɔpə, 美: 'græs-] n. 蚱蜢

^**grassland** ['grɑːsˌlænd, 美: 'græs-] n.《常用复数》牧场; 草原; 草地

grassy ['grɑːsi, 美: 'græsi] a. 草的; 长满草的; 似草的

grate¹ [greit] n. 炉栅; 炉格; (门、窗的)铁栅

grate² [greit] v. 激怒; 刺激; 磨(牙); 磨碎(食品等)

(*)**grateful** ['greitfəl] a. 感激的, 感谢的(⇨thankful); 令人愉快的; 可喜的

gratefully ['greitfəli] ad. 感激地; 感谢地

gratify ['grætifai] vt. 使满足(⇨satisfy); 使满意; 使高兴

^**gratitude** ['grætitjuːd] n. 感激; 感谢(⇨thanks); 感恩

^**grave**¹ [greiv] n. 坟墓(⇨tomb); 墓穴; 坟场

grave² [greiv] a. 重大的; 庄重的, 严肃的(⇨serious); 严重的

gravel ['grævəl] n. 砂砾; 砾石

gravely ['greivli] *ad.* 庄严地；严重地

gravestone ['greivstəun] *n.* 墓碑

▲graveyard ['greivjɑ:d] *n.* 墓地，坟场

gravitation [grævi'teiʃən] *n.* 万有引力；引力作用；倾向，趋势

▲gravity ['græviti] *n.* 重力；地球引力，地心吸力 ‖ specific ～ 比重

gravy ['greivi] *n.* 肉卤；肉汁

▲gray = grey

graze [greiz] *v.* (牲畜)吃草，啃草；放牧

grease [gri:s] *n.* 动物脂肪；油脂，润滑脂

***great** [greit] *a.* 大的(⇨big, large)；伟大的；重大的；〈口语〉极好的，美妙的 ‖ the *Great* Wall 万里长城

▲greatly ['greitli] *ad.* 大大地；非常；崇高地

greatness ['greitnis] *n.* 伟大；巨大

▲Greece [gri:s] *n.* 希腊

greed [gri:d] *n.* 贪心；贪婪

⁽*⁾greedy ['gri:di] *a.* 贪婪的；渴望的；贪吃的

Greek [gri:k] *a.* 希腊的；希腊人的；希腊语的　　*n.* 希腊人；希腊语

⁽*⁾Green [gri:n] 格林(姓氏)

***green** [gri:n] *a.* 绿色的，青色的；(果子)未熟的　　*n.* 绿色，青色；草地；《用复数》青菜 ‖ ～ belt (城市周围的)绿化地带 / ～ light 绿灯

▲greengrocer ['gri:n,grəusə] *n.* 卖蔬菜水果的商人

greenhouse ['gri:nhaus] *n.* 温室，暖房

Greenwich ['grinidʒ] *n* 格林威治(英国市镇) ▶注意发音.　　　　「应

⁽*⁾greet [gri:t] *vt.* 迎接(⇨welcome)；向…致意(⇨salute)；问候；对…作出反

⁽*⁾greeting ['gri:tiŋ] *n.* 问候；致敬；《常用复数》祝贺；(书信开头的)称呼(⇨ salutation) ‖ ～ card 贺年片，祝贺卡片

grew [gru:] grow 的过去式　　　　　　　　　　　　　　　「写为 gray.

▲grey [grei] *a.* 灰色的；灰白色的；(面色)苍白的；阴郁的　　*n.* 灰色 ▶又拼

greyhound ['greihaund] *n.* 灰狗(一种长腿赛犬或猎狗)

grief [gri:f] *n.* 悲痛，悲伤；伤心事；不幸

grievance ['gri:vəns] *n.* 不满，抱怨

grieve [gri:v] *v.* (使)悲痛；(使)难受；(使)伤心

grievous ['gri:vəs] *a.* 严重的；剧烈的(⇨severe)；难以忍受的(⇨ grinding) ‖ ～ fault 重大过失

grill [gril] *n.* 烤肉，烤鱼　　*v.* 炙烤

grim [grim] *a.* 残忍的(⇨cruel)；无情的(⇨merciless)；严酷的；坚强的 (⇨firm)；(脸色)严厉的(⇨stern)；〈口语〉可怖的

grimly ['grimli] *ad.* 残忍地；凶猛地；可怕地；狰狞地

grin [grin] *n.* 露齿的笑　　*vi.* 露齿而笑

grind [graind] *v.* (ground [graund], ground) 磨，碾，捣

grinding ['graindiŋ] *a.* 难熬的，折磨人的；难以忍受的(⇨grievous)

grip [grip] *n.* 紧握；紧夹；控制；夹；扣；柄；理解(力)；[美]手提包，旅行包； *v.* 握牢；夹牢；控制 ‖ hair ～ 发夹

▲groan [grəun] *vi.*, *n.* 呻吟

grocer ['grəusə] *n.* 食品商；杂货商

grocery ['grəusəri] n. 食品, 杂货; 食品杂货店([英] grocer's shop)

groom [gru:m, grum] n. 新郎(= bridegroom)

groove [gru:v] n. 槽; 沟; (唱片的)纹道; 常规

grope [grəup] vi. 摸索; 探索

gross [grəus] a. 总的(⇨whole); 毛(重)(⇨rough); 粗鲁的(⇨coarse)

grotesque [grəu'tesk] a. 奇形怪状的; 怪诞的; 可笑的

*****ground** [graund] n. 《加 the》地, 地面; 土地(⇨land); …场; 《常用复数》根据; 理由(⇨basis) vt. 以…为根据 ‖ ～ floor 一楼([美] first floor)

*****group** [gru:p] n. 群; 组; 批; 团体; 集团 v. 分类, 分组; (使)聚集

grouse [graus] n. (复数: grouse) 松鸡; 松鸡肉

grove [grəuv] n. 树丛; 林子; 园林

grovel ['grɔvəl] vi. 趴, 匍匐

*****grow** [grəu] (grew [gru:], grown [grəun]) vi. 生长, 成长, 发展; 发育; 变成 (⇨become) vt. 种植, 栽培(⇨cultivate); 渐渐变得

growl [graul] v., n. 嗥叫; 轰鸣; 咆哮

grown [grəun] grow 的过去分词 a. 长大了的; 成熟的; 长满…的

grown-up [.grəun'ʌp] a. 长成的; 成年的; 成人的 n. 成人; 大人; 成年人

△**growth** [grəuθ] n. 生长; 成长; 增加(⇨increase); 发展(⇨development); 增长率; 种植; 生长物; 瘤

grudge [grʌdʒ] vt. 不愿; 妒忌(⇨envy) n. 怨恨(⇨hatred); 不满; 妒忌

grumble ['grʌmbl] v. 抱怨; 发牢骚; (雷)隆隆响 n. 怨言; 牢骚; 隆隆声

grunt [grʌnt] v. 发呼噜声; 咕哝着说 n. (猪)呼噜声; (人)哼哼声; 咕哝

△**guarantee** [.gærən'ti:] n. 保证, 担保(⇨security); 保证人; 保证书; 抵押品 v. 替…担保; 保证(质量等)

guaranty ['gærənti] n. 保单; 担保; 担保物

*****guard** [gɑ:d] n. 守卫; 警戒; 哨兵; 警卫员; 列车员([美] conductor) vt. 守卫, 守卫(⇨defend); 看守; 监视 vi. 警戒; 当心 ‖ ～ of honour 仪仗队

guardian ['gɑ:diən] n. 护卫者(⇨keeper); 保护者; 监护人

*****guess** [ges] v. 猜, 猜测; [美]认为, 料想(⇨think) n. 猜测

*****guest** [gest] n. 客人, 宾客(⇨visitor); 旅客 ‖ ～ house 宾馆

guidance ['gaidəns] n. 指导, 指引; 领导

guide [gaid] n. 向导, 导游; 指导; 入门书 vt. 引导, 指导(⇨lead, direct) ‖ ～d missile 导弹 / ～ word 眉题

guilt [gilt] n. 有罪; (对过错的)责任; 内疚; 过失

guiltless ['giltlis] a. 老实的; 坦率的; 无辜的; 无罪的 (⇨innocent)

guilty ['gilti] a. 犯罪的; 有罪的; 内疚的

guinea ['gini] n. 基尼(旧英国金币, 值21先令) ▶又作"畿尼".

guitar [gi'tɑ:] n. 吉他; 六弦琴

gulf [gʌlf] n. 海湾; 深渊; 鸿沟

gull [gʌl] n. 鸥

gulp [gʌlp] v. 吞, 吞咽; 咕噜咕噜地喝 n. 吞咽; 一口吞下的量, 一大口

gum [gʌm] n. 树胶; 胶水; 桉树; [美]口香糖

*****gun** [gʌn] n. 枪, 炮; 〈美口语〉手枪

gunboat ['gʌnbəut] n. 炮舰; 炮艇

gunpowder ['gʌn.paudə] n. 火药

gun-shot ['gʌnʃɔt] *n.* 火炮的单发射击; 射程

gush [gʌʃ] *v.* 涌出; 喷出; 滔滔不绝地说

gust [gʌst] *n.* 阵风; 一阵狂风; 一阵雨; (愤怒的)爆发(⇨blast)

gutter ['gʌtə] *n.* (路边的)沟渠; 边沟; 檐槽;《加 the》贫民区 ‖ ～ press 低级趣味的报纸

guy [gai] *n.* 〈美口语〉家伙(⇨fellow);〈口语〉衣着古怪的人

gym [dʒim] 〈口语〉体育馆(⇨gymnasium); 体操; 体育(⇨gymnastics) ‖ ～ class 体育课 / ～ shoe [美]运动鞋

gymnasium [dʒim'neiziəm] *n.* 体育馆; 健身房

gymnastic [dʒim'næstik] *a.* 体操的, 体育的

gymnastics [dʒim'næstiks] *n.* [复数]《单复数两用》体操, 体育

gypsy [美] = gipsy

H, h

*ha [hɑ:] *int.* 哈! 嘿! (表示惊异、怀疑、愉快、胜利等)

habit ['hæbit] *n.* (特指个人的)习惯(⇨custom); 习性

habitation [,hæbi'teiʃən] *n.* 住所, 住宅; 居住

habitual [hə'bitjuəl] *a.* 习惯性的(⇨customary); 惯常的, 平常的(⇨usual)

hack [hæk] *v.* 砍, 劈; 乱砍 *n.* 劈痕; 斧

had [hæd; (弱)həd, əd, d] have 的过去式和过去分词

hadn't ['hædnt] had not 的缩合式

haggard ['hægəd] *a.* 憔悴的

hail¹ [heil] *n.* 雹; 冰雹 *v.* 下雹

hail² [heil] *v.* (向…)欢呼; (向…)致敬; 招呼 *n.* 欢呼; 致敬; 招呼

*hair [hɛə] *n.* 头发; 毛; 毛发

▲**haircut** ['hɛəkʌt] *n.* 理发; 发型

hairdo ['hɛədu:] *n.* 理发; (女子)做头发; (女子)发型

hairdresser ['hɛə,dresə] *n.* (特指为女子理发的)理发师; 美容师

hairpin ['hɛəpin] *n.* 发夹, 夹叉

hairy ['hɛəri] *a.* 有毛的, 多毛的

hale [heil] *a.* (特指老年人)强壮的(⇨sound)

*half [hɑ:f, 美: hæf] *n.* (复数: halves [hɑ:vz]) 半, 一半; 二分之一 *a.* 一半的; 不完全的 *ad.* 一半地; 部分; 几乎(⇨almost) ‖ ～ brother 异母[父]兄弟 / ～ sister 异母[父]姊妹 / ～ light 薄暮

▲**half-hibernate** ['hɑ:f'haibəneit, 美: 'hæf-] *vi.* (动物)半冬眠

halfpenny [heipni] *n.* (复数: halfpennies 或 [英] halfpence ['heipəns]) 半便士 *a.* 半便士价格的; 无价值的 ▶注意特殊读音.

▲**halfway** ['hɑ:fwei, 美: 'hæf-] *ad.* 半途; 不彻底地 *a.* 半途中的; 不彻底的

▲**hall** [hɔ:l] *n.* 门厅; 大厅; 会堂; 礼堂; [美] 走廊

hallo = hello

▲**halt¹** [hɔ:lt] *v.* (使)停止(⇨stop); (使)停止前进 *n.* 停步; 停止前进 ▶此词

可作口令: Halt! (立定!)

halt² [hɔ:lt] *v.* 踌躇; 犹豫(⇨hesitate); 动摇(⇨waver)

halve [hɑːv] *vt.* 对分, 平摊(⇨divide)

ham [hæm] *n.* 火腿; 腌(或熏)的腿肉

⁽ᴬ⁾**hamburger** ['hæm,bə:gə] *n.* 汉堡包; 夹牛肉饼的面包片

hamlet ['hæmlit] *n.* 小村   「链球

▲**hammer** ['hæmə] *n.* 铁锤; 木槌; 链球 *vt.* 锤打; 锤炼出 ‖ ～ throwing 掷

hammock ['hæmək] *n.* 吊床 ‖ ～ chair 折叠式帆布躺椅

hamper ['hæmpə] *vt.* 妨碍(⇨hinder); 阻碍; 牵制

***hand** [hænd] *n.* 手; 手状物; (钟表的)针; 一手之宽; 方面(⇨side); 《加 a》
    手艺, 才能(⇨ability) *vt.* 传递; 交给; 搀扶 ‖ ～ grenade 手榴弹 / ～
    luggage 手提行李 / ～ organ 手摇风琴

handbag ['hændbæg] *n.* (女用)手提包; 旅行包

handball ['hændbɔ:l] *n.* 手球(运动)

handbook ['hændbuk] *n.* 手册; 袖珍书; 便览

▲**handcuff** ['hændkʌf] *n.* 《常用复数》手铐

handful ['hændful] *n.* 一把; 少数; 少量 ▶此词不是形容词.

handicap ['hændikæp] *vt.* 妨碍(⇨hinder); 使不利 *n.* 障碍; 不利条件

handicraft ['hændi,krɑːft] *n.* 《常用复数》手工艺, 手工

***handkerchief** ['hæŋkətʃif] *n.* 手帕; 手绢; 头巾

handle ['hændl] *n.* 柄, 把手; 口实 *vt.* 以手碰触(⇨touch); 操纵; 操作; 处
    理(⇨treat); 对付; 运用; 管理; 经营

handout ['hændaut] *n.* (给流浪者等的)施舍物; (分发给报界的)新闻稿;
    (演讲时的)分发资料

handshake ['hændʃeik] *n.* 握手

▲**handsome** ['hænsəm] *a.* 《一般指男子》漂亮的, 清秀的, 潇洒的; 俊俏的;
    慷慨的, 大方的(⇨generous)

***handwriting** ['hænd,raitiŋ] *n.* 书法; 笔迹; 手写稿

handy ['hændi] *a.* 手边的; 近便的; 手脚灵巧的

***hang¹** [hæŋ] *v.* (hung [hʌŋ], hung) 吊着; 悬挂; 安装(门等)

hang² [hæŋ] *v.* (-ed, -ed) (被)吊死, (被)绞死

hanging ['hæŋiŋ] *n.* 绞死; 绞刑; 挂着的东西 *a.* 应处死刑的; 悬挂的

***happen** ['hæpən] *vi.* 发生, 偶然发生(⇨occur); 碰巧(⇨chance)

happening ['hæpəniŋ] *n.* 《常用复数》事件(⇨event); 偶然发生的事

▲**happily** ['hæpili] *ad.* 幸福地; 愉快地; 幸运地(⇨luckily); 幸好

▲**happiness** ['hæpinis] *n.* 幸福; 愉快(⇨pleasure)

***happy** ['hæpi] *a.* 幸福的; 快乐的; 高兴的(⇨glad); 幸运的(⇨lucky); 巧妙
    的 ‖ *Happy* birthday. (祝你)生日快乐.

harbo(u)r ['hɑːbə] *n.* 港, 港口(⇨port); 避难所 *vt.* 藏匿(⇨hide); 庇护
    ‖ ～ master 港务局长

***hard** [hɑːd] *a.* 硬的, 坚硬的(← soft); 困难的(⇨difficult); 剧烈的; 严格
    的(⇨strict) *ad.* 努力地; 艰苦地; 剧烈地; 猛烈地 ‖ ～ cash 现钱 / ～
    currency 硬通货 / ～ hat 安全帽 / ～ labour 劳役 / ～ nose 〈口语〉精
    明强干的人 ▶作副词时不要与 hardly 相混.

▲**harden** ['hɑːdn] *v.* 硬化; (使)变硬; (使)结实; (使)变得冷酷; (使)变得坚

强; 加强(⇨strengthen)

*hardly ['hɑ:dli] *ad.* 几乎不(⇨barely); 简直不; 勉勉强强地; 严厉地(⇨severely); 刚刚

hardness ['hɑ:dnis] *n.* 坚固; 硬度; 困难(⇨difficulty); 冷酷

hardship ['hɑ:dʃip] *n.* 艰难, 困苦; 辛苦

hardware ['hɑ:dwɛə] *n.* 五金, 金属制品; 视听器材; 硬件

⁽*⁾hard-working ['hɑ:d,wəːkiŋ] *a.* 勤劳的(← lazy)

hardy ['hɑ:di] *a.* 耐劳的; 强壮的(⇨strong); (植物)耐寒的; 大胆的; 勇敢的(⇨bold) 鲁莽的

*hare [hɛə] *n.* 野兔

hark [hɑːk] *vi.* 听; 倾听

*harm [hɑːm] *n.* 害, 损害; 伤害(⇨hurt); 危害; 害处 *vt.* 损害; 伤害

▲harmful ['hɑːmfəl] *a.* 有害的(⇨injurious); 有害的; 造成损害的

▲harmless ['hɑːmlis] *a.* 无害的; 无恶意的

harmonious [hɑː'məuniəs] *a.* 和睦的; 调和的; 悦目的

harmony ['hɑːməni] *n.* 和睦, 和谐, 一致, 调和; 谐调; 和声, 和声法

▲harness ['hɑːnis] *n.* 马具; 挽具(缰绳、肚带等); 铠甲 *vt.* 套(马具)

harp [hɑːp] *n.* 竖琴 *vi.* 弹竖琴; 反复地申说

▲harsh ['hɑːʃ] *a.* 粗糙的(⇨rough); 刺耳的, 刺目的; 味涩的; (惩罚等)严酷的; 严厉的(⇨severe); 苛刻的

*harvest ['hɑːvist] *n.* 收获; 收获期; 收成; 结果(⇨consequence) *vt.* 收获; 收割(⇨gather); 获得

*harvest-time ['hɑːvist-'taim] *n.* 收获季节

*has [hæz; (弱)həz, əz] have 的第三人称单数现在式

⁽*⁾hasn't ['hæznt] has not 的缩合式

haste [heist] *n.* 急忙(⇨hurry); 急速(⇨speed); 性急

hasten ['heisn] *v.* 赶忙; 催促(⇨urge); 使加快(⇨quicken) ▶t 不发音.

hastily ['heistili] *ad.* 急速地; 匆忙地; 轻率地; 性急地

hasty ['heisti] *a.* 仓促的, 匆忙的; 轻率的(⇨thoughtless); 急躁的

*hat [hæt] *n.* (一般指有边的)帽子 ▶无边的帽子为 cap.

*hatch¹ [hætʃ] *vt.* 孵(卵), 孵出; 计划(⇨plan); 策划 *vi.* 孵化

hatch² [hætʃ] *n.* 舱口; 舱盖; 开口处; 闸门, 水门

⁽▲⁾hatchet ['hætʃit] *n.* 斧头, 手斧 ‖ ～ face 瘦削的脸

*hate [heit] *vt.* 恨, 憎恨; 讨厌, 不喜欢(← like); 不愿 *n.* 怨恨, 憎恶; 讨厌的人(或物)   「意的

▲hateful ['heitfəl] *a.* 可恨的(← lovable); 可恶的; 讨厌的(⇨offensive); 恶

hatred ['heitrid] *n.* 憎恨, 憎恶; 嫌恶; 遗憾

haughty ['hɔːti] *a.* 傲慢的; 骄傲的(⇨proud)

haul [hɔːl] *v.* 拖; 曳; 拉 ▶发音与 hall(大厅)相同.

haunt [hɔːnt] *v.* 常去; 常到; (特指鬼、幽灵)经常出没于

*have [hæv; (弱)həv, v] (had [hæd;(弱)həd, əd], had) (第三人称单数现在式 has [hæz;(弱)həz, əz]) *vt.* 有; 得到, 获得(⇨get); 取得(⇨take); 收到(⇨receive); 吃(⇨eat); 喝(⇨drink); 允许; 经历; 让, 使, 叫; (口语) 做(某事); 必须, 不得不 *v.aux.* 《同过去分词连用构成完成时态》已经, 曾经; …过

⁽*⁾**haven't** ['hævnt]　have not 的缩合式

havoc ['hævək] *n.* 大破坏；浩劫(⇨ruin) *v.* 使荒芜；严重破坏；蹂躏

Hawaii [hɑ:'waii;] *n.* 夏威夷州(又称夏威夷群岛) (美国)

***hawk** [hɔ:k] *n.* 鹰

hawthorn ['hɔ:θɔ:n] *n.* 山楂

▲**hay** [hei] *n.* 干草

⁽*⁾**Haydn** ['haidn]　海顿(1732-1809, 奥地利作曲家)

hazard ['hæzəd] *n.* 危险(⇨danger); 风险；机会(⇨chance); 一种骰子游戏　*vt.* 使遭危险(⇨endanger); 冒险作出(⇨venture)

haze [heiz] *n.* 霭，薄雾；烟雾(⇨fog, mist); 朦胧(← clearness)

hazel ['heizl] *n.* 榛木, 榛树；榛子；淡褐色

H-bomb ['eit∫bɔm] *n.* 氢弹(= hydrogen bomb)

***he** [hi:, (弱)hi, i:, i] *pron.* (复数: they [ðei])《第三人称, 阳性；单数, 主格》他(宾格 him, 所有格 his; 物主代词 his)

***head** [hed] *n.* 头, 头部；顶端(⇨top); 首脑(⇨chief); 领导者(⇨leader); 题目, 标题；(录音机)磁头　*vt.* 率领(⇨command); 领导；(足球)以球顶(球)　*vi.* 朝…方向行进

***headache** ['hedeik] *n.* 头痛

heading ['hediŋ] *n.* 标题

headlight ['hedlait] *n.* (火车、汽车等的)前灯；(船的)桅灯

headline ['hedlain] *n.* 大字标题

headlong ['hedlɔŋ] *ad.* 头向前地；头向下地；急促地；轻率地　*a.* 轻率的；莽撞的(⇨reckless)

***headmaster** [,hed'mɑ:stə, 美: -'mæstə] *n.* [英] 中小学校长；[美] 私立学校校长 (⇨principal)

headmistress [hed'mistris] *n.* [英] 中小学女校长

headphone ['hedfəun] *n.*《常用复数》耳机, 听筒；头戴受话机

headquarters ['hed,kwɔ:təz, hed'kwɔ:təz] *n.* [复数]《单复数两用》总部, 司令部, 大本营；总署, 总公司, 总店 ‖ general ～ 总司令部

headstrong ['hedstrɔŋ] *a.* 任性的(⇨willful); 倔强的；顽固的

heal [hi:l] *vt.* 医治(疾病、伤口等); 治疗(⇨cure); 使恢复健康　*vi.* 痊愈；复原

▲**health** [helθ] *n.* 健康；健康状况；卫生(⇨hygiene); (祝健康的)干杯

⁽*⁾**healthy** ['helθi] *a.* 健康的；健壮的(⇨sound); 健全的(⇨wholesome); 卫生的

⁽▲⁾**heap** [hi:p] *n.* (一)堆(⇨pile); 〈口语〉许多, 大量 *vt.* 堆积；装满

***hear** [hiə] *v.* 听(⇨listen); 听见, 听到, 听取；听说　▶hear 后可接不带 to 的动词不定式.

heard [hə:d]　hear 的过去式和过去分词

▲**hearing** ['hiəriŋ] *n.* 听；听力；听觉；征询；审讯 ‖ ～ aid 助听器

***heart** [hɑ:t] *n.* 心, 心脏；心情；同情(⇨feeling); 中心, 核心(⇨centre); 心爱的人 ‖ ～ disease 心脏病 / ～ failure 心力衰竭

▲**-hearted** ['hɑ:tid] *a.*《用以构成复合词》有…心肠的

hearth [hɑ:θ] *n.* 炉床(壁炉烧火处); (象征家庭的)炉边；家庭(⇨family)

heartily ['hɑ:tili] *ad.* 由衷地；诚恳地(⇨sincerely); 尽情地；热忱地；非常

hearty ['hɑ:ti] *a.* 由衷的；诚恳的；热烈的；亲切的(⇨sincere); 健壮的(⇨strong); 精力充沛的(⇨vigorous)

♦heat [hi:t] *n.* 热(← cold); 热量; 热度, 温度(⇨temperature); 暖气; 暑气;
激烈   *vt.* 把…加热, 使热; 使激动   *vi.* 变热; 激动 ‖ white ～ 白热; 狂
热 / final ～ 决赛 / ～ rash 痱子 / ～ treatment 热处理

heater ['hi:tə] *n.* 火炉; 加热器; 暖气设备

heathen ['hi:ðən] *n.* 异教徒; 不信教的人; 未开化的人

heating ['hi:tiŋ] *n.* 加热; 供暖; 暖器装置

heave [hi:v] *v.* (用力地) 举起(⇨lift); 抬起; 曳起; 投掷; 拖曳; 喘息(⇨
pant); 呕吐(⇨vomit); 隆起(⇨swell)   「(⇨God)

heaven ['hevən] *n.* 天, 天空(⇨sky); [常用 H-]天堂, 天国; [常用 H-]上帝

heavenly ['hevənli] *a.* 庄严的; 神圣的; 天堂似的; 极乐的; 〈口语〉极美好
的 ‖ ～ body 天体

▲heavily ['hevili] *ad.* 笨重地; 沉重地; 吃力地; 没精打采地; 抑郁地; 严厉
地(⇨severely); 稠密地(⇨thickly)

♦heavy ['hevi] *a.* 重的; 大量的(⇨massive); 严重的; (心情) 沉重的; 阴郁的
(⇨gloomy) ‖ ～ industry 重工业   「太语

Hebrew ['hi:bru:] *n.* 希伯来人; 犹太人; 古希伯来语; (今以色列通用的) 犹

he'd [hi:d, (弱) hid] = he had; he would

hedge [hedʒ] *n.* 篱笆; 围墙; 界限   *vt.* 用树篱围住

heed [hi:d] *v., n.* 注意(⇨notice); 留心

(▲)heel [hi:l] *n.* 踵; 脚后跟; 鞋跟 ▶发音与 heal(医治) 相同.

hegemony [hi'gemoni, 'hedʒəməni; 美: hi'dʒeməni, 'hedʒiməuni] *n.* 霸
权; 盟主权

height [hait]   *n.* 高; 身高; 高度(⇨altitude); 高处; 《常用复数》高地; 顶点
(⇨top); 最高潮 ▶此词是 high 的名词, 注意拼写.

heighten ['haitn] *v.* 升高; 加强(⇨enhance); 夸张   「同音.

heir [ɛə] *n.* 嗣子; 继承人; 后继者(⇨successor)   *v.* 继承 ▶与 air(空气)

held [held]   hold 的过去式和过去分词

helicopter ['helikɔptə] *n.* 直升飞机

hell [hel] *n.* 冥府, 地狱(← heaven); (地狱中的) 魔鬼

he'll [hi:l; (弱) hil, il] = he will; he shall

♦hello [he'ləu, 'hə-] *int.* 喂! 嗨! (表示问候、惊奇、打招呼或唤起注意) ▶又
拼写为 hullo, hallo.

helm [helm] *n.* 舵柄, 舵轮; 操舵装置

helmet ['helmit] *n.* 头盔, 钢盔; 防护帽

♦help [help] *v.* 帮助, 帮忙(⇨aid, assist); 援助; 治疗(⇨cure); 避免(⇨
prevent); 使进食; 《呼救用语》救命啊! *n.* 帮助; 助手(⇨assistant); 治疗
▶在美国, help(帮助) 后比在英国更常接不带 to 的动词不定式.

helper ['helpə] *n.* 帮手; 助手(⇨assistant); 支持者(⇨supporter)

♦helpful ['helpfəl] *a.* 有帮助的; 有益的; 有用的(⇨useful)

helpless ['helplis] *a.* 无依靠的; 孤立无援的; 自顾不暇的; 不能自立的(⇨
dependent)

helplessly ['helplisli] *ad.* 无能为力地; 孤立无援地; 精疲力竭地

hem¹ [hem] *v.* 给…缝边   *n.* (衣服等的) 边缘(⇨rim); 边境(⇨border)

hem² [hem] *int.* = hm

hemisphere ['hemisfiə] *n.* 半球体; (地球的) 半球

•**hen** [hen] *n.* 母鸡

hence [hens] *ad.* 由是；所以，因此；〈书面语〉从今以后

henceforth [ˌhensˈfɔːθ] *ad.* 今后，从今以后

▲**Henry** [ˈhenri] 亨利(男名)

•**her** [həː; (弱) əː, hə] *pron.* [she 的宾格] 她；[she 的所有格] 她的

herald [ˈherəld] *n.* 先驱；前锋；传令者；使者 *vt.* 传达；预报…的来临

herb [həːb] *n.* 草药；药用植物；草本植物

^(▲)**herd** [həːd] *n.* (牛、马等的)群(⇨flock) ‖ the common ～ 一般大众 ▶发音与 heard(听)相同.

•**here** [hiə] *ad.* 这儿；这里；在这里 *n.* 这里 ▶发音与 hear (听)相同.

hereabout(s) [ˌhiərəˈbaut(s)] *ad.* 在近处，在这一带

hereafter [hiəˈrɑːftə, 美: -ˈæftə] *ad.* 今后；以后；将来 *n.* 将来；来世

hereditary [hiˈreditəri] *a.* 世袭的；祖传的；传统的；遗传的

herein [ˌhiərˈin] *ad.* 〈法律用语〉关于这点；于此处；在本文中

here's [hiəz] = here is

heretofore [ˌhiətuˈfɔː] *ad.* 〈法律用语〉在此以前；到现在为止，迄今

heritage [ˈheritidʒ] *n.* 遗产；继承物

▲**Hermie** [ˈhəːmi] 赫尔米(男名)

hermit [ˈhəːmit] *n.* 隐士，遁世者；修行者 ‖ ～ crab 寄生蟹

•**hero** [ˈhiərəu] *n.* 英雄；男主角，男主人公

^(▲)**heroic** [hiˈrəuik] *a.* 英雄(似)的；超人的；英勇的；壮烈的；(文体)雄伟的 ‖ ～ deeds 英雄行为

heroine [ˈherəuin] *n.* 女英雄；女主角，女主人公

heroism [ˈherəuizəm] *n.* 英雄的气概；英勇

heron [ˈherən] *n.* 苍鹭

herring [ˈheriŋ] *n.* (复数: herring 或 herrings) 鲱

•**hers** [həːz] *pron.* [she 的名词性物主代词] 她的东西，她的所有物

•**herself** [həːˈself, (弱) hə-] *pron.* [反身代词] 她自己；《she, her 的加强语》她亲自，她本人

^(•)**he's** [hiːz, (弱) hiz] = he is, he has

hesitate [ˈheziteit] *vi.* 踌躇，犹豫(⇨waver)；迟疑；支吾地说(话)(⇨falter)；不愿意

hesitation [ˌheziˈteiʃən] *n.* 踌躇，犹豫，迟疑；不愿；支吾

hew [hjuː] *v.* (-ed, -ed 或 hewn [hjuːn]) 砍(⇨cut)；劈，斩(⇨chop)；采伐

•**hey** [hei] *int.* 嘿! 嗨! (表示惊讶、疑问、喜悦或唤起注意等)

•**hi** [hai] *int.* 喂! 嗨! 你好! (表示问候或唤起注意)

▲**hibernate** [ˈhaibəneit] *vi.* (动物)越冬，冬眠

▲**hibernation** [ˌhaibəˈneiʃən] *n.* 冬眠

hid [hid] hide 的过去式和过去分词

hidden [ˈhidn] hide 的过去分词 *a.* 隐藏的；神秘的；埋藏的

•**hide**[1] [haid] *v.* (hid [hid], hidden [ˈhidn] 或 hid) 藏，隐藏，躲藏；遮蔽，遮住(⇨cover)；隐蔽(⇨conceal)

hide[2] [haid] *n.* 生皮，兽皮；〈口语〉(人的)皮肤(⇨skin)

hide-and-seek [ˈhaid-ənd-ˈsiːk] *n.* 捉迷藏

hideous [ˈhidiəs] *a.* 丑陋的(⇨ugly)；可怕的(⇨horrible)；骇人听闻的

▲**hiding-place** ['haidiŋpleis] *n.* 躲藏处；储藏处
▲**high** [hai] *a.* 高的(⇨tall)(← low)；…高度的；高空的；高尚的(⇨noble)；高级的；上等的(⇨superior)；程度高的，高等的；昂贵的(costly)；主要的(⇨main)；尖锐的(声音等) *ad.* 高高地；高度地；奢侈地 ‖ ～ blood pressure 高血压 / ～ hat 大礼帽 / ～ jump 跳高 / ～ school 中学
 high-grade [,hai'greid] *a.* 高级的；优质的
 highland ['hailənd] *n.*《常用复数》高地；山地
 highlight ['hailait] *n.* 精彩场面；最重要的部分；(图片中)光线最强处
▲**highly** ['haili] *ad.* 非常(⇨extremely)；高度地；赞许地
 highness ['hainis] *n.* 高；高度；[H-] 殿下，阁下
 high-rise ['hairais] *a.* 高层的 *n.* 高层建筑，高层大楼
▲**highway** ['haiwei] *n.* 公路，大路；主要道路，交通干线
 hijack ['haidʒæk] *vt.* 劫持，绑架
 hike [haik] *vi., n.* 远足；徒步旅行
◆**Hill** [hil] 希尔(姓)
◆**hill** [hil] *n.* 丘陵，小山；斜坡；土堆(⇨mound)
 hillside ['hilsaid] *n.* 山腰；山坡
◆**him** [him, (弱)im] *pron.* [he 的宾格]他
◆**himself** [him'self, (弱)im-] *pron.* [反身代词] 他自己；《he, him 的加强语》他亲自，他本人
▲**hind** [haind] *a.* 在后的；后面的(⇨rear)(← fore)；后部的
 hinder ['hində] *vt.* 妨碍，阻碍(⇨prevent)；阻止 (⇨obstruct)
 hindrance ['hindrəns] *n.* 障碍物(⇨obstruction)
 hinge [hindʒ] *n.* 铰链；合页；关键
 hint [hint] *n., v.* 暗示；提示
 hip [hip] *n.* 臀部，髋部 ‖ ～ bath 坐浴
◆**hire** ['haiə] *n.* 租金；租用；雇用 *vt.* 租(⇨rent)；雇(⇨employ)；出租 「东西
◆**his** [hiz, (弱)iz] *pron.* [he 的所有格]他的；[he 的名词性物主代词] 他的
 hiss [his] *v.* 发嘶嘶声；用轻而尖的声音说出；用嘘声表示(对…)不满 *n.* 嘶嘶声；嘘声
 historian [hi'stɔːriən] *n.* 历史学家
▲**historic** [hi'stɔrik] *a.* 有历史意义的；历史上著名的；历史性的
▲**historical** [hi'stɔrikəl] *a.* 历史(上)的；史学的；根据史实的 ‖ ～ material-ism 唯物史观 / ～ novel 历史小说
◆**history** ['histəri] *n.* 历史；历史学；史书；史实；过去的事；往事的记载(⇨record)；履历，经历，来历 ‖ personal ～ 履历表
◆**hit** [hit] *v.* (*hit, hit*) 打，碰；击(⇨strike)；击中；撞上 *n.* 打击，命中；成功(⇨success)；批评 ▶hit 是一次的打击；连续性的打击为 beat.
 hitch [hitʃ] *v.* 急拉，急推；跛行；(被)拴住；钩住
 hitch-hike ['hitʃhaik] *v.* 沿途搭乘他人便车旅行；要求(免费)搭车
 hither ['hiðə] *ad.* 到这里(⇨here) *a.* 这边的；附近的(⇨nearby)
 hitherto [,hiðə'tuː] *ad.* 迄今，到目前为止
▲**Hitler** ['hitlə], Adolf 希特勒(1989-1945, 德国纳粹头子)
▲**hive** [haiv] *n.* 蜂房；蜂箱；拥挤繁忙的地方
 hm [hm, (弱)mm] *int.* 哼!(踌躇、清嗓等发出的声音)

ho [həu] *int.* 嗬!(表示嘲笑、惊喜或唤起注意)

hoard [hɔːd] *n.* 贮藏物;积蓄;囤积 *v.* 贮藏(⇨store);积蓄(⇨save)

⒜ **hoarse** [hɔːs] *a.* (声音)粗哑的;发音嘶哑的 ▶发音与 horse(马)相同.

⒜ **hobby** ['hɔbi] *n.* 嗜好,癖好;业余爱好

hockey ['hɔki] *n.* [英] 曲棍球;[美] 冰(上曲棍)球

hoe [həu] *n.* 锄头 「猪为 pig.

hog [hɔg] *n.* (特指供食用的)猪;阉过的公猪;〈口语〉贪婪的人 ▶一般的

hoist [hɔist] *vt.* (用滑轮等)升起(⇨raise);举起;扯起;绞起 *n.* 起重机;升降机;卷扬机

•**hold** [həuld] *v.* (*held* [held], *held*) 抓住,握住;拿着;维持(状态);抑制,约束;掌握(⇨grasp);保持(地位);持续(⇨last);召开(会议);举行(仪式);(规则等)有效 *n.* 抓,握;掌握;控制(⇨control);把柄

holder ['həuldə] *n.* (权利等的)所有者(⇨owner);保持者

•**hole** [həul] *n.* 洞,孔;坑(⇨pit);穴(⇨cavity);兽穴(⇨den);〈口语〉缺点

•**holiday** ['hɔlədi] *n.* 假日;节日;《用复数》假期 [[美] vacation)

▲**Holland** ['hɔlənd] *n.* 荷兰 ▶正式名称为 the Netherlands.

▲**hollow** ['hɔləu] *a.* (中)空的;空虚的;空洞的(⇨empty);虚伪的;凹陷的(脸颊等);空腹的 *n.* 凹坑;洞(⇨cave);山谷

holy ['həuli] *a.* 神圣的(⇨sacred);上帝的;圣洁的;宗教(上)的 ‖ *Holy Father* 罗马教皇 / *Holy Mother* 圣母 / *Holy Bible* 圣经

homage ['hɔmidʒ] *n.* 尊敬(⇨respect);敬意;效忠(⇨devotion)

•**home** [həum] *n.* 家(⇨house);家庭(⇨family);家乡,老家;本国,祖国;原产地;(探险队的)基地;养老院,孤儿院 *ad.* 在家;到家;回家;向本国(或故乡) *a.* 家(中)的;家庭的;本地的(⇨native);祖国的 ‖ ～ economics [美] 家政学 / ～ office 总公司

▲**homeland** ['həumlænd] *n.* 祖国(⇨motherland);本国

homeless ['həumlis] *a.* 无家可归的

homely ['həumli] *a.* 家常的;简单的(⇨simple);日常的(⇨daily);朴素的;[美] 丑陋的(⇨ugly)

homemade ['həummeid] *a.* 自制的;家庭制作的;国产的

homesick ['həumsik] *a.* 患思乡病的,想家的

homestead ['həumsted] *n.* 宅地;家园;(政府分给的)自耕农场

homeward ['həumwəd] *a.* 向家的 *ad.* 向家;向本国 「等」

homework ['həumwəːk] *n.* 家庭作业,课外作业;在家中从事的工作(副业)

homogeneous [.hɔmə'dʒiːpnjəs] *a.* 同类的,同族的;均一的(⇨uniform)

•**honest** ['ɔnist] *a.* 诚实的;公正的(⇨fair);正直的(⇨upright);纯正的

honestly ['ɔnistli] *ad.* 诚实地;正直地;正当地

honesty ['ɔnisti] *n.* 诚实;正直(⇨justice);清廉

▲**honey** ['hʌni] *n.* 蜜;蜂蜜;甜蜜;〈口语〉亲爱的人(⇨darling)

▲**honeybee** ['hʌnibiː] *n.* 蜜蜂

▲**honeycomb** ['hʌnikəum] *n.* 蜂窝,蜂巢 ▶b 不发音.

▲**honeydew** ['hʌnidjuː] *n.* 甘汁,蜜露

honeymoon ['hʌnimuːn] *n.* 蜜月;蜜月假期 *vi.* 度蜜月

⒜ **hono(u)r** ['ɔnə] *n.* 荣誉;名声(⇨fame);光荣(⇨glory);尊敬;敬意(⇨res　t);信用(⇨credit);[H-] 阁下 *vt.* 对…表示敬意;给…以荣誉;崇

拜 ‖ funeral ~s 葬礼 / ~ed guest 贵宾

hono(u)rable ['ɔnərəbl] *a.* 荣誉的；光荣的；体面的；正当的(⇨proper)；正直的(⇨upright)；可尊敬的

hood [hud] *n.* 头巾；(外套的)兜帽(⇨bonnet)；风帽；[英] 车篷([美]top)

-hood [hud] *suf.* 表示"状态，身份，性质"，如 child*hood* (童年)，neighbour*hood* (街道)，liveli*hood* (生计)

hoof [hu:f] *n.* (复数：*hoofs* [hu:fs] 或 *hooves* [hu:vz]) 蹄

hook [huk] *n.* 钩，挂钩；钓钩；圈套 (⇨trap) *v.* 用钩钩(鱼)；使成钩状；〈口语〉偷窃(⇨steal)；拐诱

hoop [hu:p] *n.* 箍；圈

hoot [hu:t] *n.* 猫头鹰的鸣叫声；汽笛声；嘲骂 *v.* (猫头鹰)鸣叫；(汽笛、汽车喇叭)鸣响；喝倒采

hop [hɔp] *v.* 单足跳；(蛙等)齐足跳；跳过；〈口语〉跳上(车辆)；飞越 ‖ ~, step, and jump〔体育〕三级跳远

hope [həup] *n.* 希望；期待；期望；被期望的人(或物) *v.* 希望；期望(⇨expect)；(表示愿望)想 ‖ ~ chest [美] 嫁妆箱

hopeful ['həupfəl] *a.* 怀着希望的；有希望的

hopefully ['həupfəli] *ad.* 怀着希望地；但愿，可能的话，或许，可以指望，要是一切顺利

hopeless ['həuplis] *a.* 没有希望的；不抱希望的；绝望的(⇨desperate)；不可救药的(⇨incurable)

horde [hɔ:d] *n.* 《常用复数》人群(⇨crowd)；(动物的)移动群

horizon [hə'raizən] *n.* 地平线；水平线；眼界

horizontal [,hɔri'zɔntl] *a.* 地平的；水平的(← verial) *n.* 《加 the》水平线，水平面 ‖ ~ bar〔体育〕单杠

horn [hɔ:n] *n.* (兽类的)角；角状物；号角，喇叭；汽笛 ‖ English ~〔乐器〕英国管 / French ~〔乐器〕法国号

horrible ['hɔrəbl] *a.* 可怕的(⇨terrible)；令人毛骨竦然的；骇人听闻的；〈口语〉令人厌恶的，极讨厌的

horribly ['hɔrəbli] *ad.* 可怕地；〈口语〉非常

horrid ['hɔrid] *a.* 可怕的；可怖的(⇨appalling)；引起反感的；〈口语〉非常讨厌的(小孩、天气等)

horrify ['hɔrifai] *vt.* 使恐怖；使震惊

horror ['hɔrə] *n.* 恐怖(⇨terror)；战栗；憎恶 ‖ ~ film 惊险影片

horse [hɔ:s] *n.* 马；〔总称〕骑兵；(体操用)木马

horseback ['hɔ:sbæk] *n.* 马背 *ad.* 骑着马

horseman ['hɔ:smən] *n.* (复数：-*men* [-mən]) 骑马者；马术家；骑师，骑手

horsemanship ['hɔ:smənʃip] *n.* (骑)马术

horsepower ['hɔ:s,pauə] *n.* 马力(功率单位，略作：h.p.)

horseshoe ['hɔ:-ʃ-ʃu:, 'hɔ:s-] *n.* 马蹄铁；马蹄形的东西

hose [həuz] *n.* 长统袜(⇨stockings)；(旧时)男用紧身裤；软管；水龙带

hospitable ['hɔspitəbl] *a.* 好客的，殷勤待客的

hospital ['hɔspitl] *n.* 医院

hospitality [,hɔspə'tæliti] *n.* 殷勤款待；好客

host[1] [həust] *n.* 主人，东道主

host² [həust] *n.* 一大群; 许多

hostage ['hɔstidʒ] *n.* 人质; 抵押品

hostel ['hɔstəl] *n.* 青年旅舍; (招待徒步旅行青年的)招待所

hostess ['həustis] *n.* 女主人, 女东道主; (旅馆的)女老板; (舞厅的)伴舞小姐; [美](客轮、客机等的)女服务员

hostile ['hɔstail] *a.* 敌对的; 敌意的; 不友善的(← friendly)

hostility [hɔs'tiliti] *n.* 敌意(⇨enmity); 敌视(⇨hatred); 敌对行动; 《用复数》交战(⇨war)

*hot [hɔt] *a.* 热的(← cold); 辛辣的; 强烈的(色彩等); 愤怒的(⇨fiery); 热心的; 狂热的; 最新的(消息等) *ad.* 热烈地; 激烈地(⇨excitedly) ‖ ～ dog 热狗, 红肠面包 / ～ news 最新消息 / ～ spring 温泉

hotbed ['hɔtbed] *n.* 温床

▲hotel [həu'tel] *n.* 旅馆; 旅社; 饭店

hound [haund] *n.* 猎狗; 卑鄙的人 *v.* 用猎犬狩猎; 追逐

*hour ['auə] *n.* 小时; 时刻; …点钟

*house [haus] *n.* (复数: *houses* ['hauziz]) 房子, 房屋; 住宅, 住所(⇨dwelling, home); 家庭; 家族; 营业处; 商号(⇨firm); 社, 所; 剧场; [常用 H-]议院(会议厅) *vt.* [hauz] 留宿(⇨lodge); 庇护(⇨shelter) ‖ full ～ (剧场)客满 / publishing ～ 出版社 ▶名词与动词末尾发音不同.

household ['haushəuld] *n.* 家属; 家眷; 家庭(⇨family); 《用作形容词》家庭的, 家常的

housekeeper ['haus‚ki:pə] *n.* (管理家务的)主妇; (尤指受雇的)女管家

housekeeping ['hauski:piŋ] *n.* 家政; 家事; 家庭管理

housewife ['hauswaif] *n.* (复数: *housewives* [-waivz]) 家庭主妇(⇨mistress); 家庭妇女

(*)housework ['hauswə:k] *n.* (烹调、扫除等的)家务劳动

hover ['hɔvə] *vi, n.* (鸟等)翱翔; 徘徊

hovercraft ['hɔvə‚krɑ:ft, 美: 'hʌvə‚kræft] *n.* 气垫船

*how [hau] *ad.* 《用于疑问句》怎样, 怎么; 《程度·数量》多么, 多少; 《用于感叹句》多么 *conj.* 〈口语〉= that(引导从句)

*Howe [hau] 豪(姓)

▲however [hau'evə] *ad.* 无论如何; 不管怎样; 〈口语〉究竟如何 *conj.* 可是; 然而; 不过; 仍然

howl [haul] *v.* 嚎叫; 号哭; 叫喊

huddle ['hʌdl] *v.* 挤作一团, 堆成一堆; 乱挤; 乱堆

hue [hju:] *n.* 色, 色彩(⇨colour); 色调

▲hug [hʌg] *vt.* 抱住, 紧抱; 坚持(看法); 固执(偏见)

*huge [hju:dʒ] *a.* 巨大的; 庞大的(⇨enormous)

hull [hʌl] *n.* 壳; 皮; 荚; 蒂 *vt.* 去除…的壳[皮, 荚] ‖ ～ed rice 糙米

hum [hʌm] *vi* 发嗡嗡声; 哼(歌) *n.* 嗡嗡声; 哼声

*human ['hju:mən] *a.* 人的; 人类的; 凡人皆有的; 有人性的 *n.* 人 ‖ ～ affairs 人事 / ～ being 人 / ～ nature 人性 / ～ race 人类

humane [hju:'mein] *a.* 人道的; 人文的

humanitarian [hju:‚mæni'tɛəriən] *a.* 人道主义的; 博爱的 *n.* 人道主义者; 博爱主义者

humanity [hjuːˈmæniti] *n.* 人类；人性；人道；人情；博爱

humble [ˈhʌmbl] *a.* 身份低下的(⇨low)；(地位)不重要的；卑贱的；谦逊的 (⇨modest) *vt.* 使卑下；压低(地位等)(⇨degrade)

humbly [ˈhʌmbli] *ad.* 谦逊地；卑下地

humid [ˈhjuːmid] *a.* 湿的(⇨wet)；湿气重的(⇨damp)

humidity [hjuːˈmiditi] *n.* 湿气，湿度

humiliate [hjuːˈmilieit] *vt.* 使丢脸，羞辱

humility [hjuːˈmiliti] *n.* 谦卑；谦逊(⇨modesty)

humorous [ˈhjuːmərəs] *a.* 幽默的，诙谐的，有趣的 (⇨funny)

humo(u)r [ˈhjuːmə] *n.* 幽默，幽默感；诙谐，滑稽；心情，心境

▲**hump** [hʌmp] *n.* (驼)峰；驼背；隆肉；小圆丘 *vi.* 隆起，弓起

***hundred** [ˈhʌndrəd] *num.* 百 *n.* 百；百个

hundredth [ˈhʌndrədθ] *num.* 第一百(个)；一百分之一(的)

hung [hʌŋ] hang 的过去式和过去分词

***Hungarian** [hʌŋˈgɛəriən] *a.* 匈牙利的；匈牙利人的；匈牙利语的 *n.* 匈牙利人；匈牙利语

⁽▲⁾**Hungary** [ˈhʌŋɡəri] *n.* 匈牙利

hunger [ˈhʌŋɡə] *n.* 饥饿；渴望(⇨desire) *v.* (使)挨饿(⇨starve)；渴望 ‖ ～ strike 绝食抗议

hungry [ˈhʌŋɡri] *a.* 饥饿的(⇨starving)；渴望的

***hunt** [hʌnt] *v.* 打猎，猎取，追猎(⇨chase)；搜索(⇨search)；追赶(⇨pursue) *n.* 狩猎；搜寻

▲**Hunter** [ˈhʌntə] 亨特(姓)

▲**hunter** [ˈhʌntə] *n.* 猎人；猎犬，猎马；搜索者

***hunting** [ˈhʌntiŋ] *n.* 打猎，狩猎

hurl [həːl] *vt.* 猛投，猛掷；骂出(恶语) *n.* 投掷

hurrah, hurray [huˈrɑː, huˈrei] *int.* 好哇！万岁！(表示欢喜、鼓励等)

hurricane [ˈhʌrikən] *n.* 飓风；(感情等的)爆发

hurried [ˈhʌrid] *a.* 匆忙的；慌忙的；被催促的

hurriedly [ˈhʌridli] *ad.* 匆促地；慌忙地；急速地

***hurry** [ˈhʌri] *v.* 匆忙；赶紧(⇨hasten)；催促；急派 *n.* 匆忙，仓促；急切

▲**hurt** [həːt] *vt.* (hurt, hurt) 使受伤(⇨wound)；伤害(感情)；损害(⇨injure)；使疼痛；污损(名誉) *n.* 疼痛；损伤(⇨injury)；(精神的)痛苦

***husband** [ˈhʌzbənd] *n.* 丈夫

hush [hʌʃ] *v.* (使)静下来 *n.* 静寂(⇨calm)

husk [hʌsk] *n.* (种子、果实的)外皮，壳，荚

husky [ˈhʌski] *a.* (嗓子)沙哑的；有壳的

hustle [ˈhʌsl] *v.* 硬挤(过去)；催促；迅速而有力地办事 *n.* 扰嚷

▲**hut** [hʌt] *n.* 小屋；茅屋；棚屋(⇨cabin)

Huxley [ˈhʌksli], **Thomas** 赫胥黎(1825-1895，英国生物学家)

hydraulic [haiˈdrɔːlik] *a.* 水力的；液压的

hydro- [ˈhaidrəu] 表示"水，氢"的结合词，如 *hydro*electric (水力发电的)，*hydro*carbon(碳氢化合物)

hydrocarbon [ˌhaidrəuˈkɑːbən] *n.* 碳氢化合物，烃

▲**hydrogen** [ˈhaidrədʒən] *n.* 氢 ‖ ～ bomb 氢弹

hygiene ['haidʒi:n] *n.* 卫生，卫生学；保健学 ▶注意拼写.
hymn [him] *n.* 赞美诗，圣歌(⇨psalm) ▶发音与 him(他)相同.
hyphen ['haifən] *n.* 连字号 [-]
hypocrisy [hi'pɔkrəsi] *n.* 伪善，虚伪(⇨pretense)
hypothesis [hai'pɔθisis] *n.* 假设(⇨supposition)；前提
hysteria [his'tiəriə] *n.* 歇斯底里症，癔病
hysteric(al) [his'sterik(əl)] *a.* 患癔病的，歇斯底里的；异常兴奋的
hysterically [his'sterikəli] *a.* 歇斯底里地；异常兴奋地

I, i

*I [ai] *pron.* (复数：*we* [wi:])《第一人称，单数，主格》我(宾格 me，所有格 my；名词性物主代词 mine)
-ial [iəl] *suf.* 表示"…的"，如 dictator*ial* (独裁的)，industr*ial* (工业的).
ible [əbl] *suf.* = -able
-ic [ik] *suf.* 表示"…的，与…有关的，具有…性质的；从事(或信仰)…的人；学(术)"之意，如 poet*ic* (诗的)，histor*ic* (历史性的)，period*ic* (周期的)，crit*ic* (批评家)，log*ic* (逻辑).
-ical [ikəl] *suf.* [构成形容词] = -ic
*ice [ais] *n.* 冰；[美]果汁冰糕；[英]冰淇淋 *vt.* 冰冻；冰封；冷藏 ‖ ～ bag 冰袋 / ～ cream 冰淇淋 / ～ cube (在冰箱内制成的)冰块 / ～ hockey 冰(上曲棍)球
*iceberg ['aisbə:g] *n.* 冰山
icebox ['aisbɔks] *n.* 冰箱，冷藏箱([英] refrigerator)
icebreaker ['ais,breikə] *n.* 破冰船
⁽ᴬ⁾**ice-covered** ['ais,kʌvəd] *a.* 被冰覆盖着的，冰封的
-ics [iks] *suf.* 表示"…学，…术；(典型的)动作"，如 mechan*ics* (机械学)，phonet*ics* (语音学)，acrobat*ics* (杂技).
icy ['aisi] *a.* 冰的；冰似的；多冰的；冰冷的；冷淡的，冷漠的
I'd [aid] = I had, I should, I would
*idea [ai'diə] *n.* 想法；主意，念头；思想(⇨thought)；概念(⇨conception)；意见(⇨opinion)；计划(⇨plan)
ideal [ai'diəl] *n.* 理想；典型(⇨model) *a.* 理想的，完美的，典型的；想像的；空想的(⇨unreal)；观念的
idealism [ai'diəlizəm] *n.* 理想主义；唯心主义
idealist [ai'diəlist] *n.* 理想主义者，理想家；空想家；唯心主义者
ideally [ai'diəli] *ad.* 理想地
identical [ai'dentikəl] *a.* 同一的，相同的，完全一样的(⇨same) ‖ ～ equation 恒等式
identification [ai,dentifi'keiʃən] *n.* 识别，鉴定；身份证明
identify [ai'dentifai] *vt.* 辨别出(身份等)；验明；鉴定(⇨determine)；使等

同; 把…视为同一

identity [ai'dentiti] *n.* 身份; 同一性 ‖ ～ card 身份证

ideological [,aidiə'lɔdʒikəl] *a.* 思想上的; 意识形态的

ideology [,aidi'ɔlədʒi] *n.* 思想意识; 意识形态

▲**idiom** ['idiəm] *n.* 成语, 习惯用语, 习语, 惯用语, 熟语

idiomatic [,idiə'mætik] *a.* 符合语言习惯的; 成语的, 习语的, 惯用语的

▲**idiot** ['idiət] *n.* 白痴; 傻子, 笨蛋(⇨fool)

idle ['aidl] *a.* 空闲的; 懒惰的(⇨lazy); 无用的; 无益的 *v.* 懒散; 虚度; 浪费(时间)(⇨waste); (机器)空转

idleness ['aidlnis] *n.* 懒惰; 安闲; 无用; 无益

idly ['aidli] *ad.* 懒惰地; 无所事事; 无益地

idol ['aidl] *n.* 偶像; 崇拜对象 ▶与 idle(懒惰的)同音.

i.e. ['ai'i:] (拉丁语 *id est* 的缩略, = that is) 也就是, 即

***if** [if] *conj.* 如果, 假如; 是否(⇨whether); 即使(⇨though);《用于条件句》(表示希望等)要是…多好

ignite [ig'nait] *vt.* 引燃(⇨light); 点火于 *vi* 着火; 发火

ignorance ['ignərəns] *n.* 无知; 愚昧

ignorant ['ignərənt] *a.* 无知的; 愚昧的; 不学无术的

▲**ignore** [ig'nɔ:] *vt.* 不理睬; 忽视(⇨overlook); 不顾(⇨neglect)

il- [il] *pref.*《用在以 l 开始的词前》表示"不, 非, 无; 向内; 加强"之意, 如 *il*legal (不合法的), *il*luminate (照耀).

***ill** [il] *a.* (*worse* [wə:s], *worst* [wə:st])《用作表语》病的 ([美] sick)(← well); [美] 恶心的 ([英] sick); 坏的(⇨bad); 邪恶的(⇨evil); 有害的 *ad.* (*worse, worst*) 坏(⇨badly) (← well); 有害地; 不利地 ▶注意英美对 ill, sick 的不同用法.

***I'll** [ail] = I shall, I will

illegal [i'li:gəl] *a.* 不合法的(← legal); 违法的, 非法的(⇨unlawful)

illiterate [i'litərit] *a.* 文盲, 不识字的 (← learned); 未受教育的(⇨uneducated) *n.* 文盲

***illness** ['ilnis] *n.* 病, 疾病(⇨disease)

⁽^⁾**ill-treat** [,il'tri:t] *vt.* 虐待; 不友好地对待

illuminate [i'lju:mineit] *vt.* 照明; 照亮; 用灯装饰; 阐明(⇨explain); 启发

illusion [i'lu:ʒən] *n.* 幻想; 幻觉; 错觉(← reality)

illustrate ['iləstreit] *vt.* 举例说明, 例解, 例证; 用图说明, 图解; (在书内)加插图 ‖ ～d book 有插图的书

illustration [,ilə'strei∫ən] *n.* 图解, 插图; 图表; 例解; 实例(⇨example); 说明(⇨explanation)

illustrious [i'lʌstriəs] *a.* 杰出的(⇨distinguished); 著名的(⇨famous); 卓越的; 辉煌的(⇨brilliant)

⁽*⁾**I'm** [aim] = I am

im- [im] *pref.*《用在以 b, m, p 开始的词前》表示"不, 非, 无; 向内; 加强"之意, 如 *im*moral (不道德的), *im*polite (无礼的), *im*bibe (吸入).

image ['imidʒ] *n.* 像; 映像, 影像, 图像; 形象; 肖像; 雕像(⇨statue); 偶像(⇨idol) *vt.* 想像; 给…作像

imaginary [i'mædʒinəri] *a.* 想像中的(⇨fanciful); 假想的, 虚构的; 非实在

的(⇨unreal);〔数学〕虚的

^**imagination** [i.mædʒi'neiʃən] *n.* 想像;想像力;创造力

imaginative [i'mædʒənətiv] *a.* 富于想像力的;想像的 〔(⇨think)

^**imagine** [i'mædʒin] *v.* 想像,幻想;设想(⇨suppose);猜想(⇨guess);认为

^**imitate** ['imiteit] *vt.* 模仿(⇨copy);仿造,仿制;学样(⇨ape)

imitation [.imi'teiʃən] *n.* 模仿,摹拟;效法

immediate [i'mi:diət] *a.* 立即的(⇨instant);最近的,(更)接近的(⇨close);直接的(⇨direct)

*****immediately** [i'mi:diətli] *ad.* 立即(⇨instantly);紧接着;直接地(⇨directly) *conj.* 一…就(⇨as soon as)

immemorial [.imə'mɔ:riəl] *a.* 古老的,太古的

immense [i'mens] *a.* 广大的(⇨vast);巨大的(⇨huge)

immerse [i'mə:s] *vi* 浸入;专心,埋头

immigrant ['imigrənt] *n.* (外来)移民;侨民 *a.* 移来的;外来的 ▶到外国的移民,参见 emigrant 条.

immigrate ['imigreit] *v.* 移居(入境)

immigration [.imi'greiʃən] *n.* 移居;〔总称〕(外来)移民

imminent ['iminənt] *a.* 迫近的,即将发生的;危急的

immoral [i'mɔrəl] *a.* 不道德的;邪恶的(⇨evil);淫荡的

immortal [i'mɔ:təl] *a.* 不死的 (← mortal);不朽的,永生的

impart [im'pɑ:t] *vt.* 把…分给(⇨bestow);告知(⇨tell)

impartial [im'pɑ:ʃəl] *a.* 公正的,公平的(⇨just)

impatience [im'peiʃəns] *n.* 不耐烦;急躁(← patience)

impatient [im'peiʃənt] *a.* 性急的;不耐烦的,急躁的

impatiently [im'peiʃəntli] *ad.* 不耐烦地,急躁地

impel [im'pel] *vt.* 逼迫,驱使;促使

⁽*⁾**imperative** [im'perətiv] *a.* 紧急的;绝对必要的;命令的;强制的;〔语法〕祈使的 *n.* 命令;〔语法〕命令句,祈使语气 ‖ ~ mood 祈使语气

imperfect [im'pə:fikt] *a.* 不完全的 (⇨incomplete);有缺点的 (⇨defective);〔语法〕未完成式的 *n.* 〔语法〕未完成式

imperial [im'piəriəl] *a.* 帝国的;皇帝的;庄严的(⇨majestic)

^**imperialism** [im'piəriəlizəm] *n.* 帝国主义

imperialist [im'piəriəlist] *a.* 帝国主义的 *n.* 帝国主义者

imperious [im'piəriəs] *a.* 专横的,傲慢的;紧急的,急迫的

implement ['implimənt] *n.* 工具(⇨tool);器具,用具 *vt.* [-ment] 贯彻,履行(⇨fulfil) ▶名词与动词末音节发音不同.

implication [.impli'keiʃən] *n.* 纠缠;牵连;含义

implore [im'plɔ:] *vt.* 恳求;乞求(⇨beg) 「着

imply [im'plai] *vt.* 含有…的意思(⇨involve);暗指;意思是(⇨mean);意味

impolite [.impə'lait] *a.* 不客气的;无礼貌的,失礼的;粗鲁的(⇨rude)

import [im'pɔ:t] *vt.* 输入,进口 (←export);引入 *n.* ['impɔ:t] 输入,进口;《常用复数》进口货 ▶动词与名词重音不同.

^**importance** [im'pɔ:təns] *n.* 重要,重要性(⇨significance);重大;显要

*****important** [im'pɔ:tənt] *a.* 重要的;有价值的;(在社会上)显要的

impose [im'pəuz] *vt.* 课(税),征收;强加(⇨force) *vi.* 利用机会;占便宜

imposing [im'pəuziŋ] *a.* 庄严的, 堂皇的(⇨grand)

impossibility [im,pɔsə'biliti] *n.* 不可能; 不可能的事

*__impossible__ [im'pɔsəbl] *a.* 不可能的, 做不到的; 不会发生的; 不合逻辑的; 〈口语〉受不了的

▲**imposter** [美]=impostor

▲**impostor** [im'pɔstə] *n.* 冒名顶替者; (假冒身份的)骗子   「less)

impractical [im'præktikəl] *a.* 不能实行的; 不切实际的; 无用的(⇨use-

▲**impress** [im'pres] *vt.* 印, 压印; 给…留下极深的印象, 铭记; 使…感动 *n.* ['impres] 印象; 印记; 盖印 ▶动词与名词重音不同.

impression [im'preʃən] *n.* 印象, 感想; 盖印, 印刷, 印次

impressive [im'presiv] *a.* 给人深刻印象的; 感人的(⇨moving)

imprison [im'prizən] *vt.* 关押, 监禁; 束缚

imprisonment [im'prizənmənt] *n.* 关押, 监禁; 限制, 束缚

improper [im'prɔpə] *a.* 不适当的; 错的; 不正当的 ‖ ～ fraction 假分数

▲**improve** [im'pru:v] *v.* 改善; 提高; 增进(⇨gain)

improvement [im'pru:vmənt] *n.* 改良; 改进; 增进

improvise ['imprəvaiz] *v.* 临时制作; 现凑; 即兴创作; 即席演奏

impudent ['impjudənt] *a.* 厚颜的; 冒失的(⇨insolent)

impulse ['impʌls] *n.* (感情)冲动; 推进(⇨push); 冲力

impulsive [im'pʌlsiv] *a.* 冲动的, 感情用事的

impurity [im'pjuəriti] *n.* 不纯; 不洁; 杂质

•**in** [in] *prep.* 《场所·位置》在…里面, 在…之中;《时间》在…内, 在…期间 (⇨during);《状态·方法》用, 以; 进, 入(⇨into); 穿着 *ad.* 在里面; 向里面; 到来, 到达; 在家

in- [in] *pref.* 表示"不, 非, 无; 向内; 使"之意, 如 *in*definite (不定的) *in*-capable(无能力), *in*fuse(注入), *in*flame(燃烧).

inability [,inə'biliti] *n.* 无能; 无力

inaccessible [,inæk'sesəbl] *a.* 难接近的, 难得到的

inaccurate [in'ækjurit] *a.* 不准确的, 不精确的, 有错误的

inactive [in'æktiv] *a.* 不活动的; 不活跃的; 消极的

inadequate [in'ædikwət] *a.* 不适当的; 不充足的(⇨insufficient); 不够的

in-and-out ['inəndaut] *a.* (证券、股票、公债等)倒卖的   「因为

inasmuch [inəz'mʌtʃ] *ad.* 《以 inasmuch (…)as 的形式用作连词》由于,

△**inattentive** [,inə'tentiv] *a.* 不注意的; 疏忽的; 怠慢的

inaugurate [i'nɔ:gjureit] *vt.* 使就职; 为…举行开幕式或落成典礼)

incapable [in'keipəbl] *a.* 不会(…)的; 无用的; 无能力的(unable); 不能胜任的; 不够格的(⇨unqualified)

incense ['insens] *n.* 香, 香气(⇨perfume); 熏香

incessant [in'sesənt] *a.* 不停的, 不断的(⇨constant)   「进

(•)**inch** [intʃ] *n.* 英寸(= ½ 英尺, 2.54 厘米) *v.* (使)缓慢移动; (使)渐

incidence ['insidəns] *n.* 发生率; 影响范围; 入射(角)

▲**incident** ['insidənt] *a.* 时常发生的; 附带的 *n.* 小事件; (政治性)事变, 事件(⇨event); (小说、戏剧中的)插曲

incidentally [,insi'dentəli] *ad.* 偶然地(⇨casually); 附带地;《文章中修饰语》顺便提一下 (⇨by the way)

inclination [ˌinkliˈneiʃən] *n.* 倾向(⇨tendency); 意向, 爱好(⇨liking); 倾斜(⇨slope); 斜坡;〔数学〕倾角

⁽ᴬ⁾**incline** [inˈklain] *v.* (使)倾向于; (使)赞同; (使)倾斜 ‖ ~*d* plane 斜面

▲**include** [inˈkluːd] *vt.* 包括, 包含(⇨contain) (← exclude)

▲**including** [inˈkluːdiŋ] *prep.* 包括, 包含

inclusive [inˈkluːsiv] *a.* 包括在内的; 计算在内的 「收入

▲**income** [ˈinkəm] *n.* 收入; 收益; 所得(⇨gain) ‖ ~ tax 所得税 / net ~ 净

incompatible [ˌinkəmˈpætəbl] *a.* 不相容的, 矛盾的

incomplete [ˌinkəmˈpliːt] *a.* 不完全的(⇨imperfect); 未完成的

inconvenience [ˌinkənˈviːnjəns] *n.* 不方便; 不自在; 麻烦(⇨trouble); 讨厌 *vt.* 使感不便; 叨扰

inconvenient [ˌinkənˈviːniənt] *a.* 不方便的; 不自由的; 为难的

incorporate [inˈkɔːpəreit] *v.* 包含(⇨contain); 吸取(⇨absorb); 采取(⇨adopt); 结合(⇨combine);〔美〕组成(股份有限)公司

incorrect [ˌinkəˈrekt] *a.* 错误的(⇨wrong); 不合适的(⇨improper)

▲**increase** [inˈkriːs] *v.* 增加; 增长; 增多(⇨multiply) *n.* [ˈinkriːs] 增加; 增长(⇨growth); 增多 ▶动词与名词重音不同.

increasingly [inˈkriːsiŋli] *ad.* 日益; 愈加

incredible [inˈkredəbl] *a.* 不可信的, 难以置信的;〈口语〉惊人的

⁽ᴬ⁾**incredibly** [inˈkredəbli] *ad.* 难以置信地; 惊人地

incredulous [inˈkredjuləs] *a.* 极为怀疑的; 不相信的

incur [inˈkəː] *vt.* 招致(⇨cause); 蒙受

incurable [inˈkjuərəbl] *a.* 医治不好的, 不可救药的; 不治的

◆**indeed** [inˈdiːd] *ad.* 的确(⇨really); 真正地;《加强语气》实在 *int.* 真的! (表示惊讶、怀疑、讽刺等)

⁽ᴬ⁾**indefinite** [inˈdefinit] *a.* 不明确的, 不清楚的; 模糊的(⇨confusing); 无界限的;〔语法〕不定的 ‖ ~ article 不定冠词

indefinitely [inˈdefinitli] *ad.* 模糊地; 无限期地; 永远地

indelible [inˈdelibl] *a.* (墨迹、污点等)擦不掉的; (耻辱等)无法抹掉的

independence [ˌindiˈpendəns] *n.* 独立; 自立, 自主(⇨ freedom) ‖ *Independence* Day 美国独立纪念日(7月4日)

⁽ᴬ⁾**independent** [ˌindiˈpendənt] *a.* 独立的; 有主见的; 不受控制的 ‖ ~ clause (主从复合句中的)主句

independently [ˌindiˈpendəntli] *ad.* 独立地; 自主地

index [ˈindeks] *n.* (复数: *indexes* 或 *indices* [ˈindisiːz])索引; 指数; 指示物; 标志 *vt.* 编索引 ‖ ~ finger 食指

▲**India** [ˈindiə] *n.* 印度

▲**Indian** [ˈindiən] *a.* 印度的; 印度人的; (美洲)印第安人的 *n.* 印度人; (美洲)印第安人; 印第安语 ‖ ~ Ocean 印度洋

indicate [ˈindikeit] *vt.* 指示, 指出; 表示; 表明(⇨show); 显示…的征兆

indication [ˌindiˈkeiʃən] *n.* 指示; 表示; 迹象(⇨sign); 征兆

indicative [inˈdikətiv] *a.* 显示的; 表示的;〔语法〕陈述的 *n.*〔语法〕陈述式, 陈述语气 ‖ ~ mood 陈述语气

indifference [inˈdifərəns] *n.* 不关心(⇨unconcern); 不感兴趣; 冷淡; 无关紧要(⇨unimportance)

indifferent [in'difərənt] *a.* 不关心的(⇨unconcerned); 不感兴趣的; 冷淡的; 无关紧要的(⇨insignificant); 不在乎的

indigestion [,indi'dʒestʃən] *n.* 消化不良, 不消化

indignant [in'dignənt] *a.* 愤慨的; 气愤的(⇨angry)

indignation [,indig'neiʃən] *n.* 愤慨; 气愤(⇨anger)

indigo ['indigəu] *n.* 靛蓝, 靛青 *a.* 深紫蓝色的

(•)**indirect** [,indi'rekt, -dai-] *a.* 间接的; 迂回的(⇨roundabout); 不直接的; 不坦率的 ‖ ~ object 间接宾语 / ~ speech 间接引语

indirectly [,indi'rektli, -dai-] *ad.* 间接地; 迂回地

indispensable [,indi'spensəbl] *a.* 不可缺少的, 绝对必要的

(A)**individual** [,indi'vidʒuəl] *a.* 单个的, 个体的; 个别的; 单一的; 单独的; 独特的 *n.* 个人; 个体

individualism [,indi'vidʒuəlizəm] *n.* 个人主义; 利己主义(⇨egoism)

individuality [,indi,vidʒu'æliti] *n.* 个性

indoor ['indɔː] *a.* 室内的; 在室内举行的 ‖ ~ sport 室内运动

▲**indoors** [,in'dɔːz] *ad.* 在屋里, 在室内; 进入室内

induce [in'djuːs] *vt.* 诱使; 劝使(⇨pursuade); 说服; 引起(⇨cause)

induction [in'dʌkʃən] *n.* 归纳法, 归纳; 就职仪式; 感应

indulge [in'dʌldʒ] *v.* 纵容(← forbid); 迁就; 沉溺

industrial [in'dʌstriəl] *a.* 工业的; 产业的; 工业用的; 工业发达的 ‖ ~ disease 职业病 / ~ union 产业工会

industrialize [in'dʌstriəlaiz] *v.* (使)工业化

industrious [in'dʌstriəs] *a.* 勤劳的(⇨diligent); 努力的(⇨hard-working)

▲**industry** ['indəstri] *n.* 工业, 产业; 勤勉(⇨diligence) ▶此词的形容词分别为 industrial (工业的) 与 industrious (勤勉的).

inefficient [,ini'fiʃənt] *a.* 无效的; 不灵验的; 无能的(⇨incapable)

inertia [i'nəːʃə] *n.* 惯性; 惰性; 迟钝

▲**inevitable** [i'nevitəbl] *a.* 不可避免的; 必然发生的; 〈口语〉照例的

inevitably [i'nevitəbli] *ad.* 不可避免地; 必然地

inexpensive [,inik'spensiv] *a.* 价格低廉的; 便宜的(⇨cheap)

inexperienced [,inik'spiəriənst] *a.* 无经验的; 不熟练的; 生疏的

infamous ['infəməs] *a.* 臭名昭著的; 声名狼藉的; 丑恶的(⇨base)

infancy ['infənsi] *n.* 婴儿期; 幼年时代(⇨babyhood); 初期

infant ['infənt] *n.* 婴儿; (常指未满 7 岁的)幼儿

infantry ['infəntri] *n.* 〔总称〕步兵 ▶单个的步兵为 infantryman.

infect [in'fekt] *vt.* 传染; 感染; (以坏思想)给予影响

infection [in'fekʃən] *n.* 传染, 感染; 污染; (坏)影响; 传染病

infectious [in'fekʃəs] *a.* 传染(性)的; 有感染力的 ‖ ~ disease 传染病

infer [in'fəː] *vt.* 推论; 推断

inference ['infərəns] *n.* 推理, 推断; 推论, 结论(⇨conclusion)

inferior [in'fiəriə] *a.* 下等的 (← superior); 下级的; 劣等的; 粗糙的; 品质差的 *n.* 下级; 晚辈; 次品

infiltrate ['infiltreit] *v.* (使)渗透; (使)潜入

▲**infinite** ['infinit] *a.* 无限的, 无穷的 *n.* 无穷(大); 无限物(指空间、时间)

▲**infinitely** ['infinitli] *ad.* 无限地, 无穷地; 非常地

▲**infinitesimal** [,infini'tesiməl] *a.* 无穷小的, 无限小的 *n.* 无穷小; 无限小 ‖ ~ calculus 微积分

(●)**infinitive** [in'finitiv] *n.* 〔语法〕(动词)不定式 *a.* 〔语法〕不定式的

▲**infinity** [in'finiti] *n.* 无限, 无穷; 无穷大

inflame [in'fleim] *vt.* 激怒; 使极度激动(⇨excite); 使发炎

inflammable [in'flæməbl] *a.* 易燃的; 易激动的; 易怒的

inflation [in'fleiʃən] *n.* 充气, 打气; 膨胀; 通货膨胀

inflict [in'flikt] *vt.* 施加(打击); 科以(刑罚)(⇨impose)

(▲)**influence** ['influəns] *n.* 影响; 势力 *vt.* 给予影响(⇨affect)

influential [,influ'enʃəl] *a.* 很有影响的; 有权势的

influenza [,influ'enzə] *n.* 流行性感冒

(▲)**inform** [in'fɔːm] *v.* 告诉(⇨tell); 通知(⇨notify); 报告; 告密

informal [in'fɔːməl] *a.* 非正式的(⇨irregular); 不拘礼节的; (语法等)口语体的, 通俗的

●**information** [,infə'meiʃən] *n.* 信息; 情报; 资料; 通知; 消息(⇨news); 报道 ‖ ~ agency 新闻处 / ~ desk [美]服务台 ▶量词用 a piece [bit] of.

-ing [iŋ] *suf.* 构成现在分词、动词和名词等, 如 feeling (感觉), schooling (教育), bedding (床上用品), matting (草席).

ingenious [in'dʒiːnjəs] *a.* 心灵手巧的(⇨clever); 巧夺天工的, 精巧的

ingenuity [,indʒi'njuːti] *n.* 灵巧(⇨craft); 富有创造才能

ingredient [in'griːdiənt] *n.* (混合物的)成分(⇨component); 配料; 构成要素(⇨element)

inhabit [in'hæbit] *vt.* 居住于; (动物)栖息于 ▶注意与 live, dwell 的区别.

inhabitant [in'hæbitənt] *n.* 居民(⇨dweller);

inherent [in'hiərənt] *a.* 固有的, 生来的, 天赋的

inherit [in'herit] *vt.* 继承(财产等); 遗传(性格、体质等)

inheritance [in'heritəns] *n.* 继承; 遗传; 遗产

initial [i'niʃəl] *a.* 开始的; 最初的; 发端的 *n.* 首字母 *vt.* 用姓名的首字母签署(或标注); 草签

initially [i'niʃəli] *ad.* 最初, 开始

initiate [i'niʃieit] *vt.* 开始(⇨begin); 引进; 传授(⇨teach)

initiative [i'niʃiətiv] *n.* 主动; 首创; 发端

inject [in'dʒekt] *vt.* 注射; 把…注入

injection [in'dʒekʃən] *n.* 注入; 注射; 注射剂

injure ['indʒə] *vt.* 损害 (⇨harm); 伤害 (⇨hurt); 毁坏 (⇨damage) ‖ the ~d party 受害者

injured ['indʒəd] *a.* 受伤的; 受损害的

injurious [in'dʒuəriəs] *a.* 有害的(⇨harmful); 伤害的; 中伤的

injury ['indʒəri] *n.* 负伤; 损害(⇨harm); 伤害 (⇨hurt)

injustice [in'dʒʌstis] *n.* 不公正(行为); 非正义; 侵犯(别人的)权利

●**ink** [iŋk] *n.* 墨水; 墨汁; 印刷油墨 ‖ China [Chinese] ~ 墨

ink-bottle ['iŋk,bɔtl] *n.* 墨水瓶

inkpad ['iŋkpæd] *n.* 印台, 印泥台

inkstand ['iŋkstænd] *n.* (置于桌上放墨水、钢笔等的)墨水台

inland ['inlənd] *a.* 内地的; 国内的 *n.* 内地 *ad.* [in'lænd] 向内地; 在内地

地 ‖ ～ trade 国内贸易 ▶形容词与副词重音不同.

▲**inn** [in] n. 客栈, 小旅馆; 小酒店, 小饭店 ▶与 in 同音. 「内胎

inner ['inə] a. 内部的 (← outer); 接近中心的; 心灵的 ‖ ～ tube (轮胎)

innocence ['inəsəns] n. 无罪; 清白; 单纯(⇨simplicity); 无害

innocent ['inəsənt] a. 无罪的(⇨sinless); 清白的; 天真无邪的(⇨naive); 无害的　n. 无罪的人; 天真无邪的人

innocently ['inəsəntli] ad. 无罪地; 天真地; 无害地

innovation [,inə'veiʃən] n. 革新, 改革; 创新; 刷新

innumerable [i'njuːmərəbl] a. 无数的(⇨countless); 数不清的

inpatient ['in,peiʃənt] n. 住院病人

input ['input] n. (电流、数据等的) 输入; (资本等的) 投入　vt. 〔电脑〕输入

inquire [in'kwaiə] v. 询问; 打听; 调查(⇨investigate) ▶又作 en quire.

▲**inquiringly** [in'kwaiəriŋli] ad. 好奇地; 探询地

inquiry [in'kwaiəri] n. 询问; 打听; 调查(⇨investigation) ‖ ～ office [英] (旅馆、车站等的)问讯处, 服务台　　　　　　　　　　　　「事的

inquisitive [in'kwizitiv] a. 好询问的; 好奇心强的(⇨curious); 爱打听别人

insane [in'sein] a. 疯狂的, 精神错乱的(⇨mad); 极愚蠢的, 毫无道理的

insanity [in'sæniti] n. 疯狂, 精神错乱(⇨madness)

inscribe [in'skraib] vt. 题记, 铭刻; (在书上题名)呈献

inscription [in'skripʃən] n. 题词; (著作等的)献词; 铭文, 碑文

▲**insect** ['insekt] n. 昆虫 ▶注意与 worm(毛虫)的区别.

insensible [in'sensəbəl] a. 失去知觉的; 不能感觉的; 不易觉察的

inseparable [in'sepərəbl] a. 无法分离的, 不能分开的

insert [in'səːt] vt. 插入(⇨inject); 嵌入(⇨infix); 夹入; 填入(⇨fill)　n. ['insəːt] 插入物; 插页 ▶动词与名词重音不同.

*****inside** [in'said] n. 里面, 内部, 内侧 (← outside);《常用复数》〈口语〉内容　ad. 在里面, 在内部; 在屋内(⇨indoors)　a. ['insaid] 里面的, 内部的, 内侧的; 屋内的(⇨indoor); 内幕的　prep. [in'said] 在…里面(⇨within); 在…以内 ▶注意重音.

insight ['insait] n. 洞察; 洞察力　　　　　　　　　　　　　　　「的

insignificant [,insig'nifikənt] a. 无用的(⇨useless); 无关紧要的; 无意义

*****insist** [in'sist] v. 坚持; 坚决要求(⇨demand); 坚决主张(⇨maintain); 强调

insistence [in'sistəns] n. 坚持; 坚决要求; 坚决认为

insistent [in'sistənt] a. 坚持的

insolent ['insələnt] a. 粗野的; 无礼的(⇨impudent); 蛮横的, 傲慢的

▲**inspect** [in'spekt] vt. 检查(⇨examine); (正式地)视察, 检阅(⇨review)

▲**inspection** [in'spekʃən] n. 检查(⇨examination); 视察, 检阅, 参观(⇨visit) ‖ medical ～ 健康检查　　　　　　　　　　　　　　「阅者

▲**inspector** [in'specktə] n. 警官; 检查员(⇨examiner); 监察员; 视察员; 检

▲**inspiration** [,inspə'reiʃən] n. 灵感; 鼓舞; 激励人心的人(或事物)

▲**inspire** [in'spaiə] vt. 鼓舞; 激励(⇨encourage); 使生灵感; 授意

▲**inspiring** [in'spaiəriŋ] a. 鼓舞人心的

install [in'stɔːl] vt. 使就职 (⇨inaugurate); 安装; 安置 (⇨place)

instal(l)ment [in'stɔːlmənt] n. 分期付款 (的一次金额)(⇨portion); (连载故事、电视系列片等的) 一回(⇨part); ‖ ～ plan 分期付款购货办法

instance ['instəns] *n.* 例子, 事例; 实例(⇨example); 情况; 要求(⇨request); 诉讼程序 *vt.* 举…的例子

instant ['instənt] *a.* 立即的(⇨immediate); 紧急的(⇨urgent); 当日的(⇨present); 速成的 *n.* 瞬间, 即时(⇨moment) ‖ ~ coffee 速溶咖啡

instantly ['instəntli] *ad.* 立即, 立刻, 马上(⇨immediately)

instead [in'sted] *ad.* 代替; 顶替; 而不…(⇨rather)

instinct[1] ['instiŋkt] *n.* 本能; 直觉

instinct[2] [in'stiŋkt] *a.* 《用作述语》充满…的

institute ['institju:t] *n.* (研究)所, 院; 学院; (大专)学校; 协会; 学会 *vt.* 创立(⇨found); 建立(⇨establish); 制定(规章); 着手(调查)(⇨begin) ‖ the *Institute* for Advanced Study 高等学术研究院 / the *Institute* for the Blind 盲人学校 / Federal *Institute* of Technology 联邦工学院

institution [,insti'tju:ʃən] *n.* 社会事业机构(如孤儿院、医院、学校、研究所等); 制度; 常例(如习俗, 习惯等); 〈口语〉众所周知的人物, 知名人士

instruct [in'strʌkt] *vt.* 教导(⇨teach); 指导(⇨direct); 指示; 命令(⇨order); 通知(⇨inform)

instruction [in'strʌkʃən] *n.* 讲授; 教育(⇨education); 《常用复数》指示, 命令; 《用复数》用法说明

instructive [in'strʌktiv] *a.* 有教育意义的; 有启发的; 有益的

instructor [in'strʌktə] *n.* 指导者; 教员; 教练; [美]讲师(⇨lecturer)

instrument ['instrumənt] *n.* 仪器; 器械; 工具(⇨tool); 乐器; 手段, 方法(⇨means); (正式的)证书, 文件

instrumental [,instru'mentəl] *a.* 作为…媒介的; 起作用的

insufficiency [,insə'fiʃənsi] *n.* 不足; 不足之处

insufficient [,insə'fiʃənt] *a.* 不足的(⇨lacking); 不够的

insulate ['insjuleit] *v.* 使绝热; 使绝缘

insulator ['insjuleitə] *n.* 绝缘体; 绝缘器

insult [in'sʌlt] *vt.* 侮辱; 对…无礼 *n.* ['insʌlt] 侮辱; 无礼 ▶注意重音.

insurance [in'ʃuərəns] *n.* 保险([英]亦作 assurance); 保险业, 保险额; 保险费 ‖ ~ policy 保险单

insure [in'ʃuə] *vt.* 给…保险([英]亦作 assure); 担保 (⇨guarantee)

intake ['inteik] *n.* 引入(量); 摄取(量) ▶此词不是动词.

integral ['intigrəl] *a.* 完整的(⇨whole); 整数的; 积分的

integrate ['intigreit] *v.* (使)结合; (使)合并; (使)成一整体

integrated ['intigreitid] *a.* 集成的; 综合的 ‖ ~ circuit 集成电路

integrity [in'tegriti] *n.* 完整; 完全; 正直; 诚实(⇨honesty)

intellect ['intilekt] *n.* 智力(⇨intelligence); 理解力(⇨understanding); 理智; 有才智的人

intellectual [,inti'lektjuəl] *a.* 智力的(⇨mental); 理智的(⇨intelligent); 聪慧的(⇨wise) *n.* 知识分子

intelligence [in'telidʒəns] *n.* 智力; 才智; 理解力; 情报(⇨information); (重要的)消息(⇨news) ‖ ~ test 智力测验

intelligent [in'telidʒənt] *a.* 理智的; 聪明的(⇨clever); 智力发达的

intend [in'tend] *vt.* 打算(⇨plan); 企图(⇨design); 想要; 意思是(⇨mean)

intense [in'tens] *a.* 激烈的; 强烈的 (⇨strong); 热情的(⇨ardent); 极端的

(⇨extreme); 充满强烈感情的 ‖ ～ heat 酷热

intensely [in'tensli] *ad.* 激烈地；强烈地；格外，极端地

intensify [in'tensifai] *v.* 加紧；加剧；加强(⇨strengthen)

intensity [in'tensiti] *n.* 强烈；激烈；强度

intensive [in'tensiv] *a.* 加强的；集中的

intent [in'tent] *n.* 意图；目的(⇨purpose)；含义(⇨meaning) *a.* 集中的；热心的(⇨earnest)；专心致志的(⇨attentive)

intention [in'tenʃən] *n.* 意图(⇨design)；动机；目的(⇨purpose)

intentional [in'tenʃənl] *a.* 故意的(⇨deliberate)；有意识的

(▲)**intently** [in'tenti] *a.* 热心地；专心地，一心一意地

inter- [intə] *pref.* 表示：“在…之间；互相”之意，如 *inter*national (国际的)，*inter*view (会见)，*inter*act (相互作用).

interact [,intər'ækt] *vi.* 相互作用

interaction [,intər'ækʃən] *n.* 相互作用，互相影响

intercept [,intə'sept] *vt.* 拦截；截取(情报等)；截断(水、光等)

interchange [,intə'tʃeindʒ] *v.* 交换；交替(⇨alternate) *n.* 交替；(高速公路的)立体交叉道

interconnect [,intəkə'nekt] *v.* (使)互相联络

intercourse ['intəkɔ:s] *n.* 交际，交往；交流；性交 ‖ social ～ 社交 / commercial ～ 通商 / diplomatic ～ 外交

***interest** ['intərist] *n.* 兴趣，趣味；关心；爱好；《常用复数》利益(⇨advantage) *vt.* 使发生兴趣；使关心　　　　　　　　　　　　「系的

***interested** ['intərəstid] *a.* 感兴趣的；关心的(⇨concerned)；有(利害)关

***interesting** ['intərəstiŋ] *a.* 有趣味的；引起兴趣的(⇨attractive)

interface ['intəfeis] *n.* 相互关系，相互作用；对接结合；接口；界面

interfere ['intə'fiə] *vi.* 干涉(⇨meddle)；冲突(⇨clash)；妨碍，干扰

interference [,intə'fiərəns] *n.* 干涉；干扰，妨碍

interior [in'tiəriə] *n.* 内部(⇨inside)；内地；内政，内务；内心 *a.* 内部的(⇨inner) (← exterior)；内地的；国内的，内政的；内心的 ‖ the Department of the *Interior* [美] 内政部 / monologue ～ 内心独白

(●)**interjection** [,intə'dʒekʃən] *n.* 〔语法〕感叹词

interlock [,intə'lɔk] *v.* 联结，连锁

intermediate [,intə'mi:diət] *a.* 中间的；居间的 *n.* 中间物；调停者 ‖ ～ hue 中间色 / ～ English 中级英语

intermission [,intə'miʃən] *n.* 中断，暂停；(幕间)休息 ([英] interval)

internal [in'tə:nl] *a.* 内部的(⇨inner) (←external)；(药)内服的；内政的，国内的(⇨domestic) *n.* 内容；《用复数》内脏 ‖ ～ medicine 内科(学)

***international** [,intə'næʃənəl] *a.* 国际的；世界的；[I-]共产国际的 *n.* [I-] 国际性组织，共产国际 ‖ ～ law 国际公法

Internationale [,intənæʃə'næl] *n.* 《加 the》国际歌

internationalism [,intə'næʃənəlizəm] *n.* 国际主义

▲**internationalist** [,intə'næʃənəlist] *n.* 国际主义者 *a.* 国际主义的

interpose [,intə'pəuz] *v.* (把…)插进来；调停；插话；干预；提出(异议)

interpret [in'tə:prit] *v.* 解释(⇨explain)；(根据本人的理解)表演；口译(⇨translate)

interpretation [in,tə:pri'teiʃən] *n.* 解释; 翻译; 表演

interpreter [in'tə:pritə] *n.* 译员, 口译人员; 讲解员

interrogate [in'terəgeit] *vt.* 询问(⇨ask); 盘问(⇨question); 审问

(•)**interrogative** ['intə'rɔgətiv] *a.* 疑问的 *n.* 〔语法〕疑问词 ‖ ～ adverb 疑问副词 / ～ pronoun 疑问代词 「(电流)

•**interrupt** [,intə'rʌpt] *vt.* 打断(讲话或讲话的人); 打扰; 中断(交通); 切断

interruption [,intə'rʌpʃən] *n* 中断; 打断; 妨碍

interval ['intəvəl] *n.* (时间的)间隔; (幕间)休息([美] intermission)

intervene [,intə'vi:n] *vi.* 插入; 介入(⇨interfere); 调停(⇨mediate); 干预

•**interview** ['intəvju:] *n.,vt.* 会晤; 接见; 会见; 采访; 面试

(▲)**intestine** [in'testin] *n.* 〔常用复数〕肠

intimate[1] ['intimit] *a.* 亲密的(⇨familiar); 密切的(⇨close); 精湛; 详尽的; 隐秘的; 私人的(⇨private); 内心的

intimate[2] ['intimeit] *vt.* 暗示(⇨hint); 宣布(⇨announce)

•**into** ['intu, 'intu:, 'intə] *prep.* 到…里; 进入; (变化)成为; 转入

intolerable [in'tɔlərəbl] *a.* 无法忍受的

(•)**intonation** [,intə'neiʃən] *n.* 声调(⇨tone); 语调

intoxicate [in'tɔksikeit] *vt.* 使醉; 使陶醉; 使欣喜若狂

(•)**intransitive** [in'trænsitiv] *a.* 〔语法〕不及物的 *n.* 不及物动词 ‖ ～ verb 不及物动词

intricate ['intrikit] *a.* 错综复杂的(⇨complex); 难懂的

intrigue [in'tri:g] *n.* 阴谋(⇨plot); 私通 *vi.* 搞阴谋(⇨scheme) *vt.* 引起…的好奇心; 使觉得有趣

•**introduce** [,intrə'dju:s] *vt.* 介绍; 引入, 引进(⇨import); 引导(⇨lead); 传入; 提出(问题等); 推出(节目、新产品等)

introduction [,intrə'dʌkʃən] *n.* 介绍; 引导; 引进; 引言, 绪论, 序文; 序曲

intrude [in'tru:d] *vi.* 闯入, 侵入 *vt.* 强迫, 迫使; 干涉; 妨碍

intruder [in'tru:də] *n.* 入侵者; 闯入者

intrusion [in'tru:ʒən] *n.* 入侵; 侵扰

intrust [in'trʌst] *vt.* 信托; 委托, 托付 「等)拥入

▲**invade** [in'veid] *vt.* 侵入, 侵犯; 侵害(权利、自由); (疾病等)侵袭; (游客

(▲)**invader** [in'veidə] *n.* 侵略者, 侵犯者; 侵入物

invalid[1] ['invəli:d] *n.* 病弱者, 病人; 伤残者 *a.* 病弱的 (← strong); (适合)病人用的 *vt.* 使病弱

invalid[2] [in'vælid] *a.* (尤指法律上)无效的(⇨void)

invaluable [in'væljuəbl] *a.* 无法估价的, 无价的; 极贵重的(⇨precious)

invariably [in'vɛəriəbli] *ad.* 不变地; 无例外地; 总是(⇨always) 「害

▲**invasion** [in'veiʒən] *n.* 侵略(⇨aggression); 侵入; 侵犯(⇨violation); 危

•**invent** [in'vent] *vt.* 发明(⇨create); 创造; 虚构(⇨fabricate)

invention [in'venʃən] *n.* 发明(⇨creation); 创造; 虚构(⇨fabrication)

inventor [in'ventə] *n.* 发明者; 创造者

inversely [in'və:sli] *ad.* 相反地

(▲)**inversion** [in'və:ʃən] *n.* 倒置, 颠倒; 〔语法〕倒装 「[" "或' ']

invert [in'və:t] *vt.* 使颠倒(⇨reverse); 使反向 ‖ ～ed commas [英]引号

invest [in'vest] *v.* 投(资); 投资于; 笼罩(⇨cover); 授予(权力等); 包围

investigate [in'vestigeit] *v.* 调查(⇨examine); 审查; 仔细研究(⇨study)

investigation [in,vesti'geiʃən] *n.* 调查(⇨inquiry); 审查; 探索; 研究

investigator [in'vestigeitə] *n.* 调查者, 审查者; 勘察队员

investment [in'vestmənt] *n.* 投资; 投资金额

▲**invincible** [in'vinsəbl] *a.* 无敌的; 战无不胜的

▲**invisible** [in'vizəbl] *a.* 看不见的(⇨unseen); 无形的; 隐匿的(⇨hidden)

▲**invitation** [,invi'teiʃən] *n.* 邀请; 请柬; 招待券

***invite** [in'vait] *vt.* 邀请; 请; 恳请(⇨request); 招致, 吸引(⇨attract)

inviting [in'vaitiŋ] *a.* 吸引人的(⇨attractive); 诱人的

invoice ['invɔis] *n.* 发票, 运货单; 清单(⇨list)

(▲)**involve** [in'vɔlv] *vt.* 使卷入; 使陷入; 包含(⇨include); 涉及; 牵涉

inward ['inwəd] *a.* 里面的(⇨inside); 内在的(⇨inner); 内心的

inward(s) ['inwəd(z)] *ad.* 向内; 进入心灵

ion ['aiən] *n.* (电)离子

-ion [iən] *suf.* 表示"动作; 状态; (动作的)结果", 如 rebell*ion* (反叛), express*ion* (表达)

ir- [i] *pref.* 《用在以 r 开始的词前》表示"不, 非, 无; 向内; 加强"之意, 如 *ir*regular(不规则的), *ir*relative(无关系的), *ir*rigate(灌溉).

▲**Ireland** ['aiələnd] *n.* 爱尔兰

▲**iris** ['aiəris] *n.* (眼球的)虹膜; 虹(⇨rainbow); 蝴蝶花

Irish ['aiəriʃ] *a.* 爱尔兰的; 爱尔兰人的; 爱尔兰语的 *n.* 《加 the》〔总称〕爱尔兰人; 爱尔兰语

▲**iron** ['aiən] *n.* 铁; 铁制品; (食物、血液中的)铁质; 熨斗; 烙铁 *a.* 铁制的; 铁一般的; 坚强的(⇨strong) *vt.* 熨, 烫平(衣服) ‖ ～ foundry 铸铁厂

ironic(al) [ai'rɔnik(əl)] *a.* 讽刺的, 冷嘲的, 反话的, 挖苦的; 令人啼笑皆非的

irony ['aiərəni] *n.* 冷嘲; 反语; 讽刺(⇨satire); (命运等的)嘲弄

▲**irregular** [i'regjulə] *a.* 不规则的; 不整齐的; 非正规的; 〔语法〕不规则变化的

irregularity [i'regju'læriti] *n.* 不规则; 不合常规, 非正规; 不正当行为

irresistible [,iri'zistəbl] *a.* 不可抗拒的; 无法抑制的

irrespective [,iri'spektiv] *a.* 不考虑的, 不顾的(⇨regardless)

▲**irrigate** ['irigeit] *vt.* 灌溉(田地); 冲洗(伤口)(⇨wash) *vi.* 进行灌溉

irrigation [,iri'geiʃən] *n.* 灌溉; 水利 (⇨inflame)

irritate ['iriteit] *vt.* 使生气(⇨annoy); 刺激 (⇨stimulate); 使过敏; 使发炎

irritation [,iri'teiʃən] *n.* 激怒; 苦恼, 烦躁; 生气

***is** [iz; (弱)z, s] be 的第三人称单数现在式

-ise [aiz] *suf.* = -ize

-ish [iʃ] *suf.* ①表示"…民族的, …语的", 如 English (英国的; 英语的), Turkish (土耳其; 土耳其语的) ②表示"稍微, 有点…的", 如 tallish (略高的), yellowish (稍黄的). ③表示"有…性质的, …般的", 如 childish (幼稚的), foolish (笨的). ④表示"致使, 造成"之意, 如 finish (结束), famish (使挨饿).

Islam ['izlɑːm; 美: 'isləm, is'lɑːm] *n.* 伊斯兰教, 回教

▲**island** ['ailənd] *n.* 岛, 岛屿; 岛状物; (街道中央的)安全岛(= traffic island) 〔美〕safety island) ‖ ～ country 岛国 ▶ s 不发音.

(▲)**isle** [ail] *n.* 岛, 小岛 ‖ the British *Isles* 不列颠群岛(亦称英伦诸岛)

-ism [izəm] *suf.* 表示"主义, 学说, 信仰; 特征; 状态", 如 social*ism* (社会主义), material*ism* (唯物论), Buddh*ism* (佛教), human*ism* (人性), critic*ism* (批评).

^(●)**isn't** ['iznt] is not 的缩合式

isolate ['aisəleit] *vt.* 隔离; 隔开(⇨separate); 使孤立

isotope ['aisəutəup] *n.* 同位素

issue ['iʃuː, 'isjuː] *n.* 发布; 发行(⇨circulation); 发行物; 出版物; (出版物、货币等的) 发行量; (报刊的) 期, 号(⇨number); 流出物; 争执点 *v.* 发布; 发行(⇨circulate); 出版(⇨publish); 流出(⇨flow)

-ist [ist] *suf.* 表示"…主义者, …信仰者; …家"之意, 如 social*ist* (社会主义者), athe*ist* (无神论者), novel*ist* (小说家).

isthmus ['isməs] *n.* 地峡

[●]**it** [it] *pron.* (复数: 主格 they, 宾格 them)《第三人称, 单数, 主格和宾格》它; 这个, 那个 (所有格 its)　　　　　　　　　　　　　　　　　　「大利语

[▲]**Italian** [i'tæliən] *a.* 意大利的; 意大利人的; 意大利语的 *n.* 意大利人; 意

^(▲)**italic** [i'tælik] *a.* 斜体的 *n.*《用复数》斜体字

italicize [i'tælisaiz] *vt.* 用斜体字印刷

[●]**Italy** ['itəli] *n.* 意大利

itch [itʃ] *n.* 痒;《加 the》疥癣 *vi.* 发痒

it'd ['itəd] = it would, it had

^(▲)**item** ['aitəm] *n.* 条, 项; 项目; 一则(新闻)

itinerary [ai'tinərəri] *n.* 旅行路线, 旅行计划; 旅行指南

it'll ['itl] = it will

[●]**its** [its] *a.* [it 的所有格] 它的

^(●)**it's** [its] = it is, it has

itself [it'self] *pron.* [反身代词] 它自己, 它本身;《加强语气》自身

-ity [iti] *suf.* 表示"性质, 状态", 如 extrem*ity* (极端), un*ity* (统一).

-ive [iv] *suf.* 表示"有…性质的, 属于…的, 与…有关的, 有…倾向的", 如 attract*ive* (有吸引力的), decis*ive* (决定性的), explos*ive* (有争论的).

I've [aiv] = I have

ivory ['aivəri] *n.* 象牙;《用复数》象牙雕刻物; 象牙色, 乳白色 ‖ ～ tower 象牙塔(比喻远离现实社会、脱离现实生活的小天地)

ivy ['aivi] *n.* 常春藤

-lze [aiz] *suf.* 表示"(使)…化; (使) 进入…状态", 如 modern*ize* (现代化), popular*ize* (使普及), industrial*ize* (工业化). ▶英国多用 -ise. 动词 advise, devise, improvise, surprise 等词尾, 英美均拼作 -ise.

J, j

***Jack** [dʒæk] 杰克(男名, Jacob ['dʒeikəb] 的昵称, John 的变体)

⁽ᐱ⁾**jack** [dʒæk] n. 男子; 家伙, 小伙子; 佣人; 千斤顶, 起重器; (纸牌中的)杰克

jackboot ['dʒækbu:t] n. (过膝的)长统靴

***jacket** ['dʒækit] n. 上衣 (⇨coat); 外套, 茄克; (书籍、唱片的)护封, 封套 (= wrapper); (马铃薯的)外皮

ᐱ**jail** [dʒeil] n. 监狱, 牢房([英] gaol)

jailer ['dʒeilə] n. 监狱看守, 狱吏, 狱卒 ▶又拼写为 jailor.

jailor = jailer

jam¹ [dʒæm] v. 挤进; 塞入; 压紧; 夹紧; 卡住; 堵塞; 挤满 n. 拥挤的人群; 阻塞物; 拥挤; 阻塞

jam² [dʒæm] n. 果酱

James [dʒeimz] 詹姆士(男名)

jams [dʒæmz] n. [复数] 睡衣裤; (男冲浪运动员的)游泳裤

Jane ['dʒein] 简, 珍妮(女名, John 的女性称呼)

***January** ['dʒænjuəri] n. 一月(略作: Jan.)

***Japan** [dʒə'pæn] n. 日本国

***Japanese** [ˌdʒæpə'ni:z] a. 日本的; 日本人的; 日语的 n. 日本人·日语

***jar**¹ [dʒɑ:] n. 罐子, 坛子, 缸, 壶; 大口瓶; 一罐所盛的量

jar² [dʒɑ:] v. 发出刺耳声; 轧轧作响 n. 刺耳声; 震摇

jargon ['dʒɑ:gən] n. 隐语; 行话; 黑话

javelin ['dʒævəlin] n. 标枪 ‖ ~ throw(ing) 掷标枪   「境遇

ᐱ**jaw** [dʒɔ:] n. 颚, 下巴, 颏; 《用复数》口部, 嘴巴, 上下颚; 《用复数》危险的

jay [dʒei] n. 松鸦

jazz [dʒæz] n. 爵士音乐

⁽ᐱ⁾**jealous** ['dʒeləs] a. 妒忌的; 吃醋的; 猜忌的(⇨ envious); 戒备的(⇨ watchful); 极力保护的

jealousy ['dʒeləsi] n. 妒忌(⇨envy); 吃醋; 猜忌; 严密戒备

jean [dʒi:n] n. 细斜纹布;《用复数》工装裤, 牛仔裤

***jeep** [dʒi:p] n. 吉普车

jeer [dʒiə] v., n. 嘲笑(⇨sneer); 嘲弄(⇨mock)

jelly ['dʒeli] n. 果子冻; 胶状物 v. 结冻; 凝成胶状

***Jenny** ['dʒeni] 詹妮(女名, Jennifer ['dʒenifə] 的昵称)

⁽ᐱ⁾**jerk** [dʒə:k] v. 急动; 猛地一拉(或推、扭); 抽搐, 痉挛 n. 猛拉; 急动; 痉挛

ᐱ**jerkily** ['dʒə:kili] ad. 颠簸地; 痉挛地

Jerusalem [dʒə'ru:sələm] n. 耶路撒冷

jest [dʒest] n. 戏谑; 玩笑(⇨joke); 笑话; 笑料 vi. 打趣; 说笑话; 开玩笑

Jesus ['dʒi:zəs] n. 耶稣, 耶稣基督   「射出

ᐱ**jet** [dʒet] n. 喷射; 射流; 气流; 喷气发动机; 喷气式飞机 v. 喷出, 射出; 喷

ᐱ**Jew** [dʒu:] n. 犹太人; 犹太教徒 a. 犹太人的

▲jewel ['dʒuːəl] n. 宝石, 珠宝饰物(⇨gem); 贵重的人(或物)　vt. 用珠宝装饰

(▲)jewel(l)er ['dʒuːələ] n. 珠宝商; 宝石匠

▲jewel(l)ery ['dʒuːəlri] n. 〔总称〕 珠宝; 珠宝饰物

　Jewish ['dʒuːiʃ] a. 犹太人的

　jiggle ['dʒigl] v., n. 〈口语〉轻轻摇晃

▲Jim [dʒim] 吉姆(James 的昵称)

　jingle ['dʒingl] n. 铃声; 丁当声　v. (使)丁当响

　Joan [dʒəun] 琼(女名, John 的女性称呼)

*job [dʒɔb] n. 零活; 〈口语〉工作, 职业(⇨position); 棘手的事; 事件

*job-hunting ['dʒɔb-'hʌntiŋ] n. 找工作

　jobless ['dʒɔblis] a. 失业的; 无职业的

*Joe [dʒəu] 乔(男名, Joseph ['dʒəzif] 的昵称)

　jog [dʒɔg] vi., n. 慢跑

*John [dʒɔn] 约翰(男名)

▲Johnson ['dʒɔnsn] 约翰逊(姓)

(▲)Johnsy ['dʒɔnzi] 约翰西(女名)

*join [dʒɔin] v. 连接(⇨connect); 联合 (⇨unite); 参加, 加入; 会合; 邻接　n. 接合; 接合点; 接缝

▲joint [dʒɔint] n. 接头; 接合处; 接缝; 关节　a. 共同的; 联合的; 共有的
∥ ～ offence 共犯 / ～ stock 合资

▲joke [dʒəuk] n. 玩笑; 笑话; 笑柄　v. 说笑话; 开玩笑; 戏弄

　jokingly ['dʒəukiŋli] ad. 开玩笑地

　jolly ['dʒɔli] a. 有趣的; 快活的 (⇨happy); 令人高兴的 (⇨cheerful); 愉快的　ad. 〈口语〉很, 非常

　jolt [dʒəult] v. (使)颠簸; (使)摇晃　n. 颠簸; 摇晃

(▲)Joseph ['dʒəuzif] 约瑟夫(男名)

　jostle ['dʒɔsəl] v. 推, 撞, 碰, 挤 ▶ t 不发音.

　jot [dʒɔt] vt. 匆匆记下　n. 《加 a》一点儿

`journal ['dʒəːnəl] n. 杂志(⇨magazine); 期刊; 报纸 (⇨newspaper); 日记 (⇨diary); 日志

　journalism ['dʒəːnəlizəm] n. 新闻业; 新闻学

　journalist ['dʒəːnəlist] n. 新闻记者; 新闻工作者

▲journey ['dʒəːni] n. (陆上的)旅行; 旅程; 路程; 历程　vi. 旅行(⇨travel)

*joy [dʒɔi] n. 欢乐, 高兴(⇨delight); 乐事 「merry」

　joyful ['dʒɔifəl] a. 十分喜悦的, 高兴的 (⇨delightful); 快乐的, 欢乐的(⇨

　joyfully ['dʒɔifəli] ad. 高兴地; 欢乐地; 喜悦地

　joyous ['dʒɔiəs] a. 高兴的; 欢乐的 (⇨happy); 喜悦的

　joyously ['dʒɔiəsli] ad. 高兴地; 喜气洋洋地

*judge [dʒʌdʒ] n. 法官; 裁判; 仲裁者; 鉴定人; 鉴赏家　v. 审理(案件); 审判(犯人); 裁判; 判断, 断定; 鉴定

(▲)judg(e)ment ['dʒʌdʒmənt] n. 审判, 裁判; 判决; 判断; 评价; 见识

　judicial [dʒuːˈdiʃəl] a. 司法的; 法院的; 审判上的; 法官的

▲jug [dʒʌg] v. 炖, 煨　n. [美](小口带柄的)水罐; [英] 大壶; 〈口语〉监牢
∥ ～ band [美]小乐队

　juice [dʒuːs] n. (水果、蔬菜、肉的)汁; 液; 体液; 精髓　vt. 从…挤出汁

juicy ['dʒuːsi] *a.* 多汁液的；多水分的

***July** [dʒuˈlai] *n.* 七月 (略作：Jul.)

jumble ['dʒʌmbəl] *v.* (使)混乱，搞乱   *n.* 混乱，杂乱；《加 a》杂乱的一堆 ‖ ～ sale [英] 旧杂货拍卖，义卖会([美] rummage sale)

***jump** [dʒʌmp] *v.* 跳，跃；跳过，跃过(⇨leap)；跳动(⇨pound)；惊跳；(价格)暴涨，猛增   *n.* 跳，跃，惊跳 ‖ broad [long] ～ 跳远 / high ～ (立定)跳高 / pole ～ 撑竿跳高 / running high ～ 跳高

▲**jumper** ['dʒʌmpə] *n.* 跳跃者(骑马越障的表演者)

jumping ['dʒʌmpiŋ] *a.* 跳跃的   *n.* 跳跃 ‖ show ～ 骑马越障的技术表演

junction ['dʒʌŋkʃən] *n.* 连接(⇨union)；会合(⇨joining)；连接点；(铁路的)联轨站，枢纽站；(河流的)汇流点

***June** [dʒuːn] *n.* 六月 (略作：Jun.)

▲**jungle** ['dʒʌŋgl] *n.* 《常加 the》丛林，密林

▲**junior** ['dʒuːniə] *a.* 年少的，较年幼的 (← elder)；资历浅的；低职位的；[美] 四年制大学三年级的，高中二年级的(← senior)   *n.* 年少者；后进，后辈；低年级生 ‖ ～ high school [美] 初级中学 / ～ school [英] 小学

junk¹ [dʒʌŋk] *n.* 废弃的旧物，旧货；〈口语〉不值钱的东西

▲**junk²** [dʒʌŋk] *n.* 平底中国帆船

Jupiter ['dʒuːpitə] *n.* (罗马神话中的主神)朱庇特；木星

jurisdiction [ˌdʒuərisˈdikʃən] *n.* 司法权；裁判权；权限；权力范围；管辖

juror ['dʒuərə] *n.* 陪审员

jury ['dʒuəri] *n.* 陪审团；(比赛等的)评判委员会

***just** [dʒʌst] *a.* 正直的，公正的(⇨upright)；正义的；正当的；合法的；公平的，合理的(⇨reasonable)；正确的，对的(⇨right)   *ad.* 正好，恰好；只是，仅仅(⇨only)；《与完成式连用》刚刚，方才   「judge」

justice ['dʒʌstis] *n.* 正义，公正；公平，合理，正当；司法；审判；法官(⇨judge)

justification [ˌdʒʌstifiˈkeiʃən] *n.* (正当的)理由，辩解；辩护

justify ['dʒʌstifai] *vt.* 证明…为正当；为…辩护(⇨defend)

justly ['dʒʌstli] *ad.* 正直地，公正地；正当地

jut [dʒʌt] *vi.* 突出，凸出   *n.* 突出部分

juvenile ['dʒuːvənail] *a.* 年轻的(⇨young)；少年的，少女的；适于少年的 ‖ ～ books 少年读物 / ～ delinquency (未满18岁的)少年犯罪 / ～ delinquent 少年犯

K, k

kangaroo [ˌkæŋgəˈruː] *n.* 大袋鼠

Kansas ['kænzəs] *n.* 堪萨斯州 (美国)

***Kate** [keit] 凯特(女名，Katherine ['kæθərin]的昵称)

•***Kathy** ['kæθi] 凯茜(女名，Katherine ['kæθərin] 的昵称)

keel [kiːl] *n.* (船、飞机的)龙骨

keen [kiːn] *a.* 锐利的，锋利的(⇨sharp) (← blunt)；辛辣的(⇨bitter)；敏感

的; 刺骨的(寒冷); 剧烈的(痛苦); 热心的; 渴望的(⇨eager)

keenly ['ki:nli] *ad.* 锐利地; 敏锐地; 强烈地; 热心地

♦**keep** [ki:p] (*kept* [kept], *kept*) *vt.* 保持, 保存, 留住, 保留(⇨reserve); 收藏; (代为)保管; 保守(秘密); 遵守(诺言) *vi.* 保持

keeper ['ki:pə] *n.* 看守人(⇨guard); 保管人; 管理人; 店主; (动物园中的)饲养员; (球赛的)守门员

keeping ['ki:piŋ] *n.* 保管; 保存; 看守; 供养; 饲养; 一致; 协调(⇨harmony)

kennel ['kenl] *n.* 狗窝

Kent [kent] *n.* 肯特(英格兰东南部一郡)

▲**Kentucky** [ken'tʌki] *n.* 肯塔基州 (美国)

kept [kept] keep 的过去式和过去分词 ‖ ～ woman 情妇

kerb [kə:b] *n.* (与车道交接处的)路缘, 人行道的边沿([美] curb)

kernel ['kə:nl] *n.* (果实的)仁; (米、麦的)粒; (议论等的)核心(⇨nucleus)

♦**kerosene, kerosine** ['kerəsi:n] *n.* 煤油([英] paraffin)

kettle ['ketl] *n.* (烧水用的)水壶, 茶壶

♦**key** [ki:] *n.* 钥匙; 答案, 题解; 关键; 要害; (音乐的)调, 主调; (文章的)基调; (学语言用的)对译本; (钢琴、打字机的)键; 扳手 ‖ a ～ position 要职 / a ～ man 关键性人物 / ～ industry 基本工业 / ～ ring 钥匙圈

keyboard ['ki:bɔ:d] *n.* 键盘; 开关板; 挂钥匙的板

keyhole ['ki:həul] *n.* 锁眼, 钥匙孔

⁽♦⁾**kick** [kik] *v.* 踢; (足球)踢球, 踢进(进门)得分 *n.* 踢; (枪、炮的)后座

kickoff ['kik,ɔf] *n.* (足球赛)开球; 〈口语〉开始

▲**kid** ['kid] *n.* 小山羊; 〈口语〉小孩(⇨child)

kiddie, kiddy ['kidi] *n.* 〈口语〉小孩

▲**kidnap** ['kidnæp] *vt.* 诱拐(儿童等); 绑架; 劫持

kidney ['kidni] *n.* 肾, 腰子; 性格, 脾气; 种类

♦**kill** [kill] *vt.* 杀, 杀死; 弄死; 杀害; 消磨(时间); 摧毁(⇨destroy)

killer ['kilə] *n.* 杀人者; 凶手; 屠夫

kilo ['ki:ləu] *n.* 〈口语〉千克, 公斤; 千米, 公里

kilo- [kilə-] 表示 "千" 的结合词

kilocycle ['kiləu,saikl] *n.* 千周, 千赫(略作: kc.)

⁽▲⁾**kilogram(me)** ['kiləgræm] *n.* 千克, 公斤(略作: kg.)

kilometer [美] = kilometre

♦**kilometre** ['kilə,mi:tə] *n.* 公里, 千米(略作: km.) ▶ 又作 kilometer [美].

kiloton ['kiləutʌn] *n.* 千吨

kilovolt ['kiləvəult] *n.* 千伏(略作: kv.)

kilowatt ['kiləwɔt] *n.* 千瓦(略作: kw.)

kimono [ki'məunəu] *n.* (日本)和服; 和服式女晨衣

kin [kin] *n.* 〔总称〕家属, 亲属; 血缘关系

-kin [kin] *suf.* 表示 "小" 之意, 如 lamb*kin* (小羊), prince*kin* (小王子).

♦**kind**[1] [kaind] *a.* 亲切的; 和蔼的; 仁慈的(⇨gracious); 友爱的(⇨friendly); 有益的; 舒适的

♦**kind**[2] [kaind] *n.* 种类(⇨sort); (动植物的)类, 属; 性质(⇨nature)

kindergarten ['kində,gɑ:tn] *n.* 幼儿园

kind-hearted [,kaind'hɑ:tid] *a.* 好心的 (⇨kind); 心地善良的; 仁慈的 (← 「cruel」)

kindle ['kindl] *v.* 点燃, (使)燃烧; 着火(⇨fire); 激起(感情); 发亮

△**kindly** ['kaindli] *a.* 亲切的, 和蔼的; 慈爱的; 温和的; 舒适的 *ad.* 亲切地, 和蔼地; 友善地; 由衷地; 诚恳地; 请…(⇨please)

△**kindness** ['kaindnis] *n.* 亲切, 和蔼; 仁慈; 友好的行为(或对待)

kindred ['kindred] *n.* 〔总称〕亲属, 亲戚; 亲属关系; 血缘关系; 同种; 近似 *a.* 同血缘的; 同族的; 同类的

kinetic [ki'netik, kai'-] *a.* 运动(引起)的; 动力(学)的 ‖ ~ energy 动能

*△**king** [kiŋ] *n.* 国王; 君主; (纸牌中的)老K; (国际象棋中的)王

△**kingdom** ['kiŋdəm] *n.* 王国; (动植物等的)…界; 领域

kinship ['kinʃip] *n.* 亲属关系(⇨relationship); 相似

kiosk ['ki:ɔsk] *n.* 书报亭, 报摊; (土耳其、伊朗的)凉亭; [英] 公用电话亭 (= telephone booth); 音乐台; 地铁入口

*△**kiss** [kis] *n., vt.* 吻 *vi.* 接吻 ‖ ~-*ing* gate [美]旋转小门(仅能通过一人)

kit [kit] *n.* [英] (士兵等的)个人装备; 行装; 全套工具; 配套元件; 工具箱; 用具包 ‖ first-aid ~ 急救箱   「庭」菜园

(*)**kitchen** ['kitʃin] *n.* 厨房, 灶间; 炊事用具; 全体炊事人员 ‖ ~ garden(家

*△**kite** [kait] *n.* 风筝; 鸢

kitten ['kitn] *n.* 小猫

*△**knee** [ni:] *n.* 膝, 膝盖; 膝关节 ‖ ~ breeches 短裤

△**kneel** [ni:l] *vi.* (*knelt* [nelt], *knelt*; 或 *-ed, -ed*) 跪着; 跪下

knell [nel] *n.* 钟声; 丧钟

knelt [nelt]   kneel 的过去式和过去分词

knew [nju:]   know 的过去式

*△**knife** [naif] *n.* (复数: *knives* [naivz]) 小刀; 餐刀 ‖ ~ switch 闸刀开关

knight [nait] *n.* (欧洲中世纪的)骑士; (英国的)爵士(姓名前称号用 Sir); (国际象棋中的)马

knit [nit] *v.* (*knit, knit;* 或 *knitted, knitted*) 编结, 编织; 黏合; 皱起(眉头); (使)(断骨)接合; 使(肌肉等)结实

knitting ['nitiŋ] *n.* 编结物 ‖ ~ needle 织针

knitwear ['nitwɛə] *n.* 〔总称〕针织品

knives [naivz]   knife 的复数

knob [nɔb] *n.* (门、抽屉等的)球形把手; 球饰; 旋钮; (树)节, 瘤   「障声

*△**knock** [nɔk] *v.* 打, 敲击(⇨hit, strike); 碰撞 *n.* 敲击; 敲门声; (机械的)故

knot [nɔt] *n.* (线、绳)的结; 蝴蝶结; 花结; (树)节; 一小群; 难题(⇨ puzzle); 纠纷 *v.* 打结; 捆扎; (使)缠结

*△**know** [nəu] *v.* (*knew* [nju:], *known* [nəun]) 知道; 懂得; 了解; 领会; 认识; 精通, 熟谙; 识别出

knowing ['nəuiŋ] *a.* 机敏的, 精明的; 博学的; 伶俐的   「mation)

*△**knowledge** ['nɔlidʒ] *n.* 知识; 学问, 学识; 知晓; 理解; 经验; 消息 (⇨infor

known [nəun]   know 的过去分词 *a.* 知名的; 已知的

knuckle ['nʌkl] *n.* 指节; 指关节

Korea [kə'riə] *n.* 朝鲜

Korean [kə'riən] *a.* 朝鲜的; 朝鲜人的; 朝鲜语的 *n.* 朝鲜人; 朝鲜语

L, l

***lab** [læb] *n.* 〈口语〉实验室 (= laboratory)

label ['leibəl] *n.* 标签；签条；(标本等的)分类标示；称号 *vt.* 贴标签于；把 …称为；把…归入一类

▲**laboratory** [lə'bɔrətri, 美: 'læbrətɔri] *n.* 实验室；研究室 ▶口语略作 lab.

laborious [lə'bɔːriəs] *a.* 吃力的；努力的；勤勉的

▲**labo(u)r** ['leibə] *n.* 劳动(⇨work)；〔总称〕劳动者(⇨worker)；(吃力的)工作(⇨task)；分娩 *v.* 劳动，工作；辛劳；努力(⇨strive) ‖ hard ～ 劳役 / ～ union 工会([英] trade union) / *Labo(u)r* Day 五一国际劳动节 / ～ exchange [英]职业介绍所

labo(u)rer ['leibərə] *n.* 劳动者，工人(⇨worker)；劳力   「紧；编织

lace [leis] *n.* 花边；鞋带；(束腹的)系带；饰带 *vt.* 用花边装饰；用带子束

▲**lack** [læk] *v., n.* 缺乏，缺少，不足(⇨want)；没有，无

lactic ['læktik] *a.* 乳的，乳汁的

lad [læd] *n.* 小伙子(⇨youth)；少年；男孩(⇨boy)；〔昵称〕家伙，老兄

(▲)**ladder** ['lædə] *n.* 梯子；阶梯 ‖ ～ truck [美]云梯消防车

laden ['leidn] *a.* 装满了的，负了重担的；苦恼的(⇨worried)

Ladies, Ladies' ['leidiz] *n.* 女盥洗室，女厕所 ([美] Ladies' room)

ladle ['leidl] *n.* 长柄勺子 *vt.* (用勺)舀，盛

▲**lady** ['leidi] *n.* 女士，夫人，小姐；贵妇人；[L-] (对贵族妻女或有地位的妇女的尊称)…夫人，…小姐

lag [læg] *vi.* (比别人)走得慢；落后 *n.* 迟延

laid [leid] lay² 的过去式和过去分词 ‖ ～ paper 直纹纸

lain [lein] lie¹ 的过去分词

lair [lɛə] *n.* 兽穴；(坏人的)巢穴

***lake** [leik] *n.* 湖，湖泊

lamb [læm] *n.* 小羊，羔羊；羔羊肉 ▶ b 不发音.

***lame** [leim] *a.* 跛的，瘸的(⇨limping)；不完全的；不完美的；酸痛的；无说服力的 ‖ ～ duck 无能的人   「叹；挽诗

lament [lə'ment] *v.* 哀悼(⇨mourn)；悲伤；懊悔(⇨regret) *n.* 恸哭；悲

lamentable ['læməntəbl] *a.* 可悲的，可叹的；令人遗憾的

lamentation [,læmən'teiʃən] *n.* 哀悼；悲伤；恸哭，悲叹

***lamp** [læmp] *n.* 灯 ‖ electric ～ 电灯 / ～ chimney 灯罩

lance [lɑːns, 美: læns] *n.* 长矛；鱼叉

***land** [lænd] *n.* 陆地(← sea)；土地，地面(⇨ground)；田地(⇨field)；国土(⇨country) *v.* (使)登陆；(使)上岸；(使)降落

landing ['lændiŋ] *n.* 上岸；登陆；着陆；登陆处；码头；(楼梯的)平台 ‖ ～ craft 登陆艇 / ～ stage 栈桥，浮码头

landlady ['lænd,leidi] *n.* 女地主；女房东；(旅馆、公寓的)女店主

landlord ['lændlɔːd] *n.* 地主；房东；(旅馆、客栈的)店主

△**landmark** ['lændmɑːk] *n.* 陆标,地界标;划时代的事件;里程碑

▲**landmass** ['lændmæs] *n.* 大陆,大片陆地

landowner ['lænd.əunə] *n.* 地主,土地所有者

landscape ['lændskeip] *n.* 风景,景色;风景画 ‖ ～ **gardener** 庭园设计师

lane [lein] *n.* (有树篱等的)小路,小径;小巷,里弄;(轮船、飞机的)航道; (宽马路上用白线划分的)车道;〔体育〕跑道,泳道

****language** ['læŋgwidʒ] *n.* 语言;术语;文体 ‖ ～ **laboratory** 语言训练教室

languish ['læŋgwiʃ] *vi.* 衰弱;失去活力;憔悴;渴望;苦思;(草木等)凋萎

(*)**lantern** ['læntən] *n.* 提灯;灯笼 ‖ ～ **slide** 幻灯片

▲**lap**¹ [læp] *v.* 舔,舐食(液质食物);〈口语〉巴嗒巴嗒地吃;(波浪)拍打 *n.* (以舌尖)舔;舐食声;(拍岸的)潮声

▲**lap**² [læp] *n.* 膝部(人坐着时拱起的大腿部分);(衣服的)下摆 ▶注意与 **knee**(膝盖)的区别。

lapse [læps] *n.* 小错误,小过失(⇨fault);差错(⇨slip);失误(⇨error);(时间的)流逝 *vi.* 失检;陷入;消逝;失效

lard [lɑːd] *n.* 猪油

****large** [lɑːdʒ] *a.* 大的(⇨big);巨大的(⇨great);广博的(⇨extensive);开阔的(⇨broad);大量的;大规模的(⇨massive);夸大的

largely ['lɑːdʒli] *ad.* 大量地;主要地(⇨mainly);大部分(⇨mostly)

lark [lɑːk] *n.* 云雀

larva ['lɑːvə] *n.* (复数: *larvae* ['lɑːviː])(昆虫等的)幼虫

laser ['leizə] *n.* 激光;激光器

lash [læʃ] *n.* 鞭子;鞭打,(讽刺等的)打击 *v.* 鞭打;(风、浪等)拍击;鞭策

lass [læs] *n.* 少女(⇨maid);小姑娘,女孩(⇨girl);(女的)情人

****last**¹ [lɑːst, 美: læst] *a.* [late 的最高级之一] 最后的(⇨final);最近的;最新流行的;刚过去的;昨…,上… *ad.* [late 的最高级之一] 最后;上次 *n.* 最后的人(或事物);结尾(⇨end) ‖ ～ **hurrah** 最后一搏,最后一次努力 / ～ **word** 定论;权威性说明

▲**last**² [lɑːst, 美: læst] *v.* 持续(⇨continue);维持;耐久(⇨endure);足够

lasting ['lɑːstiŋ, 美: 'læst-] *a.* 持久的;持续的(⇨enduring);耐久的(⇨durable);永远的

lastly ['lɑːstli, 美: 'læst-] *ad.* 最后地;终于(⇨finally)

(*)**latch** [lætʃ] *n.* 闩,门闩,窗闩;碰锁 *v.* 闩上;锁住(⇨lock)

latchkey ['lætʃkiː] *n.* 闩锁钥匙 ‖ ～ **child** (双职工的)带钥匙的小孩

****late** [leit] *a.* [表示时间: later ['leitə], latest ['leitist];表示顺序: latter ['lætə], last [lɑːst]] 迟的;晚的;已故的;前任的;后面的;新近的(⇨recent) *ad.* (later, latest 或 last)晚;迟 ‖ ～ **marriage** 晚婚

(*)**lately** ['leitli] *ad.* 近来,最近(⇨recently);不久前

▲**latent** ['leitənt] *a.* 潜在的;潜伏的(⇨hidden);隐而不见的(⇨invisible) ‖ ～ **period** (疾病的)潜伏期

****later** ['leitə] *ad.* [late 的比较级之一] 以后;稍后;后来;过一会儿 *a.* [late 的比较级之一] 更迟的,更后的;晚期的

lateral ['lætərəl] *a.* 横的;侧面的;向旁边的

(*)**latest** ['leitist] *ad., a.* [late 的最高级之一] 最迟(的);**最后(的)**;新近(的)

lathe [leið] *n.* 车床

(A)**Latin** ['lætin] a. 拉丁语的；拉丁民族的　n. 拉丁语；拉丁人 ‖ ～ family 拉丁语族 / ～ America 拉丁美洲

latitude ['lætitju:d] n. 纬度 (← longitude)；《常用复数》地方，地区；(行动的)范围(⇨scope)；(意见、行动的)自由(⇨freedom)

latter ['lætə] a. [late 的比较级之一，但不与 than 连用] (二者中)后者的(← former)；后面的；后期的；近来的(⇨recent)；现今的(⇨modern)

lattice ['lætis] n. 格子；花格窗

laud [lɔ:d] vt., n. 称赞，赞美(⇨praise)

*laugh** [lɑ:f, 美: læf] vi. (出声地)笑；发笑　vt. 边笑边说…；笑得使人…　n. 笑，笑声；发笑；可笑的事

(A)**laughter** ['lɑ:ftə, 美: 'læf-] n. 笑；笑声

(A)**launch** [lɔ:ntʃ] vt. 使(船)下水；发射(火箭、卫星等)；发动(战争等)；开展(运动等)；发出(命令等)；创办(事业) ‖ ～ing pad (火箭等的)发射台

laundry ['lɔ:ndri] n. 洗衣；洗衣店；送洗的东西

laurel ['lɔrəl] n. 月桂树；桂冠；《常用复数》荣誉，胜利

lava ['lɑ:və] n. (火山的)熔岩　▶发音与 larva (幼虫)相同.

lavatory ['lævətəri] n. 盥洗室，厕所；[英]抽水马桶

lavender ['lævəndə] n. 熏衣草；淡紫色

lavish ['læviʃ] a. 大方的，慷慨的；浪费的(⇨waste)；过度的(⇨extravagant)；丰富的(⇨bountiful)　vt. 滥用，浪费(⇨waste)

(A)**law** [lɔ:] n. 法，法律；法令；法学；法治(⇨rule)；诉讼(⇨suit)；法则(⇨principle)；定律(⇨formula)；守则《加 the》[美]警察；警察机关 ‖ ～ and order 治安 / ～ court 法院，法庭

lawful ['lɔ:fəl] a. 合法的；依法的，法定的(⇨legal)；守法的；法律许可的 ‖ ～ age 法定年龄，成年

lawn [lɔ:n] n. 草地，草坪；草场 ‖ ～ mower 刈草机

(A)**lawyer** ['lɔ:jə] n. 律师；法学家

(A)**lay**[1] [lei] vt. (laid [leid], laid) 放，搁(⇨place)；摆(⇨put)；铺设；布置；下(蛋)，产(卵)(⇨produce)　▶注意不要与 lie (躺)的过去式 lay 相混.

lay[2] [lei]　lie[1] 的过去式

(A)**layer** ['leiə] n. 层；地层；阶层(⇨stratum)；铺设者；压条 ‖ ～ cake 夹心蛋糕

layman ['leimən] n. (复数: -men [-mən])俗人；外行，门外汉

lazily ['leizili] ad. 懒惰地；游手好闲地

(○)**lazy** ['leizi] a. 懒惰的，怠惰的(⇨idle)；使人不想动的

*lead**[1] [li:d] v. (led [led], led) 引导，带领(⇨guide)；领导(⇨conduct)；率领，指挥；(使)过(某种生活)；诱导；牵着(动物)；(比赛中)领先；前导　n. 领导；引导；榜样；主角；头条新闻

lead[2] [led] n. 铅；铅皮；[总称]子弹(⇨bullets)　▶发音不要与 lead[1]相混.

(A)**leader** ['li:də] n. 领袖；领导人(⇨head)；[英]领奏者(指第一小提琴手)；[美]乐队指挥(⇨conductor)；[英](报纸等的)社论(⇨editorial)

(A)**leadership** ['li:dəʃip] n. 领导；领导地位；领导能力；[总称]领导人员

leading ['li:diŋ] a. 领导的；主要的(⇨main)；第一流的(⇨first)；扮演主角的 ‖ ～ article (报纸)社论[美] editorial) / ～ lady [man] 女[男]主角 / ～ question 诱导性的提问

*leaf** [li:f] n. (复数: leaves [li:vz])叶；花瓣；(书等的)张，篇(指正反两面)；

(金、银等的)箔; (门窗等的)页扇

^leaflet ['li:flit] *n.* 小叶; 传单; 活页; 广告

*league [li:g] *n.* 同盟(⇨union); 联盟; 盟约　*v.* (使)结盟 ‖ *League* member 团员 ▶注意拼写发音.

^leak [li:k] *v.* 漏; (使)渗漏　*n.* 漏洞; 泄漏, 泄密

leakage ['li:kidʒ] *n.* 漏出; 漏出物, 漏出量

^leaky ['li:ki] *a.* 漏的; 有漏洞的

lean¹ [li:n] *a.* 瘦的(⇨thin); 瘦削的(⇨gaunt); 贫瘠的; 歉收的　▶lean 指长得瘦, thin 多指因病或操劳而消瘦.

^lean² [li:n] *v.* (*leant* [lent], *leant*; 或 *-ed*, *-ed*) 倚, 靠(⇨rest); (使)倾斜; 依赖(⇨depend); 倾向

^leaning ['li:niŋ] *a.* 倾斜的　*n.* 倾向 ‖ the *Leaning* Tower of Pisa 比萨斜塔

leant [lent]　lean² 的过去式和过去分词

^leap [li:p] *v.* (*leapt* [lept], 美: li:pt], *leapt*; 或 *-ed*, *-ed*) 跳, 跳跃(⇨jump); 跃过　*n.* 跳跃; 一跳的距离; 飞跃; 跃进 ‖ ～ year 闰年

leapt [lept]　leap 的过去式和过去分词

*learn [lə:n] *v.* (*learnt* [lə:nt], *learnt*; 或 *-ed*, *-ed*) 学; 学习; 学会; 听到(⇨hear); 认识到(⇨discover); 记住(⇨memorize); 受教

^learned ['lə:nid] *a.* 有学问的, 博学的; 精通…的(⇨skilled); 学术性的 ‖ a ～ man 学者　▶注意发音.

^learning ['lə:niŋ] *n.* 学习; 学问, 学识(⇨knowledge)

learnt [lə:nt]　learn 的过去式和过去分词

lease [li:s] *vt.* 出租(土地等); 租赁　*n.* 租借物; 租约; 租借期限

^least [li:st] *a.* [little 的最高级] 最小的; 最少的　*ad.* [little 的最高级] 最小; 最少; 最不　*n.* 《通常加 the》最少; 最小; 最少量; 最小限度

^leather ['leðə] *n.* 皮, 皮革(⇨fur); 《用作形容词》皮制的　▶注意发音.

*leave¹ [li:v] *v.* (*left* [left], *left*) 离去, 离开(⇨quit); 出去, 出发(⇨start); 脱离; 退出; 留下; 剩下; 遗忘; 遗留(财产); 委托, 交付; 听任; 使保持(原状)

leave² [li:v] *n.* 准许(⇨permission); 休假; 告别(⇨farewell)

leaves [li:vz]　leaf 的复数

^lecture ['lektʃə] *vi.*, *n.* 演讲; 讲课; 训斥　*vt.* 向…讲课; 训斥(⇨scold) ‖ ～ theatre 梯形教室

lecturer ['lektʃərə] *n.* 讲演者; (大学)讲师

led [led]　lead 的过去式和过去分词

ledge [ledʒ] *n.* (自墙壁、悬岩)突出的狭长部分; 壁架; 横档; 岩架; 暗礁

ledger ['ledʒə] *n.* 总帐; 分类帐

left¹ [left]　leave 的过去式和过去分词　*a.* 剩下的

*left² [left] *a.* 左的(← right); 左边的; 左翼的, 左派的　*ad.* 在左边; 向左　*n.* 左; 左边; 左派

left-handed [,left'hændid] *a.* 惯用左手的; 左手的; 用左手做的 ‖ ～ compliments 明褒暗贬的话

leftist ['leftist] *n.* 左派分子　*a.* 左派的

*leg [leg] *n.* 腿, 腿部; (桌椅、圆规等的)脚; (建筑物的)支柱; (衣着的)覆腿部分(裤管、袜统等)

legacy ['legəsi] *n.* 遗产(⇨inheritance)

legal ['li:gəl] *a.* 法律的, 法律上的; 合法的(⇨legitimate); 法定的 ‖ ～ age 法定年龄, 成年 / ～ holiday 法定假日

legally ['li:gəli] *ad.* 法律上; 合法地(⇨lawfully)

legend ['ledʒənd] *n.* 传奇; 传说

legged [legd, 美: 'legid] *a.* 有腿的;《用以构成复合词》有…腿的

legion ['li:dʒən] *n.* 大军; 军队(⇨army); 众多; 大批(⇨multitude)

legislation [,ledʒis'leiʃən] *n.* 立法; 法律的制定; 法律(的总体); 法制

legislative ['ledʒislətiv] *a.* 立法的; 有立法权的; 法律规定的

legislature ['ledʒisleitʃə] *n.* 立法机关; 立法院

legitimate [li'dʒitimit] *a.* 合法的(⇨lawful, legal); 正当的(⇨proper); 合理的; 正统的; 婚生的

leisure ['leʒə, 美: 'li:-] *n.* 空闲, 闲暇(⇨freedom) ▶注意发音.

leisurely ['leʒəli, 美: 'li:-] *a.* 从容的; 悠闲的; 慢慢的(⇨slow) *ad.* 慢慢地; 悠然自得地

lemon ['lemən] *n.* 柠檬; 柠檬色, 淡黄色

lemonade [,lemə'neid] *n.* 柠檬水

***lend** [lend] *vt.* (*lent* [lent], *lent*) 把…借给 (← borrow); 出租(书籍等)(⇨rent); 借出(⇨loan) ‖ ～*ing* library 出借(或出租)图书馆; 租书店

length [leŋθ] *n.* 长 (← breadth); 长度(⇨extent); (时间) 长短; (布的)一段

lengthen ['leŋθən] *v.* (使)延长(⇨prolong); 变长; 加长

Leninism ['leninizəm] *n.* 列宁主义

lens [lenz] *n.* 透镜; 镜头; 镜片; (眼球的)晶状体

lent [lent] lend 的过去式和过去分词

leopard ['lepəd] *n.* 豹 ▶注意发音.

***less** [les] *a.* [little 的比较级] 更小的; 较少的 *ad.* [little 的比较级] 更少; 较少; 不及 *n.* 较少的量(或额) *prep.* 减去, 差…

-less [ləs] *suf.* 表示"无, 没有, 不"之意, 如 useless (无用的), hopeless (没有希望的), careless (粗心的).

lessen ['lesən] *v.* (使)变小; (使)变少; (使)减少(⇨decrease); 轻视, 贬低 ▶与 lesson 同音.

***lesson** ['lesən] *n.* 课, 课程; 功课; (教科书的)第…课; 教训; 训诫

lest [lest] *conj.* 唯恐, 生怕; 免得

***let** [let] *v.* (*let, let*) 让(⇨allow); 使; 允许(⇨permit); 假设(⇨grant); 出租(房屋等)(⇨rent) ▶let (让)后可接不带 to 的动词不定式.

-let [lit, lət] *suf.* 表示"小…"之意, 如 booklet (小册子), leaflet (传单), bracelet (手镯).

***let's** [lets] = let us

***letter** ['letə] *n.* 信; 字母;《用复数》文学;《常用复数》证书, 执照 ‖ capital ～ 大写字母 / small ～ 小写字母 / the commonwealth [republic] of ～s 文坛, 文学界 / ～s patent 特许证书

letterbox ['letəbɔks] *n.* (个人的)信箱; [美]邮筒 (= mailbox)

lettuce ['letəs] *n.* 莴苣, 莴苣叶; 生菜

leukemic [lu:'ki:mik] *a.* 白血病的

level ['levl] *n.* 水平; 水平面; 水准; 标准 *a.* 水平的; 平坦的(⇨flat); 同等的 *vt.* 使平坦(⇨flatten); 弄平; 平整; 夷平; 拆毁(⇨destroy); 使同等

lever ['li:və] *n.* 杠杆;(机器的)控制杆

levy ['levi] *n.*, *vt.* 征收(捐税等);征集(兵员)

li [li:] *n.* (复数: *li*) (华)里(约为1/3英里)

liability [ˌlaiə'biliti] *n.* 责任,义务;倾向;债务(⇨debts);不利因素

(▲)**liable** ['laiəbl] *a.* 易于…的;有…倾向的;(对…)有责任的(⇨responsible)

liar ['laiə] *n.* 说谎者

liberal ['libərəl] *a.* 慷慨的(⇨generous);大方的;开明的;丰富的(⇨ plentiful);不拘泥于字面的;自由主义的;自由思想的 *n.* 自由主义者

***liberate** ['libəreit] *vt.* 解放;使获自由(⇨free);释放出(⇨discharge)

***liberation** [ˌlibə'reiʃən] *n.* 解放;释放   「礼

liberty ['libəti] *n.* 自由(⇨freedom) (←slavery);《用复数》特权;放肆;失

librarian [lai'brɛəriən] *n.* 图书馆管理员;图书馆馆长

***library** ['laibrəri] *n.* 图书馆,图书室;藏书;丛书,文库

licence ['laisəns] *n.* 许可,特许;许可证,执照(⇨certificate);(思想、言论等的)自由;放纵 *vt.* 给予(某人)许可;特许;准许(出版、演出等) ‖ ～ plate (汽车等的)牌照 ▶又拼写为 license [美].

license [美] = licence

(▲)**lick** [lik] *vt.* 舔;舔吃;(火舌)卷过;(浪)轻轻拍打 *n.* 舔;少量

▲**lid** [lid] *n.* (坛子、壶等的)盖子(⇨cover);眼睑 (= eyelid)

***lie**¹ [lai] *vi.* (*lay* [lei], *lain* [lein]; *lying* [laiiŋ]) 平躺;横卧;(物件)在某处;位于;存在;处于(某状态);(出路等)在于

lie² [lai] *vi.* (*lied* [laid], *lied*; *lying*) 说谎 *n.* 谎话,谎言 ▶lie² 是规则动词,不要与 lie¹ 相混.

lieutenant [lef'tenənt, 美: lu:'tenənt] *n.* (陆军)中尉;(海军)上尉;副职官员;代理官员

***life** [laif] *n.* (复数: *lives* [laivz]) 生命;生活;人生;一生;传记(⇨ biography);力量(⇨energy);活力(⇨vigour) ‖ ～ buoy 救生圈 / ～ expectancy 平均寿命 / ～ sentence 无期徒刑 / ～ style 生活方式

▲**lifeboat** ['laifbəut] *n.* 救生艇

lifeless ['laiflis] *a.* 无生命的,死的(⇨dead);无生气的

▲**lifetime** ['laiftaim] *n.* 终身,一生;寿命

life-work ['laif,wə:k] *n.* 毕生的事业

***lift** [lift] *v.* 举起(⇨raise);抬起;提高(地位等);升起(⇨rise);(雾等)消散;废除;〈口语〉剽窃,抄袭 *n.* 升高;电梯([美] elevator);空运;搭便车;浮力;提拔 ‖ ～ pump 空吸抽水机

lift-off ['lift,ɔf] *n.* 发射;(直升机、火箭等的垂直离地)升空,起飞

***light**¹ [lait] *n.* 光,光线;光亮(⇨brightness);灯(光);日光(⇨daylight);黎明(⇨dawn);发光体;点火物;见解(⇨view) *a.* 明亮的(⇨bright) (← dark);淡色的 *v.* (-ed, -ed 或 lit [lit], lit) 点(火);点燃;照亮,变亮 ‖ ～ show (伴随节奏强烈的音乐的)光色变幻表演 / ～ year 光年

***light**² [lait] *a.* 轻的 (← heavy);轻快的;轻便的;轻易的(← hard);轻微的(⇨slight);轻浮的;轻声的;(酒类)淡的;娱乐性的 *ad.* 轻装地,轻快地,容易地

lighten¹ ['laitn] *vt.* 减轻;使轻松(⇨ease) *vi.* 变轻,变得轻松

lighten² ['laitn] *v.* 照亮(⇨illuminate);(使)发亮(⇨brighten);闪出;调淡

(色彩等);(眼睛)发亮(⇨shine);打闪

lighter[1] ['laitə] *n.* 驳船

lighter[2] ['laitə] *n.* 打火机;点火者

light-hearted [.lait'hɑ:tid] *a.* 轻松愉快的;无忧无虑的(⇨carefree)

lighthouse ['laithaus] *n.* 灯塔

lighting ['laitiŋ] *n.* 照明(⇨illumination);照明设备;〔总称〕舞台灯光

(A)**lightly** ['laitli] *ad.* 轻松地;容易地(⇨easily);轻快地;轻率地,粗心地(⇨carelessly);快活地(⇨cheerfully)

lightning ['laitniŋ] *n.* 闪电;放电 *a.* 闪电似的 ‖ ～ bug 萤火虫 / ～ rod 避雷针(〔英〕conductor)

lightweight ['laitweit] *a.* 轻量级的;无足轻重的

•**like**[1] [laik] *v.* 喜欢(⇨prefer, enjoy);希望(⇨wish);愿意;《与 should, would 连用》想(要) *n.* 《用复数》爱好(⇨preference)

•**like**[2] [laik] *prep.* 像,跟…一样 *a.* 相似的(⇨similar);同类的;同样的(⇨same);像要(下雨等) *conj.* 〈口语〉如同,好像

-**like** [laik] *suf.* 《也可作复合词》表示"似…的[地]"之意,如 child*like*(儿童般的), business*like* 办事认真不苟的.

likelihood ['laiklihud] *n.* 可能性;可能发生的事

(A)**likely** ['laikli] *a.* 可能发生的,很可能的(⇨probable);大概的;有希望的(⇨promising);合适的(⇨suitable) *ad.* 也许,大概(⇨probably)

likeness ['laiknis] *n.* 类似(⇨similarity);相像(⇨resemblance);肖像;画像(⇨picture);外貌 「also」

likewise ['laikwaiz] *ad.* 同样地(⇨similarly);照样地;也 (⇨too);又 (⇨

liking ['laikiŋ] *n.* 爱好;喜爱

▲**lilac** ['lailək] *n.* 丁香花;紫丁香;淡紫色 *a.* 淡紫色的

lily ['lili] *n.* 百合,百合花

limb [lim] *n.* 肢,翼;大树枝(⇨bough);分支(⇨branch)

lime [laim] *n.* 石灰

(A)**limestone** ['laimstəun] *n.* 石灰石 「定」

▲**limit** ['limit] *n.* 界限;边界(⇨bound);限制;范围 *vt.* 限制(⇨restrict);限

limitation [.limi'teiʃən] *n.* 限制(⇨limit);(智力,能力等的)限度;局限

▲**limited** ['limitid] *a.* 受限制的;有限的;(公司)股份有限的 ‖ ～ company 有限公司(略作: Ltd.)

limo ['liməu] *n.* 〈口语〉轿车(=limousine)

limousine ['liməzi:n, .liməˈzi:n] *n.* 轿车,大型高级汽车;(机场等)接送旅客用的大型轿车

▲**limp**[1] [limp] *vi.* 跛行;瘸着走;蹒跚;(船等因故障而)缓行 *n.* 跛行

limp[2] [limp] *a.* 柔软的(⇨soft);软弱的;无生气的

▲**Lincoln** ['liŋkən], Abraham 林肯(1809—1865, 美国第16任总统)

•**line**[1] [lain] *n.* 线(⇨thread);绳(⇨cord);电线;线路;线条;界限(⇨limit);路线;方向(⇨direction);生产(装配)线;排,行 *v.* 划线于;排队;沿…排列;画…轮廓

line[2] [lain] *vt.* 加衬,作…的里子

linear ['liniə] *a.* 线的;直线的(⇨direct);长度的;线性的 「wear」

linen ['linin] *n.* 亚麻布;〔总称〕亚麻布制品;(尤指白色的)内衣 (⇨under-

liner ['lainə] n. 班船, 班机; 衬垫

-ling [liŋ] suf. 表示"小…", 有时含轻蔑之意, 如 duckling (小鸭), sapling (树苗), hireling (走狗).

linger ['liŋgə] vi. 逗留(⇨stay); 徘徊, 闲荡 (⇨wander); 拖延 (⇨delay) vt. 挨过(一段时间)

linguistic [liŋ'gwistik] a. 语言的; 语言学的

linguistics [liŋgwistiks] n. 语言学

lining ['lainiŋ] n. 衬里; 衬垫; 衬里布

(A)**link** [liŋk] v. 连接(⇨connect); 联系(⇨join) n. 链环; 环节; 联系(⇨connection) ‖ ~ing verb 连系动词

***lion** ['laiən] n. 狮子 ‖ mountain ~ 美洲豹

▲**lip** [lip] n. 嘴唇;《用复数》口(⇨mouth);《作形容词用》口头的, 唇音的 ‖ ~ service 口头应酬话; 口惠

lipstick ['lip,stik] n. 唇膏, 口红

***liquid** ['likwid] n. 液体(⇨fluid) a. 液体的; 流动(性)的; 透明的; (声音) 柔和的(⇨soft) ‖ ~ capital 流动资本

liquor ['likə] n. 液, 液体; 汁(⇨juice); 溶液; (蒸馏制成的) 酒 ▶注意发音.

(A)**list** [list] n. (人名、物品名等的) 表; 名单(⇨roll); 目录(⇨catalogue)

***listen** ['lisən] vi. 听; 倾听; 听从 ▶ t 不发音.

listener ['lisənə] n. 倾听者; (收音机的) 听众, 收听者

lit [lit] light¹ 的过去式和过去分词

liter [美] = litre

literacy ['litərəsi] n. 识字; 有文化; 读写能力

literal ['litərəl] a. 按照字面的; 逐字的; 刻板的; 不夸张的; 缺乏想像力的 ‖ ~ error 错字, 误植 / ~ translation 逐字照译, 直译

literally ['litərəli] ad. 照字面地; 逐字地;〈口语〉确实地(⇨exactly)

literary ['litərəri] a. 文学(上)的; 从事写作的; 书本的 ‖ ~ column 文艺栏 / ~ man 文人

literature ['litərətʃə] n. 文学, 文艺; 文献;〔总称〕作品

litre ['li:tə] n. 升(液体容量单位, 略作: lit., l.) ▶又拼写为 liter [美].

litter ['litə] n. 杂物; 垃圾(⇨rubbish); 杂乱(⇨disorder); 担架; (一胎生下的猪、狗等) 窝 v. 乱扔, 乱丢

***little** ['litl] a. (less [les], least [li:st]) 小的(⇨small, tiny); 矮小的(⇨short); 短暂的(⇨brief); 渺小的; 娇小可爱的;《加 a》少许的;《不加 a》几乎没有的, 不多的 (指量不指数) ad. (less, least) 几乎没有, 不多(用于动词之后); 完全不(用于动词之前);《加 a》有点 n.《加 a》少量;《不加 a》很少, 只有一点点

***live¹** [liv] vi. 活, 活着 (← die); 生活; 住, 居住(⇨dwell) vt. 过(生活); 度过(⇨spend); 体验

live² [laiv] a. 活的(⇨alive); 有生命的; 精力充沛的(⇨animate); 炽热的; 实况广播的 ▶发音不要与 live¹ 相混.

livelihood ['laivlihud] n. 生计, 生活的手段

***lively** ['laivli] a. 活泼的(⇨active); 充满生气的(⇨animated); 生动的; 快活的(⇨cheerful); 热烈的(⇨keen) ad. 活泼地, 快活地

liver ['livə] n. 肝, 肝脏

▲**Liverpool** ['livəpu:l] *n.* 利物浦(英国港市).

livery ['livəri] *n.* (仆人的)制服 ‖ ～ stable [美] (车、马)出租店

lives [laivz] life 的复数

livestock ['laivstɔk] *n.* 〔总称〕家畜, 牲畜

****living** ['liviŋ] *n.* 生活; 谋生; 生计 (⇨livelihood) *a.* 活的(⇨alive); 活着的, 有生命的 (← dead); 现存的(⇨existing); 仍被使用的(语言等); 逼真的 ‖ ～ conditions 生活条件 / ～ standard 生活水平

living-room ['liviŋrum, -ru:m] *n.* 起居室

lizard ['lizəd] *n.* 蜥蜴

'll [l,əl] will, shall的缩写

lo [ləu] *int.* 看哪! 瞧! (表示惊讶或用以引起注意)

▲**load** [ləud] *n.* 负担(⇨burden); 重载; 担子; (车、船等的)装载量;《用复数》许多, 大量 *vt.* 装载(货物)(⇨charge); 使负重担; 填塞 *vi.* 装货; 装子弹; 上客; 装满

loaf [ləuf] *n.* (复数: *loaves* [ləuvz]) 一条(或一块)面包(多指供几个人食用的大面包) ▶注意与不可数名词 bread 的区别.

loan [ləun] *n.* 借出; 借出物; 借款 *v.* [美]借出(⇨lend) (← borrow)

loathe [ləuð] *vt.* 厌恶(⇨hate); 憎恨; 〈口语〉不喜欢(⇨dislike)

lobby ['lɔbi] *n.* 门廊; 门厅

lobster ['lɔbstə] *n.* 大螯虾; 龙虾

local ['ləukəl] *a.* 地方的; 当地的; 局部的 (← general); (火车、公共汽车等)区间的, 每站都停的 ‖ ～ authorities 地方当局

localism ['ləukəlizəm] *n.* 地方主义; 地方观念; 地方风俗; 方言, 土话

locality [ləu'kæliti] *n.* 位置 (⇨position); 地区; 地方 (⇨place); 所在地; 现场

locate [ləu'keit] *vt.* 确定…的地点(⇨fix); 设置(店铺); 找出…的位置

location [ləu'keiʃən] *n.* 定位; 测位; 位置; 场所 (⇨place); 外景拍摄地

****lock** [lɔk] *n.* 锁; (运河等的)水闸, 水门; 枪机 *v.* 锁, 锁住; 锁上; 锁藏(物品); 紧抱; 掀住; 挽(臂等)

locomotive [,ləukə'məutiv] *n.* 火车头(⇨engine); 机车 *a.* 移动性的

****locust** ['ləukəst] *n.* 蝗虫; 破坏者; 贪吃的人; 洋槐

lodge [lɔdʒ] *n.* (供休息、住宿用的)小屋; (猎场等的)看守小屋; 传达室, 门房 *v.* 住宿, 寄宿; 暂住(⇨stay); 租房居住; 寄存(⇨deposit)

lodging ['lɔdʒiŋ] *n.* 寄宿处, 住宿处;《用复数》租房, 公寓 ‖ ～ house 寄宿舍; (分间出租的)出租房子

loft [lɔft] *n.* 阁楼; (仓库的)顶楼; (教堂等的)楼厢 「木屋

lofty ['lɔfti] *a.* 高的(⇨tall); 高耸的; 高尚的; 高傲的

▲**log** [lɔg] *n.* 原木; 圆木; (航行)日志; 测程仪 ‖ ～ cabin (圆木搭建的)小

logic ['lɔdʒik] *n.* 逻辑(学); 推理; 逻辑性

logical ['lɔdʒikəl] *a.* 逻辑上的(⇨dialectical); 合乎逻辑的; 必然的; 合理的(⇨reasonable)

logically ['lɔdʒikəli] *ad.* 合乎逻辑地; 必然地 「文学).

-logy [lədʒi] *suf.* 表示"学科, …学", 如 geology (地质学), philology (语

loin [lɔin] *n.* 《常用复数》腰(部); (兽类的)腰肉, 脊背肉

loiter ['lɔitə] *v.* 闲逛(⇨wander); 游荡; 虚度; 消磨(时光)(⇨idle)

⋆**London** ['lʌndən] *n.* 伦敦 (英国首都)   ⌐single⌐

lone [ləun] *a.* 孤独的 (⇨alone); 无伴的 (⇨companionless); 单独的 (⇨

loneliness ['ləunlinis] *n.* 孤独, 寂寞

▲**lonely** ['ləunli] *a.* 孤独的; 寂寞的; 荒凉的; 偏僻的 ▶此词不是副词.

lonesome ['ləunsəm] *a.* 寂寞的; 孤单的(⇨lonely); 荒凉的(⇨deserted)

⋆**long**[1] [lɔŋ] *a.* 长的 (← short); 冗长的(⇨slow); 长久的; 长度…的 *ad.* 长
久地; 很久, 早已 ‖ ～ haul 长途运输 / ～ jump 跳远

▲**long**[2] [lɔŋ] *vi.* 渴望(⇨desire); 极想念; 热望

⌐▲⌐**long-eared** ['lɔːŋ,iəd] *a.* 长耳朵的

longevity [lɔn'dʒeviti] *n.* 长寿; 长期供职

longing ['lɔŋiŋ] *n.* 渴望(⇨yearning); 思慕 *a.* 渴望的; 热望的

longitude ['lɔndʒitjuːd] *n.* 经度 (← latitude)

⌐▲⌐**long-legged** ['lɔŋ,legd] *a.* 长着长腿的

▲**longshoreman** ['lɔŋˈʃɔːmən] *n.* (复数: -men [-mən]) *n.* [美] 码头工人

long-suffering [,lɔŋ'sʌfəriŋ] *a.* 长期忍受苦难的

⋆**look** [luk] *vi.* 看(⇨watch, see), 注视; 望; 看来像是…(⇨seem); (房屋等)
朝, 面向(⇨face);《用命令式》注意, 留心 *vt.* 注视, 凝视(⇨gaze); 以眼
色示(意); 由表情显示出; 查明, 检查 *n.* 脸色, 表情; 眼神; 外观;《用复
数》容貌; 模样 ‖ ～ing glass 镜子 ▶look 作连系动词时, 后面用形容
词(不是副词)作表语.

▲**lookout** ['lukaut] *n.* 守望; 警戒; 瞭望台; 前景

▲**loom**[1] [luːm] *n.* 织布机

loom[2] [luːm] *vi.* 隐约出现(⇨appear); 可怕地显现

loop [luːp] *n.* (线、绳等的) 环(⇨ring); 圈(⇨circle) *v.* (把…) 打成环

▲**loose** [luːs] *a.* 松的 (← tight); 松掉的; 宽松的, 松弛的; 松动的; 不严谨的
(← strict); 无拘束的(⇨free) *v.* 释放 (← bind); 松开; 解开 (← bind)
▶不要与 lose [luːz] 相混.

loosely ['luːsli] *ad.* 松开地; 宽松地, 松弛地; 不严格地

loosen ['luːsən] *v.* 使松弛; 放松; 使松开 (⇨untie); 解开; 变松(⇨relax)

loot [luːt] *v.* 洗劫, 掠夺(⇨plunder) *n.* 战利品; 掠夺物

⌐▲⌐**lord** [lɔːd] *n.* 君主(⇨ruler); 贵族(⇨noble); 封建领主; 主人(⇨master);
[L-]阁下; [L-] 上帝, 主 (⇨God, Christ); 巨头

lordship ['lɔːdʃip] *n.* 贵族的权力(⇨power);《对贵族、法官的尊称》[L-]
阁下 ‖ Your [His] *Lordship* 阁下

▲**Lorraine** [lɔ'rein] *n.* 洛林 (法国东北部一地区)

⌐▲⌐**lorry** ['lɔri] *n.* 载货卡车 ([美] truck)

▲**Los Angeles** [lɔsˈændʒiliːz; lɔːsˈændʒələs] *n.* 洛杉矶 (美国城市)

⋆**lose** [luːz] *v.* (*lost* [lɔst], *lost*) 失去 (← find); 丢失, 遗失; 丧失(亲人等);
迷失; 错过(机会等); 浪费(时间等)(⇨waste); 未能看见(⇨miss); 输掉
(← win); 赔钱; (钟表)走慢 (← gain)

⌐▲⌐**loss** [lɔs] *n.* 损失; 丧失; 遗失; 损耗; 失败(⇨victory); 输(← gain)

⋆**lost** [lɔst] lose 的过去式和过去分词 *a.* 丢失的; 迷途的; 浪费的 (⇨
wasted); 失败的

⋆**lot** [lɔt] *n.* 签, 抽签; 中签; 运气(⇨fortune); (土地的)一块, 地皮;《常用复
数》〈口语〉许多, 大量

lottery ['lɔtəri] *n.* 彩票，奖券；运气

•**loud** [laud] *a.* 响亮的；大声的；吵闹的(⇨noisy)；(衣着)花哨的；大红大绿的 *ad.* 大声地；响亮地

⁽ᴬ⁾**loudly** ['laudli] *ad.* 响亮地，高声地，喧闹地；(衣着)花哨地

loudspeaker [,laud'spi:kə, 'laud.spi:kə] *n.* 扬声器，扩音器，喇叭

lounge [laundʒ] *n.* 闲荡，漫步；(旅馆等的)休息室；(私人住宅的)起居室 *v.* 闲荡；懒洋洋地坐着(或站着)

lovable ['lʌvəbl] *a.* 可爱的；讨人喜欢的 ▶又拼写为 loveable.

•**love** [lʌv] *n.* 爱(← hatred)；恋爱，恋爱对象(特指女性)；爱情，爱好 *v.* 爱(← hate)；疼爱，恋爱；爱慕；热爱(国家等)；〈口语〉喜欢 ‖ ~ affair 风流韵事 / ~ child 私生子 / ~ knot 同心结 / ~ song 情歌

loveliness ['lʌvlinis] *n.* 可爱，美丽；魅力；〈口语〉愉快

⁽ᴬ⁾**lovely** ['lʌvli] *a.* 美好的，好看的(⇨beautiful)；可爱的(⇨pleasing)；优美的(⇨charming)；〈口语〉令人愉快的(⇨pleasant) *n.* 〈口语〉漂亮的东西，漂亮的女郎 ▶此词不是副词。

lover ['lʌvə] *n.* 情人；情夫(← mistress)；《用复数》情侣；(…的)爱好者

loving ['lʌviŋ] *a.* 亲爱的；表示爱的，钟情的

•**low** [ləu] *a.* 低的 (← high)；浅的 (⇨shallow)；低等的；低级的(⇨humble)；卑劣的(⇨mean)；粗俗的；消沉的，沮丧的，没精神的(⇨feeble) *ad.* 低低地；向低处；卑微地；低价地(⇨cheaply)

⁽ᴬ⁾**lower** ['ləuə] *v.* 降低(价格、声音等)(⇨drop)；放下，降下；减低，减弱(⇨lessen)；贬低 *a.* [low 的比较级] 下层的；下部的；较低的；下游的 ‖ the ~ animals 低级动物 / ~ class(es) 下层社会；工人阶级

lowland ['ləulənd] *n.* 《常用复数》低地 *a.* 低地的

lowly ['ləuli] *a.* 地位低的；卑贱的；谦逊的 「true」

loyal ['lɔiəl] *a.* 忠诚的(⇨devoted)；忠实的(⇨faithful)；忠心的；忠贞的(⇨true)

loyalty ['lɔiəlti] *n.* 忠诚，忠心(⇨fidelity)

lubricate ['lu:brikeit] *vt.* 润滑，加润滑油

lubrication [,lu:bri'keiʃən] *n.* 润滑(作用)

▲**luck** [lʌk] *n.* 运气；好运(⇨fortune)；吉祥物

▲**lucky** ['lʌki] *a.* 幸运的，运气好的(⇨fortunate)；侥幸的

luggage ['lʌgidʒ] *n.* 行李([美] baggage)(⇨belongings)

lull [lʌl] *vt.* 使安静；催…入眠，哄…入睡 *vi.* 平息，停息 *n.* 间歇；暂停

lullaby ['lʌləbai] *n.* 摇篮曲，催眠曲 「间」

lumber ['lʌmbə] *n.* 木材，木料([英] timber)；无用的杂物 ‖ ~ room 杂

luminous ['lu:minəs] *a.* 明亮的(⇨bright)；发光的；明白易懂的(⇨clear)；有启发的(⇨enlightening)

▲**lump** [lʌmp] *n.* 团；块；肿块；隆起；一堆 ‖ ~ sugar 方糖 「年」

lunar ['lu:nə] *a.* 月的，新月形的；阴历的 ‖ ~ eclipse 月食 / ~ year 太阴

lunatic ['lu:nətik] *a.* 精神错乱的；疯狂的(⇨mad) *n.* 疯子，狂人 ‖ ~ asylum 精神病院(现称: mental hospital)

•**lunch** [lʌntʃ] *n.* 午餐，午饭；便餐 *v.* (请…)进午餐

luncheon ['lʌntʃən] *n.* 《正式用语》午餐；午宴，午餐会 ‖ ~ meat 午餐肉

▲**lung** [lʌŋ] *n.* 肺，肺脏 ‖ ~ power 发声力

lure [luə, ljuə] *n.* (钓鱼用的)诱饵(⇨bait)；诱惑(物)；魅力，吸引力(⇨

attraction) *vt.* 引诱

lurk [lə:k] *vi.* 潜伏; 埋伏; 潜藏; 潜在; 偷偷地行动

lust [lʌst] *n.* 欲望(⇨passion); 贪欲; 色欲

luster [美] = lustre

lustre ['lʌstə] *n.* 光泽; 光彩 (⇨gloss); 光辉 (⇨glory); 名声; 光荣, 荣耀 ▶又拼写为 luster [美].

lusty ['lʌsti] *a.* 强壮的(⇨strong); 精力充沛的(⇨vigorous); 朝气蓬勃的

lute [lu:t] *n.* 琵琶(14-17世纪的一种形似吉他的琴)   「适的

luxurious [lʌg'zjuəriəs, ləg'guəriəs] *a.* 奢侈的; 豪华的; 精美的; 非常舒

luxury ['lʌkʃəri] *n.* 奢侈; 奢华; 奢侈品; 美食; 美服; 舒适的环境

-ly [li] *suf.* ①表示"像…的, 有…性质的", 如 man*ly* (男子气概的), child*ly* (孩子般天真的).②表示"方式, 状态, 程度", 如 cheerful*ly* (愉快地), quick*ly* (迅速地).③表示"每…的, 每隔…发生一次的", 如 week*ly* (每周), night*ly* (每夜).

lying[1] ['laiiŋ] lie[1] 的现在分词

lying[2] ['laiiŋ] lie[2] 的现在分词   *n.* 撒谎   *a.* 假的

(▲)**lymph** [limf] *n.* 淋巴

lyric ['lirik] *a.* 抒情的   *n.* 抒情诗; 抒情作品

M, m

ma [mɑ:] *n.* 〈口语〉妈, 妈妈

ma'am [mæm, mɑ:m, məm] *n.* (= madam)《对女王的称呼》女王陛下, 王后陛下;《从前对王室贵族妇女的称呼》夫人, 女士, 太太, 小姐

***machine** [mə'ʃi:n] *n.* 机器; (单台的)机械; [美] (政党的)地方机构 ‖ ~ language 〔电脑〕机器语言 / ~ tool 工作母机, 机床 ▶注意发音.

▲**machine-gun** [mə'ʃi:ngʌn] *n.* 机枪

machinery [mə'ʃi:nəri] *n.* 〔总称〕机械; (政治等的)机构; (戏剧等的)结构

mackintosh ['mækintɔʃ] *n.* 防水胶布; [英]雨衣

▲**mad** [mæd] *a.* 发疯的, 疯狂的(⇨crazy); 狂热的; 狂欢的; 着迷的; 鲁莽的, 愚蠢的;〈口语〉生气的(⇨angry)

***madam** ['mædəm] *n.*《对妇女的尊称》夫人, 女士; [美]主妇, 女主人

***madame** ['mædɑːm, mə'dɑːm; 美: mə'dæm] *n.* (复数: *mesdames* ['meidæm]) 〔法〕《用在非英语民族的已婚妇女姓名前》[M-] 夫人, 女士 (略作: Mme.,〔复数〕Mmes.) ▶相当于英语的 Mrs.

made [meid] make 的过去式和过去分词   *a.* 人工制造的; (以…)制成的; 凑成的 ‖ a ~ dish 杂烩   ▶注意与 of, from 连用时的区别.

mademoiselle [,mædəmwɑ'zel] *n.* (复数: *mesdemoiselles* [,meidəm-wə'zel] 〔法〕《对未婚女子的尊称》小姐 ▶相当于英语的 Miss.

madly ['mædli] *ad.* 疯狂地, 发狂地; 狂热地;〈口语〉非常

madman ['mædmən] *n.* (复数: -*men* [-mən]) 疯子, 狂人

▲**madness** ['mædnis] *n.* 发疯, 疯狂; 愚蠢; 狂热; [美]愤怒

*magazine [ˌmægə'zi:n, 美: 'mægəzi:n] *n.* 杂志(⇨journal); 期刊(⇨periodical); 仓库, 军火库, 弹药库; (照相机的)暗盒 「的

magic ['mædʒik] *n.* 魔术, 魔法; 戏法; 魔力 *a.* 魔术的; 戏法的; 不可思议

magician [mə'dʒiʃən] *n.* 魔术师; 变戏法的人

magistrate ['mædʒistreit] *n.* 地方行政官; 地方法官; 治安官

magnet ['mægnit] *n.* 磁铁; 磁石; 有吸引力的人(或物)

magnetic [mæg'netik] *a.* 磁的, 有磁性的; 可磁化的; 有吸引力的(⇨attractive); 有魅力的; 有催眠力的 ‖ ~ tape (录音用)磁带 / ~ (tape) recorder 磁带录音机

magnetism ['mægnitizəm] *n.* 磁性; 磁力; 磁学; 吸引力, 魅力

magnificence [mæg'nifisəns] *n.* 壮丽, 宏伟; 华丽

magnificent [mæg'nifisənt] *a.* 壮丽的, 豪华的(⇨splendid); 宏伟的; 华丽的; 高贵的; 〈口语〉出色的

magnify ['mægnifai] *vt.* 放大(⇨enlarge); 扩大(⇨amplify); 夸大, 夸张(⇨exaggerate) ‖ ~ing glass 放大镜

magnitude ['mægnitju:d, 美: -tu:d] *n.* 大小; 重要性; 重大

mahogany [mə'hɔgəni] *n.* 红木树, 红木; 桃花心木; 赤褐色

⁽ᴬ⁾**maid** [meid] *n.* 女仆; 〈旧称〉处女, 少女(⇨girl); (年青)未婚女子 ‖ old ~ 老小姐, 老处女

maiden ['meidn] *n.* 少女, 处女(⇨virgin) *a.* (指女性)未婚的; 处女的; 纯洁的; 初次的 ‖ a ~ flight 首航

⁽*⁾**mail** [meil] *n.* 邮件, 邮包([英] post); 邮政, 邮递; 邮船, 邮车 *vt.* [美]邮寄([英] post) ‖ ~ drop 信箱 / ~ order 邮购, 函购

mailbox ['meilbɔks] *n.* (投信的)邮箱([英] pillar box); (家庭用的)信箱 ([英] letter box) 「man)

⁽*⁾**mailman** ['meilmæn, -mən] *n.* (复数: -men [-mən]) 邮递员([英] post-

maim [meim] *vt.* 使残废; 使不完整

▲**main** [mein] *a.* 主要的(⇨chief); 最重要的(⇨important); 尽全力的, 拚命的; 总的 *n.* (自来水、煤气等的)总管道; 干线, 主线; 主要部分(⇨majority); 力, 体力(⇨strength) ‖ ~ body (军队)主力 / ~ clause 主句 / ~ current 主流 / ~ line (铁路)干线 / ~ street (小城市的)大街

mainland ['meinlənd] *n.* 〈加 the〉大陆(对附近的岛屿或半岛而言)

▲**mainly** ['meinli] *ad.* 主要地(⇨chiefly); 大部分, 大体上

▲**maintain** [mein'tein, mən-] *vt.* 维持; 保持(⇨keep); 继续; 维护; 坚持; 赡养; 扶养(⇨support)

maintenance ['meintənəns] *n.* 保持; 维护; 保养; 坚持; 生计; 生活费

maize [meiz] *n.* [英]玉蜀黍, 玉米([美] corn) 「grand)

majestic [mə'dʒestik] *a.* 雄伟的 (⇨magnificent); 庄严的; 崇高的 (⇨

▲**majesty** ['mædʒisti] *n.* 崇高(⇨grandeur); 尊严; 壮丽; 君主; [M-]陛下 ‖ Your Majesty 〈直接称呼时用〉陛下

major ['meidʒə] *a.* (二者中)较大的(⇨ larger, greater); 主要的 (← minor); 重大的; 年长的; 成年的 *n.* 陆军少校; 成年人; [美](大学的)主(修)科(目); (乐曲的)大调

▲**majority** [mə'dʒɔriti] *n.* 多数, 大多数 (← minority); 过半数; 大部分(⇨bulk); 多数党; 成年

•make [meik] *vt.* (*made* [meid], *made*) 做；造，制造(⇨fabricate)；使，使得；整理；准备；获得(⇨gain)；使…成为…；为…制作…；把…制成…；形成，构成；引起(⇨cause)；估计，认为；缔结 ▶make (使)后可接不带 to 的动词不定式. 「er-

(A)**maker** ['meikə] *n.* 制造者，制作人；制造商 ▶大制造厂商为 manufactur-

make-up ['meikʌp] *n.* 化妆，化妆品；(演员的)化装；结构，构造；组成(⇨composition)；性格；(报纸的)版面；(印刷的)排版 ;《美口语》补考

mal- [mæl-] *pref.* 表示"恶，坏，非"之意，如 *mal*treat (虐待)，*mal*odour (恶臭)，*mal*position (位置不正).

malady ['mælədi] *n.* 〈书面语〉弊病；(慢性的)疾病

malaria [mə'lɛəriə] *n.* 疟疾

male [meil] *n.* 男性 (← female)；雄性 *a.* 男性的；雄性的；

malice ['mælis] *n.* 恶意；怨恨(⇨hatred)

malicious [mə'liʃəs] *a.* 恶意的；蓄意的

maltreat [mæl'triːt] *vt.* 虐待(⇨illtreat)；粗暴地对待

mam(m)a [mə'mɑː, 美：'mɑːmə] *n.* 〈儿语〉妈妈

mammal ['mæməl] *n.* 哺乳动物   「大的

▲**mammoth** ['mæməθ] *n.* 猛犸象(已绝种的古代长毛象)；庞然大物 *a.* 庞

•man [mæn] *n.* (复数: *men* [men]) 人；男人(⇨male)；男子汉；《单数，无冠词》人类(⇨mankind)；男仆(⇨servant)；《常用复数》下属，部下；丈夫(⇨husband) *vt.* 给…配备人员；操纵

(A)**manage** ['mænidʒ] *v.* 管理(⇨control)；处理(⇨handle)；经营；安排(⇨arrange)；设法(完成)；对付

management ['mænidʒmənt] *n.* 管理，经营；处理；安排；《加 the》资方；经理人员 (← staff)

•manager ['mænidʒə] *n.* 经理(⇨director)；管理人；当家人

Manchester ['mæntʃistə] *n.* 曼彻斯特 (英国城市)   「管

mandate ['mændeit] *n.* 命令(⇨order)；授权(⇨commission)；托管 *vt.* 托

mandolin [,mændə'lin] *n.* 曼陀林(一种乐器)

mane [mein] *n.* (马、狮等的)鬃毛

maneuver [美] = manoeuvre

(A)**manfully** ['mænfəli] *ad.* 勇敢地；果断地

manger ['meindʒə] *n.* (饲牛、马用的)槽

manhood ['mænhud] *n.* 人性；成年，大人；成年期(⇨maturity)；男子气概；勇敢(⇨courage)；刚毅(⇨firmness)

manifest ['mænifest] *a.* 明白的(⇨plain)；明显的(⇨apparent) *vt.* 表明；证明(⇨prove)；显示(⇨show) *vi.* 发表宣言 *n.* 载货单；乘客名单

manifestation [,mænife'steiʃən] *n.* 表明，表示；表现形式

manifesto [,mæni'festəu] *n.* 宣言(⇨declaration)；声明

manifold ['mænifəuld] *a.* 多样的，多种的；多方面的；多功能的 *n.* 复写本；打字用纸 *v.* 复写   「操纵

manipulate [mə'nipjuleit] *vt.* 操作(⇨operate)；控制(⇨manage)；把持，

▲**mankind** [mæn'kaind] *n.* 人；人类

manly ['mænli] *a.* 有男子气概的(⇨masculine)；雄赳赳的；适合男子的；(指女子)似男性的

***man-made** ['mæn-meid] *a.* 人造的; 人工的; 合成的 ‖ ～ fibre 合成纤维 / ～ moon [satellite] 人造卫星

***manner** ['mænə] *n.* 方法, 方式(⇨mode); 样式(⇨style); 态度, 举止(⇨behaviour); 《用复数》礼貌; 《用复数》风俗, 习惯(⇨custom); (文学、艺术的)风格 ‖ bad ～s 没有礼貌 / good ～s 很有礼貌

manoeuvre [mə'nu:və] *n.* 《常用复数》(军事) 演习, 作战行动; 调动; 策略 *v.* 演习; 调动; 操纵; 施展策略

manor ['mænə] *n.* (英国封建贵族的)领地, 采邑, 庄园

manpower ['mæn,pauə] *n.* 人力, 人力资源

mansion ['mænʃən] *n.* 大厦; 官邸; 《常作复数》公寓大楼

mantle ['mæntl] *n.* 斗篷, 披风(⇨cloak); 覆盖物(⇨cover)

▲**manual** ['mænjuəl] *a.* 手的; 用手(操作)的; 手工制作的   *n.* 手册(⇨handbook); 指南; 便览 ‖ ～ alphabet (聋哑者用的)手语字母 / ～ labour 手工, 体力劳动

manually ['mænjuəli] *ad.* 用手, 手工地, 用手工操作地

manufacture [,mænju'fæktʃə] *n.* 制造; 制造业; 《常用复数》产品 *vt.* 制造(⇨produce); 虚构(⇨fabricate)   「造厂

manufacturer [,mænju'fæktʃərə] *n.* 制造业者; 工厂主; 厂商; 制造商; 制

manure [mə'njuə, 美: -'nuə] *n.* 肥料 (⇨fertilizer) *vt.* 施肥于

manuscript ['mænjuskript] *n.* 草稿; 手稿; 原稿(略作: MS., 复数略作: MSS.) *a.* 抄写的

***many** ['meni] *a.* (*more* [mɔ:], *most* [məust]) 许多的 (← few); 多的, 很多的(⇨numerous) *pron.* 许多 *n.* 许多人(或物)

***map** [mæp] *n.* 地图; 天体图; 图(⇨chart)

maple ['meipəl] *n.* 槭树; 枫树

mar [ma:] *vt.* 损坏(⇨spoil); 毁坏(⇨damage)

marathon ['mærəθən] *n.* [常作 M-] 马拉松长跑; 耐力比赛 *a.* 〈口语〉马拉松式的; 很长的

marble ['ma:bl] *n.* 大理石; (游戏用)石弹子; 《用复数, 作单数》打弹子游戏 *a.* 大理石的; 有大理石般色纹的; 坚硬的

***March** [ma:tʃ] *n.* 三月(略作: Mar.)

march [ma:tʃ] *vi.* 齐步前进; 行进; 行军; 进展 *n.* 行进(⇨advance); 行军; 进展(⇨progress); 进行曲 ‖ double ～ 跑步 / quick ～齐步走

mare [mɛə] *n.* 母马; 牝驴

▲**margin** ['ma:dʒin] *n.* 边, 缘, 边缘(⇨edge); (页边的)空白; 栏外; (时间、经费等的)余裕; (成本与售价的)差额; (能力的)界限(⇨limit)

marginal ['ma:dʒinl] *a.* 记(或印)在页边的; 边缘的; 栏外的; 边际的; 勉强可以收支平衡的 ‖ ～ notes 旁注

▲**Marie** ['ma:ri, mə'ri:] 玛丽(女名, Mary 的法语式)

marine [mə'ri:n] *a.* 海(上)的; 产于海中的; 海运的; 海军的(⇨naval); 船舶的; 航海的   *n.* 〔总称〕(一国的)船舶; 海军陆战队士兵 ‖ *Marine* Corps [美]海军陆战队

mariner ['mærinə] *n.* 〈诗语〉水手(⇨seaman); 海员 ‖ master ～ (商船、渔船的)船长

▲**mark** [ma:k] *n.* 记号(⇨sign); 符号(⇨symbol); 标记(⇨label); 标点; 商标;

标识；标准；痕迹（⇨trace）；特征（⇨character）；分数，评分；目标，靶子（⇨target） v. 标明；作记号于，留痕迹于；记录（分数）；注意（⇨notice）

(*)**Mark Twain** ['mɑːk-'twein] 马克·吐温(1835—1910,美国作家)

marked [mɑːkt] a. 显著的；受人注目的（⇨notable）；有标记的，易辨别的

(▲)**market** ['mɑːkit] n. (交易)市场；集市（⇨fair）；推销地区；(特指某种商品的)交易；销路；行情，市价；[美]食品店

(▲)**marketplace** ['mɑːkitpleis] n. 市场（⇨market）

marquess = marquis

(▲)**marquis** ['mɑːkwis] n. 侯爵 ▶又拼写为 marquess.

(*)**marriage** ['mæridʒ] n. 结婚；婚姻（⇨union）；婚礼（⇨wedding) ‖ communal [group] ～ 集体结婚 / ～ portion 嫁妆

married ['mærid] a. 已婚的；夫妇的；有配偶的 ‖ ～ woman 有夫之妇 / ～ life 婚后生活

***marry** ['mæri] v. 娶（⇨wed）；嫁；(与…)结婚；(牧师等)为…证婚；使成婚

Mars [mɑːz] n. (天文上的)火星；(罗马神话中的)战神

Marseillaise [ˌmɑːsəˈleiz] n.《加 the》马赛曲(法国国歌)

marsh [mɑːʃ] n. 沼泽（⇨swamp）；湿地 ‖ ～ gas 沼气，甲烷

marshal ['mɑːʃəl] n. (陆军)元帅；司礼官；[美](法院的)执行官；消防队长；警察局长 v. 排列（⇨array）；(讲究礼仪地)引领（⇨guide)   「严令

martial ['mɑːʃəl] a. 战争的；军事的；好战的 ‖ ～ music 军乐 / ～ law 戒

martyr ['mɑːtə] n. 殉难者；烈士；殉教者，殉道者

marvel ['mɑːvəl] n. 奇迹（⇨wonder）；〈口语〉令人惊奇的人(或物) vi. 惊异，惊奇，惊叹

-**marvel(l)ous** ['mɑːvələs] a. 神奇的；奇迹般的；不可思议的（⇨magic）；〈口语〉极妙的（⇨wonderful)   「人之一)

Marx [mɑːks], Karl 卡尔·马克思(1818—1883,德国人,共产主义学说创始

Marxism ['mɑːksizəm] n. 马克思主义

(*)**Marxist** ['mɑːksist] n. 马克思主义者 a. 马克思主义的

***Mary** ['mεəri] 玛丽(女名)

masculine ['mɑːskjulin, 'mæs-] a. 男性的 (← feminine)；有男子气概的（⇨manly)；〔语法〕阳性的 n.〔语法〕阳性(词) ‖ ～ gender〔语法〕阳性

mash [mæʃ] n. 糠麸煮成的饲料；(制啤酒的)麦芽浆 vt. 捣碎（⇨crush）；捣烂（⇨bruise)

mask [mɑːsk, 美: mæsk] n. 面具，面罩；口罩；假面具；伪装（⇨cloak) vt. 戴假面具；伪装，掩饰（⇨cover）；遮蔽 ‖ gas ～ 防毒面具

mason ['meisən] n. 泥水工；石工

(▲)**mass**[1] [mæs] n. 团，堆，块；《加 the》大部分（⇨majority)《用复数,加 the》大众，群众；《作形容词用》大规模的，大众的 ‖ ～ meeting 群众大会 / ～ observation [英]舆论调查 / ～ production 成批生产

Mass, mass[2] [mæs] n. (天主教等的)弥撒；弥撒曲

massacre ['mæsəkə] n. 大屠杀（⇨slaughter）；残杀（⇨butchery)；〈口语〉惨败 vt. 屠杀；杀戮；〈口语〉严重挫败

massage ['mæsɑːʒ, 美: məˈsɑːʒ] n., vt. 按摩；推拿

massive ['mæsiv] a. 大块的；结实的（⇨solid）；巨大的（⇨large）；强有力的

(▲)**mast** [mɑːst, 美: mæst] n. 桅杆；旗杆；天线杆；柱（⇨post）

master ['mɑ:stə, 美: 'mæs-] *n.* 主人, 男主人; 家长; 师傅, 能手; 雇主; [英] (中、小学) 男教师; 大师, 名家; [M-] 硕士 *vt.* 成为…的主人; 控制; 掌握; 精通 ‖ ～ key 万能钥匙 / Master of Arts [Science] 文 [理] 科硕士

masterpiece ['mɑ:stəpi:s, 美: 'mæs-] *n.* 杰作, 名著

mastery ['mɑ:stəri, 美: 'mæs-] *n.* 控制; 征服; 优势; 精通; 掌握

mat [mæt] *n.* 席子, 草席; 垫子; 蹭鞋垫 (= doormat); (杯、碟等的) 衬垫 *v.* (使) 缠结 (⇨entangle); 铺席子; 铺垫子

match[1] [mætʃ] *n.* 火柴

match[2] [mætʃ] *n.* 比赛 (⇨game); 竞赛; 对手 (⇨rival); 敌手 *v.* (使) 相配; 与…匹敌; 使较量; 使一致

mate [meit] *n.* 伙伴; 朋友 (⇨ friend); 同事 (⇨ fellow); 伴侣 (⇨ companion); 助手; (商船的) 大副 ▶常用以构成复合词 (如 classmate).

material [mə'tiəriəl] *n.* 材料, 原料; 资料 (⇨data); 衣料; 题材; (经训练可成为的) 人才 *a.* 物质的 (⇨physical); 实体的; 肉体上的 (← spiritual); 实质上的 (← formal) ‖ ～ noun 物质名词

materialism [mə'tiəriəlizəm] *n.* 唯物论, 唯物主义

materialist [mə'tiəriəlist] *a.* 唯物主义的 *n.* 唯物主义者

materially [mə'tiəriəli] *ad.* 实质上地; 物质上地; 显著地; 大大地

maternal [mə'tə:nəl] *a.* 母亲 (般) 的; 母方的, 母系的

math [mæθ] *n.* 〈美口语〉数学 (= mathematics) ▶英国口语为 maths.

mathematical [.mæθi'mætikəl] *a.* 数学 (上) 的; 精确的

mathematician [.mæθimə'tiʃ ən] *n.* 数学家

mathematics [.mæθi'mætiks] *n.* [复数]《用作单数》数学;《用作单数或复数》数学才能

maths [mæθs] *n.* 〈口语〉数学 (= mathematics) ▶美国口语为 math.

Mat(h)ilda [mə'tildə] 玛蒂尔达 (女名)

matinee ['mætinei, 美: .mætə'nei] *n.* 午后的演出, 日戏; 日间招待会

matter ['mætə] *n.* 物质 (← spirit); 内容, 素材; 事情 (⇨affair); 问题; 要紧事; 重要性;《加 the》麻烦事, 毛病;《用复数》情况, 事态 *vi.*《主要用于否定句和疑问句》要紧, 有关系

mattress ['mætris] *n.* 床垫, 褥垫

mature [mə'tʃuə] *a.* 成熟的; (酒) 酿成的; 慎重的; (计划等) 周到的; (票据等) 到期的 *v.* (使) 成熟; (使) 成长

maturity [mə'tʃuəriti] *n.* 成熟 (期); (票据等的) 到期 (日)

mausoleum [.mɔ:sə'liəm] *n.* 陵墓

maxim ['mæksim] *n.* 格言, 箴言 (⇨proverb)

maximum ['mæksiməm] *n.* 最大限度, 最大量, 最大数 (← minimum) *a.* 最大的, 最多的, 最高的

May [mei] *n.* 五月

may [mei] *v.aux.* (过去式: might [mait])《许可》可以…;《可能性》或许…, 可能…;《在表示愿望句中, 放在句首》祝愿…

maybe ['meibi] *ad.* 或许, 大概 (⇨perhaps)

mayn't [meint] may not 的缩合式

mayor [mɛə, 美: 'meiə] *n.* 市长, 镇长 ▶注意发音. 「wilderment]

maze [meiz] *n.* 迷宫 (⇨labyrinth); 迷津; 混乱 (⇨confusion); 迷惑 (⇨be-

▲**McCallum** [mə'kæləm] 麦卡伦姆(姓)

*__me__ [mi:, (弱) mi] *pron.* (复数: *us* [ʌs]) [I 的宾格] 我

meadow ['medəu] *n.* 牧场;草地

meager [美] = meagre

meagre ['mi:gə] *a.* 瘦的(⇨thin);不足的(⇨scanty);贫乏的(⇨poor) ▶又
拼写为 meager [美].

*__meal__[1] [mi:l] *n.* (一)餐;(一顿)饭食;进餐时间

meal[2] [mi:l] *n.* (谷类的)粗粉

*__mean__[1] [mi:n] *vt.* (*meant* [ment], *meant*) (字句等)意思是…;意指;意味着
(⇨imply);意欲(⇨intend);打算

(▲)**mean**[2] [mi:n] *a.* (社会地位)低贱的;吝啬的;自私的(⇨selfish);卑鄙的(⇨
base);刻薄的;(能力)低下的(⇨low)

mean[3] [mi:n] *n.* 平均量;中间;中庸(⇨medium) *a.* 平均的(⇨average);
中间的(⇨middle)

meaning ['mi:niŋ] *n.* 意义(⇨significance);意思;含义;意图(⇨purpose)
a. 意味深长的

meaningful ['mi:niŋfəl] *a.* 富有意义的,意义深远的

▲**means** [mi:nz] *n.* [复数]《常作单数》方法,手段(⇨method);《常作复数》
财产,财力(⇨wealth)

meant [ment]   mean 的过去式和过去分词

meantime ['mi:ntaim] *n.*《加 the》期间,其时 *ad.*〈口语〉当时,同时

meanwhile ['mi:nwail] *n., ad.* = meantime

measles ['mi:zəlz] *n.* [复数]《单复数两用》麻疹

measurable ['meʒərəbl] *a.* 可测量的

▲**measure** ['meʒə] *n.* 量度;分量;大小;量具(⇨gauge),量器;计量单位;
《常用复数》措施,办法;〔音乐〕拍子;〔数学〕约数;(诗歌的)韵律 *v.* 量,
测量;估量(⇨estimate);有…长(或高、阔等) ‖ the greatest common ～
最大公约数(略作: G.C.M.)   「测量法

measurement ['meʒərmənt] *n.* 测量,测定;(测得的)大小,宽[深,高]度

*__meat__ [mi:t] *n.* 肉,食用肉类;(果实等的)食用部分 ‖ ～ grinder 绞肉机

mechanic [mi'kænik] *n.* 机械工,机修工,技工   「学的

machanical [mi'kænikəl] *a.* 机械(制)的;机械性的;无表情的,呆板的;力

mechanically [mi'kænikəli] *ad.* 机械地;呆板地

mechanics [mi'kæniks] *n.* [复数]《当作单数》机械学,力学;《当作复数》机
械部分,机械结构,机构

mechanism ['mekənizəm] *n.* 机械装置;机构;结构;机械论

mechanize ['mekənaiz] *vt.* 使机械化

▲**medal** ['medl] *n.* 奖章,勋章;纪念章

meddle ['medl] *vi.* 干涉(⇨interfere);干预;乱弄

mediate ['mi:dieit] *v.*《与 between 连用》调停,调解(⇨intervene)

*__medical__ ['medikəl] *a.* 医学的;医疗的;医药的;内科的 ‖ ～ examination
体格检查 / ～ record 病历卡

*__medicine__ ['medsən, 美: 'medəsən] *n.* (内服)药,药剂(⇨drug);医学;内
科学 ‖ ～ chest (家庭)急救箱 / ～ man 巫医

medieval [,medi'i:vəl] *a.* (欧洲)中世纪的,中世纪风格的 ▶中世纪指公

元 5 世纪至15世纪中叶.

meditate ['mediteit] *v.* 考虑(⇨consider); 深思(⇨ponder); 反省(⇨reflect); 打算, 计划 (⇨intend)

meditation [,medi'tei∫ən] *n.* 深思; 冥想; 反省(⇨reflection)

Mediterranean [,meditə'reinjən] *n.* 《加 the》地中海 *a.* 地中海的 ‖ the ~ Sea 地中海

medium ['mi:diəm] *n.* 媒介物, 中间物; 手段(⇨means); 环境, 生活条件; 中庸 *a.* 中间的; 中等的; 普通的 ‖ ~ wave (无线电)中波

meek [mi:k] *a.* 温顺的(⇨gentle); 柔和的(⇨soft); 懦弱的

meekly ['mi:kli] *ad.* 温顺地; 柔和地

*⁺**meet** [mi:t] *v.* (*met* [met], *met*) 遇见, 碰到; 迎接; (和…)会面; (与…)会合(⇨join); (和…)接触; 满足(⇨satisfy) *n.* 会, 集会([英] meeting)

*⁺**meeting** ['mi:tiŋ] *n.* 会, 集会(⇨assembly); 会见(⇨interview); 会合

*⁺**meeting-room** ['mi:tiŋrum, -ru:m] *n.* 会议室

megaphone ['megəfəun] *n.* 扩音机; 传声筒

▲**melancholy** ['melənkəli] *n.* 忧郁; 意气消沉 *a.* 忧郁的(⇨gloomy); 悲伤的(⇨sad); 令人伤感的

mellow ['meləu] *a.* (水果)甘美多汁的; (酒)芳醇的; (色等)柔和的; (声音)圆润的; (人)成熟的(⇨mature)

melody ['melədi] *n.* 旋律, 曲调; 乐曲; 美妙的音乐

melon ['melən] *n.* 瓜, 甜瓜

melt [melt] *v.* (*melted, molten* ['məultən] 或 *melted*) (使)融化(⇨dissolve); (固体)溶化(⇨fuse); (使)软化, 变软(⇨soften); (使)消散; 声音、颜色等)融合

*⁺**member** ['membə] *n.* 成员, 会员, 社员; 构成分子(⇨element); 身体的部分(肢体、器官等)

▲**membership** ['membə∫ip] *n.* 会员资格; 全体成员; 成员数

memo ['meməu] *n.* 〈口语〉备忘录(= memorandum); (写下备忘的)短条

memoir ['memwɑ:] *n.* 传记, 传略; 专题报告, 学术论文; 《用复数》回忆录, 自传; 《用复数》纪要

▲**memorable** ['memərəbl] *a.* 值得记忆的; 值得注意的(⇨remarkable); 难忘的; 重大的; 有名的

memorandum [,memə'rændəm] *n.* 备忘录; 便笺, 便函 ▶缩写为 memo.

▲**memorial** [mi'mɔ:riəl] *a.* 纪念的; 记忆的; 追悼的 *n.* 纪念物, 纪念碑, 纪念馆; (外交上的)备忘录; 节略; 奏章; 《常作复数》记录, 编年史 ‖ ~ meeting 追悼会

memorise = memorize

▲**memorize** ['meməraiz] *vt.* 记住, 默记 ▶又拼写为 memorise.

*⁺**memory** ['meməri] *n.* 记忆, 记忆力(⇨recollection); 回忆; 纪念; 〔电脑〕存贮器, 记忆装置

men [men] *n.* man 的复数 ‖ Men's room [美]男盥洗室; 男厕所

menace ['menəs] *n., vt.* 威胁; 恐吓

▲**mend** [mend] *vt.* 修理, 修补([美] repair); 缝补, 织补; 改进(⇨amend); 改正(⇨correct); 好转, 恢复健康(⇨improve)

-ment [mənt] *suf.* 表示"行为的状态, 结果; 手段, 工具", 如 move*ment* (运

动), develop*ment* (发展), judge*ment* (判断), govern*ment* (政府).

▲**mental** ['mentl] *a.* 精神的, 心理的(← physical); 智力的; 脑力的;〈口语〉精神病的 ‖ ～ hospital 精神病院

　mentality [men'tæləti] *n.* 脑力, 智力; 心理(状态); 思想

▲**mention** ['menʃən] *v., n.* 提到, 提及, 说起; 提名表扬

　menu ['menju] *n.* 菜单; 饭菜, 菜肴

　merchandise ['mə:tʃəndaiz, -dais] *n.*〔总称〕商品(⇨goods) *v.* 买卖, 交易;(以广告等)促进销售

▲**merchant** ['mə:tʃənt] *n.* 商人, 批发商; 国际贸易商; [美]零售商, 店主

　merciful ['mə:sifəl] *a.* 仁慈的, 宽大的

　merciless ['mə:siləs] *a.* 冷酷无情的; 残忍的

　mercury ['mə:kjuri] *n.* 汞, 水银; [M-] 水星

▲**mercy** ['mə:si] *n.* 仁慈; 怜悯(⇨pity); 宽恕(⇨pardon)

(▲)**mere** [miə] *a.* 仅仅的, 只不过

▲**merely** ['miəli] *ad.* 仅仅, 只, 不过(⇨only)

　merge [mə:dʒ] *v.* 渐趋消失; 吞没(⇨drown);(使)合并

　merit ['merit] *n.* 价值(⇨value); 长处, 优点(⇨goodness); 功绩

(•)**merrily** ['merili] *ad.* 欢乐地, 愉快地, 兴高采烈地

▲**merry** ['meri] *a.* 欢乐的, 愉快的, 快活的(⇨happy); 高兴的(⇨cheerful)

(▲)**mesh** [meʃ] *n.* 网眼, 网孔

　mess [mes] *n.* 混乱(⇨confusion); 肮脏; 困顿状态;(集体进餐的)伙食

•**message** ['mesidʒ] *n.* 口信; 音信, 消息; 信息; 通讯; 文告, 咨文

　messenger ['mesəndʒə] *n.* 信使, 送信人; 先驱, 前兆

　messieurs [mei'sjə:z] *n.* [法] (*monsieur* 的复数, 略作: Messrs.) …先生

　met [met] meet 的过去式和过去分词

▲**metal** ['metl] *n.* 金属

　metallic [mi'tælik] *a.* 金属的, 金属制的; 含金属的 ‖ ～ currency 硬币

　metallurgy [me'tælədʒi] *n.* 冶金学; 冶金术

　meteor ['mi:tiə] *n.* 流星, 陨星; 陨石; 陨铁

　meter¹ [美] = metre

　meter² ['mi:tə] *n.* 量表, 计量器

　method ['meθəd] *n.* 方法; 办法; 条理; 顺序(⇨orderliness)

　meticulously [mə'tikjuləs, -kjə-] *a.* 过细的, 细致的; 谨小慎微的

•**metre** ['mi:tə] *n.* 米, 公尺(公制长度单位) ▶又拼写为 meter [美].

　metric ['metrik] *a.* 公制的, 米制的 ‖ ～ system 米制, 公制

　metropolis [mi'trɔpəlis] *n.* 主要城市, 大城市(⇨city); 首都, 首府(⇨capital); 重要中心

　metropolitan [.metrə'pɔlitn] *a.* 大城市的; 首都的, 首府的

　mew [mju:] *n.* 咪, 喵(猫叫声)

　Mexican ['meksikən] *n.* 墨西哥人 *a.* 墨西哥的; 墨西哥人的

(▲)**Mexico** ['meksikəu] *n.* 墨西哥

　mice [mais] *n.* mouse 的复数

　Michigan ['miʃigən] *n.* 密歇根州 (美国)

　micro- ['maikrəu-] *pref.* 表示"小, 微量"之意, 如 *micro*be (微生物), *micro*wave (微波).

microphone ['maikrəufəun] *n.* 扩音机,麦克风; (电话、无线电等的)话筒

microprocessor ['maikrə,prəusesə] *n.* 微处理机

▲**microscope** ['maikrəskəup] *n.* 显微镜

microscopic [,maikrə'skɔpik] *a.* 显微镜的,显微的,用显微镜才能看见的

microwave ['maikrəweiv] *n.* 微波

mid [mid] *a.* 中央的,中部的,中间的

mid- [mid-] *pref.* 表示"中间的",如 *midday* (中午), *mid*-May (五月中旬), *mid*-autumn (中秋的).

(▲)**midday** ['middei, ,mid'dei] *n.* 正午 (⇨noon) (← midnight) *a.* 正午的

***middle** ['midl] *a.* 中间的,当中的;中等的(⇨medium) *n.* 中部,中间,中央(⇨centre) ‖ ～ age 中年,壮年 / ～ class 中产阶级 / ～ finger 中指 / ～ school 中学 / ～-school student 中学生

middle-aged ['midl,eidʒd] *a.* 中年的

▲**mid-May** ['midmei] *n.* 五月中旬

(▲)**midnight** ['midnait] *n.* 午夜,半夜 *a.* 半夜的

midst [midst] *n.* 〈书面语〉中部,正中,中央,当中 *prep.* 〈诗语〉在…中间,在…之间 (= amid)

midsummer ['mid,sʌmə] *n.* 仲夏;夏至

midway [,mid'wei, 美: 'midwei] *n.* 中途,中间 *a.* 中途的,中间的 *ad.* 在中途,在中间

midwife ['midwaif] *n.* (复数: *midwives* [-waivz]) 助产士,接生婆

midwinter ['mid,wintə] *n.* 隆冬;冬至

*****might**[1] [mait] *v. aux.* [may 的过去式]《表示比 may 委婉、谦恭之意》可能,也许;《表示遗憾或婉转的责备》本该,应该;《表示请求》请;《用于从句中,表示目的》以便

might[2] [mait] *n.* 力量(⇨force);权力;威力

mightn't ['maitənt] might not 的缩合式

mighty ['maiti] *a.* 强有力的,强大的(⇨strong);〈口语〉非常,极好的

(▲)**migrant** ['maigrənt] *n.* 候鸟,移栖的动物;移居者;流动工人

(▲)**migrate** [mai'greit, 美: 'maigreit] *vi.* 迁移;短期移居;(候鸟等)定期移栖

migration [mai'greiʃən] *n.* 迁居;移居(外国);移民群;(候鸟的)移栖

*****Mike** [maik] 迈克(男名, Michael ['maikl] 的昵称)

mild [maild] *a.* (性情)温和的;温暖的(⇨warm);温柔的(⇨gentle);(烟、酒等)味淡的;(惩罚等)轻微的

mildly ['maildli] *ad.* 温和地;微微地

▲**Mildred** ['mildrid] 米尔德丽德(女名)

▲**mile** [mail] *n.* 英里(= 1609米)

mileage ['mailidʒ] *n.* 《常用单数》英里路程

milestone ['mailstəun] *n.* 里程碑;重大的日期(或事件等)

▲**military** ['militəri, 美 -.teri] *a.* 军队的,军事的;军人的;军用的;陆军的 *n.* 《加 the》军人;军队 ‖ ～ band 军乐队 / ～ base 军事基地 / ～ law 军法 / ～ police 宪兵队(略作: MP) / ～ review 阅兵式 / ～ service 兵役 / ～ uniform 军服

militia [mi'liʃə] *n.* 民兵(队),自卫队 ▶注意发音.

*****milk** [milk] *n.* 奶;牛奶;(植物、果实的)乳液;乳状物 *v.* 挤(…的)奶;出

奶; 抽取(植物、果实的)乳液; 榨取 ‖ ～ powder 奶粉 / ～ tooth 乳齿 / ～ white 乳白色

milkman ['milkmən] n. (复数: -men [-mən]) 售奶员; 送牛奶的人

milky ['milki] a. 乳状的, 乳白色的; 含牛奶的, 牛奶做的 ‖ the Milky Way 银河, 天河; 银河系

mill [mil] n. 磨坊; 面粉厂; 磨粉机; 工厂 vt. 碾磨 ‖ ～ girl (特指纺织厂的)女工 / ～ wheel 水车

miller ['milə] n. 磨坊主; 面粉厂主

millet ['milit] n. 小米

milli- ['mili] pref. 表示"毫, 千分之一"之意, 如 milligram (毫克), millimetre (毫米), millivolt (毫伏)

milligram(me) ['miligræm] n. 毫克, 千分之一克

milliliter [美] = millilitre

millilitre ['mili,li:tə] n. 毫升, 千分之一升 ▶又拼写为 milliliter [美].

millimeter [美] = millimetre

millimetre ['mili,mi:tə] n. 毫米, 千分之一米 ▶又拼写为 millimeter [美].

***million** ['miljən] num., n. 百万; 百万个(人或物)

▲**millionaire** [,miljə'nɛə] n. 百万富翁, 大富豪, 巨富

mimic ['mimik] n. 善于模仿的人 vt. 模仿

mince [mins] v. 切碎(⇨cut); (将肉等)剁碎(⇨chop) n. 剁碎的肉; 肉馅 ‖ ～ pie 百果馅饼

***mind** [maind] n. 心(⇨soul); 精神(← body); 智力; 头脑; 意见; 想法(⇨ thought); 心情; 记忆(⇨memory) v. 注意(⇨notice); 当心, 留神; 照料; 介意; 关心; 担忧

minded ['maindid] a. 有意于…的, 心想…的

***mine**¹ [main] pron. [I 的名词性物主代词] 我的(东西); 我的家属

mine² [main] n. 矿, 矿山, 矿井; 地雷, 水雷; 坑道 v. 开矿; 采掘(⇨dig); 埋地雷; (用雷)炸毁

miner ['mainə] n. 矿工; 地雷工兵

▲**mineral** ['minərəl] n. 矿物, 矿石 a. 矿物的; 矿质的 ‖ ～ spring 矿泉

mingle ['miŋgl] v. 混合(⇨mix); (与…)相混(⇨compound); 交往

mini ['mini] n. 超短裙, 迷你裙 a. 非常短的, 微型的; 极小的

miniature ['miniətʃə, 美: -tʃuə] n. 小画像; 袖珍画; 缩样 a. 小型的

minibus ['mini,bʌs] n. [美](短程旅游用的)小型公共汽车

minicomputer ['minikəm,pju:tə] n. 微型计算机

minimize ['minimaiz] vt. 使减到最少; 使降到最低; 极度缩小(或低估)

minimum ['miniməm] n. 最低限度(← maximum); 最小量 a. 最低限度的 (⇨lowest); 最小的 (⇨smallest)

mining ['mainiŋ] n. 采矿; 矿业

▲**minister** ['ministə] n. 部长, 大臣; 公使; 牧师(⇨clergyman) ‖ the Prime Minister 首相, 丞相; 总理 / ～ resident 驻节公使

ministry ['ministri] n. (政府的)部([美] department); 《加 the》[M-] (美国的)内阁; 《加 the》全体牧师

minor ['mainə] a. 较小的(← major); 次要的; 二流的; 未成年的 n. 未成年人; (乐曲的)小调

minority [mai'nɔriti] *n.* 少数(← majority); 少数派; 少数民族; 未成年
‖ ～ program 低视听率节目

mint[1] [mint] *n.* 造币厂;〈加 a〉巨额(金钱)

mint[2] [mint] *n.* 薄荷;〈口语〉薄荷糖

minus ['mainəs] *prep.* 减 (← plus); 减去…;〈口语〉缺少…, 没有… *a.*
零度以下的; 负的, 减的 *n.* 负数; 负号, 减号

***minute**[1] ['minit] *n.* 分(钟); 瞬间(⇨moment); 笔记(⇨note); 备忘录(⇨
memorandum);〈用复数〉会议记录 ‖ ～ hand (钟表的)分针, 长针

minute[2] [mai'nju:t, 美: -nu:t] *a.* 微小的(⇨tiny); 极小的; 详细的(⇨de-
tailed) ▶发音与 minute[1] 不同.

▲**miracle** ['mirəkl] *n.* 奇迹(⇨wonder); 令人惊奇的人(或事物); (才干等方
面)非凡的事例

▲**miraculous** [mi'rækjuləs] *a.* 奇迹般的, 不可思议的

(▲)**Miriam** ['miriəm] 米丽亚姆(女名)

***mirror** ['mirə] *n.* 镜子 *vt.* 映照, 反映, 反射(⇨reflect)

mirth [mə:θ] *n.*〈书面语〉欢笑(⇨merriment); 高兴(⇨gladness)

mis- [mis] *pref.* 表示"错, 误, 坏, 不利"之意, 如 *mis*understand (误会),
*mis*deed (恶行), *mis*fortune (不幸).

miscellaneous [,misə'leiniəs] *a.* 各式各样的; 多方面的 ‖ ～ goods 杂货

mischief ['mistʃif] *n.* 捣蛋, 胡闹; 恶作剧, 淘气;〈口语〉调皮的人, 淘气鬼

mischievous ['mistʃivəs] *a.* 调皮的, 淘气的; 恶作剧的; 有害的, 有毒素的

miser ['maizə] *n.* 守财奴, 吝啬鬼

miserable ['mizərəbl] *a.* 悲惨的(⇨wretched); 不幸的(⇨unhappy); 可怜
的(⇨poor); 穷困的; 低劣的(⇨low)

miserably ['mizərəbli] *ad.* 悲惨地; 可怜地; 使人难受地; 糟糕地

misery ['mizəri] *n.* (心灵或身体上的)痛苦, 悲惨; 苦难; 不幸

misfortune [mis'fɔ:tʃən] *n.* 不幸, 倒运; 不幸的事; 灾祸(⇨disaster)

misgiving [,mis'giviŋ] *n.*〈常用复数〉疑虑, 不安, 担忧

mishap ['mishæp] *n.* 不幸遭遇; 灾难

mislead [mis'li:d] *vt.* (*misled* [mis'led], *misled*) 带错, 使误入歧途, 带坏

misprint ['mis,print] *n.* 印刷错误

***miss**[1] [mis] *v.* 未击中; (机会等)未捉住, 错过(←catch); 漏掉(⇨lose); 逃
脱(⇨slip); 没看到, 没听见; (车等)未赶上; 未遇见; (聚会等)未出席; (诺
言等)未遵守; 怀念, 惦记

miss[2] [mis] *n.* 女士; 小姐(⇨maid); 姑娘 (⇨lass, girl)

***Miss** [mis] *n.*〈用于对未婚女子的称呼〉小姐, …女士

missile ['misail, 美: 'misəl] *n.* 导弹; 飞弹; (子弹、箭等)发射物; 投掷物

(*)**missing** ['misiŋ] *a.* (字母等)缺的, 缺掉的(⇨lacking); 失去的(⇨lost); 失
踪的; 失窃的

mission ['miʃən] *n.* (外交)使团; 代表团; 使命, 任务(⇨duty); [常作 M-]
使馆(⇨embassy); 传教机构

missionary ['miʃənəri, 美: -neri] *n.* 传教士

mist [mist] *n.* 薄雾(⇨fog); (眼、玻璃面的)迷糊(⇨cloud) *v.* 使蒙上薄
雾; 使(眼睛等)模糊

***mistake** [mis'teik] *vt.* (*mistook* [-'tuk], *mistaken* [-'teikən]) 弄错; 错认,

误会(⇨misunderstand) n. 错误(⇨error); 过失(⇨fault) 「的

◆**mistaken** [mis'teikən] mistake 的过去分词 a. 错误的(⇨wrong); 弄错

mister ['mistə] n. 〈口语〉先生(用于称呼时略作: Mr.)

mistook [mis'tuk] mistake 的过去分词

mistress ['mistris] n. 主妇, 女主人(← master); [英]女教师; 情妇 「相信

mistrust [,mis'trʌst] n. 不信任(⇨distrust); 怀疑 vt. 怀疑(⇨doubt); 不

misty ['misti] a. 多雾的; 薄雾笼罩的; (观念等)模糊的(⇨dim)

misunderstand [,misʌndə'stænd] v. (*misunderstood* [-'stud], *misunderstood*) 误解, 误会

misunderstanding [,misʌndə'stændiŋ] n. 误解, 曲解, 误会

misuse [,mis'ju:z] vt. 误用; 滥用; 虐待, 苛待 n. [-'ju:s] 误用; 滥用 ▶动词与名词末尾发音不同

mitt [mit] n. (女用)露指的长手套

mitten ['mitn] n. (拇指外其余四指连在一起的)连指手套

◆**mix** [miks] v. (使)混合(⇨mingle); 搀和, 搅和; (给⋯)配制; 交往

mixed [mikst] a. 混合的, 混杂的; 杂种的; 男女混合的; 〔音乐〕混声的 ‖ ～ doubles 男女混合双打 / ～ number 〔数学〕带分数

mixer ['miksə] n. 混合器, 搅拌器; (电影、电视片的)录音师, 调韵; 《加 good 或 bad》(善于或不善于)与人交往的人

◆**mixture** ['mikstʃə] n. 混合; 混合物(⇨compound); 混合剂

◆**Mmm** [m] int. 呣!

moan [məun] n. 呻吟(声); (风等的)呼啸声 v. 呻吟(⇨groan); 抱怨(⇨complain); 悲叹

moat [məut] n. 护城河; 壕, 深沟

mob [mɔb] n. 暴民; 乌合之众; 下层民众

mobile ['məubail; 美: -bəl, -bi:l] a. 可动的, 易动的, 活动的; 机动的; (表情等)易变的 n. [美]汽车(= automobile) ‖ ～ chair 折椅 / ～ library 流动图书馆

mobilise = mobilize

mobilize ['məubilaiz] v. 动员(起来) ▶又拼写为 mobilise.

mock [mɔk] v. 嘲笑, 嘲弄(⇨jeer); (嘲弄性地)模拟(⇨mimic) a. 假造的; 模拟的 ‖ ～ moon 幻月 / ～ sun 幻日

mockery ['mɔkəri] n. 嘲笑, 嘲弄; 笑柄; 膺品

(◆) **modal** ['məudl] a. 〔语法〕语气的, 情态的 ‖ ～ auxiliary 情态助动词

mode [məud] n. 方法(⇨method); 方式; 时式(⇨fashion); 〔语法〕语气; 〔音乐〕调式, 音阶

◆**model** ['mɔdl] n. 模型; (汽车等的)型; 式样; [英](女式)服装样品; 模范(⇨example); 示范; (供画家等作描绘对象的)模特儿

moderate ['mɔdərit] a. 中等的; 平均的(⇨even); 中庸的(⇨medium); 有节制的, 适度的; 稳健的; 温和的(⇨mild) v. ['mɔdəreit] (使)减轻; 节制; 主持(会议) ▶形容词与动词发音不同.

moderately ['mɔdəritli] ad. 有节制地, 适度地; 稳健地

◆**modern** ['mɔdən] a. 现代的, 近代的(← ancient); 新式的(⇨novel); 最流行的(⇨current) ‖ ～ history (欧洲文艺复兴以后的)近代史

modernize ['mɔdənaiz] v. (使)现代化

▲**modernization** [ˌmɔdənaiˈzeiʃən] *n.* 现代化

modest [ˈmɔdist] *a.* 谦虚的, 客气的(← bold); 适中的(⇨proper); (希望等)不过分的; (特指妇女)端庄的; 朴素的

modesty [ˈmɔdisti] *n.* 谦逊, 虚心; 羞怯; 端庄

modification [ˌmɔdifiˈkeiʃən] *n.* 变更(⇨change); 限制; 〔语法〕修饰(语)

modify [ˈmɔdifai] *vt.* 修改, 修正; 变更(⇨alter); 减轻; 〔语法〕修饰

modulate [ˈmɔdjuleit] *v.* 调整(⇨adjust); 调音(⇨tune)

module [ˈmɔdjuːl] *n.* 组件; 模块; (宇宙飞船的)舱

moist [mɔist] *a.* 潮湿的(⇨damp); 湿润的; 含水的; 多雨的; 有湿气的

moisten [ˈmɔisən] *vt.* 弄潮, 使湿润 *vi.* 变(潮)湿(⇨wet) ▶ t 不发音.

moisture [ˈmɔistʃə] *n.* 潮湿 (⇨dampness); 潮气; 水分

mold [美] = mould,¹ mould²

moldy [美] = mouldy

mole¹ [məul] *n.* 黑痣

mole² [məul] *n.* 鼹鼠

molecular [məuˈlekjulə] *a.* 分子的

▲**molecule** [ˈmɔlikjuːl] *n.* 分子; 克分子; 微小颗粒

molten [ˈməultn] melt 的过去分词 *a.* 熔化的, 熔融的; 铸造的

▲**mom** [mɔm] *n.* 〈美口语〉妈妈

***moment** [ˈməumənt] *n.* 片刻, 瞬间(⇨instant); 时刻; 重要(⇨importance)

momentary [ˈməuməntəri, 美: -teri] *a.* 顷刻的, 短暂的, 刹那的

▲**monarch** [ˈmɔnək] *n.* 君主(⇨ruler, king); 帝王(⇨emperor); 帝王蝶(美洲产的一种橙褐色大蝴蝶)

monarchy [ˈmɔnəki] *n.* 君主政体, 君主制度; 君主国

monastery [ˈmɔnəstri] *n.* 修道院, 寺院

***Monday** [ˈmʌndi] *n.* 星期一(略作: Mon.)

monetary [ˈmʌnitəri] *a.* 钱的, 货币的; 金融的, 财政上的

***money** [ˈmʌni] *n.* 钱; 货币(⇨currency); 财富(⇨wealth) ‖ ～ market 金融市场 / ～ order 邮政汇票 / ready ～ 现金

***monitor** [ˈmɔnitə] *n.* (学校的)班长, 级长; (电视)监视器; (广播)监听员 *vt.* 监听; 监视

▲**monk** [mʌŋk] *n.* 和尚; 修道士

***monkey** [ˈmʌŋki] *n.* 猴子; 〈口语〉淘气鬼 ‖ ～ business 〈口语〉恶作剧, 胡闹

mono- [mɔnə, mə'n] *pref.* 《在元音前作 mon-》表示"单, 一, 独"之意, 如 *mono*tone (单调), *mon*arch (君主), *mono*poly (垄断).

monopolize [məˈnɔpəlaiz] *vt.* 垄断, 独占; 专营 ▶又拼写为 monopolise.

monopoly [məˈnɔpəli] *n.* 垄断权, 专利权; 独占, 专利; 垄断者; 专利品

monotonous [məˈnɔtənəs] *a.* 单音调的; 无变化的(⇨unvarying); 单调的

▲**monsieur** [məˈsjəː] (复数: *messieurs* [ˈmesəz, meiˈsjəz]) *n.* [法] 先生 (用于称呼时略作: M.) ▶相当于英语的 Mr.

monster [ˈmɔnstə] *n.* 怪物, 怪兽; 巨物; 恶人(⇨villain)

monstrous [ˈmɔnstrəs] *a.* 畸形的; 怪异的; 庞大的(⇨enormous); 极恶的; 荒谬的; 可怕的(⇨dreadful)

***month** [mʌnθ] *n.* (日历的)月; 月份

monthly [ˈmʌnθli] *a.* 每月的, 按月的 *ad.* 每月一次地; 每月地 *n.* 月刊

（杂志）‖ ～ rose 月月红（花名）   「物；遗迹

*monument ['mɔnjumənt] n. 纪念碑(⇨memorial); 纪念塔, 纪念馆, 纪念

monumental [.mɔnju'mentl] a. 纪念性的, 纪念碑的; 不朽的; 巨大的;〈口语〉异常的, 极端的(愚蠢、无知等) ‖ ～ work 不朽之作, 巨著

△mood [muːd] n. 心情, 情绪; 气氛;〔语法〕语气;〔音乐〕音阶(⇨mode)

*moon [muːn] n. 月亮;《加 the》月球; 卫星

moonlight ['muːnlait] n. 月光

moor [muə] n. 荒地, 荒野; 沼泽地

moose [muːs] n. (复数: moose) 麋

mop [mɔp] n. (长柄)拖把 vt. 用拖把拖洗; 擦干

mope [məup] vi. 忧郁, 闷闷不乐 n.〈口语〉忧郁; 忧郁的人

△moral ['mɔrəl] a. 道德(上)的, 道义(上)的; 精神上的; 品行端正的 n. 寓意, 教训;《用复数》品行

morality [mə'ræliti] n. 道德, 道义; 德行; 美德

*more [mɔː] a. [many, much 的比较级] 更多的, 较多的(← less); (程度、重要性)更大的; 另外的, 此外的; 附加的(⇨additional) n. 更多的数量; 更多的人(或物); 另外的事 ad. [much 的比较级] 更; 更多, 更大, 更久; 另外, 还;《与 than 连用》比…更   「加之

moreover [mɔː'rəuvə] ad. 此外, 况且(⇨besides); 而且(⇨furthermore);

(*)morn [mɔːn] n.（诗语）早晨, 黎明 (= morning)

*morning ['mɔːniŋ] n. 早晨; 上午(⇨forenoon) ‖ ～ glory 牵牛花 / ～ coat 晨礼服 / ～ dress 常礼服

morsel ['mɔːsəl] n. (食物的)一小片(⇨piece); 一口(⇨mouthful); 佳肴

mortal ['mɔːtl] a. 会死的; 致命的(⇨fatal); 必死的; 人类的(⇨human); 不共戴天的 n. 凡人

mortality [mɔː'tæliti] n. 死亡数; 死亡率

mortar ['mɔːtə] n. 臼, 研钵; 迫击炮

mortgage ['mɔːgidʒ] n. 抵押; 抵押契据 vt. 抵押; 保证

Moscow ['mɔskəu] n. 莫斯科 (苏联首都)

Moslem ['mɔzləm] n., a. 穆斯林(的); 伊斯兰教徒(的) ▶ 又作 Moslim.

mosque [mɔsk] n. 清真寺, 伊斯兰教寺院

mosquito [mə'skiːtəu] n. 蚊 ‖ ～ curtain 蚊帐

moss [mɔs] n. 苔, 藓

*most [məust] a. [many, much 的最高级] 最多的(← least);《一般不加 the》大部分的, 多数的 n. 最大数量; 最高程度; 大多数, 大部分 ad. [much 的最高级] 最; 最大程度地; 极其, 十分;〈美口语〉几乎, 差不多

-most [məust] suf. 表示"最…的", 如 lowermost (最低的), topmost (最高的), foremost (先进的).   「usually)

*mostly ['məustli] ad. 大部分; 多半; 几乎全部; 主要地(⇨mainly); 通常(⇨

motel [məu'tel] n. (专为)汽车旅客(开设的)旅馆

moth [mɔθ] n. 蛾; 蛀虫

mothball ['mɔθbɔːl] n.《常用复数》樟脑丸, 卫生球

*mother ['mʌðə] n. 母, 母亲 ‖ ～ country 祖国; (殖民地的)母国 / ～ tongue 本国语言, 母语   「婆

mother-in-law ['mʌðərinlɔː] n. (复数: mothers-in-law [-ðəz-]) 岳母; 婆

motherland ['mʌðələnd] *n.* 祖国

▲**motion** ['məuʃən] *n.* (物体的)运动; 移动(⇨movement); 动作(⇨action); 提议(⇨proposal) *v.* 以(摇头、点头等)姿势示意 ‖ ~ picture [美]电影 / ~ sickness 晕车

motionless ['məuʃənlis] *a.* 不动的, 静止的(⇨still)

motivate ['məutiveit] *vt.* 激发;《常用被动语态》作为…的动机

motive ['məutiv] *n.* 动机(⇨reason); 目的(⇨purpose); (作品的)主题;〔音乐〕主调 *a.* 引起运动的, 发动的

(▲)**motor** ['məutə] *n.* 发动机, 马达, 电动机; 汽车(= motorcar) *a.* 机动的; 汽车的; 运动的   「踏车

motorbike ['məutəbaik] *n.* 〈英口语〉摩托车; [美]轻便小摩托车, 机器脚

motorboat ['məutəbəut] *n.* 汽船

motorcar ['məutəka:] *n.* 汽车([美] automobile)

motorcycle ['məutə,saikl] *n.* 摩托车, 机器脚踏车, 两用车

motorist ['məutərist] *n.* 汽车司机; 驾汽车旅行的人

motorway ['məutəwei] *n.* 高速公路([美] expressway, freeway); 汽车道, 快车道

motto ['mɔtəu] *n.* 箴言, 座右铭; 格言; (书中扉页或章节前引用的)警句

mould[1] [məuld] *n.* 模子; 模型(⇨cast); 性格(⇨character); 气质 *vt.* 放入模子中塑造; 形成(性格等) ▶又拼写为 mold [美].

(▲)**mould**[2] [məuld] *n.* 霉, 霉菌 *vi.* 发霉 ▶又拼写为 mold [美].

(▲)**mouldy** ['məuldi] *a.* 发霉的; 陈腐的 ▶又拼写为 moldy [美].

mound [maund] *n.* 土墩(⇨knoll); 坟墩; 小山(⇨hill); 堆, 垛(⇨pile)

▲**mount**[1] [maunt] *n.* 山峰, 山; [M-]…山, …峰(常略作: Mt.)

mount[2] [maunt] *v.* 骑上(马等); 爬上(山等); 登上(梯等); (物价等)上涨

***mountain** ['mauntin] *n.* 山;《用复数》山脉 ‖ ~ lion 美洲豹

mountaineer [,maunti'niə] *n.* 山地居民; 登山运动员

mountainous ['mauntinəs] *a.* 多山的; 高如山的; 巨大的(波浪)

***mourn** [mɔ:n] *v.* 哀痛(⇨grieve); 哀悼, 悲伤

mournful ['mɔ:nfəl] *a.* 悲痛的(⇨grievous); 悲哀的

***mouse** [maus] *n.* (复数 *mice* [mais])鼠, 耗子 ‖ field ~ 田鼠 ▶注意复数变化. 大的老鼠叫 rat.   「mustache.

moustache [mə'sta:ʃ, 美: 'mʌstæʃ] *n.* (嘴唇上面的)胡子; 髭 ▶又拼写

***mouth** [mauθ] *n.* 嘴, 口; 口状物; (河、坑道的)出入口

mouthful ['mauθful] *n.* 一口; 满口 ▶此词不是形容词.

***move** [mu:v] *v.* 动, 移, 移动(⇨remove); 搬动; (使)改变位置(⇨shift); (使)起变化; 走动, 迁移; 感动(⇨touch); 提议(⇨propose)   「动产

mov(e)able ['mu:vəbəl] *a.* 可移动的 (⇨portable); 活动的 ‖ ~ property

▲**movement** ['mu:vmənt] *n.* 动作; (政治的、社会的)运动; 活动; 行动; (部队等的)调动; 动向; 商品、价格等的变动

movie ['mu:vi] *n.* 〈口语〉电影; 电影院([美] cinema) ‖ ~ fan 影迷 / ~ theater 电影院 / ~ star [美]电影明星

moving ['mu:viŋ] *a.* 活动的; 动人的, 令人感动的(⇨touching) ‖ ~ picture [美]电影 / ~ staircase [stairs, stairway] 自动楼梯(=escalator) / ~ van 搬场汽车

mow [məu] *vt.* (*mowed, mown* [məun] 或 *mowed*) 割, 刈, 割(草) 「家」

^(•)**Mozart** ['məutsɑ:t], Wolfgang Amadeus 莫扎特 (1756—1791, 奥地利作曲

***Mr.** ['mistə] *n.* (= Mister)《置于男人姓名之前的称呼》…先生

***Mrs.** ['misiz] *n.*《置于女人姓名之前的称呼》…夫人, …太太

Ms. [miz, məz] *n.*《用在婚姻状况不明的女子姓名前》…女士

Mt. [maunt] *n.* (= Mount) …山, …峰

***much** [mʌtʃ] *a.* (*more* [mɔ:], *most* [məust])《与不可数名词连用》, 许多, 大量的 *n.* 大量, 许多 *ad.* (*more, most*) 很, 非常《与比较级或最高级连用》…得多, 远远地;《与 the same 连用》几乎, 差不多, 大体 ▶口语中常以 a great deal of, a lot of, lots [plenty] of, 替代 much.

muck [mʌk] *n.* 污物; 粪肥; 垃圾

▲**mud** [mʌd] *n.* 泥, 泥浆; 软湿的泥土

muddy ['mʌdi] *a.* 多泥的; 浑浊的; 泥泞的

muff [mʌf] *n.* 《女用防寒的》皮手筒

muffin ['mʌfin] *n.* [英] 松饼; [美] 杯形糕饼, 卷饼

muffle ['mʌfəl] *vt.*《常用被动语态》捂住(声音); 包, 封 (⇨envelop); 裹住 (⇨wrap); 蒙住 (⇨cover)

muffler ['mʌflə] *n.* 围巾, 头巾; 消声器

mug [mʌg] *n.* 茶缸; 有柄的杯子; 一大杯的量

▲**mulberry** ['mʌlbəri, 美: -beri] *n.* 桑树; 桑葚, 桑子; 深紫红色

mule [mju:l] *n.* 骡子

multi- ['mʌlti-] *pref.* 表示"多, 众", 如 *multi*colour (多色的), *multi*fold (多倍的), *multi*purpose (多用途的, 万能的).

multiple ['mʌltipl] *a.* 多样的; 多方面的 *n.* 倍数 ‖ common ～ 公倍数 / the lowest [least] common ～ 最小公倍数(略作: L. C. M.)

multiplication [ˌmʌltipli'keiʃən] *n.* 乘法; 增加, 增多; 繁殖

multiply ['mʌltiplai] *v.* 乘; 做乘法; 增加(⇨increase); 增多; 繁殖

multitude ['mʌltitju:d, 美: -tud] *n.* 众多; 大量;《加 the》群众, 大众

***mum** [mʌm] *n.*《儿语》妈妈

mumble ['mʌmbl] *v.* 含糊地说话; 咕哝; 抿着嘴嚼 *n.* 含糊的话, 咕哝

***mummy** ['mʌmi] *n.* 木乃伊, 干尸   「乐, 呕气

mumps [mʌmps] *n.* [复数]《用作单数》流行性腮腺炎;〈口语〉闷闷不

municipal [mju:'nisipəl] *a.* 市的; 市政的; 市立的; 地方性的

***murder** ['mə:də] *n.* 谋杀(罪); 杀人 *vt.* 谋杀, 杀害; 屠杀; 糟蹋, 毁坏

***murderer** ['mə:dərə] *n.* 杀人犯, 凶手(⇨killer); 谋杀者

murderous ['mə:dərəs] *a.* 杀人的, 谋杀的; 杀气腾腾的

▲**murmur** ['mə:mə] *n.* (波浪、树叶等的) 沙沙声; 潺潺声; (心脏) 杂音; 低语声; 怨言 *v.* 低语(⇨whisper); 嘟哝; 发怨言, 发牢骚(⇨complain)

^(▲)**Murrel** ['mʌrəl] 默雷尔(姓氏)

***muscle** ['mʌsl] *n.* 肌肉; 臂力 ▶ c 不发音.

muscular ['mʌskjulə] *a.* 肌肉的; 肌肉发达的; 强壮的

muse [mju:z] *v.* 沉思(⇨ponder); 默想; 凝望; 端详   「馆

***museum** [mju:'ziəm] *n.* 博物馆; 美术馆 ‖ the History *Museum* 历史博物

mushroom ['mʌʃru:m, -rum] *n.* 蘑菇; (核爆炸后) 蘑菇状云;《用作形容词》暴发的, 急速成长的 ‖ a ～ millionaire 暴发户

***music** ['mju:zik] *n.* 音乐；乐曲；悦耳的声音(⇨melody) ‖ ~ box 八音盒，自动奏乐器 / ~ hall [英]歌舞杂耍(场) / ~ stand 乐谱架

⁽*⁾**musical** ['mju:zikəl] *a.* 音乐的；好听的；爱好音乐的 ‖ ~ instrument 乐器 / ~ intervals 音程 / ~ saw 锯琴(一种乐器) / ~ scale 音阶

***musician** [mju:'ziʃən] *n.* 音乐家；乐师，作曲家(⇨composer)；指挥家

musk [mʌsk] *n.* 麝香

musket ['mʌskit] *n.* 旧式步枪，毛瑟枪

***must** [mʌst, (弱) məst] *v. aux.*《必要·义务·命令》必须，务必，应当；《主张》一定要…；《推测》一定是…，谅必，很可能…；《违意》偏要…；《用 must not 的形式》不可… ▶must 强调说话者的主观看法；have to (不得不) 强调客观需要。

mustache = moustache

mustard ['mʌstəd] *n.* 芥，芥末

muster ['mʌstə] *v.* 召集；集合(⇨assemble)；集中(⇨gather)；鼓起(勇气等) *n.* (部队的)检阅；点名；集合

mustn't ['mʌsnt] must not 的缩合式

mute [mju:t] *a.* 缄默的(⇨silent)；无声的；不发音的(⇨voiceless)；哑的(⇨dumb)；一时说不出话的 *n.* 哑，哑巴

mutiny ['mju:tini] *n.* 叛变(⇨rebellion)；兵变；抗命

mutter ['mʌtə] *n., v.* 咕哝(⇨murmur)；轻声抱怨地(说)

mutton ['mʌtn] *n.* 羊肉

mutual ['mju:tʃuəl] *a.* 相互的；共同的(⇨common) ‖ ~ fund [美]投资信托公司

muzzle ['mʌzəl] *n.* (动物的)口鼻；枪口，炮口；(动物的)口套，鼻笼

***my** [mai, (弱) mi] *pron.* [I 的所有格] 我的；《用以表示惊奇、高兴》哎呀！

myriad ['miriəd] *n.* 无数；极大数量 *a.* 无数的，数不清的

***myself** [mai'self] *pron.* [反身代词] 我自己；《加强语气》我亲自，我本人

▲**mysterious** [mi'stiəriəs] *a.* 神秘的，不可思议的；难以理解的

⁽*⁾**mystery** ['mistəri] *n.* 神秘的事物，难解的事物；秘密；秘诀 ‖ ~ story 怪诞小说，侦探小说

mystic ['mistik] *a.* 神秘的，不可思议的；神秘主义的 *n.* 神秘主义者

myth [miθ] *n.* 神话；虚构的故事(⇨fiction)；神话式的人(或物)

mythology [mi'θɔlədʒi] *n.* 神话(集)；神话学

N, n

⁽▲⁾**nail** [neil] *n.* 钉子；指甲 *vt.* 钉，将…钉牢；使固定；〈口语〉抓住(⇨catch) ‖ ~ polish 指甲油

naive [nɑ:'i:v] *a.* 天真的，幼稚的；朴实的 ▶注意发音。

naked ['neikid] *a.* 裸的，裸体的，赤裸裸的 (⇨ bare)；无遮盖的(⇨uncovered)；直率的 ‖ ~ eye 肉眼

***name** [neim] *n.* 名字，姓名；名称；名义；名誉 (⇨fame) *vt.* 给…取名，命名；名叫；叫出…的名字(⇨call)；指定；提名(⇨nominate)；任命

nameless ['neimlis] *a.* 无名的; 未署名的; 匿名的; 不可名状的

namely ['neimli] *ad.* 即, 也就是, 换句话说

namesake ['neimseik] *n.* 同名的人; 取某人之名的人; 同名物

nap [næp] *n., vi.* 小睡, 打盹

napkin ['næpkin] *n.* 餐巾 (= table-napkin); 小毛巾

▲**Napoleon** [nə'pəuljən], **Bonaparte** 拿破仑一世 (1769—1821, 法国皇帝, 1804—1815年在位)

narrate [nə'reit] *vt.* 讲(故事)(⇨tell); 叙述(⇨relate)

narration [nə'reiʃən] *n.* 叙述, 说明; 故事; 〔语法〕叙述法 ‖ direct [indirect] ~ 直接[间接]叙述法

narrative ['nærətiv] *n.* 故事(⇨story); 记事(⇨account); 叙述; 记叙体 *a.* 叙述的; 记叙体的

narrator [nə'reitə] *n.* 讲述者, 叙述者

▲**narrow** ['nærəu] *a.* 狭窄的(← broad); 受限制的; 勉强的; 器量小的; 精细的; 严密的(⇨strict) *n.* 《常用复数》海峡, 隘路 ‖ ~ bed [house] 墓

narrowly ['nærəuli] *ad.* 勉强地; 精细地; 严密地

nasty ['nɑːsti] *a.* 极脏的(⇨dirty); 丑陋的(⇨ugly); 猥亵的, 下流的; 有害的; 难以对付的; 不愉快的(⇨unpleasant)

▲**nation** ['neiʃən] *n.* 国家(⇨state, country); 民族(⇨nationality) ‖ the ~s 世界各族人民

▲**national** ['næʃənəl] *a.* 国家的; 民族的; 全国性的; 国立的, 国有的 *n.* 国民; 侨民 ‖ *National* Day 国庆节 / ~ hymn [anthem] 国歌 「家主义者」

nationalist ['næʃənəlist] *a.* 民族主义的; 国家主义的 *n.* 民族主义者; 国

nationality [,næʃə'næliti] *n.* 国籍; 民族

▲**native** ['neitiv] *a.* 出生的, 土生的; 祖国的, 本国的(←foreign); 本土的; 土产的; 天赋的; 自然的(⇨natural) *n.* 本地人; …出生的人; 土著 ‖ ~ language [tongue] 本国语; 本族语; 土话

▲**natural** ['nætʃərəl] *a.* 自然的, 天然的(← artificial); 自然界的; 天生的, 生来的; 朴素的; 普通的 ‖ ~ child 私生子 / ~ science 自然科学

▲**naturalist** ['nætʃərəlist] *n.* 博物学家; 自然主义者

naturally ['nætʃərəli] *ad.* 自然地, 天生地; 当然, 不用说

***nature** ['neitʃə] *n.* 自然, 自然界; 本性; 人性; 性格(⇨character); 性质; 种类(⇨kind) ‖ the rational ~ 理性

naught ['nɔːt] *n.* 无, 零(⇨zero)

naughty ['nɔːti] *a.* 顽皮的, 淘气的, 不听话的; (书刊等)猥亵的

nausea ['nɔːziə, -siə] *n.* 恶心; 晕船; 厌恶

naval ['neivəl] *a.* 海军的; 军舰的

▲**navigate** ['nævigeit] *vi.* 航行(⇨steer); 航空

navigation [,nævi'geiʃən] *n.* 航海, 航空, 航行; 导航; 航海术, 航空术; 海运

navy ['neivi] *n.* 海军 ‖ ~ blue 深蓝色

nay [nei] *ad.* 否, 不; 不仅如此, 而且 *n.* 否定; 拒绝; 反对票; 投反对票者

***near** [niə] *ad.* 近, 接近(← far); 〈口语〉几乎, 差不多(⇨nearly) *prep.* 在…附近; 接近 *a.* 近的, 接近的; 亲密的; 近似的 *v.* 接近; 走近 ‖ ~ friend 密友 / ~ translation 直译 / ~ sight 近视 / *Near* East 近东

***nearby** [niə'bai] *ad.* 附近 *prep.* 在…附近 *a.* ['niəbai] 附近的

*nearly ['niəli] *ad.* 几乎，将近，差不多(⇨almost)；密切地(⇨closely)

near-sighted [.niə'saitid] *a.* 近视的；目光短浅的

▲neat [ni:t] *a.* 整洁的(⇨tidy)；整齐的；优雅的；匀称的；熟练的；巧妙的；灵巧的(⇨clever)；(酒等)纯的

neatly ['ni:tli] *ad.* 整齐地；简洁地；巧妙地；纯粹地

▲neatness ['ni:tnis] *n.* 整洁；雅致

necessarily ['nesisərili, ,nesi'serili] *ad.* 一定，必定，必然；当然

*necessary ['nesisəri] *a.* 必要的；必需的(⇨needed)；必然的；必修(科)的 *n.* 《用复数》生活必需品

necessity [nə'sesiti] *n.* 需要，必要；必然，必需品；贫困(⇨poverty)

*neck [nek] *n.* 颈，脖子；(衣服的)领圈；颈状部分；狭窄地带；海峡

▲necklace ['nekləs] *n.* 项链；项圈

necktie ['nektai] *n.* 领带

▲need [ni:d] *n.* 需要，必要；需求；必需品；不足；困境；贫穷 *vt.* 需要(⇨want)；必要，必须 *v. aux.* 《用于否定句、疑问句》需要，必要

needful ['ni:dfəl] *a.* 需要的，必要的

needle ['ni:dl] *n.* 针；缝衣针；钩针；指针；磁针；注射针；唱针 *v.* 用针缝

needless ['ni:dləs] *a.* 不必要的，不需要的

needlework ['ni:dlwə:k] *n.* 缝纫；刺绣；针线活

needn't ['ni:dnt] need not 的缩合式

needs ['ni:dz] *ad.* 必定

needy ['ni:di] *a.* 贫困的

▲negative ['negətiv] *a.* 否定的(← affirmative)；否认的；消极的；负的(← positive)；反面的；阴性的 *n.* 否定；反对；否定词；负数；底片 *vt.* 否定，否决，反对；拒绝；抵消 ‖ ～ pole 阴极 / ～ sign 负号

neglect [ni'glekt] *vt.* 疏忽，忽略；忽视，不顾(⇨disregard)；遗漏(⇨omit) *n.* 怠慢；轻视；忽视

negligent ['neglidʒənt] *a.* 疏忽的，不注意的；玩忽的；随便的

negligible ['neglidʒəbl] *a.* 可以忽略的，微不足道的

negotiate [ni'gəuʃieit] *vi.* 谈判，交涉，商议；解决(困难)；越过(障碍)

negotiation [ni.gəuʃi'eiʃən] *n.* 谈判，协商，交涉；流通(⇨circulation)；(道路的)通过；(支票的)兑现

▲Negro ['ni:grəu] *n.* 黑人 *a.* 黑人的 ▶专门或不礼貌用语，现常用 black.

neigh [nei] *n.* 马嘶声 *v.* (马)嘶

*neighbo(u)r ['neibə] *n.* 邻居，邻人；邻座；邻近之物；《作形容词用》邻近的 *v.* (与…)相邻，住在(…的)附近

neighbo(u)rhood ['neibəhud] *n.* 邻近，附近；街坊，邻里；邻近地区；街道

neighbo(u)ring ['neibəriŋ] *a.* 邻近的，毗邻的

*neither ['naiðə, 美: 'ni:ðə] *pron.* 两者都不 *a.* 两者都不…的 *ad.* 也不；《与 nor 连用》既不…(也不…) *conj.* 也不 ▶"两者以上一个都不"用 none.

neon ['ni:ən, -ɔn] *n.* 氖 ‖ ～ lamp [light] 霓虹灯

nephew ['nevju:, 'nefju:] *n.* 侄；外甥

Neptune ['neptju:n] *n.* 海神；海王星

nerve [nə:v] *n.* 神经；勇气，胆量；《用复数》神经过敏；焦躁 ‖ ～ cell 神经

细胞 / ～ centre 神经中枢

▲**nervous** ['nə:vəs] *a.* 神经的; 神经过敏的, 神经质的; 紧张不安的 ‖ ～ breakdown 神经衰弱 / ～ disease 神经病

▲**nervously** ['nə:vəsli] *ad.* 神经质地; 紧张不安地; 焦躁地

-ness [nis, nəs] *suf.* 表示"性质, 状态, 程度", 如 ill*ness* (疾病), kind*ness* 「(和善).

(A)**nest** [nest] *n.* 巢, 窝; 鸟窠; (匪)窟; 隐蔽所; (鸟虫等的)群

nestle ['nesl] *v.* 紧抱; (使)依偎; (使)舒适地安顿下来 ▶ t 不发音.

***net**¹ [net] *n.* 网, 网状物; 网状组织; 罗网, 圈套, 陷阱

net² [net] *a.* (数额)纯净的; (价格)净的; 不能再打折扣的 *n.* 净重; 净利; 净值 ‖ ～ weight 净重

Netherlands ['neðələndz] *n.*《加 the》荷兰(正式名称.一般多用 Holland)

nettle ['netl] *n.* 荨麻 ‖ ～ rash 荨麻疹

network ['netwə:k] *n.* 网眼织物; 网状系统; 网络; 电路网; 广播(或电视)网; 广播(或电视)联播公司

neural ['njuərəl] *a.* 神经的; 神经系统的

neuter ['nju:tə] *a.*〔语法〕(名词等)中性的 *n.* 中性词; 中性形式

neutral ['nju:trəl] *a.* 中立的; 中立国的; (化学)中性的; 淡灰色的 *n.* 中立者; 中立国 ‖ ～ tint 中间色 / ～ zone [belt] 中立地带

neutron ['nju:trɔn] *n.* 中子

***never** ['nevə] *ad.* 从来没有; 永远不会; 决不, 毫不

(A)**nevertheless** [.nevəðə'les] *conj., ad.* 尽管如此; 然而, 仍然; 可是

***new** [nju:] *a.* 新的(← old); 新生的; 新式的; 新近的; 新来的; 新任的; 不习惯的, 陌生的; 初次的 ‖ *New* Year 新年 / *New* Year's Day 元旦 / *New* Year's Eve 除夕 / *New* Year's greetings 拜年

newcomer ['nju:.kʌmə] *n.* 新来的人; 新手; 移民

▲**New Jersey** [nju:'dʒə:si] *n.* 新泽西州 (美国)

newly ['nju:li] *ad.* 新近, 最近; 重新; 以新的方式

***news** ['nju:z] *n.*《用作单数》新闻, 消息, 报道 (⇨report);《加 the》(广播、电视的)新闻节目 ‖ ～ agency 通讯社 / ～ bulletin 新闻广播 / ～ conference 记者招待会 (= press conference)

***newspaper** ['nju:s,peipə] *n.* 报纸 ‖ a daily [weekly] ～ 日[周]报

***newsreel** ['nju:zri:l] *n.* 新闻影片

new-type ['nju:taip] *a.* 新型的

(A)**New York** [.nju:'jɔ:k] *n.* 纽约市 (美国城市); 纽约州 (美国)

(A)**New Zealand** [.nju:'zi:lənd] *n.* 新西兰

***next** [nekst] *a.* 下一个的; 其次的; (位置)最近的(⇨nearest); (时间)下次的; 紧接的 *ad.* 下次; 其次; 接着 *n.* 下一个人(或物) *prep.* 次于; 靠近… ‖ the ～ day 第二天 / the ～ Wednesday 第二个星期三 / the ～ week [month, year] 第二个星期[第二月, 第二年] / ～ Wednesday (= on Wednesday ～) 星期三 / ～ week [month, year] 下周[下个月, 明年]

(A)**nibble** ['nibl] *vi.* 啃, 一点一点地咬(或吃)

***nice** [nais] *a.* 好的(⇨good); 好看的; 美好的; 友好的; 令人愉快的 (⇨pleasant); 美味的 (⇨delicious); 精密的; 讲究的; 合适的

nicely ['naisli] *ad.* 美好地; 令人愉快地; 谨慎地; 细致地;〈口语〉恰好地

nick [nik] *n.* 刻痕; 裂口; 缺口; 槽口

nickel ['nikəl] *n.* 镍;(美国、加拿大的)五分镍币

nickname ['nikneim] *n.* 绰号,浑名 *vt.* 给…起绰号,以绰号称呼

▲**niece** [ni:s] *n.* 侄女;甥女

▲**Nigeria** [nai'dʒiəriə] *n.* 尼日利亚(非洲)

***night** [nait] *n.* 夜,夜间;晚上;黑暗(⇨dark);晚年,老年 ‖ ～ school 夜校 / ～ shift 夜班 / ～ sweat 盗汗 /

nightclub ['naitklʌb] *n.* 夜总会

nightdress ['naitdres] *n.* (妇女、儿童的)睡衣

nightfall ['nait'fɔ:l] *n.* 黄昏,傍晚

nightgown ['naitgaun] *n.* 〔美〕睡衣(= nightdress)

(*)**Nightingale** ['naitiŋgeil], Florence 弗洛伦斯·南丁格尔(1820—1910,英国人,近代护理制度的创始人)

nightingale ['naitiŋgeil] *n.* 夜莺

nightly ['naitli] *a.* 夜晚(发生)的;每夜的 *ad.* 每晚,每夜

nightmare ['naitmɛə] *n.* 梦魇;恶梦

▲**nimble** ['nimbl] *a.* 敏捷的,敏锐的;灵活的,灵巧的;聪明的

***nine** [nain] *num.* 九

***nineteen** [,nain'ti:n] *num.* 十九

▲**nineteenth** [,nain'ti:nθ] *num.* 第十九(个);十九分之一(的) *n.* 《加 the》(月的)第十九日

ninetieth ['naintiθ] *num.* 第九十(的);九十分之一(的)

(*)**ninety** ['nainti] *num.* 九十;九十(个);《加 the,用复数》九十年代

▲**ninth** [nainθ] *num.* 第九(个);九分之一(的) *n.* 《加 the》(月的)第九日(略作: 9th) ▶注意不要拼写成 nineth.

nip [nip] *v.,n.* 夹,钳;掐,捏;咬

nipper ['nipə] *n.* (蟹等的)螯;《用复数》镊子,钳子

nipple ['nipl] *n.* 乳头;橡皮奶头

▲**nitrogen** ['naitrədʒən] *n.* 氮

***no** [nəu] *a.* 没有,不;绝非;《用于省略句,表示禁止、警告》不准,不许 *ad.* 《表示否定答复》不,不是,不对,不要(← yes);《回答否定疑问句表示否定答复》是,是的;《用于比较级之前》毫不… *n.* 否定;否认;拒绝

***No., no.** ['nʌmbə] *n.* (复数: Nos., nos.)《加在数字前》第…号

▲**Nobel** [nəu'bel] 诺贝尔(姓)‖ ～ prize 诺贝尔奖金

nobility [nəu'biliti] *n.* 《加 the》《总称》贵族;高贵;高尚;崇高

▲**noble** ['nəubl] *a.* 高尚的;高贵的;贵族的;宏伟的;壮丽的(⇨magnificent) *n.* 贵族(⇨nobleman)

▲**nobleman** ['nəublmən] *n.* (复数: -men [-mən]) 贵族

nobly ['nəubli] *ad.* 高尚地;高贵地

***nobody** ['nəubədi] *pron.* 《作单数用》没有人,谁也不

***nod** [nɔd] *v.,n.* 点头(←shake);打招呼;打盹

***noise** [nɔiz] *n.* 声音,响声;嘈杂声,噪音;喧哗 ‖ ～ pollution 噪音公害

noiseless ['nɔizlis] *a.* 无声的;静的

noiselessly ['nɔizlisli] *ad.* 无声地;静静地

(*)**noisy** ['nɔizi] *a.* 嘈杂的,吵闹的(← quiet);熙熙攘攘的 「人);推举

nominate ['nɔmineit] *vt.* 指名,指定;任命(⇨appoint);提名(…为候选

nomination [ˌnɔmi'neiʃən] *n.* 提名；任命

△**nominative** ['nɔmənətiv] *a.* 〔语法〕主格的 *n.* 〔语法〕主格 ‖ ～ case 主格

non- [nɔn] *pref.* 表示"非；无；不，不是"之意，如 *non*existent（不存在的），*non*member（非会员）

***none** [nʌn] *pron.* 《一般用作复数》一个人也没有，没有任何东西；…中一点都不；…中一个都不 *ad.*《加 the 与比较级连用》毫不，一点也不 ▶ none 可指人也可指物，作单复数均可，是 all 的全部否定. 注意与 no one 的区别.

△**non-English** ['nɔn-'iŋgliʃ] *n.* 非英语 *a.* 非英语的

△**nonsense** ['nɔnsəns] *n.* 无意义；荒唐；荒谬的言行；废话 *int.* 胡说! 胡闹! ‖ ～ verse 打油诗

▲**noodle** ['nu:dl] *n.*《常用复数》面条

nook [nuk] *n.* (隐蔽的) 角落；隐蔽处；避难所

noon [nu:n] *n.* 中午，正午

***nor** [nɔ:, (弱) nə] *conj.* 也不，又不

norm [nɔ:m] *n.* 准则；行为标准；规范；定额

▲**normal** ['nɔ:məl] *a.* 正常的(⇨regular)；标准的(⇨stantard)；正规的；普通的；垂直的 *n.* 标准；常态；常温；垂直线 ‖ ～ school 师范学校 / ～ temperature 正常体温

normalization [ˌnɔːməlaiˈzeiʃən, -li-] *n.* 正常化；标准化

normally ['nɔːməli] *ad.* 正常地，通常地；正规地

△**Norman** ['nɔːmən] *a.* 诺曼第人的 *n.* (复数: Normans) 诺曼第人

Normandy ['nɔːməndi] *n.* 诺曼第(法国西北部地方)

north [nɔ:θ] *n.* 北，北方，北部 *a.* 北方的，北部的；在北方的 *ad.* 向北方；在北方 ‖ ～ light 北极光

△**northeast** [ˌnɔːˈθiːst] *n.* 东北，东北方；东北部 *a.* 东北的，东北的；自东北的；朝东北的 *ad.* 向东北；在东北；来自东北

▲**northern** ['nɔ:ðən] *a.* 北部的，北方的；北向的；从北来的

northernmost ['nɔːðənməust] *a.* 最北的，极北的

▲**northward(s)** ['nɔːθwəd(z)] *ad.* 向北方 *a.* 向北方的

northwest [ˌnɔːˈθwest] *n.* 西北，西北方；西北部 *a.* 西北的，西北方的；自西北的；朝西北的 *ad.* 向西北；在西北；来自西北

△**Norway** ['nɔːwei] *n.* 挪威   「威语

Norwegian [nɔːˈwiːdʒən] *a.* 挪威的；挪威人的；挪威语的 *n.* 挪威人；挪

***nose** [nəuz] *n.* 鼻子，嗅觉

nosh [nɔʃ] *n.* [美]小吃，快餐

nostril ['nɔstril] *n.* 鼻孔

***not** [nɔt] *ad.* 不；不会 ▶与助动词连用时，常缩略为 n't.

notable ['nəutəbl] *a.* 值得注意的；显著的；著名的

notably ['nəutəbli] *ad.* 显著地；特别地

notch [nɔtʃ] *n.* V形刻痕；槽口，凹口 *vt.* 刻痕于；开槽口于

***note** [nəut] *n.* 笔记；注释；便条，短笺；通知；记号，标志；注意；音符；(外交) 照会；钞票([美] bill) *vt.* 注意；加附注；记录下

notebook ['nəutbuk] *n.* 笔记本；备忘录；期票簿

noted [nəutid] *a.* 著名的(⇨famous)

noteworthy ['nəutwə:ði] *a.* 值得注意的

•**nothing** ['nʌθiŋ] *n.* 没有什么;没有东西;无,零(⇨zero);无价值的事(或物) *ad.* 一点也不;并不

•**notice** ['nəutis] *n.* 注意(⇨attention);布告;通知;(报纸、杂志上的)介绍 *vt.* 注意(到);认出;通知 ‖ ~ board 布告栏,公告牌 ▶notice (注意) 后接不带 to 的动词不定式.

(A)**noticeable** ['nəutisəbl] *a.* 显著的;值得注意的(⇨remarkable)

notify ['nəutifai] *vt.* 通知(⇨inform);申报

notion ['nəuʃən] *n.* 概念(⇨idea);理解力;意见(⇨opinion);意图

(*)**notional** ['nəuʃnəl] *a.* 观念(上)的;表意的

•**notorious** [nəu'tɔ:riəs] *a.* 臭名昭彰的 ‖ ~ rascal 大坏蛋 ▶因好事而出名的用 famous.

notwithstanding [,nɔtwiθ'stændiŋ, -wið-] *prep.* 〈书面语〉尽管,虽然 *ad.* 可是;仍然(⇨however) *conj.* 虽然(⇨although)

nought [nɔ:t] *n.* 无,零(⇨zero)

(*)**noun** [naun] *n.* 〔语法〕名词 「希望」

nourish ['nʌriʃ] *vt.* 喂养(⇨nurse);给…以营养;培养;奖励;怀抱(感情、

(A)**nourishment** ['nʌriʃmənt] *n.* 营养品;食物;营养情况

novel[1] ['nɔvəl] *a.* 新颖的,新奇的;破例的

(A)**novel**[2] ['nɔvəl] *n.* (长篇)小说 (⇨fiction)

novelist ['nɔvəlist] *n.* 小说家

novelty ['nɔvəlti] *n.* 新鲜;新奇;新颖;新奇的事物

•**November** [nəu'vembə] *n.* 十一月(略作: Nov.)

novice ['nɔvis] *n.* 生手,新手

•**now** [nau] *ad.* 现在,目前;立刻,刚才;那么;在此时;(故事中)这时,当时; 接着,然后;《用作感叹词》且说 *conj.* 由于(⇨since);既然 *a.* 现在的; 现代的 *n.*《用于介词后》现在,此刻

nowadays ['nauədeiz] *ad.*《常用于同过去相比较》现今,如今

(A)**nowhere** ['nəuwɛə] *ad.* 哪儿也不;什么地方都没有

noxious ['nɔkʃəs] *a.* 有害的;有毒的

-n't [ənt] = not: had*n't*, do*n't*, is*n't*, ca*n't* 等.

nub [nʌb] *n.* 残余部分;小块《常作单数》要点

nubile ['nju:bail,美: 'nu:bəl] *a.* (指女性)适合于结婚年龄的;妙龄的

(A)**nuclear** ['nju:kliə] *a.* 核子的;原子能的;原子核的 ‖ ~ family 小家庭 / ~ weapon 核武器

(A)**nucleus** ['nju:kliəs] *n.* (复数: *nuclei* [-kliai]) 核,核心;中心;原子核;细胞核;(发展的)基础

nude [nju:d,美: nu:d] *a.* 裸的,裸体的(⇨naked) *n.* 裸体画;裸体雕像

nuisance ['nju:səns, 美: 'nu:-] *n.* 讨厌的人(或物) ‖ Commit no ~. [英] 禁止在此小便. 禁止在此倾倒垃圾.

null [nʌl] *a.* 无约束力的;无效的;无价值的;零(位)的

numb [nʌm] *a.* 失去感觉的;麻木的 *vt.* 使失去感觉;使麻木 ▶b 不发音.

•**number** ['nʌmbə] *n.* 数;数字(⇨numeral);数量;数目;号码(在数字之前, 略作: No., no.);(杂志等的)期,号 *v.* 记号数;总计为…;为数达…

numberless ['nʌmbəlis] *a.* 无数的;无号码的 「的」

(*)**numeral** ['nju:mərəl, 美: 'nu:-] *n.* 数字(⇨figure); 〔语法〕数词 *a.* 数(字)

numerical [nju:'merikəl, 美: 'nu:-] *a.* 数字(上)的; 表数的; 数值的

numerous ['nju:mərəs, 美: 'nu:-] *a.* 多数的; 许多的(⇨many)

(▲)**nun** [nʌn] *n.* 修女; 尼姑

***nurse** [nə:s] *n.* 护士; 保姆; 保育员 *v.* 护理; 照料; 养育   「幼儿园

nursery ['nə:səri] *n.* 托儿所; 育婴室; 苗圃 ‖ ~ rhyme 童谣 / ~ school

▲**nursing** ['nə:siŋ] *n.* 保育, 护理; 哺乳 ‖ ~ bottle 奶瓶 / ~ home 疗养所

▲**nursinghome** ['nə:siŋ,həum] *n.* (具有照顾生活不能自理的老人或慢性病人设备的)私人疗养院

▲**nut** [nʌt] *n.* 坚果; 坚果核

nutriment ['nju:trimənt] *n.* 营养品; 食物

nutshell ['nʌt-ʃel] *n.* 坚果壳

(▲)**nuzzle** ['nʌzl] *vt.* (用鼻子)挨擦擦

nylon ['nailən, -lɔn] *n.* 尼龙;《用复数》(女用)尼龙袜

nymph [nimf] *n.* (希腊、罗马神话中的)仙女; 美女, 少女

O, o

o [əu] *int.* 啊! 哦! 哎哟! ▶常用大写字母, 现一般用 oh.

oak [əuk] *n.* 橡树; 橡木

oaken ['əukən] *a.* 橡木制的

oar [ɔ:] *n.* 桨, 橹; 桨手 *v.* 划桨前进 ▶与 or (或者)同音.

(*)**oasis** [əu'eisis] *n.* (复数: *oases* [-si:z]) (沙漠中的)绿洲; 舒适的地方

oat [əut] *n.*《常用复数》燕麦

oath [əuθ] *n.* (复数: *oaths* [əuðz]) 誓言(⇨pledge); 誓约(⇨promise); 宣誓; 诅咒(⇨curse)

oatmeal ['əutmi:l] *n.* 燕麦片; 麦片粥

ob- [ɔb, əb] *pref.* 表示"逆, 反, 非, 倒"之意, 如 *obstacle* (障碍), *object* (反对), *obliterate* (涂抹掉). ▶ob- 的异体有 oc, of-, op- 等.

obedience [ə'bi:diəns] *n.* 服从(⇨submission); 顺从; 遵从

obedient [ə'bi:diənt] *a.* 服从的(⇨submissive); 顺从的; 恭顺的

***obey** [əu'bei, ə-] *v.* 服从, 顺从; 听从; 执行

▲**object** ['ɔbdʒikt] *n.* 物, 物体; 对象; 目的(⇨aim); 目标(⇨target); 〔语法〕宾语(← subject) *vi.* [əb'dʒekt] 反对(⇨oppose); 抗议(⇨protest); 不赞成(⇨disapprove); 不喜欢 ‖ direct [indirect] ~ 直接 [间接]宾语 / ~ lesson 直观教学课 ▶名词与动词重音不同.   「obstacle」

objection [əb'dʒekʃən] *n.* 反对(⇨protest); 异议; 讨厌; 缺点; 妨碍(⇨

objective [əb'dʒektiv] *a.* 客观的(← subjective); 实在的; 外在的; 目标的; 〔语法〕宾语的 *n.* 目的(⇨aim); 方针; 客体; 〔语法〕宾语

obligation [,ɔbli'geiʃən] *n.* 义务(⇨duty); 责任(⇨responsibility); 合约(⇨agreement); 恩惠

▲**oblige** [ə'blaidʒ] *vt.*《常用被动语态》强迫, 迫使, 使感到不得不…; 施恩惠

于, 帮…的忙

obliged [ə'blaidʒd] *a.* 感激的 (⇨thankful)

obliterate [ə'blitəreit] *vt.* 涂抹, 去掉…的痕迹; 使忘却

oblong ['ɔblɔŋ] *n.* 长方形; 椭圆形 *a.* 长方形的; 椭圆形的

obscure [əb'skjuə] *a.* 暗的 (⇨dark); 昏暗的 (⇨dim); 朦胧的; 模糊的 (←clear); 不闻名的 *vt.* 使阴暗; 使模糊

obscurity [əb'skjuəriti] *n.* 模糊, 晦涩, 阴暗; 无名的人

observance [əb'zə:vəns] *n.* (习俗, 规则等的) 遵守; (宗教) 仪式; 礼仪

▲**observation** [,ɔbzə'veiʃən] *n.* 观察, 观察力; 注意 (⇨notice); (根据观察的) 意见 (⇨comment); 评语 ‖ ~ post 观测所; 瞭望哨

observatory [əb'zə:vətəri, 美: -tɔ:ri] *n.* 天文台; 气象台; 观测站

▲**observe** [əb'zə:v] *vt.* 遵守 (⇨obey); (按传统习惯) 庆祝 (⇨celebrate); 看到 (⇨see); 注意到 (⇨notice); 观测; 观察; 评述 (⇨remark)

observer [əb'zə:və] *n.* 观察者; 观测者; (出席会议的) 观察员 (⇨spectator); 旁观者 (⇨looker-on); 评述者

obstacle ['ɔbstəkl] *n.* 障碍 (物) (⇨block); 妨碍 ‖ ~ race 障碍赛跑

obstinate ['ɔbstinit] *a.* 固执的; 顽固的 (⇨stubborn); 顽强的 (⇨resolute); (病痛) 难治的

obstinately ['ɔbstinitli] *ad.* 顽固地; 顽强地

obstruct [əb'strʌkt] *vt.* 阻塞 (⇨block); 堵塞 (⇨stop); 阻挡 (⇨prevent)

obstruction [əb'strʌkʃən] *n.* 阻塞; 障碍; 阻塞物; 障碍物

▲**obtain** [əb'tein] *vt.* 取得; 得到 (⇨achieve); 获得 (⇨get) *vi.* 流行; 通用

▲**obvious** ['ɔbviəs] *a.* 明显的 (⇨plain); 显而易见的; 显著的 (⇨distinct)

▲**obviously** ['ɔbviəsli] *ad.* 明显地; 显而易见地

oc- *pref.* [ob- 的异体, 用在 c 前] 表示"逆, 反, 非, 倒"之意, 如 occupy (占领), occur (发生)

▲**occasion** [ə'keiʒən] *n.* (特定的) 场合; 时候, 时机; (重要的) 时刻; 要事 (⇨event); 机会 (⇨chance); 近因 (⇨cause); 理由 (⇨reason) 「的

occasional [ə'keiʒənəl] *a.* 有时的; 偶然的 (⇨incidental); 适应特殊场合

▲**occasionally** [ə'keiʒənəli] *ad.* 偶然, 偶尔; 有时 (⇨casually)

Occident ['ɔksidənt] *n.* 《加 the》西洋; 西方; 欧美; 西欧各国; 西半球

occidental [,ɔksi'dentəl] *a.* [常用 O-] 西方的; 西方人的; 西方文化的 *n.* [常用 O-] 西洋人

occupant ['ɔkjupənt] *n.* 占有者; 占用者; 居住者

occupation [,ɔkju'peiʃən] *n.* 职业 (⇨employment); 业务; 工作 (⇨vocation); 占领; 占有 (⇨possession); 占用; 居住

▲**occupy** ['ɔkjupai] *vt.* 占有; 占用 (⇨use); 占据; 占领; 住 (房子); 担任 (职务); 使从事;《用被动式》忙于 (⇨engage)

occur [ə'kə:] *vi.* (事情偶然地) 发生 (⇨happen); (想法等) 突然浮现 (⇨arise); 出现 (⇨appear); 存在

occurrence [ə'kʌrəns] *n.* (事件的) 发生; 事件; 事变; 事故 (⇨incident)

▲**ocean** ['əuʃən] *n.* 海洋; …洋;〈口语〉许多 ‖ ~ bed 海底 / ~ lane 远洋航线 ▶比 sea (海) 大; 但在美国可代替 sea 使用.

▲**Oceania** [,əuʃi'einjə] *n.* 大洋洲

***o'clock** [ə'klɔk] *ad.* …点钟

•**October** [ɔk'təubə] n. 十月(略作: Oct.)

odd [ɔd] a. 残余的; 零头的, 不成对的, 单只的(⇨single); 奇数的(←even); 临时的; 额外的; 奇特的(⇨queer) ‖ ～ hand [英]临时雇员 / ～ job 临时工作, 杂务 / ～ month (有31天的)大月

oddly ['ɔdli] ad. 奇特地; 古怪地; 零星地

△**odds** [ɔdz] n. [复数]《单复数两用》优势; (力量对比之下的)差距; 差异(⇨difference); 不平等(⇨inequality)

odo(u)r ['əudə] n. (尤指臭的)气味(⇨smell), 臭味, 香味; 味道; 名气

•**of** [ɔv, (弱) əv, f] prep. 《所属》…的; 《部分·成员》…之中的; 《构成》…制的; 《关系》有关…的; 《起源·理由》由于, 因…

of- [ɔf, əf] pref. [ob- 的异体, 用在 f 前]表示"逆, 反, 非, 倒"之意, 如 offer (提供), offend (触犯).

•**off** [ɔf] ad. (离)开, (走)开(⇨away); (脱)离, (隔)离; 《时间·空间》距, 离; (关)掉; 中断; 完, 光; 全部　prep. 从…脱离; 与…分开　a. 关掉的(←on); 中断的; 休息的, 不工作的; 远的(← near) ‖ ～ season 淡季

offence [ə'fens] n. 冒犯; 触怒 (⇨ wrath); 罪过 (⇨ crime); 进攻 (←defense) ▶又拼写为 offense [美].　　　　　　　　　　　「错(⇨err)」

offend [ə'fend] vt. 触怒; 伤感情(⇨hurt); 得罪(⇨annoy) vi. 违反; 犯过

offender [ə'fendə] n. 冒犯者, 无礼者; 罪犯 ‖ first ～ 初犯 / old ～ 累犯

offense [美] = offence

offensive [ə'fensiv] a. 令人不快的; 讨厌的(⇨unpleasant); 进攻的(⇨aggressive) (← defensive)

▲**offer** ['ɔfə] v. 提供; 提出(⇨propose); 奉献; 呈现(⇨present); 出价; 尝试 n. 提议; 提出; 出价; 奉献　　　　　　　　　　　　　　　　「gift」

offering ['ɔfəriŋ] n. 提供; 提出; 奉献(物); 祭品(⇨sacrifice); 礼物(⇨

•**office** ['ɔfis] n. 职务; 职责(⇨duty); 公职; 办公室; [英]部; [美](部以下的)司, 局; 政府机关(处, 所, 局等); 事务所; 营业所 ‖ the Foreign Office [英]外交部 / ticket ～ 售票处 / ～ hours 办公[营业]时间

•**officer** ['ɔfisə] n. 军官; 官员; 公务员; 干事; 工作人员(⇨official); (企业的)高级职员

•**official** [ə'fiʃəl] n. 官员; (高级)职员; 行政人员(⇨officer) a. 官方的; 正式的(⇨formal); 公家的; 公务上的 ‖ ～ letter [note] 公函 / ～ residence 官邸

officially [ə'fiʃəli] ad. 官方地, 法定地; 正式地; 职务上

offset¹ ['ɔfset, ɔf'set] vt. (offset, offset) 抵销; 补偿　n. 分支; 旁支, 后裔

offset² ['ɔfset] n. 〔印刷〕胶印

▲**offshore** [.ɔf'ʃɔː] a. 离岸的; 近海的; 向海的　ad. 离岸; 近海; 向海面

△**offspring** ['ɔf.spriŋ] n. 子孙, 后代(⇨descendants); (动物的)仔, 崽

•**often** ['ɔfn, 'ɔftən] ad. 常常, 经常(⇨frequently); 再三(⇨repeatedly)

•**oh** [əu] int. 啊! 哦! 哎哟! (表示惊讶、恐惧等)

ohm [əum] n. 欧姆(电阻单位)

•**oil** [ɔil] n. 油;《常用复数》油画颜料; 油画作品 ‖ castor ～ 蓖麻油 / tanker 油轮 / ～ well 油井

oilfield ['ɔilfiːld] n. 油田

oily ['ɔili] a. 油的; 含油的; 油腻的; 油滑的; 油腔的

ointment ['ɔintmənt] *n.* 软膏; 油膏; 药膏 「已阅

*O.K., OK ['əu'kei] *a., ad.* (= all right, all correct) *n.* 《批阅文件》同意, okay = O. K.

*old [əuld] *a.* 《表示长幼关系时主要用 *elder* ['eldə], *eldest* ['eldist]》年老的(←young); 《年龄》…岁的; 旧的(←new); 古老的(⇨ancient); 过去的(⇨past); 熟练的(⇨familiar); 老练的(⇨experienced) || ~ maid 老处女 / Old Testament (基督教)旧约全书

(ᴬ)old-aged [,əuld'eidʒid] *a.* 老年的; 晚年的

old-fashioned [,əuld'fæʃənd] *a.* 旧式的; 过时的; 古风的(← modern)

oldtime [,əuld'taim] *a.* 从前的, 旧式的; 老练的

oldtimer [,əuld'taimə] *n.* 老资格的人; 老前辈; 老顽固

olive ['ɔliv] *n.* 橄榄树; 橄榄 || ~ oil 橄榄油

(ᴬ)Olympia [əu'limpiə] *n.* 奥林匹亚(希腊一地区)

▲Olympic [ə'limpik] *a.* 奥林匹克(运动会)的 || the ~s (或 the ~ Games) 奥林匹克运动会

omen ['əumən] *n.* 预兆, 前兆 || evil (ill) ~ 凶兆 / good ~ 吉兆

ominous ['ɔminəs] *a.* 坏兆头的, 不吉利的; 险恶的

omission [əu'miʃən] *n.* 省略; 遗漏; 疏忽

omit [əu'mit] *vt.* 省略; 遗漏; 疏忽(⇨neglect); 忘记(做…)(⇨forget)

omnibus ['ɔmnibəs, -,bʌs] *n.* 公共汽车(现略作 bus); 选集, 文集 *a.* 总括的, 包括多项的 || ~ resolution 综合决议

omnipotent [ɔm'nipətənt] *a.* 全能的; 有无限威力的

*on [ɔn] *prep.* 《接触》在…上(← off); 《接近》在…旁边, 沿…; 《目标》向…, 朝…; 《时间》在(特定的日子), 在…后(立即); 《状态》正在, 在…情况下; 《关系》关于, 论及, 根据 *ad.* 在上, 向上; 继续不停地; …下去; 从…时起 *a.* (电灯、收音机等)开着的(← off); 发生着的

*once [wʌns] *ad.* 一次, 一度; 从前, 曾经; 一旦(…的话) *conj.* 一旦…(就…) *n.* 一次 *a.* 曾经的; 从前的

*one [wʌn] *num.* 一, 一个[只, …] *n.* 一, 一个; 一人; (二者)之一; 另一 *pron.* 一个人(或物); 任何人; 这一个 *a.* 同一的; 单一的(⇨single); 一方的; 某一的 || Book *One* 第一卷, 第一册

(ᴬ)one-eyed [,wʌn'aid] *a.* 一只眼的, 独眼的

(ᴬ)oneself [wʌn'self] *pron.* [反身代词] 自己; 《加重语气》自身; 亲自

(ᴬ)onion ['ʌnjən] *n.* 洋葱, 洋葱头

onlooker ['ɔn,lukə] *n.* 旁观者

*only ['əunli] *a.* 唯一的(⇨sole); 仅有的; 最合适的; 独一无二的 *ad.* 只(⇨just); 仅仅 *conj.* 但是, 不过(⇨but); 可惜

onset ['ɔnset] *n.* 攻击(⇨attack); (病、痛等的)发作

*onto ['ɔntu, '-tə] *prep.* 到…上 ▶也写成 on to.

onward ['ɔnwəd] *a.* 向前的(⇨forward) *ad.* [美]向前; 在前面(⇨ahead) (= onwards)

onwards ['ɔnwədz] *ad.* (时间、空间上)向前; 在前

op- [ɔp, əp] *pref.* [ob- 的异体, 用在 p 前]表示: "逆, 反, 非, 倒"之意, 如 oppress (压迫), oppose (反对).

opaque [əu'peik] *a.* 不透明的, 不透光的; 难懂的

*open ['əupən] *a.* 开着的; 开放的; 公开的; 公共的; 坦率的 (⇨frank); 营业的 *n.* 户外, 野外, 露天 *v.* 开, 打开 (←close, shut); 切开; 开放; 开拓; 开发; 开始; (使) 展开; (使) 开业; (使) 开幕 ‖ ～ air 户外, 野外 / ～ city 不设防城市 / ～ economy 开放经济 / ～ harbour 不冻港 / ～ letter 公开信 / ～ sea 公海, 外海 / ～ secret 公开的秘密 / ～ syllable 开口音节 / ～university (利用广播、电视等讲授的) 开放大学

opener ['əupənə] *n.* 开罐器, 开具; 开启者

▲opening ['əupəniŋ] *n.* 开始 (⇨beginning); 开放; 开业; 开会 (式); 洞, 孔 (⇨hole); 空隙 (⇨gap); 通路; 空地; 广场; 机会 (⇨chance) ‖ ～ address 开会词, 开场白 / ～ time 开始营业的时间; (图书馆等) 开放时间

openly ['əupənli] *ad.* 公开地; 公然; 直率地 (⇨frankly)

open-minded [ˌəupənˈmaindid] *a.* 坦诚的; 思想解放的

opera ['ɔpərə] *n.* 歌剧 ‖ ～ house (歌) 剧院

*operate ['ɔpəreit] *vt.* 操纵; 操作; 开动 (⇨run); 管理 (⇨manage) *vi.* (机器) 运转 (⇨work); 动手术, 开刀

*operation [ˌɔpəˈreiʃən] *n.* 操作; 作用 (⇨effect); (法律) 实施; 运算; 影响 (⇨influence); (外科) 手术, 开刀

operator ['ɔpəreitə] *n.* 操作者; 接线员; 手术医生; 经营者   「judgment)

▲opinion [əˈpinjən] *n.* 意见, 见解; 看法; 评价 (⇨estimation); 判断 (⇨

opium ['əupiəm] *n.* 鸦片

opponent [əˈpəunənt] *a.* 对立的; 对抗的; 敌对的; 反对的 *n.* 对手 (⇨rival); 敌手, 反对者

opportunism ['ɔpətjuːnizəm] *n.* 机会主义

opportunist ['ɔpətjuːnist] *n.* 机会主义者

▲opportunity [ˌɔpəˈtjuːniti] *n.* 机会 (⇨chance); 良机

▲oppose [əˈpəuz] *vt.* 反对 (←support); 反抗 (⇨resist); 使相对; 使对抗; 抗议; 使对照 (⇨contrast)

opposed [əˈpəuzd] *a.* 反对的; 敌对的; 对抗的; 相对的; 相反的

▲opposite ['ɔpəzit] *a.* 相反的; 相对的; 对面的 (⇨facing); 对立的 (⇨contrary) *n.* 对立面, 对立物; 相反的词 *prep.* 在…对面 *ad.* 在对面

opposition [ˌɔpəˈziʃən] *n.* 反对; 对立; 反抗 (⇨resistance); 《加the》[O-] 反对党, 在野党

▲oppress [əˈpres] *vt.* 压迫; 压制; 压抑; 使烦恼

oppression [əˈpreʃən] *n.* 压迫, 压制; 迫害 (⇨persecution); 虐待 (⇨maltreatment); 郁闷

optical ['ɔptikəl] *a.* 光学的; 眼的, 视力的, 视觉的

optimal ['ɔptiməl] *a.* 最适宜的, 最理想的, 最令人满意的

optimism ['ɔptimizəm] *n.* 乐观; 乐观主义 (←pessimism)

optimistic [ˌɔptiˈmistik] *a.* 乐观的, 乐观主义的

optimize ['ɔptimaiz] *vi.* 表示乐观 *vt.* 乐观对待; 使最优化

optimum ['ɔptiməm] *n.* 最佳条件, 最适度 *a.* 最适合的; 最优的

option ['ɔpʃən] *n.* 选择 (权) (⇨choice); 供选择的事物

optional ['ɔpʃənəl] *a.* 可以任选的 (⇨elective), 非强制的 (⇨voluntary)

*or [ɔː, (弱) ə] *conj.* 或, 或者; 也就是; 否则, 要不然; 《用于否定词后》也不

-or [ə] *suf.* ①表示 "…者, …物", 如 actor (男演员), tractor (拖拉机). ②

[美]表示"动作,状态,性质",如 favor (好感), demeanor (行为).

oracle ['ɔrəkəl] n. (古希腊的)神谕, 神使; 圣贤, 先知

oral ['lɔːrəl] a. 口头的(⇨spoken); 口述的; 口服的 n. 《常用复数》〈口语〉口试 ‖ ~ instruction 口授

*●**orange** ['ɔrindʒ] n. 橙子; 桔子 a. 橙色的, 桔色的

orator ['ɔrətə] n. 演说者; 演说家; 雄辩家

orb [ɔːb] n. 球(⇨ball); 球体; 天体(⇨globe)   「力范围

orbit ['ɔːbit] n. (天体、人造卫星的)轨道; (经验、活动的)范围; (政治的)势

orchard ['ɔːtʃəd] n. 果园

orchestra ['ɔːkistrə] n. 管弦乐队; 管弦乐   「规定

ordain [ɔːdein] vt. 授予圣职; 任命…为牧师(⇨appoint); 命令(⇨order);

*●**order** ['ɔːdə] n. 顺序; 秩序(⇨peace); 条理; 常态;《常用复数》命令; 预订; 定货, 定货单; 等级; 社会阶层(⇨rank); 目的; 意向 v. 命令(⇨direct); 指示(⇨instruct); 指挥(⇨command); 订购; 整理; 安排(⇨arrange) ‖ ~ form 订货单

*●**orderly**[1] ['ɔːdəli] a. 整齐的(⇨tidy); 有秩序的; 有条理的; 守纪律的

orderly[2] ['ɔːdəli] n. 传令兵; (尤指军队医院的)护理员; 勤务兵; 清洁工

ordinance ['ɔːdinəns] n. 法令(⇨law); 条令; 条例; 布告

*●**ordinarily** ['ɔːdənərili, 美: ˌɔːrdə'nerili] ad. 普遍; 通常(⇨usually); 平常(⇨commonly); 大概

*●**ordinary** ['ɔːdənri, 美: 'ɔːrdəneri] a. 普通的(⇨common); 通常的(⇨usual); 正常的(⇨regular); 平淡的(⇨homely)

*●**ordinary-looking** ['ɔːdənri'lukiŋ, 美: 'ɔːrdəneri-] a. 相貌平常的

ore [ɔː] n. 矿石; 矿砂

*●**organ** ['ɔːgən] n. 器官; 风琴; 管风琴; 机关, 机构

organic [ɔː'gænik] a. 器官的; (疾病)器质性的(← functional); 生物的; 有机的; 有组织的(⇨organized); 基本的(⇨fundamental) ‖ ~ chemistry 有机化学 / the ~ law 基本法

organisation = organization

organise = organize

organism ['ɔːgənizəm] n. 生物体; 有机体; (社会等)有机的组织

organization [ˌɔːgənai'zeiʃən, 美: -ni-] n. 组织; 构成; 有机体; 体制, 结构(⇨structure); 团体(⇨group) ▶又拼写为 organisation.

*●**organize** ['ɔːgənaiz] vt. 组织; 编制; 创设(⇨establish); 使成有机体; 使有条理 vi. 有机化; 建立组织 ▶又拼写为 organise.

Orient ['ɔːriənt] n. 《加 the》东方; 远东; 亚洲(国家和地区)   「人, 亚洲人

oriental [ˌɔːri'entl] a. 〖常用 O-〗东方的(⇨Eastern) n. 〖也用 O-〗东方

*●**origin** ['ɔridʒin] n. 起源(⇨beginning); 开端; 根源; 起因(⇨cause); 出身(⇨birth); 血统; 家世

original [ə'ridʒənəl] a. 原来的, 本来的; 最早的(⇨earliest); 原始的(⇨primary); 新颖的(⇨fresh); 有独创性的(⇨creative); 原作的 n. 《加 the》原作; 原文; 原物; 原型

originality [əˌridʒi'næliti] n. 创造力; 独创性; 新颖

originally [ə'ridʒənəli] ad. 最初(⇨first); 原来; 独创地(⇨creatively)

originate [ə'ridʒineit] vt. 开始; 引起(⇨cause); 想出; 发明(⇨create); 创

作 *vi.* 产生；发生

ornament ['ɔ:nəmənt] *n.* 装饰(⇨decoration)；装饰品；增添光采的人(或事物) *vt.* [-ment] 装饰(⇨decorate)；美化(⇨beautify) ▶名词与动词末音节发音不同.

ornamental [,ɔ:nə'mentəl] *a.* 点缀的；装饰(用)的

▲**orphan** ['ɔ:fən] *n.* 孤儿

▲**orphanage** ['ɔ:fənidʒ] *n.* 孤儿院

orthodox ['ɔ:θədɔks] *a.* 正统的；抱正统观点的；传统的

-ory [əri] *suf.* ①表示"作…之用的，有…效果的，有…性质的"，如 preparatory(预备的)，satisfactory (令人满意的). ②表示"…的处所，…之用的东西"，如 factory(工厂)，directory(姓名地址录).

oscillation [,ɔsi'leiʃən] *n.* 摆动，振荡，动摇

ostrich ['ɔstritʃ] *n.* 鸵鸟

▲**other** ['ʌðə] *a.* 别的，其他的；另外的 (⇨additional)；(二者之中)另一方的；以前的 *pron.* (复数: others ['ʌðəz]) 别人；他物；《常加 the》(两个中)另一个人(或事物)；《加 the》另一方 *ad.* 不同做法地 (⇨otherwise)

others ['ʌðəz] *n.* [复数]另外一些人(或物)

▲**otherwise** ['ʌðəwaiz] *ad.* 不同(方法)地；在不同情况下；要不然，否则

otter ['ɔtə] *n.* 水獭

▲**ought** [ɔ:t] *v. aux.* 《与 to 连用，表示义务、责任或合适、明智》应该，应当；总应该；早该

ounce [auns] *n.* 英两；盎司(重量单位，常衡 = $1/16$磅，金衡 = $1\frac{1}{2}$磅；略作：oz.)

▲**our** ['auə] *pron.* [we 的所有格] 我们的

-our ['ə] *suf.* 表示"性质，状态"之意，如 colour(颜色)，honour(诚实)，favour(宠爱) ▶美国用 -or.

▲**ours** ['auəz] *pron.* [we 的名词性物主代词] 我们的(东西)；我们的家属(或有关的人)

▲**ourselves** [,auə'selvz] *pron.* [反身代词] 我们自己；《加重语气》我们亲自，我们本身

-ous [əs] *suf.* 表示"具有…特性的，充满…的"，如 dangerous (危险的)，nervous (神经紧张的)，glorious(光荣的).

▲**out** [aut] *ad.* 出，出外；向外，在外；不在；离去；脱落；(火)熄灭；(花)开放；出现；出版；(煤)用完；消失；(样式)过时；(球)在界外；大声地 (⇨loudly)；彻底地 *a.* 外侧的；往外去的；在野的 *prep.* 从…里面离去

out- [aut] *pref.* 表示"过度，外"之意，如 outsize (过大)，outdoor (户外).

outbreak ['autbreik] *n.* (战争、愤怒等的)爆发(⇨outburst)；(虫害等的)突然蔓延；暴动 (⇨revolt)

(▲)**outburst** ['autbə:st] *n.* (感情等的)爆发 (⇨outbreak)；迸发；(火山)喷发

outcome ['autkʌm] *n.* 结果(⇨result)；后果 (⇨consequence)；成果 (⇨achievement) ▶此词不是动词.

outdoor ['autdɔ:] *a.* 户外的 (← indoor)；露天的；野外的

▲**outdoors** ['autdɔ:z] *ad.* 在户外 (← Indoors)；在野外

▲**outer** ['autə] *a.* 外部的 (⇨outside) (← inner)；外面的；外侧的；远离中心的 ‖ ～ space 外层空间，太空

outermost ['autəməust] *a.* 最外面的; 远离中心的 「备; 供应

outfit ['autfit] *n.* 准备, 装备; 整套用具; 整套服装 *vt.* 为某人准备…; 装

outing ['autiŋ] *n.* 出游; 远足 (⇨excursion)

outlandish [aut'lændiʃ] *a.* 外国气派的; 异国情调的; 希奇古怪的

(▲)**outlaw** ['autlɔ:] *n.* 罪犯; 歹徒; 逃犯; 被剥夺公民权的人; 被放逐者 *vt.* (宣告)非法; 禁止 「座

▲**outlet** ['autlet] *n.* (河流等的)出口 (⇨exit); 排水口; 通风口; 销路; 电源插

outline ['autlain] *n.* 轮廓, 外形; 概要, 大纲; 草案 (⇨draft); 略图; 素描 (⇨sketch) *v.* 画出…的轮廓(或草图)

outlook ['autluk] *n.* 景色 (⇨view); 眺望; 展望 (⇨prospect); 观景楼, 眺望处; (对事物的)看法, 观点

(▲)**out-of-date** [,autəv'deit] *a.* 过期的; 过时的; 不流行的

output ['autput] *n.* 产量; (电脑资料的)输出; 输出功率

outrage ['aut-reidʒ] *n.* 暴行, 不法行为; 伤害 (⇨injure); 凌辱 (⇨abuse) *v.* 对…施暴行; 凌辱; 强奸

outrageous [aut'reidʒəs] *a.* 粗暴的; 无耻的; 无法无天的; 荒谬绝伦的

outright ['autrait] *a.* 直率的, 无保留的; 彻底的, 全部的 *ad.* [aut'rait] 彻底地; 十分; 坦率地; 立刻, 即席地 ▶注意重音.

outset ['aut-set] *n.* 开端, 开始 (⇨beginning)

***outside** [aut'said] *n.*《加 the》外面, 外部 (← inside) *a.* 外面的, 外部的; 外侧的 *ad.* 向外面, 在外面; 向室外, 在室外 *prep.* 向…外; 在…外

outskirt ['autskə:t] *n.*《常用复数》郊区; 边缘; 街尾

outstanding [aut'stændiŋ] *a.* 杰出的 (⇨conspicuous); 突出的 (⇨prominent); 显著的 (⇨noticeable); 未完成的 (⇨unsettled); 未付款的

▲**outward** ['autwəd] *a.* 外部的 (⇨outer); 向外的 (← inward); 表面上的; 外用的 *ad.* [美] 向外 (= outwards)

outwards ['autwədz] *ad.* 向外, 在外

oval ['əuvəl] *a.* 卵形的; 椭圆形的

oven ['ʌvən] *n.* 炉灶([英] cooker); 烤箱

***over** ['əuvə] *prep.* 在…之上; 覆于…之上; 越过 (⇨across); 超过, 多于; 遍及; 关于 (⇨concerning) *ad.* 在上方 (⇨above); 在那边, 在另一边; 越过; 结束, 完了; (翻转)过来; 从头到尾

over- ['əuvə] *pref.* 表示"过度; 在上, 在外; 越过, 颠倒; 外加"之意, 如 *over*production (生产过剩), *over*coat (外衣), *over*turn (倾倒).

overall[1] ['əuvərɔ:l] *a.* 全部的; 全面的; 包括一切的 *ad.* [,əuvə'rɔ:l] 总体上; 总的说来 ‖ ~ production 总产量 ▶形容词与副词重音不同.

overall[2] ['əuvərɔ:l] *n.*《用复数》工作裤; (女工的)罩衫, 工作服

overboard ['əuvə,bɔ:d] *ad.* 在船外; 落入水中

overcame [,əuvə'keim] overcome 的过去式

overcast ['əuvəka:st] *a.* 天阴的, 多云的 (⇨cloudy); 阴暗的 *vt.* 使昏暗

▲**overcoat** ['əuvəkəut] *n.* 大衣, 外套

▲**overcome** [,əuvə'kʌm] *vt.* (overcame [-'keim] overcome) 克服; 战胜 (⇨conquer); 压倒 (⇨overwhelm)

overestimate [,əuvə'restimeit] *vt.* 估计过高, 过高评价

overflow [,əuvə'fləu] *v.* (使)溢出; (使)泛溢; 洋溢; 充满 *n.* 泛滥; 过剩

overfulfil [ˌəuvəful'fil] *vt.* 超额完成 (计划、指标等)

▲**overgrow** [ˌəuvə'grəu] *v.* (*overgrew* [-'gru:]) *overgrown* [-'grəun]) 《常用被动语态》在…上长满；丛生；生长过旺；长得太快 「的

overgrown [ˌəuvə'grəun] overgrow 的过去分词 *a.* 发育过度的；长满…

overhang [ˌəuvə'hæŋ] *v.* (*overhung* [-'hʌŋ], *overhung*) 悬垂 (于…之上)；伸出 (于…之上)；(危险等) 逼近；威胁 (⇨threaten)

▲**overhead** [ˌəuvə'hed] *ad.* 在头上；在空中 *a.* ['əuvəhed] 在头顶上的；架空的, 高架的 ‖ ～ railway [英] 高架铁路 ▶副词与形容词重音不同.

(▲)**overhear** [ˌəuvə'hiə] *vt.* (*overheard* [-'hə:d], *overheard*) 偶然听到, 无意中听到；偷听

overjoy [ˌəuvə'dʒɔi] *v.* 使狂喜；使非常高兴

overjoyed [ˌəuvə'dʒɔid] *a.* 非常高兴的, 极度高兴的 (⇨joyful)

overlap [ˌəuvə'læp] *v.* 重叠 *n.* ['əuvəlæp] 重叠(部分) ▶注意重音.

overload [ˌəuvə'ləud] *vt.* 使超载, 使负荷过重 *n.* ['əuvələud] 过重负担, 超重负载 ▶动词与名词重音不同.

overlook [ˌəuvə'luk] *vt.* 俯视；眺望；看漏 (⇨miss)；忽略 (⇨neglect)；宽容(缺点等) (⇨forgive)；检阅

overnight [ˌəuvə'nait] *ad.* 前一天晚上；一夜间；通宵, 整夜 *a.* 通宵的；前夜的, 隔夜的；一夜间的；突然的 *n.* 过夜 ‖ ～ millionaire 暴发户

oversea(s) [ˌəuvə'si:(z)] *ad.* 向海外 (⇨abroad)；向国外 *a.* 外国的；向海外的；在海外的 ‖ ～ edition (报纸的) 海外版

oversee [ˌəuvə'si:] *vt.* (*oversaw* [-'sɔ:], *overseen* [-'si:n]) 监督 (工人、工作等)；看守；视察 (⇨inspect)

overtake [ˌəuvə'teik] *vt.* (*overtook* [-'tuk], *overtaken* [-'teikən]) 追上, 赶上, 超过；(不愉快的事) 突然降临

overthrow [ˌəuvə'θrəu] *vt.* (*overthrew* [-'θru:], *overthrown* [-'θrəun]) *vt.* 推翻 (⇨overturn)；打倒；废除(制度)

overtime ['əuvətaim] *ad.* 在规定(工作)时间之外, 加班 *d.* 超过规定时间的；加班的 *n.* 加班时间；(体育比赛中的) 延长时间

overturn [ˌəuvə'tə:n] *v.* (使)翻转；打翻；推翻 (⇨overthrow)；颠覆

overwhelm [ˌəuvə'welm] *vt.* (精神上)打击；制服, 压倒；淹没 (⇨drown)

(▲)**overwhelming** [ˌəuvə'welmiŋ] *a.* 压倒(性)的；无法抵抗的

overwork ['əuvəwə:k] *n.* 过分劳累；过度工作；额外工作 *v.* [ˌəuvə'wə:k] (使)过度工作, (使)负担过重 ▶名词与动词重音不同.

▲**owe** [əu] *v.* 欠, 欠钱, 欠债；归功于；感激

owing ['əuiŋ] *a.* 亏欠的；未付的；《与 to 连用》因为, 由于

(▲)**owl** [aul] *n.* 猫头鹰, 枭 ▶注意发音.

***own** [əun] *a.* 《用于所有格后以加强语气》自己的, 自身的；特有的 *v.* 拥有 (⇨possess)；所有；承认(错误等)；坦白

***owner** ['əunə] *n.* 物主, 所有人；业主

ownership ['əunəʃip] *n.* 拥有；所有权

ox [ɔks] *n.* (复数: *oxen* ['ɔksən]) 公牛；牛

▲**Oxford** ['ɔksfəd] *n.* 牛津(英国城市)

oxhide ['ɔkshaid] *n.* 牛皮, 牛革

oxide ['ɔksaid] *n.* 氧化物

oxidise = oxidize

oxidize ['ɔksidaiz] v. (使)氧化;(使)生锈

oxidizer ['ɔksidaizə] n. 氧化剂

oxygen ['ɔksidʒən] n. 氧,氧气 ‖ ～ tent (病人用的)氧化罩

oyster ['ɔistə] n. 蚝,牡蛎

P, p

pa [pɑ:] n. 〈儿语〉爸

pace [peis] n. (一)步(距离);步速;速度(⇨speed) v. 踱步 慢行;步测

Pacific [pə'sifik] n. 《加 the》太平洋 a. 太平洋的 ‖ the ～ Ocean 太平洋

pacific [pə'sifik] a. 和好的;和解的;爱好和平的(⇨peaceable);平静的(⇨calm);温和的

pack [pæk] n. 包,捆;背包;一包,一捆,一盒;一队,一伙;[美]小包,小盒 v. 把…打包;挤满;压紧;密封

package ['pækidʒ] n. 包装;包裹;包,件,捆;一揽子 vt. 包装 ‖ ～(d) tour 由旅行社代办一切的旅行

packed [pækt] a. 塞满的,挤满的;拥挤的

packet ['pækit] n. 小包,小盒,小袋,小捆;封套 ‖ ～ boat 邮船

pact [pækt] n. (国家间的)条约,协定(⇨agreement)

pad [pæd] n. 垫,衬垫;印台;拍纸簿;(导弹等的)发射台

paddle ['pædl] n. 短桨;球拍 v. 用桨划;拍打 ‖ ～ steamer 明轮艇 ▶拿在手上的叫 paddle;安在架上的叫 oar.

paddy ['pædi] n. 水稻田;稻,谷

page [peidʒ] n. (书的)页,面;页码(略作: p.)

pageant ['pædʒənt] n. 庆典;露天盛装游行表演;炫耀

pail [peil] n. 桶;提桶(⇨bucket);一桶的量 ▶与 pale (苍白的)同音.

pain [pein] n. 疼,疼痛;痛苦(← joy);《用复数》艰苦 vt. 使疼痛;使痛苦

painful ['peinfəl] a. 痛的,痛苦的;讨厌的;辛苦的;费力的(⇨difficult)

painfully ['peinfəli] ad. 痛苦地;苦恼地

painstaking ['peinz,teikiŋ] a. 煞费苦心的;用心的;辛勤的

paint [peint] n. 油漆,涂料;颜料(⇨colours) v. 涂漆;(用颜料)画;着色;搽(脸、唇);描绘,描写

painter ['peintə] n. 画家;油漆工

painting ['peintiŋ] n. 油漆;着色;绘画(艺术);图画,油画

pair [pɛə] n. 一对,一双,一副(⇨couple)

pajamas [美] = pyjamas

Pakistan [,pɑ:ki'stɑ:n] n. 巴基斯坦

pal [pæl] n. 〈口语〉《多用于男性间》好友,密友;[美]朋友,家伙

palace ['pælis] n. 宫,宫殿;豪华的建筑物 ‖ the Children's Palace 少年宫 /the Summer Palace 颐和园 「白

pale [peil] a. 苍白的,灰白的;浅色的;(光线)淡的(⇨dim) v. (使)变苍

palm[1] [pɑ:m] *n.* 手掌,掌心; (手套的)掌部

palm[2] [pɑ:m] *n.* 棕榈,棕榈叶; 胜利

pamphlet ['pæmflit] *n.* 小册子

▲**pan** [pæn] *n.* (长柄)平底锅; 秤盘; 抽水马桶

▲**Panama** [,pænə'mɑ:] 巴拿马(在中美) ‖ the ~ Canal 巴拿马运河

pancake ['pænkeik] *n.* 薄煎饼

panda ['pændə] *n.* 熊猫

pane [pein] *n.* 窗格玻璃 ▶发音与 pain (痛苦) 相同。

panel ['pænl] *n.* 嵌板,镶板; (衣服的)镶条; 操纵盘; 面; 板; 油画板; 小组
‖ ~ truck 〔美〕箱型小货车

pang [pæŋ] *n.* 剧痛,痛苦; 心痛

▲**panic** ['pænik] *n.* 恐慌,惊慌 *a.* 恐慌的

panorama [,pænə'rɑ:mə] *n.* 全景; 概论

pansy ['pænzi] *n.* 三色紫罗兰; 三色堇

▲**pant** [pænt] *v.* 喘气,气喘吁吁地说 (⇨gasp) *n.* 喘气

panther ['pænθə] *n.* 豹; 黑豹; 美洲狮

pantry ['pæntri] *n.* 食品室; 餐具室; 配膳室

pants [pænts] *n.* [复数] (妇女用)短衬裤; 〈美口语〉男裤 (⇨trousers)

papa [pə'pɑ:, 美: 'pɑ:pə] *n.* 〈儿语〉爸爸

•**paper** ['peipə] *n.* 纸; 报纸 (⇨newspaper); 文件; 书面作业; 考卷; 论文; 纸
币 ‖ ~ boy 报童 / ~ mill 造纸工厂 / ~ tiger 空架势,纸老虎

paperback ['peipəbæk] *n.* 平装书; 平装

(▲)**papyrus** [pə'paiərəs] *n.* 纸莎草(古埃及人的制纸原料); 纸莎草纸

par [pɑ:] *n.* 同位,同等,同价; 平均; 标准; 票面价格; 汇兑平价

parable ['pærəbəl] *n.* 寓言 (⇨fable); 比喻

parabola [pə'ræbələ] *n.* 抛物线

parachute ['pærəʃu:t] *n.* 降落伞 *v.* (使)跳伞,空投

parade [pə'reid] *n.* 游行 (⇨demonstration); 游行队伍 (⇨procession);
阅兵; 炫示 *v.* 游行; 列队行进

paradise ['pærədais] *n.* [P-] 天国 (⇨Heaven); 天堂,乐园

paradox ['pærədɔks] *n.* 反论; 逆说(似非而是的隽语)

(▲)**paragraph** ['pærəgrɑ:f, 美: -,græf] *n.* (文章的)段,节; (报刊的)短评,短讯

parallel ['pærəlel] *a.* 平行的; 相同的; 类似的 (⇨similar) *n.* 平行线; 类似
的情况; 比较 (⇨comparison) *vt.* 与…匹敌; 与…平行 ‖ ~ bars 双杠

paralyse ['pærəlaiz] *vt.* 使麻痹; 使瘫痪; 使无能为力 ▶又作 paralyze。

paralyze = paralyse

parameter [pə'ræmitə] *n.* 〔数学〕参数; 〔物理〕参量

paraphrase ['pærəfreiz] *vt.,n.* (对文章的句、段)用不同的词重新表达 (⇨
interpret); 改说,改写; 释义; 意译

parasite ['pærəsait] *n.* 寄生虫,寄生物,寄生的人

parasol ['pærəsɔl] *n.* 阳伞,女用阳伞 (⇨umbrella)

(▲)**parcel** ['pɑ:səl] *n.* 包裹,邮包 (⇨package)

parch [pɑ:tʃ] *v.* (使)焦干; (使)干燥 (⇨dry); 烘,烤 (⇨bake)

(▲)**parchment** ['pɑ:tʃmənt] *n.* 羊皮纸; 上等纸

•**pardon** ['pɑ:dn] *vt.,n.* 原谅,宽恕 (⇨excuse, forgive) ‖ general ~ 大赦

pare [pɛə] *vt.* 削…的皮 (⇨peel); 剪(指甲) 「司

•**parent** ['pɛərənt] *n.* 父亲, 母亲;《用复数》父母, 双亲 ‖ ～ company 总公

parenthesis [pə'renθisis] *n.* (复数: *parentheses* [-si:z]) 插句, 插入语;《常用复数》圆括号

•**Paris** ['pæris] *n.* 巴黎 (法国首都) ▶在法语中 s 不发音.

parish ['pæriʃ] *n.* 教区; 教区的全体居民

Parisian [pə'riziən] *a.* 巴黎的; 巴黎人的 *n.* 巴黎人

•**park** [pɑ:k] *n.* 公园; 园林; (汽车的)停车场; 自然保护区 *vt.* 停放(汽车) ‖ No ～*ing* (here).《告示》禁止停放车辆.

parliament ['pɑ:ləmənt] *n.* [常作 P-]议会, 国会 ▶注意发音.

parlo(u)r ['pɑ:lə] *n.* 客厅, 会客室; (旅馆的)休息室, 谈话室; [美]理发厅 ‖ beauty ～ 美容院

•**parrot** ['pærət] *n.* 鹦鹉

parsley ['pɑ:sli] *n.* 欧芹; 香菜

parson ['pɑ:sən] *n.* (教区)牧师

•**part** [pɑ:t] *n.* 部分 (⇨portion); 局部 (⇨division); 部件, 零件; (书的)编, 部; 角色 (⇨role) *v.* (使)分离; 分别 *a.* 部分的

partake [pɑ:'teik] *v.* (*partook* [-'tuk], *partaken* [-'teikən]) 分享 (⇨share); 同吃; 吃; 带有几分 「(⇨unjust)

partial ['pɑ:ʃəl] *a.* 部分的; 不完全的 (⇨incomplete); 偏袒的; 不公平的

partially ['pɑ:ʃəli] *ad.* 部分地, 局部地; 偏袒地, 不公平地

participant [pɑ:'tisipənt] *a.* 参加的, 有关的 *n.* 参加者

participate [pɑ:'tisipeit] *v.* 参与, 参加; 分享 (⇨share)

participation [pɑ:,tisi'peiʃən] *n.* 参与, 参加; 加入 「词

⑴**participle** ['pɑ:tisipl] *n.* 〔语法〕分词 ‖ present [past] ～ 现在[过去]分

particle ['pɑ:tikl] *n.* 粒子, 微粒; 极微量;〔语法〕虚词(如冠词、介词、连接词等), 词缀(如 un-, -ment 等) ‖ elementary ～ 基本粒子

▲**particular** [pə'tikjulə] *a.* 特殊的, 特别的 (⇨special); 个别的 (⇨individual); 详细的 (⇨detailed) *n.* 细节;《用复数》详情

▲**particularly** [pə'tikjuləli] *ad.* 特别 (⇨especially); 尤其; 格外

parting ['pɑ:tiŋ] *n.* 分离; 分别 ‖ a ～ gift 临别赠礼

▲**partisan** [,pɑ:ti'zæn] *n.* 党人; 坚决支持者; 游击队员 ▶又拼作 partizan.

partition [pɑ:'tiʃən] *n.* 分开 (⇨separation); 部分 (⇨part); 隔墙, 隔扇 *vt.* 瓜分; 隔开

partizan = partisan

partly ['pɑ:tli] *ad.* 部分地 (← wholly); 不完全地, 多少

⑴**partner** ['pɑ:tnə] *n.* 合伙人; 伙伴; 股东 (⇨shareholder); 舞伴; 配偶

partnership ['pɑ:tnəʃip] *n.* 合伙; 合营; 伙伴关系; 合伙企业

partridge ['pɑ:tridʒ] *n.* 鹧鸪; 山鹑; 松鸡

part-time [,pɑ:t'taim] *a.* 部分时间的; 非全日的; 兼任的; 非固定的 ‖ a ～ teacher 兼任教员

•**party** ['pɑ:ti] *n.* 党, 党派; 政党; 聚会(游园会、晚会、酒会、舞会等); 一行, 一批, 一伙人; 伙伴, 参与者; 当事人; 一方

•**pass** [pɑ:s] *v.* 经过, 通过; 超过, 越过; 前进 (⇨proceed); 传递 (⇨deliver); (时间)消逝; 度过 (⇨spend) *n.* 通行证; 合格; 传球; 月票 「文

passage ['pæsidʒ] *n.* 通道 (⇨path); 走廊; (文章、讲话的)一段, 一节; 短

passenger ['pæsəndʒə] *n.* 乘客, 旅客; 过路人

passerby [.pɑ:sə'bai] *n.* (复数: *passersby* [.pɑ:səz-]) 过路人, 行人

passion ['pæʃən] *n.* 热情 (⇨zeal); 激情; 激怒 (⇨fury); 热恋; 热爱

passionate ['pæʃənit] *a.* 热烈的, 热情的; 热情洋溢的; 多情的; 易怒的; 易激动的(⇨excitable)

passionately ['pæʃənitli] *ad.* 热情地; 激昂地; 勃然大怒地

passive ['pæsiv] *a.* 被动的; 消极的; 〔语法〕(语态)被动的 (← active) ‖ ～ resistance 消极抵抗 ／ ～ voice 被动语态

passport ['pɑ:spɔ:t, 美: 'pæs-] *n.* 护照, 通行证

password ['pɑ:swə:d, 美: 'pæs-] *n.* 口令; 暗语

past [pɑ:st, 美: pæst] *a.* 过去的; 刚过去的, 上(星期, 月等); 以前的, 前任的; 〔语法〕(动词时态)过去的 *n.* 《加 the》过去, 往日, 往事 *prep.* 过; 经过; 越过 ‖ ～ tense 〔语法〕过去式 ／ ～ master 老手, 能手

paste [peist] *n.* 浆糊; 膏状物; 软膏; 牙膏 *vt.* 用浆糊贴

pastime ['pɑ:staim, 美: 'pæs-] *n.* 消遣 (⇨amusement); 娱乐

pastry ['peistri] *n.* 面粉制的糕饼, 点心; 面团; 点心皮

pasture ['pɑ:stʃə, 美: 'pæs-] *n.* 牧草; 牧场

pat [pæt] *v.,i.* 轻拍(表示抚慰或赞问); 轻敲; 抚摸

patch [pætʃ] *n.* (衣服等的)补丁, 补片; 小块土地; 碎屑 *vt.* 缝补 (⇨mend); 修补 (⇨repair); 补缀; 拼凑

patent ['peitənt] *n.* 专利(权); 专利品; 专利证 *a.* 特许的; 专利的; 明显的 (⇨evident); 开着的 (⇨open) *vt.* 取得专利

path [pɑ:θ, 美: pæθ] *n.* (被人踩出来的)小径, 小道; 路程; 轨道; (行动、思想、生活等的)道路   「emotional)

pathetic [pə'θetik] *a.* 可怜的 (⇨pitiable); 引起同情心的; 感情上的 (⇨

pathway ['pɑ:θwei, 美: 'pæθ-] *n.* 小路

patience ['peiʃəns] *n.* 忍耐 (⇨endurance); 耐心; 容忍; 坚韧   「者

patient ['peiʃənt] *a.* 忍耐的; 有耐心的; 勤奋的 (⇨deligent) *n.* 病人, 患

patiently ['peiʃəntli] *ad.* (有)耐心地; 有毅力地

patriot ['pætriət, 'pætriɔt, 'peitriət] *n.* 爱国者

patriotic [.pætri'ɔtik, .peit-] *a.* 爱国的, 有爱国热忱的

patriotism ['pætriətizəm, 'peit-] *n.* 爱国心; 爱国主义

patrol [pə'trəul] *v.* 巡逻; 巡查 *n.* 巡逻; 巡逻者 ‖ ～ wagon [美]囚车

patron ['peitrən] *n.* 老顾客 (⇨customer); 赞助者, 资助者

patronage ['pætrənidʒ] *n.* 赞助; 照顾; (顾客对商店的)惠顾, 光顾; 支持 (⇨support); 庇护, 保护 (⇨protection)

patter ['pætə] *vi.* 发出轻拍声; 拍达地跑 *n.* 轻拍声

pattern ['pætn] *n.* 型, 模型; 花样, 图案; 式样 (⇨model); 榜样 (⇨example) ‖ ～ practice 句型练习

Paul [pɔ:l]   保罗(男名)

pause [pɔ:z] *n., vi.* 中止, 暂停; 停顿 (⇨stop)

pave [peiv] *vt.* 铺(路); 铺设

Pavel ['pɑ:vəl] 巴维尔(男名)

pavement ['peivmənt] *n.* 人行道([美]sidewalk); 铺过的道路(或路面)

pavilion [pə'viljən] n. 亭子；大帐篷

pavonine ['pævəunain] a. 孔雀(似)的；五彩缤纷的

paw [pɔ:] n. 脚爪，爪子；〈口语〉手 v. (动物)用爪抓

pawn¹ [pɔ:n] n. 典，当，押；当出物；抵押品 v. 典当；抵押；用…作担保

pawn² [pɔ:n] n. (国际象棋)兵，卒；马前卒；爪牙

*pay [pei] v. (paid [peid], paid) 给…报酬；付款 n. 工资，薪金 ‖ ~ phone [美]公用电话 / ~ station [美]公用电话亭

payment ['peimənt] n. 支付，付款；报偿 (⇨reward)

*P.E. = (physical education) 体育

pea [pi:] n. 豌豆；青豆

peace [pi:s] n. 和平；(社会的)安定 (⇨stableness)；和约；和睦；宁静 (⇨calmness) ▶与 piece (一片)同音。

peaceable ['pi:səbl] a. 爱好和平的；平和的；太平的 (⇨pacific)

peaceful ['pi:sfəl] a. 平静的 (⇨quiet)；安宁的 (⇨calm)；和平的 ‖ ~ coexistence 和平共处

peace-loving ['pi:s,lʌving] a. 爱好和平的

peach [pi:tʃ] n. 桃子；桃树；桃色

peacock ['pi:kɔk] n. 孔雀

peak [pi:k] n. 山峰；山顶 (⇨crest)；尖端 (⇨top)；最高点 (⇨summit)；帽檐 a. 最高的；高峰的 v. 达到最高点 ‖ ~ hour (电视等的)黄金时间

peal [pi:l] n. 洪亮的响声；隆隆声 vt. 使鸣响

peanut ['pi:nʌt] n. 花生，花生仁，花生果 ‖ ~ butter 花生酱

pear [pεə] n. 梨子；梨树 ▶发音与 pair (一对)相同。

pearl [pə:l] n. 珍珠；似珍珠之物；珍品

*peasant ['pezənt] n. 农民；乡下人；粗俗的人 ▶注意与 farmer 的区别。

pebble ['pebl] n. 卵石；水晶；水晶镜片

peck [pek] v. 啄；啄食

peculiar [pi'kju:ljə] a. 特殊的 (⇨special)；特有的，独特的，与众不同的；奇怪的 (⇨strange) n. 特权

peculiarity [pi,kju:li'æriti] n. 特色；独特性，特质；癖；古怪

peculiarly [pi'kju:liəli] ad. 特别 (⇨especially)；尤其；奇怪地

pedal ['pedl] n. (自行车等的)踏板，踏脚 [言蜚语]

peddle ['pedl] v. 沿街叫卖；零售 (⇨retail) (← wholesale)；兜售；散播(流

peddler [美] = pedlar

pedestal ['pedistl] n. 柱脚；(雕像的)底座 (⇨base)

pedestrian [pi'destriən] a. 步行的；平常的 n. 行人；徒步旅行者 ‖ ~ crossing 人行横道

pedicab ['pedikæb] n. 三轮车

pedlar ['pedlə] n. (沿街叫卖的)小贩 ▶又拼写为 peddler [美]。

pedlary ['pedləri] n. 沿街叫卖；叫卖的东西

peek [pi:k] vi.,n. 偷看，窥探

peel [pi:l] n. (水果等的)皮 vt. 削(皮)；剥(树皮等)

peep [pi:p] vi.,n. 窥视，偷看 (⇨peek) ‖ ~ show 西洋镜

peer¹ [piə] n. 同辈，好友；同等的人；[英]贵族 (⇨earl)

peer² [piə] vi. 凝视 (⇨gaze)；眯着眼细看；隐约出现

peg [peg] *n.* 木钉; 楔子; 晒衣夹([美]clothespin)

pelt¹ [pelt] *n.,v.* 投掷; 攻击; 疾驰

pelt² [pelt] *n.* 毛皮; 生皮

****pen**¹ [pen] *n.* 钢笔, 蘸水钢笔; 圆珠笔 ‖ ～ name 笔名 / ～ pal 笔友

pen² [pen] *n.* 畜舍; (家畜的)圈, 栏

penalty ['penlti] *n.* 处罚 (⇨punishment); 刑罚; 罚款; 罚球 ‖ ～ area (足球)罚球区 / ～ kick (足球等的)罚球.

penance ['penəns] *n.* (天主教)忏悔的仪式; 悔改; (赎罪时的)苦行

pence [pens] *n.* penny 的复数 ▶pence 指一便士以上的币值; pennies 指一个以上的硬币.

****pencil** ['pensəl] *n.* 铅笔; 彩笔; 眉笔; 笔状物 *vt.* 用铅笔写   「眉毛

▲**pencilled** ['pensəld] *a.* 用铅笔写的; 用眉笔画的 ‖ ～ eyebrows 画过的

****pencil-box** ['pensəlbɔks] *n.* 铅笔盒

pending ['pendiŋ] *a.* 悬而未决的; 迫近的, 即将发生的   *prep.* 在…以前 (⇨until); 在…期间 (⇨during)

pendulum ['pendjuləm] *n.* (钟)摆;

penetrate ['penitreit] *v.* 贯穿; 刺入 (⇨pierce); 侵入; 渗透; 理解

penetration [,peni'treiʃən] *n.* 穿透; 突破; 看破, 洞察力

penguin ['peŋgwin] *n.* 企鹅

penholder ['penhəuldə] *n.* 笔杆

(▲) **penicillin** [,peni'silin] *n.* 青霉素, 盘尼西林

peninsula [pi'ninsjulə, 美: -sə-] *n.* 半岛

penknife ['pen-naif] *n.* 小刀, 小折刀

penmanship ['penmənʃip] *n.* 书法; 习字; 笔迹

(**) **penny** ['peni] *n.* (复数: pennies [-niz] 或 pence [pens]) 便士(英国辅币, = 1/100镑); 分(美国和加拿大辅币, = 1/100元) ▶注意此词两种复数形式的不同含义, 参见 pence.

pension ['penʃən] *n.* 年金; 养老金, 退休金; 抚恤金   「人, 亲属

****people** ['piːpl] *n.* 人; 人们; 《加 the》人民, 平民; 《加 a》民族 (⇨nation); 家

pepper ['pepə] *n.* 胡椒(粉); 辣味 ‖ Chinese ～ 花椒

▲**per** [pə:, (弱)pə] *prep.* 每, 每一; 由; 经

perceive [pə'siːv] *vt.* 察觉; 知觉; 领会 (⇨understand)

▲**percent, per cent** [pə'sent] *n.* 每百, 百分之…(符号: %)

percentage [pə'sentidʒ] *n.* 百分比; 百分率; 比率; 部分

perceptible [pə'septəbəl] *a.* 感觉得到的; 看得出的; 可理解的

perception [pə'sepʃən] *n.* 感觉 (⇨feeling); 认识; 理解(力)

perch [pə:tʃ] *n.* (禽鸟的)栖木; (高的)住处   *v.* (鸟)栖, 搭, 停; 高高地坐在 [放在, 位于]

▲**perfect** ['pə:fikt] *a.* 完全的 (⇨complete); 完美的, 极好的; 无瑕的; 熟练的 (⇨skilled); 〔语法〕完成的   *vt.* [pə'fekt] 使完善; 完成; 改进 (⇨improve) ‖ ～ tense 〔语法〕完成式 / present [past, future] ～ tense 现在[过去, 将来]完成式 ▶形容词与动词重音不同.

perfection [pə'fekʃən] *n.* 完全, 完美, 卓越; 完美的人(或物)   「十分

perfectly ['pə:fiktli] *ad.* 完全地 (⇨completely); 完美地, 极好地; 〈口语〉

perform [pə'fɔːm] *v.* 做; 履行, 执行; 完成 (⇨fulfil); 行动; 表演, 演奏

performance [pə'fɔ:məns] *n.* 执行, 实行; 成就; 行为, 动作; (机器等的)性能; 上演, 表演

performer [pə'fɔ:mə] *n.* 执行者; 演奏者, 演员, 艺人

perfume ['pə:fju:m] *n.* 芳香; 香水 (⇨scent); 香料

*__perhaps__ [pə'hæps] *ad.* 也许 (⇨maybe); 可能 (⇨possibly); 大概 (⇨probably) ▶口语发音 [præps].

peril ['peril] *n.* 危险 (⇨danger); 危难, 危急

perilous ['periləs] *a.* 危险的 (⇨dangerous); 危急的; 冒险的 (⇨risky)

perimeter [pə'rimitə] *n.* 周; 周界线; 周长

^**period** ['piəriəd] *n.* 时代 (⇨age); 期间; 时期; 周期 (⇨cycle); 学时;《加the》现代, 当代; 〔标点〕句号 (= full stop); 休止符 「表

*__periodic__ [.piəri'ɔdik] *a.* 周期性的, 定期的, 定时的 ‖ ~ table (元素)周期

periodical [.piəri'ɔdikəl] *n.* 期刊, 杂志 *a.* 定期的, 周期的

peripheral [pə'rifərəl] *a.* 周界的, 表面的; 边缘的, 外围的; 不重要的

perish ['periʃ] *vi.* 灭亡, 毁灭; 死亡 (⇨die); 枯萎 (⇨wither); 腐烂

^**Perkins** ['pə:kinz] 珀金斯(姓)

permanent ['pə:mənənt] *a.* 永久的; 持久的 (⇨lasting); 耐久的; 不变的 ‖ ~ committee 常任委员会 / ~ wave 电烫发

permanently ['pə:mənəntli] *ad.* 永久地; 不变地

^**permeate** ['pə:mieit] *v.* 渗入; 透过 (⇨penetrate); 充满; 散播 (⇨spread)

^**permission** [pə'miʃən] *n.* 允许, 准许, 许可; 答应

^**permit** [pə'mit] *v.* 容许, 许可 (⇨allow); 容忍 (⇨tolerate) *n.* ['pə:mit] 许可证 (⇨license) ▶动词与名词重音不同.

perpendicular [.pə:pen'dikjulə] *a.* 直立的 (⇨upright); 垂直的 (⇨vertical); 险陡的

perpetual [pə'petʃuəl] *a.* 永久的 (⇨everlasting); 永恒的 (⇨eternal); 无穷的 (⇨endless); 终身的; 连续不断的 ‖ ~ calendar 万年历 「杂化

perplex [pə'pleks] *vt.* 使迷惑 (⇨confuse); 使困惑; 难住 (⇨puzzle); 使复

perplexity [pə'pleksiti] *n.* 困惑, 错综复杂; 令人迷惑不解的事物

persecute ['pə:sikju:t] *vt.* 迫害; 虐待; 使苦恼

persecution [.pə:si'kju:ʃən] *n.* 迫害; 虐待; 困扰 「拔

^**perseverance** [.pə:si'viərəns] *n.* 坚持 (⇨persistence); 不屈不挠, 坚忍不

persevere [.pə:si'viə] *vi.* 坚持; 不屈不挠

persimmon [pə'simən] *n.* 柿子

persist [pə'sist] *vi.* 固执, 坚持; 执意; 持续 (⇨last)

persistence [pə'sistəns] *n.* 坚持; 持续; 固执

persistent [pə'sistənt] *a.* 坚持的; 固执的 (⇨stubbon); 持续的, 不断的

*__person__ ['pə:sn] *n.* 人; 人物; 身体 (⇨body); 〔语法〕人 称 ‖ the first [second, third] ~ 第一[二, 三]人称

personage ['pə:sənidʒ] *n.* 人; 要人; 名流; (小说、戏剧中的)人物 (⇨character); 角色 (⇨role)

peronal ['pə:sənəl] *a.* 个人的 (⇨individual); 私人的 (⇨private); 亲自的; 〔语法〕人称的 ‖ ~ affairs 私事 / ~ effects 动产, 所有物 / ~ pronoun 人称代词 / ~ property 动产

personality [.pə:sə'næliti] *n.* 个性 (⇨character); 性格; 人格; 人性; 名人

‖ ～ cult 个人崇拜

personally ['pə:sənəli] *ad.* 亲自; 直接; 就自己而言

personnel [,pə:sə'nel] *n.*《用作复数》(全体)人员; (全体)职工; ‖ ～ section 人事处[科]

perspective [pə'spektiv] *n.* 透视画法; 景象; 展望; 回顾; 观点

▲**persuade** [pə'sweid] *vt.* 劝说; 说服; 使相信 (⇨convince)

persuasion [pə'sweiʒən] *n.* 劝说; 说服(力); 信仰, 信念

pert [pə:t] *a.* 活泼的; 漂亮的; 时髦的

pertinent ['pə:tinənt] *a.* 有关的; 贴切的; 中肯的

perturb [pə'tə:b] *vt.* 使不安; 使烦恼; 使紊乱; 扰乱

pervade [pə'veid] *vt.* 弥漫; 遍及; 渗透 (⇨penetrate); 充满 (⇨fill)

pessimism ['pesimizəm] *n.* 悲观; 悲观主义

pessimist ['pesimist] *n.* 悲观论者; 厌世者

pessimistic [,pesi'mistik] *a.* 悲观的; 悲观主义的; 厌世的

▲**pest** [pest] *n.* 害虫; 有害的东西; 讨厌的人(或物)

pestilence ['pestiləns] *n.* 疫病 (⇨plague); 瘟疫

▲**pet** [pet] *n.* 爱畜, 爱养; 宠爱物 (⇨favorite); 宠儿; 心爱的人 (⇨darling) *vt.* 宠爱; 爱抚 ‖ ～ name 爱称, 昵称

petal ['petl] *n.* 花瓣

Peter ['pi:tə] 彼得(男名)

petition [pi'tiʃən] *n., v.* 请愿, 请求, 祈求

▲**petrify** ['petrifai] *vt.* 使石化; 使僵化; 使发呆

petrol ['petrəl] *n.* 汽油([美]gasoline) ‖ ～ station 加油站

petroleum [pi'trəuliəm] *n.* 石油‖ ～ jelly 凡士林

petticoat ['petikəut] *n.* 衬裙; 裙子

petty ['peti] *a.* 细小的 (⇨slight); 微不足道的; 卑劣的 (⇨mean] ‖ ～ bourgeois 小资产者; 小市民 / ～ farmer 小农

phantom ['fæntəm] *n.* 幻象; 幻觉, 错觉; 幽灵

pharmacy ['fɑ:məsi] *n.* 药店, 药房; 制药; 配药

phase [feiz] *n.* 阶段; 时期; (问题等的)方面

pheasant ['fezənt] *n.* 雉, 野鸡

▲**phenomenon** [fi'nɔminən] *n.* (复数: *phenomena* [-nə]) 现象

(A)**Philadelphia** [,filə'delfiə] *n.* 费城(美国城市)

(A)**Philippines** ['filipi:nz] *n.*《加 the, 用作单数》菲律宾; 菲律宾群岛

philosopher [fi'lɔsəfə] *n.* 哲学家; 哲人

philosophy [fi'lɔsəfi] *n.* 哲学; 世界观, 人生观; 达观, 豁达; 镇定

▲**phone** [fəun] *n.* (= telepone)〈美口语〉电话, 电话机 *v.* (给…)打电话 ‖ ～ call 电话 / ～ book 电话簿 / ～ box 公用电话亭

(A)**phonetic** [fəu'netik] *a.* 语音(上)的 ‖ ～ alphabet 音标字母

(*)**phonetics** [fəu'netiks] *n.* 语音学

phonograph ['fəunəgrɑ:f] *n.* [美]留声机, 唱机([英]gramophone)

◆**photo** ['fəutəu]〈口语〉照片 (⇨picture) *v.* 照相 (=photo-graph)

photoelectric [,fəutəu-i'lektrik] *a.* 光电的

photograph ['fəutəgrɑ:f, 美: -græf] *n.* 照片 *vt.* 摄影, 照相 ‖ ～ album 照相簿, 影集 ▶口语中常用 photo 或 picture.

photographer [fə'tɔgrəfə] *n.* 摄影师；照相馆

photographic [.fəutə'græfik] *a.* 摄影的；逼真的

photography [fə'tɔgrəfi] *n.* 摄影(术)；摄影业务 ‖ No ～. 禁止摄影

phrasal ['freizəl] *a.* (语法)短语的，惯用语的 ‖ ～ verb 短语动词

phrase [freiz] *n.* 短语，习语，片语，词组；措词；名句

__physical__ ['fizikəl] *a.* 身体的，肉体的 (← spiritual)；物质的 (⇨material)；物理的；自然的 ‖ the ～ world 自然界 / ～ constitution 体格 / ～ exercise 体操，运动 / ～ strength 体力 / ～ training 体育

physically ['fizikəli] *ad.* 肉体上；物质上；物理上

physician [fi'ziʃən] *n.* 内科医生；医生 (⇨doctor)

physicist ['fizisist] *n.* 物理学家

__physics__ ['fiziks] *n.* 物理学

physiology [.fizi'ɔlədʒi] *n.* 生理学；生理机能

__pianist__ ['piənist, 'pjɑ:n-] *n.* 钢琴家；钢琴演奏者　　　　　「直立钢琴

__piano__ [pi'ænəu, 'pjɑ:-] *n.* 钢琴 ‖ grand ～ 大钢琴，平台钢琴 / upright ～

__pick__[1] [pik] *vt.* 摘；剔，挑；挑选；掘，挖；凿(洞)；拔(毛)；撬(锁)；扒窃

pick[2] [pik] *n.* 镐；鹤嘴锄

pickle ['pikəl] *n.* (盐水、醋等)腌渍液；腌菜，泡菜　*vt.* 腌制，腌渍

pickpocket ['pikpɔkit] *n.* 扒手

pick-up ['pik-ʌp] *a.* 现成的(菜肴)；挑选的(球队)　*n.* 拾起；(出租汽车的)乘客；拾音器，电唱头；小运货汽车；〈口语〉(因事)偶然结识的人

picnic ['piknik] *n.* 野餐；远足，郊游 (⇨tour)；〈口语〉轻松的事

pictorial [pik'tɔ:riəl] *a.* 绘画的；有插图的　*n.* 画报 ‖ ～ magazine 画报

__picture__ ['piktʃə] *n.* 画，图画 (⇨ painting)；画像，图片；照片 (⇨ photograph)；印象；[美]电影 (⇨movie) ‖ ～ show 画展 / ～ tube 显像管 / ～ postcard 美术明信片

__picture-book__ ['piktʃəbuk] *n.* 图画书　　　　　　　　　　「象化的

picturesque [.piktʃə'resk] *a.* 如画一般美的；绚丽的；(语言等)生动的；形

pie [pai] *n.* 馅饼；夹心蛋糕

__piece__ [pi:s] *n.* 片，断片 (⇨fragment)；一片，一块，一张，一件；具体例子；工作量；(文艺、音乐等作品)篇，首，幅；硬币 ‖ ～ goods 布匹

pier [piə] *n.* (凸式)码头；防波堤；桥墩；栈桥

pierce [piəs] *vt.* 刺穿 (⇨penetrate)；戳破；穿入；识破

piety ['paiəti] *n.* 虔诚；孝行；(对国家)忠诚

__pig__ [pig] *n.* 猪；[美]小猪

pigeon ['pidʒin] *n.* 鸽子　▶大于 dove (鸽).

pigsty ['pigstai] *n.* 猪圈

__pile__ [pail] *n.* 堆，堆积；大量 (⇨mass)　*v.* 堆积，堆起　　　「wanderer)

pilgrim ['pilgrim] *n.* 朝圣者，香客；旅客 (⇨traveller)；流浪者 (⇨

pilgrimage ['pilgrimidʒ] *n.* 朝圣；长途旅行 (⇨journey)；人生历程

pill [pil] *n.* 药丸；口服避孕药

pillar ['pilə] *n.* 柱，圆柱 (⇨column)；栋梁

pillow ['piləu] *n.* 枕头

pilot ['pailət] *n.* 领港员；飞行员；向导 (⇨guide)

pin [pin] *n.* 别针；大头针；栓 (⇨peg)；徽章；胸针

pincers ['pinsəz] *n.* [复数]钳子; (蟹、虾等的)螯 ▶量词用 a pair of.

(A)**pinch** [pintʃ] *vt.* 捏, 捏掉, 拧掉; 弄紧

▲**pine** [pain] *n.* 松树

pineapple ['pain,æpl] *n.* 菠萝; 凤梨

(A)**ping-pong** ['piŋpɔŋ] *n.* 乒乓(球) ▶又叫作 table tennis.

(A)**pink** [piŋk] *n.* 石竹; 桃色, 粉红色   *a.* 石竹色的, 桃色的, 粉红色的

pint [paint] *n.* 品脱(容量单位, = ⅛加仑或0.57升)

*★**pioneer** [,paiə'niə] *n.* 开拓者; 先锋; 先驱者; 少先队员 *v.* 开拓 ‖ Young *Pioneer* 少先队员 / ~ spirit 开拓者的精神

pious ['paiəs] *a.* 虔诚的; 道貌岸然的; 伪善的

▲**pipe** [paip] *n.* 管子, 导管, 输送管; 烟斗; 笛, 木管乐器 ‖ ~ organ 管风琴

pipeline ['paiplain] *n.* 管道; 管线; 输油管

pirate ['paiərit] *n.* 海盗; 剽窃者; 侵犯版权者

▲**Pisa** ['pi:zə] *n.* 比萨(意大利城市)

pistol ['pistl] *n.* 手枪

piston ['pistən] *n.* 活塞

▲**pit** [pit] *n.* 坑; 深洼; 洞穴 (⇨hole); 陷井 (⇨trap); 乐池 ‖ tar ~s 沥青坑

pitch[1] [pitʃ] *vt.* 投, 抛, 扔 (⇨throw)   *n.* 投掷; 音调; 程度; 极点

pitch[2] [pitʃ] *n.* 沥青

pitcher[1] ['pitʃə] *n.* (有嘴、把手的)水壶

pitcher[2] ['pitʃə] *n.* 投掷者; [美](棒球的)投手

piteous ['pitiəs] *a.* 令人哀怜的 (⇨pitiable); 凄惨的

pitiable ['pitiəbl] *a.* 可怜的 (⇨pitiful); 可鄙的

pitiful ['pitifəl] *a.* 可怜的, 可悲的; 卑鄙的 (⇨mean)

pitiless ['pitiləs] *a.* 没有怜悯心的 (⇨merciless); 无情的 (← merciful)

(A)**pity** ['piti] *n.* 怜悯 (⇨mercy); 同情 (⇨sympathy); 憾事

placard ['plækɑ:d] *n.* 布告; 招贴; 海报; 标语牌

*★**place** [pleis] *n.* 地方; 场所; 地点 (⇨spot); 地区 (⇨area); 位置 (⇨position); 座位   *v.* 放置 (⇨put); 安置; 布置; 派任; 发出(订单); 投资

placid ['plæsid] *a.* (人等)安静的, 温和的, (事物)平静的 (⇨calm)

plague [pleig] *n.* 瘟疫 (⇨epidemic); 《加 the》鼠疫; 灾祸 (⇨calamity)

▲**plain** [plein] *a.* 平的, 平坦的; 明白的, 清楚的 (⇨clear); 显而易见的; 坦白的; 朴素的 (⇨simple); 平易的   *ad.* 平易地; 明白地   *n.* 平地, 平原

plainly ['pleinli] *ad.* 清楚地 (⇨clearly); 明显地; 简朴地

▲**plan** [plæn] *n.* 计划 (⇨scheme); 规划; 方案; 设计图 (⇨drawing) *v.* 计划; 打算; 设计 (⇨design)

*★**plane**[1] [plein] *n.* 〈口语〉飞机 (= airplane, aeroplane)

(A)**plane**[2] [plein] *n.* 平面; 刨刀   *a.* 平的; 平面的   *v.* 刨

*★**planet** ['plænit] *n.* 行星

(A)**planetarium** [plænə'tεəriəm] *n.* 天文馆

(A)**plank** [plæŋk] *n.* 木板; 厚板

*★**plant** [plɑ:nt, 美: plænt] *n.* 植物; 花草; 作物; 工厂; 机器设备   *vt.* 栽培; 种植; 灌输; 安放 (⇨place)

plantation [plæn'teiʃən, plɑ:n-] *n.* 种植园; 大农场 (⇨farm); 人造林

planter ['plɑ:ntə] *n.* 种植者; 种植园主; 殖民者 (⇨colonialist); 花盆 (⇨

flowerpot); 播种器

plasma ['plæzmə] *n.* 血浆; 原生质

plasmolysis [plæz'mɔləsis] *n.* 原生质分离

plaster ['plɑ:stə, 美: 'plæstə] (抹墙等用的) 灰泥; 熟石膏; 膏药, 橡皮膏

***plastic** ['plæstik] *a.* 塑料的; 可塑的; 造型的 *n.*《常用复数》塑料; 塑料制品 ‖ ～ surgery 整形外科

***plate** [pleit] *n.* (大) 碟子, 盘子, 盆子; 〔总称〕金银餐具; (书的) 图版; (金属) 板; 牌子; 底片; 假牙托 *vt.* 镀; 装甲

plateau ['plætəu] *n.* 高原, 高地; 平台; 停滞阶段

platform ['plætfɔ:m] *n.* 台 (⇨stage); 月台, 平台; 讲台; 纲领

platinum ['plætinəm] *n.* 铂, 白金

platoon [plə'tu:n] *n.* (军队的) 排; 一队; (一) 小群

platter ['plætə] *n.* [美] 大浅盘; 〈美口语〉唱片

plausible ['plɔ:zəbəl] *a.* (论点) 似乎有理的; (人) 似可信的; 花言巧语的

***play** [plei] *v.* 玩; 打 (球); 比赛; 演奏; 演戏; 扮演 (⇨act) *n.* 玩耍; 表演; 比赛; 游戏 (⇨game); 戏剧 (⇨drama); 活动 (⇨activity) ‖ TV ～ 电视剧 / ～ school 幼儿园

***player** ['pleiə] *n.* 比赛者; 运动员; 选手; 演员; 演奏者; 唱机

playful ['pleifəl] *a.* 爱玩的; 开玩笑的, 诙谐的

***playground** ['pleigraund] *n.* (学校的) 操场; 动运场; (儿童) 游戏场

playmate ['pleimeit] *n.* 游伴, 玩伴

plaything ['plei,θiŋ] *n.* 玩具 (⇨toy); 被玩弄的人

plea [pli:] *n.* 恳求 (⇨beg); 请求; 辩解; 借口 (⇨excuse)

plead [pli:d] *v.* 恳求; 以…为借口; 抗辩; 申辩, 申诉

***pleasant** ['plezənt] *a.* 令人愉快的 (⇨pleasing); 舒适的; 快活的; 融洽的; 可爱的; (天气) 晴朗的 ▶不要与 present ['prezənt] (出席) 相混.

pleasantly ['plezəntli] *ad.* 愉快地; 很满意地; 快活地; 融洽地

***please** [pli:z] *v.* (使) 喜欢; (使) 高兴; (使) 满意;《用于祈使语气》请

***pleased** ['pli:zd] *a.* 高兴的, 愉快的; 满意的

pleasing ['pli:ziŋ] *a.* 愉快的 (⇨pleasant); 可爱的; 满意的; 舒适的

▲**pleasure** ['pleʒə] *n.* 愉快, 高兴 (⇨delight); 满意 (⇨satisfaction); 娱乐; 消遣; 乐事 ‖ ～ ground 游乐场 / ～ trip 旅游

pleat [pli:t] *n.* 褶 *v.* 在…上打褶

pledge [pledʒ] *n.* 誓约; 诺言; 保证; 信物; 抵押品 「抵押 *vt.* 立誓, 发誓; 保证;

plenary ['pli:nəri] *a.* 全体出席的; 完全的, 绝对的

plentiful ['plentifəl] *a.* 丰富的 (⇨abundant); 大量的; 充足的 (⇨full)

***plenty** ['plenti] *n.* 大量; 充足 (⇨fullness)

▲**plight** [plait] *n.* 情况, 境况; 困境

plot [plɔt] *n.* 阴谋 (⇨scheme); 诡计; (小说等的) 情节, 结构; 小块土地

***plough** [plau] *n.* 犁 *v.* 耕, 犁; 破 (浪); 费力地前进 ▶又作 plow [美]

***plow** [美] = plough

pluck [plʌk] *vt.* 拔 (毛); 摘 (花); 拉; 扯

▲**plug** [plʌg] *n.* 插头; 塞子 *vt.* 接上插头通电; 以塞子塞住

plum [plʌm] *n.* 李子, 李树; (制糕饼用的) 葡萄干

plumb [plʌm] *n.* 铅锤; 测锤 *v.* 用铅锤测量; 探测 *ad.* 〈口语〉恰恰, 正

plumber [plʌmə] *n.* 管道工 ▶ b 不发音. 　　　　　　　　　　「状物

plume [pluːm] *n.* 《常作复数》翎毛,羽毛 (⇨feather); (帽等的)羽饰; 翎毛

plump¹ [plʌmp] *v.* 突然掉下; 突然坐下　*n.* 突然坠落; 坠落声

plump² [plʌmp] *a.* (人)丰满的 (⇨fat); 圆胖的; (家禽)多肉的 (⇨fleshy)

plunder [plʌndə] *v.* 抢劫, 掠夺　*n.* 掠夺; 掠夺品

plunge [plʌndʒ] *v.* 跳入, 钻进, 伸入, 刺进; (使)陷入; (使)投入; (使)冲入
　n. 跳进, 冲入, 投入; 跳水 (⇨dive)

plural ['pluərəl] *a.* 〔语法〕复数的 (← singular)　*n.* 〔语法〕复数, 复数词;
(词的)复数形式 ‖ ～ noun 复数名词

plus [plʌs] *prep.* 加, 加上 (← minus); 〈口语〉外加　*a.* 正的; 正电的; 附
加的 (⇨additional)　*n.* 加号; 正号

ply [plai] *v.* 用 (⇨use); 使用; 从事; 一再催促; 定期往返于

P.M., p.m. ['piː'em] (拉丁语 post meridiem 的缩略, = afternoon) 下午,
午后 (← A. M., a. m.) ▶中午12时(即午后零时)为 12 p. m.

pneumatic [njuːˈmætik, 美: nuː-] *a.* 空气的; 气体的; (可)充气的; 风力的

pneumonia [njuːˈməuniə, 美: nuː-] *n.* 肺炎

pocket ['pɔkit] *n.* 衣袋, 口袋, 裤袋; 钱袋; (弹子球台的)球袋;《作形容词
用》装入口袋的, 袖珍的 ‖ ～ book 袖珍本 / ～ edition 袖珍版 / ～
money 零用钱 　　　　　　　　　　　　　　　　　　　　　　　「提包

pocketbook ['pɔkitbuk] *n.* 袖珍书; 笔记簿; 皮夹子, 钱包; [美](女用)手

poem ['pəuəm] *n.* 诗, 韵文; 诗体文

poet ['pəuət] *n.* 诗人; 优秀的作家(或艺术家)

poetic(al) [pəu'etik(əl)] *a.* 诗的, 富有诗意的; 诗人的, 有诗人气质的

poetry ['pəuətri] *n.* 〔总称〕诗; 诗学; 诗集; 诗意

point [pɔint] *n.* 尖, 尖端; 点 (⇨dot); 小数点; 标点; 度 (⇨degree); 刻度;
分(数), (比赛的)得分; 特征, 特质　*v.* 指, 指出; 指向 (⇨direct); 弄尖,
削尖 (⇨sharpen); 打上点(标点, 小数点, 句号等)

pointed ['pɔintid] *a.* 尖的 (⇨sharp); 有所指的 (⇨aimed); 敏锐的 (⇨
keen); 显著的; 强调的

pointer ['pɔintə] *n.* 教鞭; 指针

poise [pɔiz] *vt.* 使平衡 (⇨balance)　*n.* 平衡; 镇静; 姿势

poison ['pɔizən] *n.* 毒; 毒药; 毒物; 毒害; 流毒　*vt.* 毒害; 使中毒; 放毒于

poisonous ['pɔizənəs] *a.* 有毒的; 有害的; 充满恶意的

poke [pəuk] *v.* 戳, 刺; 插入; 伸出; 拨开　*n.* 戳, 刺; 〈口语〉笨蛋

Poland ['pəulənd] *n.* 波兰

polar ['pəulə] *a.* 南[北]极的; 极的; 两极的; 截然相反的, 逆的 ‖ the ～
star 北极星 / ～ bear 北极熊

polarity [pəu'læriti] *n.* 极性; 截然相反

Pole [pəul] *n.* 波兰人

pole¹ [pəul] *n.* 棒子; 杆, 柱

pole² [pəul] *n.* 极; 磁极, 电极; 极端 (⇨extreme)

police [pə'liːs] *n.*《加 the》〔总称〕警察; 警察当局; 公安部门; ‖ ～ box 警
察岗亭 / ～ dog 警犬 / ～ office 警察局 / ～ officer 警官

policeman [pə'liːsmən] *n.* (复数: *-men* [-mən]) 警察

police-station [pə'liːs,steiʃən] *n.* 警察局

policewoman [pə'li:s,wumən] *n.* (复数: *-women* [-wimin]) 女警察

▲**policy** ['pɔlisi] *n.* 政策;方针;策略

Polish ['pəuliʃ] *a.* 波兰的;波兰人的;波兰语的 *n.* 波兰语

polish ['pɔliʃ] *vt.* 磨光,擦亮 (⇨brighten);使(行为等)文雅 (⇨refine);润饰 *vi.* 变亮,变优美 *n.* 磨光;琢磨;光泽;修养 ‖ shoe ～ 鞋油

▲**polite** [pə'lait] *a.* 有礼貌的 (⇨courteous);文雅 (⇨elegant);殷勤的 ‖ ～ society 上流社会

politely [pə'laitli] *ad.* 有礼貌地;文雅地

politeness [pə'laitnis] *n.* 礼貌;教养

▲**political** [pə'litikəl] *a.* 政治的,政治上的;有关政治的;政党(政治)的;有政治组织的 ‖ ～ economy 政治经济学

politician [,pɔli'tiʃən] *n.* 政治家;政客

•**politics** ['pɔlitiks] *n.* [复数]《作单数用》政治学;《单复数两用》政治,政治活动;《作复数用》政见,政纲

poll [pəul] *n.* 选举投票;投票数;投票结果;选举人名册;投票处;[美]民意测验 ▶发音与 pole (杆)相同.

pollen ['pɔlən] *n.* 花粉

pollute [pə'lu:t] *vt.* 弄脏,污染 (⇨dirty);腐蚀(思想)

▲**pollution** [pə'lu:ʃən] *n.* 污染;腐蚀;污染物质 ‖ air ～ 空气污染

polo ['pəuləu] *n.* 马球(运动) ‖ water ～ 水球(运动)

⒜**polonium** [pə'ləuniəm] *n.* 钋

poly- [pɔli] 表示"多,聚"之意的结合词,如 *poly*syllabic (多音节的), *poly*styrene (聚苯乙烯).

polymer ['pɔlimə] *n.* 聚合物,聚合体

pomp [pɔmp] *n.* 华丽;壮观;盛大;虚饰

⒜**pond** [pɔnd] *n.* 池,池塘;鱼塘 ‖ ～ lily 睡莲

⒜**ponder** ['pɔndə] *v.* 仔细考虑

⒜**pony** ['pəuni] *n.* 小马;赛马用的马

•**pool**¹ [pu:l] *n.* 小池;水塘;潭;游泳池 ‖ swimming ～ 游泳池

pool² [pu:l] *n.* 共同资金;合资(者);联营(制) *v.* 共同出资;合伙,联营

•**poor** [puə] *a.* 贫穷的 (← rich);贫乏的 (⇨lacking);可怜的;不幸的 (⇨unfortunate);卑微的;不好的 ‖ the ～ 贫民

⒜**poorly** ['puəli] *ad.* 贫穷地;可鄙地;拙劣地 *a.* 身体不舒服

pop¹ [pɔp] *v.* (使)发出砰的一响;射击 (⇨shoot);(眼)瞪出;突然提出;(突然或轻快地)走动 *ad.* 砰地;忽然地 「手

pop² [pɔp] *n.* 流行音乐 ‖ ～(s) concert 流行音乐会 / ～ singer 流行歌

popcorn ['pɔpkɔ:n] *n.* 爆玉米花

pope [pəup] *n.* [常作 P-](罗马天主教的)教皇

poplar ['pɔplə] *n.* 白杨;杨木

poppy ['pɔpi] *n.* 罂粟;罂粟花

⒜•**popular** ['pɔpjulə] *a.* 普及的,通俗的,大众的;流行的 (⇨current);受欢迎的 (⇨favorite);普通的 (⇨common);大众化的 ‖ the ～ opinion 舆论 / ～ music 流行音乐 / ～ science 通俗科学 / ～ vote [美]全民投票

popularity [,pɔpju'læriti] *n.* 通俗性,大众化;普及,流行;声望,名气

▲**population** [,pɔpju'leiʃən] *n.* 人口;人数;(某地区的)全体居民

populous ['pɔpjuləs] *a.* 人口稠密的 (⇨dense)

porcelain ['pɔslən] *n.* 瓷,瓷器;瓷制品

⁴porch [pɔtʃ] *n.* (有顶的)门廊;入口;[美]游廊,阳台 (⇨veranda)

pore¹ [pɔ:] *v.* 注视,凝视;深思;研读

pore² [pɔ:] *n.* 毛孔;气孔;细孔

⁽ᵏ⁾pork [pɔ:k] *n.* 猪肉

portray [pɔ:'trei] *vt.* 描写,描绘,描述;画(人物、风景等);扮演

⁴porridge ['pɔridʒ] *n.* 麦片粥;粥

⁴port [pɔt] *n.* 港,港口 (⇨harbour);口岸;港市;港区 ‖ free ～ 自由港 / naval ～ 军港 / ～ office [authority] 港务局

portable ['pɔ:təbəl] *a.* 轻便的;手提式的,便携式的

portal ['pɔ:tl] *n.* 正门;入口(⇨entrance)   [房,传达室

porter ['pɔ:tə] *n.* 看门人;行李搬运工;[美]列车服务员 ‖ ～'s lodge 门

portion ['pɔ:ʃən] *n.* 部分,一部分 (⇨part);(食物等的)一份;嫁妆

⁴portrait ['pɔ:trit] *n.* 肖像,画像;人物描写;化身

Portsmouth ['pɔ:tsməθ] *n.* 朴次茅斯(英国港市)

Portugal ['pɔ:tjuɡl] *n.* 葡萄牙

⁽ᴬ⁾Portuguese [,pɔ:tju'ɡi:z] *a.* 葡萄牙的;葡萄牙人的;葡萄牙语的 *n.* 葡萄牙人;葡萄牙语

pose [pəuz] *v.* (使)摆好姿势;装模做样 *n.* (摄影时摆好的)姿态;矫饰

⁴position [pə'ziʃən] *n.* 位置,地方;地位,身份,职务;姿势 (⇨posture),态度;状况 (⇨situation);处境;立场;见解,主张

positive ['pɔzətiv] *a.* 确实的,明确的;确信的 (⇨sure);肯定的;积极的;〔数学〕正的;(物理)阳的,阳性的 (← negative);〔语法〕原级的 *n.*〔语法〕原级;〔摄影〕正片;〔数学〕正数

positively ['pɔzətivli] *ad.* 确实的,无疑地;肯定地;《加强语气》〈口语〉实在,确实;《美口语》是的(⇨yes)

⁽ᴬ⁾possess [pə'zes] *vt.* 有,拥有;具有(品质、才能等);持有 (⇨own);占有(⇨occupy)

⁴possession [pə'zeʃən] *n.* 拥有 (⇨ownership);所有,所有物;《用复数》个人财产 (⇨property);领土,属地

possessive [pə'zesiv] *a.* 所有的,拥有的;〔语法〕所有格的,物主的 *n.*〔语法〕所有格 ‖ ～ adjective 物主形容词 / ～ case 所有格 / ～ pronoun 物主代词

possessor [pə'zesə] *n.* 持有人;占有人;所有者

⁽ᴬ⁾possibility [,pɔsə'biliti] *n.* 可能性;可能(有)的事

⁴possible ['pɔsəbl] *a.*可能的;可能发生的;〈口语〉可接受的

⁴possibly ['pɔsəbli] *ad.* 或者,也许;《与 can 连用》尽可能地;《在否定句中》无论如何也

⁴post¹ [pəust] *n.* 邮政,邮件;[美]mail];邮局 (= post office);邮筒([美]mail box) *v.* 邮寄;[美]mail];投寄,投邮 ‖ ～ office 邮政局

post² [pəust] *n.* 柱;标杆 *vt.* 张贴(海报等);公布(不及格者、误点班轮等)

post³ [pəust] *n.* 地位;岗位;哨所;职位 (⇨office)

post- [pəust] *pref.* 表示"后于,次于"之意,如 *postwar* (战后的), *pos-*

graduate (大学毕业后的,研究生).

(*)**postage** ['pəustidʒ] *n.* 邮资,邮费

postal ['pəustəl] *a.* 邮政的;邮局的;邮寄的

post-box ['pəustbɔks] *n.* 邮筒,邮箱

postcard ['pəustkɑ:d] *n.* 明信片   「颜料

*****poster** ['pəustə] *n.* 海报;招贴;广告画 ‖ ～ colour [paint] 广告色,广告

posterity [pɔ'steriti] *n.* 后裔,子孙;后代   「的

postgraduate [,pəust'grædjuit] *n.* 研究生 *a.* 大学毕业后的;大学研究院

postman ['pəustmən] *n.* (复数: -men [-mən]) 邮递员([美]mailman)

▲**postmaster** ['pəust,mɑ:stə] *n.* 邮政局长,邮政所长 ‖ ～ general 邮政大臣,邮政部长 (P. M. G.)

post-office ['pəust,ɔfis] *a.* 邮局的;邮政部的 ‖ ～ box 邮政信箱 / ～ order 邮政汇票

postpone [pəust'pəun] *vt.* 延迟 (⇨delay);使延期

postscript ['pəust,skript] *n.* (信末签名后的)又及,再者,附记(略作: P. S.);(书籍、论文的)后记,跋

postulate ['pɔstjuleit] *v.* 假定 (⇨assume);要求 *n.* [-lit] 假定;基本原理;先决条件 ▶动词与名词的末音节发音不同.

posture ['pɔstʃə] *n.* 姿势 (⇨pose);姿态;态度 (⇨attitude);情况

▲**postwar** [,pəust'wɔ:] *a.* 战后的 (← prewar)   「帽

(*)**pot** [pɔt] *n.* 壶,罐,盆,锅;坩锅;花盆;尿壶 ‖ big ～ 大人物 / ～ hat 高顶

potato [pə'teitəu] *n.* 马铃薯,土豆 ‖ sweet ～ 甘薯,白薯

potent ['pəutənt] *a.* 有权势的;有说服力的;有效能的 (⇨powerful)

potential [pə'tenʃəl] *a.* 潜在的;有可能性的 (⇨possible);电位的

potter ['pɔtə] *n.* 陶工

pottery ['pɔtəri] *n.* 〔总称〕陶器

pouch [pautʃ] *n.* 袋,包;邮袋;外交文件袋

poultry ['pəultri] *n.* 〔总称〕家禽

*****pound**[1] [paund] *n.* 英镑(英国货币单位,符号: £);磅(重量单位,略作: lb.)

(▲)**pound**[2] [paund] *v.* 猛敲;砰砰地打;(心)悸动;捣碎 (⇨crush);(用重炮)轰击;敲打;重击   *n.* 盆大雨

pour [pɔ:] *vt.* 灌,注,倒,倾;(雨)倾泻 *vi.* 流出,溢出 *n.* 倾泻;流出;倾

pout [paut] *vi., n.* 撅嘴

poverty ['pɔvəti] *n.* 贫穷,贫困(← wealth);缺乏

▲**powder** ['paudə] *n.* 粉,粉末;香粉;药粉;火药 ‖ ～ room [美]女盥洗室

▲**power** ['pauə] *n.* 力 (⇨force);动力;功率;能力;力量;势力;权,政权;权力 (⇨might);权威;强国 ‖ ～ station 发电厂,发电站

▲**powerful** ['pauəful] *a.* 有力的 (⇨forceful);强大的 (⇨mighty);动人的(演说等);有效的(药等)

(▲)**powerless** ['pauəlis] *a.* 无力量的;软弱的 (⇨weak);无能为力的

practicable ['præktikəbəl] *a.* 切实可行的 (⇨possible);(路)可通行的

▲**practical** ['præktikəl] *a.* 实际的;实践的 (← theoretical);实用的;应用的 ‖ ～ joke 恶作剧,捣蛋

(▲)**practically** ['præktikəli] *ad.* 实际上;实质上;几乎 (⇨almost);可以说

(*)**practice** ['præktis] *n.* 实践;实际;实行;实习;练习 (⇨exercise);习俗 (⇨

custom); (医生等的)开业; (宗教上的)仪式 v. [美] = practise

(*) **practise** ['præktis] v. 实践; 实行; 实施; 练习 (⇨drill); 开业 (当律师等); 从事 n. [美] = practice

▲**practised** ['præktist] a. 熟练的; 经验丰富的; 精通的 (⇨perfect)

prairie ['prɛəri] n. 《常用复数》大草原

▲**praise** [preiz] n., vt. 称赞; 赞扬, 表扬; 赞美

(▲) **pram** [præm] n. 婴儿车, 童车

▲**pray** [prei] vi. 祈祷; 请求; 恳求 (⇨beg)

prayer [prɛə] n. 祈祷; 祷告(词); 《常用复数》祈祷式; 请愿(书)

pre- [pri:] pref. 表示"先于, 前, 预先"之意, 如 prewar (战前的), prearrange (预定)

preach [pri:tʃ] vi. 传教; 讲道; 教诲 vi. 劝说; 鼓吹

precaution [pri'kɔ:ʃən] n. 小心; 警戒; 预防措施

precede [pri'si:d] v. (时间、次序等)先行; 在先; 领先; (地位等)高于

precedent ['presidənt] n. 惯例 (⇨custom); 先例

preceding [pri'si:diŋ] a. 在前的; 前面的, 上述的 (⇨previous)

▲**precious** ['preʃəs] a. 昂贵的; 贵重的 (⇨valuable); 宝贵的, 珍贵的; 可爱的 (⇨beloved); 过分讲究的 ad. 〈口语〉很, 非常 ‖ ～ stone 宝石

precipice ['presipis] n. 悬崖, 绝壁 (⇨cliff); 险境

precise [pri'sais] a. 精确的 (⇨exact); 准确的 (⇨correct); 精密的; 恰好的

precisely [pri'saisli] ad. 精确地; 准确地; 恰恰; 《回答》正是 (⇨exactly)

precision [pri'siʒən] n. 精确(性); 精密(度)

predecessor ['pri:disesə] n. 前任者; 原有的事物; 前辈; 祖先   「宣称

(*) **predicate** ['predikit] n. 〔语法〕谓语 a. 〔语法〕谓语的 vt. [-,keit] 断言

(*) **predicative** [pri'dikətiv, 美: 'predikeitiv] n. 〔语法〕表语 a. 表语的

predict [pri'dikt] vt. 预言 (⇨foretell); 预告, 预报 (⇨forecast)

prediction [pri'dikʃən] n. 预言, 预言的事; 预报

predominant [pri'dɔminənt] a. 占优势的; 主宰的; 卓越的

preface ['prefis] n. 序言, 前言, 绪言(⇨foreword); 引言 (⇨introduction) vt. 作序, 写前言

prefecture ['pri:fektʃə] n. (法、日等国的)县, 府; 高级官职(或任期)

(▲) **prefer** [pri'fə:] vt. 宁愿(选择); 更喜欢 (⇨favor); 提升 (⇨promote); (向法院等)提出, 申述

preferable ['prefərəbl] a. 更可取的, 更好的

preference ['prefərəns] n. 偏爱; 优先; (尤指国际贸易的)特惠

(▲) **prefix** ['pri:fiks] n. 前缀 (← suffix); 词头; (冠于人名前的)尊称(如 Mr., Dr.等) vt. [pri:'fiks] 使加前缀; 冠以(称呼等) ▶名词与动词重音不同.

pregnant ['pregnənt] a. 怀孕的; 孕育着的; 含意深远的 (⇨significant); 富有创造性的

▲**prehistoric** [,pri:his'tɔrik] a. 史前的, 史前时代的; 〈口语〉古老的

✓**prejudice** [,predʒədis] n. 偏见 (⇨bias); 成见; (权利的)损害 vt. 使抱偏见, 偏袒; 不利于; 损害

preliminary [pri'liminəri, 美: -neri] n. 预备步骤; 准备 (⇨preparation); 预赛 a. 预备的; 开端的; 前言的 ‖ ～ examination初试 / ～ hearing 预审 / ～ remarks 序言

prelude ['prelju:d] *n.* 序幕; 开场白; 前奏曲, 序曲

premier ['premiə, 美: pri'miə] *n.* 总理, 首相　*a.* 第一的, 首位的; 最初的

premium ['pri:miəm] *n.* 额外的费用; 佣金; 特别津贴; 奖, 奖赏; 奖品, 奖金; 保险金　*a.* 优质的; 特制的

preoccupy [pri:'ɔkjupai] *vt.* 先占, 先取; 使全神贯注于

(A)**preparation** [.prepə'reiʃən] *n.* 准备, 预备; 预习, 预习时间

preparatory [pri'pærətəri] *a.* 准备的, 预备的 ‖ ~ school 预科学校

***prepare** [pri'pɛə] *v.* 准备, 预备; 预习; 调配, 调制

(*)**preposition** [.prepə'ziʃən] *n.* 〔语法〕介词, 前置词

prescribe [pri'skraib] *v.* 命令, 指示 (⇨direct); 开药方

prescription [pri'skripʃən] *n.* 规定; 指示; 药方, 处方

presence ['prezəns] *n.* 出席 (← absence); 到场; 存在; 接近; 风度

(A)**present**[1] ['prezənt] *a.* 出席的, 在场的 (← absent); 现存的 (⇨existing); 现在的; 〔语法〕现在 (时态) 的　*n.* 《加 the》现在 ‖ the ~ day 现代 / ~ tense 〔语法〕现在时 / ~ wit 急智 / the ~ writer 笔者 (指作者自己)

***present**[2] ['prezənt] *n.* 礼物, 赠品 (⇨gift)

present[3] [pri'zent] *vt.* (尤指在正式场合) 赠送; 奉献; 介绍 (⇨introduce); 呈递; 展现; 上演 ▶发音与 present[1], present[2] 不同.

presentation [.prezən'teiʃən] *n.* 赠送; 礼品; 介绍 (⇨introduction); 提出; 展示; 发表; 上演 ‖ ~ copy 赠送本　　　　　　　　「英语

***present-day** [.prezənt-'dei] *a.* 当前的; 当代的; 今日的 ‖ ~ English 当代

***presently** ['prezəntli] *ad.* 不久, 一会儿, 很快 (⇨soon); 〔美〕现在

preservation [.prezə'veiʃən] *n.* 保护, 保存; 维持

***preserve** [pri'zə:v] *vt.* 保存; 保护 (⇨protect); 贮藏; 维持 (⇨maintain)

preset [pri:'set] *vt.* (preset, preset) 预 (先装) 置; 预先调整

preside [pri'zaid] *vi.* 主持; 监督; 指挥 (⇨direct); (吃饭时) 坐上座

***president** ['prezidənt] *n.* 总统; (议院的) 议长; (大学) 校长; 董事长; 总经理; 会长; 主席 (⇨chairman)　　　　　　　　　　　　　　　　　　「的

presidential [.prezi'denʃəl] *a.* 总统 (或校长等) 的; 总统 (或校长等) 职务

press [pres] *vt.* 压, 揿, 按; 压平, 熨平; 紧握; 进逼; 强迫; 催促　*n.* 印刷机; 印刷厂; 〔常作 P-〕出版社; 《加 the》报纸, 定期刊物, 新闻界 ‖ ~ agency 通讯社 / ~ conference 记者招待会 / ~ corrector 校对员 / ~ law 出版法 / ~ secretary 〔美〕新闻发言人, (总统的) 发言人

pressing ['presiŋ] *a.* 紧迫的; 诚恳的

***pressure** ['preʃə] *n.* 压; 压力; 大气压力 ‖ high [low] ~ 高 [低] 压 / ~ cooker 压力锅

prestige [pres'ti:ʒ] *n.* 威望, 声望 ▶注意发音.

presumably [pri'zju:məbli, 美: -'zu:m-] *ad.* 推测起来; 大概 (⇨probably)

presume [pri'zju:m, 美: -'zu:m] *v.* 推测, 假定 (⇨suppose); 意味着; 敢于

pretence [pri'tens, 美: 'pri:tens] *n.* 借口, 托词 (⇨excuse); 虚假; 假装; 虚饰 ▶又拼写为 pretense 〔美〕.

***pretend** [pri'tend] *vt.* 假装 (⇨affect); 假托, 借口; 自命, 声称 (⇨claim)

pretense 〔美〕= pretence

pretentious [pri'tenʃəs] *a.* 自负的, 自命不凡的; 装腔作势的, 做作的

pretext ['pri:tekst] *n.* 借口 (⇨excuse); 托词

pretty ['priti] *a.* 漂亮的, 美丽的 (⇨beautiful); 可爱的; 优美的 *ad.* 相当地, 颇 (⇨rather) ▶注意与 beautiful 的区别.

prevail [pri'veil] *vi.* 胜过; 占优势; 流行

prevailing [pri'veiliŋ] *a.* 盛行的, 流行的 (⇨current); 占优势的

prevalent ['prevələnt] *a.* 盛行的, 流行的 (⇨ current); 普遍的 (⇨ common); 一般性的 ‖ a ~ idea 一般看法

prevent [pri'vent] *vt.* 防止; 阻止 (⇨hinder); 预防

prevention [pri'venʃən] *n.* 防止; 预防

previous ['pri:viəs] *a.* 在前的; 先前的; 过早的

previously ['pri:viəsli] *ad.* 以前 (← later); 早已; 预先

prewar [,pri:'wɔ:] *a.* 战前的 (← postwar) *ad.* 在战前

prey [prei] *n.* 被捕食的动物; 捕食习性; 牺牲品

price [prais] *n.* 价格, 价钱; 代价 (⇨cost) ‖ ~ list 价目表

priceless ['praisləs] *a.* 贵重的; 无价的 (⇨invaluable)

prick [prik] *v., n.* 刺, 戳; 刺痛; 扎痛   「respect)

pride [praid] *n.* 自负; 自豪; 骄傲 (⇨conceit); 自满; 自尊, 自尊心 (⇨self-

priest ['pri:st] *n.* (基督教) 牧师; (天主教) 神父; 教士; 僧侣

primarily ['praimərəli, 美: prai'merəli] *ad.* 主要地 (⇨chiefly); 大部分; 首先; 起初, 原来

⁽•⁾**primary** ['praiməri, 美: -meri] *a.* 第一的 (⇨first); 主要的 (⇨chief); 初步的, 初等的; 原来的 (⇨original) ‖ ~ accent 主重音 / ~ education 初等教育 / ~ school 小学

prime [praim] *a.* 首要的, 主要的; 基本的; 最好的 *n.* 全盛时期; 最佳部分, 精华; 青春 ‖ ~ minister 总理, 首相 / ~ number 质数 / ~ time [美] (电视、广播的) 黄金时间

primitive ['primitiv] *a.* 原始的; 朴素的 *n.* 原始人; 未开化的人

primrose ['primrəuz] *n.* 樱草 (花); 淡黄色 ‖ ~ yellow 樱草色

prince [prins] *n.* 王子, 皇子. 亲王; (小国) 君主, 大公; 诸侯 ‖ merchant ~ 巨商 / ~ imperial [royal] 皇太子, 第一王子

⁽▲⁾**princess** [,prin'ses, 美: 'prinsəs] *n.* 公主, 皇女; (小国) 女王; 王妃

Princeton ['prinstən] *n.* 普林斯敦 (美国城市)

principal ['prinsəpəl] *a.* 首要的, 主要的 (⇨main) *n.* 首长; [美] (中、小学) 校长 ([英] headmaster); 负责人; 主角 ‖ ~ clause 主句 / ~ offender 主犯 ▶不要与 pinciple (原理) 相混.

principally ['prinsəpli] *ad.* 大抵; 主要地, 首要地

principle ['prinsəpl] *n.* 原理, 原则; 主义; 本源; 真谛

print [print] *v.* 印刷; 出版 (⇨publish); 印染; 盖印; (相片等) 印出 *n.* 印刷, 印刷品; 出版物; 报纸; 版画; 印出的相片 (⇨photo)

printer ['printə] *n.* 印刷工人; 印刷商; 印刷机; 晒片机; (电脑的) 打印机 ‖ ~'s error 误植, 印刷错误

printing ['printiŋ] *n.* 印刷; 印刷术; 印刷业; 印数; 版; 印刷字体 ‖ ~ press 印刷机; 印刷厂

prior [praiə] *a.* 在先的, 在前的; 优先的; 更重要的

priority [prai'ɔriti] *n.* 先前, 优先; 重点; 优先权

prism ['prizəm] *n.* 棱柱体; 棱镜

prison ['prizən] *n.* 监狱,拘留所;监禁 ‖ ～ breaking 越狱

▲**prisoner** ['prizənə] *n.* 囚犯,犯人;俘虏;失去自由者

privacy ['praivəsi] *n.* 隐居;独处;清静不爱打扰;不公开 (← publicity)

private ['praivit] *a.* 私人的;私有的;个人的 (⇨personal);非公开的 (← public);私营的 ‖ ～ school [美]私立学校 / ～ bathroom 专用浴室

privately ['praivitli] *ad.* 秘密地;私下地;暗中

privation [prai'veiʃən] *n.* (生活必需品的) 缺乏 (⇨want);贫困;(生活上重要物品的) 丧失 (⇨loss);剥夺 (⇨deprivation)

privilege ['privilidʒ] *n.* 特权 (⇨right);特殊利益 (⇨advantage);特惠

▲**prize** [praiz] *n.* 奖赏 (⇨reward);奖品;奖金 *vt.* 珍视 (⇨value) ‖ the Nobel *Prize* 诺贝尔奖金 / ～ money 奖金

pro- [preu, prə] *pref.* ①表示"代,副"之意,如 *pronoun* (代词).②表示"赞成,亲善"之意,如 *pro-American* (亲美的).②表示"前"之意,如 *pro-logue* (序言).

^(▲)**probability** [,prɔbə'biliti] *n.* 可能性;或然性;可能(发生)的事;概率

probable ['prɔbəbl] *a.* 很可能(发生)的;大概确实的;像真实的

probably ['prɔbəbli] *ad.* 大概,或许;很可能

probe [prəub] *vt.* 探究;细察 (⇨examine);彻底调查 (⇨investigate)

problem ['prɔbləm] *n.* 问题 (⇨question);习题;疑难之事 (⇨puzzle)

procedure [prə'si:dʒə] *n.* 程序 (⇨proceeding);过程 (⇨course);步骤;手续;行动 (⇨act)　　　　　　　　　　　　　「vance);发生

proceed [prə'si:d] *vi.* 开始,着手;继续 (⇨ continue);前进 (⇨ad-

proceeding [prə'si:diŋ] *n.* 行动;举止;活动;诉讼;《用复数》会议记录

process ['prəuses] *n.* 进行,过程 (⇨course);制作法;作用;工序;诉讼程序　*vt.* 加工;处理 (⇨treat)

▲**procession** [prə'seʃən] *n.* 游行;(列队在大街上的) 行进;队伍;行列

proclaim [prə'kleim] *vt.* 宣告 (⇨declare);公布 (⇨publish);声明,表明

proclamation [,prɔklə'meiʃən] *n.* 公告;布告;声明书;宣布 (⇨announcement)

procure [prə'kjuə] *vt.* (努力)取得 (⇨acquire);(设法) 获得

prodigal ['prɔdigəl] *a.* 浪费的 (⇨wasteful);挥霍的 (⇨lavish);丰富的 (⇨abundant);浪子

▲**produce** [prə'dju:s, 美: -'du:s] *v.* 生产,出产;产生;制造 (⇨make);形成;出版(书籍);出示(车票);摄制(电影)　*n.* ['prɔdju:s, 美: -du:s] 产品;农产品(尤指水果、蔬菜等) ▶动词与名词重音不同.　　　　　「片人

producer [prə'dju:sə, 美: -'du:sə] *n.* 生产者;制造者 (⇨maker);[电影]制

product ['prɔdəkt] *n.* 产物,产品;成果;结果 (⇨result);(乘) 积

^(▲)**production** [prə'dʌkʃən] *n.* 生产;制品;总产量;(研究的)成果;著作;(电影的)摄制;演出,上演　　　　　　　　　　　　　「造力的

productive [prə'dʌktiv] *a.* 生产(性)的;多产的 (⇨fruitful);丰饶的;富创

productivity [,prɔdʌk'tiviti] *n.* 生产力;生产率

proem ['prəuem] *n.* 序言 (⇨foreword);开场白

profane [prə'fein] *vt.* 亵渎(圣物);玷污 ‖ ～ language 粗话

profess [prə'fes] *vt.* 声称 (⇨claim);自称;假装;表示;信奉(宗教);从事(专门的)职业

profession [prəˈfeʃən] *n.* 职业 (⇨occupation); 同行; 声明

professional [prəˈfeʃənəl] *a.* 从事专业的; 专业的; 本行的; 职业性的 (←amateur) *n.* 专业人员; 技术专家; 行家 ‖ ～ education 职业教育 / ～ man 专家 / ～ musician 职业音乐家

***professor** [prəˈfesə] *n.* 教授(作为称号或人名前常略作 Prof.);〈美口语〉 老师; [美](舞蹈、魔术等的)教师

^**professorship** [prəˈfesəʃip] *n.* 教授职位(或身份)

proficiency [prəˈfiʃənsi] *n.* 精通, 熟练

proficient [prəˈfiʃənt] *a.* 熟练的, 精通的

profile [ˈprəufail] *n.* (头部的)侧面(像); 外形; 人物简介

profit [ˈprɔfit] *n.* 利益, 好处 (⇨benefit); 收益 (⇨gain);《常用复数》利润 *vt.* 有益于 *vi.* 获得利益 「的

profitable [ˈprɔfitəbəl] *a.* 有用的 (⇨useful); 有益的; 有利(可图)的; 赚钱

(▲)**profound** [prəˈfaund] *a.* 深奥的; 渊博的; 深厚的; 深切的; 谦恭的

profoundly [prəˈfaundli] *ad.* 深深地 (⇨deeply); 深切地

***program(me)** [ˈprəugræm] *n.* 节目, 节目单; 程序, 程序表; 纲领 (⇨prin-ciple) ‖ ～ language〔电脑〕程序语言 / ～ music 标题音乐

^**progress** [ˈprəugres] *n.* 前进; 进行; 进步; 进展; 进化 *vi.* [prəˈgres] 前进; 进行; 进展; 进步 ▶名词与动词重音不同.

progressive [prəˈgresiv] *a.* 进步的; 前进的; 先进的 (⇨advanced); 渐进的 ‖ ～ form〔语法〕进行式

prohibit [prəˈhibit] *vt.* 禁止 (⇨forbid); 阻止 (⇨hinder)

prohibition [ˌprəuhiˈbiʃən] *n.* 禁止; 禁令

project [prəˈdʒekt] *v.* 计划, 设计; 投影; 放映; 想象; 推断 *n.* [ˈprɔdʒekt] 计划, 设计; (建筑等)工程; (科研)项目 ▶动词与名词重音不同.

projection [prəˈdʒekʃən] *n.* 发射; 投掷; 预测; 投射, 投影; 放映

projector [prəˈdʒektə] *n.* 投影仪; 放映机; 幻灯机

proletarian [ˌprəuləˈtɛəriən] *a.* 无产阶级的 *n.* 无产者

proletariat [ˌprəuləˈtɛəriət] *n.* 无产阶级

prolog(ue) [ˈprəulɔg] *n.* 前言, 序言; 开场白; 序幕

prolong [prəˈlɔŋ] *vt.* 延长 (⇨lengthen); 拖延; (将元音等)发长音

promenade [ˌprɔməˈnɑːd] *n.* 散步 (⇨walk); (乘车、骑马的)兜风; 散步场 所; [美]校内舞会

prominent [ˈprɔminənt] *a.* 突起的; 显著的; 突出的 (⇨outstanding); 卓 越的; 著名的 (⇨famous)

***promise** [ˈprɔmis] *n.* 承诺, 诺言 (⇨pledge) *v.* 答应, 允诺; 约定; 有…的 希望; 有…的可能

promising [ˈprɔmisiŋ] *a.* 有前途的; 有希望的; 有出息的

promote [prəˈməut] *vt.* 提升, 使升级 (← demote); 发起; 推销; 促进

promotion [prəˈməuʃən] *n.* 提升, 升级; 推销(品)

prompt [ˈprɔmpt] *a.* (行动)迅速的 (⇨rapid); 敏捷的 *ad.* 准时地

promptly [ˈprɔmptli] *ad.* 立刻; 迅速 (⇨rapidly); 敏捷地

prone [prəun] *a.* 俯伏的; 面向下的; 有…倾向的

(*)**pronoun** [ˈprəunaun] *n.* 〔语法〕代词, 代名词

***pronounce** [prəˈnauns] *v.* 发音; 读出; 宣告 (⇨declare); 宣布(判决等)

pronounced [prə'naunst] *a.* 明确的 (⇨definite); 坚决的; 显著的

^(*)**pronunciation** [prə,nʌnsi'eiʃən] *n.* 发音; 发音法

[▲]**proof** [pru:f] *n.* 证明 (⇨evidence); 证据; 论证; (印刷的)校样; 实验; 检验; 试管 ‖ ~ sheet 校样 「持者

prop [prɔp] *vt.* 支撑 (⇨support); 支持; 倚靠 *n.* 柱 (⇨pillar); 支撑物; 支

propaganda [,prɔpə'gændə] *n.* 宣传, 宣传活动; 宣传机构

propagate ['prɔpəgeit] *v.* (生物)繁殖; 遗传; 传播; 宣传

propagation [,prɔpə'geiʃən] *n.* 繁殖; 传播

propel [prə'pel] *vt.* 推进, 推动

propeller [prə'pelə] *n.* 螺旋桨; 推进器; 推进者

[▲]**proper** ['prɔpə] *a.* 适当的, 适宜的 (⇨fit); 正式的; 有礼貌的; 固有的, 独特的 (⇨special); 本来的; 正确的 (⇨correct) ‖ ~ noun 专有名词

[▲]**properly** ['prɔpəli] *ad.* 适当地; 有礼貌地; 正当地; 正确地; 严格地(说); 〈口语〉简直, 完全

[▲]**property** ['prɔpəti] *n.* 财产; 所有物; 财产权; 所有权 (⇨ownership); 特性 (⇨characteristic) ‖ private ~ 私有财产 / public ~ 公共财产 / personal ~ 动产 / real ~ 不动产

prophecy ['prɔfisi] *n.* 预言; 预言能力; 预言的事

prophesy ['prɔfisai] *v.* 预言 (⇨foretell); 预示

prophet ['prɔfit] *n.* 预言者; 先知; (主义的)提倡者 (⇨advocate)

proportion [prə'pɔ:ʃən] *n.* 比率, 比例 (⇨ratio); 部分 (⇨portion); 《用复数》大小; 均衡 (⇨balance)

proportional [prə'pɔ:ʃənəl] *a.* 成比例的; 相称的; 调和的

^(▲)**proposal** [prə'pəuzəl] *n.* 建议, 提议; 求婚

^(▲)**propose** [prə'pəuz] *v.* 提议, 建议 (⇨suggest); 打算, 计划 (⇨plan); 提名 (⇨nominate); 推荐; (男子)求婚

proposition [,prɔpə'ziʃən] *n.* 陈述; 主张; 提议 (⇨proposal)

proprietor [prə'praiətə] *n.* (企业等的)所有人 (⇨owner); 业主

propriety [prə'praiəti] *n.* 礼貌; 礼节; 合适 (⇨fitness)

propulsion [prə'pʌlʃən] *n.* 推进, 推进力; 推进器

prose [prəuz] *n.* 散文 *a.* 散文的

prosecute ['prɔsikju:t] *vt.* 从事, 经营; 对…起诉; 检举

^(▲)**prospect** ['prɔspekt] *n.* 视界, 景象; 前景; 展望; 希望; 预期, 期待 (⇨expectation) *v.* [prə'spekt] 勘探, 探矿 ▶名词与动词重音不同.

prosper ['prɔspə] *vi.* 成功 (⇨succeed); 繁荣 (⇨flourish); 昌盛

[▲]**prosperity** ['prɔsperiti] *n.* 成功 (⇨success); 繁荣; 昌盛

prosperous ['prɔspərəs] *a.* 成功的 (⇨successful); 富裕的 (⇨wealthy); 繁荣的; 顺利的; 幸运的 (⇨lucky)

prostrate ['prɔstreit] *a.* 俯卧的; 脸朝下的; 屈服的; 身体(因悲伤而)垮了的

[*]**protect** [prə'tekt] *vt.* 保护; 守卫 (⇨guard); 装上安全装置 「(⇨passport)

protection [prə'tekʃən] *n.* 保护 (⇨guard); 保护者; 防护物; 通行证, 护照

protective [prə'tektiv] *a.* 保护的; 防护的

[▲]**protein** ['prəuti:n] *n.* 蛋白质

protest ['prəutest] *n.* 抗议; 异议; 反对 *v.* [prə'test] 《常与 against 连用》抗议; 反对 ▶名词与动词重音不同.

Protestant ['prɔtistənt] n. 新教徒；耶稣教徒

proton ['prəutɔn] n. 质子

prototype ['prəutətaip] n. 原型，典型 (⇨model)   「的

▲**proud** [praud] a. 骄傲的；自豪的；自尊的；壮丽的 (⇨magnificent)；辉煌

▲**proudly** ['praudli] ad. 骄傲地；得意地；自豪地

▲**prove** [pru:v] vt. 证明；证实；检验 (⇨test)   vi. 表明为；结果是

proverb ['prɔvə:b] n. 谚语；格言

Ⓐ**provide** [prə'vaid] vt. 供应，供给 (⇨supply)；提供；给与   「给的

provided [prə'vaidid] conj. 假如 (⇨if)；以…为条件   a. 预备好的；有供

providence ['prɔvidəns] n. 远见，先见；天意

province ['prɔvins] n. 省，州；(学术)领域

provincial [prə'vinʃəl] a. 省的，地方的；乡下的；地方性的 (⇨local) ‖ ～
newspaper 地方报纸

provision [prə'viʒən] n. 提供；准备；供应 (⇨supplying)；规定；《用复数》
口粮 (⇨supplies)

provocation [ˌprɔvə'keiʃən] n. 挑衅，挑拨；激怒

provoke [prə'vəuk] vt. 激怒 (⇨irritate)；惹起 (⇨arouse)；煽动

prudence ['pru:dəns] n. 谨慎 (⇨care)；精明，深谋远虑 (⇨forethought)

prudent ['pru:dənt] a. 谨慎的 (⇨careful)；精明的；深谋远虑的

prune[1] [pru:n] vt. 修剪(树枝等)；删节；精简(文章等)

prune[2] [pru:n] n. 洋李脯，梅脯

Ⓐ**Prussia** ['prʌʃə] n. 普鲁士

▲**Prussian** ['prʌʃən] a. 普鲁士的；普鲁士人的   n. 普鲁士人

psalm [sɑ:m] n. 赞美诗   「分析」．

psycho- ['saikəu] 表示"心灵，精神"之意的字首，如 psycho-analysis (精神

psychological [ˌsaikə'lɔdʒikəl] a. 心理(上)的；心理学的

psychology [sai'kɔlədʒi] n. 心理学；心理，心理状态

Ⓐ**pub** [pʌb] n. 〈口语〉酒店 (= public house)

*****public** ['pʌblik] a. 公的 (← private)；公众的；公共的；公开的 (← secret)
n.《加 the》民众，公众；…界，…团体 ‖ ～ affairs 公务 / ～ debt [loan]
公债 / ～ health 公共卫生 / ～ opinion 舆论，民意 / ～ ownership 公
有 / ～ school 公立学校 / ～ servant 公务员，官吏

publication [ˌpʌbli'keiʃən] n. 发表，公布；出版，发行；出版物

publicity [pʌb'lisiti] n. 公开；受注目；宣传；广告 ‖ ～ department 宣传部

publicly ['pʌblikli] ad. 当众；公开地

*****publish** ['pʌbliʃ] vt. 出版；发行；公布；发表 ‖ ～ing house 出版社

publisher ['pʌbliʃə] n. 出版者；出版商；发行人

pucker ['pʌkə] v. 皱起(眉头)；摺叠   n. 皱纹

pudding ['pudiŋ] n. 布丁(西餐中的一种甜点心)

▲**puff** [pʌf] v. 喷出；吹气；喘气；一口接一口地吸(烟)

*****pull** [pul] v. 拉 (← push)；拖；拔 (⇨draw)；吸引(顾客)；争取(选票) n. 牵
引(力)；(门的)把手；门路

pulley ['puli] n. 滑车，滑轮，辘轳

pulp [pʌlp] n. 果肉；浆状物；纸浆；(植物的)髓

pulpit ['pulpit] n. (教堂的)讲坛；《加 the》布道；〔总称〕教士

▲pulse [pʌls] *n.* 脉搏; 脉冲; 拍子   「(气)

▲pump [pʌmp] *n.* 泵, 抽水机; 打气筒   *vt.* 用泵等汲(水); 用打气筒等打

pumpkin ['pʌmpkin] *n.* 南瓜 ‖ ～ head [美] 笨蛋

punch [pʌntʃ] *v.* 用拳头猛击; 在…打(孔)   *n.* 打孔器

punctual ['pʌnktʃuəl] *a.* 准时的, 按时的; 严守时刻的

punctuation [ˌpʌnktʃu'eiʃən] *n.* 标点; 标点符号(用法) ‖ ～ mark [point] 标点符号

▲punish ['pʌniʃ] *vt.* 惩罚, 处罚; 伤害; 虐待

⒜punishment ['pʌniʃmənt] *n.* 惩罚, 处罚; 〈口语〉粗暴的对待

pup [pʌp] *n.* 幼畜; 小狗

pupil¹ ['pju:pəl] *n.* [美] 小学生; [英] (小学、中学的)学生

pupil² ['pju:pəl] *n.* 瞳孔, 瞳仁

puppet ['pʌpit] *n.* 木偶; 傀儡; 玩偶 ‖ ～ play [show] 木偶戏

puppy ['pʌpi] *n.* 小狗

purchase ['pə:tʃəs] *vt.* 买, 购买 (⇨buy); 努力取得, 赢得

▲pure [pjuə] *a.* 纯的, 无杂质的; 纯洁的, 清白的; 纯粹的; 完全的

purely ['pjuəli] *ad.* 纯洁地; 完全地 (⇨entirely); 仅仅 (⇨merely)

purge [pə:dʒ] *vt.* 使洁净 (⇨clean); 清洗

⒜purify ['pjurifai] *vt.* 使纯净, 使洁净; 净化, 提炼

Puritan ['pjuəritn] *n.* 清教徒; 清教徒式的人

purity ['pjuəriti] *n.* 纯净, 纯洁, 纯正

purple ['pə:pl] *n.* 紫色 *a.* 紫(色)的

▲purpose ['pə:pəs] *n.* 意图, 目的 (⇨object); 用途   *v.* 决意(做); 意欲

purr [pə:] *v.* (猫满足似地)咕噜咕噜叫

purse [pə:s] *n.* 钱包, 皮夹子; 金钱; 财力   「于; 尾随

pursue [pə'sju:, 美: -'su:] *vt.* 追捕 (⇨chase); 追求 (⇨seek); 致力从事

pursuit [pə'sju:t, 美: -'su:t] *n.* 追求, 寻求; 追踪

•push [puʃ] *v.* 推 (← pull); 推动; 推进   *n.* 推力; 奋力

pussy ['pusi] *n.* 《用于呼猫》喵喵

•put [put] *vt.* (*put, put*) 放, 置, 搁 (⇨place); 交给, 委托; 记入; 填写 (⇨write); 翻译 (⇨translate); 估计; 投掷(铅球等)

puzzle ['pʌzl] *n.* 难题, 谜; 困惑   *v.* (使)迷惑; 为难, 难住; 伤脑筋

pygmy ['pigmi] *n.* 侏儒, 矮人

pyjamas [pə'dʒɑ:məz, 美: -'dʒæm-] *n.* [复数] (上下一套的)睡衣 ▶又拼写为 pajamas[美].

•pyramid ['pirəmid] *n.* 金字塔

Q, q

quack [kwæk] *vi.* (鸭子等)嘎嘎叫   *n.* 嘎嘎叫声

quadrangle ['kwɔ,dræŋgl] *n.* 四边形; 四角形; 四方院子

quadrant ['kwɔdrənt] *n.* 四分之一圆(周); 象限; 象限仪; 四分仪

quadrate ['kwɔdrit] *a.* 正方形的, 方形的

quail [kweil] *n.* 鹌鹑

quaint ['kweint] *a.* 富有奇趣的; 古怪的, 稀奇的 (⇨curious); 古色古香的

quake ['kweik] *vi.* 震动; 颤抖 (⇨tremble) *n.* 震动; 颤抖; 〈口语〉地震 (= earthquake)

qualification [,kwɔlifi'keiʃən] *n.* 资格; 资格证明; 执照; 限制; 限定; 条件

qualify ['kwɔlifai] *v.* 取得…资格; 使合格; 使胜任; 限制 (⇨limit); 〔语法〕限定, 修饰 (⇨modify)

qualitative ['kwɔlitətiv] *a.* 质的, 质量的; 定性的 ‖ ~ analysis 定性分析

(A) **quality** ['kwɔliti] *n.* 质, 质量 (← quantity); 性质; 本质; 品质; 素养; 才能

quantify ['kwɔntifai] *vt.* 确定…的数量, 用数量表示

quantitative [kwɔntitətiv] *a.* 量的, 数量的; 定量的

▲**quantity** ['kwɔntiti] *n.* 量, 数量 (← quality); 《常用复数》大量; 总数; 音量 ‖ unknown ~ 未知数

quarrel ['kwɔrəl] *n.* 争吵, 口角; 争执; 不睦; 怨言 *vi.* 争吵; 争执; 发牢骚; 埋怨

quarrelsome ['kwɔrəlsəm] *a.* 爱吵架的, 好争吵的

(A) **quarry** ['kwɔri] *n.* 采石场; 石坑 *vt.* 采(石); 挖掘

quart [kwɔ:t] *n.* 夸脱(液量单位, = ¼加仑)

***quarter** ['kwɔ:tə] *n.* 四分之一, 四等分; 一刻钟; 一季; [英] 夸特(谷量单位, 约等于¼吨); 《用复数》营房 ‖ ~ note 四分音符 / first [last] ~ (月的)上[下]弦

quarterly ['kwɔ:təli] *n.* 季刊 *a.* (按)季度的 *ad.* 按季, 每季

quartz [kwɔ:ts] *n.* 石英 ‖ ~ clock 石英钟

quay [ki:] *n.* 码头; 埠头   ▶注意发音

***queen** [kwi:n] *n.* 女王; 王后 ‖ ~ mother 太后

queer [kwiə] *a.* 奇怪的 (⇨strange); 古怪的; 怪有趣的; 晕眩的; 〈口语〉可疑的 *vt.* 弄糟; 破坏

quench [kwentʃ] *v.* 抑制; 熄(火); 止(渴); 急速冷却, 淬火

query ['kwiəri] *n.* 质问; 疑问; 疑问号[?]

quest [kwest] *n.,v.* 寻找; 追求; 探索

***question** ['kwestʃən] *n.* 问题 (⇨problem); 疑问 (⇨doubt); 〔语法〕疑问句 *vt.* 询问, 质问 (← answer); 对…提出疑问 ‖ ~ mark 疑问号[?]

questionable ['kwestʃənəbəl] *a.* 可疑的 (⇨doubtful); (品德等)有问题的; 不可靠的

questionaire [,kwestʃə'nɛə] *n.* 调查表; 征求意见表; 问题单, 问卷

question-master ['kwestʃən,mɑ:stə] *n.* (广播、电视中)问答(或猜谜)节目的主持人

queue [kju:] *n.* 辫子; (人、车辆的)等候行列 *v.* 排长队

quibble ['kwibəl] *n.* 遁词 *vi.* 诡辩

***quick** [kwik] *a.* 快的 (← slow); 迅速的 (⇨fast); 敏捷的, 伶俐的; 急躁的 (⇨impatient); 理解力强的, 反应快的 *ad.* 快; 马上

quicken ['kwikən] *v.* 加快, 加速; 变快; 使活跃; 刺激; 激励

quick-freeze ['kwikfri:z] *vt.* (quick-froze [-frəuz], quick-frozen [-,frəuzən]) 速冻(食品)

***quickly** ['kwikli] *ad.* 快, 迅速地 (← slowly); 马上, 立刻

▲**quickly-cured** ['kwikli-ˌkjuəd] *a.* 迅速治愈的

***quiet** ['kwaiət] *a.* 安静的 (⇨silent)；平静的 (⇨calm)；寂静的 (← noisy)；(颜色) 素净的 (← bright)；镇静的　*n.* 安静，平静；平安；沉着

***quietly** ['kwaiətli] *ad.* 平静地，安静地；沉着地；朴素地；秘密地

　quill [kwil] *n.* 羽毛管；鹅毛笔

***quilt** [kwilt] *n.* 被子，棉被

　quinine [kwi'ni:n] *n.* 奎宁，金鸡纳霜

　quit [kwit] *v.* (*quit, quit*；或 *quitted, quitted*) 停止 (⇨stop)；离开 (⇨leave)；退出；辞职；免除；摆脱；清偿

***quite** [kwait] *ad.* 完全，很，十分；简直；相当；确实

　quiver ['kwivə] *v.* 颤抖；颤动，抖动 (⇨shake)　*n.* 颤抖 (⇨shiver)「测验

　quiz [kwiz] *n.* (复数: *quizzes* ['kwiziz]) 小考，测验　*vt.* 询问；对…进行

　quota ['kwəutə] *n.* 定额；限额

　quotation [kwəu'teiʃən] *n.* 引文，引语，引用，引证；行情；牌价 ‖ ～ marks 引号[" "或' ']

　quote [kwəut] *vt.* 引用，引证；引述　*n.* 引语，引文；《常用复数》引号

　quotient ['kwəuʃənt] *n.* 〔数学〕商，商数

R, r

***rabbit** ['ræbit] *n.* 兔；野兔 ‖ ～ears (电视机的) 兔耳形室内天线

▲**race**[1] [reis] *n.* (速度上的) 比赛，竞速；竞赛 (⇨contest)；赛跑，赛马，赛船；竞选；竞争　*v.* (和…) 相比较；(和…) 赛跑；(使) 跑；(使) 疾行 ‖ ～ meeting [英] 赛马会 / ～ track 跑道，赛车道 / boat ～ 划船比赛

▲**race**[2] [reis] *n.* 人种；种族 (⇨tribe)；家族；(生物的) 种，属；伙伴，同好

　racial ['reiʃəl] *a.* 种族的，人种的；种族间的

(▲)**rack** [ræk] *n.* 架，挂物架 (帽架、刀架等)；铅字架；齿条 ‖ ～ rent 高额租金 / ～ wheel 大齿轮

　racket ['rækit] *n.* (网球、羽毛球等的) 球拍

　radar ['reidɑ:, -də] *n.* 电波探测仪，雷达 ▶此词为 radio detecting and ranging 的缩略.

　radial ['reidiəl] *a.* 光线的；辐射状的，放射的；镭的；半径的

　radiance ['reidiəns] *n.* 发光；光辉；(眼、脸色的) 光彩　　　　　　「能

　radiant ['reidjənt] *a.* 发光的 (⇨beaming)；容光焕发的 ‖ ～ energy 辐射

　radiate ['reidieit] *v.* (光、热等) 放射，辐射；散发；洋溢

▲**radiation** [ˌreidi'eiʃən] *n.* (光、热等的) 放射，辐射；射线 ‖ ～ sickness 辐射病，放射病

　radiator ['reidieitə] *n.* 暖气片；散热器；(汽车的) 水箱；冷却器；辐射体

　radical ['rædikəl] *a.* 根本的，基本的 (⇨fundamental)；激进的 ‖ ～ change 根本的转变，彻底的改革 / ～ sign 〔数学〕根号

***radio** ['reidiəu] *n.* 无线电广播 (⇨broadcasting)；无线电话；收音机；广播电台；无线电报 ‖ ～ play 广播剧 / ～ set 收音机 / ～ station 广播电

台 / ～ tube 真空管, 电子管

(A)**radioactive** [ˌreidiəuˈæktiv] a. 放射性的 ‖ ～ contamination 放射性(物质)造成的污染

▲**radioactivity** [ˌreidiəuækˈtiviti] n. 放射性; 放射(现象)

radish [ˈrædiʃ] n. 萝卜

▲**radium** [ˈreidiəm] n. 镭   「骨

radius [ˈreidiəs] n. (复数: radii [ˈreidiai] 或 radiuses)半径; 半径范围; 桡

raft [rɑːft, 美: ræft] n. 筏; 救生筏; 木排

rafter [ˈrɑːftə, 美: ˈræf-] n. 椽 vt. 上椽

▲**rag** [ræg] n. 破布, 碎布; 抹布;《用复数》破旧衣服

(A)**rage** [reidʒ] n. 大怒, 狂怒 (⇨fury);(波涛等的)凶猛; 狂热 (⇨madness); 流行 vi. 发怒;(风等)肆虐;(传染病等)猖獗

ragged [ˈrægid] a. 破旧的 (⇨torn); 衣衫褴褛的 (⇨shabby); 高低不平的 (⇨uneven); 不整洁的

raid [reid] n. 袭击 (⇨attack); 突袭 (⇨assault) 抢劫;(警察的)突然抄查 v. 袭击; 抢劫(⇨plunder); 搜查

*__rail__ [reil] n. 栏杆, 横木; 铁轨, 轨道; 铁路

▲**railing** [ˈreiliŋ] n.《常用复数》栏杆(⇨barrier); 扶手

▲**railroad** [ˈreilrəud] n. [美]铁路([英] railway)

*__railway__ [ˈreilwei] n. 铁道, 铁路([美] railroad) ‖ ～ station 火车站

*__rain__ [rein] n. 雨; 雨水; 雨天 vi. 下雨

rainbow [ˈreinbəu] n. 虹, 彩虹

(*)**raincoat** [ˈreinkəut] n. 雨衣

rainfall [ˈreinfɔːl] n. 降雨; 雨量, 降雨量

rainy [ˈreini] a. 下雨的; 多雨的; 雨淋淋的 ‖ ～ day 雨天; 困难的日子

*__raise__ [reiz] vt. 举起(⇨lift); 使升高(⇨hoist); 提高; 增加(⇨increase); 征集 (⇨collect); 饲养(⇨breed); 扶养(⇨rear); 提出; 建造(⇨construct); 引起(⇨cause) n. 增加; 涨价; 加薪 ▶注意与 rise (vi.) 的区别.

raisin [ˈreizən] n. 葡萄干

rake [reik] n. (长柄的)耙子; 钉齿耙 v. 耙; 耙平

rally [ˈræli] v. 集合(⇨assemble); 集结; 重整, 恢复(⇨recover) n. 集结;(政党、工会等的)大会; 集会

ram [ræm] n. 公羊

ramble [ˈræmbəl] v. (在…)漫步(⇨stroll); 漫谈, 闲聊; 漫笔;(植物)蔓生 n. 漫步(⇨wandering)

ran [ræn] run 的过去式

ranch [rɑːntʃ] n. (尤指美国西部的)大农场, 大牧场

random [ˈrændəm] a. 随意的 (⇨casual); 随便的; 漫无目的的 (⇨aimless); 偶然的 (⇨chance); 胡乱的 (⇨wandering) ‖ ～ remarks 信口开河 / ～ sample 随机抽样

rang [ræŋ] ring 的过去式

(A)**range** [reindʒ] v. 排列(⇨arrange); 配置; 分类;(山脉等)延伸;(动植物)分布;(在某一范围内)变动; 漫游(⇨wander) n. 排列, 系列; 山脉; 范围, 区域; 音域; 视界; 射程 ‖ ～ finder 测距仪

*__rank__ [ræŋk] n. 等级, 品级(⇨degree, class); 地位, 身份(⇨standing); 军

衔；行列(⇨line)；《用复数》队伍　v. 成列，排列(⇨range)

ranking ['ræŋkiŋ] a. 最高位的；资格最老的；最年长的

ransom ['rænsəm] n. 赎回；赎身；赎金　vt. 赎(⇨redeem)

rap [ræp] n. 敲击；(门、桌等的)敲打声；指控　v. 敲，叩(⇨strike)；重击 ‖ ～ session (专题)座谈会

rape [reip] n. 油菜

△**rapid** ['ræpid] a. 快的，迅速的，急的(⇨quick, fast)；陡的

rapidity [rə'piditi] n. 迅速，急速(⇨swiftness)；速度(⇨speed)

△**rapidly** ['ræpidli] ad. 快，迅速地(⇨quickly)；赶紧

rapture ['ræptʃə] n. 《常用复数》狂喜；兴高采烈

△**rare** [rɛə] a. 稀有的(⇨scarce)；珍贵的(⇨precious)；特别好的，杰出的 (⇨excellent)；(空气)稀薄的；(星星)稀疏的 ‖ ～ earth 稀土(金属)元素 ～ books 珍本

rarely ['rɛəli] ad. 罕见地(⇨unusually)；很少；难得

rascal ['rɑːskəl, 美：'ræs-] n. 恶棍，流氓(⇨rogue)；淘气鬼

rash [ræʃ] a. 轻率的，鲁莽的(⇨reckless)

***rat** [ræt] n. 鼠 ▶比 mouse 大.

△**rate** [reit] n. 比率(⇨ratio)；速率，速度(⇨speed)；(船舰等的)等级；价格 (⇨price)；费用(⇨cost)；[英]地方税　vt. 估计；定…的等级

△**rather** ['rɑːðə, 美：'ræðə] ad. 相当；宁可，宁愿；更确切地；更应该

ratify ['rætifai] vt. 批准(⇨approve)；认可　　　　　　　　　「比

ratio ['reiʃiəu, 美：-ʃəu] n. 比；比率(⇨rate) ‖ direct ～ 正比 / inverse ～ 反

ration ['ræʃən, 美：'rei-] n. (食物等的)配给，配给量；定量(⇨allowance) v. 定量供应 ‖ ～ book [card] (物资不足时的)配给本[卡]

rational ['ræʃənəl] a. 有理性的，理智的 (⇨intellectual)；合理的 (⇨ reasonable)；〈口语〉懂事的，讲道理的

rattle ['rætl] v. (使)发出格格声；(车等)格格作响地行驶；喋喋不休地说；〈口语〉使混乱(⇨confuse)；扰乱(⇨disturb)　n. 格格声

ravage ['rævidʒ] n.,v. 破坏(⇨destroy)；劫掠(⇨plunder)

rave [reiv] v. 语无伦次地说；(风)呼啸；(海浪)咆哮

ravine [rə'viːn] n. 深谷，山沟

raving ['reiviŋ] a. 语无伦次的；疯狂的 (⇨insane)；〈口语〉极好的 (⇨ wonderful)　ad. 语无伦次地；疯狂地　n. 《常用复数》胡言乱语；疯话

raw [rɔː] a. (食物)生的(⇨uncooked)；未加工的；(原稿、资料等)原始的，无经验的(⇨inexperienced)；新手的；粗野的　　　　　　「radiate

ray [rei] n. 光线；(放)射线，辐射线；闪光　v. 发射(⇨beam)；辐射(⇨

raze [reiz] vt. 把(房屋等)夷为平地(⇨level)；毁灭(⇨destroy)

razor ['reizə] n. 剃刀，剃须刀 ‖ ～'s edge 千钧一发的境地，危急关头

re- [riː, ri] pref. 表示"重，再，复；相反；回"之意，如 reprint (重印)，retell (复述)，resist (反抗)，return (回来).

***reach** [riːtʃ] v. 到达；达到(⇨attain)；够到，伸手(或脚等)去够…；伸出 (手、树枝等)(⇨stretch)；(用电话等)与…取得联系；延伸(⇨extend)

react [ri'ækt] vi. 起反应；起反作用

reaction [ri'ækʃən] n. 反应；反作用；反动

reactionary [ri'ækʃənəri] a. 反动的；开倒车的　n. 反动派；反动分子

reactor [ri'æktə] *n.* 反应堆; 反应器

read¹ [ri:d] *v.* (*read* [red], *read*) 读, 读书, 看书; 阅读; 朗读(⇨recite); 攻读, 研究(⇨study); 解读(密码等); 看懂, 辨认; 觉察

read¹ [red] read² 的过去式和过去分词 ▶注意发音.

reader [ri:də] *n.* 读者; 读的人; (出版社的)审稿者; 校对者(= proofreader); 朗读者(⇨reciter); 读本(⇨textbook), 课本

readily ['redili] *ad.* 容易地(⇨easily); 迅速地(⇨promptly); 乐意地(⇨ willingly); 欣然

readiness ['redinis] *n.* 准备就绪; 迅速; 容易(⇨easiness); 愿意

(△)reading ['ri:diŋ] *n.* 阅读; 朗读(⇨recital); 读物(⇨book); (用字符表示的) 读数; 解释(⇨interpretation); 见解; 学识(⇨learning) *a.* 阅读的; 爱好 读书的 ∥ ～ lamp 台灯 / ～ desk 斜面书桌; 读经台

reading-room ['ri:diŋrum, -ru:m] *n.* 阅览室

ready ['redi] *a.* 准备好的; 有准备的(⇨prepared); 情愿的(⇨willing); 随 时的; 敏捷的, 快要…的; 易于…的; 现成的 ∥ ～ cash [money] 现金

ready-made [.redi'meid] *a.* 现成的, 做好的

real [riəl, 美: ri:l] *a.* 真的(← false); 真实的(⇨true); 纯粹的(⇨ genuine); 现实的 (⇨ existent); 实际的 (⇨ actual); 实在的 (← imaginary) *ad.* 〈口语〉很, 非常 ∥ ～ estate [property] 不动产 / ～ time 〔电脑〕即时处理

realignment [.ri:ə'lainmənt] *n.* 改组; 调整

realise = realize

realism ['riəlizəm] *n.* 现实主义; 实在论; 写实主义

realist ['riəlist] *n.* 现实主义者

realistic [riə'listik] *a.* 现实主义的; 现实的, 逼真的(⇨lifelike); 实在论的

reality [ri'æliti] *n.* 真实(⇨truth); 现实; 实际存在的事物

realization [.riəlai'zeiʃən] *n.* 了解, 认识; 实现(⇨achievement); 具体化; (产业的)变卖

realize ['riəlaiz] *vt.* 认识到; 了解(⇨understand); 意识到(⇨feel); 实现, 使具体化; 变卖(财产等); 获取(利益等)   ▶又拼写为 realise.   「吗?

really ['riəli] *ad.* 确实; 真正地; 真实地(⇨truly); 事实上;《用作叹词》真的

realm [relm] *n.* 王国(⇨kingdom); 领域(⇨area)

reap [ri:p] *v.* 收割(⇨gather); 收获(⇨gain)

reaper ['ri:pə] *n.* 收割者; 收获者; 收割机

reappear [.ri:ə'piə] *vi.* 再现, 重新出现

rear¹ [riə] *n.* 背部; 后部, 后方(⇨back)   *a.* 后面的, 后方的; 背面的

rear² [riə] *vt.* 扶养, 养育(小孩); 饲养, 栽培(⇨grow); 建立(⇨build)

(•)rearrange [.ri:ə'reindʒ] *vt.* 重新整理; 重新分类; 重排

reason ['ri:zən] *n.* 理由; 原因(⇨cause); 理智(⇨mind); 理性; 道理   *v.* 推论, 推理; (合于逻辑地)思考(⇨think); 讨论(⇨disscus)   「sensible」

reasonable ['ri:zənəbl] *a.* 理智的; 讲理的; 有道理的; 合情合理的 (⇨

reasonably ['ri:zənəbli] *ad.* 合理地; 相当地

reasoning ['ri:zəniŋ] *n.* 推理, 推论; 论证

reassure [.ri:ə'ʃuə] *vt.* 使放心; 使安心; 再次(向…)保证

rebel ['rebəl] *n.* 反叛者(⇨revolter); 造反者; 叛乱者 *vi.* [ri'bel] 造反(⇨

rise);反叛(⇨revolt);有反感 ▶名词与动词发音不同.

^**rebellion** [ri'beljən] *n.* 造反;叛乱;起义(⇨uprising);反抗 「难治的

rebellious [ri'beljəs] *a.* 反叛的;反抗的;造反的;(小孩)不服管束的;(病)

^**rebuild** [,ri:'bild] *vt.* (rebuilt (⇨built), rebuilt) 重建;改建;改造

rebuke [ri'bju:k] *vt.,n.* 申斥(⇨blame);责备

^**recall** [ri'kɔ:l] *vt.* 想起,回忆起(⇨remember);使想起,使忆起;使苏醒;撤回,召回(外交官等) *n.* 回想,回忆,记忆力;召回;(商品售后因疵)回收

recede [ri'si:d] *vi.* 退,退却;后退;衰退;向后倾斜

receipt [ri'si:t] *n.* 收据,收条;收到的款项 ▶ p 不发音. 「见(⇨meet)

^**receive** [ri'si:v] *vt.* 收到;受到;遭到;得到;接到;接受(⇨accept);招待;接

receiver [ri'si:və] *n.* 接受者;收受人;收报机;听筒

^**recent** ['ri:sənt] *a.* 新近的;近来的(⇨late)

^**recently** ['ri:səntli] *ad.* 最近(⇨lately);近来

reception [ri'sepʃən] *n.* 接受;接纳;接待;迎接,欢迎(⇨welcome);招待会,欢迎会;(旅馆等的)接待处,柜台(= reception desk);反应 ‖ ～ day 会客日 / ～ desk (旅馆的)柜台 / ～ room 会客室

receptionist [ri'sepʃənist] *n.* (旅馆、照相馆等的)接待员 「庭;壁龛

recess [ri'ses, 美: 'ri:ses] *n.* [美](学校等的)休息时间,放假;(法庭的)退

recipe ['resipi] *n.* 烹饪法;食谱;秘方;配方;方法;(医药)的处方(⇨prescription) ▶注意发音.

recipient [ri'sipiənt] *n.* (奖赏等的)接受者 *a.* 接受的,受领的 「倒数

reciprocal [ri'siprəkəl] *a.* 相互的(⇨mutual);往复的;互利的 *n.*〔数学〕

recital [ri'saitəl] *n.* 音乐演奏会;独奏会;独唱会;诗歌朗诵

^**recite** [ri'sait] *vt.* 背诵(⇨repeat);朗诵;叙述(⇨relate)

reckless ['reklis] *a.* 不注意的(⇨regardless);莽撞的;轻率的

reckon ['rekən] *v.* 计算(⇨count);结算,估计(⇨estimate);认为

reclaim [ri'kleim] *vt.* 开垦;改造(⇨reform);回收

recline [ri'klain] *v.* 倚靠,斜躺着;依赖,寄托

^**recognise** = recognize

recognition [,rekəg'niʃən] *n.* 认识,识别;认可;承认;同意

^**recognize** ['rekəgnaiz] *vt.* 认识(⇨know);认出(⇨identify);承认(⇨admit) ▶又拼写为 recognise.

recollect [,rekə'lekt] *v.* 回忆起(⇨recall);记起(⇨remember)

recollection [,rekə'lekʃən] *n.* 回忆,回想;记忆力;(回忆起来的)往事

recommend [,rekə'mend] *vt.* 推荐(⇨commend);介绍,提议(⇨advise);使受欢迎;托付(⇨commit)

recommendation [,rekəmən'deiʃən] *n.* 推荐;介绍;推荐信;长处

recompense ['rekəmpens] *vt.* 酬报 (⇨reward);赔偿 *n.* 报酬;赔偿(⇨compensation)

reconcile ['rekənsail] *vt.* 使和解;调解;调和;使与…配合;使一致

reconnaissance [ri'kɔnisəns] *n.* 侦察(队);踏勘;调查

reconstruct [,ri:kən'strʌkt] *vt.* 重建;改造;复兴

reconstruction [,ri:kən'strʌkʃən] *n.* 重建(⇨rebuilding);改造(⇨reform);复兴

^**record** [ri'kɔ:d] *vt.* 记录;记载(⇨register);(温度计等)显示;录音,录象

n. ['rekɔ:d] 记录(⇨account); 记载; 履历; 成绩; 唱片 ‖ ～ holder 最高记录保持者 ▶动词与名词重音不同。

*recorder [ri'kɔ:də] *n.* 录音机; 记录器; 记录员

recourse [ri'kɔ:s, 美: 'ri:kɔrs] *n.* 求助, 求援; 求助的对象

recover [ri'kʌvə] *v.* 取回, 收回(⇨regain); 找回; (使)复原; (使)苏醒; 弥补(⇨repair); 补偿(损失)

recovery [ri'kʌvəri] *n.* 找回; 重获; 恢复(⇨restoration); 治愈

recreation [.rekri'eiʃən] *n.* 娱乐(⇨ amusement); 消遣(⇨pastime) ‖ ～ room [hall] 文娱室

recruit [ri'kru:t] *n.* 新兵; 新水手; 新手(⇨beginner); 新成员 *v.* 征(兵); 招募; 充实(⇨replenish)

rectangle ['rektæŋgəl] *n.* 长方形, 矩形

rectification [.rektifi'keiʃən] *n.* 纠正; 改订; 净化; 整流

rectify ['rektifai] *vt.* 纠正(⇨correct); 整顿(⇨adjust); 把…整流

recur [ri'kə:] *vi.* (往事等)重新浮现; 返回; 再现; (病)复发; 〔数学〕循环

recycle [.ri:'saikl] *v.* (使)再循环; (废物等)回收再用; (货币)回笼

recycling [.ri:'saikliŋ] *n.* 再循环

*red [red] *a.* 红的; 红色的 *n.* 红; 红衣; 《加 the》赤字; 亏损(⇨loss) ‖ the Red Cross 红十字会 / ～ light 红灯(停止或危险信号) / ～ pepper 辣椒粉 / ～ tape 文牍主义

redden ['redn] *v.* (使)变红; (使)脸红

reddish ['rediʃ] *a.* 带红色的 「补

redeem [ri'di:m] *vt.* 赎出(⇨ransom); 赎回; 偿清; 履行(⇨perform); 弥

redevelopment [.ri:di'veləpmənt] *n.* 重新开发

reduce [ri'dju:s] *vt.* 缩减; 减少; 减弱; 缓和; 〔数学〕约分, 简化; 〔化学〕还原

reduction [ri'dʌkʃən] *n.* 减少; 缩小; 降低; 变形

reed [ri:d] *n.* 芦苇; 〈诗语〉芦笛, 牧笛; (乐器的)簧片

reef [ri:f] *n.* (暗)礁; 沙洲

reel¹ [ri:l] *n.* 纺车; 卷线轴; 卷筒; (录音磁带的)盘; (影片的)本(约1000-2000 英尺胶片) *vt.* 卷(线); 绕; 抽出 「转(⇨spin)

reel² [ri:l] *vi.* 摇晃地走(⇨stagger); 蹒跚; 晃动(⇨sway); 晕眩; (不停地)

refer [ri'fə] *vt.* 指点(⇨point); 把…提交(⇨submit); 把…归因于 *vi.* 参考; 引证; 提出; 谈到; 涉及(⇨relate) 「员(⇨umpire)

referee [.refə'ri:] *n.* 仲裁人, 调解人(⇨arbiter); (拳击、足球赛等的)裁判

reference ['refərəns] *n.* 参照, 参考, 参阅; 参考书目; 附注; 出处; 引证(⇨citation); (经历等的)证明书 ‖ ～ book (词典等)参考书 / ～ library (不外借的)图书馆 / ～ mark 参照符号

refine [ri'fain] *vt.* 提炼(⇨purify); 精制; 琢磨; (使)变得优雅(⇨civilize)

refined [ri'faind] *a.* 提纯的(⇨purified); 精制的; 文雅的(⇨elegant); 精确的(⇨precise)

refinement [ri'fainmənt] *n.* 精制, 提纯; 优雅

refinery [ri'fainəri] *n.* 炼油厂; 精炼厂 「sider」

reflect [ri'flekt] *v.* 反射(⇨mirror); 反映; 思索(⇨ponder); 考虑(⇨con-

reflection [ri'flekʃən] *n.* (光、热、声等的)反射; 反映(⇨mirror); 映象(⇨image); 水中倒影; 反省; 考虑(⇨consideration); 感想(⇨thinking); 想

法 ▶又拼写为 reflexion.

reflexion = reflection

reform [ri'fɔ:m] *vt.* 改革, 改良 (⇨improve) *n.* 改革, 改良 (⇨improvement); 改正; 革新

reformation [,refə'meiʃən] *n.* 改革, 改良; 改过; 矫正

reformer [ri'fɔ:mə] *n.* 改革者

refrain [ri'frein] *vi.* 抑制 (⇨restrain); 克制; 制止

refresh [ri'freʃ] *v.* (使)恢复精神; 提神; (使)舒畅; 重新补充; 添足; 更新 (⇨renew); 充电

^refreshing [ri'freʃiŋ] *a.* 使心神爽快的

refreshment [ri'freʃmənt] *n.* 振作 (⇨cheer); 恢复精神; 提神解劳的东西;《常用复数》点心, 便餐, 茶点 || ～ car 餐车 / ～ room (车站)餐室

refrigerator [ri'fridʒəreitə] *n.* (电)冰箱([美]icebox); 冷藏库

refuge ['refju:dʒ] *n.* 避难所 (⇨shelter); 收容所 (⇨home); [英] (街心的)安全岛 (⇨island)

refugee [,refju'dʒi:] *n.* 难民; 逃亡者

^refusal [ri'fju:zəl] *n.* 拒绝; 谢绝

^refuse¹ [ri'fju:z] *v.* 拒绝 (⇨reject); 谢绝

refuse² ['refju:s] *n.* 废物, 垃圾 || ～ dump 垃圾堆 ▶注意发音.

refute [ri'fju:t] *vt.* 驳斥; 反驳; 驳倒

regain [ri'gein] *vt.* 重新得到 (⇨repossess); 取回; 恢复 (⇨recover)

regal ['ri:gəl] *a.* 国王的,; 王室的(⇨royal); 国王般(豪华、庄严)的

^regard [ri'ga:d] *n.* 关系 (⇨relation); 注意, 关心 (⇨concern); 考虑; 尊敬;《用复数》问候, 致意 *v.* (把…)当作; 视为; (怀着某种感情)看待; 注意 (⇨notice); 尊重 (⇨respect)

regarding [ri'ga:diŋ] *prep.* 关于 (⇨concerning); 就…方面来说

regardless [ri'ga:dləs] *a.* 不注意的 (⇨careless); 不顾的 (← mindful); 不在乎的 *ad.* 〈口语〉不管如何

regenerative [ri'dʒenəreitiv] *a.* 新生的; 更新的; 再生的

regent ['ri:dʒənt] *n.* 摄政 *a.*《置于名词之后》有摄政地位的 || Prince Regent 摄政王

regime [rei'ʒi:m] *n.* 统治(方式)(⇨rule); 政体 (⇨system);; 政权

regiment ['redʒəmənt] *n.* (军队的)团; 大群 *v.* [-ment] 把…组织起来; 严密控制 ▶注意末音节发音.

^region ['ri:dʒən] *n.* 地区 (⇨district); 行政区; 部位 (⇨part)

register ['redʒistə] *n.* 登记; 登记簿; 注册簿; (与社会方言相对的)语域 *v.* 登记 (⇨record); 注册 (⇨enter); 挂号; (温度计等)指示

registered ['redʒistəd] *a.* 登记过的, 注册过的; 挂号的 || ～ post [mail] 挂号信 / ～ trademark 注册商标

registration [,redʒi'streiʃən] *n.* 登记, 注册; 挂号; 注册人数

^regret [ri'gret] *n.,v.* 悔恨; 遗憾; 惋惜; 抱歉

^regular ['regjulə] *a.* 经常的 (⇨usual); 固定的 (⇨fix); 规则的 (← irregular); 正式的; 正规的 (⇨normal); 匀称的 (⇨even) || ～ army 正规军 / ～ verb 规则动词

regularity [,regju'læriti] *n.* 有规则; 整齐; 正规; 定期

regularly ['regjuləli] *ad.* 经常地 (⇨usually); 定期地; 有规则地; 对称地; 〈口语〉完全地 (⇨thoroughly)

regulate ['regjuleit] *vt.* 管理; 控制 (⇨control); 调节 (⇨adjust)   「则

regulation [,regju'leiʃən] *n.* 规定; 规则; 调节; 调整 ‖ traffic ~s 交通规

rehearsal [ri'hə:səl] *n.* 排练, 排演; 复述 ‖ dress ~ 彩排

rehearse [ri'hə:s] *v.* (使)排练 (⇨practice); (使)排演; 详述; 讲述 (⇨narrate); 复述 (⇨repeat)

reign [rein] *n.* 统治; 统治时代 *vi.* 统治 (⇨rule); 风行, 占优势 (⇨prevail)

rein [rein] *n.* 《常用复数》缰绳; 控制 (⇨control) *v.* (用缰绳)勒住 (⇨check); 控制; 支配

reindeer ['reindiə] *n.* 驯鹿

reinforce [,ri:in'fɔ:s] *vt.* 增援 (⇨support); 加强 (⇨strengthen)

reinforcement [,ri:in'fɔ:smənt] *n.* 增援; 加强, 加固;《用复数》援军

reject [ri'dʒekt] *vt.* 拒收 (⇨refuse); 抛弃 (⇨discard)   *n.* ['ri:dʒekt] 被丢弃的东西(或人); 不合格品 ▶动词与名词重音不同.

rejection [ri'dʒekʃən] *n.* 拒绝; 抵制; 抛弃; 否决

rejoice [ri'dʒɔis] *vi.* 欢喜; 欢庆   *vt.* 使高兴, 使欢喜 (⇨cheer)

rejoicing [ri'dʒɔisiŋ] *n.* 欢喜, 高兴;《常用复数》欢庆; 宴饮作乐

rejoin [,ri'dʒɔin] *v.* 回答 (⇨reply); 应答; 答辩   「做亲戚

relate [ri'leit] *vt.* 讲述 (⇨tell); 叙述 (⇨narrate); 使有关连 (⇨connect);

related [ri'leitid] *a.* 有关系的; 血亲的; 有亲戚关系的

relation [ri'leiʃən] *n.* 关系 (⇨connection); 联系; 亲属 (⇨relative); 讲述

relationship [ri'leiʃənʃip] *n.* 关系 (⇨connection); 联系; 亲戚关系

relative ['relətiv] *n.* 亲属, 亲戚;〔语法〕关系代词(= relative pronoun) *a.* 有关的; 相对的 (← absolute); 比较的 (⇨comparative);〔语法〕关系的 ‖ ~ pronoun [adjective, adverb] 关系代词[形容词, 副词] / ~ clause 关系分句, 关系从句

relatively ['relətivli] *ad.* 相对地, 比较地 (⇨comparatively)

relativity [,relə'tiviti] *n.* 相对性; 相对论; 相互依存

relax [ri'læks] *v.* (使)松弛, 放松 (⇨loosen); (使)休息; (使)轻松; 松懈

relaxation [,ri:læk'seiʃən] *n.* 松弛, 宽松; 休息; 娱乐

relay ['ri:lei] *n.* 替班; 接力; 继电器; 中继 ‖ ~ broadcast 转播 / ~ race 接力赛跑 / ~ station 中继站, 转播站

release [ri'li:s] *vt.,n.* 放出 (⇨discharge); 释放 (⇨free); 免除 (⇨exempt)

relevant ['relivənt] *a.* 相关的; 适当的 (⇨proper); 中肯的

reliability [ri,laiə'biliti] *n.* 可靠性

reliable [ri'laiəbl] *a.* 可信赖的; 可靠的 (⇨trusty)

reliance [ri'laiəns] *n.* 信赖 (⇨trust); 依靠

relic ['relik] *n.* 遗物; 遗迹; 遗风; 纪念品 (⇨souvenir)

relief [ri'li:f] *n.* (痛苦、负担等的)减轻 (⇨ease); 解除; 欣慰, 宽慰 (⇨comfort); 救援 (⇨aid); 接替; 接班者 ‖ ~ fund 救济基金 / ~ road 间道, 分担交通的道路 / ~ valve 安全阀   「…的班

relieve [ri'li:v] *vt.* 减轻, 解除(痛苦等); 使舒适, 使安心; 救济 (⇨aid); 换

religion [ri'lidʒən] *n.* 宗教; 宗教信仰; 信仰

religious [ri'lidʒəs] *a.* 宗教的; 宗教信仰的; 虔诚的 (⇨godly); 修道的

relish ['reliʃ] *n.* 风味 (⇨flavour); 美味; 胃口 (⇨taste); 喜爱 (⇨liking); 调味品 (⇨seasoning) *v.* 喜欢吃 (⇨enjoy); 品尝

reluctant [ri'lʌktənt] *a.* 勉强的, 不情愿的

(ᴬ)**reluctantly** [ri'lʌktəntli] *ad.* 勉强地, 不情愿地; 遗憾地

(ᴬ)**rely** [ri'lai] *vi.* 《与 on, upon 连用》依靠, 信赖 (⇨trust); 依赖 (⇨depend)

▲**remain** [ri'mein] *vi.* 保持; 持续不变 (⇨continue); 余留; 剩下; 逗留 (⇨stay); 仍是, 继续是

(ᴬ)**remainder** [ri'meində] *n.* 剩下的东西; 残余(物); 其余 (⇨rest); 〔数学〕余数; 折价处理的书

(ᴬ)**remains** [ri'meinz] *n.* 〔复数〕剩余; 遗骸; 遗稿

remark [ri'maːk] *vt.* (对注意到的事) 叙述, 说 (⇨say); 看到; 注意到 *n.* 注意 (⇨notice); (对注意到的事的) 议论 (⇨comment); 意见

▲**remarkable** [ri'maːkəbəl] *a.* 显著的; 非凡的; 异常的 (⇨unusual); 值得注意的 (⇨noticeable)

remarkably [ri'maːkəbli] *ad.* 显著地; 非常地

▲**remarry** [ˌriː'mæri] *v.* (使) 再婚, (使) 再娶, (使) 再嫁

remedy ['remədi] *n.* 疗法, 治疗 (⇨treatment); 药物 (⇨medicine) *vt.* 治疗 (⇨cure); 矫正; 补救 (⇨repair)　　　　　　　　　　　　　　「起

*▲**remember** [ri'membə] *v.* 回忆 (⇨recall); 记住, 记得 (← forget); 忆起, 想

remembrance [ri'membrəns] *n.* 记忆力 (⇨recollection); 记性; 记忆 (⇨memory); 纪念物 (⇨memorial);《用复数》致意

(ᴬ)**remind** [ri'maind] *v.* 提醒 (⇨warn); 使想起　　　　　　　　　「忆录

reminiscence [ˌremi'nisəns] *n.* 回忆 (⇨recollection); 怀旧;《用复数》回

remit [ri'mit] *v.* 免除(债、罚等); 宽恕; 赦免; 减轻; 缓和; 汇款

remnant ['remnənt] *n.* 剩余 (⇨rest); 残余 (⇨remainder); 零料; 幸存者

remold [美] = remould

remorse [ri'mɔːs] *n.* 悔恨, 后悔 (⇨regret)

remote [ri'məut] *a.* 遥远的 (⇨distant); 远方的 (⇨far); 偏僻的; 疏远的 (⇨isolated); 细微的 (⇨slight) ‖ ~ control 遥控

remould [riː'məuld] *vt.* 改造 (⇨reform); 重铸 ▶又拼写为 remold [美].

(ᴬ)**removal** [ri'muːvəl] *n.* 移动; 搬开; 排除; 撤退; 免职

(ᴵ)**remove** [ri'muːv] *v.* 移动 (⇨move); 搬开; 去掉, 脱掉; 消除; 抹煞; 解聘 *n.* 距离, 间隔; 迁移; 搬家

removed [ri'muːvd] *a.* 分开的; 离开的; 疏远的

remuneration [riˌmjuːnə'reiʃən] *vt.* 酬劳, 酬报 (⇨reward); 薪金

renaissance [rə'neisəns, 美: 'renə,saːns] *n.* 复兴 (⇨revival); 复活; 新生;《加 the》[R-](欧洲14至16世纪的) 文艺复兴(时期) *a.* [R-]文艺复兴(时期)的　　　　　　　　　　　　　　　　　　「乱

rend [rend] *v.* (rent [rent], rent) 撕碎 (⇨tear); 扯破; 分裂 (⇨split); 扰

render ['rendə] *vt.* 使(得) (⇨make); 使变成…; 给予 (⇨give); 提出; 报答 (⇨return); 再现 (⇨restore); 演出 (⇨play); 翻译 (⇨translate); 溶解

renegade ['renigeid] *n.* 叛徒; 变节者 *a.* 背叛的 *vi.* 背叛; 脱党

*▲**renew** [ri'njuː] *v.* 更新; 恢复 (⇨restore); 重新开始 (⇨recommence); 续订(合同); 续借(图书); 补充 (⇨replenish)

renounce [re'nauns] *v.* (正式宣布) 放弃 (⇨abandon); 与…脱离关系; 与

…绝交；拒绝承认 (⇨deny)

renown [ri'naun] n. 名声；名望；声誉 (⇨fame)

rent¹ [rent] n. 租金；地租；房租 v. 出租；租赁；租给；租到 ∥ ~ collector 收租人

rent² [rent] rend 的过去式和过去分式 「误)

◆**repair** [ri'pɛə] vt. 修理；修补 (⇨mend)；补偿；恢复 (⇨restore)；订正(错

repairman [ri'pɛəmən] n. (复数：-men [-mən]) 修理工人

reparation [ˌrepə'reiʃən] n. 补偿；《常用复数》赔偿 (⇨redress)；修理

repay [ri'pei] vt. 付还 (钱)；报答(好意)(⇨return)；答谢 (⇨reward)

repeal [ri'pi:l] vt. 使无效 (⇨annul)；撤销 (⇨recall)；废除 (⇨abolish) n. 撤销；废除

◆**repeat** [ri'pi:t] v. 重复；重说，重做；跟着别人讲 (⇨echo)；背诵 (⇨recite)

repeated [ri'pi:tid] a. 屡次的；重复的

repeatedly [ri'pi:tidli] ad. 重复地；屡次地；再三地

repel [ri'pel] v. 击退；抵抗 (⇨resist)；拒绝 (⇨refuse)；使厌恶

repent [ri'pent] v. 悔改；后悔 (⇨regret)；悔恨

repentance [ri'pentəns] n. 后悔；悔改 (⇨remorse)

repetition [ˌrepi'tiʃən] n. 反复；重复 (⇨repeating)；背诵 (⇨recitation)； 复制品 (⇨duplicate)

(△)**replace** [ri'pleis] vt. 代替 (⇨substitute)；替换，更换；补充；把…归还原处 (⇨restore)；偿还

replacement [ri'pleismənt] n. 复位；替换；补充

replenish [ri'pleniʃ] vt. 添满 (⇨refill)；加足(燃料)；补充 (⇨supply)

◆**reply** [ri'plai] v.,n. 回答，答复 (⇨answer)

◆**report** [ri'pɔ:t] n. 报告；汇报；报道(⇨account)；通报(⇨bulletin)；公报(⇨ communiqué)；v. 报告 (⇨announce)；汇报；报到，记录(案件等)；速记 ∥ ~ed speech 间接引语

(△)**reporter** [ri'pɔ:tə] n. 记者；通讯员 (⇨correspondent)；广播员；报告人

repose [ri'pəuz] v. (使)休息 (⇨rest)；(使)横躺；安眠；少眠 n. 休息；安 眠 (⇨sleep)；静养；平静 (⇨stillness)

represent [ˌrepri'zent] vt. 表示；象征 (⇨symbolize)；代理，代表；描绘(⇨ describe)；陈述 (⇨relate)；扮演 (⇨act)；体现；是 (…的一例)

representation [ˌreprizen'teiʃən] n. 代表 (⇨deputy)；象征；陈述 (⇨ account)；主张；描绘 (⇨portrayal)；想像(力)；演出 (⇨performance)； 肖像 (⇨image)

representative [ˌrepri'zentətiv] n. 代表 (⇨delegate)；代理人；驻外使节； 典型 (⇨model) a. 代表性的；典型的 (⇨typical)；象征的

reproach [ri'prəutʃ] n. 责备 (⇨blame)；谴责；耻辱 (⇨shame) vt. 责备

(△)**reproduce** [ˌri:prə'dju:s] v. 繁殖 (⇨ multiply)；复制 (⇨ duplicate)；翻版 (⇨copy)；转载；重演；再现；再生；再生产

reproduction [ˌri:prə'dʌkʃən] n. 生殖 (⇨generation)；繁殖；复制 (⇨ duplication)；复制品 (⇨imitation) ∥ ~ proof 〔印刷〕清样

reproof [ri'pru:f] n. 责备 (⇨blame)；责骂 (⇨scolding)

reprove [ri'pru:v] vt. 责备 (⇨blame)；责骂 (⇨scold)

reptile ['reptail] n. 爬行动物；爬虫 a. 爬行的

◆**republic** [ri'pʌblik] n. 共和国；共和政体 ∥ the People's *Republic* of

China 中华人民共和国

republican [ri'pʌblikən] *a.* 共和国的; 共和制的

repulse [ri'pʌls] *vt., n.* 击退; 拒绝 (⇨reject) 　　「感; 排斥

repulsion [ri'pʌlʃən] *n.* 击败; 拒绝 (⇨rejection); 厌恶 (⇨disgust); 反

reputation [.repju'teiʃən] *n.* 名气; 声誉 (⇨fame); 名声

▲**request** [ri'kwest] *vt.,n.* 请求 (⇨ask); 要求 (⇨desire); 恳求 (⇨beg) ‖ ~ stop (美国公共汽车的) 招呼站

◆**require** [ri'kwaiə] *vt.* 需要 (⇨need); 要求 (⇨ask); 命令 (⇨order); 规定 ‖ ~d subject (美国大学的) 必修科目

requirement [ri'kwaiəmənt] *n.* 需要的东西, 必要品; 需要 (⇨need); 要求 (⇨demand); 必要条件; 资格

requisite ['rekwizit] *a.* 必需的 (⇨necessary); 需要的　*n.* 必需品; 要素

▲**reread** ['ri:'ri:d] *v.* 重读

▲**rescue** ['reskju:] *vt.,n.* 援救 (⇨save); 营救

◆**research** [ri'sə:tʃ] *n.,vi.* 调查 (⇨investigate); 探索; 研究 (⇨study) ‖ ~ worker 研究员

researcher [ri'sə:tʃə] *n.* 调查者; 探究者; 学术研究者

resemblance [ri'zembləns] *n.* 相似 (⇨similarity); 相似点; 相似的外表

resemble [ri'zembəl] *vt.* 相似, 类似

resent [ri'zent] *vt.* 怨恨 (⇨hate); 讨厌 (⇨detest); 对…不满

resentment [ri'zentmənt] *n.* 怨恨 (⇨hatred); 忿恨; 不满 (⇨displeasure)

reservation [.rezə'veiʃən] *n.* 保留; 限制; 预定, 预约

reserve [ri'zə:v] *vt.* 保留 (⇨keep); 预订 (⇨book); 储备 (⇨store)　*n.* 保留物, 储备品; 准备金; (石油等) 蕴藏量;《常用复数》后备军

(A)**reservoir** ['rezəvwa:] *n.* 水库; 贮水池; (知识等的) 储藏, 积累 ▶注意发音.

reside [ri'zaid] *vi.* 〈书面语〉住 (⇨live, dwell); 存在

resident ['rezidənt] *n.* 居住者 (⇨dweller); 居民　*a.* 居住的; 长期滞留的 ‖ foreign ~s 外侨

residual [ri'zidjuəl] *a.* 残余的, 剩下的　*n.* 残余, 剩余

resign [ri'zain] *vt.* 辞去 (职位等); 放弃 (权利等) (⇨abandon); 交出 (⇨surrender)　*vi.* 辞职

residence ['rezidəns] *n.* 住所 (⇨dwelling); 住宅 (⇨house); 宅邸 (⇨mansion); 居住

resignation [.rezig'neiʃən] *n.* 顺从(⇨submission); 忍受(⇨endurance); 辞职, 辞呈; 放弃 (⇨abdication)

resin ['rezin] *n.* 树脂; 松香

▲**resist** [ri'zist] *v.* 抵抗, 反抗 (⇨withstand); 抗拒; 抵制 (⇨check); 忍住; (对…) 耐得住 (⇨endure)

resistance [ri'zistəns] *n.* 抵抗; 反抗; 反对 (⇨opposition); 阻力 (⇨obstruction); (对疾病等的) 抵抗力 ‖ ~ box 电阻器

resistant [ri'zistənt] *a.* 抵抗的, 反抗的; 有抵抗力的　*n.* 抵抗者; 有抗性的东西; 防染剂

resolute ['rezəlu:t] *a.* 坚决的 (⇨determined); 断然的; 有决心的

resolution [.rezə'lu:ʃən] *n.* 决心 (⇨determination); 果断; 解决 (⇨settlement); 解答 (⇨answer); 决议(案) (⇨decision); 决定

resolve [ri'zɔlv] v. (使)下决心 (⇨determine); 决定 (⇨decide); 决议; 解决 (⇨solve); 解答; 分解 (⇨dissolve) n. 决心 (⇨resolution); 坚忍不拔; 决定; 决议 (⇨decision)

resolved [ri'zɔlvd] a. 下定决心的; 断然的

▲**resort** [ri'zɔːt] n. 疗养地; 休假地; 胜地; 常去的地方; 依赖 (⇨dependence); 手段 (⇨means) vi. 去 (⇨go); 常去 (⇨haunt); 求助; 依靠

resound [ri'zaund] v. 发出响亮的声音; (名声等的)传播; 扬名; (使)回响 (⇨echo); 响彻 n. 回声

▲**resource** [ri'sɔːs] n. 《用复数》资源 (⇨material); 财力 (⇨funds); 办法(⇨means); 消遣; 机智; 智谋; 慰藉

▲**respect** [ri'spekt] n. 尊敬 (⇨esteem); 尊重; 注意, 关心; 《用复数》问候, 致意; 方面 vt. 尊敬 (⇨honour); 尊重; 考虑到

respectable [ri'spektəbl] a. 可敬的 (⇨honourable); 体面的 (⇨decent); 像样的; 过得去的; 中等的 (⇨middling); 相当 (⇨considerable)

respectful [ri'spektfəl] a. 恭敬的; 有礼貌的

respecting [ri'spektiŋ] prep. 说到; 关于 (⇨regarding)

respective [ri'spektiv] a. 各自的, 个别的; 分别的

respectively [ri'spektivli] ad. 各自地; 个别地; 分别地

▲**respond** [ri'spɔnd] vi. 回答 (⇨answer); 作出反应; 应酬

response [ri'spɔns] n. 回答 (⇨answer); 反应 (⇨reply); 响应; 应答; 感应

responsibility [ri,spɔnsə'biliti] n. 负责 (charge); 责任; 职责, 职务

responsible [ri'spɔnsəbəl] a. 负责的, 有责任的; 责任重大的; 有责任心的 (⇨dutiful); 可信赖的 (⇨reliable)

-ress [ris] suf. 表示"女性(人)或雌性(动物)", 如 actress(女演员), tigress (母虎), manageress (女经理).

*rest¹ [rest] n. 休息; 安静 (⇨quiet); 休止; 〔音乐〕休止符; 永眠 v. (使)休息 (⇨relax); (使)支持(在); 放置; 安息; 安心下来; 静止 ‖ ～ day 休息日 / ～ room [美] (戏院等内的)公共厕所

▲**rest²** [rest] n. 《加 the》其余; 其余的人(或东西) vi. 依然是

*restaurant ['restərɔ̃, -rɔnt; 美: -rənt, -rɑːnt] n. 饭店, 餐馆, 饭馆   「静的

restless ['restlis] a. 没有休息的; 坐立不安的 (⇨uneasy); 不安定的; 不平

restoration [,restə'reiʃən] n. 归还; 恢复 (⇨recovery); 修复; 重建 (⇨reconstruction); 复辟

restore [ri'stɔː] vt. 还, 归还 (⇨return); 放回原处 (⇨replace); 修复 (⇨repair); 恢复(健康、秩序等); 复兴; 重建 (⇨reconstruct)

restrain [ri'strein] vt. 压抑, 制止; 限制 (⇨limit); 管束 (⇨restrict); 束缚…的自由 (⇨confine)

restraint [ri'streint] n. 克制; 约束; 管制; 束缚

restrict [ri'strikt] vt. 限制 (⇨restrain); 约束

restriction [ri'strikʃən] n. 限制, 限定; 管束; 约束

▲**result** [ri'zʌlt] n. 结果 (⇨outcome); 成果 (⇨fruit); 效果 (⇨effect); 《常用复数》(测验等的)成绩; 比分 vi. (作为结果而)发生, 产生

resultant [ri'zʌltənt] a. 作为结果而发生的 n. 合力   「讲

resume [ri'zjuːm] v. 重新开始 (⇨renew); 再继续 (⇨continue); 再取; 再

résumé ['rezjumei, 美: ,rezu'mei] n. [法] 简历; 摘要 (⇨abstract); 梗概

(⇨summary)

retail ['ri:teil] *n.* 零售 (← wholesale) *ad.* 零售地 *a.* 零售的 *v.* [ri:'teil] 零售, 零卖 ‖ ~ price 零售价格 ▶注意重音.

retain [ri'tein] *vt.* 保留 (⇨reserve); 保持 (⇨keep); 保有 (⇨hold); 记住 (⇨remember); 聘请, 雇(律师等) (⇨employ)

retard [ri'tɑ:d] *v.* 阻碍; (使)迟缓

(ᴬ)**retell** [ˌri:'tel] *vt.* (*retold* [ˌri:'təuld], *retold*) 重述; 再讲; 复述; 译述

retire [ri'taiə] *v.* 离去 (⇨leave); 隐退; (使)退休; (使)退却 (⇨withdraw)

retired [ri'taiəd] *a.* 退休的; 隐退的; 幽静的; 偏僻的 ‖ ~ pay 退休年金

retirement [ri'taiəmənt] *n.* 退休; 隐退; 隐居处; ‖ ~ age 退休年龄 / pension 退休年金

retort [ri'tɔ:t] *v.,n.* 反驳 (⇨reply); 回嘴

▲**retreat** [ri'tri:t] *n.* 撤退; 后退; 退却; 撤退信号; 隐藏处; 避难处 (⇨refuge) *v.* 撤退 (⇨withdraw); 后退; 退却; 离去 (⇨leave)

retro- ['retrəu, 'retrə] *pref.* 表示"向后; 倒退; 追溯"之意, 如 *retroact* (倒行), *retrograde* (退化), *retrospect* (回顾).

***return** [ri'tə:n] *v.* 还, 归还(⇨restore); 回答 (⇨reply); 报答; 回来; 重新发生 (⇨reappear) *n.* 返回; 归还; 答复; 报答 (⇨reward); 《常用复数》收益 ‖ ~ address 寄信人地址 / ~ ticket [英]来回车票; [美]回程票

▲**reunite** [ˌri:ju:'nait] *v.* 重新统一; 再联合; (使)重聚

reveal [ri'vi:l] *vt.* 显现; 显露 (⇨discover); 泄露, 透露; 暴露 (⇨disclose); 揭露 (← conceal) ⌐feast⌐

revel ['revəl] *vi.* 狂欢; 沉缅; 享乐 (⇨indulge) *n.* 狂欢; 大闹; 欢宴 (⇨

revelation [ˌrevə'leiʃən] *n.* 暴露 (⇨discovery); 新发现; 意想不到的事

(ᴬ)**revenge** [ri'vendʒ] *vt.,n.* 报复 (⇨repay); 报仇 (⇨avenge)

revenue ['revinju:] *n.* (投资等的)收入 (⇨income); 收益 (⇨returns); (国家的)税收; 岁入; 税务机关 ‖ ~ cutter (海关) 缉私船 / ~ officer 缉私员 / ~ stamp 印花

revere [ri'viə] *vt.* 尊敬, 崇敬, 爱戴

reverence ['revərəns] *n.* 尊敬 (⇨respect); 崇敬 (⇨worship); 敬意; 敬礼

reverend ['revərənd] *a.* 可尊敬的 (⇨respectable); 值得崇敬的; 教士的

reverse [ri'və:s] *v.* 颠倒 (⇨invert); 倒车; 使倒退; 翻转 (⇨overturn); (跳舞时)左转 *a.* 相反的 (⇨opposite); 倒立的 *n.* 相反 (⇨contrary); 背面 (⇨back); (钱币的)反面 (← obverse); 失败 (⇨failure)

rivet ['rivit] *n.* 铆钉 *vt.* 铆牢; 吸引住

riveting ['rivitiŋ] *a.* 吸引人的, 迷人的; 极漂亮的

(•)**review** [ri'vju:] *n.* 检查 (⇨ inspection); 检阅; 回顾; 复习; 评论 (⇨ critique); 书评; (法院)复审 *v.* 再看; 审视 (⇨study); 回顾; 复习(功课等); 检阅; 写书评, 写评论 (criticize)

revise [ri'vaiz] *vt.* 改正 (⇨correct); 校订; 修订 (⇨amend); 修正; [英]复习 (⇨review) *n.* 校订, 校正; 〔印刷〕再校样 ⌐review⌐

***revision** [ri'viʒən] *n.* 修改, 修正; 校订, 改订; 校对; 修订版; [英]复习 (⇨

revisionism [ri'viʒənizəm] *n.* 修正主义

revisionist [ri'viʒənist] *n.* 修正主义者 *a.* 修正主义的

revival [ri'vaivəl] *n.* 复活 (⇨reactivation); 复兴; (影片)重映, (旧戏)重演

revive [ri'vaiv] v. (使)复活; 复兴; (使)再度流行; 重振精神; 恢复意识 (⇨ refresh); 重演(戏剧); 重映(影片)

revolt [ri'vəult] n. 反叛, 暴动 (⇨ rebellion); 反抗, 造反, 起义 (⇨ uprising); 嫌恶 (⇨disgust) vi. 反叛 (⇨rebel); 感觉厌恶 vt. 使反感

(A)**revolution** [,revə'lu:ʃən] n. 革命; 大变革; (天体的) 公转

▲**revolutionary** [,revə'lu:ʃənəri] a. 革命的; 革命性的; 大变革的 n. 革命者, 革命家

revolutionize [,revə'lu:ʃənaiz] vt. 彻底变革; 鼓吹革命; 使革命化

revolve [ri'vɔlv] v. (使)绕转 (⇨orbit); (使)旋转 (⇨rotate); 反复思考

▲**reward** [ri'wɔ:d] n. 报答; 报酬 (⇨recompense) vt. 报答; 酬劳; 奖赏; 报偿 (⇨compensation)

▲**rewrite** [,ri:'rait,] v. (*rewrote* [-'rəut],*rewritten* [-'ritn]) 重写, 改写 n. ['ri:rait] 改写的作品 ▶动词与名词重音不同.

rhetoric ['retərik] n. 修辞学; 修辞

rheumatism ['ru:mətizəm] n. 风湿病

(A)**rhyme** [raim] n. 韵; 押韵诗, 小诗 ‖ nursery ～ 童谣 ▶注意发音.

rhythm ['riðəm] n. 韵律 (⇨metre); 节拍 (⇨beat); 节奏

rib [rib] n. 肋, 肋骨

ribbon ['ribən] n. 丝带, 缎带; (打字机)色带; 绶带

*__rice__ [rais] n. 米, 大米; 米饭 ‖ ～ bowl 饭碗 / ～ paper (可入口的)米纸

*__rich__ [ritʃ] a. 有钱的; 富裕的 (⇨wealthy); 丰富的 (⇨abundant); 值钱的 (⇨valuable); 肥沃的 (⇨fertile); 茂盛的; (香味)浓的; 《口语》非常有趣的 n. 《加the》有钱的人, 富人

▲**Richardson** ['ritʃədsn] 理查森(姓)

riches ['ritʃiz] n. [复数] 财富 (⇨wealth)

richly ['ritʃli] ad. 丰富地; 充分地; 豪华地; 浓厚地

ricksha(w) ['rikʃɔ:] n. 人力车; 黄包车

*__rid__ [rid] vt. (*rid, rid;* or *ridded, ridded*) 使…摆脱 (⇨free); 去掉 (⇨clear); 排除; 免除; 驱除

ridden ['ridn] ride 的过去分词

riddle ['ridl] n. 谜 (⇨mystery); 谜语 (⇨puzzle) vt. 解(谜) vi. 出谜题

*__ride__ [raid] v. (*rode* [rəud], *ridden* ['ridn]) 骑(马、自行车等); 乘(车、船等); (船)停泊; (日、月等)浮在空中 n. 乘; 骑; 乘坐时间 ‖ an hour's ～ 乘车一小时的路程

(A)**rider** ['raidə] n. 骑马(或自行车)的人; 骑手; 乘车的人

ridge [ridʒ] n. 脊 (⇨spine); 山脊; 屋脊; 分水岭; 山脉; 田垄

ridicule ['ridikju:l] v.,n. 嘲笑; 奚落; 愚弄

ridiculous [ri'dikjuləs] a. 可笑的; 荒谬的(⇨absurd); 滑稽的 (⇨funny)

▲**rifle** ['raifl] n. 来复枪, 步枪

*__right__[1] [rait] a. 对的 (⇨correct); 正确的 (← wrong); 正当的 (just); (说法、想法)得当的; (精神)正常的; 合适的 (⇨proper); 直的 (⇨straight) ad. 恰恰, 正好; 直接地 (⇨directly); 立刻; 正确地; 正当地 (⇨justly); 完全地 (⇨completely) n. 权利 (← duty); 正义 (⇨justice); 正确 (⇨correctness) ‖ ～ angle 直角

*__right__[2] [rait] a. 右的 (← left); 右边的; 向右的; 右翼的 ad. 向右; 在右方

n. 右; 右边 ‖ ～ hand 右手; 右方 / ～ wing 右翼, 右派

righteous ['raitʃəs] *a.* 正义的 (⇨moral); 正直的 (⇨upright); 正当的

right-hand ['rait,hænd] *a.* 右侧的; 用右手的; 心腹的

rightly ['raitli] *ad.* 正确地 (⇨correctly); 正当地; 肯定地 「板的 (⇨stiff)

rigid ['ridʒid] *a.* 硬的 (⇨firm); 坚硬的 (← elastic); 严格的 (⇨strict); 死

rigorous ['rigərəs] *a.* 严厉的; 严酷的; 严谨的; 严格的

rile [rail] *vt.* 〈口语〉激怒 (⇨irritate)

rill [ril] *n.* 小溪 (⇨stream)

▲**rim** [rim] *n.* (圆形体的)边 (⇨edge); 缘, 边缘 (⇨brim); (眼镜)边框; 轮缘

▲**ring**[1] [riŋ] *n.* 环, 圈; 环形物 (⇨hoop); 戒指; 镯子; 耳环; 圆形场地 (⇨arena) *v.* 围住; 成圈状 (⇨encircle) ‖ ～ finger (一般指左手的)无名指 / ～ road [英]环形道路

***ring**[2] [riŋ] *v.* (*rang* [ræŋ], *rung* [rʌŋ]) (钟、铃等)响; 摇铃; 按铃; 打电话给 (⇨call); 响彻 (⇨resound) *n.* 打铃声; 打钟声; 鸣响; 电话

rinse [rins] *vt.* 清洗 (⇨wash); 冲洗掉; 漱 *n.* 清洗; 洗刷; 染发水, 洗发精

riot ['raiət] *n.* 骚动 (⇨uproar); 暴乱 (⇨disorder); 狂欢 (⇨feast) 「裂缝

rip [rip] *v.* 撕(开)(⇨tear); 被撕开; 裂开; 顺纹理锯(木材) *n.* 裂口; 绽线,

ripe [raip] *a.* 熟的, 成熟的 (⇨mature); 老练的; 准备好的

ripen ['raipn] *v.* (使)成熟 (⇨mature); (使)老练

▲**ripple** ['ripl] *n.* 波纹; 潺潺声 *v.* (使)起细浪; (使)起伏 (⇨wave); (使)飘动; 作潺潺声 (⇨gurgle)

rise [raiz] *vi.* (*rose* [rəuz], *risen* ['rizn]) 起来, 起立; 上升 (← fall); 升起 (⇨arise); 升高; 上涨; 增长 (⇨increase); 起床; 起义 (⇨revolt); 起源 (⇨originate); 发迹 *n.* 上升; 日出; 涨价; 晋升; [英]加薪; 兴隆 ▶注意与 raise (*vt.*) 的区别.

risen ['rizn] rise 的过去分词

(A)**rising** ['raiziŋ] *n.* 起义; 反叛; 升高; 起身 *a.* 兴起的; 上涨的 「为赌注

risk [risk] *n.* 风险; 危险 (⇨danger); 冒险; 保险金额 *vt.* 拿…冒险; 以…

risky ['riski] *a.* 危险的; 冒险的; 有风险的

rite [rait] *n.* 仪式; 典礼 (⇨ceremony); 习俗 (⇨practice); 惯例

rival ['raivəl] *n.* 对手 (⇨opponent); 竞争者 (⇨competitor) *a.* 竞争的; 对抗的 (⇨opposed) 「mus]河马

***river** ['rivə] *n.* 江, 河; 河流 ‖ ～ basin 流域 / ～ horse (= hippopota-

▲**riverside** ['rivəsaid] *n.* 河边, 河岸

rivet ['rivit] *n.* 铆钉, 大头钉

***road** [rəud] *n.* 路 (⇨way); 道路 (⇨street, path); 公路; 途径; 手段 ‖ ～ test (驾驶执照报考者的)路考 / ～ works 〔告示〕前面道路施工

▲**roadside** ['rəudsaid] *n.* 路边 *a.* 路边的

roadway ['rəudwei] *n.* 道路; (与人行道相对的)车道

roam [rəum] *vt.* 来回地走; 漫步 (⇨ramble) *n.* 徘徊; 漫游 (⇨wander)

(A)**roar** [rɔ:] *vi.* (狮等)吼叫, 咆哮; 吆喝; 大笑 (⇨laugh) *n.* 怒吼; 轰鸣声

roast [rəust] *v.* 烤(肉); 炙; 烘 *n.* 烤肉; 烤的食物 *a.* 烤的; 烤过的

roasting ['rəustiŋ] *a.* 非常热的 *ad.* 非常(热)

▲**rob** [rɔb] *vt.* 抢, 抢劫; 掠夺; 盗窃 (⇨steal)

robber ['rɔbə] *n.* 强盗 (⇨bandit); 盗贼 (⇨thief)

robbery ['rɔbəri] *n.* 抢劫; 掠夺

▲**robe** [rəub] *n.* 长袍; 上衣; [美]膝毯

◆**Robert** ['rɔbət] 罗伯特(男名)

▲**Robin** ['rɔbin] 罗宾(男名, Robert 的昵称)

▲**robin** ['rɔbin] *n.* 知更鸟

▲**Robin Hood** ['rɔbin'hud] 罗宾汉(英国民间传说中劫富济贫的绿林好汉)

▲**Robinson** ['rɔbinsn] 鲁滨逊(姓)

◆**robot** ['rəubɔt] *n.* 机器人; 自动机; 摇控设备

robust [rə'bʌst, 'rəubʌst] *a.* 强健的; 苗壮的; (咖啡等)浓的　　「[美]石油

▲**rock**¹ [rɔk] *n.* 岩, 岩石; 大石头 (⇨stone);《用复数》暗礁 (⇨reef) ‖ ~ oil

▲**rock**² [rɔk] *v.* 摇动 (⇨shake); 摇晃; (使)振动, 使震惊 (⇨stagger); 跳摇摆舞　 *n.* 摇, 动摇; 前后摇动 ‖ ~ and roll 摇滚乐; 摇滚舞

rockery ['rɔkəri] *n.* 假山; 有假山的庭园(= rock garden)

rocket ['rɔkit] *n.* 火箭

◆**rocking** ['rɔkiŋ] *n.* 摇动, 振动 ‖ ~ chair 摇椅 / ~ horse 摇摆木马

rocky ['rɔki] *a.* 多岩石的, 岩石的; (岩石般)坚硬的

rod [rɔd] *n.* 杆 (⇨pole); 竿 (⇨wand); 细棒 (⇨cane); 鞭笞, 惩罚; 杆状菌

rode [rəud] ride 的过去式

rogue [rəug] *n.* 歹徒, 流氓 (⇨rascal); 骗子 (⇨cheat); 淘气鬼

role [rəul] *n.* (演员的)角色 (⇨character); 职务; 任务 (⇨task)

▲**roll** [rəul] *v.* (球、车轮)滚动, 打滚; (河水)翻滚; 辗平; 摇晃 (⇨rock); 轰鸣 (⇨boom); (眼珠)转动; 卷, 绕 (⇨revolve)　*n.* (面包、烟等)卷起的东西; 一卷; 名册 (⇨scroll); 滚筒; 轰鸣 (⇨booming); 摇晃 ‖ ~ call 点名 / ~ film 胶卷

roller ['rəulə] *n.* 滚筒; 滚柱; 油墨辊; 碾子; 压路机; 卷轴; 巨浪 ‖ ~ bearing 滚柱轴承 / ~ skate 四轮溜冰鞋, 旱冰鞋

rolling ['rəuliŋ] *a.* 滚动的; (地面)起伏的; 摇摆的　*n.* 滚动; 打滚; 隆隆声 (⇨boom) ‖ ~ mill 轧钢厂 / ~ press 滚筒印刷机 /

Roman ['rəumən] *a.* 古罗马的; 罗马的; 罗马人的　*n.* 罗马人 ‖ ~ alphabet 罗马字母 / ~ Catholic (罗马)天主教徒 / ~ Curia 罗马教廷 / ~ numerals 罗马数字

romance [rəu'mæns] *n.* 中世纪的骑士故事; 冒险故事; 传奇 (⇨legend); 罗曼史; 恋爱史

romantic [rəu'mæntik] *a.* 传奇的; 浪漫的, 脱离现实的; 幻想的 (⇨imaginative); 爱情理想化的; 浪漫主义的　*n.* 浪漫的人; 浪漫主义诗人

Rome [rəum] *n.* 罗马 (意大利首都)

▲**roof** [ru:f] *n.* 屋顶; 顶, 顶部 ‖ ~ garden 屋顶花园

◆**room** [ru:m, rum] *n.* 室, 房间 (⇨chamber);《用复数》一套房间, 套房 (⇨apartment); (物体占有的)空间 (⇨space); 场所 (⇨place); 空地, 余地 (⇨margin); 机会　*vt.* 留宿 ‖ ~ing house [美](不供伙食的)公寓

room-mate ['ru:m-meit, 'rum-] *n.* 住同屋的人, 室友

▲**rooster** ['ru:stə] *n.* 公鸡, 雄鸡

▲**root** [ru:t] *n.* 根; 根茎; 根源 (⇨origin); 基础 (⇨foundation); (人的)本源; 始祖; 词根, 原形;〔音乐〕基音　*v.* (使)生根 (⇨plant); 扎根; (使)固定 (⇨fix) ‖ square ~ 平方根 / cube ~ 立方根 / ~ cause 根本原因

*__rope__ [rəup] *n.* 绳,索,缆;(一)串 *v.* 用绳拉;拉成丝状 ‖ ~ **ladder** 绳梯

Rose [rəuz] 罗斯(女名)

*__rose__¹ [rəuz] *n.* 玫瑰花,蔷薇 *a.* 玫瑰色的 ‖ ~ **colour** 玫瑰色;光明的远景 / ~ **water** 玫瑰香水;恭维话

__rose__² [rəuz] rise 的过去式

__rosebud__ ['rəuzbʌd] *n.* 蔷薇花蕾;美丽的女孩

__rosy__ ['rəuzi] *a.* 玫瑰色的;红润的 (⇨ruddy);令人乐观的;充满希望的 (⇨hopeful) ‖ ~ **future** 光明的前程

▲__rot__ [rɔt] *v.* (使)腐烂 (⇨decay);(使)腐败 (⇨corrupt);枯槁;失去活力 *n.* 腐烂;腐败

__rotary__ ['rəutəri] *a.* 旋转的,轮转的 *n.* 轮转(印刷)机;[美]环形道

__rotate__ [rəu'teit, 美:'rəuteit] *v.* (使)旋转 (⇨revolve);(使)自转;(使)轮流 (⇨alternate);(使)循环

__rotation__ [rəu'teiʃən] *n.* 旋转;(天体的)自转;(轮流)交替,循环

__rotten__ ['rɔtn] *a.* 腐烂的 (⇨decayed);腐败的 (⇨corrupt);发臭的 (⇨foul);肮脏的;讨厌的 (⇨offensive);蹩脚的;不健全的

__rouble__ ['ru:bl] *n.* 卢布(苏联的货币单位)

__rouge__ [ru:ʒ] *n.* 胭脂,口红 *v.* 搽胭脂,擦口红

▲__rough__ [rʌf] *a.* 粗的,粗糙的;崎岖不平的 (⇨rugged) (← smooth);(风、海洋等)狂暴的 (⇨stormy);粗暴的;无礼貌的,粗鲁的 (⇨rude);草率的;艰苦的 (⇨hard);粗略的

(△)__roughly__ ['rʌfli] *ad.* 粗暴地;粗鲁地 (⇨harshly);粗略地;粗糙地

*__round__ [raund] *a.* 圆的;圆形的 (⇨circular);绕圈的;整数的;(文体)流畅的;坦率的 (⇨frank) *n.* 圆,球形;圆形物;一周,一圈;《常用复数》巡逻;范围 (⇨sphere);(比赛的)一轮,一场,一回合 *ad.* 循环地;在四周;到处;附近 *prep.* 围(绕)着;在…周围 (⇨around);大约 (⇨about) *v.* (使)成圆形;绕过 ‖ ~ **bracket** [英]圆括号 / ~ **number** 整数,无零数之数(如20,500等) / ~ **robin** (不表明签名者顺序的)圆形签名文件 / ~ **table** 圆桌会议 / ~ **ticket** [美]来回票 / ~ **trip** [美]来回旅行,往返的旅程 / ~ **vowel** [语音]圆唇元音(如 u, o)

__roundabout__ ['raundəbaut] *a.* 迂回的;转弯抹角的 (← direct) *n.* 环状交叉路;旋转木马;旋转游艺机

__rouse__ [rauz] *vt.* 叫醒 (⇨wake);弄醒 (⇨arouse);激发 (⇨stir);鼓励;刺激 (⇨excite)

__rout__ [raut] *n.* 惨败;溃退 (⇨flight);乌合之众;暴徒 *vt.* 打垮 (⇨defeat);使溃退 (⇨scatter)

*__route__ [ru:t] *n.* 路 (⇨way);路线 (⇨course);航线;路程 ‖ the Eighth *Route* **Army** 八路军

__routine__ [ru:'ti:n] *n.* 常规;惯例;例行公事;[电脑]操作程序 *a.* 既定的;例行的;老一套的

__rove__ [rəuv] *v.* 漫游(于) (⇨roam);流浪(于) (⇨wander);徘徊(于)

__rover__ ['rəuvə] *n.* 漫游者;流浪者 (⇨wanderer)

▲__row__¹ [rəu] *n.* (一)排 (⇨line);(一)行;(一)列 (⇨file)

__row__² [rəu] *v.* 划(船等);渡运(人、物) (⇨ferry);参加(划船比赛);与…赛舟 *n.* 划船旅行 ‖ ~*ing* **boat** 划艇,划子

row³ [rau] *n.* 〈口语〉口角; 吵闹 (⇨uproar); 骚动 (⇨disturbance); 挨骂 *vi.* 吵架 (⇨quarrel); 大吵大闹 ▶注意发音.

(▲)**rowboat** ['rəubəut] *n.* 有桨的船; 划艇

(▲)**Roy** [rɔi] 罗伊(男名)

royal ['rɔiəl] *a.* 国王的 (⇨regal); 王室的; 王国(政府)的; [R-](英国)皇家的; 庄严的 (⇨majestic); 堂皇的 (⇨stately); 出色的

royalty ['rɔilti] *n.* 王族; 王室; 王权; 王位 (⇨throne); 版税

rub [rʌb] *v.* 擦 (⇨scrape); 摩擦 (⇨ grate); 磨损; 擦掉; 抚摸; 揉; 激怒 *n.* 摩擦 (⇨friction); 障碍

***rubber** ['rʌbə] *n.* 橡胶; 橡皮; 橡皮擦;《常用复数》胶鞋 ([英] galoshes) ‖ ～ band 橡皮筋 / ～ stamp 橡皮图章

***rubbish** ['rʌbiʃ] *n.* 垃圾, 废物 (⇨waste); 无聊的想法 (⇨nonsense) ‖ ～ bin [英]垃圾箱   「念」

ruby ['ru:bi] *n.* 红宝石; 红宝石色 ‖ ～ wedding 红宝石婚(结婚45周年纪

(▲)**rudder** ['rʌdə] *n.* (船的)舵, (飞机等的)方向舵

ruddy ['rʌdi] *a.* 气色好的; 红润的 (⇨rosy); (微)红的 (⇨red)   「突然的

***rude** [ru:d] *a.* 无礼的 (← polite); 粗鲁的 (⇨impolite); 野蛮的 (← civil)

rudely ['ru:dli] *ad.* 无礼地, 粗鲁地; 冷不防地

rudiment ['ru:diment] *n.*《用复数》初步; 基础

ruffle ['rʌfəl] *v.* 弄皱 (⇨rumple); 弄乱 (⇨disturb); 搅扰; 惹恼 (⇨annoy) *n.* 褶边; 生气

rug [rʌg] *n.* 地毯; 毛毯 ▶rug 是铺在桌下或地板的一部分; carpet 是铺满整个房间.

rugby ['rʌgbi] *n.* [常作 R-] 橄榄球(运动) (= ～ football)

rugged ['rʌgid] *a.* 高低不平的 (←smooth); 粗硬的(岩石等); 艰苦的 (⇨hard); 严峻的 (⇨stern); [美]健壮的

ruin ['ru:in] *n.* 毁坏物;《用复数》废墟 (⇨remains); 荒废; 毁灭; 破坏 (⇨destruction); 没落; 破产 (⇨bankruptcy)

(*)**rule** [ru:l] *n.* 规则 (⇨regulation); 规定; 法则; 惯例 (⇨custom); 统治; 尺 *v.* 统治 (⇨govern); 支配 (⇨commend); 管理; 用尺划 ‖ ～ joint 折尺

ruler ['ru:lə] *n.* 统治者; 尺, 直尺

ruling ['ru:liŋ] *n.* 裁决; 判定; 管辖 *a.* 统治的; 支配的 ‖ ～ class 统治阶级 / ～ price 时价

rum [rʌm] *n.* 朗姆酒; [美]酒

rumba ['rʌmbə] *n.* 伦巴舞; 伦巴舞曲

rumble ['rʌmbəl] *v.* 发隆隆声 (⇨boom); 辘辘行驶; 声音低沉地说 *n.* 隆隆声; 辘辘声

rummage ['rʌmidʒ] *vt.* 到处寻找, 翻搜; 弄乱 *n.* 翻搜, 搜索; 杂物 ‖ ～ sale 清仓拍卖; (旧衣杂物)义卖

rumo(u)r ['ru:mə] *n.* 谣言 (⇨tale); 谣传 (⇨whisper); 传说 *vt.*《多用被动语态》谣传 (⇨circulate)

***run** [rʌn] *v.* (*ran* [ræn], *run*) 跑, 奔跑, 疾行; 逃 (⇨flee); (时间)逝去; 经过; (道路)通往; 通行; (交通工具)行驶; (机器)转动 (⇨turn); (河流)流动 (⇨flow); 使(马、狗等)奔跑; 追赶; 参加(赛跑); (和某人)赛跑; 驾驶; 经营 (⇨manage); 管理; 开动(机器)

rung [rʌŋ] ring 的过去分词

run-in ['rʌn-in] n. 〈美口语〉争吵,口角

▲**runner** ['rʌnə] n. 赛跑运动员;通讯员;外勤员;推销员

running ['rʌniŋ] n. 跑;赛跑 (⇨race);经营 (⇨management);管理;流出物 a. 跑着的;流动的;草写的;出脓的;连续的 ‖ ～ cost 事务费 / ～ dog 走狗 / ～ hand 草写体 / ～ water 自来水

run-up ['rʌn-ʌp] n. (事件的)序幕,前奏;〔体育〕助跑 「agrarian」

rural ['ruərəl] a. 农村的 (⇨country);田园的 (⇨pastoral);农业的 (⇨

*****rush** [rʌʃ] v. 冲,奔;突进 (⇨dash);(向…)突击;催促 (⇨press) n. 冲;匆忙 (⇨hurry);繁忙;抢购 ‖ Christmas ～ 圣诞节前夕的抢购风 / ～ hour(s) 事务繁忙的时间;交通高峰时间

▲**Russia** ['rʌʃə] n. 俄国;俄罗斯

*****Russian** ['rʌʃən] a. 俄国的;俄罗斯的;俄语的 n. 俄国人;俄罗斯人;俄语

rust [rʌst] n. 锈;铁锈;锈色 v. (使)生锈;腐朽;(使)迟钝;荒疏

rustic ['rʌstik] a. 乡村的 (← urban);土气的;直率的 (⇨plain);粗野的 (⇨rough) n. 乡下人 (⇨countryman)

▲**rustle** ['rʌsəl] vi. (绸衣、树叶、纸等)沙沙响 vt. 使沙沙作响 n. 沙沙声,瑟瑟声 ▶ t 不发音。

rusty ['rʌsti] a. 生锈的;铁锈色的;(学业等)荒疏的;(才能)退化了的

rut [rʌt] n. 车辙;常规

ruthless ['ru:θləs] a. 残酷无情的 (⇨cruel);硬心肠的 (⇨pitiless)

-ry, -ery [ri], [əri] suf. 表示"性质,行为",如 bravery (勇敢), rivalry (敌对).②表示"境遇,身份,阶级",如 peasantry (农民), slavery (奴役).③表示"货物种类",如 jewelry (宝石类), drapery (布匹,绸缎).④表示"…行业,…学",如 bakery (面包厂), forestry (林学).

rye [rai] n. 黑麦,裸麦 ‖ ～ bread 黑面包

S, s

-s [s, z, iz] suf. ① 加于名词之后,构成复数,如 books [-s], dogs [-z], foxes [-iz]. ② 加于动词之后,构成第三人称单数现在式,如 he works, it rains, she teaches.

-'s [s, z] ① suf. 构成名词的所有格,如 boy's, today's, children's, Tom's. ② has, is, does, us 的缩略,如 he's, it's, what's, let's.

Sabbath ['sæbəθ] n.《加 the》安息日

sable ['seibəl] n. 黑貂;黑貂毛皮

sack[1] [sæk] n. 袋(⇨bag);麻袋;粗布袋;一袋的量

sack[2] [sæk] n., vt. 洗劫 (⇨plunder);掠夺

sacred ['seikrid] a. 圣的,神的,神圣的 (⇨holy)

▲**sacrifice** ['sækrifais] n. 牺牲;牺牲品;祭品 vt. 牺牲;献出

*****sad** [sæd] a. 悲伤的,难过的,悲哀的 (⇨sorrowful);暗淡的 (⇨dull)

saddle ['sædl] *n.* 鞍 (⇨seat); 鞍状物

***sadly** ['sædli] *ad.* 难过地,悲哀地,悲伤地;〈口语〉没精打采地

▲**sadness** ['sædnis] *n.* 悲哀 (⇨sorrow);忧伤,悲伤;悲惨

▲**safe** [seif] *a.* 安全的 (← dangerous);平安的;可靠的 (⇨secure);有把握的 (⇨sure) *n.* 保险箱 (⇨strongbox)

safeguard ['seifgɑ:d] *n.* 安全设备,防护装置 *vt.* 保护 (⇨protect);防护

safely ['seifli] *ad.* 平安地;安全地;有把握地 (⇨surely)

***safety** ['seifti] *n.* 安全;保险 (⇨insurance);安全装置 ‖ ~ belt 安全带 / ~ island (街心)安全岛 / ~ razor 安全剃刀,保险刀

sage [seidʒ] *a.* 聪明的 (⇨wise);明智的 *n.* 贤人;哲人 (⇨philosopher)

said [sed] say 的过去式和过去分词 *a.* 上述的;该

△**sail** [seil] *n.* 帆,帆船;《常用单数》航程 *vi.* 航行;启航 *vt.* 渡(海);驾驶 (船);放(航海模型)

(*)**sailing** ['seiliŋ] *n.* 航行;航海术 ‖ ~ boat 帆船 / ~ ship 帆船,(大)帆船

△**sailor** ['seilə] *n.* 水手,海员 (seaman);水兵

saint [seint] *n.* 圣人;圣徒;《常略作 St. 置名字前》圣…

sake [seik] *n.* 缘故 (⇨cause);理由 (⇨reason);目的 (⇨purpose)

△**salad** ['sæləd] *n.* 色拉(西餐中的一种凉拌菜)

▲**salary** ['sæləri] *n.* 薪金,薪水

***sale** [seil] *n.* 卖,出售 (⇨selling);销售;贱卖,拍卖

salesclerk ['seilzklɑ:k, 美: -klə:k] *n.* [美]售货员,店员 (⇨shop-assistant)

▲**salesgirl** ['seilzgə:l] *n.* (一般指年轻的)女售货员

salesman ['seilzmən] *n.* (复数: -men [-mən]) 售货员,营业员;推销员

saleswoman ['seilz,wumən] *n.* (复数: -women [-wimin]) 女售货员,女营业员 (⇨salesgirl)

△**salmon** ['sæmən] *n.* 大马哈鱼;鲑 ▶ l 不发音.

salon ['sælɔn, 美: sə'lɔn] *n.* 大客厅;沙龙;美术展览 ‖ beauty ~ 美容院

saloon [sə'lu:n] *n.* (轮船、旅馆等的)大厅;酒吧间;[美]酒馆 (⇨bar) ‖ dancing ~ (商业性的)舞厅 / hairdresser's ~ [美]理发厅,美容院

***salt** [sɔ:lt] *n.* 盐,食盐

salted ['sɔ:ltid] *a.* 腌的;咸的

▲**salute** [sə'lu:t] *v.,n.* 敬礼,行礼;致敬;问好

salvage ['sælvidʒ] *n.,vt.* 抢救;打捞 ‖ ~ boat 海难救援船

salvation [sæl'vei ʃən] *n.* 拯救;救助;救济

***same** [seim] *a.* 同一的;同样的 (← different) *pron.* 同样的人;同样的事 *ad.* 同样地

△**Sammy** ['sæmi] 萨米(男名)

△**sample** ['sɑ:mpl, 美: 'sæmpl] *n.* 样品,样本;标本;实例 (⇨example)

sanatorium [,sænə'tɔ:riəm] *n.* 疗养院;休养地

sanction ['sæŋk ʃən] *n.* 批准;认可 (⇨permission);制裁

(*)**sand** [sænd] *n.* 沙;《用复数》沙地,沙滩

sandal ['sændl] *n.* 凉鞋   「片面包)

△**sandwich** ['sænwidʒ, 美: 'sændwit ʃ] *n.* 三明治(中间夹以肉、果酱等的两

△**Sandy** ['sændi] 桑迪(男名)

sandy ['sændi] *a.* 含沙的,多沙的,似沙的

sane [sein] *a.* 心智健全的,神志清醒的;理智的

San Francisco [,sænfrən'siskəu] *n.* 旧金山(美国城市)

sang [sæŋ] sing 的过去式

sanitary ['sænitəri] *a.* 卫生的;清洁的

sanitation [,sæni'teiʃən] *n.* (公共环境)卫生;卫生设备;下水道设备

sank ['sæŋk] sink 的过去式

Santa Claus ['sæntə-,klɔːz] *n.* [美]圣诞老人

▲**sap** [sæp] *n.* 树液,树浆;精力,元气 (⇨vigor)

sapphire ['sæfaiə] *n.* 蓝宝石,青玉 *a.* 蔚蓝色的

sarcasm ['sɑːkæzəm] *n.* 讽刺,嘲笑,挖苦

sardine [sɑː'diːn] *n.* 沙丁鱼

(A)**sargasso** [sɑːˈɡæsəu] *n.* 马尾藻类的海草 ‖ *Sargasso* Sea 藻海

sash[1] [sæʃ] *n.* 腰带,肩带;饰带

sash[2] [sæʃ] *n.* 框架;窗框 ‖ ～ window 上下推拉式窗户

sat [sæt] sit 的过去式

Satan ['seitn] *n.* 撒旦,恶魔,魔鬼

*****satellite** ['sætəlait] *n.* 卫星;卫星国;卫星城镇;随从人员 ‖ ～ station 太空站 / communications ～ 通讯卫星

satin ['sætin] *n.* 缎子 *a.* 缎子制的

satire ['sætaiə] *n.* 讽刺 (⇨irony);讽刺作品   「sure)

▲**satisfaction** [,sætis'fækʃən] *n.* 满意,满足 (⇨enjoyment);称心 (⇨plea-

satisfactorily [,sætis'fæktərili] *ad.* 令人满意地;符合要求地

(A)**satisfactory** [,sætis'fæktəri] *a.* 令人满意的

*****satisfy** ['sætisfai] *vt.* 使满意(⇨content);使满足;使确信 (⇨assure)

saturation [,sætʃə'reiʃən] *n.* 饱和,浸透;(颜色的)章度,鲜明度

*****Saturday** ['sætədi] *n.* 星期六(略作: Sat.)

Saturn ['sætən] *n.* 土星

sauce [sɔːs] *n.* 酱汁,调味汁,沙司 ‖ tomato ～ 番茄沙司

saucepan ['sɔːspæn] *n.* 有柄锅

saucer ['sɔːsə] *n.* (咖啡杯、花盆等的)托碟;茶托.

saucy ['sɔːsi] *a.* 莽撞的 (⇨impudent);无礼的;时髦的;漂亮的

sausage ['sɔːsidʒ] *n.* 腊肠;香肠

▲**savage** ['sævidʒ] *a.* 野蛮的;凶猛的 (⇨fierce);残酷的 (⇨cruel)   *n.* 野人;残酷的人

*****save**[1] [seiv] *vt.* 救, 拯救 (⇨rescue);挽救;贮存 (⇨preserve);节省 (⇨economize)   *vi.* 储蓄

save[2] [seiv] *prep.* 除…以外 (⇨except, but)

▲**saving** ['seiviŋ] *a.* 援救的;节约的;弥补的 *n.* 储蓄;《用复数》储蓄金,存款 *prep.* 除…之外

saviour ['seivjə] *n.* 救助者,拯救者 (⇨rescuer);救世主

savo(u)r ['seivə] *n.* 味道,滋味 (⇨taste);情趣

saw[1] [sɔː] *v.* (sawed, sawn [sɔːn] 或 sawed) 锯;锯开;拉锯 *n.* 锯,锯子

saw[2] [sɔː] see 的过去式

▲**sawmill** ['sɔːmil] *n.* 锯木厂;锯床

Saxon ['sæksən] *n.* 撒克逊人;撒克逊语 *a.* 撒克逊人的;撒克逊语的

•**say** [sei] *v.* (*said* [sed], *said*) 说, 讲 (⇨speak); 表示 (⇨express); 假定 (⇨suppose); 背诵 (⇨recite) ▶注意 say, speak, tell, talk 的区别.

▲**saying** ['seiiŋ] *n.* 话; 俗语; 谚语 (⇨proverb); 格言 (⇨maxim)

scale¹ [skeil] *n.* 鳞, 鱼鳞; 锈皮; 锅垢 「重量为

scale² [skeil] *n.* 《常用复数》天平 (⇨balance); 秤; 磅秤 *v.* 称 (⇨weigh)

scale³ [skeil] *n.* 等级 (⇨degree); 尺度; 比例 (⇨proportion); 规模; 音阶 ‖ major ～ 长音阶 / minor ～ 短音阶

scalp [skælp] *n.* 头皮 *v.*〈美口语〉高价倒卖(戏票、球票等); 转卖

scan [skæn] *v.* 细看, 细察; 浏览; 扫描 「slander)

scandal ['skændl] *n.* 丑闻, 丑行; 耻辱 (⇨shame); 流言蜚语; 诽谤 (⇨

Ⓐ**Scandinavia** [ˌskændi'neivjə] *n.* 斯堪的纳维亚(半岛) 「惜

scant [skænt] *a.* 不足的 (⇨insufficient); 缺乏的 (⇨short) *v.* 限制; 吝

scanty ['skænti] *a.* 不能的; 乏乏的 (⇨poor); (衣服等)窄小的

scar [skɑ:] *n.* 伤疤, 伤痕; 瘢痕

Ⓐ**scarab** ['skærəb] *n.* 蜣螂

▲**scarce** [skɛəs] *a.* 缺乏的, 不足的 (← sufficient); 少见的 (⇨uncommon) ‖ ～ books 珍本

scarcely ['skɛəsli] *ad.* 几乎不 (⇨hardly); 勉强 (⇨barely); 肯定不

scarcity ['skɛəsiti] *n.* 不足, 缺乏; 稀少 「terror)

▲**scare** [skɛə] *vt.* 惊吓; 使吃惊 (⇨startle) *n.* 惊恐 (⇨fright); 恐慌 (⇨

scarecrow ['skɛəkrəu] *n.* 稻草人; 衣衫褴褛的人

scarf [skɑ:f] *n.* (复数: [英] *scarves*, [美] *scarfs*) 围巾; 领巾; 披巾; 头巾

scarlet ['skɑ:lit] *n.* 深红色; 大红 *a.* 深红色的 ‖ ～ fever 猩红热 「撒播

scatter ['skætə] *v.* 四散; 分散 (⇨separate); 散射; 驱散 (⇨dispel); 散开

▲**scene** [si:n] *n.* (戏剧、电影等的)一场; 场面; 布景 (⇨set); 景色 (⇨view); 风景 (⇨landscape); 活动领域

Ⓐ**scenery** ['si:nəri] *n.* 风景, 景色; 布景 ▶scene 和 view 仅指一部分景色, scenery 则是指某地的全部景色. 「景区

Ⓐ**scenic** ['si:nik] *a.* 天然景色的; 风景优美的; 布景的; 舞台的 ‖ ～ spot 风

scent [sent] *n.* 气味 (⇨smell); (猎物的) 嗅迹 (⇨track); 香水 (⇨perfume) *v.* 嗅(出) (⇨smell); 觉察 (⇨detect); 使充满香气(或气息)

sceptical ['skeptikəl] *a.* 怀疑的; 不相信的 ▶又拼写为 skeptical [美].

schedule ['ʃedju:l, 美: 'skedʒul] *n.* 一览表; 计划表; (火车等的) 时刻表; (价目等的)明细表; 附表 *vt.* 将…列表安排 (⇨arrange)

scheme [ski:m] *n.* 计划, 方案 (⇨plan); 阴谋 (⇨plot); 体系 (⇨system); 布局 (⇨arrangement) *v.* 计划; 搞阴谋

scholar ['skɔlə] *n.* 学者, 有学问的人; 奖学金获得者 「ledge)

scholarship ['skɔləʃip] *n.* 奖学金; 学问 (⇨learning); 学识 (⇨know-

•**school** [sku:l] *n.* 学校; 上学, 上课; 全体师生; 学派 *vt.* 教育 (⇨educate); 训练 (⇨train) ‖ ～ days 学生时代 / ～ Year 学年

schoolbag ['sku:lbæg] *n.* 书包

▲**schoolboy** ['sku:lbɔi] *n.* (中、小学)男生, 男学生

•**schoolgirl** ['sku:lgə:l] *n.* (中、小学)女生, 女学生

▲**schoolhouse** ['sku:lhaus] *n.* (在英国特指乡下小学的)校舍

schooling ['sku:liŋ] *n.* (正规)学校教育

△**schoolmaster** ['sku:l,mɑ:ster, 美: -mæstə] *n.* (男)教师; [英] (小学)校长

△**schoolmate** ['sku:lmeit] *n.* (同校)同学

schoolmistress ['sku:l,mistris] *n.* 女教师

△**schoolroom** ['sku:lrum, -ru:m] *n.* 教室, 课堂 (⇨classroom)

schoolwork ['sku:lwə:k] *n.* (课堂内的)学业; 功课

△**schoolyard** ['sku:ljɑ:d] *n.* 校园; 操场 (⇨playground)

Schubert ['ʃu:bə:t], Franz 舒伯特(1797-1828, 奥地利作曲家)

◆**science** ['saiəns] *n.* 科学; 自然科学; 学科; 技巧 (⇨skill) ‖ natural ～ 自然科学 / social ～ 社会科学 / ～ fiction 科学幻想小说

△**scientific** [,saiən'tifik] *a.* 科学的

△**scientist** ['saiəntist] *n.* 科学家; 科学工作者   「of.

scissors ['sizəz] *n.* 《一把有两半, 也看作复数》 剪刀 ▶量词用 a pair

scoff [skɔf] *v.* 嘲弄 (⇨mock); 嘲笑   *n.* 嘲笑;《用复数》嘲笑的话

△**scold** [skəuld] *v.* 责骂, 斥责 (⇨reproach); 责备 (⇨blame)

scoop ['sku:p] *n.* 勺; 小铲; 铲斗   *v.* 舀; 铲; 挖

scooter ['sku:tə] *n.* (儿童游戏用的)踏板车; 低座小摩托车

scope [skəup] *n.* 范围 (⇨range); 余地 (⇨margin); 机会 (⇨opportunity)

scorch [skɔ:tʃ] *v.* 烤焦 (⇨burn); 烫坏;〈口语〉高速驾驶

◆**score**[1] [skɔ:] *n.* (复数: score) 二十

◆**score**[2] [skɔ:] *n.* (比赛的)得分; (考试)分数, 成绩; 帐目   *v.* 得分

scorn [skɔ:n] *n., v.* 蔑视; 轻蔑

scornful ['skɔnfəl] *a.* 轻蔑的

Scot [skɔt] *n.* 苏格兰人

Scotch [skɔtʃ] *a.* 苏格兰的; 苏格兰人的; 苏格兰(英)语的   *n.* 苏格兰人; 苏格兰(英)语

⚠**Scotland** ['skɔtlənd] *n.* 苏格兰

Scotsman ['skɔtsmən] *n.* (复数: -men [-mən]) 苏格兰男子

△**Scott** [skɔt] 斯科特, 司各特, 司各脱(姓)

Scottish ['skɔtiʃ] *a., n.* = Scotch

scoundrel ['skaundrəl] *n.* 恶棍, 无赖, 流氓

scourge ['skə:dʒ] *n.* 鞭 (⇨lash); 惩罚; 灾祸; 苦难   *v.* 鞭笞; 惩罚; 折磨

△**scout** [skaut] *n.* 侦察员, 侦察机, 侦察舰, 物色人材者; 童子军   *v.* 侦察; 搜索 (⇨search) ‖ Sea *Scout* 受航海训练的童子军

⚠**scoutmaster** ['skaut,mɑ:stə, 美: -,mæstə] *n.* 童子军领队

scowl [skaul] *v.* 皱眉; 露出不快神色   *n.* 怒容

scramble ['skræmbl] *v.* 匆忙地爬行; 攀爬; 争夺

scrap [skræp] *n.* 碎片 (⇨fragment); 零屑, 片断, 废料;《用复数》剪报   *v.* 废弃; 使报废 ‖ ～ heap 垃圾堆 / ～ iron 废铁 / ～ paper 便条纸; 废纸

scrapbook ['skræpbuk] *n.* 剪贴簿, 集锦簿

scrape [skreip] *v.* 刮, 擦; 刮去; 擦伤   *n.* 刮擦声; 擦伤处

△**scratch** [skrætʃ] *v.* 抓, 搔, 擦; 作刮擦声; 乱写, 乱涂   *n.* 刮擦声; 抓痕   *a.* 匆忙凑成的 ‖ ～ pad 拍纸簿 / ～ paper [美]便条纸

scream [skri:m] *v.* 尖叫; 尖叫着说   *n.* 尖叫声; 刺耳的声音   「音

⚠**screech** [skri:tʃ] *v.* 尖叫; 发尖叫声 (⇨scream)   *n.* 尖叫; 尖锐刺耳的声

◆**screen** [skri:n] *n.* 屏风; 荧光屏; 幕; 银幕;《加 the》电影; 隔板; 滤网   *v.* 遮

蔽;掩护;放映 ‖ ～ actor 电影演员 / ～ test 试镜头

▲**screw** [skru:] *n.* 螺丝;螺钉;螺旋浆 *v.* (用螺丝)拧紧,旋,拧

screw-driver ['skru:,draivə] *n.* 改锥,螺丝起子,旋凿

script [skript] *n.* 手迹,笔迹 (⇨handwriting);书写体;讲稿;脚本

scripture ['skriptʃə] *n.* 经典;权威的文献;[S-] 圣经

scrub [skrʌb] *v.,n.* 擦洗;搓洗 ‖ ～*ing* brush 板刷

scrutiny ['skru:tini] *n.* 细看;评审;详尽的调查(研究)

sculptor ['skʌlptə] *n.* 雕刻家

sculptress ['skʌlptris] *n.* 女雕刻家

sculpture ['skʌlptʃə] *n.* 雕刻(术);雕刻品 *v.* 雕刻;为…塑像

***sea** [si:] *n.* 海,海洋 (⇨ocean) ‖ ～ bathing 海水浴 / ～ boat 救生艇 / ～ captain (商船)船长 / ～ cucumber 海参 / ～ dog 老水手 ▶发音与 see (看)相同.

seabed ['si:bed] *n.* 海床;海底

seaboard ['si:bɔ:d] *n.* 沿海地区;海岸 (⇨seashore)

***seagull** ['si:gʌl] *n.* 海鸥

seal[1] [si:l] *n.* 海豹   「漆

▲**seal**[2] [si:l] *n.* 印章,图章;封条 *vt.* 盖章;密封;保证 ‖ ～*ing* wax 封蜡,火

seam [si:m] *n.* 缝,接缝;(矿)层;伤痕 (⇨scar) *vt.* 缝合

sea-maid ['si:meid] *n.* 美人鱼

seaman ['si:mən] *n.* (复数: -men [-mən]) 海员,水手;水兵

seaport ['si:pɔ:t] *n.* 海港,港口

***search** [sə:tʃ] *v.* 搜查 (⇨seek);探索 (⇨explore);调查 (⇨investigate);检查 (⇨examine) *n.* 搜查;查找;检索 ‖ ～ warrant 搜查证

searchlight ['sə:tʃlait] *n.* 探照灯

seashore ['si:ʃɔ:] *n.* 海滨;海岸 (⇨seaboard)

seasick ['si:sik] *a.* 晕船的

seaside ['si:said] *n.* 海滨,海边 *a.* 海滨的

***season** ['si:zən] *n.* 季,季节;时令;节期 ‖ ～ ticket (比赛、演剧等的)定期入场券;月票,季票   「安全带

***seat** [si:t] *n.* 座,座位;席位 *vt.* 使坐下;使就座 ‖ ～ belt (飞机座上的)

(▲)**seawater** ['si:,wɔ:tə] *n.* 海水

seaweed ['si:wi:d] *n.* 海草;海藻

***second**[1] ['sekənd] *num.* 第二;另一 *a.* 次等的,差的;副的 *ad.* 次要地 *n.* 第二人(或物);第二名;二等;二号;副手;次品;《加 the》(月的)第二日 (缩写: 2nd) ‖ ～ best 仅次于最好的,第二位的 / ～ person 第二人称 / ～ thought 重新考虑

▲**second**[2] ['sekənd] *n.* 秒 ‖ ～ hand (钟表的)秒针

secondary ['sekəndəri] *a.* 第二的,次的,次等的;从属的 (⇨ subordinate);中等的 (⇨middle) ‖ ～ school中学,中等学校 / ～ stress 次重音

▲**secondhand** [,sekənd'hænd] *a.* 第二手的;用过的;旧的 (⇨used) (←new) *ad.* 间接地 ‖ ～ bookshop 旧书店

secondly ['sekəndli] *ad.* 第二,其次

(*)**secret** ['si:krit] *a.* 秘密的,机密的;隐蔽的 (⇨hidden) *n.* 秘密,机密;秘诀

‖ ～ agent 情报人员,特务 / ～ service 情报局,特工部门

▲**secretary** ['sekrətəri] *n.* 书记;秘书;[S-]部长,大臣 (⇨minister) ‖ the *Secretary* of State (美国)国务卿

secrete[1] [si'kri:t] *vt.* 分泌

secrete[2] [si'kri:t] *vt.* 藏匿 (⇨hide)

secretly ['si:kritli] *ad.* 秘密地;私自地;暗中

sect [sekt] *n.* 宗派;教派;(党内的)派系   「§」

section ['sekʃən] *n.* 部分 (⇨part);部门;部件;截面;(书中的)节(符号);

secure [si'kjuə] *a.* 安全的 (⇨safe);稳固的 (⇨firm);确实的 (⇨sure) *vt.* 获得 (⇨get);使安全;关紧

security [si'kjuəriti] *n.* 安全(感);安心;保障;《常作复数》证券 ‖ *Security* Council (联合国)安全理事会

▲**Sedan** [si'dæn] *n.* 色当 (法国东北部一城市)

sedan [si'dæn] *n.* [美]轿式小汽车 ‖ ～ chair 轿子

(▲)**sedimentary** [,sedi'mentəri] *a.* 沉积的 ‖ ～ rock 沉积岩,水成岩

•**see** [si:] *v.* (*saw* [sɔ:], *seen* [si:n]) 看,看见,看到;察看;领会,了解 (⇨understand);想;想像;访问;遇见,会见;陪伴 (⇨accompany) ▶see (看见)后可接不带 to 的动词不定式.

▲**seed** [si:d] *n.* 种子,籽;幼苗;子孙

seedtime ['si:dtaim] *n.* 播种期

seeing [si:iŋ] *conj.* 因为;既然 (⇨since);鉴于 *a.* 有视觉的 *n.* 视力;视觉

seek [si:k] *v.* (*sought* [sɔ:t], *sought*) 寻找;寻求 (⇨pursue);请求 (⇨request);企图   「进行时.

•**seem** [si:m] *vi.* 好像,看来;似乎,仿佛 (⇨appear) ▶作上述意义不能用于

seeming ['si:miŋ] *a.* 表面的,外观上的 *n.* 外表,外观

seemingly ['si:miŋli] *ad.* 表面上;看起来 (⇨apparently)

seen [si:n] see 的过去分词

seesaw ['si:sɔ:] *n.* 跷跷板 *vi.* 玩跷跷板 ‖ ～ing prices 起伏的价格

segment ['segmənt] *n.* 片 (⇨piece);部分 (⇨part);断片 (⇨fragment);〔数学〕弓形,线段

▲**Seine** [sein] *n.* 塞纳河 (法国北部)

(▲)**seize** [si:z] *v.* 捉,抓;抓住 (⇨catch);掌握 (⇨grasp);夺取 (⇨grab);掠夺;(疾病等)侵袭;逮捕 (⇨arrest)

seizure ['si:ʒə] *n.* 夺取;没收;扣押;(疾病的)发作;(感情的)激发

▲**seldom** ['seldəm] *ad.* 很少;难得 (⇨rarely);不常

▲**select** [si'lekt] *vt.* 选择,挑选 (⇨choose);选拔 *a.* 挑选的;精选的 (⇨choice);上等的 (⇨excellent)

selection [si'lekʃən] *n.* 选择,挑选 (⇨choice);挑选的东西

self [self] *n.* (复数: *selves* [selvz]) 自己;自身,本身;自我;本人

self-conscious [,self'kɔnʃəs] *a.* 自觉的;有自我意识的;扭怩的,不自然的

self-control [,selfkən'trəul] *n.* 自制,克己

▲**self-generating** [,self'dʒenəreitiŋ] *a.* 自然发生的

self-governing [,self'ɡʌvəniŋ] *a.* 自治的 (⇨autonomous)

selfish ['selfiʃ] *a.* 自私自利的 (← selfless);利己的

selfishness ['selfiʃnis] *n.* 自私自利,利己主义

selfless ['selfləs] a. 无私的, 忘我的

^**selflessness** ['selflisnis] n. 无私, 忘我

^**self-propelled** [ˌselfprə'peld] a. 自动推进的

self-reliance [ˌaiəns] n. 自信, 自持; 自力更生

self-respect [ˌˌself-ris'pekt] n. 自尊, 自重   「售货(的)

self-service [ˌself'sə:vis] n., a. (餐厅、超级市场等的) 顾客自理(的); 无人

self-sufficient [ˌself-sə'fiʃənt] a. 自给自足的; 过于自信的; 自傲的

self-taught [ˌself'tɔ:t] a. 自学的, 自修的

•**sell** [sel] v. (sold [səuld], sold) 卖, 出售 (← buy); 销售; 经售

seller ['selə] n. 销售者; 畅销货 ‖ ~s' market 卖方市场

^**semaphore** ['seməfɔ:] n. 旗语(通信法) v. 打旗语, 打信号

semi- ['semi] pref. 表示"半, 部分"之意, 如 semicircle (半圆形), semi-
monthly (每半月的), semicivilized (部分开化的).

semi-automatic ['semiˌɔ:tə'mætik] a. 半自动的

^**semicircle** ['semiˌsə:kl] n. 半圆, 半圆形体

semicolon [ˌsemi'kəulən] n. (标点)分号 [;]

semicolony ['semiˌkɔləni] n. 半殖民地

semiconductor [ˌsemikən'dʌktə] n. 半导体

semifeudal [ˌsemi'fju:dl] a. 半封建的

semifinal [ˌsemi'fainl] n. 半决赛

senate ['senit] n. (美、法等国的)参议院

^**senator** ['senətə] n. (美、法等国的)参议员; 上院议员   「使兴奋

•**send** [send] v. (sent [sent], sent) 寄发; 送; 派遣; 派人送信; 发射; 〈口语〉

senior ['si:niə] a. 年长的 (← junior); 资历较深的 n. 年长者; 资历较深
者; [美] (中学或大学) 最高年级学生 ‖ ~ high school [美国] 高级中学

^**sensation** [sen'seiʃən] n. 感觉 (⇨sense); 激动 (⇨excitement); 轰动

sensational [sen'seiʃənl] a. 感觉的; 轰动一时的; 耸人听闻的; 〈口语〉了
不起的, 极好的

^**sense** [sens] n. 感觉; 官能, 感官; 观念, 意识; 判断力; 意思 (⇨meaning);
意义 (⇨significance)

senseless ['senslis] a. 无知觉的; 昏迷的; 不省人事的 (⇨unconscious);
无意义的 (⇨meaningless); 愚蠢的 (⇨stupid)

sensible ['sensəbl] a. 通情达理的; 有见识的; 可感觉到的; 显著的

sensitive ['sensitiv] a. 敏感的, 过敏的; 易受影响的 ‖ ~ paper 感光纸 /
~ plant 含羞草

sensitivity [ˌsensi'tiviti] n. 敏感(性); 灵敏度

sensor ['sensə] n. 传感器; 灵敏元件

sent [sent] send 的过去式和过去分词

•**sentence** ['sentəns] n. 句, 句子; 判决, 宣判 vt. 判决, 宣判 ‖ ~ pattern 句型

sentiment ['sentimənt] n. 感情; 情绪; 《常用复数》意见 (⇨opinion)

sentimental [ˌsenti'mentl] a. 感情的; 感情用事的; 多愁善感的 (⇨
emotional); (过于)伤感的

sentinel ['sentinəl] n. 哨兵, 步哨

^**separate** ['sepəreit] v. 分开, 隔开; 隔离, 分离 a. ['seprit] 分开的, 分离
的; 单独的 (⇨alone); 独立的 (⇨independent) ▶注意末音节发音.

▲separately ['sepəritli] *ad.* 各别地;分离地;单独地

separation [,sepə'rei∫ən] *n.* 分离;分开;间距

◆September [sep'tembə] *n.* 九月(略作: Sep. Sept.)

sequence ['si:kwəns] *n.* 连续 (⇨succession);顺序 (⇨order);次序;序列

serenade [,serə'neid] *n.* 小夜曲

serene [si'ri:n] *a.* 宁静的,平静的 (⇨calm);晴朗的 (⇨clear)

▲serf [sə:f] *n.* 农奴

▲sergeant ['sɑ:dʒənt] *n.* 警士;军士;军曹;中士;巡官

series ['siəri:z] *n.* (复数: series) 系列;连续;丛书;(邮票等的)套,辑,组

serious ['siəriəs] *a.* 严肃的 (⇨grave);认真的;严重的,重要的

(▲)seriously ['siəriəsli] *ad.* 严肃地;认真地;严重地;真诚地

sermon ['sə:mən] *n.* 布道;说教;(长篇的)训诫

serpent ['sə:pənt] *n.* 蛇 (⇨snake);大蛇;阴险毒辣的人

◆servant ['sə:vənt] *n.* 仆人,佣人;雇员;公务员

▲serve [sə:v] *v.* 服务;服役;侍候;供职;为…干活;开(饭);上(菜);发(球)

(▲)service ['sə:vis] *n.* 服务,贡献;业务;职务;事务;公务;接待;(餐具等)一套,一组;检修;仪式;发球 ‖ ～ station 加油站　　　　　　　　「时间

session ['se∫ən] *n.* 会议;开庭;开会期;开庭期;[美](大学的)学期,上课

◆set [set] (*set, set*) *vt.* 放,安置 (⇨put);使与…接近;镶,嵌;校准(钟表);树立(榜样);使变为 *vi.* (日、月)落,下沉 *n.* (餐具等)组,套;收音机,电视机;装置,设备 *a.* 固定的,不动的;安装的;预备的 (⇨ready)

setback ['setbæk] *n.* 挫折;失败;倒退;(疾病的)复发

(▲)setting ['setiŋ] *n.* 环境;背景;布景;(安置或固定东西的)框架;镶嵌底座;装置;全副(或一套)餐具

settle ['setl] *vt.* 使安定;使定居;安顿;安排;移民;解决(问题);议定(价格);支付 *vi.* 安定;定居;安家;停留;镇静;决定 (⇨decide)

settled ['setld] *a.* 决定的;固定的,不变的;定居的;结清的

settlement ['setlmənt] *n.* 定居,移居,殖民;定居地;清偿;解决办法;协议

settler ['setlə] *n.* 移民,移居者;殖民者;开拓者 (⇨pioneer)

◆seven ['sevən] *num.* 七

(◆)seventeen ['sevən'ti:n] *num.* 十七

seventeenth ['sevən'ti:nθ] *num.* 第十七(个);十七分之一(的) *n.*《加the》(月的)第十七日

(◆)seventh ['sevənθ] *num.* 第七(个);七分之一(的) *n.*《加 the》(月的)第七日(略作: 7 th) ‖ ～ heaven 七重天,极乐之地

seventieth ['sevəntiiθ] *num.* 第七十(个);七十分之一(的)

◆seventy ['sevənti] *num.* 七十 *n.* 七十(个);《加 the, 用复数》七十年代

sever ['sevə] *vt.* 使分隔开 (⇨separate);使分离 (⇨part);切断,断绝

◆several ['sevərəl] *a.* 几个,数个(至少三个);个别的;各自的 *n.* 几个,数个

severe [si'viə] *a.* 严厉的 (⇨stern);严格的;严肃的;严重的 (⇨serious);剧烈的;艰难的 ‖ ～ illness 重病 / ～ pain 剧痛　　　　　　　「sharply)

severely [si'viəli] *ad.* 严厉地;严格地;严重地 (⇨strictly);剧烈地 (⇨

◆sew [səu] *v.* (*sewed, sewn* [səun] 或 *sewed*) 缝,缝纫;缝制;缝补

sewer ['səuə] *n.* 裁缝师;缝制者

sewing ['səuiŋ] *n.* 缝纫;缝制物

sewing-machine [ˈsəuiŋməˌʃiːn] n. 缝纫机

sewn [səun] sew 的过去分词

sex [seks] n. (人、动物的)性; 性别; 性欲; 性交 ▶语法上的"性"为 gender.

[▲]**shabby** [ˈʃæbi] a. 破旧的; 褴褛的; 蹩脚的; 卑鄙的 (⇨mean); 吝啬的

shade [ʃeid] n. 阴凉处, 荫; 遮光帘; 窗帘; 灯罩; 阴暗部分

[•]**shadow** [ˈʃædəu] n. 阴影; 影子; 投影; 阴暗部分

shadowy [ˈʃædəui] a. 成荫的; 有阴影的; 幽暗的; 模糊的 (⇨dim)

shady [ˈʃeidi] a. 成荫的; 背阴的; 阴凉的; 〈口语〉可疑的 ‖ ~ character 不可靠的人物

^(▲)**shaft** [ʃɑːft] n. 箭杆; (斧等的)长柄; 辕; 轴; 柱子; 竖井; 升降井

shaggy [ˈʃægi] a. (毛发)粗浓的; 蓬乱的; 有粗毛的

[•]**shake** [ʃeik] v. (shook [ʃuk], shaken [ˈʃeikən]) 摇动; 震动; (使)颤抖; (使)战栗 (⇨tremble); (使)焦虑; 握(手)   「人」

[▲]**Shakespeare** [ˈʃeikspiə], William 莎士比亚(1564-1616, 英国剧作家及诗

[•]**shall** [ʃæl, (弱) ʃəl] v.aux. (过去式 should [ʃud, (弱) ʃəd])《用于第一人称》将要;《用于第二、第三人称, 表示说话人的意志》必须, 应, 可, 必将;《主要用于第一人称的问句中, 表示征求对方意见》…好吗? 要不要…?

[▲]**shallow** [ˈʃæləu] a. 浅的 (← deep); 肤浅的; 浅薄的

sham [ʃæm] n. 假冒; 膺品 v. 假装, 假冒

^(▲)**shame** [ʃeim] n. 羞愧; 羞耻 (⇨dishonour); 可耻的事 vt. 使羞愧   「的

shameful [ˈʃeimfəl] a. 可耻的; 不名誉的 (⇨dishonorable); 猥亵的; 下流

shampoo [ʃæmˈpuː] vt. 洗发, 洗头 n. 洗发膏, 洗发剂, 香波

[•]**shan't** [ʃɑːnt] shall not 的缩合式

shape [ʃeip] n. 外形, 形状 (⇨form); 模样 v. 使成某种形状

[•]**share** [ʃɛə] n. 一份 (⇨part); 份额, 股份, 股票([美]stock) vt. 分担, 分享 vi. 均分; 分摊 ‖ ~ certificate 股票

shark [ʃɑːk] n. 鲨鱼

[▲]**sharp** [ʃɑːp] a. 锋利的 (← dull); 尖的; 敏锐的; 剧烈的 (⇨severe); 尖刻的; 〔音乐〕升半音的

sharpen [ˈʃɑːpən] vi. 尖锐化; 变尖 vt. 使尖锐; 削尖; 磨快

sharply [ˈʃɑːpli] ad. 锐利地; 突然地 (⇨suddenly); 急转地; 激烈地

shatter [ˈʃætə] v. 粉碎 (⇨break); 砸碎 扰乱 损坏

shave [ʃeiv] v. 刮, 刮胡子; 修面; 削薄; 擦过

shawl [ʃɔːl] n. 围巾; 披肩

[•]**she** [ʃiː, (弱) ʃi] pron. (复数: they [ðei])《第三人称, 阴性; 单数, 主格》她 (宾格、所有格 her; 名词性物主代词 hers) ▶亦作为月亮、船、国家、城市、大学等的代词.

shear [ʃiə] v. 剪; 剪…的毛

sheath [ʃiːθ] n. (刀、剑的)鞘; (昆虫的)翅鞘; (植物的)叶鞘

^(▲)**shed¹** [ʃed] vt. (shed, shed) 流, 流出(血、泪等); 泻去(水等); 蜕(壳); 落(叶); 散发出(光、热等)

[▲]**shed²** [ʃed] n. 棚, 小屋 (⇨cottage, cabin); 库房

she'd [ʃiːd, (弱) ʃid] = she had, she would

[•]**sheep** [ʃiːp] n. (复数: sheep) 羊; 绵羊

sheer [ʃiə] a. 极薄的; 透明的 (⇨transparent); 纯粹的 (⇨pure); 陡峭的

(⇨steep) *ad.* 完全地; 垂直地 ‖ ～ cliff 峭壁

sheet [ʃiːt] *n.* 被单, 床单; (一) 张; (一) 片; (水, 雪, 火等) 一大片; 薄板 ‖ ～ metal 金属片[板]

shelf [ʃelf] *n.* 搁板, 架

▲**shell** [ʃel] *n.* (坚壳等的) 壳; 贝壳; (建筑物的) 框架; 炮弹

she'll [ʃiːl, (弱) ʃil] = she will; she shall

shellfish [ʃel,fiʃ] *n.* (蛤、蚌等) 水生贝壳类动物

shelter [ʃeltə] *n.* 避难所, 避雨处; 遮蔽, 隐蔽 *v.* 遮蔽 (← open); 保护 (⇨protect); 避难; 隐藏 (⇨hide) ‖ bomb ～ 防空洞

⁽ᵉ⁾**shepherd** [ʃepəd] *n.* 牧羊人, 牧者; 保护人 *v.* 看管; 带领 (⇨lead)

sheriff [ʃerif] *n.* [英] 郡长; [美] 县行政司法长官, 县警察局长

Sherwood Forest [ʃəːwud'fɔrist] 舍伍德林区 (英格兰中部古代皇家森林, 传说中罗宾汉住过此处)

⁽ᵉ⁾**she's** [ʃiːz, (弱) ʃiz] = she is, she has

⁽ᴬ⁾**she-wolf** [ʃiːwulf] *n.* 母狼

shield [ʃiːld] *n.* 盾, 盾牌; 挡板; 护罩; 盾形徽章 *vt.* 保护 (⇨protect)

shift [ʃift] *v.* 变换, 转换; 移动 *n.* 转变, 改变, 变更; 轮班

shilling [ʃiliŋ] *n.* 先令 (英国旧货币单位, = 1/20镑)

***shine** [ʃain] *v.* (*shone* [ʃɔn, 美: ʃəun], *shone*) 照耀, 发光, 发亮; 擦亮 (皮鞋等) *n.* 光辉, 光泽

shingle [ʃiŋgl] *n.* 木瓦; 房顶板; 墙面板

▲**shiny** [ʃaini] *a.* 发亮的; 有光泽的; 锃亮的

***ship** [ʃip] *n.* 轮船; 海船; 舰 *vt.* 把…装上船, 用船运; 运送

-ship [ʃip] *suf.* 表示 "状况; 性质; 身份; 职业; 技巧" 之意, 如 friend*ship* (友谊), professor*ship* (教授职位), hard*ship* (困难), horseman*ship* (马术).

shipboard [ʃipbɔːd] *n.* 甲板

shipbuilding [ʃip,bildiŋ] *n.* 造船, 造船业

shipment [ʃipmənt] *n.* 装运; 货运 (⇨cargo); 装载的货物

shipper [ʃipə] *n.* 装货人, 托运人; 货主

shipping [ʃipiŋ] *n.* 〔总称〕船舶; 船舶总吨数; 海运, 航运; 装运

shipwreck [ʃiprek] *n.* 船难, 海难; 失事的船; (希望等) 破灭

shipyard [ʃipjɑːd] *n.* 船坞

***shirt** [ʃəːt] *n.* (男式) 衬衫, 内衣

shiver [ʃivə] *vi., n.* 颤抖; 哆嗦 (⇨tremble)

shoal¹ [ʃəul] *n.* (鱼等的) 群, 一大群

shoal² [ʃəul] *n.* 浅滩, 沙洲 *a.* 浅的

▲**shock** [ʃɔk] *n.* 冲动, 撞击; 震动, 震惊; 电击 *v.* 使震惊 (⇨startle); 打击 ‖ ～ wave 冲击波 / ～ absorber 缓冲; 减震器 / ～ troops 突击队

***shoe** [ʃuː] *n.* 鞋 ▶ 量词用 a pair of.

shoelace [ʃuːleis] *n.* 鞋带 ([美] string)

shoemaker [ʃuː,meikə] *n.* 鞋匠; 鞋店

shone [ʃɔn, 美: ʃəun] shine 的过去式和过去分词

shook [ʃuk] shake 的过去式

▲**shoot** [ʃuːt] *v.* (*shot* [ʃɔt], *shot*) 射击; 射中, 射死; 射箭, 射球; 开枪 (⇨ fire); 投掷, 抛出 *n.* 芽, 苗, 嫩枝 ‖ ～*ing* gallery 射击场

*shop [ʃɔp] n. 商店([美]store); 工场, 车间   v. 《常用现在分词》去商店买东西 ‖ ~ hours 营业时间

shop-assistant ['ʃɔp-ə.sistənt] n. 店员[美]shopclerk; 营业员

shopkeeper ['ʃɔp.ki:pə] n. 零售商, 店主([美]storekeeper)

(A)shopping ['ʃɔpiŋ] n. 买东西, 购物 ‖ ~ centre 商店区

▲shopwindow [.ʃɔp'windəu] n. (商店的)橱窗

▲shore [ʃɔ:] n. 岸 (⇨bank); 滨

*short [ʃɔ:t] a. 短的 (←long); 矮的 (←tall); 短暂的; 不足的   ad. 突然地 (⇨suddenly); 短暂地 ‖ ~ cut 捷径, 近路 / ~ sight 近视; 浅见 / ~ story 短篇小说 / ~ wave 短波

(A)shortage ['ʃɔ:tidʒ] n. 缺少, 不足 (⇨lack); 缺额

*shortcoming ['ʃɔ:t.kʌmiŋ] n. 《常用复数》缺点, 短处 (⇨fault)

shortcut ['ʃɔ:tkʌt] n. 捷径, 近路

▲shorten ['ʃɔ:tn] v. 缩短, 减少 (⇨reduce); 缩小 (⇨diminish)

shorthand ['ʃɔ:thænd] n. 速记

(A)shortly ['ʃɔ:tli] ad. 很快, 不久 (⇨soon); 简略地 (⇨briefly); 不耐烦地

shorts [ʃɔ:ts] n. [复数] 短裤   「farsighted)

(A)shortsighted [.ʃɔ:t'saitid] a. 近视的([美]nearsighted); 目光短浅的 (←

▲shot¹ [ʃɔt] n. (火箭等的)发射; 开枪, 开炮, 射击; 射门, 投篮; 射击声; 尝试; 射手; (电影)镜头; 〈口语〉打针

shot² [ʃɔt] shoot 的过去式和过去分词   a. 闪色的, 闪光的; 充满…的

*should [ʃud, (弱) ʃəd] v.aux. [shall 的过去式] 《用于间接引语中, 代替直接说法的 shall》将要…; 《表示义务、责任, 不分人称》应该 (⇨ought to); 《表示对未来的预测、疑问, 不分人称》万一, 即使; 《表示当然》该…; 《用于意外、愤慨语气的名词从句》竟然…; 《表示有礼貌、客气的说法, 也可用 would》想要…, 认为…

▲shoulder ['ʃəuldə] n. 肩, 肩膀; 肩部   vt. 扛; 肩负 ‖ ~ blade 肩胛骨

shouldn't ['ʃudnt]   should not 的缩合式

*shout [ʃaut] v. 喊; 高呼   n. 呼喊; 喊叫声

shove [ʃʌv] v. 推 (⇨push); 推动, 推进 (⇨propel)

(A)shovel ['ʃʌvəl] n. 铲子, 铁锹; 一铲的量   v. 铲, 铲出

*show [ʃəu] v. (showed, shown [ʃəun]) 给…看; 出示; 露出; 指示 (⇨indicate); 引导 (⇨guide); 表明; 上映   n. 显示; 展览 (⇨exhibition); 演出; 放映 ‖ ~ window 橱窗 / ~ business 娱乐行业 / flower ~ 花展

▲showcase ['ʃəukeis] n. 陈列柜

shower ['ʃauə] n. 阵雨; 阵雨似的东西(如信、礼物等); [美]淋浴   vt. 大量给与; 浇灌   vi. 下阵雨 ‖ ~ bath 淋浴

shown [ʃəun]   show 的过去分词

shrank [ʃræŋk]   shrink 的过去式

shred [ʃred] n. 碎片, 碎条; 断片 (⇨fragment); 点滴; 少量 (⇨bit)   v. 撕碎 (⇨tear); 切碎

shrewd [ʃru:d] a. 精明的 (⇨clever); 伶俐的; 机警的

▲Shrewsbury ['ʃrəuzbəri] n. 什鲁兹伯里 (英格兰城市)

shriek [ʃri:k] v.,n. 尖叫 (⇨scream)

shrill [ʃril] a. 尖声的; 刺耳的   n. 尖声   v. 尖声叫, 尖声说

shrimp [ʃrimp] n. 虾

shrine [ʃrain] n. 神龛；圣陵；庙宇；圣地

⁽ᴬ⁾**shrink** [ʃrink] v. (shrank [ʃræŋk], shrunk [ʃrʌŋk] 或 shrunken ['ʃrʌŋkən]) (使)收缩 (⇨contract)；退缩 (⇨withdraw)；畏缩；蜷缩

shroud [ʃraud] n. 寿衣；覆盖物

shrub [ʃrʌb] n. 灌木

shrug [ʃrʌg] vt. 耸(肩膀) n. 耸肩

shrunk [ʃrʌŋk] shrink 的过去分词

shrunken ['ʃrʌŋkən] shrink 的过去分词

⁽ᴬ⁾**shudder** ['ʃʌdə] v. 发抖 (⇨shiver)；战栗 (⇨tremble) n. 颤抖，战栗

shuffle ['ʃʌfl] v. 拖着(脚)；以滑步跳(舞)；洗(牌)

shun [ʃʌn] v. 避免 (⇨avoid)；回避，躲避 (⇨evade)

ᴬ**shut** [ʃʌt] v. (shut, shut) 关闭 (⇨close)；关上，闭上 (← open)；禁闭；(使)停止营业

shutter ['ʃʌtə] n. 百叶窗；活动窗板；(照相机的)快门

shuttle ['ʃʌtl] n. 梭，梭子 v. (使)穿梭般往返

shuttlecock ['ʃʌtlkɔk] n. 羽毛球

*°**shy** [ʃai] a. 害羞的；胆小的 (⇨timid)；腼腆的；迟疑的；畏缩的

ᴬ**shyly** ['ʃaili] ad. 怕羞地；胆小地

ᴬ**Siberia** [sai'biəriə] n. 西伯利亚 (苏联一地区)

*°**sick** [sik] a. 患病的 (⇨ill)；厌恶的；令人作呕的；恶心的 ‖ ～ pay 病假工资 / ～ leave 病假 ▶ 在英国，sick 指"恶心"，ill 指"患病"；sick 用作定语时表示"有病的…"。在美国，sick 作定语或表语时均指"患病".

sickbed ['sikbed] n. 病床

sicken ['sikən] v. (使)生病；(使)作呕

sickle ['sikl] n. 镰刀

sickness ['siknis] n. 疾病；生病；恶心；呕吐

*°**side** [said] n. 边，旁边；面，侧面，方面；(山)坡；斜面 a. 旁边的；侧面的；次要的 ‖ ～ road 胡同；小街 / ～ effect (药物等的)副作用

sidewalk ['saidwɔ:k] n. [美]人行道([英]pavement)

sideways ['saidweiz] ad. 斜着，侧着，横着

siege [si:dʒ] n. 围攻，围困 (⇨blockade)

sieve ['siv] n. 筛子

sift [sift] v. 筛，用筛子筛；仔细检查

sigh [sai] vi. 叹气，叹息 n. 叹息声 「数」名胜

ᴬ**sight** [sait] n. 景象，情景；视觉，视力 (⇨vision)；视野；看见；《加 the, 用复

⁽ᴬ⁾**-sighted** [saitid] 《构成复合词》视力…的 (如: weak-sighted 视力差的)

ᴬ**sightless** ['saitlis] a. 无视力的；盲的；看不见的

sightseeing ['sait,si:iŋ] n. 观光，游览

ᴬ**sign** [sain] n. 记号，符号，标记 (⇨mark)；招牌；迹象 (⇨trace) vt. 签名；作手势 ‖ ～ board 标志牌，招牌，广告牌 / ～ language 手语

ᴬ**signal** ['signəl] n. 信号；诱因，导火线；信号标志 v. 发出信号；标志

signature ['signətʃə] n. 签名，署名；签署

significance [sig'nifikəns] n. 意义 (⇨meaning)；重要性 (⇨importance)

significant [sig'nifikənt] a. 有意义的 (⇨meaningful)；重要的 (⇨

important); 重大的

signify ['signifai] *vt.* (用动作等)表示 (⇨express); 意味着,(⇨mean)

signpost ['sainpəust] *n.* 招牌栏, 广告栏; 路标 (⇨guidepost)

▲**silence** ['sailəns] *n.* 沉默, 静默; 寂静 (⇨quiet); 无声; 无言

***silent** ['sailənt] *a.* 沉默的, 不作声的; 寂静的 (⇨quiet); 无言的 (⇨ speechless);〔语法〕不发音的

(▲)**silently** ['sailəntli] *ad.* 寂静地, 静静地; 无声地

silicate ['silikeit] *n.* 硅酸盐

silicon ['silikən] *n.* 硅

(*)**silk** [silk] *n.* (蚕)丝; 丝织品, 绸 ‖ raw ～ 生丝 / ～ stocking 丝袜

silken ['silkən] *a.* 丝制的; (丝一般)柔软光滑的

▲**silkworm** ['silkwə:m] *n.* 蚕

silky ['silki] *a.* 丝一样的; 光滑的; 温和的; 巴结的; 曲意逢迎的

sill [sil] *n.* 窗台; 门槛

▲**silly** ['sili] *a.* 傻的, 愚蠢的 (⇨foolish); 糊涂的   *n.* 傻瓜; 笨蛋

silver ['silvə] *n.* 银; 银币; 银器   *a.* 银制的; 银白色的 ‖ ～ wedding 银婚纪念(结婚 25 周年纪念) / ～ paper (包装香烟用的)锡箔, 铅箔

silvery ['silvəri] *a.* 银子般的; 银色的; 含银的; (声音)清脆的

similar ['similə] *a.* 同样的 (← different); 类似的 (⇨like); (形状)相似的

similarity [,simi'læriti] *n.* 类似, 相似

(▲)**similarly** ['similəli] *ad.* 同样地; 类似地, 相似地

simmer ['simə] *v.* 煨, 炖

(*)**simple** ['simpl] *a.* 简单的 (← complex); 简易的; 简明的; 简朴的 (⇨ plain); 普通的 (⇨common); 单纯的 (⇨innocent) ‖ ～ sentence 简单句

simplicity [sim'plisiti] *n.* 简单; 简易; 简明; 简朴; 单纯   「直

▲**simply** ['simpli] *ad.* 简单地; 朴实地; 仅仅 (⇨only); 非常; 真正; 实在; 简

simulate ['simjuleit] *vt.* 假装 (⇨pretend); 模仿, 模拟

simultaneous [,siməl'teinjəs. 美. ,saiməl'teiniəs] *a.* 同时的; 同时发生的 ‖ ～ interpreting 同声传译

sin [sin] *n.* 罪 (⇨crime); 罪恶; 犯罪

***since** [sins] *ad.* 从那时起; 后来; 以前 (⇨ago)   *prep.* 从…以来, 自从   *conj.* 自…以来, 自从, …以后; 由于; 既然; 因为 (⇨because) ▶since 表示时间时, 指一段时间的起点, 句中动词常用完成时态.

sincere [sin'siə] *a.* 真实的; 诚实的 (⇨honest); 真挚的

(▲)**sincerely** [sin'siəli] *ad.* 真实地; 真挚地

sincerity [sin'seriti] *n.* 真诚 (⇨frankness); 真挚; 诚实 (⇨honesty); 诚意

sinew ['sinju:] *n.* 腱;《用复数》肌肉

***sing** [siŋ] *v.* (sang [sæŋ]. sung [sʌŋ]) 唱, 唱歌; 歌唱; 演唱

(▲)**Singapore** [,siŋgə'pɔ:] *n.* 新加坡

***singer** ['siŋə] *n.* 歌唱家, 歌手; 诗人

▲**single** ['siŋgl] *a.* 单一的; 单个的; 个别的; 独身的 (← married)   *n.* [英] 单程票;《用复数》(网球等的)单打;〈口语〉单人房间 ‖ ～ bed 单人床 / ～ room 单人房间

(*)**singular** ['siŋgjulə] *a.* 唯一的;〔语法〕单数的 (← plural); 非凡的 (⇨ extraordinary); 奇特的 (⇨strange) ‖ ～ number 单数

***sink** [siŋk] v. (sank [sæŋk], sunk [sʌŋk]) 下沉; 消沉; (使)沉没, (使)沉下; 减少; 减弱; 倒下; 衰退

sinner ['sinə] n. (宗教、道德上的)罪人; 做错事的人

-sion [ʃən, ʒən] suf. 表示"动作, 状态", 如 revision (修订), expansion (扩张), tension (紧张状态)

***sir** [sə:, (弱) sə] n.《用于不附带姓名的称呼》先生, 阁下;《用于信件中的称呼》[S-] 先生;《用在姓名或名字前》[S-] 爵士

siren ['saiərin] n. 汽笛; 警报器

***sister** ['sistə] n. 姐, 妹; 姐妹; 修女; 尼姑 (⇨nun)

sister-in-law ['sistərin,lɔ:] n. (复数: sisters-in-law) 丈夫的姐妹, 姑; 妻子的姐妹, 姨; 嫂; 弟媳

***sit** [sit] v. (sat [sæt], sat) 坐 (← stand); 坐下; (使)就座; (鸟)栖息 (⇨perch); (鸡等)孵卵

site [sait] n. 地点; 场所; (遗)址; 位置 (⇨location)

***sitting-room** ['sitiŋrum, -ru:m] n. 起居室 (= living room)

situated ['sitʃueitid] a. 位于…的 (⇨located);〈口语〉处于某种境地的

▲**situation** [,sitʃu'eiʃən] n. 位置, 场所 (⇨ position); 形势; 情况 (⇨ circumstances); 处境; 局面; 职位 (⇨job) ‖ the political ～ 政局

***six** [siks] num. 六

***sixteen** [,sik'sti:n] num. 十六

(⁕)**sixteenth** [,sik'sti:nθ] num. 第十六(个); 十六分之一(的) n.《加 the》(月的)第十六日

(▲)**sixth** [siksθ] num. 第六(个); 六分之一(的) n.《加 the》(月的)第六日(略作: 6th) ‖ ～ sense 第六感觉, 直觉

sixtieth ['sikstiiθ] num. 第六十(个); 六十分之一(的)

***sixty** ['siksti] num. 六十; 六十(个);《加 the, 用复数》六十年代

***size** [saiz] n. 大小, 尺寸; 尺码; (鞋、帽等的)号; 规模; 身材

***skate** [skeit] vi. 溜冰, 滑冰 n.《常用复数》冰刀; 溜冰鞋 (= ice skate); 旱冰鞋, 四轮溜冰鞋 (= roller skate)

***skating** ['skeitiŋ] n. 溜冰, 滑冰

skating-rink ['skeitiŋriŋk] n. 溜冰场

▲**skeleton** ['skelitn] n. 骨骼; 骷髅 ‖ ～ key 万能钥匙

skeptical [美] = sceptical

sketch [sketʃ] n. 素描, 速写; 概要; 梗概; 草图 (⇨draft); 略图

(⁕)**ski** [ski:] n.《常用复数》滑雪链; 滑雪板 vi. 滑雪

▲**skill** [skil] n. 技能, 技巧; 熟练; 巧妙

skilled [skild] a. 熟练的; 有技能的 (⇨skillful)

skil(l)ful ['skilfəl] a. 熟练的; 灵巧的 (⇨clever)

skim [skim] v. 撇去; 提取; (使)掠过; 草草阅读, 浏览 ‖ ～ milk 脱脂牛奶

(⁕)**skin** [skin] n. 皮, 皮肤; 兽皮; 皮革; 毛皮; (水果等的)外皮; (建筑物)外层

(▲)**skinny** ['skini] a. 极瘦的, 皮包骨的

▲**skip** [skip] v. 蹦, 跳 (⇨spring, jump); 略过; 错过

skirmish ['skə:miʃ] n. 小规模战斗; 小争论, 小冲突 v. 进行小规模战斗; 发生冲突

***skirt** [skə:t] n. 女裙; (衣服)下摆

skull [skʌl] *n.* 头盖骨 ‖ ～ and crossbones 骷髅腿骨(在骷髅底下交叉着大腿骨的图画,死亡象征;毒药标志)

skunk [skʌŋk] *n.* 臭鼬鼠;〈口语〉讨厌鬼

***sky** [skai] *n.* 天,天空 ‖ ～ blue 天蓝色 ▶常与 the 连用,受形容词修饰时要加 a(或 an).

skyjacking ['skai,dʒækiŋ] *n.* 劫(持飞)机

skylark ['skailɑːk] *n.* 云雀

skyscraper ['skai,skreipə] *n.* [美]高层大厦;摩天楼

slab [slæb] *n.* (石、木等)厚板 ‖ ～ chocolate 巧克力块

slack [slæk] *a.* 不紧的,松弛的 (⇨loose);不景气的;缓慢的 (⇨slow);不活跃的 (⇨inactive) *v.* 懈怠,偷懒;放松;减缓

slain [slein] slay 的过去分词

slam [slæm] *v.* 砰地关上;突然放下 *n.* 砰然声

slander ['slɑːndə, 美: 'slændə] *n.,vt.* 诽谤,诬蔑

slang [slæŋ] *n.* 俚语,俗语

(▲)**slant** [slɑːnt, 美: slænt] *n.* 倾斜;斜面 (⇨incline);斜线 *v.* (使)倾斜; 「(使)歪

***slap** [slæp] *v.* 拍打;掌击 *n.* 搧,拍;掌击 「叉

slash [slæʃ] *v.* 猛砍,乱砍;挥舞(刀、剑等);鞭打 *n.* 劈刺;(衣服)切口,开

slate [sleit] *n.* 板岩;石板瓦;(书写用的)石板

slaughter ['slɔːtə] *vt., n.* 屠杀;屠宰(牲畜)

***slave** [sleiv] *n.* 奴隶 (← master);苦工

***slavery** ['sleivəri] *n.* 奴隶制度

slay [slei] *vt.* (slew [sluː], slain [slein]) 杀死,杀害 (⇨kill)

sled [sled] *n.* 雪橇

sledge¹ [sledʒ] *n.* 大雪橇;雪车

sledge² [sledʒ] *n.* 大锤

sleek [sliːk] *a.* 柔滑光亮的;圆滑的;时髦的;衣冠楚楚的

***sleep** [sliːp] *v.* (slept [slept], slept) 睡,睡觉 *n.* 睡眠

sleeping ['sliːpiŋ] *n.* 睡眠 *a.* 睡着的;麻木的 (⇨numb) ‖ ～ bag (野外用)睡袋 / ～ car (火车的)卧车 / ～ pill 安眠药片

sleepless ['sliːplis] *a.* 失眠的;不眠的;警觉的

(▲)**sleepy** ['sliːpi] *a.* 想睡的;困倦的;不活跃的;寂静的

sleet [sliːt] *n.* 雪糁,雪子,霰;雨夹雪 *vi.* 下霰,下雪子

***sleeve** [sliːv] *n.* 衣袖;袖套;唱片套;书套

sleigh [slei] *n.* (一般指马拉的)雪车,雪橇

slender ['slendə] *a.* 细长的;纤细的,苗条的 (← fat)

slept [slept] sleep 的过去式和过去分词

slew [sluː] slay 的过去式

slice [slais] *n.* (薄)片;切片

slid [slid] slide 的过去式和过去分词

***slide** [slaid] *v.* (slid [slid], slid) 滑,(使)滑动 (⇨glide);溜 *n.* 下滑;滑行;滑坡;幻灯片;发夹 ‖ ～ projector 幻灯机 / ～ rule 计算尺

***slight** [slait] *a.* 纤弱的;苗条的 (⇨slender);微小的,轻微的;少量的 ‖ a ～ cold 轻感冒

***slightly** ['slaitli] *ad.* 稍微,轻微地;轻蔑地;纤弱地

▲**slim** [slim] *a.* 细长的; 纤细的; 苗条的 (⇨slender); (希望等) 微小的; 稀少的 *vi.* 减轻体重; 变苗条

sling [sliŋ] *v.* (*slung* [slʌŋ], *slung*) 投掷; 扔, 甩; 《常用被动语态》(用吊索等) 吊起 *n.* 吊索; (枪的) 背带 「悄走

slip [slip] *v.* (使) 滑动; (使) 滑行; 滑过, 滑落, 滑倒; (暗中) 塞; 溜, 溜走; 悄

▲**slipper** ['slipə] *n.* 《常用复数》便鞋, 拖鞋

⒜**slippery** ['slipəri] *a.* 滑的; 使人滑跤的; 〈口语〉油滑的, 不可靠的

slit [slit] *n.* 狭长的切口; 槽 *v.* 切开; 撕开

slogan ['sləugən] *n.* 标语, 口号

sloid [slɔid] *n.* 工艺教育

▲**slope** [sləup] *vi.* 倾斜 *n.* 坡度; 倾斜; 斜坡; 斜面; 斜率

slot [slɔt] *n.* 槽; (自动售货机的) 投币口 ‖ ～ machine 自动售货机

⋆**slow** [sləu] *a.* 慢的(← fast); 缓慢的; 迟钝的(⇨dull) *ad.* 缓慢地 *v.* (使) 慢下来, 减速 ‖ ～ match 导火线 / ～ motion (影片中的) 慢动作

⋆**slowly** ['sləuli] *ad.* 慢慢地, 缓慢地, 迟缓地

slum [slʌm] *n.* 《加 the, 用复数》贫民区, 贫民窟

slumber ['slʌmbə] *v.* 〈书面语〉睡觉, 安眠(⇨sleep); 打盹; 以睡觉打发(时间) *n.* 《常用复数》睡眠

slump [slʌmp] *v.,n.* (股票等的) 暴跌 「的; 顽皮的

sly [slai] *a.* 狡猾的(⇨cunning); 诡诈的; 秘密进行的(⇨secret); 不怀好意

slung [slʌŋ] sling 的过去分词

smack[1] [smæk] *n.* 拍击(声) *v.* (用掌) 拍击; 掴; 咂嘴

smack[2] [smæk] *vi.* 带有(某种) 风味

⋆**small** [smɔ:l] *a.* 小的; (数量) 少的(⇨little, tiny); (希望等) 微小的; (字母) 小写的 ‖ ～ capital 小体大写字母(和小写字体同样大小的大写字体) / ～ letter 小写字体 / ～ change 零钱, 分币 / ～ talk 闲聊

⒜**smallness** ['smɔ:lnis] *n.* 小

⒜**smart** [smɑ:t] *a.* 聪明的, 伶俐的(⇨bright); 精明的; 漂亮的; 有创造力的; 刺痛的 *vi.* 感到刺痛; (精神上) 痛苦 ‖ ～ set 时髦人士

⒜**smartly** [smɑ:tli] *ad.* 轻快地; 灵巧地; 漂亮地

▲**smash** [smæʃ] *v.* 粉碎; 击溃; 猛撞; 毁坏(⇨ruin); 破产

smear [smiə] *v.* 涂抹; 弄脏; (被) 抹掉 *n.* 污迹; 污蔑; 毁谤

⋆**smell** [smel] *v.* (*smelt* [smelt], *smelt* 或 -*ed*, -*ed*) 嗅, 闻; 散发气味; 发出臭气 *n.* 气味; 臭味; 嗅觉

smelt[1] [smelt] *vt.* 熔炼; 精炼

smelt[2] [smelt] smell 的过去式和过去分词

⋆**smile** [smail] *vi.* 微笑; 冷笑, 讥笑 *n.* 微笑; 笑容 「痛等) 侵袭

smite [smait] *vt.* (*smote* [sməut], *smitten* ['smitn]) 重击; 袭击; 折磨; (病

⋆**Smith** [smiθ] 史密斯(姓)

smith [smiθ] *n.* 铁匠, 锻工

smitten ['smitn] smite 的过去分词

smog [smɔg] *n.* 烟雾 ▶此词由 smoke (烟)和 fog (雾)二词合成.

⋆**smoke** [sməuk] *n.* 烟; 吸烟 *v.* 冒烟; 吸烟; 烟熏; 熏制 ‖ ～ bomb 烟幕弹

smoking ['sməukiŋ] *n.* 冒烟; 吸烟 ‖ No ～. 禁止吸烟 / ～ room 吸烟室

▲**smooth** [smu:ð] *a.* 光滑的; 平坦的(⇨even); (水面) 平静的(⇨calm); 顺利

的; 圆滑的 *vt.* 使光滑; 使平整; 使顺利; 使平静; 消除(障碍等)

(▲)**smoothly** ['smu:ðli] *ad.* 平滑地; 流畅地; 平稳地; 顺利地

smote [sməut] smite 的过去式

smother ['smʌðə] *v.* (使)窒息, 闷死; 闷熄; 抑制 *n.* 浓雾; 浓烟

smuggle ['smʌgl] *v.* 走私; 偷运; 偷带

smuggler ['smʌglə] *n.* 走私犯

snack [snæk] *n.* 小吃, 点心 *vi.* [美] 吃点心

snail [sneil] *n.* 蜗牛

▲**snake** [sneik] *n.* 蛇

snap [snæp] *v.* 猛然地咬; 攫夺; (使)突然折断; (使)劈啪地响; 快摄 *n.* 猛然一咬; 攫夺; 劈啪声; (摄影的)快照 ‖ ～ lock 弹簧门锁

snare [snɛə] *n.* 陷阱(⇨trap); 罗网(⇨net); 圈套 *vt.* 设罗网捉; 诱入圈套

snarl[1] [snɑ:l] *v.* (使)缠结; (使)混乱(⇨confuse) *n.* 缠结(⇨tangle); 纠结

snarl[2] [snɑ:l] *v.,n.* 吠; 哮; 咆哮(⇨growl); 怒吼

▲**snatch** [snætʃ] *v.* 强夺; 攫取; 抓住 *n.* 抢夺; 攫取; 片段

sneak [sni:k] *v.* 潜行; 偷偷摸摸地行动 *n.* 鬼鬼祟祟的人 ‖ ～ attack 奇袭 / ～ thief 小偷

▲**sneer** [sniə] *vi.* 轻蔑地笑(⇨scorn); 讥笑; 冷笑着说

sneeze [sni:z] *vi.* 打喷嚏 *n.* 喷嚏; 喷嚏声

sniff [snif] *v.* (有声地)以鼻吸气, 嗅 *n.* 吸气; 嗅

▲**sniffle** ['snifl] *vi.,n.* 抽鼻子(声); 抽噎, 抽搭

snob [snɔb] *n.* 势利小人

snobbery ['snɔbəri] *n.* 势利; 庸俗; 自命不凡

snobbish ['snɔbiʃ] *a.* 势利的

snore [snɔ:] *vi.* 打鼾 *n.* 打鼾, 鼾声

snort [snɔ:t] *v.* 喷鼻息 *n.* 喷鼻息, 鼻息声

*****snow** [snəu] *n.* 雪; 下雪 *vi.* 下雪

(▲)**snow-covered** ['snəu-,kʌvəd] *a.* 被雪覆盖的

▲**snowdrift** ['snəudrift] *n.* (被风吹成的)雪堆

snowfall ['snəufɔ:l] *n.* 下雪, 降雪; 降雪量

snowman ['snəumæn] *n.* (复数: -men [-mən]) 雪人

snowstorm ['snəustɔ:m] *n.* 大雪, 暴风雪

snowy ['snəui] *a.* 多雪的; 雪白的; 似雪的

snuff [snʌf] *v.* 嗅(⇨smell); (动物)出声吸气 *n.* 嗅; 吸

snug [snʌg] *a.* 舒适的(⇨cosy); 温暖的; 隐蔽的; 整洁的(⇨neat); 合身的

*****so** [səu, (弱) sə] *ad.* 如此, 这样, 照这个样子; 一如, 同样地, 也;《用于否定句、疑问句, 表示程度》那么, 这么;〈口语〉很, 非常(⇨very) *conj.* 因此(⇨therefore); 所以; 这样看来; 为的是 (= so that)

(▲)**soak** [səuk] *v.* 浸泡(⇨steep); 浸湿; 渗入

soap [səup] *n.* 肥皂 ‖ toilet ～ 香皂 / washing ～ 洗衣皂

soar [sɔ:] *vi.* 飞翔(⇨fly); 猛增; 高耸(⇨tower); 滑翔(⇨glide)

*****sob** [sɔb] *v.* 呜咽, 啜泣(⇨weep) *n.* 啜泣; 呜咽(声)

sober ['səubə] *a.* 清醒的 (⇨ drunk); 有节制的(⇨moderate); 严肃的(⇨serious); 朴素的 *v.* (使)清醒; (使)克制

soberly ['səubəli] *ad.* 清醒地; 严肃地; 认真地; 冷静地

so-called [ˌsəuˈkɔːld] *a.* 所谓的

soccer [ˈsɔkə] *n.* 足球运动

sociable [ˈsəuʃəbl] *a.* 喜交际的(⇨social); 和蔼可亲的 (← unfriendly) *n.* 〔美〕= social

social [ˈsəuʃəl] *a.* 社会的; 社交的 *n.* 社交聚会 ‖ ～ dancing 交际舞 / ～ gathering 联欢会 / ～ science 社会科学

socialism [ˈsəuʃəlizem] *n.* 社会主义

socialist [ˈsəuʃəlist] *a.* 社会主义的 *n.* 社会主义者

▲**society** [səˈsaiəti] *n.* 社会; 团体(⇨organization); 会, 社(⇨association); 交际, 交往; 社交界 ‖ a ～ beauty 交际花 / a learned ～ 学会

sociology [ˌsəusiˈɔlədʒi, -ʃi-] *n.* 社会学

sock [sɔk] *n.* 《常用复数》短袜 ▶量词用 a pair of.

socket [ˈsɔkit] *n.* 插座; 插口; 管座; (眼)窝

sod [sɔd] *n.* 草坪; 草皮

soda [ˈsəudə] *n.* 苏打; 汽水; 苏打水 (= soda water) ‖ ～ cracker 苏打饼干 / ～ fountain 〔美〕(柜台式的)冷饮店

sodium [ˈsəudjəm] *n.* 钠

sofa [ˈsəufə] *n.* 沙发椅, 长沙发 ‖ ～ bed 〔美〕沙发床

▲**Sofronie** [səˈfrɔni] 索芙朗妮(姓)

▲**soft** [sɔft] *a.* 软的, 柔软的 (← hard); 柔和的; 温柔的; 温和的(⇨gentle); 软弱的(⇨weak); 不费力的 ‖ ～ coal 烟煤 / ～ drinks 软饮料, 不含酒精的饮料(尤指果汁、汽水等) / ～ goods 纺织品 / ～ science 软科学, 社会科学学科(如政治学、经济学、社会学、心理学等)

softball [ˈsɔftbɔːl] *n.* 垒球(运动)

(▲)**soften** [ˈsɔfən] *v.* (使)变软 (← harden); (使)变弱 ▶t 不发音

▲**softly** [ˈsɔftli] *ad.* 柔软地, 温和地; 轻轻地

softness [ˈsɔftnis] *n.* 柔软, 柔和; 温柔

software [ˈsɔftwɛə] *n.* 〔电脑〕软件; 视听教材

▲**soil**[1] [sɔil] *n.* 土壤(⇨earth); 土地(⇨land); 乡土 ‖ native ～ 故土; 本国

soil[2] [sɔil] *v.* 弄脏, 玷污; 变脏 *n.* 脏东西; 粪便 ‖ ～ pipe 污水管

sojourn [ˈsɔdʒəːn, 美: ˈsəu-] *n.* 短期的逗留; 寄居, 旅居

solar [ˈsəulə] *a.* 太阳的; 利用太阳能的 ‖ ～ system 太阳系

sold [səuld] sell 的过去式和过去分词

***soldier** [ˈsəuldʒə] *n.* 兵, 士兵, 战士; 军人

sole[1] [səul] *a.* 单一的(⇨single); 唯一的(⇨only); 单独的; 仅有的

sole[2] [səul] *n.* 脚底; 鞋底; 袜底

solely [ˈsəuli] *ad.* 唯一地(⇨only); 单独地; 仅仅

solemn [ˈsɔləm] *a.* 庄重的(⇨grave); 严肃的(⇨serious); 庄严的(⇨grand); 隆重的(⇨ceremonious)

solemnly [ˈsɔləmli] *ad.* 严肃地(⇨seriously); 庄严地; 庄重地

solicit [səˈlisit] *v.* 恳请; 央求, 乞求   [美]揽客

solicitor [səˈlisitə] *n.* [英]初级律师, 事务律师; [美](城镇的)司法官;

***solid** [ˈsɔlid] *a.* 固体的; 坚固的(⇨hard); 结实的(⇨strong); 实心的; 可靠的; 纯的(⇨genuine); 立体的(⇨cubic); 团结的(⇨united) *n.* 固体; 立体 ‖ ～ geometry 立体几何

solidarity [ˌsɔli'dæriti] *n.* 团结
solidify [sə'lidifai] *v.* (使)凝固 (← melt); (使)变硬(⇨harden)
solitary ['sɔlitəri] *a.* 孤独的(⇨lonely); 冷僻的; 单独的, 唯一的(⇨single)
solitude ['sɔlitju:d] *n.* 孤独
solo ['səuləu] *n.* 独奏(曲); 独唱(曲)
soluble ['sɔljubl] *a.* 易溶解的; 能解决的, 可解答的
solution [sə'lu:ʃən] *n.* 解答, 解决; 溶解(状态); 溶液
(A)**solve** [sɔlv] *vt.* 解决, 解答; 解释
somber [美] = sombre
sombre ['sɔmbə] *a.* 微暗的; 黯淡的; 忧郁的 ▶又拼写为 somber [美].
-some [səm] *suf.* 表示"引起, 适于, 易于"之意, 如 trouble*some* (烦人的),
    glad*some* (令人喜悦的), quarrel*some* (爱争吵的).
*****some** [sʌm (弱) səm] *a.* 一些, 几个; 某一(⇨a, one); 某些; 大约(后接数
    字) *pron.* 一些, 若干; 有些人(或物) *ad.* 大约; 稍微
▲**somebody** ['sʌmbɔdi] *pron.* 某人; 有人(⇨someone) *n.* 重要人物, 要人
someday ['sʌmdei] *ad.* (将来)有一天; 改天
(A)**somehow** ['sʌmhau] *ad.* 不知怎么地; 以某种方式(或方法); 设法
*****someone** ['sʌmwʌn] *pron.* 某人, 有人(⇨somebody)
*****something** ['sʌmθiŋ] *pron.* 某事; 某物 *ad.* 〈口语〉有一些; 相当(⇨**rather)**
*****sometime** ['sʌmtaim] *ad.* 在某一时候; 他日; 曾经 *a.* 以前的 ▶注意与
    sometimes (有时), some time (一段时间)的区别.
*****sometimes** ['sʌmtaims] *ad.* 有时; 不时 ▶不要与 sometime 相混
somewhat ['sʌmwɔt] *ad.* 有一些 (⇨slightly); 稍微
*****somewhere** ['sʌmwɛə] *ad.* 在某处, 到某处; 大约
*****son** [sʌn] *n.* 儿子
sonata [sə'nɑ:tə] *n.* 奏鸣曲
*****song** [sɔŋ] *n.* 歌, 歌曲; 歌唱
son-in-law ['sʌninlɔ:] *n.* (复数: sons-in-law) 女婿
sonnet ['sɔnit] *n.* 十四行诗, 商籁
*****soon** [su:n] *ad.* 不久, 很快(⇨shortly, presently); 立即, 马上(⇨quickly,
    promptly); 早(⇨early); 《用比较式》宁可(⇨rather)
(*)**soot** [sut] *n.* 煤烟, 煤灰
soothe [su:ð] *v.* 安慰(⇨comfort); 使平静(⇨calm); 使(痛苦)减轻; 缓和
sophisticated [sə'fistikeitid] *a.* 老于世故的, 老练的; 复杂的; 高级的
sophistry ['sɔfistri] *n.* 诡辩
sore [sɔ:] *n.* 痛处 *a.* 痛的(⇨painful); 酸痛的; 痛苦的; 严重的
▲**sorrow** ['sɔrəu] *n.* 悲哀 (⇨grief) (← joy); 悲痛; 遗憾(⇨regret) *vi.* 伤心
sorrowful ['sɔrəful] *a.* 充满悲哀的; 表示悲伤的; 使人伤心的(⇨grieved)
*****sorry** ['sɔri] *a.* 难过的 (← happy); 抱歉的; 遗憾的 (⇨regretful); 可怜的
    (⇨poor) *int.* 对不起! (因未听清对方的话)请再说一遍!
▲**sort** [sɔ:t] *n.* 种类; 类别 (⇨kind); 性质(⇨character) *vi.* 分类, 整理
so-so ['səu-səu] *a., ad.* 勉强过得去, 一般
sought [sɔ:t] seek 的过去式和过去分词
*****soul** [səul] *n.* 灵魂; 精华; 中心人物; 精神(⇨spirit); 化身
*****sound**¹ [saund] *n.* 音; 声音(⇨noise); 语调(⇨tone) *v* 听起来; 宣布 ┃ ~

effects 音响效果 / ～ wave 声波

sound[2] [saund] *a.* 健康的(⇨healthy); 健全的; 坚固的; 完好的(⇨whole) *ad.* 完全地; 深沉地

▲**soup** [su:p] *n.* 汤

sour [sauə] *a.* 酸的(⇨acid); 坏的; 生气的; 讨厌的 ‖ ～ cream 酸奶油

▲**source** [sɔ:s] *n.* 根源, 源泉(⇨fountain); 原因; (消息等的)来源; 出处 ‖ ～ material 基本资料 「在南部

***south** [sauθ] *n.* 南, 南方, 南部 *a.* 南方的, 南部的 *ad.* 向南方; 在南方

▲**southeast** [,sauθ'i:st] *n.* 东南, 东南部 *a.* (风)来自东南方的; 向东南的; 在东南的 *ad.* 向东南; 从东南; 在东南

▲**southern** ['sʌðən] *a.* 南部的, 南方的; 朝南的

▲**south-facing** ['sauθ-,feisiŋ] *a.* 朝南的

▲**southward** ['sauθwəd] *a.* 向南的 *ad.* 向南地

southwards ['sauθwədz] *ad.* 向南地 (= southward)

southwest [,sauθ'west] *n.* 西南, 西南部 *a.* 来自西南的; 向西南的; 在西南的 *ad.* 向西南; 在西南; 从西南

souvenir [,su:və'niə, 'su:vəniə] *n.* 纪念品

sovereign ['sɔvrin] *n.* 君主, 元首; (英国旧时)一英镑金币 *a.* 君主的; 元首的; 至高无上的(⇨supreme); 有主权的; 具特效的 ‖ a ～ remedy 特效药, 特效疗法

sovereignty ['sɔvrənti] *n.* 统治权; 主权; 主权国家 「ion 苏联

▲**Soviet** ['səuviet] *a.* 苏联的; 苏维埃的 *n.* 《加 the》苏维埃 ‖ the ～ Un-

sow [səu] *v.* (sowed, sown [səun] 或 sowed) 播种; 散布; 传播; 灌输

soy [sɔi] *n.* 酱油; 大豆 ▶ "酱油" 又作 soy sauce.

soybean ['sɔibi:n] *n.* 大豆

***space** [speis] *n.* 空间, 空间; 空地(⇨room); 间隙; 距离(⇨distance) *a.* (航天)空间的 ‖ ～ flight 航天飞行 / ～ station 航天站, 空间站 / ～ shuttle 航天飞机 「宇宙飞船

spacecraft ['speiskrɑ:ft, 美: -kræft] *n.* (复数: spacecraft) 航天(飞行)器,

spaceman ['speismən] *n.* (复数: -men [-mən]) 宇航员; 太空人; 外星人

***spaceship** ['speisʃip] *n.* 宇宙飞船, 航天飞船

spacing ['speisiŋ] *n.* (字间、行间的)空隔, 间距 ‖ double ～ 隔行打印

spacious ['speiʃəs] *a.* 宽敞的(⇨ample); 广大的(⇨vast)

spade[1] [speid] *n.* 铲, 铁铲; 一铲的量 *v.* 铲; 掘

spade[2] [speid] *n.* (纸牌中的)黑桃(牌)

▲**Spain** [spein] *n.* 西班牙

span [spæn] *n.* 间隔时间, 片刻; 一拃宽(约 9 英寸或 23 厘米) *v.* 拃, 张开大拇指和小指来量 ‖ ～ roof 人字形屋顶

▲**Spaniard** ['spænjəd] *n.* 西班牙人

▲**Spanish** ['spæniʃ] *a.* 西班牙的; 西班牙人的; 西班牙语的 *n.* 西班牙语; 《加 the》〔总称〕西班牙人

spanner ['spænə] *n.* 扳手([美] wrench)

▲**spare** [spɛə] *a.* 多余的; 空闲的; 备用的 *vt.* 饶恕, 宽宥; 吝惜; 节省; 抽出 (时间等) *n.* 备件; 备用品 ‖ ～ bedroom 备用房间

spark [spɑ:k] *n.* 火花, 火星; 闪光 *v.* 闪烁; 激发

▲**sparkle** ['spɑːkl] v. (使)发火花; (使)闪耀; 焕发   n. 火花; 闪光

sparkling ['spɑːkliŋ] a. 闪耀的 ‖ ~ water 苏打水

sparrow ['spærəu] n. 麻雀

sparse [spɑːs] a. 稀少的; 稀疏的

sparsely ['spɑːsli] ad. 稀少地

spat [spæt] spit 的过去式和过去分词

spatial ['speiʃəl] a. 空间的, 场所的

●**speak** [spiːk] v. (spoke [spəuk], spoken ['spəukən]) 说, 讲; 说话, 谈话 (⇨talk); 演说; 发言; 朗诵

●**speaker** ['spiːkə] n. 说话者; 讲演者; 发言人; 操某种语言者;《加 the》[S-] (美国下议院)议长; 扬声器 (= loudspeaker)

▲**spear** [spiə] n. 矛; 梭镖; 鱼叉   v. 刺; 戳

▲**special** ['speʃəl] a. 特别的, 特殊的(⇨particular) (← general); 专门的   n. 专车; 号外; 电视特别节目

⒜**specialist** ['speʃəlist] n. 专家; 专科医生

speciality [,speʃi'æləti] n. 专业; 专长 ▶ 又拼写为 specialty[美].

⒜**specialize** ['speʃəlaiz] v. (使)专门化; 专门研究, 专攻

⒜**specially** ['speʃəli] ad. 专门地; 异常地; 特别地(⇨particularly) ▶注意 与 especially 的区别.

specialty ['speʃəlti] n. [美] = speciality

▲**species** ['spiːʃiːz] n. (复数: species) 种类(⇨kind); 类型; (生物分类)种

specific [spi'sifik] a. 明确的; 具体的; 特殊的(⇨special); 特定的; 特有的   n. 特效药 ‖ ~ gravity 比重

specification [,spesifi'keiʃən] n.《常用复数》规格, 说明(书), 明细单

specify ['spesifai] v. 指定; 详细说明

specimen ['spesimən] n. 典型(⇨example); 样品(⇨sample); 试样 ‖ zoological ~ 动物标本

speck [spek] n. 点; 斑点; 污点

speckle ['spekl] n. (皮肤、羽毛的)小斑点   「pair of.

⒨**spectacle** ['spektəkl] n. 景象; 奇观;《用复数》眼镜 ▶ "眼镜"的量词用 a

spectacular [spek'tækjulə] a. 壮观的; 场面壮丽的; 公开展览的   n. (影视节目等)豪华的排场

spectator [spek'teitə] n. 观众; 旁观者 ‖ ~ sports 吸引观众的体育项目

spectrum ['spektrəm] n. (复数: spectra ['spektrə] 或 spectrums) 光谱; 波谱; 范围; 系列

speculate ['spekjuleit] v. 思考; 揣测; 投机

speculation [,spekju'leiʃən] n. 思考(⇨consideration); 揣测; 投机

sped [sped] speed 的过去式和过去分词

⒜**speech** [spiːtʃ] n. 言语; 讲话, 说话; 演说 ‖ parts of ~ 词类

▲**speed** [spiːd] n. 速度; (排)档   v. (sped [sped], sped; 或 -ed, -ed) 迅速前进; 促进; 使加速

speedily ['spiːdili] ad. 快; 迅速地; 即时地

speedread ['spiːdriːd] vt. 快速阅读

▲**spell**¹ [spel] v. (spelt [spelt], spelt; 或 -ed, -ed) 拼写, 拼读

spell² [spel] n. 符咒; 咒语; 魔力

spell³ [spel] *n.* 服务时间; 交换班; 一段时间 *v.* 替换; 轮流; 使休息

(*)**spelling** ['speliŋ] *n.* 拼缀; 拼字; 拼写; 拼写法 ‖ ～ book 拼写课本 / pronunciation 照拼法发音

spelt [spelt] spell 的过去式和过去分词

*(*)**spend** [spend] *v.* (*spent* [spent], *spent*) 度过; 花费(钱、时间等); 消耗; 浪费(⇔waste) ‖ ～ing money [美] 零用钱

spent [spent] spend 的过去式和过去分词 *a.* 用尽的; 筋疲力尽的

sphere [sfiə] *n.* 天体; 球体(⇔globe); 范围, 领域

spherical ['sferikəl] *a.* 球形的, 球体的, 球面的

sphinx [sfiŋks] *n.* (古埃及的)狮身人面像

spice [spais] *n.* 香料, 调味品; 香味; 趣味 *v.* 添加香料; 使增趣味

(▲)**spider** ['spaidə] *n.* 蜘蛛

spill [spil] *v.* (*spilt* [spilt], *spilt*; 或 *-ed, -ed*) (使)溢出; (使)洒落; (使) 「流血

spin [spin] *v.* (*spun* [spʌn], *spun*) 纺(纱); (蜘蛛)结(网); (使)旋转; 编造

spinach ['spinidʒ, -nitʃ] *n.* 菠菜

spindle ['spindl] *n.* 锭子, 纱锭; 纺锤; 轴

spine [spain] *n.* 脊柱; 书脊; 山脊; (动、植物身上的)针, 刺

spinning ['spiniŋ] *a.* 纺织的 *n.* 纺织 ‖ ～ wheel 纺车

spiral ['spaiərəl] *n.* 螺旋·螺线; 螺旋形上升(或下降)

spire ['spaiə] *n.* 塔尖; 尖顶 *v.* 高耸; 突出; 发芽

'**spirit** ['spirit] *n.* 精神, 心 (⇔mind); 灵魂 (⇔soul); 妖精, 幽灵;《用复数》 情绪, 心情;《加 the》[S-] 圣灵; 酒精

spiritual ['spiritjuəl] *a.* 精神的(← material); 宗教的; 神圣的

*(*)**spit** [spit] *v.* (*spat* [spæt], *spat*; 或 *spit, spit*) 吐唾沫 *n.* 口水, 唾液

▲**spite** [spait] *n.* 怨恨; 恶意 *vt.* 恶意对待; 刁难

▲**splash** [splæʃ] *v.* 溅, 泼; 溅污, 溅湿 *n.* 飞溅(声) ‖ ～ guard (汽车后轮后面的)挡泥板

▲**splendid** ['splendid] *a.* 光亮的(⇔brilliant); 灿烂的; 辉煌的; 壮丽的; 〈口语〉极好的, 绝妙的(⇔excellent) ‖ ～ idea 好主意, 妙计

splendo(u)r ['splendə] *n.* 辉煌, 壮丽, 豪华

splice [splais] *vt.* 捻接(绳、线等); 拼接(木板等)

splint [splint] *n.* 薄木条; 薄金属片; 夹板

splinter ['splintə] *n.* 碎片, 裂片; 木屑 *v.* (使)裂成碎片

▲**split** [split] *v.* (*split, split*) 分裂; 劈开; 切开; 撕裂; 断交 *n.* 裂口, 裂缝 ‖ ～ personality 双重人格 / ～ second 一刹那

(*)**spoil** [spɔil] *vt.* (*spoilt* [spɔilt], *spoilt*; 或 *-ed, -ed*) 损坏; 毁坏; 损害(⇔injure); 宠坏; 溺爱

spoke [spəuk] speak 的过去式

spoken ['spəukən] speak 的过去分词 *a.* 口头的(⇔oral); 口 ‖ ～ language 口语

spokesman ['spəuksmən] *n.* (复数; *-men* [-mən]) 发言人; 代言人

sponge [spʌndʒ] *n.* 海绵 ‖ ～ cucumber 丝瓜

sponsor ['spɔnsə] *n.* 保证人; 发起人; 主办者; 赞助单位

spontaneous [spɔn'teiniəs] *a.* 自然的; 自生的; 野生的; 自发的

spool [spu:l] *n.* (胶卷等的)卷筒; 卷轴; 线轴 *vt.* 使缠在卷轴上

spoon [spu:n] *n.* 匙, 调羹; 一匙的量　　　　　　　　　　　　　　「量

spoonful ['spu:nful] *n.* (复数: -s 或 *spoonsful* ['spu:nz-]) 一满匙, 一匙的

(A)**spore** [spɔ:] *n.* 孢子, 芽孢; 胚种

***sport** [spɔ:t] *n.* 游戏, 运动(⇨game); 《用复数》运动会; 体育运动

***sportsman** ['spɔ:tsmən] *n.* (复数: -men [-mən]) 运动员; 爱好运动的人

sportsmanship ['spɔ:tsmənʃip] *n.* 运动员风格; 体育道德

▲**spot** [spɔt] *n.* 点, 斑点(⇨speck); 地点, 场所(⇨place); 职位 ‖ ～ cash 现
金支付 / ～ announcement (广播、电视节目中间或前后的)广告插播

spout [spaut] *v.* 喷出, 喷射; 滔滔不绝地讲　*n.* (茶壶等的)嘴; 喷口

sprain [sprein] *vt., n.* 扭伤

sprang [spræŋ] spring 的过去式

▲**spray** [sprei] *n.* 水沫, 浪花; 喷雾　*vt.* 向…喷射　*vi.* 喷

▲**spread** [spred] *v.* (*spread, spread*) 传开; 传播; 展开; 伸展; (使)蔓延

***spring** [spriŋ] *n.* 春, 春季, 春天; 弹簧, 发条; 跳跃, 反跳; 泉, 源泉(⇨
fountain)　*v.* (*sprang* [spræŋ], *sprung* [sprʌŋ]) 跳, 跳跃; 弹跳(⇨
jump); 涌出, 冒出

springtime ['spriŋtaim] *n.* 〈口语〉春季, 春天; 初期

sprinkle ['spriŋkl] *v.* 撒, 洒; 点缀; 落小雨　*n.* 零星; 少量; 细雨

sprout [spraut] *v.* 开始生长; (使)发芽; 长出　*n.* 新芽, 幼苗, 嫩枝

sprung [sprʌŋ] spring 的过去分词　　　　　　　　　　　　　　「玻璃纤维

spun [spʌn] spin 的过去式和过去分词　*a.* 纺过的; 拉长的 ‖ ～ glass

spur [spə:] *n.* 马刺; 靴刺; 激励; (山的)支脉

spurn [spə:n] *v.* 轻蔑; 冷落

***spy** [spai] *n.* 间谍, 密探　*v.* 侦察; 监视; 刺探

squad [skwɔd] *n.* (军队的)班; 小组, 小队

squadron ['skwɔdrən] *n.* 骑兵营; 小舰队; 飞行中队

(A)**square** [skwɛə] *n.* 正方形; (方形的)广场; 直角尺; 〔数学〕平方, 二次幂
a. 正方形的; 直角的; 平方的 ‖ ～ brackets 方括号 / ～ root 平方根

squash[1] [skwɔʃ] *v.* 挤压; 压碎, 压扁　*n.* [英]果子汁

squash[2] [skwɔʃ] *n.* 南瓜; 西葫芦

▲**squat** [skwɔt] *vi.* 蹲, 蹲坐

squeak [skwi:k] *vi., n.* 短促的尖叫声; (鼠的)吱吱叫声

(A)**squeeze** [skwi:z] *v.* 压, 榨(⇨compress); 挤; 塞

squint [skwint] *v.* 斜视; 眯着眼看　*n.* 斜视眼　*a.* 斜视的; 斜眼的

squire [skwaiə] *n.* 乡绅; 乡下地主; [美] (地方)治安官

***squirrel** ['skwirəl] *n.* 松鼠

stab [stæb] *v.* 刺, 刺伤; (感情方面)刺痛　*n.* 刺伤部; 刺, 戳; 中伤

stability [stə'biliti] *n.* 安定, 稳定性, 坚固; 踏实

stable[1] ['steibl] *n.* 《常用复数》厩, 马厩, 牛棚

stable[2] ['steibl] *a.* 稳定的; 坚固的(⇨strong); 不变的; 坚定的(⇨firm)

stack [stæk] *n.* 堆, 垛; 大量　*v.* 堆积, 堆起

***stadium** ['steidiəm] *n.* 体育场; 竞技场

staff [sta:f, 美: stæf] *n.* 棒, 竿, (手)杖(⇨stick); 〔总称〕(公司等的)职员;
五线谱 ‖ ～ officer 参谋 / ～ report 内部报告

(A)**stag** [stæg] *n.* 雄鹿

stage [steidʒ] *n.* (成长、发展的)阶段；时期；舞台 *vt.* 举行(展览)；上演

▲**stagger** ['stægə] *vi.* 摇晃；蹒跚(⇨totter) *vt.* 使摇晃；使动摇；使震惊 *n.* 摇晃；蹒跚

stain [stein] *n.* 污点；污迹；染色剂 *v.* 沾污；变脏；染色 ‖ ~ed glass 彩色玻璃

stainless ['steinlis] *a.* 未被沾污的；洁白的；不锈的 ‖ ~ steel 不锈钢

▲**stair** [stɛə] *n.* (楼梯的)一级；《用复数》楼梯

staircase ['stɛəkeis] *n.* (一段或若干段)楼梯；楼梯间

stake [steik] *n.* 桩；火刑柱；赌注

stale [steil] *a.* 不新鲜的；干巴巴的；陈旧的；疲惫不堪 *v.* (使)变得无味；(使)变陈旧；(使)疲惫

stalk [stɔːk] *n.* (植物的)主茎，茎秆；叶柄

stall [stɔːl] *n.* 畜舍(马房、牛栏等)；小分隔间；货摊

stammer ['stæmə] *v.* 结结巴巴地说；口吃 *n.* 口吃

*****stamp** [stæmp] *n.* 邮票；印章；邮戳 *v.* 踩(脚)；盖印于；‖ ~ album [book] 集邮册 / ~ pad 印台

*****stand** [stænd] *v.* (*stood* [stood], *stood*) 站，立；使站立；竖放；位于；停滞；继续有效；忍受 *n.* 立场；站立处；台，看台；讲坛

standard ['stændəd] *n.* 标准；水平，水准(⇨level)；规格 *a.* 普通的，一般的；标准的；规范的

standardize ['stændədaiz] *vt.* 使合标准，使标准化，使统一

standing ['stændiŋ] *n.* 身份；地位；名望 *a.* 直立的；常备的；长期有效的；停滞的(⇨still) ‖ No ~ 禁止停车

standpoint ['stændpɔint] *n.* 立场；观点(⇨viewpoint)

standstill ['stænd,stil] *n.* 停止；停顿

stanza ['stænzə] *n.* (诗的)节

staple [steipl] *n.* 主要产品；名产；常用品；主要成分；原材料；(纺织)纤维 *a.* 主要的；大宗的 ‖ ~ food 主食

*****star** [stɑː] *n.* 星；恒星；(电影等的)明星；星号；星形物 *v.* 加星号于；用星装饰；主演；饰…主角 ‖ the *Stars* and Stripes 星条旗，美国国旗

▲**starch** [stɑːtʃ] *n.* 淀粉；(浆洗衣服等用的)浆粉 *vt.* 给…上浆

▲**stare** [stɛə] *v.,n.* 盯；凝视

*****start** [stɑːt] *v.* 出发，动身，启程；开始(⇨begin)；发动；(使)吃惊；突然出现 *n.* 出发；起点；惊跳，惊动

starter ['stɑːtə] *n.* 参加赛跑(或比赛)的人(或马等)；(赛跑的)发令员

startle ['stɑːtl] *vt.* 使惊跳；使吃惊(⇨surprise)

startling ['stɑːtliŋ] *a.* 惊人的，令人吃惊的

starvation [stɑː'veiʃən] *n.* 饥饿；饿死

*****starve** [stɑːv] *v.* (使)饿死；(使)挨饿

*****state**[1] [steit] *n.* 状态，情况；[常作 S-] 国家，政府；[S-] 国务；(美国等的)州 *a.* 国家的；国营的 ‖ Secretary of *State* (美国)国务卿 / solid [liquid] ~ 〔物理〕固[液]态 / ~ school 国立学校 / ~ secrets 国家机密

state[2] [steit] *vt.* 陈述(⇨express)；声明；阐明；规定

stately ['steitli] *a.* 庄严的(⇨grand)；堂皇的；雄伟的

▲**statement** ['steitmənt] *n.* 陈述；声明(书)；供述；财务报表

statesman ['steitsmən] *n.* (复数: -men [mən]) 政治家；国务活动家

static ['stætik] *a.* 静止的,固定的;静电的   *n.* 静电

***station** ['steiʃən] *n.* (铁路等的)站,车站;电台;(警察、邮政等)局,所;(消防)队   *vt.* 派驻(军队);配备;安置   「相混.

stationary ['steiʃənəri] *a.* 静止的,固定的,不变的 ▶ 不要与 stationery

stationery ['steiʃənəri] *n.* 〔总称〕文具

⁽*⁾**stationmaster** ['steiʃən,mɑ:stə] *n.* 火车(或公共汽车)站站长

statistical [stə'tistikəl] *a.* 统计的,统计学的   「学

statistics [stə'tistiks] *n.* 《用作复数》统计数字,统计资料;《用作单数》统计

statue ['stætʃu:] *n.* 雕像;塑像;铸像

stature ['stætʃə] *n.* 身材;身高(⇨height);器量;才干

status ['steitəs] *n.* 地位,状态(⇨state);身份

statute ['stætju:t] *n.* 法令,法规(⇨law)

***stay** [stei] *v.* 停留(⇨remain);逗留;暂住;中止

stead [sted] *n.* 代替

△**steadily** ['stedili] *ad.* 稳定地,平稳地;稳步地;镇定地

steady ['stedi] *a.* 稳固的(⇨firm);平稳的;有规律的(⇨regular);不变的;可靠的   *v.* (使)稳固;(使)稳定

steak [steik] *n.* (肉或鱼的)切片;肉排;牛排;烤肉

***steal** [sti:l] *v.* (*stole* [stəul], *stolen* ['stəulən]) 偷,窃取;巧取;溜

***steam** [sti:m] *n.* 蒸汽,水蒸气;水汽   *v.* 蒸发;冒热气 ‖ ～ engine 蒸汽机

steamboat ['sti:mbəut] *n.* 汽船;轮船

steamer ['sti:mə] *n.* 轮船;汽船;蒸汽机;蒸笼

steamship ['sti:mʃip] *n.* 大轮船;汽船

⁽△⁾**steel** [sti:l] *n.* 钢,钢铁;钢制品   *vt.* 使坚硬 ‖ ～ gray [grey] 蓝灰色

steep¹ [sti:p] *a.* 陡峭的,险峻的

steep² [sti:p] *v.* 浸,泡

steer [stiə] *v.* 掌舵,航行;行驶 ‖ ～*ing* wheel 汽车的方向盘

△**stem** [stem] *n.* (草)茎;(树)干;(花、叶、果子的)梗;(酒杯的)脚;(烟斗的)柄;〔语法〕词干

stenographer [stə'nɔgrəfə] *n.* 速记员

△**step** [step] *n.* 步,脚步(声);梯级;台阶;步骤;等级;舞步   *v.* 走,步行;跨(入);踏(进);踩 ‖ ～ rocket 多节式火箭,多级火箭

△**stepmother** ['step,mʌðə] *n.* 继母,后母

stereo ['steriəu, 'stiəriəu] *n.* 立体声音响设备   *a.* 立体声的;立体声音响设备的 ‖ ～ recording 立体声录音

stereo- ['steriə] *pref.* 表示"固,硬,立体的"之意,如 *stereo*scope (立体视镜), *stereo*type (铅版)

stern¹ [stə:n] *a.* 严厉的(⇨strict) (← mild);苛刻的;坚定的(⇨firm)

stern² [stə:n] *n.* 船尾

sternly ['stə:nli] *ad.* 严厉地;严格地;坚定地

stew [stju:, 美: stu:] *v.* 炖,煨,焖

steward ['stju:əd, 美: 'stu:əd] *n.* (飞机、轮船上的)乘务员,服务员;招待员;管家;(负责某一活动的)干事

stewardess [,stju:ə'des, 美: 'stu:ədis] *n.* 女乘务员,女服务员,空中小姐

⁽*⁾**stick**¹ [stik] *n.* 小树枝;手杖;棍,棒

▲**stick**[2] [stik] *v.* (*stuck* [stʌk], *stuck*) 插; 伸, 伸出; 粘贴; (阻)塞; 卡住; 陷入 ‖ ~*ing* plaster [英]橡皮膏

(A)**stick-up** ['stikʌp] *n.* 抢劫

▲**sticky** ['stiki] *a.* 粘性的; 湿热的; 棘手的

▲**stiff** [stif] *a.* 硬的; 僵直的; 不灵活的; 拘谨的; 困难的(⇨difficult)

stiffen ['stifən] *v.* (使)变硬; (使)变挺

stiffly ['stifli] *ad.* 僵硬地; 坚定地; 顽强地; 拘谨地

stiffness ['stifnis] *n.* 硬性; 顽固

***still** [stil] *a.* 静止的; 寂静的(⇨silent); 平静的 *vt.* 使平静; 使静止 *ad.* 《多用于肯定句》还, 仍旧;《用于陈述句、疑问句》继续;《用于否定句》还没有;《加强比较级》更, 还要;《用作连词》但是 ‖ ~ life [美]静物(画)

stillness ['stilnis] *n.* 寂静; 沉默; 静止

stimulate ['stimjuleit] *vt.* 促进, 激励; 刺激(⇨excite)

stimulus ['stimjuləs] *n.* (复数: *stimuli* ['stimjulai]) 刺激; 刺激物

(A)**sting** [stiŋ] *v.* (*stung* [stʌŋ], *stung*) 刺痛; 刺, 叮, 螫; 刺激 *n.* 刺; 螫针

stingy ['stindʒi] *a.* 吝啬的; 气量小的 (← generous) 「臭, 臭气

stink [stiŋk] *vi.* (*stank* [stæŋk], *stunk* [stʌŋk]) 发恶臭; 坏透, 糟透 *n.* 恶

▲**stir** [stə:] *vt.* 动; 搅动; 移动(⇨move); 激动; 轰动, 煽动 *vi.* 活动; 走动 *n.* 搅拌; 骚动; 轰动

stirrup ['stirəp] *n.* (马)镫; 镫形物

stitch [stitʃ] *n.* (缝纫等的)一针; 缝法 *v.* 缝, 缝拢; 缝缀

stock [stɔk] *n.* 储藏品; 存货; 股票([英] share); 树干, 根茎; 家系 *a.* 库存的; 常备的 ‖ ~ exchange 证券交易所

▲**stocking** ['stɔkiŋ] *n.* 《常用复数》长(统)袜 ▶量词用 a pair of.

stole [stəul] steal 的过去式

stolen ['stəulən] steal 的过去分词

stomach ['stʌmək] *n.* 胃(⇨abdomen); 腹部(⇨belly)

(A)**stomach-ache** ['stʌmək-eik] *n.* 胃痛; 肚子痛

***stone** [stəun] *n.* 石, 石块; 果核; 宝石 ‖ the *Stone* Age 石器时代

stony ['stəuni] *a.* 多石的(⇨rocky); 石质的; 无情的(⇨unfeeling); 冷漠的

stood [stud] stand 的过去式和过去分词

stool [stu:l] *n.* 凳子; 粪便

stoop [stu:p] *v.* 俯(上半身); 屈(身); 弯腰弓背;

***stop** [stɔp] *v.* 停止; 中止; 阻止(⇨prevent); 终止, 结束; 停顿; 阻塞 *n.* 停止; 中止; 停车站; 句号 [.] ▶注意与 pause, cease 的区别。

▲**stopwatch** ['stɔpwɔtʃ] *n.* (赛跑等用的)跑表, 记秒表

storage ['stɔ:ridʒ] *n.* 贮藏, 仓库; 栈租, 仓库费; 蓄电

***store** [stɔ:] *vt.* 贮藏, 贮存; 储备 *n.* 贮存品; 存货(⇨stock); 仓库; 商店 ([英] shop);《用复数》百货商店

store-house ['stɔ:haus] *n.* 仓库, 货栈

▲**storekeeper** ['stɔ:ki:pə] *n.* 仓库管理员; [美]零售店店主

▲**stor(e)y** ['stɔ:ri] *n.* (房屋的一)层; 楼

(*)**storm** [stɔ:m] *n.* 风暴; 狂暴天气; (感情的)爆发 *v.* 猛攻; 直捣

(*)**stormy** ['stɔ:mi] *a.* 暴风雨的; 感情激烈的; 暴躁的

***story** ['stɔ:ri] *n.* 故事; 小说; 叙述(⇨statement); 情节(⇨plot); 报道

*story-book ['stɔ:ribuk] *n.* 故事书

stout [staut] *a.* 肥胖的(⇨fat); 结实的(⇨strong); 勇敢的

^stove [stəuv] *n.* 炉, 火炉; 窑; 温室

*straight [streit] *a.* 直的, 笔直的(⇨direct); 整齐的, 整洁的; 坦率的(⇨
  frank) *od.* 直; 直接地(⇨directly); 坦率地

straighten ['streitn] *v.* 弄直; 直起来; 使整洁

straightforward [,streit'fɔ:wəd] *a.* 直爽的, 坦率的; 易懂的   「wrench)

strain¹ [strein] *v.* 拉紧; 绷紧; 尽力; 扭伤 *n.* 张力; 重压; 过劳; 扭伤(⇨

strain´ [strein] *n.* 曲调; 笔调; 语气(⇨tone); 血缘; 气质

^strait [streit] *n.* 海峡

strand¹ [stænd] *vt.* 搁浅; 使陷于困境 *n.* 海滨, 河岸

strand² [stænd] *n.* (绳等的)股; 线; 串   「familiar)

*strange [streindʒ] *a.* 奇怪(⇨queer); 陌生的; 生疏的, 不熟悉的 (⇨un-

strangely ['streindʒli] *ad.* 奇怪地; 不可思议地

^stranger ['streindʒə] *n.* 陌生人; 外地人; 外国人; 外行 (⇨outsider); 新客

strangle ['stræŋgəl] *vt.* 勒死; 闷住(⇨choke); 压制; 压抑

⁽ᴬ⁾strap [stræp] *n.* 带; 皮带

strategic [strə'ti:dʒik] *a.* 战略的, 战略上的

strategy ['strætədʒi] *n.* 战略, 策略

straw [strɔ:] *n.* 麦秆; 稻草; ‖ ～ hat 草帽 / ～ man 稻草人

strawberry ['strɔ:bəri, -beri] *n.* 草莓

stray [strei] *vi.* 走离; 迷路; 离题 *a.* 迷路的; 离群的; 偶遇的

streak ['stri:k] *n.* 条纹; 纹理; 气质

⁽ᴬ⁾stream [stri:m] *n.* 小河, 溪流, 川 *v.* 流, 流出; 涌   「率化

streamline ['stri:mlain] *n.* 流线, 流线型 *vt.* 造成流线型; 使现代化; 使效

*street [stri:t] *n.* 街, 街道; 行车道

^streetcar ['stri:tka:] *n.* [美]街车, 市内有轨电车([英] tramcar)

^strength [streŋθ, strenθ] *n.* 力量(⇨power); 力气; 浓度; 强度

^strengthen ['streŋθən, strenθən] *v.* 加固; 巩固; 加强; 变强

strenuous ['strenjuəs] *a.* 费力的; 紧张的; 奋发的(⇨vigorous); 努力的

stress [stres] *n.* 压力(⇨pressure); 重压; 紧迫; 重点; 重音(⇨accent) *vt.*
  着重, 强调; 重读 ‖ ～ mark 重音记号

stretch [stretʃ] *v.* 伸展(⇨extend); 展开; (使)拉长; 拉紧(⇨tighten); 伸
  (肢、体等); 持续

stretcher ['stretʃə] *n.* 担架; 画架; 伸张器

strew [stru:] *vt.* (*strewed, strewn* [stru:n] 或 *strewed*) 撒, 散; 撒播, 撒布

stricken ['strikən] strike 的过去分词 *a.* 受重伤的; 被(疾病等)袭击的

*strict [strikt] *a.* 严格的; 严厉的(⇨severe); 精确的(⇨accurate); 严密的

strictly ['striktli] *ad.* 严格地; 严厉地; 严密地; 完全地

⁽ᴬ⁾strictness ['striktnis] *n.* 严格; 严厉

stride [straid] *v.* (*strode* [strəud] *stridden* ['stridn]) 大步行走; 跨过 *n.*
  大步, 阔步

strife [straif] *n.* 争吵, 吵架(⇨quarrel); 斗争(← peace); 冲突(⇨conflict)
  ‖ political ～ 政治斗争

*strike [straik] *v.* (*struck* [strʌk], *struck* 或 *stricken* ['strikən]) 打, 击; 打

动; 冲击; 侵袭; 迷住; 给…以印象(⇨impress); 感动; (蛇、兽等)咬, 抓; 突然想到; 找到; 罢工; 降下(旗等); 达成(协议) *n.* 罢工

striking ['straikiŋ] *a.* 显著的; 引人注意的(⇨noticeable) *n.* 打击

▲**string** [striŋ] *n.* 带子, 粗线, 细绳; (乐器的)弦; 一行, 一串; 一系列 ‖ ～ quartet 弦乐四重奏

strip [strip] *v.* 剥, 剥去; 脱掉(⇨uncover); 拆卸(⇨remove)

stripe [straip] *n.* 条纹; 条子; 镶条; 〈美口语〉囚衣

striped [straipt] *a.* 有条纹的 ‖ ～ silk 条纹绸   「struggle)

strive [straiv] *v.* (*strove* [strəuv], *striven* ['strivən]) 努力(⇨try); 奋斗(⇨

▲**stroke**[^1] [strəuk] *n.* 打, 击; (钟的)敲击声, 鸣声; 中风, 一举; (写字的)一笔

stroke[^2] [strəuk] *vt.* 抚摸

▲**stroll** [strəul] *n.,v.* 漫步(⇨roam); 散步; 溜达, 闲逛

•**strong** [strɔŋ] *a.* 强的; 强壮的; 坚固的(⇨solid); 耐用的; 坚定的(⇨firm); 坚强的; 猛烈的; 激烈的; 强大的; 强有力的(⇨powerful); 味浓的; 〔语法〕强变化的 ‖ ～ verb 不规则动词 / ～ language 骂人话, 恶语

stronghold ['strɔŋhəuld] *n.* 要塞, 堡垒; 据点

strong-looking ['strɔŋ,lukiŋ] *a.* 外貌健壮的

▲**strongly** ['strɔŋli] *ad.* 强烈地; 强壮地; 坚强地; 强硬地

▲**strongpoint** ['strɔŋpɔint] *n.* 防守上的战术据点

strove [strəuv]   strive 的过去式

struck [strʌk]   strike 的过去式和过去分词

structure ['strʌktʃə] *n.* 构造, 结构; 建筑物(⇨building)

•**struggle** ['strʌgl] *n.,vi.* 斗争; 奋斗; 努力; 挣扎

stubborn ['stʌbən] *a.* 倔强的 (⇨unyielding); 顽固的; 固执的; 难对付的 (⇨hard) ‖ a ～ cold 难治疗的感冒

stuck [stʌk]   stick[^2] 的过去式和过去分词

stud [stʌd] *n.* (衬衫的)饰钮; 饰钉, 钉头饰 *v.* 点缀

•**student** ['stju:dənt, 美: 'stu:-] *n.* 学生(英国主要指大学生; 美国主要指高中以上的); 学员; 学者; 研究者   「deliberate」

studied ['stʌdid] *a.* 有研究的; 经慎重思考的 (⇨considered); 故意的 (⇨

studio ['stju:diəu, 美: 'stu:-] *n.* 画室; 摄影室; (艺术家的)工作室; 播音室; (电视)转播室; 摄影棚; 《常用复数》电影制片厂 ‖ ～couch 二用沙发

•**study** ['stʌdi] *v.* 学习; 研究; 仔细观察, 仔细考虑; 查阅 *n.* 学习; 学科; 调(查)研(究); 研究科目; 学科(⇨subject); 书房

stuff [stʌf] *n.* 装备; 材料, 原料(⇨material); 资料; 织品; 毛料 *v* 填塞(⇨fill); 装满 ‖ ～ed shirt 〈口语〉自命不凡的人

stuffy ['stʌfi] *a.* 不透气的, 闷热的; 保守的

stumble ['stʌmbl] *vi.* 绊脚; 绊倒; 结巴地说; 蹒跚; 失足 *vt.* 使蹒跚, 使困惑 *n.* 绊跌; 错误(⇨mistake)

stump [stʌmp] *n.* 树桩; 残肢; (铅笔等的)用剩部分; 烟蒂

stun [stʌn] *vt.* 使晕眩; 使失去知觉(⇨shock); 使发愣(⇨amaze)

stung [stʌŋ]   sting 的过去式和过去分词

▲**stupid** ['stju:pid, 美: 'stu:-] *a.* 愚蠢的, 笨的(⇨foolish); 迟钝的(⇨dull); 无聊的 *n.* 〈口语〉傻瓜, 笨蛋

stupidity [stju:'piditi, 美: stu:-] *n.* 愚蠢, 迟钝; 愚蠢的行动(或主意)

sturdy ['stə:di] *a.* 强壮的；结实的；坚定的(⇨firm)   「的)式样
style [stail] *n.* 时髦；时式(⇨fashion)；文体，文风；风格；作风；风度；(服装
sub- [sʌb] *pref.* 表示"下，次，亚，副"之意，如 *sub*way (地下道)，*sub*editor
  (副编辑)，*sub*head (小标题)，*sub*marine (水下的)．
subconscious [sʌb'kɔnʃəs] *a.* 下意识的；潜意识的
subdivide [ˌsʌbdi'vaid] *v.* 细分，再分
subdue [səb'dju:, 美: -'du:] *vt.* 征服(⇨conquer)；压倒，克制；使柔和；减弱
*** subject** ['sʌbdʒikt] *n.* 学科；科目；题目；主题(⇨theme)；国民；〔语法〕主语
  a. 从属的；《与 to 连用》易受…的，受…支配的 *vt.* [səb'dʒekt] 使隶属；
  《与 to 连用》使遭受 ▶名词、形容词与动词重音不同．
(A)**subjunctive** [səb'dʒʌŋktiv] *n.* 〔语法〕虚拟语气 *a.* 虚拟语气的 ‖ ~
  mood 虚拟语气
sublime [sə'blaim] *a.* 高尚的；崇高的；庄严的 *v.* (使)高尚；(使)崇高
submarine ['sʌbməri:n] *n.* 潜水艇 *a.* 海底的；水下的 ‖ ~ cable 水
  底电缆
submerge [səb'mə:dʒ] *v.* 浸没，淹没；掩盖；沉入水中(⇨sink)
submission [səb'miʃən] *n.* 屈服；降服；服从；建议   「出(建议)
submit [səb'mit] *v.* (使)屈服；(使)降服；(使)服从(⇨obey)；(使)忍受；提
subordinate ['sə'bɔ:dinət] *a.* 下级的；次要的(⇨secondary)；从属的 *n.*
  下级；部下 ‖ ~ clause 从句
subscribe [səb'skraib] *v.* 赞助；认捐；订阅；签署
subscript ['sʌbskript] *n.* 下标，下角标志 *a.* 记在下角的(字母、数字)
subscription [səb'skripʃən] *n.* 预约，订阅，订购；赞助；捐款；(签名)赞同
subsequent ['sʌbsikwənt] *a.* 随后的；后来的(⇨following)
subsequently ['sʌbsikwəntli] *ad.* 其后；接着
subside [səb'said] *vi.* 下沉(⇨sink)；下陷；塌方；沉淀   「机构
subsidiary [səb'sidiəri] *a.* 辅助的(⇨auxiliary)，补充的 *n.* 辅助者；附属
▲**substance** ['sʌbstəns] *n.* 物质(⇨material)；实质(⇨essence)；要旨；资产
substantial [səb'stænʃəl] *a.* 物质的(⇨material)；真实的(⇨real)；实质性
  的；牢固的(⇨solid)；巨大的；重要的；富裕的，殷实的(⇨wealthy)
substitute ['sʌbstitju:t, 美: -tu:t] *n.* 代替人 (或物)；代用品 *v.* 以…代
  替，替代(⇨replace) *a.* 代理的；代用的 ‖ ~ teacher 代课教师
subtle ['sʌtl] *a.* 精巧的(⇨skillful)；微妙的，敏锐的；狡猾的 ▶b 不发音
subtract [səb'trækt] *v.* 减，减去
subtraction [səb'trækʃən] *n.* 减；减法
(A)**suburb** ['sʌbə:b] *n.* 《常用复数》郊区，郊外，近郊
suburban [sə'bə:bən] *a.* (在)郊区的；(在)郊外的 *n.* 郊区居民
subway ['sʌbwei] *n.* 地下道；[美]地下铁道([英] underground, tube)
(A)**succeed** [sək'si:d] *v.* 成功；成名；继承，继任；继…之后(⇨follow)
(s)**success** [sək'ses] *n.* 成功；成就
▲**successful** [sək'sesfəl] *a.* 成功的；有成就的；幸运的
(A)**successfully** [sək'sesfəli] *ad.* 成功地；顺利地；幸运地；结果良好地
succession [sək'seʃən] *n.* 连续；接连；系列
successive [sək'sesiv] *a.* 连续的；接连的；相继的
successor [sək'sesə] *n.* 继承者；继任者；后继者；接班人

***such** [sʌtʃ, (弱) sətʃ] *a.* 这样的, 如此的; 这种的; 某一;《表示惊叹》这么. 那么 *pron.* 这样的人; 这样的事物

***suck** [sʌk] *vt.* 吮吸; 舐食; 吸收; 吸取

▲**sucrose** ['sju:krəus] *n.* 蔗糖

▲**sudden** ['sʌdn] *a.* 突然的; 意外的(⇨unexpected)

***suddenly** ['sʌdnli] *ad.* 突然地; 忽然; 出乎意外地

(*)**Sue** [sju:] 秀, 苏(女名, Susan ['su:zn], Susannah [su:'zænə] 的昵称)

▲**Suez** ['su:iz] *n.* 苏伊士 (埃及港市) ‖ the ～ Canal 苏伊士运河

***suffer** ['sʌfə] *v.* 受痛苦; 受损害; 遭受; 受苦; 忍受

***suffering** ['sʌfəriŋ] *n.* 痛苦; 苦难;《用复数》受苦, 遭难 *a.* 受苦的

suffice [sə'fais] *v.* 足够; 满足(⇨satisfy)

sufficiency [sə'fiʃ ənsi] *n.* 足够; 充分; 足够量

sufficient [sə'fiʃ nt] *a.* 充分的; 足够的(⇨enough)

sufficiently [sə'fiʃ ntli] *ad.* 充分地; 足够地

suffix ['sʌfiks] *n.* 后缀, 词尾

suffrage ['sʌfridʒ] *n.* (所) 投(的)票; 赞成票; 选举权; 参政权

***sugar** ['ʃugə] *n.* 糖 ‖ ～ beet 甜菜

***suggest** [sə'dʒest] *vt.* 建议(⇨propose); 提议; 使人想起; 暗示(⇨hint)

suggestion [sə'dʒestʃ ən] *n.* 建议; 提议; 意见; 暗示; 联想

suicide ['sju:isaid, 美: 'su:-] *n.* 自杀; 自毁; 自杀者

suit [sju:t, 美: su:t] *n.* 一套衣服; (马具、盔甲等的) 一副; 同花色的一组纸牌; 诉讼 *vt.* 使适合(⇨fit); 对…相宜; 与…相配

(▲)**suitable** ['sju:təbl, 美 'su:t-] *a.* 合适的; 适宜的(⇨fit); 适当的(⇨proper)

suitcase ['sju:tkeis, 美: 'su:t] *n.* 小型旅行箱; 手提箱

suite [swi:t] *n.* 一套家具; 一套房间; 组曲 ▶ 注意发音

suitor ['sju:tə, 美 su:-] *n.* (男)求婚者; 起诉者; 请求者

sulfur = sulphur   [gloomy]

sullen ['sʌlən] *a.* 不高兴的 (← cheerful); 闷闷不乐的; 怨恨的; 阴沉的(⇨

▲**Sullivan** ['sʌlivən] 沙利文(姓)

sulphur ['sʌlfə] *n.* 硫; 硫磺 ▶ 又拼写为 sulfur.

sultan ['sʌltən] *n.* 苏丹(某些伊斯兰教国家的君主)

sultry ['sʌltri] *a.* 闷热的; 热情的; 引起性欲的

(▲)**sum** [sʌm] *vt.* 总结; 概括; 合计 *n.* 总额·合计(⇨total); 算术题

summarize ['sʌməraiz] *v.* 概括, 概述; 总结; 摘要

summary ['sʌməri] *n.* 摘要(⇨digest); 概要; 简短总结 *a.* 简短的(⇨ brief); 扼要的; 立刻的, 即时的

***summer** ['sʌmə] *n.* 夏天, 夏季

summertime ['sʌmətaim] *n.* 夏季; 热天

summit ['sʌmit] *n.* 顶, 绝顶; 顶点, 顶峰(⇨top); 最高级会议 ‖ ～ meeting 首脑会议 / ～ powers 国家领导人

▲**summon** ['sʌmən] *vt.* 召集; 召唤; 呼唤; 传换; 鼓起(勇气等)   [阳帽

***sun** [sʌn] *n.* (加 the)太阳; 阳光; 恒星 ‖ ～ bath 日光浴 / ～ helmet 遮

sunbeam ['sʌnbi:m] *n.* (一道)阳光

sunburn ['sʌnbə:n] *n.* 日光灼伤·晒黑; 晒斑

***Sunday** ['sʌndi] *n.* 星期日(略作: Sun.)

▲**sundown** ['sʌndaun] *n.* 日落

sundry ['sʌndri] *a.* 杂的; 各种各样的, 各种不同的

sunflower ['sʌn,flauə] *n.* 向日葵, 葵花

sung [sʌŋ] sing 的过去分词

sunk [sʌŋk] sink 的过去分词

sunken ['sʌŋkən] *a.* 沉没的; 沉下的; 水下的; 凹陷的

sunlight ['sʌnlait] *n.* 日光, 阳光(⇨sunshine)

*****sunny** ['sʌni] *a.* 晴朗的; 向阳的; 阳光充足的; 光明的 (⇨bright); 欢乐的 (⇨cheerful) ‖ ~ disposition 开朗的性格

sunrise ['sʌnraiz] *n.* 日出; 黎明

sunset ['sʌnset] *n.* 日落; 黄昏

▲**sunshine** ['sʌnʃain] *n.* 日光, 阳光; 光明; 快乐

super ['su:pə, 'sju:-] *a.* 〈口语〉极好的(⇨excellent); 极妙的

super- [su:pə, sju:-] *pref* 表示"超, 超级, 上, 过分"之意, 如 *superpower* (超级大国), *superstructure* (上层建筑), *superfine* (过细的).

superb [su:'pə:b, sju:-] *a.* 壮丽的; 超等的; 极妙的

superficial [,su:pə'fiʃəl, sju:-] *a.* 表面的; 肤浅的

superintendent [,su:pərin'tendənt, ,sju:-] *n.* 监督者; 主管人; 负责人

superior [su:'piəriə, sju:-] *a.* 优等的, 优秀的, 优良的; 优势的; 上级的; 地位较高的 *n.* 上级; 优秀者

superiority [su:,piəri'ɔriti, sju:-] *n.* 优越(性); 优良; 优势

superlative [su:'pə:lətiv, sju:-] *a.* 最高的; 最好的; 〔语法〕最高级的 *n.* 《加 the》〔语法〕最高级

(▲)**supermarket** ['su:pə,mɑ:kit, 'sju:-] *n.* 超级市场, 超级商场; 自选商店

superpower ['su:pə,pauə, 'sju:-] *n.* 超级大国

supersonic [,su:pə'sɔnik, ,sju:-] *a.* 超声的; 超音速的

superstition [,su:pə'stiʃən, ,sju:-] *n.* 迷信; 迷信的习俗

supervise ['su:pəvaiz, 'sju:-] *vt.* 管理; 监督; 指导

supervision [,su:pə'viʒən, ,sju:-] *n.* 管理; 监督; 指导

*****supper** ['sʌpə] *n.* 晚餐, 晚饭

supplement ['sʌplimənt] *n.* 补充; 附录; 补遗; 补编; 增刊 *vt.* [-ment] 补充; 增补 ▶ 名词与动词末音节发音不同.

(*)**supplementary** [,sʌpli'mentəri] *a.* 补充的; 附加的

(▲)**supply** [sə'plai] *vt.* 供给(⇨provide, furnish); 供应; 补充; 满足 *n.* 供给(物); 供应品; 生活必需品; 贮藏量;《用复数》(食物、武器等)储备物资

▲**support** [sə'pɔ:t] *vt.* 支撑; 支持; 支援(⇨help); 维持; 赡养 *n.* 支撑物

supporter [sə'pɔ:tə] *n.* 支持者; 拥护者; 援助者; 供养者; 支撑物

*****suppose** [sə'pəuz] *vt.* 推测, 猜想(⇨guess); 想像, 假定, 假说;《用作连词》要是…的话 (⇨if);《用被动语态》应该

supposed [sə'pəuzd] *a.* 被信以为真的; 假定的; 假想的

suppress [sə'pres] *vt.* 镇压; 压制; 制止; 忍住

supremacy [sə'preməsi] *n.* 至高无上; 最高权力; 霸权

supreme [su:'pri:m, sju:-] *a.* 最高的; 至高的; 最重要的

*****sure** [ʃuə] *a.* 确信的; 无疑的; 肯定的(⇨certain); 有把握的; 可靠的, 可信赖的 *ad.* 〈口语〉的确, 一定, 当然

surely ['ʃuəli] *ad.* 《常用于句首或句尾, 强调推断等》确实; 一定; 当然

surface ['sə:fis] *n.* 表面; 外表(⇨appearance); 地面; 水面

surf-riding ['sə:f.raidiŋ] *n.* 冲浪运动

surge [sə:dʒ] *v.* 汹涌; 蜂拥; (感情)高涨, 激动   *n.* 巨浪; 波涛

surgeon ['sə:dʒən] *n.* 外科医生; 军医; 船医

surgery ['sə:dʒəri] *n.* 外科, 外科学; 外科手术

surname ['sə:neim] *n.* 姓; 别号, 外号

surpass [sə'pɑ:s] *vt.* 超过; 胜过(⇨excel)

surplus ['sə:pləs] *n.* 剩余额; 过剩(⇨excess) ‖ ~ value 剩余价值

surprise [sə'praiz] *n.* 惊奇, 诧异; 没有想到的事(或礼物); 突然袭击(⇨assault)   *vt.* 使惊奇; 使感到意外; 奇袭

surprising [sə'praiziŋ] *a.* 惊人的; 意外的; 非凡的

surprisingly [sə'praiziŋli] *ad.* 惊人地; 意外地

surrender [sə'rendə] *v.* (使)投降(⇨yield); 自首; 放弃; 交出;《与 to 连用》屈服于   *n.* 投降; 交出; 屈服

surround [sə'raund] *vt.* 包围; 环绕; 围住   「近的

surrounding [sə'raundiŋ] *n.*《用复数》环境; 周围的事物   *a.* 周围的; 附

survey [sə'vei] *vt.* 审视; 检查(⇨inspect); 调查, 综述; 眺望   *n.* ['sə:vei] 检查; 调查; 综观; 察看; 综述; 概述; 土地测量 ▶动词与名词发音不同.

survival [sə'vaivəl] *n.* 幸存(者); 残存

survive [sə'vaiv] *v.* 幸免于; 活下来; 幸存; 比…活得长

Susan ['su:zn] 苏珊(女名)

susceptible [sə'septəbl] *a.* 敏感的; 易怒的; 多情的; 感情脆弱的

suspect [sə'spekt] *v.* 怀疑(⇨doubt); 感到(危险等); 猜想   *n.* ['sʌspekt] 嫌疑犯 ▶ suspect 表示疑有其事, doubt 表示疑无其事.

suspend [sə'spend] *v.* 悬挂(⇨hang); 悬浮; 暂停; 推迟(⇨postpone) ‖ ~ payment 停止支付

suspense [sə'spens] *n.* 未定; 担心, 不安; 悬念

suspicion [sə'spiʃən] *n.* 怀疑; 嫌疑; 猜想(⇨guess)

suspicious [sə'spiʃəs] *a.* 可疑的; 怀疑的

sustain [sə'stein] *v.* 支撑(⇨hold); 撑住; 继续; 维持(⇨maintain); 忍受(⇨endure); 证实(⇨comform)

swallow¹ ['swɔləu] *n.* 燕子

swallow² ['swɔləu] *n.* 吞, 咽; 一次吞咽的量   *v.* 吞下, 咽下; 吞没; 忍受; 取消;〈口语〉轻信

swam [swæm]   swim 的过去式

swamp [swɔmp] *n.* 沼泽, 沼泽地   *v.* (使)陷入沼泽; 淹没; 使应接不暇

swan [swɔn] *n.* 天鹅

swarm [swɔ:m] *n.* 蜂群; (移动中的)大群动物(或昆虫); 一大群(人)   *vt.* 云集, 群集; 蜂拥   「斜; 影响

sway [swei] *v.* (使)摇摆; (使)摇动; (使)倾斜(⇨lean); 支配   *n.* 摇摆; 倾

swear [swɛə] *v.* (swore [swɔ:], sworn [swɔ:n]) 发誓(⇨vow); 郑重地说; (使)宣誓; 诅咒

sweat [swet] *n.* 汗, 汗水   *v.* (使)出汗; (使)渗出

sweater ['swetə] *n.* 毛线衫; 厚运动衫

▲**Swede** [swi:d] *n.* 瑞典人

***Sweden** ['swi:dn] *n.* 瑞典

　Swedish ['swi:diʃ] *a.* 瑞典的；瑞典人的；瑞典语的　*n.* 瑞典语；《加 the》〔总称〕瑞典人

***sweep** [swi:p] *v.* (*swept* [swept], *swept*) 扫，扫除；打扫；掠过；冲走　*n.* 扫除；扫荡；清除

　sweeping ['swi:piŋ] *a.* 一扫无遗的；广泛的；彻底的

▲**sweet** [swi:t] *a.* 甜的；芳香的；可爱的；新鲜的；悦耳的；愉快的　*n.* 甜食，《常用复数》糖果 ([美] candy)；《称呼用语》亲爱的‖ ～ potato 山芋

　sweeten ['swi:tn] *v.* (使)变甜；加糖于；使温和；使愉快

　sweetheart ['swi:thɑ:t] *n.* 意中人；对象；情人；《称呼用语》亲爱的

(*)**sweetly** [swi:tli] *ad.* 香甜地；芳香地；悦耳地；亲切地；可爱地

　sweetmeat ['swi:tmi:t] *n.* 《常用复数》甜食；蜜饯

　sweetness ['swi:tnis] *n.* 甜(味)；美(味)；新鲜；芳香；美妙；愉快；亲切

　swell [swel] *v.* (*swelled, swollen* ['swəulən] 或 *swelled*) (使)膨胀(⇨ inflate)；(使)增大；肿胀；(使)突出　*n.* 膨胀；增大；肿胀；突出部；巨浪

　swept [swept]　sweep 的过去式和过去分词

(▲)**swerve** [swə:v] *vi.* 突然转向；急转弯

　swift [swift] *a.* 快的；飞快的；迅速的(⇨rapid)；突然发生的

　swiftly ['swiftli] *ad.* 快，迅速地；敏捷地　　　　　　　　　　　　「*n.* 游泳

***swim** [swim] *v.* (*swam* [swæm], *swum* [swʌm]) 游，游泳；浸，泡；漂；滑行

　swimmer ['swimə] *n.* 游泳者

　swimming ['swimiŋ] *n.* 游泳

　swine [swain] *n.* (复数: *swine*) 〈旧〉猪；卑鄙的家伙 ▶ 一般用 pig.

***swing** [swiŋ] *v.* (*swung* [swʌŋ], *swung*) (使)摇摆；(使)摆动；(人等)转向；转身；轻快地走；荡，荡秋千；赶时髦　*n.* 摆动；振幅；波动

　swirl [swə:l] *v.* 打旋；涡动；卷走；发晕

▲**Swiss** [swis] *a.* 瑞士的；瑞士人的　*n.* 瑞士人；《加 the》〔总称〕瑞士人

(▲)**switch** [switʃ] *n.* 开关；电闸；转换　*vt.* 转换；改变；使转轨

▲**Switzerland** ['switsələnd] *n.* 瑞士

　swollen ['swəulən]　swell 的过去分词　*a.* 肿起的；膨胀的；高傲的

　swoon [swu:n] *v., n.* 昏厥，晕倒

▲**sword** [sɔ:d] *n.* 剑，刀；《加 the》武力，战争

▲**sword-thrust** ['sɔ:dθrʌst] *n.* 剑刺；刀刺

　swore [swɔ:]　swear 的过去式

　sworn [swɔ:n]　swear 的过去分词　*a.* 宣过誓的‖ ～ friends 生死之交 / ～ enemies 死敌

　swum [swʌm]　swim 的过去分词

　swung [swʌŋ]　swing 的过去式和过去分词

　syllabic [si'læbik] *a.* 音节的

(*)**syllable** ['siləbl] *n.* 音节

▲**symbol** ['simbəl] *n.* 象征；符号，记号(⇨mark, sign)

　symbolize ['simbəlaiz] *v.* 象征，代表；用符号(表示) ▶又作 symbolise.

　symmetric(al) [si'metrik(əl)] *a.* 对称的，匀称的

　symmetry ['simitri] *n.* 对称，匀称

sympathetic [ˌsimpə'θetik] *a.* 同情的; 赞成的; 共鸣的

sympathize ['simpəθaiz] *vi.* 《与 with 连用》同情; 同感; 赞同

▲**sympathy** ['simpəθi] *n.* 同情; 同感; 共鸣; 《用复数》支持, 慰问 「乐团

(*)**symphony** ['simfəni] *n.* 交响曲; 交响乐; 谐音; 调和 ‖ ~ orchestra 交响

symposium [sim'pəuziəm] *n.* 专题讨论会, 研论会; 座谈会; 专题论文集

symptom ['simptəm] *n.* 症状; 症候; 迹象

syn-, syl-, sym- *pref.* 表示"共, 同, 合, 类似"之意, 如 *syn*onym (同义词),
  *syl*lable (音节), *sym*pathy (同情心), *sym*phony (交响乐). 「星

synchronous ['siŋkrənəs] *a.* 同时(发生)的; 同步的 ‖ ~ satellite 同步卫

synonym ['sinənim] *n.* 同义词 (← antonym)

synopsis [si'nɔpsis] *n.* (复数: *synopses* [-siːz]) (电影、剧本、书等的)提要
  (⇨outline, brief); 梗概; 大纲; 说明书

syntax ['sintæks] *n.* 〔语法〕句法

synthesis ['sinθəsis] *n.* (复数: *syntheses* [-siːz]) 合成; 综合

synthetic [sin'θetik] *a.* 合成的, 人造的; 综合的 ‖ ~ rubber 合成橡胶

syrup ['sirəp] *n.* 糖汁; 果汁; (药用的)糖浆

(*)**system** ['sistəm] *n.* 系统; 体系; 制度; 方法

systematic [ˌsistə'mætik] *a.* 系统的; 有组织的

systematically [ˌsistə'mætikəli] *ad.* 有系统地; 有组织地; 秩序井然地

T, t

***table** ['teibl] *n.* 桌子, 台子; 餐桌(⇨board); 平面; 平板; (时间、价目)表(⇨
  list); 表格; 一览表(⇨schedule); 目录 ‖ ~ talk 席间闲谈

(▲)**table-cloth** ['teibl,klɔθ] *n.* 台布

tableland ['teibl,lænd] *n.* 高原(⇨plateau); 台地

tablespoon ['teibl,spuːn] *n.* 大汤匙, 餐匙; 一大汤匙(或餐匙)的容量 「词.

tablespoonful ['teibl,spuːnful] *n.* 大汤匙(或餐匙)的容量 ▶ 此词非形容

tablet ['tæblit] *n.* (嵌于壁上等的石制或金属制)碑, 匾; (糖、皂等的)片, 块
  (⇨piece, cake); 药片; 拍纸簿(⇨pad)

table-tennis ['teibl,tenis] *n.* 乒乓球(运动)

taboo [tə'buː] *n.* (宗教、习俗等方面的)禁忌; 忌讳的话 *a.* 禁忌的(⇨
  prohibited); 禁止的(⇨banned) *v.* 禁忌; 禁止

tabulate ['tæbjuleit] *vt.* 把…列表; 把…制成表格 「缝, 假缝

tack [tæk] *n.* 平头钉; (风帆所示的)航向; 行动方向, 方针; (缝纫中的)粗

tackle ['tækl] *vt.* 处理, 解决(难事、问题); 应付(⇨handle); 抓住(⇨catch);
  揪住(⇨seize) *n.* 用具(⇨gear); 装备(⇨equipment); 滑车

tact [tækt] *n.* 机智; 老练; 圆滑; 知分寸; 得体

tactics ['tæktiks] *n.* 〔复数〕《用作单数》战术, 兵法(⇨strategics);《用作复
  数》策略(⇨policy)

tadpole ['tædpəul] *n.* 蝌蚪

tag [tæg] *n.* 签条; 货签; 标签; (衣领等的)挂襻; (鞋带末端的)金属头; 《美

口语〉(汽车)号码牌

*tail [teil] *n.* 尾巴; 尾部; 末端(⇨end); 发辫 ‖ ～ coat 燕尾服

▲tailor ['teilə] *n.* (男装)裁缝; 成衣匠   *vt.* 裁制, 缝制(⇨sew) ▶ 女装裁缝为 dressmaker.

taint [teint] *n.* 污点(⇨spot); 玷污(⇨stain); 感染(⇨infection); 腐败(⇨ corruption) *v.* 污染(⇨pollute); 感染(⇨infect); 腐败(⇨corrupt)

*take [teik] *v.* (*took* [tuk] *taken* ['teikən]) 拿, 取; 握; 捉住; 逮捕; 得到; 接受; 带着; 看作; 理解; 占据; 就(座); 耗费(时间); 需要(⇨need); 搭乘(交通工具); 拍摄(照片); 选取(⇨choose); 吃, 喝; 服(药); 采取, 实行(某种行动); 感染(疾病); 量(体温); 修(一门课程); 减去; 着手; 从事

taken ['teikən] take 的过去分词

takeout ['teik,aut] *a.* (饭菜)外卖的, (供顾客)堂外吃的

▲tale [teil] *n.* 故事(⇨story); 传说(⇨legend); 虚构的话 ‖ fairy ～s 神话故事; 童话 ▶ 发音与 tail (尾巴)相同.

▲talent ['tælənt] *n.* 才能(⇨ability); 天才(⇨genius); 天资(⇨gift); 〈口语〉(艺术、体育等的)人才

*talk [tɔ:k] *vi.* 说话, 谈话(⇨speak); 演讲; 交谈, 商谈 *vt.* 说, 讲; 谈论, 讨论 *n.* 谈话, 交谈(⇨conversation); 讲话, 演讲; 会谈(⇨conference); 谈判 ‖ idle ～ 空谈 / ～*ing* point 话题

*tall [tɔ:l] *a.* 高的 (← short); 高大的(⇨high, long); 高度为…的 ‖ ～ story 荒诞的故事 / ～ tale [talk] 吹牛

*tame [teim] *a.* 驯服的(← wild); 养乖了的; 温顺的; 顺从的(⇨submissive) 乏味的, 沉闷的   *vt.* 驯服(⇨subdue); 驯养; 使屈服

tan [tæn] *v.* 鞣(革), 硝(皮); (使)晒黑   *n.* 棕黄色; 晒黑; 鞣皮   *a.* 棕黄色的

tangle ['tæŋgəl] *n.* (头发、线等的)缠结; 纷乱; 混乱(⇨muddle); 〈口语〉争吵 *v.* (使)缠结; (使)混乱(⇨twist); (与…)争吵

tank [tæŋk] *n.* (装汽油、水等的)箱, 桶, 槽; 游泳池; 储水池; 战车, 坦克

tanker ['tæŋkə] *n.* 油船

(*)tap[1] [tæp] *v.* (连续)轻拍(⇨pat); 轻敲, 叩击(⇨knock); 叩诊   *n.* 轻拍(声), 轻敲(声) ‖ ～ dance 踢踏舞

tap[2] [tæp] *n.* 塞子, 旋塞; (水)龙头([美] faucet)   *vt.* 装上龙头; 引接(水管等); 开发(土地等); 挖掘(潜力)

▲tape [teip] *n.* (纸、布等的)狭带; 卷尺; 录音带; 拉在赛跑终点线上的细线   *v.* 用带捆住; 用卷尺测量; 用录音带录音 ‖ ～ measure 卷尺, 带尺, 皮尺

taper ['teipə] *v.* (使)逐渐变细; 逐渐减少; 缩小   *n.* 小型蜡烛; 〈诗などの〉微光

tape-recorder ['teip-ri,kɔ:də] *n.* 磁带录音机

tapestry ['tæpistri] *n.* 花毯; 挂帷; 绒毯; 织锦

▲tap-talking ['tæp,tɔ:kiŋ] *n.* 敲打式的谈话

▲tar [tɑ:] *n.* 焦油; 柏油, 沥青(⇨pitch)   *v.* 浇(或涂)焦油(或柏油)

tardy ['tɑ:di] *a.* 迟的(⇨late); 晚的(← early); 缓慢的(⇨slow)

target ['tɑ:git] *n.* 靶子(⇨mark); 目标(⇨aim); (挖苦、批评等的)对象, 笑柄

tariff ['tærif] *n.* 关税表; 关税率; 海关税则; (旅馆、铁路等的)价目表(⇨ schedule), 收费表 ‖ ～ wall 关税壁垒

tart [tɑ:t] *n.* [英] 果馅儿饼(⇨pie)

(▲)task [tɑ:sk, 美: tæsk] *n.* 工作(⇨work); 任务(⇨duty); 职务; 功课; 作业(⇨

assignment) *vt.* 派给…(工作)(⇨assign);使劳累 ‖ ～ force 特遣部队

*taste [teist] *v.* 尝味(⇨try);辨味;尝起来;有…的味道(⇨savour) *n.* 味道,滋味;味觉;一尝;爱好(⇨fondness);审美力,情趣「赏力的」

tasteless ['teistlis] *a.* 不能辨味的;无味的(⇨dull);乏味的,不雅观的;无鉴

(▲)**tasty** ['teisti] *a.* 美味的;可口的;〈口语〉(服装等)雅观的,大方的

taught [tɔ:t] teach 的过去式和过去分词   「inn)

tavern ['tævən] *n.* 〔美〕酒馆,酒店(〔英〕 public house);〈古语〉客栈 (⇨

*tax [tæks] *n.* 税,租税;重担(⇨burden) *vt.* 抽税;使负重荷(⇨load);指摘 ‖ ～ collector 税务员 / ～rate 税率

taxation [tæk'seiʃən] *n.* 征税,课税;租税;税收   「处

(▲)**taxi** ['tæksi] *n.* 出租汽车,计程车(⇨cab) ‖ ～ rank [stand] 出租汽车停车

TCO = telephone call (is) over. 电话说完了.

TCP = telephone call (is) placed. 电话接上了.

*tea [ti:] *n.* 茶,茶叶;茶树;茶点 ‖ black ～ 红茶 / green ～ 绿茶 / ～ party 茶会,茶话会 ‖ ～ ceremony 茶道

*teach ['ti:tʃ] *v.* (*taught* [tɔ:t], *taught*) 教(← learn);教导(⇨instruct);教书,讲授;训练 (⇨train);教训

*teacher ['ti:tʃə] *n.* 教师(⇨master);教员(⇨instructor);老师

(▲)**teaching** ['ti:tʃiŋ] *n.* 教,教学;教导;学说 *a.* 教学的   「神

*team [ti:m] *n.* (足球、篮球等的)队;(工作上的)班,组 ‖ ～ spirit 集体精

(▲)**teammate** ['ti:mmeit] *n.* 队友

*tear¹ [tiə] *n.* 《常用复数》眼泪,泪珠 ‖ ～ bomb 催泪弹

(▲)**tear²** [tɛə] *v.* (*tore* [tɔ:], *torn* [tɔ:n]) 撕,撕裂(⇨split);撕开;扯破(⇨ rupture);扯开 ▶发音与 tear¹ 有区别.

tearful ['tiəfəl] *a.* 含泪的,眼泪汪汪的;哭泣的(⇨weeping);催人泪下的

tearfully ['tiəfəli] *ad.* 眼泪汪汪地;悲哀地(⇨mournfully)

tease [ti:z] *vt.* 取笑,戏弄 (⇨scoff);奚落,逗弄,强求;梳理(羊毛等)

teaspoon ['ti:spu:n] *n.* 茶匙;一茶匙容量(=teaspoonful)

teaspoonful ['ti:spu:nfəl] *n.* 一茶匙容量 ▶此词不是形容词.

(▲)**technical** ['teknikəl] *a.* 技术的,技能的;工艺的;专门的 ‖ ～ school 技术学校 / ～ term 专门名词,术语

technician [tek'niʃən] *n.* 技术员,技师;技术人员;技术专家

(▲)**technique** [tek'ni:k] *n.* 技术;技巧(⇨skill);技能 ▶注意拼写发音

technological [,teknə'lɔdʒikəl] *a.* 工艺的,工艺学上的

technology [tek'nɔlədʒi] *n.* 工艺学;工艺,工业技术

tedious ['ti:diəs] *a.* 冗长乏味的;使人厌烦的(⇨boring) (← interesting)

teenager ['ti:neidʒə] *n.* (13-19岁的)青少年

teens [ti:nz] *n.* [复数]十几岁〔数字中用-teen 当词尾的13 (thirteen) -19 (nineteen) 岁间〕;青春期(的男女);妙龄

(▲)**teeter** ['ti:tə] *vi.* 摇摆;跟跄(⇨stagger);摇摇欲坠

teeth [[ti:θ] tooth 的复数

tele- [telə] *pref.* 表示"远的;电信,电视"之意,如 *tele*phone(电话) *tele*-scope (望远镜), *tele*vision (电视).

(▲)**telegram** ['teləgræm] *n.* 电报;电信   「打电报

*telegraph ['teləgrɑ:f, 美: -græf] *n.* 电报(指通讯方式);电报纸 *v.* (给…)

telegraphy [ti'legrəfi] *n.* 电报技术;电信

*telephone ['teləfəun] *n.* 电话;电话机   *v.* 打电话(给…) ‖ public ～ 公用电话 ‖ ～ book [directory] 电话簿 / ～ booth [box, kiosk] 电话亭 / ～ subscriber 电话用户

▲telescope ['teləskəup] *n.* 望远镜

▲television ['telə,viʒən] *n.* 电视,电视机 (略作: TV) ‖ ～ set 电视机

telex ['teleks] *n.* 电传;用户电报

*tell [tel] *v.* (*told* [təuld], *told*) 讲,讲述(⇨relate);告诉(⇨inform);吩咐;说明,辨别;区分 ▶tell 后常跟双宾语.

(*)temper ['tempə] *n.* 性情,脾气;心情(⇨mood)

temperament ['tempərəmənt] *n.* 气质;性情,脾气(⇨disposition)

temperance ['tempərəns] *n.* 节制(⇨moderation);克制;禁酒;禁欲

temperate ['tempərit] *a.* 适度的,中庸的(⇨moderate);有节制的;禁酒的,节酒的;(气候)温和的 ‖ the *Temperate* Zone(s) 温带

*temperature ['tempərətʃə] *n.* 温度;体温;《加 a》发烧 (⇨fever)

tempest ['tempist] *n.* 〈诗语〉暴风雨,大风暴(⇨storm)

*temple¹ ['templ] *n.* 庙宇,寺院;神殿

temple² ['templ] *n.* 太阳穴

(▲)temporarily ['tempərərili] *ad.* 暂时地;临时地

▲temporary ['tempərəri] *a.* 暂时的;临时的,非永久性的(← permanent)

tempt [tempt] *vt.* 引诱(⇨allure);诱惑;吸引(⇨invite)

▲temptation [temp'teiʃən] *n.* 引诱,诱惑;引诱物

tempting ['temptiŋ] *a.* 诱惑的;有魅力的 ‖ a ～ offer 一项诱人的提议

*ten [ten] *num.* 十

▲tenant ['tenənt] *n.* 佃户;租户(⇨renter);房客;居住者(⇨dweller) *v.* 租借

tend¹ [tend] *vi.* 《与 to 连用》有…倾向(⇨incline);易于…;通向;趋向

▲tend² [tend] *v.* 护理(⇨nurse);照料,照管;服侍(⇨serve);看守(⇨watch)

tendency ['tendənsi] *n.* 趋势,趋向(⇨trend);倾向(⇨inclination)

▲tender¹ ['tendə] *a.* 嫩的(← tough);脆弱的(⇨delicate);易损坏的(⇨fragile);敏感的(⇨sensitive);柔和的(⇨soft);幼弱的

tender² ['tendə] *n.* 看管人;照料人

tender³ ['tendə] *n.* 提出;提议;报价;投标; *v.* (正式)提出;提供(⇨offer);清偿,偿付;投标

tenderly ['tendəli] *ad.* 亲切地;深情地(⇨affectionately)

tenderness ['tendənis] *n.* 柔软,温和;亲切;敏感

tenement ['tenimənt] *n.* 分租的房屋;经济公寓(⇨apartment);住房(⇨house);住宅(⇨dwelling)

(▲)Tennessee [,tenə'si:] *n.* 田纳西州 (美国)

*tennis ['tenis] *n.* 网球(运动)

tenor ['tenə] *n.* 行程,路程(⇨course);(人生的)进程;要旨,大意(⇨meaning);男高音(歌手) (← bass)

tense¹ [tens] *n.* 〔语法〕(动词的)时态,时式

tense² [tens] *a.* 拉紧的(⇨tight);绷紧的;紧张的(← relaxed);引起神经不安的(⇨nervous) *v.* (使)拉紧;(使)紧张

tension ['tenʃən] *n.* 拉紧(⇨strain);绷紧;张力;拉力;紧张不安(⇨

nervousness); 电压(⇨voltage)

`tent [tent] *n.* 帐篷, 帐棚; 帐状物 「(略作: 10th)

▲tenth [tenθ] *num.* 第十(个); 十分之一(的) *n.* 《加 the》(月的)第十日

▲tenth-rate ['tenθ-reit] *a.* 最劣等的

*term [təm] *n.* 期限; 学期(⇨semester); 支付日期; (有特定意义的)单词 (⇨word); 术语, 专门用语(⇨expression); 〔数学〕项; 《用复数》(合同等 的)条件, (交往)关系 ‖ ～ time 上课时间

terminal ['təminəl] *a.* 末端的; 终点的; 晚期的; 定期的; (每)学期的; 期终 的 *n.* 末端, 尽头; (铁路, 航线等的)终点, 起讫站; 连接插头(⇨ connector); 〔电脑〕终端

terminate ['təmineit] *v.* (使)终止(⇨end); (使)结束(⇨finish); 限制(⇨ limit); 以…结束 (⇨result)

terminology [,təmi'nɔlədʒi] *n.* 〔总称〕术语, 专门名词 「标(⇨goal)

terminus ['təminəs] *n.* (铁路、汽车等的)终点(站)(⇨terminal); 最终目

termite ['təmait] *n.* 白蚁

⁽▲⁾tern [tən] *n.* 燕鸥

terrace ['terəs] *n.* 台地; 梯田; 坪; 坛; (大)阳台; 平台屋顶

*terrible ['terəbl] *a.* 可怕的(⇨dreadful, horrible); (事故、消息等)悲痛的; 〈口语〉非常的, 恶劣的; 厉害的(⇨severe)

▲terribly ['terəbli] *ad.* 可怕地; 极度地

terrific [tə'rifik] *a.* 可怕的(⇨terrible); 令人恐怖的; 〈口语〉极妙的; 非常 的, 极大的 ‖ a ～ welcome 盛大欢迎

terrify ['terifai] *vt.* 恐吓(⇨frighten); 使恐怖; 吓坏(⇨shock)

territory ['teritəri, 美: -tɔ:-] *n.* 领土(⇨land); 国土; 区域(⇨rigion); 活动 范围; (学问等)领域

terror ['terə] *n.* 恐怖(⇨fear); 可怕的人(或事物); 〈口语〉极讨厌的人

terrorist ['terərist] *n.* 恐怖主义者

*test [test] *n.* 试验(⇨trial); 检验(⇨experiment); 考查; 测验, 考试(⇨ examination) *v.* 试验; 测验 ‖ ～ ban 禁止核试验协定 / ～ tube 试管

testament ['testəmənt] *n.* 遗嘱, 遗言 「全书

Testament ['testəmənt] *n.* (基督教)圣约书 ‖ the New [Old] ～ 新[旧]约

testify ['testifai] *v.* 证明(⇨affirm); 作证; 表明, 声明

testimonial [,testi'məuniəl] *n.* (品德、能力、资格等的)证明书(⇨ certificate); 介绍信, 推荐书(⇨recommendation); (商品)鉴定书; 奖状; 奖品; 书面的表扬(或感谢)

testimony ['testiməni] *n.* 证言; 证据; (信仰等的)声明; (圣经中的)十诫

▲test-tube ['test-tju:b] *n.* 试(验)管 *a.* 在试管中做成的 ‖ ～ baby 试管婴 儿, 人工授精婴儿

*text [tekst] *n.* 本文, 正文; (翻译等的)原文; 课文; [美]课本, 教科书(= textbook); 题目, 主题(⇨theme)

*textbook ['teksbuk] *n.* 课本, 教科书

textile ['tekstail] *n.* 纺织品; 织物原料 ‖ ～ factory 纺织厂 / ～ indus- tries 纺织工业 / ～ printing 印染

-th [θ] *suf.* ①表示"行为, 结果, 过程"之意, 如 tru*th* (真理), grow*th* (成 长), dea*th* (死亡). ②加于四以上的序数, 表示"第…", 如 four*th* (第

四), ten*th* (第十).

(A)**Thames** [temz] *n.*《加 the》泰晤士河 (英国)

*****than** [ðæn, (弱) ðən] *conj.*《用于形容词、副词的比较级后》比, 比较;《在 rather, sooner 等之后》宁愿…而不愿…, 与其…索性…;《在other, else 之后》除…之外 *prep.*《后接代词用宾格或主格》比;《与度量连用》超过

*****thank** [θæŋk] *vt.* 谢谢, 感谢 *n.*《用复数》感谢, 谢意

*****thankful** ['θæŋkfəl] *a.* 感谢的 (⇨obliged); 感激的 (⇨grateful); 欣慰的

  thanksgiving [,θæŋks'giving] *n.* 感谢; 感恩; 谢恩; 感恩祈祷 ‖ *Thanksgiving* Day 感恩节(美国为十一月的第四个星期四)

*****that** [ðæt] *a.* 那, 那个 *pron.* (复数: *those* [ðəuz]) 那个; 前者 *ad.*《口语》那样地, 那么 *conj.* [ðət]《引导从句》

  that'll ['ðætl] = that will

  that's [[ðæts] = that is, that has

(A)**thaw** [θɔ:] *v.* (使) 融化(⇨melt); (使) 解冻 *n.* 融化; 解冻

*****the** [ði:; (弱) 辅音前 ðə, 元音前 ði] *art.* [定冠词] 这, 那; 这些, 那些 *ad.*《用于比较等级前》越…越, 更加, 愈

  theater [美] = theatre

*****theatre** ['θiətə] *n.* 剧场 (⇨ playhouse); 戏院; 电影院 (⇨cinema);《加 the》戏剧; 梯形教室 ▶ 又拼写为 theater [美].

  theatrical [θi'ætrikəl] *a.* 剧场的; 戏剧的; 戏剧性的, 演戏似的; 夸张的

  thee [ði:; (弱) ði] *pron.*〈古语〉[thou 的宾格] 汝, 尔(⇨you)

  theft [θeft] *n.* 偷窃(行为)

*****their** [ðεə, (弱) ðə] *pron.* [they 的所有格] 他们的, 她们的, 它们的

*****theirs** [ðεəz] *pron.* [they 的名词性物主代词] 他[她]们的东西; 他[她]们的家属(或有关的人); (属于)他[她, 它]们的

*****them** [ðem, (弱) ðəm] *pron.* [they 的宾格] 他们, 她们, 它们　　　　　「主题歌

  theme [θi:m] *n.* 主题; 题目 (⇨topic); 论文 (⇨thesis); 主旋律 ‖ ~ song

*****themselves** [ðəm'selvz] *pron.* [they 的反身代词] 他们自己, 她们自己, 它们自己;《加强语气》他们亲自, 她们亲自, 它们本身

(*)**then** [ðen] *ad.* (指过去) 当时; (指将来) 到那时; 然后; 接着;《常用于句首或句尾》那么 *n.* 当时 *a.* 当时的　　　　　「therefore)

  thence [ðens] *ad.*〈书面语〉从那里; 从那时起, 从那时以后; 因此 (⇨

  theorem ['θiərəm] *n.* 定理; 一般原理, 法则

  theoretic(al) [θiə'retik(ə)l] *a.* 理论(上)的; 推理的

(A)**theory** ['θiəri] *n.* 理论; 原理; 学说

*****there** [ðεə, (弱) ðə] *ad.* 在那里, 在那边; 往那里, 往那边; 那儿; 在那一点上, 有关那一点《与 be 等动词的连用, 表示存在, 本身无独立意义》有 *int.* 好啦! 得啦! 你瞧(不是)! (表示安慰、同情、鼓励、证实、满足等)

  thereafter [ðεə'rɑ:ftə] *ad.* 此后(⇨afterward); 其后

  thereby ['ðεəbai, ðεə'bai] *ad.* 因此, 由此; 从而; 在那附近

(A)**therefore** ['ðεəfɔ:] *ad.* 因此(⇨accordingly), 从而; 所以(⇨so)

  therein [ðεə'rin] *ad.* 在其中; 在那里; 在那点上; 那样

  thereof [ðεə'rɔf] *ad.* 关于那点; 由此, 因此

  there're ['ðεərə] = there are

(*)**there's** [ðεəz] = there is

thereupon [ˌðɛərə'pɒn] *ad.* 在其上；随后；立刻；因此，所以

therewith [ðɛə'wið] *ad.* 以此；此外，又；〈古语〉随即，随后

thermal ['θəːməl] *a.* 热的，热量的；温泉的 ‖ a ~ bath 热水澡　　　「表

thermometer [θə'mɒmitə] *n.* 温度计，温度表；寒暑表 ‖ clinical ~ 体温

thermos ['θəːmɒs, 美: -məs] *n.* 热水瓶，保温瓶 ‖ ~ bottle [flask] 热水瓶

*these [ðiːz] *pron.* [this的复数] 这些(人或物)　*a.* 这些

thesis ['θiːsis] *n.* (复数: *theses* ['θiːsiːz]) 论题(⇨subject)；命题(⇨ theme)；论文(⇨paper)；毕业论文，学位论文

*they [ðei] *pron.* [第三人称 he, she, it 的复数，主格] 他们，她们，它们(所有格 their，宾格 them)

they'd [ðeid] = they would, they had

they'll [ðeil] = they will, they shall

(*)**they're** [ðɛə, 'ðeiə; (弱) ðə] = they are

they've [ðeiv] = they have

*thick [θik] *a.* 厚的(← thin)；浓的(⇨condensed)；粗的；密集的(⇨ dense)；(声音)重浊的(← clear)；(天气)阴霾的；充满的(⇨abundant)；〈口语〉亲密的(⇨intimate)

thicken ['θikən] *v.* (使)变厚，(使)变粗，(使)变浓；(使)密集；(使)复杂化

thicket ['θikit] *n.* 灌木丛；树丛

thickly ['θikli] *ad.* 厚，浓，密；繁多地，频频地(⇨frequently)；不清晰地

thickness ['θiknis] *n.* 厚，厚度；粗，粗大；浓，浓厚；密集；混浊；(一)层

*thief [θiːf] *n.* (复数: *thieves* [θiːvz]) 贼，窃贼(⇨robber)

thigh [θai] *n.* 股；大腿；(昆虫的)股节

*thin [θin] *a.* 薄的(← thick)；细的(⇨slender)；瘦的(⇨lean)；稀疏的；(茶)淡的；(声音)弱的(⇨faint)；软弱无力的　*ad.* 薄薄地；稀疏地

thine [ðain] *pron.* 〈古语〉[thou 的所有代词] 你的所有物

*thing [θiŋ] *n.* 东西，物件(⇨article)；事情(⇨matter)；话；用具；衣服；〈口语〉人，家伙(⇨fellow)

*think [θiŋk] *v.* (*thought* [θɔːt], *thought*) 想，思考；认为；相信(⇨ believe)；理解；推想(⇨suppose)；考虑(⇨consider)；打算(⇨intend)；想起(⇨remember)；料想(⇨expect) ‖ ~ tank 智囊团

▲**thinker** ['θiŋkə] *n.* 思想家

(▲)**thinking** ['θiŋkiŋ] *n.* 思想，思考(⇨thought)；意见(⇨opinion)；想法(⇨ idea)。会思考的；有思想的；有理性的(⇨rational)

*third [θəːd] *num.* 第三(个)；三分之一(的)　*n.*《加 the》(月的)第三日(略作: 3rd) ‖ ~ person 〔语法〕第三人称 / the *Third* World 第三世界

thirdly ['θəːdli] *ad.* 第三 ▶列举条目、事项时用.

thirst [θəːst] *n.* 渴，口渴；渴望，热望(⇨desire)

(▲)**thirsty** ['θəːsti] *a.* 渴的，口渴的；干燥的，干旱的(⇨dry)；渴望的，热望的

*thirteen [ˌθəː'tiːn] *num.* 十三

thirteenth [ˌθəː'tiːnθ] *num.* 第十三(个)；十三分之一(的)　*n.*《加 the》(月的)第十三日　　　　　　　　　　　　　　　　　「第三十日

thirtieth ['θəːtiiθ] *num.* 第三十(个)；三十分之一(的) *n.*《加 the》(月的)

*thirty ['θəːti] *num.* 三十　*n.* 三十(个)；《加 the, 用复数》三十年代

*this [ðis] *a.* 这，这个；《用于叙述故事》某个，一个　*pron.* (复数: *these*

. [ðiːz]) 这，这个；这事；这人；(前述二者之中的)后者　*ad.* 〈口语〉到这个程度；这样地

thistle ['θisl] *n.* 蓟

thither ['ðiðə] *ad.* 到那里；向那个地方　*a.* 那边的(← hither)

thong [θɔŋ] *n.* 皮带，皮条；皮鞭

thorax ['θɔːræks] *n.* 胸部；胸腔

thorn [θɔːn] *n.* 刺；荆棘；蒺藜 ‖ ～ apple 山楂

▲**thorough** ['θʌrə，美：'θəːrəu，-rə] *a.* 彻底的，完全的(⇨complete)；十足的；一丝不苟的　▶不要与介词 through（通过）相混.

thoroughfare ['θʌrəfɛə，美：'θəː-] *n.* （没有尽头的）通衢，大道

thoroughgoing ['θʌrə,gəuiŋ，美：'θəː-] *a.* 彻底的；十足的(⇨entire)

thoroughly ['θʌrəli，美：'θəːrə-，'θəːrəu-] *ad.* 彻底地；一丝不苟地；完全地(⇨completely)；十足地

***those** [ðəuz] *pron.* [that 的复数] 那些(人或物)　*a.* 那些

thou [ðau] *pron.* 〈古语〉汝，尔(＝you)　▶现仅用于宗教、诗、方言.

***though** [ðəu] *conj.* 虽然，尽管(⇨although)；即使；但是；然而　*ad.* 《用在句中或句末》〈口语〉虽然，可是，然而，不过(⇨however)

thought¹ [θɔːt]　think 的过去式和过去分词

***thought**² [θɔːt] *n.* 思想(⇨idea)；思维；想法；观念(⇨concept)；意见(⇨opinion)；思潮，思想(方式)(⇨thinking)；关心(⇨care)

▲**thoughtful** ['θɔːtfəl] *a.* 沉思的；思考的；体贴的；仔细的(⇨careful)

(▲)**thoughtfully** ['θɔːtfəli] *ad.* 沉思地；深思熟虑地；认真思考地

thoughtless ['θɔːtlis] *a.* 缺少考虑的；不注意的；轻率的；不关心他人的

***thousand** ['θauzənd] *num.* 千　*n.* 千；《用复数》数以千计的人(或物)

thousandth ['θauzəntθ] *num.* 第一千(个)；一千分之一(的)

thrash [θræʃ] *v.* （用棒、鞭等）打(⇨beat)；鞭打(⇨whip)；打谷，脱粒(＝thresh)；击败，战胜(⇨conquer)　　　　　　　　　「（街道）

***thread** [θred] *n.* 线(⇨string)；细丝；(故事等)线索　*v.* 穿线于(针)；穿过

threat [θret] *n.* 恐吓(⇨menace)；威胁；隐患；凶兆

threaten ['θretn] *v.* 威胁；恐吓 (⇨menace)；预示…的凶兆(⇨warn)；扬言要；有发生(恶事)的可能

***three** [θriː] *num.* 三

thresh [θreʃ] *v.* （用连枷、鞭等）反复地打；打谷，脱粒(＝thrash) ‖ ～*ing* machine 打谷机，脱粒机

thresher ['θreʃə] *n.* 脱粒机，打谷机；打谷者

threshold ['θreʃhəuld] *n.* 门槛；门口(⇨entrance)；开始(⇨start)；

threw [θruː]　throw 的过去式

thrice [θrais] *ad.* 〈诗语〉三次；三倍地；极，非常

thrift [θrift] *n.* 节俭，节约(⇨economy)

thrifty ['θrifti] *a.* 节俭的(⇨economical)；节约的(⇨saving)；兴旺的；繁茂的(⇨prosperous)

thrill [θril] *n.* 激动；颤抖；(声音等的)振颤　*v.* (使)激动(⇨excite)；(使)颤抖；血液沸腾

thrive [θraiv] *vi.* (*throve* [θrəuv]，*thriven* ['θrivn]；或 -d，-d) 繁荣(⇨prosper)；兴旺，茂盛(⇨flourish)；苗壮成长

▲**throat** [θrəut] *n.* 咽喉; 嗓子; 气管; 入口; 狭窄的通路

throb [θrɔb] *vi.* (心脏等)跳动(⇨beat); 悸动; 抽动; (有规律地)颤动(⇨quiver) *n.* 跳动; 脉搏; 悸动; 震动; 颤动

(▲)**throne** [θrəun] *n.* (国王、主教等的)宝座, 御座, 王座; 《加 the》王位, 王权

throng [θrɔŋ] *n.* 人群(⇨crowd); 群众 *v.* 挤满; 拥塞

***through** [θru:] *prep.* 经过, 穿过, 通过; 越过; 由于; 完成 *ad.* 自始至终; 彻底地, 完全地 *a.* 直达的; 全程的; 通行的; 完成的

(*)**throughout** [θru:'aut] *prep.* 遍及; 贯穿; 在整个…的期间 *ad.* 到处; 始终; 完全地; 彻头彻尾; 一直

***throw** [θrəu] *v.* (*threw* [θru:], *thrown* [θrəun]) 投, 掷, 抛 (⇨cast); 扔 (⇨fling); 摔倒(⇨fell); 投射; 发射

throwaway ['θrəuəwei] *a.* (商品、罐等)用后即扔的; (价格)极便宜的; 随便说出的(台词等)

thrown [θrəun] throw 的过去分词

▲**thrust** [θrʌst] *v.* (*thrust, thrust*) 推(⇨push); 冲; 刺(⇨stab); 戳; 插

thug [θʌg] *n.* 暴徒; 刺客; 凶手

thumb [θʌm] *n.* 大拇指 ‖ ～ index 字母指标(词典等页边小切口, 上印字母, 以便翻查) ▶一般不算在 fingers (手指)之内.

thumbtack ['θʌmtæk] *n.* 图钉([英] drawing pin)

thump [θʌmp] *n.* 重击(⇨blow); 捶; 重击声; 砰然声 *v.* 重击(⇨strike)

thunder ['θʌndə] *n.* 雷, 雷声; 《常用复数》轰隆声 *v.* 打雷; 轰隆地响

thunderbolt ['θʌndəbəult] *n.* 雷电, 霹雳; 意外的打击; 晴天霹雳

thunderstorm ['θʌndəstɔ:m] *n.* 雷暴雨, 大雷雨

***Thursday** ['θə:zdi] *n.* 星期四(略作: Thur, Thurs.)

▲**thus** [ðʌs] *ad.* 如此(⇨so); 这样; 因而(⇨consequently); 于是 「又

thwart [θwɔ:t] *vt.* 反对; 妨碍; 挫折(⇨baffle); 阻挠 *prep.* 横越; 与…交

thy [ðai] *pron.* 〈古语〉[thou 的所有格] 你的 (= your)

-**tic** [tik] *suf.* 表示"有…性质的; 与…有关的", 如 romantic (传奇的), dramatic (戏剧的).

tick [tik] *n.* (钟表)滴答声 *v.* (钟表等)作滴答声; 打勾

***ticket** ['tikit] *n.* 票(⇨coupon); 券; 车票, 船票; 入场券; (价格等的)标签 *vt.* 贴标签于; 售票给 ‖ ～ collector (铁路等的)检票员 / ～ office (铁路等的)售票处

▲**tickle** ['tikl] *vt.* 搔; 轻触; 使觉得痒; 逗乐(⇨amuse); (使)高兴(⇨delight) *vi.* 觉得痒

(*)**tide** [taid] *n.* 潮, 潮水; 潮流(⇨current); 趋势; 时机 「信

tidings ['taidiŋz] *n.* [复数]《单复数两用》〈雅语〉消息(⇨information); 音

tidy ['taidi] *a.* 整洁的(⇨neat); 整齐的(⇨orderly); 〈口语〉可观的, 相当的 (⇨considerable) *vt.* 使整洁; 使整齐

***tie** [tai] *v.* (-d, -d; tying) (用带、绳等)系, 绑, 捆(⇨fasten, bind); 打(领带); (在…上面)打结; (与…)不分胜负 *n.* 领带(= necktie); 带; 平局

▲**tiger** ['taigə] *n.* 虎 ‖ ～ cat 山猫

▲**tight** [tait] *a.* 紧的, 系紧的(← loose); 拉紧的(⇨tense); 绷紧的(⇨stretched); 不松动的; 牢固的(⇨firm); (衣服)太紧的; 紧密的(⇨compact) *ad.* 紧紧地; 牢固地(⇨firmly)

tighten ['taitn] v. (使)变紧(⇨tense);(使)绷紧   「closely」

▲**tightly** ['taitli] ad. 紧紧地(← loosely);牢固地(⇨firmly);紧密地(⇨

tile [tail] n. 瓦片;瓷砖;(排水用的)瓦管

▲**till** [til] prep. 直到,直到…之时;《用于 not 之后》直到…时才 conj. 直到
▶注意与 until 的区别.

tilt [tilt] v. (使)倾斜(⇨slope);(使)歪斜(⇨slant) n. 倾斜

(A)**timber** ['timbə] n. 木材,木料([美] lumber);横梁(⇨beam)

*****time** [taim] n. 时,时间;时候;日期(⇨date);期间(⇨term);《常用复数》
(特定的)时期(⇨period);时代(⇨epoch);时世;机遇(⇨opportunity);
次,次数;倍,乘 ‖ ～ bomb 定时炸弹 / ～ signal (收音机)报时信号 /
～ limit 期限 / ～ switch 自动按时启闭的电动开关

timely ['taimli] a. 适当的,合时的

(A)**timetable** ['taim,teibl] n. (火车、飞机等的)时刻表(⇨schedule);(学校等
的)时间表;工作日程表   「shy」

timid ['timid] a. 胆怯的(⇨cowardly);易受惊的(← bold);羞怯的(⇨

timidly ['timidli] ad. 胆小地,胆怯地

tin [tin] n. 锡;锡器;听头,罐头[美] can) ‖ ～ ear 〈美口语〉(不懂音乐
的)音盲 / ～ opener 开罐器,开听刀

tinge [tindʒ] n. 微染;淡色 vt. 微染(⇨dye);敷色于(⇨stain);略带

tingle ['tiŋgəl] vi. 感到刺痛;兴奋 vt. 使激动,使兴奋 n. 刺痛感;激动

tinker ['tiŋkə] n. 补锅匠;白铁工人

tinkle ['tiŋkəl] n. 一连串的丁当声 v. (使)发丁当声;丁当作响   「dye」

tint [tint] n. 色泽;色度;色调(⇨hue);淡色;染发剂 vt. 使(头发)微染(⇨

▲**tiny** ['taini] a. 极小的,微小的(⇨little, small)

-tion [-ʃən] suf. 表示"行为,行为的过程和结果;状态,情况",如 descrip-
tion (描写),absorption (吸收),caution (小心) ·

▲**tip**[1] [tip] n. 尖,端,尖端(⇨point);山巅;顶点   「垃场」

(A)**tip**[2] [tip] v. (使)倾斜(⇨tilt);(使)翻倒(⇨overturn);倒掉;倾卸 n. 垃

tip[3] [tip] v. 轻击(⇨hit);轻触(⇨touch)

tip[4] [tip] n. 小帐,小费(⇨reward) v. 给小费,赏小费

tip[5] [tip] n. (有用的)建议(⇨suggestion);警告(⇨warn);暗示(⇨hint)
vt. 暗示;提示

▲**tiptoe** ['tiptəu] n. 脚尖 ad. 用脚尖 a. 踮着脚的 vi. 踮起脚;踮着脚
走;蹑手蹑脚地行进

tire[1] [taiə] v. (使)疲倦(⇨exhaust);(使)厌倦(⇨bore)

▲**tire**[2] [美] = tyre

*****tired** ['taiəd] a. 疲劳的(⇨weary);累的;厌倦的

▲**tiresome** ['taiəsəm] a. 令人疲倦的(⇨ exhausting);令人厌倦的(⇨
tedious);讨厌的;沉闷的(⇨dull)

(A)**tissue** ['tiʃu, 'tisju:] n. (生物的)组织;薄纸(= tissue paper);薄绢

titanic [tai'tænik] a. 巨大的;力大无比的

▲**title** ['taitl] n. 标题,题目;书名,篇名;头衔,称号;《常用复数》(电影、电视
的)片头,字幕;冠军(⇨championship) vt. 加上标题;授与头衔 ‖ ～
page (书籍的)内封,扉页

*****to** [tu:;(弱) tu, tə] prep. 《方向》到,向,往,达;《指示间接宾语》给…;《行为

的对象)对…,《状态的变化》变成,《范围·程度》及于,到…,《结果》被…弄得;《时间》到…(止),差(…分);《目的》为了;《比较》…比…,每;《附加》加在;《所属》属于;《接触》在

toad [təud] *n.* 蟾蜍, 癞蛤蟆

toady ['təudi] *n.* 马屁精, 谄媚者(⇨flatterer)

toast¹ [təust] *n.* 烤面包, 吐司 *v.* 烤, 焙(面包、干酪等)

toast² [təust] *n.* 干杯; 敬酒; 祝酒词 *v.* 为…举杯祝酒; 干杯

tobacco [tə'bækəu] *n.* 烟草, 烟叶; 烟草制品

▲**Tod** [tɔd] 托德(男名)

*◦**today** [tə'dei] *n., ad.* 今天, 今日; 现在, 现今; 当代

⁽ᴬ⁾**toe** [təu] *n.* (脚)趾; 足尖; 鞋尖部 ‖ big [great] ～ 大拇趾 / little ～ 小拇趾

*◦**together** [tə'geðə] *ad.* 共同, 一起; 同时(⇨simultaneously); 连续地; 一致地, 一体(⇨unitedly)

toil [tɔil] *vi.* 辛苦地工作, 苦干; 艰苦地行进 *n.* 辛劳; 苦苦的工作(⇨labour); 苦役

toilet ['tɔilit] *n.* 厕所; 盥洗室; 浴室; 抽水马桶; 化妆, 梳妆, 打扮; 梳妆用具 ‖ ～ paper 卫生纸 / ～ room 化妆室 / ～ table 梳妆台

token ['təukən] *n.* 标志, 记号(⇨sign); 象征(性)(⇨symbol); 纪念品(⇨reminder); 辅币; 代价券 ‖ ～ strike (数小时即结束的)象征性罢工

▲**Tokyo** ['təukjəu] *n.* 东京(日本首都)

told [təuld] tell 的过去式和过去分词

tolerable ['tɔlərəbl] *a.* 可忍受的; 可宽恕的; 过得去的(⇨passable)

tolerance ['tɔlərəns] *n.* 宽容, 容忍; 公差; 容限; 允许剂量

tolerant ['tɔlərənt] *a.* 容忍的, 宽容的

tolerate ['tɔləreit] *vt.* 忍受(⇨bear); 容忍(⇨allow); 宽恕

toll¹ [təul] *n.* 捐税; 通行费 *v.* (向…)征收捐税 ‖ ～ call [美]长途电话([英] trunk call)

toll² [təul] *v.* (缓慢而有规律地)鸣钟, 敲钟 *n.* 钟声; 丧钟

⁽◦⁾**Tom** [tɔm] 汤姆(男名, Thomas ['tɔməs] 的昵称)

*◦**tomato** [tə'mɑːtəu, 美: -mei-] *n.* 西红柿, 番茄

*◦**tomb** [tuːm] *n.* 墓, 坟墓(⇨grave)

*◦**tomorrow** [tə'mɔrəu, tu-] *n., ad.* (在)明天, 明日; 未来

*◦**ton** [tʌn] *n.* 吨(重量单位, 公吨=100公斤, 英吨=2240磅, 美吨=2000磅)

tone [təun] *n.* 音调, 音色; 语调(⇨intonation); 口气; 风格(⇨style); 色调(⇨shade); 光度; (身心的)正常状况; 心境 ‖ ～ colour 音色

tongs [tɔŋz] *n.* [复数] 钳, 铗, 夹子 ▶量词用 a pair of.

▲**tongue** [tʌŋ] *n.* 舌, 舌头; 语言(⇨language); 口语 ‖ mother ～ 祖国语言, 母语 / ～ twister 绕口令 ▶注意拼写发音.

*◦**tonight** [tə'nait, tu-] *n., ad.* 今夜, 今晚

*◦**too** [tuː] *ad.*《用于形容词或副词前》太…, 过于…;《用于肯定句》也, 还(⇨also);《用于肯定词组后》而且;〈口语〉非常(⇨very)

took [tuk] take 的过去式

▲**tool** [tuːl] *n.* 工具; 用具(⇨utensil); 器具(⇨implement)

toolbox ['tuːlbɔks] *n.* 工具箱

*◦**tooth** [tuːθ] *n.* (复数: *teeth* [tiːθ]) 牙齿; 齿状物

toothache ['tu:θ-eik] *n.* 牙痛

toothbrush ['tu:θbrʌʃ] *n.* 牙刷

toothpaste ['tu:θpeist] *n.* 牙膏

*top¹ [tɔp] *n.* 顶(部) (⇨summit); 尖端; 首位; (物的)上面; 屋脊; 车顶; 最高位, 最高度 *a.* 最高的 (⇨highest); 最上的 (← bottom); 头等的; 首席的 *vt.* 加盖, 加顶; 到达…顶部 ‖ ～ boot 长统靴 / ～ hat 大礼帽

**top² [tɔp] *n.* 陀螺   「论题

*topic ['tɔpik] *n.* (文章、讲演的)题目 (⇨theme); 主题 (⇨subject); 话题

topical ['tɔpikəl] *a.* 题目的; 主题的; 论题的; 有关时事的

topless ['tɔplis] *a.* 无顶的; 裸露上身的

torch [tɔ:tʃ] *n.* 火把; 手电筒 〈[美] flashlight); [美]喷灯

tore [tɔ:] **tear²** 的过去式

torment [ment] *n.* 极端的痛苦 (⇨pain); 苦恼; 折磨 (⇨torture) *vt.* [ɔ:'ment] 使痛苦; 使烦恼 (⇨trouble) ▶名词与动词重音不同.

torn [tɔ:n] **tear²** 的过去分词

torpedo [tɔ:'pi:dəu] *n.* 鱼雷; 水雷 ‖ ～ boat 鱼雷艇

torque [tɔ:k] *n.* 转(力)矩   「(⇨downpour)

torrent ['tɔrənt] *n.* 激流 (⇨current); 山洪 (⇨flood); 《用复数》倾盆大雨

*tortoise ['tɔ:təs] *n.* 龟, 乌龟 ▶注意拼写发音.   「折磨

tortoiseshell ['tɔ:təsʃel] *n.* 龟甲, 龟板; 玳瑁壳

torture ['tɔ:tʃə] *n.* 拷问; 折磨 (⇨torment); 痛苦, 苦闷 *vt.* 拷问; 使痛苦;

toss [tɔs] *v.* (向上)抛, 扔, 掷 (⇨cast); (使)摇摆 (⇨roll); (使)颠簸

total ['təutəl] *a.* 总的 (⇨entire); 全体的; 完全的 (⇨complete) *n.* 总数, 总额; 合计 (⇨all) *v.* 合计, 总计 ‖ ～ war 总体战

totally ['təutəli] *ad.* 完全地 (⇨completely); 全部地

totter ['tɔtə] *vi.* 摇晃; 蹒跚地走 (⇨stagger)

*touch [tʌtʃ] *vt.* 触摸; 接触; 碰到 (⇨reach); 感动 (⇨move); 刺痛; 轻打; 揿, 按(铃、开关等); 弹奏(乐器); 加工, 润饰; 修整; 涉及 *n.* 接触 (⇨contact); 联系; 触觉; 感觉; 笔触; 手法; 触诊; 提示; 少许

touching ['tʌtʃiŋ] *a.* 感人的, 动人的; 哀伤的

*tough [tʌf] *a.* 硬的, 坚韧的 (← tender); 折不断的 (← brittle); 强壮的 (⇨strong); 结实的; 粗暴的; 顽固的 (⇨stubborn); 困难的; 难办的

toughness ['tʌfnis] *n.* 坚韧; 不屈不挠

tour [tuə] *n., v.* 周游; 旅游; 观光; 考察; 巡视; 巡回演出

tourist ['tuərist] *n.* 旅游者; 观光者 (⇨ visitor); 游客 ‖ ～ agency [bureau] 旅行社 / ～ trap 敲旅游者竹杠的地方

tournament ['tuənəmənt] *n.* 锦标赛; 联赛; 竞赛 (⇨contest)

tow [təu] *vt.* 拖 (⇨pull); 拉 (⇨draw); 牵引 (← push)

*toward(s) [tə'wɔ:d(z), tu-, 美: twɔ:d(z)] *prep.* 向, 朝; 对着; 将近 (⇨near); 对于, 关于 (⇨about)

towel ['tauəl] *n.* 毛巾, 手巾; 擦手纸, 擦脸纸   「大楼

tower ['tauə] *n.* 塔; 高楼; 有塔的城堡 (⇨castle); 监视塔 ‖ ～ block 高层

*town [taun] *n.* 市镇, 城镇; 闹区, 闹市; 《加 the》〔总称〕市民, 镇民; 市镇生活 ‖ ～ hall 市政厅 / ～ council [英]市议会

⁽ᴬ⁾toy [tɔi] *n.* 玩具 (⇨plaything); 玩物; 不值钱的东西 (⇨trifle) *v.* 玩弄;

戏耍(⇨play)

toxic ['tɔksik] *a.* 有毒的, 毒的; 中毒的

trace [treis] *v.* 跟踪(⇨trail); 追踪(⇨track); 探索; 找到, 发现(⇨discover); 打图样(⇨draw); 描绘; 摹写(⇨copy) *n.* 痕迹, 足迹, 形迹(⇨vestige); 略图(⇨sketch); 少许, 微量(⇨touch)

****track** [træk] *n.* (火车等的)轨道(⇨rail); (运动用的)跑道(⇨course); 径赛; 小路(⇨path); 《用复数》足迹(⇨footprints); 形迹, 线索 *v.* 跟踪, 追踪(⇨trace) ‖ ~ and field 田径(赛) / ~ -and-field meet 田径运动会

tract[1] [trækt] *n.* (有关政治或道德的)小册子(⇨pamphlet); 短文

tract[2] [trækt] *n.* (森林、农田等的)一片(⇨stretch); 一片土地(⇨plot); (器官的)系统, 道 ‖ the digestive ~ 消化道

tractor ['træktə] *n.* 拖拉机; 牵引车; 牵引式飞机

tractor-driver ['træktə,draivə] *n.* 拖拉机手; 牵引车司机

****trade** [treid] *n.* 商业(⇨commerce); 贸易; 交易(⇨bargain); 买卖(⇨deal); 行业, 职业(⇨occupation); 同行, 同业者 *v.* 交易(⇨exchange) 经商; 做买卖 ‖ ~ price 批发价 / ~ school 职业学校 / ~(s) union 工会 ([美] labor union)

trader ['treidə] *n.* 商人(⇨businessman); 贸易商

tradesman ['treidzmən] *n.* (复数: -men [-mən]) 店主; 零售商

trademark ['treidmɑːk] *n.* 商标; 标志

tradition [trə'diʃən] *n.* 传统, 惯例; 传说(⇨legend)   ⌐oral⌐

traditional [trə'diʃənl] *a.* 传统的; 惯例的(⇨customary); 口传的(⇨

(A)**traffic** ['træfik] *n.* 交通, 通行; (人、车辆等的)往来; 买卖, 贸易(⇨trade); 交通量 *v.* 做买卖, 做交易 ‖ ~ circle 环形交叉路口 / ~ island (街心)安全岛 / ~ light(s) 交通信号灯

tragedy ['trædʒidi] *n.* 悲剧; 悲剧性事件, 惨事

(A)**tragic** ['trædʒik] *a.* 悲惨的, 悲剧的(← comic); 悲剧性的

▲**trail** [treil] *v.* 拖, 拉(⇨draw); 跟踪; 追猎(⇨follow); 拖曳(衣服等); 蔓生 *n.* 迹, 足迹, 嗅迹(⇨scent); 痕迹; (踩出的)小径(⇨track); (长女服的)拖裙; (流星的)尾巴, 光芒   ⌐预告片⌐

trailer ['treilə] *n.* 拖车, 挂车; [美]汽车拖的活动房屋([英]caravan); 电影

****train** [trein] *n.* 列车, 火车; (行进中的)长列(⇨procession); 系列(⇨chain); 拖裙(长女服拖曳在地上的部分); 导火线; 〔总称〕随行人员(⇨followers) *v.* 训练(⇨drill); 教育, 锻炼(⇨exercise); (向…)瞄准

(*)**trainer** ['treinə] *n.* 训练者; 教练员, 指导者(⇨instructor)

(A)**training** ['treiniŋ] *n.* 训练, 锻炼(⇨exercise); 培养(⇨cultivation) ‖ ~ college 师范学院

trait [treit] *n.* 特性, 特征(⇨characteristic); 素质 ‖ national ~s 国民性

traitor ['treitə] *n.* 叛徒(⇨betrayer); 卖国贼; 叛国者

tram [træm] *n.* 市内(有轨)电车([美]streetcar)

tramcar = tram

tramp [træmp] *v.* 重步行走; 踏, 踩; 徒步旅行(⇨travel); 飘泊 *n.* (行进等的)重步声; 徒步旅行(⇨journey); 流浪汉(⇨wanderer)

trample ['træmpl] *v.* 踩(⇨tread); 践踏, 踩躏; 轻蔑地对待 *n.* 践踏, 踩躏

▲**trance** [trɑːns, 美: træns] *n.* 恍惚, 出神, 发呆; 昏睡状态, 神智昏迷 *vt.* 使

恍惚;使出神 「calm)

tranquil ['træŋkwil] *a.* 安静的(⇨peaceful);平静的(⇨quiet);宁静的(⇨

trans- [træns] *pref.* 表示"越过,横过,转,传,超"之意,如 *trans*pacific (横渡太平洋的), *trans*marine (越海的), *trans*plant (移植)

transaction [træn'zækʃən, -'sæk-] *n.* 处理(⇨management);办理;(一笔)交易;《用复数》议事录

▲**transcription** [træn'skripʃən] *n.* 抄写,复写(⇨copy);副本;用音标记录

transfer [træns'fə:] *v.* 迁移(⇨move);转移,转运;移交;换车(⇨change);换船;调动,调往,调职;(财产、权利等)转让;誊写,抄写 *n.* ['trænsfə:] 转移;移动;换车票 ▶动词与名词重音不同.

transform [træns'fɔ:m] *vt.* 使转变(⇨change);改变;使变形;变压 「改革

▲**transformation** [ˌtrænsfə'meiʃən] *n.* 变化(⇨change);转变;变形;改造

transformer [ˌtræns'fɔ:mə] *n.* 变压器

transfusion [træns'fju:ʒən] *n.* 输血;渗入;灌输

transient ['trænziənt] *a.* 暂时的(⇨temporary);过渡的(⇨passing),瞬变的 *n.* 瞬变过程 「sistor radio)

transistor [træn'zistə] *n.* 晶体管,晶体管收音机,半导体收音机 (= tran-

transition [træn'ziʃən, -si-] *n.* 转变;过渡;〔音乐〕转调

⁽*⁾**transitive** ['trænsitiv, -zi-] *a.* 〔语法〕及物的 *n.* 〔语法〕及物动词 ‖ ~ verb 及物动词

▲**translate** [træns'leit, trænz-] *v.* 翻译;笔译;解释;转化 ▶translate 兼指笔译和口译,多指笔译;interpret 通常指口译.

translation [træns'leiʃən] *n.* 翻译;译文 ‖ free ~ 意译 / literal ~ 直译

transmission [trænz'miʃən, 美: træns-] *n.* 传播;传导;播送;(电视、无线电)播送的节目;(汽车等的)传动系统

transmit [trænz'mit, træns-] *vt.* 转送(货物等) (⇨carry);传达,传送(⇨convey);发射,播送;传动

transparency [træns'pɛərənsi] *n.* 透明;透明性;透明度

transparent [træn'spɛərənt] *a.* 透明的,透明体的 (← opaque);清楚的(⇨clear);明显的(⇨obvious);简明的

transpire [træn'spaiə] *v.* 蒸发;发散;排出;(秘密)泄漏;发生(事件)

transplant [træns'plɑ:nt] *v.* 移植;迁居

▲**transport** [træn'spɔ:t] *vt.* 运输;输送(⇨transmit);使心荡神移 *n.* ['trænspɔ:t] 运输;(船、飞机等)运输工具 ▶动词与名词重音不同.

transportation [ˌtrænspɔ:'teiʃən] *n.* 运输;运送;输送 ▶美国常用此词;英国常用 transport.

transverse ['trænzvə:s, 美: træns'və:s] *a.* 横向的,横断的,横切的

▲**trap** [træp] *n.* 陷阱;圈套;罗网;捕捉机 *vt.* 设陷阱捕;诱捕;使堕入圈套

***travel** ['trævl] *n.* 旅行(⇨journey, trip);游历;《用复数》游记 *vi.* 旅行;游历;(光、声音)传播;行走(⇨walk)

***travel(l)er** ['trævlə] *n.* 旅行者(⇨tourist);旅客;[英]旅行推销员 ‖ commercial ~ ([美] traveling salesman) 旅行推销员

traverse ['trævəs, 美: trə'və:rs] *v.*, *n.* 横越;横渡;横断

▲**tray** [trei] *n.* 浅盘,(长方形)盘子,碟子

▲**treacherous** ['tretʃərəs] *a.* 背叛的;背信弃义的(← faithful);欺诈的(⇨

deceitful); 不可靠的(⇨unreliable) ‖ ～ weather 靠不住的天气

treachery ['tretʃəri] n. 背信弃义; 欺诈; 背叛(⇨betrayal); 变节; 背叛行为

tread [tred] v. (trod [trɔd], trodden ['trɔdn] 或 trod) 踩(⇨trample); 踏; 走(⇨walk); 践踏; 踩出 n. 踩, 踏; 步态; 足音; (楼梯)踏板(⇨step)

treason ['tri:zən] n. 叛国罪; 卖国行为; 叛逆

(*)**treasure** ['treʒə] n. 金银财宝(⇨valuables); 宝物, 宝藏; 贵重品 vt. 秘藏 (⇨store); 珍爱(⇨cherish) ‖ ～ house 宝库

treasurer ['treʒərə] n. 司库; 掌管财务的人; 会计(员)

treasury ['treʒəri] n. 金库; 国库; 宝库; 资金(⇨funds); 基金; [T-] 财政部; 艺术品集 ‖ ～ bill (英、美的)国库券

▲**treat** [tri:t] vt. 对待; 应付; 待遇; 招待; 论述(⇨discuss); 处理(⇨handle); 治疗; 视为(⇨regard) vi. 款待(⇨entertain); 商议; 谈判(⇨negotiate); 论述; 处理 n. 难得的乐事; 请客, 招待

treatise ['tri:tis] n. 论文(⇨article); 论著

treatment ['tri:tmənt] n. 对待(⇨dealing); 处理(⇨handling); 待遇; 论述; 治疗(法); 药物(⇨medicine)

treaty ['tri:ti] n. 条约; 交涉; 协商; 协议(⇨agreement); 协定 ‖ ～ port (条约规定的)通商口岸

treble ['trebl] a. 三倍的, 三重的(⇨threefold); 最高音部的, 女高音的

***tree** [tri:] n. 树, 树木; 乔木 ‖ family ～ 家谱

▲**tree-top** ['tri:-tɔp] n. 树顶, 树梢

▲**tremble** ['trembl] vi. 发抖(⇨shiver); 震颤(⇨quiver); 摇晃, 摇动(⇨shake); 担忧 n. 哆嗦, 颤抖

tremendous [tri'mendəs] a. 〈口语〉巨大的, 非常好的, 绝妙的; 可怕的(⇨terrible); 惊人的(⇨appalling)   「ordinarily)

tremendously [tri'mendəsli] ad. 〈口语〉绝妙地; 非常地 (⇨ extra-

tremulous ['tremjuləs] a. 发抖的, 战栗的; 不安的; 胆怯的

trench [trentʃ] n. 沟, 壕; 战壕

trend [trend] n. 倾向(⇨tendency); 趋势 vi. 向; 倾向(⇨tend); 趋向

trendy ['trendi] a. 〈口语〉最新流行的; 赶时髦的

trespass ['trespəs] n. 侵入; 侵入私宅; 罪过 v. 侵占, 侵犯; 违规

tri- [trai] pref. 表示"三, 三重"之意, 如 triweekly (三周一次的), tricar (三轮汽车), trisection(三等分)

trial ['traiəl] n. 试, 尝试 (⇨ attempt); 努力 (⇨ endeavour); 试验 (⇨ experiment); 试用; 麻烦; 审判; (赛跑等的)预赛   「器)

triangle ['traiæŋgəl] n. 三角(形); 三角板; 三角关系; 三角铁(一种打击乐

triangular [trai'æŋgjulə] a. 三角(形)的; 三者之间的

tribe [traib] n. 部落, 部族(⇨clan); 〔生物〕族类

tribunal [trai'bju:nəl] n. 法庭(⇨court); 法官席(⇨bench); (舆论的)裁判

tributary ['tribjutəri] n. 支流; 进贡者; 属国 a. 支流的; 补助的; 进贡的

(▲)**tribute** ['tribju:t] n. 颂词, 称赞; 礼物(⇨gift); 贡, 贡金, 贡物(⇨offering)

***trick** [trik] n. 诡计, 计谋; 恶作剧; 戏法; 骗局(⇨swindle); 癖好; 〔电影〕特技; 哄骗(⇨deceive); 打扮(⇨dress) a. 特技的; 花巧的

▲**trickle** ['trikl] v. (使)滴(⇨drop), (使)淌 n. 滴; 细流

tried [traid] a. 试验过的; 可靠的(⇨reliable);

trifle ['traifl] *n.* 琐事，小事；无聊，废话；零钱

trifling ['traifling] *a.* 次要的，微不足道的(⇨petty)；轻浮的

trigger ['trigə] *n.* 扳机；触发器 *v.* 触发；导致

trim [trim] *a.* 整齐的(⇨tidy)；整洁的(⇨neat)；漂亮的(⇨smart)；修剪好的 *v.* 整顿；修整；修剪；装饰(⇨decorate)；调整(⇨adjust)；削减

trinket ['triŋkit] *n.* 小件饰物；无价值的琐碎东西，小玩意儿

＊**trip** [trip] *n.* (短途)旅行(⇨journey)；远足；旅程；(近处来回)跑一趟；过错(⇨error) *v.* (使)失足；(使)受挫；以轻快步伐走(或跳舞)；犯过失

triple ['tripl] *a.* 由三部分合成的；三倍的，三重的(⇨treble) ‖ ～ time〔音乐〕三拍子

triumph ['traiəmf] *n.* 凯旋；胜利(⇨victory)；胜利的喜悦 *v.* 获胜(⇨win)；成功(⇨succeed)；(因胜利等而)欢欣鼓舞

triumphant [trai ʌmfənt] *a.* 胜利的；成功的；欢欣鼓舞的；洋洋得意的「的

trivial ['triviəl] *a.* 琐细的；不重要的(⇨unimportant)；价值不大的；平常

trod [trɔd] tread 的过去式和过去分词

trolley ['trɔli] *n.* 手推车；(铁道)手摇车；吊运车；台车；无轨电车 (=trolleybus)；[美]有轨电车

trolleybus ['trɔlibʌs] *n.* 无轨电车

▲**troop** [tru:p] *n.* (一)队，(一)群；《用复数》军队，部队 *vi.* 群集(⇨gather)；集合；成群结队地走

trophy ['trəufi] *n.* (体育比赛等的)奖品，战利品(⇨prize)；纪念品

tropic ['trɔpik] *n.* 回归线；《加 the, 用复数》热带，热带地方　　　　「带

tropical ['trɔpikəl] *a.* 热带的；热带性的；炎热的 ‖ the *Tropical* Zone 热

trot [trɔt] *v., n.* (马的)小跑；(人的)疾走，小步跑

▲**trouble** ['trʌbl] *n.* 烦恼，苦恼(⇨worry)；麻烦，困难，困境；折磨；疾病，缺陷；毛病；故障；骚动；纷争 *vt.* 使苦恼，使烦恼，使忧虑；《用于表示客气》添麻烦，打扰(⇨disturb) *vi.* 费心，操心，担心

▲**troublesome** ['trʌblsəm] *a.* 讨厌的；麻烦的；令人烦恼的(⇨annoying)

trough [trɔf] *n.* 长槽；水槽；饲料槽；凹地，洼地　　　　　　　「pair of.

＊**trousers** ['trauzəz] *n.* [复数] 裤子，西装裤，长裤(⇨breeches) ▶量词用 a

trout [traut] *n.* (复数: *trout* 或 *trouts*) 鳟鱼，鲑鱼

▲**truant** ['tru:ənt] *n.* 逃学者；逃避责任者；懒鬼(⇨idler)

＊**truck** [trʌk] *n.* 卡车，运货车([英] lorry)；[英](铁路的)敞车，手推车

trudge [trʌdʒ] *vi.* 跋涉；步履艰难地走(⇨tramp)　　*n.* 长途跋涉

＊**true** [tru:] *a.* 真的(← false)；真实的(⇨real)；真正的(⇨genuine)；忠实的(⇨faithful)；正确的(⇨correct)；纯粹的　*ad.* 真实地(⇨truly)；正确地

＊**truly** ['tru:li] *ad.* 真正地(⇨really)；真实地，真诚地(⇨sincerely)；确切地

trumpet ['trʌmpit] *n.* 喇叭(⇨horn)；号声 *v.* 吹喇叭，鼓吹

▲**trunk** [trʌŋk] *n.* 树干；躯干；象鼻；(旅行用)皮箱；[美](汽车后部装行李的)车箱 ‖ ～ call (按距离计费的)长途电话([美] toll call)

＊**trust** [trʌst] *v.* 信任，相信；信用；委托，信托 *n.* 信任(⇨belief)；委托，委托物；信托；托拉斯企业 ‖ ～ bank 信托银行 / ～ company 信托公司

truth [tru:θ] *n.* (复数: *truths* [tru:θs, -ðz]) 真理；真实；真相，实际情况(⇨reality)；忠诚(⇨faith)；诚实(⇨honesty)

truthful ['tru:θfəl] *a.* 诚实的；说实话的；真实的

***try** [trai] *v.* 试,尝试(⇨attempt);试图;试验;努力;审问,审判 *n.* 尝试(⇨trial);试验(⇨experiment) ‖ ~ square (木工的)曲尺,直角尺

trying ['traiiŋ] *a.* 难以忍受的,艰苦的,恼人的(⇨annoying)

▲**try-out** ['trai-aut] *n.* 选拔赛;(公演前的)试演

tub [tʌb] *n.* 大盆;浴缸;圆木桶

▲**tube** [tju:b, 美: tu:b] *n.* 管子,(玻璃)管;(牙膏等的)软管;[美]真空管,电子管([英] valve);地下铁道([美] subway)

tuberculosis [tju:,bə:kju'ləusis] *n.* 结核病;肺结核

tuck [tʌk] *v.* 使塞入,藏纳;折短;卷起;缩拢;缝摺于 *n.* 缝褶,衣褶

***Tuesday** ['tju:zdi] *n.* 星期二(略作: Tues.)

tuft [tʌft] *n.* (头发、羽毛等的)一簇;(草、树的)一丛

▲**tug** [tʌg] *n.* 拖,牵引;拖船 *v.* 用力拖,用力拉(⇨drag, pull)

tuition [tju:'iʃən] *n.* 讲授,教诲;学费

tulip ['tju:lip] *n.* 郁金香

▲**tumble** ['tʌmbl] *v.* 跌倒(⇨fall);摔倒;(使)翻滚(⇨roll);翻筋斗

tumult ['tju:mʌlt] *n.* 喧哗;吵嚷;骚动(⇨disorder);暴动,激动;混乱

tuna ['tju:nə] *n.* 金枪鱼

tune [tju:n] *n.* 曲,曲调;旋律;和谐(⇨harmony)

▲**tunnel** ['tʌnl] *n.* 隧道,坑道,地道,烟道;(动物的)洞穴

turban ['tə:bən] *n.* 穆斯林的头巾

turbine ['tə:bin] *n.* 涡轮(机),透平

(ᴬ)**turf** [tə:f] *n.* 草皮;草地(⇨grass) ▶人工修整过的草地叫 lawn.

Turk [tə:k] *n.* 土耳其人

Turkey ['tə:ki] 土耳其

turkey ['tə:ki] 火鸡,吐绶鸡

Turkish ['tə:kiʃ] *a.* 土耳其的;土耳其人的;土耳其语的 *n.* 土耳其语 ‖ ~ bath 土耳其浴,蒸汽浴

***turn** [tə:n] *v.* 转,转动;翻,翻转;扭转;旋转;使变化;翻译 *n.* 旋转;转弯;轮流,轮班(⇨shift);(依次轮流的)顺序,名次 ‖ ~*ing* point 转折点

(*)**Turner** ['tə:nə] 特纳(姓)

turner ['tə:nə] *n.* 车工,镟工;旋转器;

turning ['tə:niŋ] *n.* 转弯处,拐角

turnip ['tə:nip] *n.* 萝卜

turret ['tʌrit] *n.* 塔楼;角塔;(坦克等的)炮塔

(ᴬ)**turtle** ['tə:tl] *n.* 海龟

▲**tusk** [tʌsk] *n.* (象、野猪等的)长牙;獠牙

tutor ['tju:tə] *n.* 家庭教师(⇨teacher);私人教师;(英国大学中的)指导教师,导师

***TV** [,ti:'vi:] *n.* (= television)电视机;电视 ‖ ~ set 电视机 / ~ play 电视剧 / ~ dinner (稍加烫热即可边看电视边食用的冷冻)盒装便餐

(ᴬ)**twang** [twæŋ] *n.* 拨弦声,嘣的一声;鼻音

tweed [twi:d] *n.* 粗花呢;《用复数》(一套)粗花呢制的衣服

(*)**twelfth** [twelfθ] *num.* 第十二(个);十二分之一(的) *n.* 《加 the》(月的)第十二日(略作: 12th) ▶不要拼写成 twelveth.

***twelve** [twelv] *num.* 十二

twentieth ['twentiiθ] *num.* 第二十(个);二十分之一(的) *n.* 《加 the》(月

的)第二十日

*twenty ['twenti] *num.* 二十　*n.* 二十(个);《加 the, 用复数》二十年代

*twice [twais] *ad.* 两次;两倍(⇨double)

twig [twig] *n.* 小树枝, 嫩枝

twilight ['twailait] *n.* 黄昏(⇨dusk);薄暮, 微光;黎明(⇨dawn);衰退期
‖ ~ years 晚年 / ~ sleep 半麻醉状态

⁽*⁾twin [twin] *n.* 孪生子之一;《用复数》(一对)孪生儿, 双胞胎, 两个相像的人
(或物)　*a.* 孪生的, 双胞胎的;两个非常相像的东西之一的　*vt.* 使结成
姐妹(或友好)城市;生双胞胎;使成对

twine [twain] *n.* 合股线;麻线;细绳(⇨cord)　*v.* 缠, 绕(⇨wind);搓, 捻
(⇨twist)

▲twinkle ['twiŋkl] *v.* (使)闪烁(⇨sparkle);(使)闪闪发光;(眼睛)闪亮;(眼
脸等)眨动(⇨wink)　*n.* 闪烁, 闪耀;闪亮

▲twist [twist] *v.* 拧, 扭, 绞;搓, 捻(⇨twine);编织;缠绕(⇨wind);盘旋, 迂
回;蜿蜒;曲解, 歪曲

▲twitch [twitʃ] *vi.* (肌肉等)颤动(⇨quiver);抽搐　*vt.* 急扯, 抽动;猛拉(⇨
jerk)　*n.* 抽搐;痉挛;剧痛

*two [tu:] *num.* 二

twopenny ['tʌpəni] *a.* 两便士的;〈口语〉毫无价值的, 廉价的

-ty [ti] *suf.* 表示"性质, 状态, 情况", 如 safety (安全), beauty (美丽),
plenty (丰富), facility (便利).

*type [taip] *n.* 型(⇨kind);类型;典型(⇨model);式;样式, 样本;〔印刷〕活
字, 铅字 ‖ heavy ~ 黑体铅字

typewriter ['taip,raitə] *n.* 打字机

typhoon [tai'fu:n] *n.* 台风

typical ['tipikəl] *a.* 典型的;代表性的(⇨representative);特有的

typist ['taipist] *n.* 打字员

tyranny ['tirəni] *n* 暴政;暴虐(行为)

tyrant ['taiərənt] *n.* 暴君, 专制君主;专制魔王

⁽▲⁾tyre ['taiə] *n.* 车胎, 轮胎 ▶又拼写为 tire [美].

U, u

⁽*⁾ugly ['ʌgli] *a.* 丑的, 丑陋的, 难看的(← beautiful);丑恶的;卑劣的;讨厌
的;〈口语〉爱争吵的(⇨quarrelsome) ‖ ~ duckling 丑小鸭

ultimate ['ʌltimit] *a.* 最后的(⇨decisive);终极的(⇨final);终极的;最远
的;最大限度的(努力);(强度)极限的

ultimately ['ʌltimitli] *ad.* 最后;最终;终极地

ultra- [ʌltrə] *pref.* 表示"超, 过, 在…那一边"之意, 如 ultrasonic (超声的,
超音速的), ultraviolet (紫外线的)

ultrasonic [,ʌltrə'sɔnik] *a.* 超声的;超音速的　*n.* 超声波

ultraviolet [,ʌltrə'vaiəlit] *a.* 紫外的;紫外线的 ‖ ~ rays 紫外线

▲umbrella [ʌm'brelə] *n.* 伞; 雨伞; 保护; 保护伞 ▶(女用)阳伞是 parasol.

umpire ['ʌmpaiə] *n.* (比赛的)裁判; (棒球、网球等)裁判员; 公正人 *v.* 裁判 ▶拳击、足球赛等的裁判员是 referee.

(•)UN [ju:'naitid'nei∫ənz] *n.* 联合国(United Nations)

un- [ʌn] *pref.* 表示"不, 未"等否定之意, 如 *unable* (不能的), *un*important (不重要的), *untrue* (不真实的).

(▲)unable [ʌn'eibl] *a.* 《用作表语》不能的, 不会的, 无能力的

unanimous [ju:'næniməs] *a.* 一致同意的; 全体一致的

unarmed [ʌn'ɑ:md] *a.* 没带武器的; 非武装的; 徒手的

unaware [,ʌnə'wɛə] *a.* 《只作表语》不知道的, 未意识到的; 没有觉察到的

unbearable [ʌn'bɛərəbl] *a.* 难以忍受的; 不能容忍的

unbroken [ʌn'brəukən] *a.* 完整的(⇨ whole); 未破损的; 连续的(⇨ continuous); 未中断的; (动物)未驯服的; 未开垦的

uncertain [ʌn'sə:tn] *a.* 不确定的; 决定不了的; 模糊不清的; (天气)变幻无常的; (约定)不可靠的

uncertainty [ʌn'sə:tənti] *n.* 不确定; 不确知; 变幻无常; 不可靠

unchanged [ʌn'tʃeindʒd] *a.* 不变的; 依然如故的

•uncle ['ʌŋkl] *n.* 叔, 伯, 舅, 姨父, 姑父; 《对年长者的称呼》伯伯, 叔叔 ‖ *Uncle* Sam 《口语》山姆大叔(指美国政府, 美国人) 「受, 别扭

uncomfortable [ʌn'kʌmfətəbl] *a.* 不舒服的; 令人不快的; 不自在的; 难

uncommon [ʌn'kɔmən] *a.* 罕见的(⇨rare), 不寻常的(← common); 异常的(⇨unusual); 非凡的, 杰出的

▲uncomplaining [,ʌnkəm'pleiniŋ] *a.* 没有怨言的; 不发牢骚的; 坚忍的

unconscious [ʌn'kɔn∫əs] *a.* 失去知觉的; 不知道的; 未发觉的; 无意识的

unconsciously [ʌn'kɔn∫əsli] *ad.* 无意识地; 不知不觉地

(▲)uncontrolled [,ʌnkən'trəuld] *a.* 不受控制的; 自由的

▲uncover [ʌn'kʌvə] *vt.* 移去…的覆盖物; 揭开…的盖子; 使暴露(⇨ expose) *vi.* 《表示敬意》脱帽

undecided [,ʌndi'saidid] *a.* 未定的, 未决的; 未下决心的; 胜负未分的

•under ['ʌndə] *prep.* 《位置》在…下面(⇨below)(← over); 《从属》在…(领导、统治、保护)之下; 《状态》在…(情况、条件、义务、影响)之下; 《标准》低于…(地位), 未满…(年龄); 处于; 由于 *ad.* 在下; 从属地 *a.* 下(部)的 (← upper); 在…(级别、地位)以下的

under- [ʌndə] *pref.* 表示"次于, 低于; 在…下; 较少; 不充分"之意, 如 *under*secretary (次长, 副部长), *under*ground (地下的, 秘密的) *under*developed (不发达的).

underbrush ['ʌndəbrʌʃ] *n.* [美](大树下生长的)矮树丛; 下层林丛

underclothes ['ʌndəkləuðz, -kləuz] *n.* [复数]内衣裤(= underwear)

underdress [ʌndə'dres] *vi.* 穿得过于朴素 *n.* ['ʌndədres] 内衣; 衬衣 ▶动词与名词重音不同.

underestimate [,ʌndər'estimeit] *v.* 低估, 估计不足

undergarment ['ʌndə,gɑ:mənt] *n.* 内衣, 衬衣, 贴身衣服(=underwear)

(▲)undergo [,ʌndə'gəu] *vt.* (*underwent* [-'went], *undergone* [-'gɔn]) 经历, 经受(考验); 遭受(⇨suffer); 忍受(⇨endure) ▶此词是及物动词。

undergraduate [,ʌndə'grædʒuit] *n.* (尚未取得学位的)大学生, 大学肄业

生 *a.* 大学生的

▴underground ['ʌndəgraund] *a.* 地下的；秘密的 *n.* 地下铁道（[美] subway） *ad.* [.ʌndə'graund] 在地下；秘密地 ▶注意重音．

▴underline [.ʌndə'lain] *vt.* 在…下划线 *n.* ['ʌndəlain] 底线 ▶注意重音．

underlying [.ʌndə'laiiŋ] *a.* 在下的；基础的；隐晦的   「誊」

undermine [.ʌndə'main] *vt.* 在…挖坑道；逐渐损害（健康）；暗中破坏（名

underneath [.ʌndə'ni:θ] *prep.* 在…下面；在…之下 *ad.* 在下面；在底下 *n.* 下面；下部；底

underpants ['ʌndəpænts] *n.* [复数] 男衬裤，内裤 ▶量词用 a pair of．

underpass ['ʌndəpɑ:s] *n.* 地道，地下过道；下穿交叉道

undershirt ['ʌndəʃə:t] *n.* [美] 汗衫（[英] vest）

underside ['ʌndəsaid] *n.* 下面，下侧

undersigned ['ʌndəsaind] *a.* 签名于下的，有署名的

undersize(d) [.ʌndə'saiz(d)] *a.* 不够大的；比普通尺寸小的；小型的；（因 发育不良）比较矮小的

▴understand [.ʌndə'stænd] *v.* (*understood* [-'stud], *understood*) 懂得；理 解，了解；明白(⇨comprehend)；认为，以为；相信；听说(⇨hear)

▴understanding [.ʌndə'stændiŋ] *n.* 理解，了解；知识，经验；理解力；体谅， (非正式的) 协定；谅解；默契 *a.* 聪明的；有同情心的；有理解力的

understood [.ʌndə'stud] understand 的过去式和过去分词 *a.* 已了解 的；不言而喻的；因为可以意会而省略的

undertake [.ʌndə'teik] *v.* (*undertook* [-'tuk], *undertaken* [-'teikən]) 着 手；开始(某一工作)；从事，承担；答应(⇨promise)；保证(⇨guarantee)

undertaking [.ʌndə'teikiŋ] *n.* 任务，工作；事业，企业；允诺，保证

undertook [.ʌndə'tuk] undertake 的过去式

underwater [.ʌndə'wɔ:tə] *ad., a.* 在水下(的)，在水面以下(的)

underwear ['ʌndəwɛə] *n.* 〔总称〕内衣（汗衫、内裤等）

undesirable [.ʌndi'zaiərəbl] *a.* 令人不快的；不合需要的；不受欢迎的 *n.* 不受欢迎的人

undisturbed [.ʌndis'tə:bd] *a.* 未受干扰的；平稳的

undo [ʌn'du:] *vt.* (*undid* [-'did], *undone* [-'dʌn]) 解开；打开(⇨open)；松 开(⇨loosen)；脱去…的衣服；使恢复原状；取消

undone [.ʌn'dʌn] *a.* 解开的；松开的；没有做的；未完成的

undoubtedly [.ʌn'dautidli] *ad.* 无疑地；的确．

▴undress [.ʌn'dres] *vt.* 脱掉…的衣服；使赤裸；剥光衣服 *vi.* 脱衣服 *n., a.* ['ʌndres] 便服(的)，便装(的) ▶注意重音．

uneasily [.ʌn'i:zili] *ad.* 不安地；焦虑地

uneasiness [ʌn'i:zinis] *n.* 不安；焦虑；担心；不自在

uneasy [.ʌn'i:zi] *a.* 不安的；焦虑的；担忧的(⇨anxious)；不安定的(⇨ restless)；不自然的

uneducated [ʌn'edʒu.keitid] *a.* 没受教育的；没教养的

unemployed [.ʌnim'plɔid] *a.* 失业的；未受雇用的(⇨jobless)；未加利.的 *n.* 《加 the》〔总称〕失业者

unemployment [.ʌnim'plɔimənt] *n.* 失业；失业人数   「胜任的

unequal [ʌn'i:kwəl] *a.* 不相等的，不等的；不同的；不平等的；不公平的；不

uneven [ʌn'iːvən] *a.* 凹凸不平的；不均匀的；不齐的；不规则的；(质量)不稳定的；奇数的(⇨odd)

unexpected [ˌʌniks'pektid] *a.* 意外的，意料不到的，突然的(⇨sudden)

unexpectedly [ˌʌniks'pektidli] *ad.* 意外地；突然(⇨suddenly)

•**unfair** [ʌn'feə] *a.* 不公平的(⇨unjust)；不正直的

(▲)**unfamiliar** [ˌʌnfə'miljə] *a.* 陌生的；不熟悉的；没经验的

unfavo(u)rable [ʌn'feivərəbl] *a.* 不适宜的；不利的；不赞同的

▲**unfit** [ʌn'fit] *a.* 不合适的；不胜任的；不健全的 *vt.* 使不合适;使无能力;使不胜任;使丧失(…)的资格

unfold [ʌn'fəuld] *v.* 展开；摊开(← fold)；显露；表明,说明；(花蕾)开放

unforgettable [ˌʌnfə'getəbl] *a.* 令人难忘的

unfortunate [ʌn'fɔːtʃinit] *a.* 不幸的,倒霉的(⇨unlucky)；失败的；不适宜的 *n.* 不幸的人

unfortunately [ʌn'fɔːtʃinitli] *ad.* 不幸；不巧；可惜,遗憾地

unfriendly [ʌn'frendli] *a.* 不友好的(← friendly) ▶此词不是副词.

(▲)**unfurnished** [ˌʌn'fəːniʃt] *a.* (出租房间)不备家具的

ungrateful [ʌn'greitfəl] *a.* 忘恩负义的；吃力不讨好的；讨厌的；不愉快的

unhappy [ʌn'hæpi] *a.* 不幸的,悲惨的；悲伤的(⇨sorrowful) 倒霉的(⇨unlucky)；不快乐的,忧愁的(⇨sad) 　　　　　「细胞的)

uni- [juːni] *pref.* 表示"一,单"之意,如 *uni*form (划一的), *uni*cellular (单

uniform ['juːnifɔːm] *a.* 一致的,划一的,一律的；规则的(⇨regular) *n.* 制服；军服 ‖ undress ～ 便服,军便服

uniformly ['juːnifɔːmli] *ad.* 均匀地，一致地；一律地 　　　　「的

▲**unimportant** [ˌʌnim'pɔːtənt] *a.* 不重要的(← important)；琐碎的；无价值的

uninterested [ʌn'intrəstid] *a.* 不感兴趣的；无动于衷的

•**union** ['juːnjən] *n.* 联合,团结；一致；同盟；联邦；联合会；工会；协会(⇨society)；‖ the *Union* 美利坚合众国

unique [juː'niːk] *a.* 唯一的；独一无二的(⇨sole)；〈口语〉独特的；无与伦比的(⇨unequaled)

unisex ['juːniseks] *a.* (衣服、发型等)男女两用的,男女不分的

unit ['juːnit] *n.* 单位,单元；个体；组合用具 ‖ ～ furniture 组合(式)家具

•**unite** [juː'nait] *v.* 统一；联合；团结；合并；混合；结合

•**united** [juː'naitid] *a.* 联合的；统一的；团结的；连结的；合并的 ‖ the *United* Nations 联合国 / the *United* States (of America) 美利坚合众国 ╱ the *United* Kingdom 联合王国(英国)

unity ['juːniti] *n.* 统一；团结,联合；调和,一致(性)；单一(性)

universal [ˌjuːni'vəːsəl] *a.* 全体的；一般的；普遍的；广泛的；宇宙的；通用的；万能的 ‖ ～ donor O型血液的(人)

universally [ˌjuːni'vəːsəli] *ad.* 普遍地；无例外地；到处(⇨everywhere)

•**universe** ['juːnivəːs] *n.* 〈加 the〉宇宙,全世界,全人类；银河系 　　　「师生

•**university** [ˌjuːni'vəːsiti] *n.* (综合性)大学；〈加 the〉〔总称〕大学人员；大学

(▲)**unjust** [ˌʌn'dʒʌst] *a.* 不公平的；非正义的；不公正的(← just)；不正当的

unkind [ˌʌn'kaind] *a.* 不和善的,不亲切的(← kind)；冷酷的(⇨cruel)

•**unknown** [ˌʌn'nəun] *a.* 不知道的；不为人所知的；陌生的；不出名的；未知的；无法估量的 ‖ an ～ quantity 未知数

unlace [ʌn'leis] *vt.* 解开(或松开)⋯的带子;

unlawful [ʌn'lɔ:fəl] *a.* 不法的,违法的;不正当的

▲**unless** [ʌn'les, ən-] *conj.* 除非;如果不⋯   「与⋯不同

unlike [ˌʌn'laik] *a.* 不相似的;不像的;不同的(⇨different) *prep.* 不像⋯;

(▲)**unlikely** [ʌn'laikli] *a.* 未必的;不大可能的;靠不住的;不见得的

unlimited [ʌn'limitid] *a.* 无限的(⇨infinite);无边无际的(⇨vast);无限制的;无约束的

(▲)**unload** [ʌn'ləud] *vt.* 卸;卸下(船、车等的)货物;解除(心理等的)负担;退出(枪中的)子弹 *vi.* 卸货

(▲)**unlock** [ʌn'lɔk] *vt.* 开⋯的锁;开启;揭示;揭露(秘密)

unloose [ʌn'lu:s] *vt.* 放开;放松;释放

▲**unlucky** [ʌn'lʌki] *a.* 不幸的(← lucky);倒霉的;不吉利的,不祥的

unmanned [ʌn'mænd] *a.* 无人的;无人住的,无人驾驶的

unmarried [ˌʌn'mærid] *a.* 未婚的,独身的

unnatural [ˌʌn'nætʃərəl] *a.* 不自然的(← natural);人为的;不寻常的;反常的(⇨abnormal);不道德的;不近人情的;残忍的

unnecessary [ʌn'nesəsəri, 美: -seri] *a.* 不必要的(⇨needless);不需要的;多余的;无用的;无益的

unoccupied [ˌʌn'ɔkjupaid] *a.* 没人住的;空着的;没事干的;空闲的

unpack [ʌn'pæk] *vt.* 打开(包裹);拆(包);

unpaid [ʌn'peid] *a.* 未付的;无报酬的

(▲)**unpleasant** [ʌn'plezənt] *a.* 使人不愉快的;讨厌的(⇨offensive)

unprecedented [ʌn'presidəntid] *a.* 史无前例的;空前的

unreasonable [ʌn'ri:zənəbl] *a.* 不讲理的;不合理的;无理的(← reasonable);无理性的;(价格)不当的,过高的

unremitting [ˌʌnri'mitiŋ] *a.* 不停的;努力不懈的

unrest [ʌn'rest] *n.* 不平静,不安;不稳;骚乱

unsatisfactory [ˌʌnsætis'fæktəri] *a.* 不能令人满意的

(▲)**unscientific** [ˌʌnsaiən'tifik] *a.* 不科学的

▲**unseen** [ʌn'si:n] *a.* 未看见的;未被发现的,看不见的;观察不到的

unselfish [ʌn'selfiʃ] *a.* 不自私的,无私的

▲**unselfishness** [ʌn'selfiʃnis] *n.* 无私,慷慨

unskilled [ʌn'skild] *a.* 不熟练的;不擅长的;无需技能的

unstable [ʌn'steibl] *a.* 不稳定的,易变的

unsuccessful [ˌʌnsək'sesfəl] *a.* 不成功的,失败的;无结果的   「的

unsuitable [ˌʌn'su:təbl, -'sju:t-] *a.* 不适宜的,不合适的;不相称的;不胜任

▲**unthinkable** [ʌn'θiŋkəbl] *a.* 难以想像的,不可思议的

untie [ʌn'tai] *vt.* 解开;松绑(约束)

untie [ʌn'tai] *vt.* 解开;松绑(约束)

until [ʌn'til] *prep.* 直到⋯之时;直到⋯为止 *conj.* 直到⋯之时;在⋯以前

unto ['ʌntu, -tə] *prep.* ⟨古诗语⟩ = to

untouched [ˌʌn'tʌtʃt] *a.* 原样的;未动过的;不受影响的;未言及的

untrue [ʌn'tru:] *a.* 不真实的,虚假的(⇨false);不忠实的;不合标准的

(▲)**unusual** [ʌn'ju:ʒuəl] *a.* 异常的;不普通的;稀有的(⇨rare)

unusually [ʌn'ju:ʒuəli] *ad.* 不寻常地;异常地;⟨口语⟩非常地

unwelcome [ʌn'welkəm] *a.* 不受欢迎的;讨厌的

unwilling [ˌʌn'wiliŋ] *a.* 不情愿的; 不愿意的, 勉强的

unwise [ˌʌn'waiz] *a.* 无智慧的, 愚蠢的; 不明智的

unworthy [ʌn'wəːði] *a.* 不值得的, 没有价值的 (⇨worthless); 卑鄙的; 可耻的

^unwrap [ʌn'ræp] *vt.* 打开 (包裹等); 解开

•up [ʌp] *ad.* 向上; 由低而高; 在上面; 在高处; 起立; 起床; 完全地 (⇨ completely); 上升; 提高; 上涨; 总合 *a.* 向上的; 上行的; 上涨的; 完成的 *prep.* 向 [在] …的上面; 向 [在] …的上游; 逆…的方向; 向…远端 ▶习惯上 去首都、城市、城市住宅区、北方等用 up.

up- *pref.* 表示 "向上, 在上, 在高处, 向高处, …起来" 之意, 如 *up*lift (上升), *up*side (上部).

uphold [ʌp'həuld] *vt.* (*upheld* [-'held], *upheld*) 维持; 举起; 高举; 拥护; 支持; 赞成; 鼓舞; 确认

uplift [ʌp'lift] *vt.* 使向上; 举起; 抬起; 振奋 *n.* ['ʌplift] 举起; 抬起; (情绪) 高昂; (精神) 发扬; (文化) 提高 ▶动词与名词重音不同.

•upon [ə'pɔn] *prep.* 在…上面 (= on) ▶upon 与 on 同义, 通常用 on 较多, 但在有些短语中只用 upon, 如 once upon a time (从前).

upper ['ʌpə] *a.* 上面的, 上部的 (← under); 较高的 (⇨higher); 上层的; 上游的; 上级的; 较重要的 ‖ the *Upper* House 上院, 上议院

^upright ['ʌprait] *a.* 直立的, 垂直的; 公正的, 正直的 (⇨honest) *ad.* 笔直地; 垂直地; 竖立地 ‖ ~ piano 竖式钢琴

uprising ['ʌpˌraiziŋ] *n.* 上升, 起立, 起床; 起义, 暴动; 叛乱 (⇨rebellion)

uproar ['ʌpˌrɔː] *n.* 扰乱; 骚动 (⇨disturbance); 叫闹声, 喧器

uproot [ˌʌp'ruːt] *vt.* 根绝; 灭绝

^upset [ʌp'set] *vt.* (*upset, upset*) 翻倒; 颠覆; 搅乱; 使 (肠胃) 不适; 使 (计划) 失败 *n.* ['ʌpset] 颠覆; 失常; 混乱 (⇨disorder) *a.* ['ʌpset] 不安的; 焦虑的 (⇨worried); 难过的 ▶注意重音.

(A)upside ['ʌpsaid] *n.* 上边, 上面, 上部.

upside-down ['ʌpsaidˌdaun] *ad.* 颠倒地, 倒置地

(A)upstairs [ˌʌp'stɛəz] *ad.* 在楼上, 往楼上 (← downstairs) *a.* 楼上的, 在楼上的 *n.* 楼上

up-to-date [ˌʌptə'deit] *a.* 最新的, 新式的 (← out-of-date)

upturn [ʌp'təːn] *v.* (使) 向上; 翻起 *n.* ['ʌptəːn] 提高; 好转 ▶注意重音.

^upward ['ʌpwəd] *a.* 向上的; 上升的; 朝上的 *ad.* 向上, …以上

(•)upwards ['ʌpwədz] *ad.* 朝上, 向上; 上升, 上涨; 超过, …以上 ▶美国人常用 upward 作副词.

^Ural ['juərəl] *n.* 乌拉尔 (苏联一地区) ‖ the ~ Mountains 乌拉尔山脉

^uranium [ju'reiniəm] *n.* 铀

urban ['əːbən] *a.* 城市的, 都市的

urbanite ['əːbənait] *n.* 城市居民

-ure [jə, ə] *suf.* 表示 "结果, 动作", 如 pleasure (快乐), pressure (压力), procedure (程序).

•urge [əːdʒ] *vt.* 推进 (⇨push); 催促; 激励; 极力主张; 力劝 *n.* 强烈的愿望; 迫切的要求

urgent ['əːdʒənt] *a.* 紧急的; 急迫的; 执拗的; 强求的; 催促的

urine ['juərin] *n.* 尿; 小便

urn [ə:n] *n.* 瓮；骨灰缸；[喻]坟墓

*◆**us** [ʌs, (弱) əs] *pron.* [we 的宾格] 我们

US, U.S. [.ju:'es] (= United States)《常加 the》美国

USA, U.S.A. [.ju:es'ei] (= United States of America)《常加 the》美利坚合众国

⌐法
(▲)**usage** ['ju:zidʒ] *n.* 使用；应用；惯例；习惯；习俗；正确用法；(语言的) 惯用

*◆**use** [ju:z] *vt.* 用；使用；应用；消耗；对待 *n.* [ju:s] 使用 (⇨employment)；用法；用途，用处；效用 ▶注意动词与名词的不同发音.

used[1] [ju:zd] *a.* 使用过的 (⇨second hand)；用旧了的；不新的 ‖ ～ books 旧书 / ～ car 旧车 ▶注意发音与 used[2] 的区别.

(▲)**used**[2] [ju:st] *a.*《用作表语，与 to 连用》习惯于…的 *vi.*《后接带 to 的不定式》过去经常或惯常 (做某事) ▶注意发音与 used[1] 的区别.

*◆**useful** ['ju:sfəl] *a.* 有用的 (← useless)；有益的；有帮助的；实用的 (⇨practical)；能干的；有效率的 (⇨effective)

(▲)**usefulness** ['ju:sfəlnis] *n.* 有用；有益

useless ['ju:slis] *a.* 无用的；无价值的 (⇨valueless)；无效的；无结果的；〈口语〉不中用的 (← useful)

user ['ju:zə] *n.* 使用者，用户；使用物

usher ['ʌʃə] *n.* (戏院等的) 引座员；招待员；(法院的) 庭警 *vt.* 引；领；招待；引导；引来；开始；预报

USSR [.ju:esesɑ:] (= Union of Soviet Socialist Republics) 苏维埃社会主义共和国联盟

*◆**usual** ['ju:ʒuəl] *a.* 平常的；惯常的；通常的 (⇨ordinary)；常见的

*◆**usually** ['ju:ʒuəli] *ad.* 常常，通常，平常

usurp [ju:'zə:p] *vt.* 篡夺，夺取；侵占

utensil [ju:'tensəl] *n.* 器皿；用具 ‖ kitchen ～s 厨房用具

utility [ju:'tiliti] *n.* 效用，实用，有用；《常用复数》公用事业 *a.* 实用的；经济实惠的，多用途的；公用事业的

utilization [.ju:tilai'zeiʃən, 美: -lə-] *n.* 利用

utilize ['ju:tilaiz] *vt.* 利用 (⇨use)；使有用

*◆**utmost** ['ʌtməust] *a.* 最大的；最远的；最高的；极度的 *n.* 最大限度；最大可能；极度，极限

utopia [ju:'təupiə] *n.* 乌托邦，理想国

utter[1] ['ʌtə] *a.* 完全的 (⇨complete)；断然的；绝对的 (⇨absolute)；彻底的

utter[2] ['ʌtə] *vt.* 发出 (声音)；发言；说出；公布 (⇨ publish)；表达 (⇨ express)

utterance ['ʌtərəns] *n.* 发声；发言；表达；发音，吐字；言论，言词

utterly ['ʌtəli] *ad.* 完全地；彻底地，全然

V, v

vacancy ['veikənsi] *n.* 空, 空虚; 空处; 空白; 空间; 空位; 空职

vacant ['veikənt] *a.* 空的 (⇨empty); 空虚的; (座位) 空着的; (职位) 空缺的; (房子) 没有主人的; 空闲的; 心不在焉的

vacation [və'keiʃən, 美: vei-] *n.* (学校的) 假期; 休假期; 假日 (⇨holidays)

vaccinate ['væksineit] *vt.* 给…种痘

vaccination [,væksi'neiʃən] *n.* 种痘; 疫苗接种

vacuum ['vækjuəm] *n.* 真空; 空间; 空虚; 空白 *v.* 〈口语〉用真空吸尘器打扫 (房间) ‖ ~ bottle 热水瓶 / ~ cleaner 真空吸尘器 / ~ tube [valve] 真空管, 电子管

vagabond ['vægəbɔnd] *n.* 流浪者, 漂泊者; 懒汉; 流氓; 无用的人 *a.* 流浪的; 东奔西走的; 没有用处的 〔漂泊者

vagrant ['veigrənt] *a.* 徘徊的; 漂泊的, 流浪的 (⇨wandering) *n.* 流浪者,

vague [veig] *a.* 含糊的; 不明确的, 模糊的 (⇨indefinite); 暧昧的

vaguely ['veigli] *ad.* 含糊地, 模糊地; 朦胧地; 暧昧地

(A)**vain** [vein] *a.* 没用的 (⇨useless); 无益的; 徒然的, 徒劳的; 自负的 (⇨conceited); 爱虚荣的

vainly ['veinli] *ad.* 无用地; 徒劳地; 自负地

vale [veil] *n.* 〈诗语〉谷 (⇨valley) 〔(⇨brave)

valiant ['væliənt] *a.* 〈书面语〉(在战争中) 勇敢的 (⇨courageous); 英勇的

valid ['vælid] *a.* 有根据的, 确定的; (法律上) 有效的 (← void)

validity [və'liditi] *n.* 正确, 正当; [法律] 效力, 合法性

****valley** ['væli] *n.* 谷, 山谷; 溪谷; 流域

valo(u)r ['vælə] *n.* (战争中) 勇猛; 英勇; 勇气 (⇨courage)

▲**valuable** ['væljuəbəl, 美: -ljə-] *a.* 贵重的; 宝贵的; 有价值的; 有用的; 值钱的 (← worthless) *n.*《常用复数》贵重物品

valuation [,vælju'eiʃən] *n.* 评价, 估价; 核定价格

▲**value** ['vælju:] *n.* 价值 (⇨worth); 价格 (⇨price); 重要性; 益处; 意义 *vt.* 估价, 定价; 评价; 重视 (⇨esteem)

valve [vælv] *n.* 阀, 阀门, 活门; 真空管 ([美] tube) ‖ safety ~ 安全阀

van [væn] *n.* 大型有盖货车 ([美] waggon); (铁路) 行李车; (吉卜赛人的) 大篷车 ‖ police ~ 警车

vanguard ['vænɡɑ:d] *n.* (军队) 前卫, 先锋; (政治、社会运动的) 先驱者

vanish ['væniʃ] *vi.* (突然) 不见, 消灭 (⇨disappear); 消逝; 消灭 ‖ ~ing point (事物的) 尽头; 消失点; (透视的) 汇聚点, 没影点

vanity ['væniti] *n.* 空虚, 虚幻; 虚荣, 虚荣心; 自负, 自大 (⇨pride); 无益 ‖ ~ press [publisher] [美] 专供自费出版书籍的出版社

****vapo(u)r** ['veipə] *n.* 汽, 蒸气; 烟雾

▲**Vargas** ['vɑ:ɡəs] 瓦格斯 (男名)

variable ['vɛəriəbl] *a.* 易变的, 不定的; 可变的

variation [,vɛəri'eiʃən] n. 变化, 变动; 〔语法〕语尾变化; 变异; 变奏曲

varied ['vɛərid] a. 各种各样的; 不同的(⇨different); 改变了的; 多变化的

variety [və'raiəti] n. 变化; 多样性(⇨diversity); 品种(⇨sort); 多样化表演 ‖ ～ show (歌舞, 短剧, 杂技等)文艺联合演出([美] vaudeville) / ～ store [美] 杂货店

various ['vɛəriəs] a. 不同的(⇨different); 各种各样的; 多方面的; 多变化的; 许多的(⇨several)

varnish ['vɑːniʃ] n. 清漆, 凡立水; 釉子; 光泽面; 粉饰, 虚饰 vt. 给·· 涂清漆; 使有光泽; 粉饰

vary ['vɛəri] vi. 变化; 不同   vt. 改变(⇨change); 使变得不同

vase [vɑːz, 美: veis, veiz] n. 花瓶, (装饰用的)瓶

vassal ['væsəl] n. 封臣; 奴仆; 附庸(国)   a. 封臣的; 仆从的; 附庸的

vast [vɑːst, 美: væst] a. 广大的 辽阔的; 巨大的, 大量的; 庞大的(⇨huge), 巨额的

vaudeville ['vəudəvil, 'vɔ-] n. [英] 轻松的歌舞剧(或音乐喜剧), [美] (剧院或电视中的)文艺联合演出(内有音乐、歌舞、杂耍、短剧等)   〔tomb〕

vault [vɔːlt] n. 拱形圆顶; 地下室(⇨cellar); 保险库; (教堂下的)墓穴(⇨

vector ['vektə] n. 〔数学〕矢量, 向量; 媒介物, 带菌体; 飞机航线   〔界

vegetable ['vedʒtəbl] n. 蔬菜; 青菜, 植物   a. 植物的 ‖ ～ kingdom 植物

vegetation [,vedʒi'teiʃən] n. 〔总称〕植物, 草木; 植物的生长; 植被

vehement ['viːəmənt] a. 热心的, 热情的; 激烈的, 强烈的

vehicle ['viːikl] n. 车辆; (陆上)交通工具; 运载工具; 媒介物

veil [veil] n. 面纱; 面罩(⇨mask); 遮蔽物; 借口(⇨excuse)   v. 掩盖

vein [vein] n. 静脉; 叶脉; 翅脉; 矿脉; 特质(⇨character)

velocity [vi'lɔsiti] n. 速度(⇨speed); 速率

velvet ['velvət] n. 天鹅绒; 丝绒   a. 天鹅绒制的, 柔软的

vendor ['vendə] n. 小商贩; 摊贩 ‖ street ～ 流动小商贩

venerable ['venərəbl] a. 年高德劭的; 可敬的(⇨respectable)

Venetian [vi'niːʃən] n. 威尼斯的; 威尼斯人的   n. 威尼斯人 ‖ ～ blind 活动百叶窗, 软百叶帘

vengeance ['vendʒəns] n. 报仇(⇨revenge); 报复

Venice ['venis] n. 威尼斯(意大利港市)

venom ['venəm] n. (蛇、虫等的)毒液; 恶意

vent [vent] n. 通风孔; 排气道

ventilate ['ventileit] vt. 使通风, 使(空气)流通; 使(谷物)风干; 公开讨论

venture ['ventʃə] n. 冒险(⇨risk); 投机   v. 冒…的危险; 敢于(⇨dare)

Venus ['viːnəs] n. 维纳斯(罗马神话中爱与美的女神); 美人; 金星

veranda(h) [və'rændə] n. 走廊, 游廊; 阳台([美] porch)

verb [vəːb] n. 动词 ‖ transitive ～ 及物动词 / intransitive ～ 不及物动词

verbal ['vəːbəl] a. 口头上的(⇨oral); 词语的; 逐字的; 〔语法〕动词的 ‖ ～ noun 动名词 / ～ note (外交上)普通照会 / ～ translation 直译

verdict ['vəːdikt] n. 判决(⇨sentence); 裁决; 〈口语〉意见(⇨opinion)

verge [vəːdʒ] n. 边缘(⇨edge); 边际; 境界; 范围; 界限   v. 接近; 濒于

verify ['verifai] vt. 证实; 确证; 查证; 核实

versatile ['vəːsətail, 美: 'vəːsətl] a. 多方面的; 多才多艺的; 万用的, 多用

途的; 易变的 (⇨changeable)

verse [vəːs] *n.* 诗(⇨poem); 诗歌; 韵文; 诗的一行; 诗句

version ['vəːʃən, 美: 'vərʒən] *n.* 翻译 (⇨translation); 译文, 译本; 改写本; 文本; 说明 (⇨interpretation)

versus ['vəːsəs] *prep.* (诉讼、比赛等) 对… (略作: v. 或 vs.)

vertical ['vəːtikəl] *a.* 直立的 (⇨upright); 垂直的; 顶点的 *n.* 垂直线; 垂直平面; 直立状态

*very ['veri] *ad.* 《修饰比较级以外的形容词、副词》很, 非常, 极, 颇为 (⇨extremely); 《修饰形容词最高级或 first, same 等》实在的, 的确, 恰恰正好 *a.* 《加强后面词语的语气》正是的, 真正的 (⇨real); 同一的 (⇨same); 《与 the, this, that 或 my, your, his 等连用》正是那个, 就是那个, 连… ▶修饰形容词比较级要用 (very) much.

^(A)**vessel** ['vesəl] *n.* 容器, 器皿(壶、碗等); (大型的) 船

^(A)**vest** [vest] *n.* [英] 汗衫=[美] undershirt; [美] 背心([英] waistcoat)

veteran ['vetərən] *n.* 老兵; 富有经验的人; 高手; [美] 退伍军人 *a.* 老练的 (⇨experienced); 老手的, 老资格的

veto ['viːtəu] *n.* 否决权; 否决, 否认; 禁止 *vt.* 否决; 禁止 (⇨forbid)

vex [veks] *v.* 使恼怒 (⇨annoy); 使烦恼; 激怒 (⇨irritate); 《常用被动语态》扰乱 (⇨agitate) 「悬案

vexed [vekst] *a.* 焦急的; 困扰的; 生气的 ‖ ～ question 争论不休的问题,

via ['vaiə, 美: 'viə] *prep.* 经由, 取道

vibrate [vai'breit, 美: 'vaibreit] *v.* (使) 振动, (使) 震动; (钟摆) 摆动 (⇨swing); 〈口语〉激动

vibration [vai'breiʃən] *n.* 振动, 震动, 颤动; 摆动

vice¹ [vais] *n.* 恶; 恶习, 恶行; 缺点, 毛病(⇨fault);

vice² [vais] *n.* 老虎钳 ▶拼写为 vise [美].

vice³ [vais] *prep.* 代替(= in place of); 继任

vice- [vais] *pref.* 置于表示官职的名词前, 表示"副, 代理, 次"之意, 如 vice-president (副总统).

vice-premier [.vais'premiə] *n.* 副总理 「事长

vice-president [.vais'prezidənt] *n.* 副总统; (大学) 副校长; 副社长; 副董

vicinity [vi'siniti] *n.* 附近; 近处; 邻近(⇨neighborhood); 接近

vicious ['viʃəs] *a.* 坏的 (⇨bad); 邪恶的; 腐化堕落的(⇨corrupt); 有坏习惯的; 不正确的; 不怀好意的 ‖ ～ circle 恶性循环

^(A)**victim** ['viktim] *n.* 牺牲者; 受害者; 受骗者; 牺牲品

victor ['viktə] *n.* 胜利者, 得胜者 (⇨winner); 征服者 (⇨conqueror)

victorious [vik'tɔːriəs] *a.* 胜利的, 得胜的; 优胜的

[▲]**victory** ['viktəri] *n.* 胜利(← defeat); 优胜; 成功 (⇨success); 征服

video ['vidiəu] *a.* 电视的; 用录像磁带的 *n.* 电视; 视频

videocast ['vidiəukɑːst] *n.* 电视广播

videotape ['vidiəuteip] *n.* 录像磁带

vie [vai] *vi.* (-d, -d; vying) 竞争 (⇨compete); 争胜

^(*)**Vienna** ['vienə] *n.* 维也纳

*view [vjuː] *n.* 视力 (⇨sight); 视域, 视野; 眼界; 景色 (⇨scene); 风景; 观察; 观点 (⇨opinion); 见解, 意见; 目的 (⇨aim); 意图 *v.* 看 (⇨see); 观

察；考虑(⇨consider)；〈口语〉看电视

viewpoint ['vju:pɔint] *n.* 见解，观点；立场(⇨standpoint)

vigilance ['vidʒiləns] *n.* 警戒，警惕；失眠症

▲**vigorous** ['vigərəs] *a.* 活泼的(⇨active)；精力充沛的(⇨energetic)·朝气蓬勃的；强健的(⇨strong)；有力的(⇨forceful)

vigorously ['vigərəsli] *ad.* 强有力地；精力充沛地

vigo(u)r ['vigə] *n.* 力；体力，精力，活力；魄力

vile [vail] *a.* (天气等)恶劣的(⇨bad)；很讨厌的(⇨offensive)；令人作呕的；下流的(⇨foul)；可怜的(⇨poor)

villa ['vilə] *n.* 别墅；郊区住宅

♦**village** ['vilidʒ] *n.* 村，村庄，乡村；〔总称〕村民

♦**villager** ['vilidʒə] *n.* 村民，村里人；乡下人

villain ['vilən] *n.* 坏蛋(⇨scoundrel)；恶棍(⇨rascal)；〈口语〉淘气的小家伙；《加 the》(剧中的)主要反派角色

▲**vine** [vain] *n.* 葡萄树(= grapevine)；蔓，藤；藤本植物

♦**vinegar** ['vinigə] *n.* 醋

vineyard ['vinjəd] *n.* 葡萄园   「(⇨rape)

violate ['vaiəleit] *vt.* 违反(规则)；亵渎；冒犯；妨碍；扰乱；施以暴行；强奸

violation [ˌvaiə'leiʃən] *n.* 违反(⇨breach)；违背，违犯；冒犯；亵渎

violence ['vaiələns] *n.* 猛烈(⇨fury)；暴力，暴行(⇨outrage)；冒渎；伤害；曲解；(字句的)窜改

violent ['vaiələnt] *a.* 猛烈的，强烈的(⇨ intense)；粗暴的；激烈的(⇨ furious)；兴奋的；极端的；曲解的；厉害的(⇨severe)

violently ['vaiələntli] *ad.* 猛烈地(⇨furiously)；激烈地；粗暴地

violet ['vaiəlit] *n.* 紫罗兰；紫罗兰色，紫色   *a.* 紫罗兰色的，紫色的

♦**violin** [ˌvaiə'lin] *n.* 小提琴

▲**violinist** [ˌvaiə'linist, 'vaiəlinist] *n.* 小提琴手

virgin ['və:dʒin] *n.* 处女，少女   *a.* 处女的；纯洁的(⇨pure)；未被玷污的；未开拓的 ‖ the *Virgin* Mary 圣母玛利亚

Virginia [və'dʒiniə] *n.* 弗吉尼亚州(美国)

virtual ['və:tʃuəl] *a.* 实际上的；事实上的(⇨actual)；实质上的

virtually ['və:tʃuəli] *ad.* 事实上(⇨actually)；实际上；实质上

▲**virtue** ['və:tʃu:] *n.* 善，德；美德，德行；贞操；优点，长处(⇨merit)；效力

virtuous ['və:tʃuəs] *a.* 善良的(⇨good)；有道德的(⇨moral)；正直的(⇨upright)；纯洁的(⇨pure)

virus ['vaiərəs] *n.* 病毒

visa ['vi:zə] *n.* (护照的)签证

viscount ['vaikaunt] *n.* 〔常作 V-〕〔英〕子爵

viscous ['viskəs] *a.* 粘滞的，粘性的

vise [美] = vice²   「质世界

▲**visible** ['vizəbl] *a.* 看得见的(← invisible)；明白的(⇨obvious) ‖ the ～ 物

vision ['viʒən] *n.* 视力，视觉(⇨sight)；远见；幻影(⇨ghost)；梦想

▲**visionphone** ['viʒənfəun] *n.* 电视电话

♦**visit** ['vizit] *v.* 访问；参观；慰问；(医生)出诊；视察(⇨examine)；降临(疾病，灾害)   *n.* 访问；参观；慰问；游览；出诊

^**visitor** ['vizitə] *n.* 访问者(⇨caller);参观者;游客(⇨guest);来宾 ‖ ~*s'* book 旅客住宿登记簿;参观者签名簿

visual ['viʒuəl] *a.* 目见的;视觉的;肉眼看得见的 ‖ ~ aid 直观教具 / ~ field 视野 / ~ nerve 视神经

vital ['vaitl] *a.* 生命的;极重要的(⇨important);必不可少的(⇨essential);充满活力的;维持生命所必需的;致命的 ‖ ~ force 生命力,生机 / ~ statistics 人口统计

vitality [vai'tæliti] *n.* 生气;活力;生命力;持续力

vitamin ['vitəmin, 'vait-; 美: 'vait-] *n.* 维生素,维他命

vivid ['vivid] *a.* (色彩)鲜艳的;鲜明的(⇨bright);(描写)生动的(⇨lively);(记忆)清晰的(⇨clear)

viz. [viz] (拉丁语 videlicet 的缩略, = namely) 即,就是 ▶viz. 通常读作 ['neimli].

^**vocabulary** [və'kæbjuləri, vəu-; 美: və'kæbjələri] *n.* 词汇;词汇表;词汇量 ‖ ~ entry 收录于词典的词条

^(A)**vocal** ['vəukəl] *a.* 声音的;用于说话的;发音的;畅所欲言的;大叫大嚷的 *n.* 《常用复数》流行歌曲的演唱 ‖ ~ cords 声带 / ~ music 声乐 / ~ organs 发音器官

vocation [vəu'keiʃən] *n.* 职业(⇨calling);行业(⇨trade);天职,使命

vogue [vəug] *n.* 流行,时尚(⇨fashion);时髦 *a.* 流行的;时髦的

^•**voice** [vɔis] *n.* 声音;说话声;嗓音,嗓子;发言;〔语法〕语态 *vt.* 发出声音;用语言表达

void [vɔid] *a.* 空的(⇨empty);(法律上)无效的(← valid);无人住的;(职位)空缺的(⇨vacant) *vt.* 排出;排泄;腾出 *n.* 空间,空处;空虚(感)

volcanic [vɔl'kænik] *a.* 火山的;火山似的;暴烈的

^**volcano** [vɔl'keinəu] *n.* 火山

^•**volleyball** ['vɔlibɔ:l] *n.* 排球(运动)

^•**volt** [vəult] *n.* 伏特,伏(电压的实用单位)

voltage ['vəultidʒ] *n.* 电压;伏特数;电位差   「量

volume ['vɔlju:m] *n.* (书本的)卷,册,合订本(略作: vol.);容积,体积;音

voluntary ['vɔləntəri] *a.* 自愿的,志愿的;自动的(⇨spontaneous);义务的;有意的,故意的(⇨deliberate);由意志控制的,随意的;有目的的(⇨purposeful) ‖ ~ army 义勇军

volunteer [,vɔlən'tiə] *n.* 自愿参加者,志愿者;志愿兵;义勇兵

vomit ['vɔmit] *v.* 呕出;呕吐;喷出,吐出 *n.* 吐,呕吐;吐出物

voracious [və'reiʃəs] *a.* 狼吞虎咽的;贪吃的,馋的;贪婪的(⇨greedy)

vote [vəut] *n.* 投票,表决;选举;选票(⇨ballot);投票权;投票总数

voter ['vəutə] *n.* 投票者;选举人,选民

vow [vau] *n.* 誓,誓言(⇨pledge);誓约 *v.* 立誓,起誓

vowel ['vauəl] *n.* 元音;元音字母   「中旅行

^**voyage** ['vɔi-idʒ] *n.* 航海;航空;航行;航程;太空旅行 *v.* 航海;航行;空

vulgar ['vʌlgə] *a.* 卑陋的,粗野的(⇨coarse);庸俗的(← elegant);平民的,大众的,通俗的;普通的(⇨common)

vulnerable ['vʌlnərəbl] *a.* 易受伤的;脆弱的;易受攻击的

^**vulture** ['vʌltʃə] *n.* 秃鹫;

vying ['vai-iŋ]   vie 的现在分词

W, w

wad [wɔd] *n.* 填塞物, 填料; 一叠, 一大卷   *vt.* 填塞; 卷起; 叠起

waddle ['wɔdl] *vi.* 蹒跚; 摇摇摆摆地走   *n.* 蹒跚; 摇摇摆摆的步子

wade [weid] *v.* 趟水; 跋涉; 艰苦地走

waffle ['wɔfəl] *n.* 华夫饼干 (蛋奶烘饼)   「等」一阵

waft [wɑ:ft, wɔ:ft] *v.* (使) 漂; 飘送; 飘荡   *n.* 飘送; 飘荡; (风、气昧、声音

wag [wæg] *v.* 摇摆; 摆动 (尾巴等)   *n.* 摇; 振动

wage[1] [weidʒ] *n.* 《常用复数》工资, 薪水 (⇨salary); 报答 (⇨reward); 回报 (⇨return) ‖ ～ freeze 工资冻结 / ～ scale 工资等级

wage[2] [weidʒ] *v.* 进行 (斗争); 开展 (运动); 从事

waggon ['wægən] *n.* 四轮运货 (马) 车; 运货车; (铁路) 无盖货车; 手推餐车 (⇨cart); [美] 大型有盖货车 (英) van) ‖ covered ～ [美] 带篷马车 / station ～ 旅行车 ▶又拼写为 wagon [美].

wagon [美] = waggon

wail [weil] *v.* 哭泣; 哀诉; (风) 呼号   *n.* 悲叹; 哀泣; (风) 悲鸣声

waist [weist] *n.* 腰, 腰部; 腰身 ‖ ～ band 束腰带

waistcoat ['weiskəut, 'weskət; 美: 'weskət] *n.* 背心, 马甲 ([美] vest)

wait [weit] *v.* 等, 等候, 等待 (⇨await); 期待 (⇨expect); 侍候; 推迟; 耽搁

waiter ['weitə] *n.* 侍者, 侍应生, 服务员

waiting ['weitiŋ] *a.* 等候的; 伺候的, 服侍的   *n.* 等待期间; 服侍 ‖ ～ list 申请人名单 / ～ room 候诊室; 候车室

waitress ['weitris] *n.* 女侍者, 女招待, 女侍应生, 女服务员

wake [weik] *v.* (woke [wəuk], woken ['wəukən] 或 woke; 或 -d, -d) 醒, 醒来; 唤醒, 唤起 (⇨waken); 觉醒

waken ['weikən] *v.* 醒; 唤醒 (⇨wake); 觉醒; 使振作

Wales [weilz] *n.* 威尔士 (英国地名)

walk [wɔ:k] *vi.* 走, 行走; 步行; 散步   *vt.* 步行通过; 使移动; 推着…走   *n.* 步行; 散步; 步法 ‖ ～ing shoes 轻便鞋 / ～ing stick 手杖

walker ['wɔ:kə] *n.* 步行者; 竞走者

wall [wɔ:l] *n.* 墙, 墙壁; 围墙; 《常用复数》城墙 ‖ the Great Wall 长城 / Wall Street (纽约的) 华尔街   「家」

Wallace ['wɔləs], Alfred   阿尔弗雷德·华莱士 (1823-1913, 英国博物学

wallet ['wɔlit] *n.* 钱夹, 皮夹 ▶注意与 purse (女用钱袋或手提包) 的区别.

wall-newspaper ['wɔ:l-nju:s,peipə] *n.* 墙报

walnut ['wɔ:lnʌt] *n.* 胡桃; 胡桃树; 胡桃木

waltz [wɔ:ls, 美: wɔ:lts] *n.* 华尔兹舞; 圆舞曲   *v.* (使) 跳华尔兹舞

wand [wɔnd] *n.* 棒, 竿, 杖; 魔杖; 权杖; 指挥棒

wander ['wɔndə] *vi.* 徘徊; 流浪; 漫游 (⇨roam); (河流、道路) 蜿蜒

wanderer ['wɔndərə] *n.* 徘徊者; 流浪者

wane [wein] *vi.* (月)亏,缺;变小;衰落;消逝

*   **want** [wɔnt] *vt.* 要,想要,需要(⇨need);希望(⇨wish);欠缺(⇨lack) *vi.* 不足,不够;困苦 *n.* 欲望;必需品;缺乏;贫困

wanting ['wɔntiŋ] *a.* 缺少的;短少的

wanton ['wɔntən] *a.* 无缘无故的;轻浮的;淫荡的;放肆的

*   **war** [wɔ:] *n.* 战争 ‖ ~ correspondent 战地记者 / ~ criminal 战犯

(▲)**ward** [wɔ:d] *n.* 城区;病房,病室;牢房;监护;受监护人

-ward [wəd] *suf.* 表示"向,向…的",如 eastward (向东).

wardrobe ['wɔ:drəub] *n.* 衣柜,衣橱;藏衣室

-wards [wədz] *suf.* 表示"向",如 upwards (向上),downwards (向下).

ware [wɛə] *n.*《常用于复合词》器物,…器;《用复数》货物,商品(⇨goods) ▶发音与wear(穿)相同.

warehouse ['wɛəhaus] *n.* (复数: warehouses [-hauziz]) 仓库,栈房

warfare ['wɔ:fɛə] *n.* 战争(状态);斗争;争夺 ‖ chemical ~ 化学战 / economic ~ 经济战

warlike ['wɔ:laik] *a.* 好战的;战争的;军事的(⇨military)

*   **warm** [wɔ:m] *a.* 温暖的.暖和的;温和的,热情的;(争论)激烈的(⇨ heated) *vt.* 使暖;使温和;使兴奋

(▲)**warm-blooded** [,wɔ:m'blʌdid] *a.* (动物)温血的;热情的;热血的

(▲)**warm-hearted** [,wɔ:m'hɑ:tid] *a.* 热心肠的;热情的;亲切的

warmly ['wɔ:mli] *ad.* 暖暖地;热心地;热烈地

warmth [wɔ:mθ] *n.* 暖和,温暖;热烈,热情

*   **warn** [wɔ:n] *vt.* 警告,告诫;预先通知(⇨inform)

(▲)**warning** ['wɔ:niŋ] *n.* 警告;警报;预告,预先通知 *a.* 警告的;预告的

warp [wɔ:p] *v.* (使)弯曲;(使)歪曲 *n.* 经(纱);歪曲

warrant ['wɔrənt] *n.* 正当理由,根据;(逮捕、搜查等的)令,状 *vt.* 保证, 担保(⇨guarantee)

warrior ['wɔriə] *n.* 〈书面语〉战士;勇士;老兵

(▲)**warship** ['wɔ:ʃip] *n.* 军舰

war-weary ['wɔ:wiəri] *a.* 厌战的

wary ['wɛəri] *a.* 谨慎的(⇨cautious);警惕的;周到的(⇨careful)

*   **was** [wɔz,(弱) wəz] be 的第一、第三人称单数(am, is)的过去式

*   **wash** [wɔʃ] *vt.* 洗,洗涤,洗掉;冲去,冲刷,冲洗 *vi.* 洗手,洗脸,洗澡;洗 衣 *n.* 洗涤;洗涤物;洗涤剂;沉淀物

(▲)**washer** ['wɔʃə] *n.* 洗涤者;洗衣机;垫圈

(▲)**washing** ['wɔʃiŋ] *n.* 洗,洗涤;〔总称〕(一次的)洗涤物,洗好的东西 ‖ ~ machine 洗衣机

*   **Washington**[1] ['wɔʃiŋtən] *n.* 华盛顿市;华盛顿州(美国) ▶为区别二者,常 称华盛顿市为 Washington, D. C., D. C. 为 the District of Columbia(哥 伦比亚特区)的略称.

*   **Washington**[2] ['wɔʃiŋtən] 华盛顿(姓)

(▲)**washroom** ['wɔʃrum, -ru:m] *n.* 〔美〕(楼内)公用厕所(=lavatory)

washstand ['wɔʃstænd] *n.* 脸盆架;(装于固定位置与水管相接的)洗脸盆

*   **wasn't** ['wɔznt] was not 的缩合式

wasp [wɔsp] *n.* 胡蜂;马蜂;黄蜂 ‖ ~ waist 细腰

•**waste** [weist] v. 浪费; (使)消耗; 荒废 n. 浪费; 废(弃)物, 废料, 垃圾; 污水; 荒地 a. 荒芜的, 废弃的, 无用的 (⇨useless); 荒废的 ‖ ~ pipe 排水管, 排气管

wastepaper ['weist,peipə] n. 废纸 ‖ ~ basket 字纸篓

wasteful ['weistfəl] a. 浪费的, 白费的; 挥霍的

•**watch** [wɔtʃ] n. 看守, 警戒; 守卫; 手表, 怀表 v. 注视; 观看(电视、球赛); 监视; 值班; 看守 (⇨guard); 等待(时机); 照料 ▶watch (观看)后可接不带 to 的动词不定式.

watchful ['wɔtʃfəl] a. 留心的; 注意的; 警惕的 (⇨vigilant)

•**watchtower** ['wɔtʃ,tauə] n. 岗楼, 瞭望塔, 烽火台

•**water** ['wɔːtə] n. 水; 《常用复数》河(水), 湖(水), 海(水); 矿泉水; 水位 v. 浇水; 灌溉; 加水 ‖ ~ cart 洒水车 / ~ lily 睡莲 / ~ mill 水车 / ~ polo 水球 / ~ supply 给水, 供水 / ~ vapour 水蒸气

•**water-covered** ['wɔːtə,kʌvəd] a. 被水覆盖的

watercourse ['wɔːtəkɔːs] n. 水道; 水流

•**waterfall** ['wɔːtəfɔːl] n. 瀑布

waterfront ['wɔːtəfrʌnt] n. 海滨, 湖滨, 江边

waterproof ['wɔːtəpruːf] a. 不透水的, 防水的 n. 防水; 防水服; 雨衣

(•)**water-skiing** ['wɔːtə,skiːiŋ] n. 滑水(运动)

waterspout ['wɔtəspaut] n. 排水口; 龙头; 海龙卷

watertight ['wɔːtətait] a. 不透水的; 不漏水的; 无懈可击的

waterwheel ['wɔːtəwiːl] n. 水轮; 水车; 吊水机

waterworks ['wɔːtəwəːks] n. [复数]《作单数用》供水系统; (自来)水厂

watery ['wəːtəri] a. 水(似)的; 含水的, 湿的; 多水的; 在水中的

watt [wɔt] n. 瓦, 瓦特(电的功率单位, 略作). ‖ W, w

•**wave** [weiv] n. 波, 波浪; 挥动, 挥舞; (头发的)波浪形曲线, 鬈曲 vt. 使波动; 挥动(手、旗等) vi. 波动; 挥手招呼; 飘荡; 起伏 ‖ ~ band 波段

wavelength ['weivleŋθ] n. 波长

waver ['weivə] v. 摇曳, 摇晃; 摇摆 (⇨sway); 犹豫 (⇨hesitate)

(▲)**wax** [wæks] n. 蜡; 蜡状物 a. 蜡制的 vt. 给…打蜡 ‖ ~ doll 蜡像 / ~ (ed) paper 蜡纸

•**way** [wei] n. 路, 道路 (⇨road, path); 路途; 方向 (⇨direction); 方法 (⇨method); 手段 (⇨means); 习惯 (⇨habit) ad. [美]远远地

•**we** [wiː; (弱) wi] pron.《第一人称, 复数, 主格》我们(所有格 our, 宾格 us)

(•)**weak** [wiːk] a. 弱的 (← strong); 软弱的, 虚弱的; 差的, 拙劣的; 有病的 (⇨unwell); (行情)低落的, 疲软的 ‖ ~ verb 弱变化动词

weaken ['wiːkən] v. 使弱 (← strengthen); 变弱; (心)软下来

weakly ['wiːkli] ad. 软弱地; 衰弱地 a. 身体虚弱的, 不强壮的

weakness ['wiːknis] n. 虚弱; 弱点; 缺点 (⇨defect); 嗜好 (⇨liking)

•**wealth** [welθ] n. 财富, 财产 (⇨riches); 丰富, 大量   「的 (⇨ample)

•**wealthy** ['welθi] a. 富裕的; 有钱的 (⇨rich); 丰富的 (← scanty); 充分

•**weapon** ['wepən] n. 武器, 兵器

•**wear** [wɛə] v. (wore [wɔː], worn [wɔːn]) 穿, 戴; 佩戴; 蓄留(胡子); 显出(表情); 耐用; 磨损; 穿破; 使疲乏 n. 穿戴; 服装; 损耗; 耐用性 ‖ ~ing apparel 服装, 衣着

wearily ['wiərili] *ad.* 疲劳地；厌倦地

weariness ['wiərinis] *n.* 疲倦，疲乏；厌倦

wearisome ['wiərisəm] *a.* 令人疲倦的 (⇨tiring)；无聊的

weary ['wiəri] *a.* 疲乏的 (⇨tired)；疲劳的；使人厌倦的 *v.* (使)疲劳；(使)厌倦；不耐烦

weasel ['wi:zl] *n.* 鼬，黄鼠狼

*•**weather** ['weðə] *n.* 天气，气候；气象 ‖ ～ forecast 天气预报 / ～ map 气象图 / ～ station 气象台 ▶weather 指特定时间、场所一时的天气状况；climate 指某地区长期性的气候.

weatherman ['weðəmæn] *n.* (复数：-men [-mən]) 气象人员，天气预报员

▲**weave** [wi:v] *v.* (*wove* [wəuv], *woven* ['wəuvən]) 织；编；织布；编制(篮、花圈等)；结(网、茧等) *n.* 织类；编织法

▲**weaver** ['wi:və] *n.* 织工，织布工；编织者

(▲)**web** [web] *n.* 蜘蛛网；(织机上的)织物；(鸭、蛙等的)蹼

wed [wed] *v.* (*wedded, wedded*；或 *wed, wed*) (和…)结婚(⇨**marry**)

we'd [wi:d, (弱)wid] = we had, we should, we would

wedding ['wediŋ] *n.* 婚礼，结婚仪式(⇨**marriage**) ‖ ～ garment 结婚礼服 / ～ march 结婚进行曲 / ～ night 洞房之夜 / ～ ring 结婚戒指

wedge [wedʒ] *n.* 楔；楔状物 *vt.* 楔牢；使不能动；挤入

*•**Wednesday** ['wenzdi] *n.* 星期三(略作：Wed.)

wee [wi:] *a.* 很小的，微小的

weed [wi:d] *n.* 杂草，野草 *v.* 除草

*•**week** [wi:k] *n.* 星期，周

weekday ['wi:kdei] *n.* 平日，周日(星期日以外或星期六、日以外的任一天)

weekend [,wi:k'end, 'wi:kend] *n.* 周末 *vi.* 度周末

weekly ['wi:kli] *ad., a.* 每周(的)，每周一次(的) *n.* 周刊，周报

▲**weep** [wi:p] *vi.* (*wept* [wept], *wept*) 哭泣(⇨**sob**)；流泪；悲伤；滴水

*•**weigh** [wei] *vt.* 称…的重量；估量，衡量；斟酌；考虑(⇨**consider**) *vi.* 重(若干)；过磅；受重视；有影响

(•)**weight** [weit] *n.* 重，重量；体重；重物；砝码；镇纸 *vt.* 加重 ‖ ～ lifting 举重(比赛) / ～s and measure 度量衡

weighty ['weiti] *a.* 重的，有重量的；累人的；重要的(⇨**important**)；重大的(⇨**grave**)；有势力的

(▲)**welcome** ['welkəm] *int.* 欢迎！ *vt.* (-d, -d) 欢迎；高兴地接受 *a.* 受欢迎的；可喜的；感激的(⇨**grateful**) ▶此词不是不规则动词.

weld [weld] *v.* 焊接 「事业

welfare ['welfεə] *n.* 福利；幸福(⇨**happiness**)；繁荣(⇨**prosperity**)；福利

▲**well¹** [wel] *n.* 井；油井；泉，泉水；深坑 ‖ ～ water 井水

*•**well²** [wel] *ad.* (*better* ['betə], *best* [best]) 好，很，相当，十分；恰当地；美满地 *a.* (*better, best*) 健康的(⇨**healthy**)(← ill)；良好的；恰当的，令人满意的 *int.* 啊，唉，好啦，那么(表示惊讶、安心、让步、谈话的开始等)

*•**we'll** [wi:l, (弱)wil] = we will, we shall

▲**well-cut** [,wel'kʌt] *a.* (衣服)剪裁合身的

▲**well-known** [,wel'nəun] *a.* 出名的，众所周知的；熟悉的 「士语

Welsh [welʃ] *a.* 威尔士的；威尔士人的；威尔士语的 *n.* 威尔士人；威尔

⁽ᴬ⁾**Welshman** ['welʃmən] *n.* (复数: -*men* [-mən]) 威尔士人

went [went] go 的过去式

wept [wept] weep 的过去式和过去分词

***were** [wə:,(弱)wə] be 的复数和第二人称单数 (are) 的过去式

⁽ᴬ⁾**we're** [wi:ə,(弱)wiə] = we are

weren't [wə:nt] = were not

ᴬ**Wesley** ['wezli] 韦斯利(男名)

***west** [west] *n.* 西,西方,西部 *a.* 西的,向西的;西方的,西部的 *ad.* 向西方;在西方,在西部 ‖ the *West* 西方世界(主要指欧美);西洋

˙**western** ['westən] *a.* 西的,向西的,从西方来的;[常用W-]西欧的;欧美的,西洋的 ‖ a ～ film 〔电影〕(美国)西部片

westerner ['westənə] *n.* 西方人;(尤指美国的)西部人

westward ['westwəd] *ad.* 向西,向西方 *a.* 向西的;西方的 *n.* 西方;西部 ▶也作 westwards

westwards ['westwədz] *ad.* [英]向西,向西方

***wet** [wet] *a.* 湿的,潮湿的(⇨moist) (← dry);多雨的(⇨rainy) *n.* 湿;湿气;《加 the》雨天 ‖ ～ nurse 奶妈

we've [wi:v,(弱)wiv] = we have

whale [weil] *n.* 鲸 ‖ ～ shark 鲸鲨,大鲨鱼

wharf [wɔ:f] *n.* (复数: *wharfs* 或 *wharves* [wɔ:vz]) 码头(⇨pier)

***what** [wɔt; 美: wɑt, wʌt] *pron.* [疑问代词]什么;[关系代词]所…的东西(或人) *a.* 什么,什么样的,多么的,与…一样多的 *ad.* 多么,到何等程度,用什么方式 ▶what 作为形容词要放在 "a (或 an) + 名词"之前

whatever [wɔ'tevə] *pron.* 不管什么,无论什么;《口语》到底,究竟 *a.* 任何的,无论什么的;一点儿…也

⁽ᴬ⁾**what's** [wɔts] = what is, what has

whatsoever [,wɔtsəu'evə] *pron., a.*《用作后置定语》= whatever

***wheat** [wi:t] *n.* 小麦

˙**wheel** [wi:l] *n.* 轮,车轮;(汽车的)方向盘;(船的)舵轮;轮状物;〈口语〉《用复数》车子,汽车,脚踏车

ᴬ**wheelchair** ['wi:l,tʃeə] *n.* (病人用的)轮椅

***when** [wen] *ad.* [疑问副词]何时,什么时候;[关系副词]当…时 在…时候 *conj.* 当…时候;如…;虽然(⇨although);既然 *pron.* 什么时候;那时候 *n.* 时间 ▶when 从句放在主句后,强调动作的突然性。

whence [wens] *ad.* [疑问副词]从何处;[关系副词]由此处,由此,所以

⁽ᴬ⁾**whenever** [we'nevə] *conj., ad.* 无论什么时候;随时;每当

***where** [wɛə] *ad.* [疑问副词]在哪里,从哪里,向哪里,何处,哪一点;[关系副词]在…的地方 *conj.* 在…的地方;而;却 *pron.* 哪里 *n.* 地点

whereabouts [,wɛərə'bauts, 美:'wɛərəbauts] *ad.* 在哪里 *n.* ['wɛərə-bauts] 所在;去向;行踪

whereas [wɛər'ræz] *conj.* 而,却(⇨while);〈文件语〉鉴于

whereby [wɛə'bai] *ad., conj.* 靠什么;根据…;由是

wherein [wɛə'rin] *ad.* 在什么地方;在哪里 *conj.* 如何;在哪方面

⁽ᴬ⁾**where's** = where is

whereupon [,wɛərə'pɔn, 美:'wɛərəpɔn] *ad.,conj.* 在什么上面;因此;于

是；一…就…

***wherever** [wɛəˈrevə] *ad.* [连接副词] 无论在[到]哪里；在[到]任何地方；〈口语〉究竟在哪里 *conj.* 在[到]任何地方

***whether** [ˈweðə] *conj.* 是否(⇨if)；不管；是…还是…，或者…或者…

***which** [witʃ] *pron.* [疑问代词] 哪一个，哪些，何者；[关系代词] 这个，那个 *a.* [疑问形容词] 哪一个，哪些；[关系形容词] 那个，该，无论哪个

whichever [witʃˈevə] *pron., a.* [关系词] 不论哪一个[哪一些]，随便哪一个[哪一些]；[疑问词]〈口语〉究竟哪一个

***while** [wail] *n.* 时，时间(⇨time)；一段时间；一会儿 *conj.* 当…的时候；和…同时；然而(⇨whereas) *vt.* 消磨(时间) ▶注意与 when 的区别。

whilst [wailst] *conj.* 〈雅语〉= while

whimper [ˈwimpə] *vi.* (小孩) 啜泣 呜咽(⇨sob)；(狗) 哼鼻子 *vt.* 泣诉 *n.* 啜泣声；牢骚

△**whip** [wip] *n.* 鞭子 *vt.* 鞭笞，鞭挞，抽打(⇨lash)

whir [美] = whirr

△**whirl** [wəːl] *v.* (使) 旋转，(使) 急转；疾驰；眩晕 *n.* 旋转；眩晕；混乱

whirlpool [ˈwəːlpuːl] *n.* 漩涡

whirlwind [ˈwəːlwind] *n.* 旋风；旋流 「[美]

whirr [wəː] *v.* 发飕飕声；呼呼地飞 *n.* 飕飕声，呼呼声 ▶又拼写为 whir

whisk [wisk] *n.* 拂，掸；(蛋、奶油等的) 搅拌器；小笤帚 *v.* 拂，掸；挥动(尾巴)；搅打(蛋等)

whisker [ˈwiskə] *n.* 《常用复数》腮须，连鬓胡子；(猫、鼠等的) 须

whisk(e)y [ˈwiski] *n.* 威士忌酒 「私语

***whisper** [ˈwispə] *vi.* 低语，耳语 *vt.* 低声地讲，私下里说 *n.* 低语，耳语；

(•)**whistle** [ˈwisl] *vi.* 吹哨，鸣汽笛；带啸声而快速行进；(兽) 啸叫 *vt.* 用口哨吹(歌曲、呼唤或作信号) *n.* 口哨声；汽笛声；(子弹、风等) 呼啸声

(•)**White** [wait] 怀特(姓)

***white** [wait] *a.* 白的，白色的(← black)；白种的；苍白的 *n.* 白色；白种人；蛋白；《用复数》白色服装 ‖ ～ elephant 昂贵而无用的东西 / ～ gold 白金 / White House 白宫 / ～ knight "白衣骑士"，政治改革家 / ～ paper 白皮书 / ～ war 不流血战争，经济战 / ～ water 急流

(△)**white-haired** [ˈwaitˈhɛəd] *a.* 长着白发的

whiten [ˈwaitn] *v.* (使) 变白(⇨bleach)

△**whiteness** [ˈwaitnis] *n.* 白；白的东西；洁白；苍白

whitewash [ˈwaitwɔʃ] *vt.* 粉刷，掩饰；涂白 *n.* 石灰水，白涂料

whither [ˈwiðə] *ad.* 往何处(← whence)

***who** [huː] *pron.* (所有格 whose，宾格 whom) [疑问代词] 谁，何人；[关系代词] …的人，任何…的人，其人 ‖ ～s ～ [常用 W- W-] 名人录

who'd [huːd] = who would，who had

whoever [huːˈevə] *pron.* 任何人，无论谁，〈口语〉谁，究竟是谁

***whole** [həul] *a.* 全体的；全部的(⇨complete)；整个的；完整的，完全的(⇨entire) *n.* 全体；全部 ‖ ～ milk 全脂牛奶 / ～ number 整数 / ～ rest 全休止符 ▶与 hole (洞) 同音。

whole-hearted [ˌhəulˈhɑːtid] *a.* 全心全意的，一心一意的

wholesale [ˈhəulseil] *n.* 批发(← retail) *a.* 批发的；大量的；大规模的

ad. 以批发方式；大规模地；一古脑儿   *v.* 批发；大量出售   「的

wholesome ['həulsəm] *a.* 有益健康的(⇨healthy)；健全的；有益于身心

who'll [hu:l,(弱) hul] = who will, who shall

wholly ['həuli] *ad.* 完全，统统(⇨totally)

*****whom** [hu:m,(弱) hum] *pron.* [who的宾格] [疑问代词]谁；[关系代词]… 的人,那个人,其人

whomever [hu:m'evə] *pron.* [whoever 的宾语] 无论是谁

(*)**who's** [hu:z] = who is, who has

*****whose** [hu:z] *pron.* [who 或 which 的所有格] [疑问代词]谁的,谁的东西；[关系代词]…的；那人的，某人的

*****why** [wai] *ad.* [疑问副词]为什么；[关系副词]所以…的原因   *conj.* 为什么,…的原因   *n.* 《用复数》理由(⇨reason)；原因(⇨cause)   *int* 哎呦! 怎么啦! (表示惊讶、气愤等)

wicked ['wikid] *a.* 坏的(⇨bad)；邪恶的(⇨evil)；不正的；讨厌的；淘气的

wickedness ['wikidnis] *n.* 邪恶；不道德行为

*****wide** [waid] *a.* 宽的(← narrow)；宽阔的；广阔的(⇨broad)；广泛的；(眼睛)睁得大大的   *ad.* 宽阔地,广阔地；充分地；全部地；(眼)张得大大地

*****widely** ['waidli] *ad.* 广泛地；广阔地；大大地

widen ['waidn] *v.* 加宽；扩展；变宽大

widespread ['waidspred] *a.* 广泛散布的；普及的；广为流传的

(▲)**widow** ['widəu] *n.* 寡妇；遗孀

widower ['widəuə] *n.* 鳏夫

width [widθ] *n.* 宽阔；宽度；(料子的)幅

wield [wi:ld] *v.* 挥(剑)；娴熟地使用；行使(权力)

*****wife** [waif] *n.* (复数: *wives* [waivz]) 妻子

wig [wig] *n.* 假发

(▲)**wiggle** ['wigl] *v* 摆动,扭动

*****wild** [waild] *a.* 野的(← domestic)；野生的；荒芜的；未开化的(⇨savage)；任性的；狂妄的；汹涌的；放肆的；杂乱的   *ad.* 胡乱地；轻率地；疯狂地   *n.* 《常用复数》荒地,荒野

wildcat ['waildkæt] *n.* 野猫；(特指女性)性急的人   *a.* 鲁莽的；投机的；冒险的 ‖ ～ strike 非法罢工

wilderness ['wildənis] *n.* 荒野(⇨wild)；杳无人烟的地方

(*)**wildly** ['waildli] *ad.* 狂暴地；疯狂地；猛烈地；野蛮地；胡乱地

*****will**[1] [wil,(弱) wəl, l] *v.aux.* (过去式: *would* [wud,(弱) wəd, d]) 将,会,愿,要,将要；《用于第一人称时,表示意志》打算,无论如何也要

will[2] [wil] *n.* 意志,意志力；决心；意愿；遗嘱   *v.* 意欲；决意

willful ['wilfəl] *a.* 任性的；倔强的；故意的(⇨intentional)

(▲)**William** ['wiljəm]   威廉(男名)

(▲)**willing** ['wiliŋ] *a.* 乐意的；甘心情愿的；热心的(⇨eager)

willingly ['wiliŋli] *ad.* 情愿地；欣然；主动地

willingness ['wiliŋnis] *n.* 自愿,自动

willow ['wiləu] *n.* 柳, 柳树

*****win** [win] *v.* (*won* [wʌn], *won*) 赢, 赢得(← lose)；获得；获胜；争取   *n.* 胜利；成功(⇨success)

wince [wins] *n.*, *vi.* 畏缩, 退缩(⇨flinch) 「计

^(●)**wind**¹ [wind] *n.* 风; 气息; 呼吸 ‖ ~ instrument 管乐器 / ~ gauge 风力

[▲]**wind**² [waind] *v.* (*wound* [waund], *wound*) 旋转(把手等); 盘绕; 蜿蜒; 迂回; (使)弯曲前进; 扭紧(发条等) ▶发音不要与 wind¹ 相混.

winding ['waindiŋ] *a.* 弯弯曲曲的; 盘绕的 *n.* 绕, 卷绕; 弯曲; 线圈 ‖ ~ path 羊肠小道 / ~ staircase 螺旋楼梯

windlass ['windləs] *n.* 绞车, 卷扬机

windless ['windlis] *a.* 无风的

windmill ['windmil] *n.* 风车

[●]**window** ['windəu] *n.* 窗, 窗户; 窗玻璃 ‖ ~ dressing 窗饰, 店面装饰 / ~ envelope (可看到信件地址的)开窗信封 / show ~ (商店的)陈列橱窗

^(▲)**window-shop** ['windəu,ʃɔp] *vi.* 观看橱窗(而不买)

[●]**windy** ['windi] *a.* 有风的; 风大的, 多风的; 无内容的(话等)

^(▲)**wine** [wain] *n.* 葡萄酒, 果子酒

[●]**wing** [wiŋ] *n.* 翼, 翅膀; 机翼; 侧厅

wink [wiŋk] *v.* 眨(眼); (眨单只眼)使眼色; 闪耀(⇨twinkle) *n.* 眨眼

[●]**winner** ['winə] *n.* 获胜者, 胜利者

[●]**winter** ['wintə] *n.* 冬, 冬季, 冬天; 晚年 *a.* 冬天的 *vi.* 过冬

wintry ['wintri] *a.* 冬天(似)的; 寒冷的; 冷冰冰的

[▲]**wipe** [waip] *v.* 揩, 擦; 擦掉; 消除(污垢) *n.* 擦

[▲]**wire** ['waiə] *n.* 金属线; 电线; 铁丝; 〈美口语〉电报(⇨telegram)

[▲]**wireless** ['waiəlis] *a.* 无线的; 无线电的 *n.* 《加 the》无线电, 收音机; 无线电讯 ‖ ~ telephone 无线电话

wire-tapping ['waiə,tæpiŋ] *n.* 窃听电话

[▲]**wisdom** ['wizdəm] *n.* 智慧, 才智; 明智 ‖ ~ tooth 智齿

[▲]**wise** [waiz] *a.* 聪明的 (⇨ intelligent) (← foolish); 明智的, 精明的 (⇨ prudent); 英明的; 有见识的; 有学问的(⇨learned)

-wise [waiz] *suf.* 表示"方向, 位置, 样子; 在…方面"之意, 如 edgewise (沿边), likewise (同样地).

wisely ['waizli] *ad.* 聪明地; 明智地; 英明地; 考虑周到地 「祝愿

[●]**wish** [wiʃ] *v.* 希望; 愿望; 祝愿; 想要…; 但愿 *n.* 希望; 愿望(⇨desire);

wit [wit] *n.* 聪明, 才智; 机智

witch [witʃ] *n.* 女巫; 迷人的女子 *vt.* 对…施魔法; 迷惑

[●]**with** [wið, wiθ] *prep.* 和…在一起; 带有, 带, 带…在身上; 附有…; 用…, 以…; 加…; 对于; 关于; 由于

withdraw [wið'drɔ:, wiθ-] *v.* (*withdrew* [-'dru:], *withdrawn* [-'drɔ:n]) 缩回(手脚等); 收回(货币等); 提取(存款); 撤销(申请、诉讼); (军队)撤离

withdrawn [wið'drɔ:n] withdraw 的过去分词

withdrew [wið'dru:] withdraw 的过去式

wither ['wiðə] *v.* (使)枯萎; (使)凋谢; (使)虚弱; (使)羞愧 「住

withhold [wið'həuld, wiθ-] *v.* (*withheld* [-'held], *withheld*) 抑制; 压制; 扣

[●]**within** [wi'ðin] *prep.* 在…里面, 在…范围以内 *ad.* 在里面, 在内部; 在内心 *n.* 里面, 内部

[●]**without** [wi'ðaut] *prep.* 无…, 没有…; 不…, 缺…(← with) *ad.* 在外面

withstand [wið'stænd, wiθ-] *vt.* (*withstood* [-stu:d], *withstood*) 反抗, 抵

抗(⇨oppose);经得起

witness ['witnis] *n.* 目击者;证人;证言;证据 *vt.* 亲眼看见,目睹;证明 ‖ ～ box [stand] (法庭的)证人席

witty ['witi] *a.* 机智的;风趣的

wives [waivz] wife 的复数

wizard ['wizəd] *n.* 男巫;〈口语〉奇才

wobble ['wɔbl] *v.* (使)摇摆;(使)颤抖;动摇;蹒跚

woe [wəu] *n.*〈诗语〉悲哀;悲伤;《用复数》灾难,苦难

woke [wəuk] wake 的过去式

woken ['wəukən] wake 的过去分词

▲**wolf** [wulf] *n.* (复数: *wolves* ['wulvz]) 狼

***woman** ['wumən] *n.* (复数: women ['wimin]) 妇女,女子,女人;妻子(⇨ wife) *a.* 妇女的,女的

women ['wimin] woman 的复数

won [wʌn] win 的过去式和过去分词

***wonder** ['wʌndə] *n.* 惊奇;奇观,奇迹,奇事;奇人;不可思议的事物 *v.* 惊奇,惊叹;对…感到疑惑;想知道…

***wonderful** ['wʌndəfəl] *a.* 惊人的;令人惊叹的(⇨amazing);极好的;绝妙的;精彩的;不可思议的(⇨marvelous)

***wonderfully** ['wʌndəfəli] *ad.* 极好地;精彩地;美好地

wont [wəunt] *a.*《用作表语》习惯的(⇨accustomed) *n.* 习惯

won't [wəunt] will not 的缩合式

woo [wu:] *v.* (向…)求爱,求婚;追求

***wood** [wud] *n.* 木头,木材;《常用复数》树林,树木,森林 ‖ ～ alcohol 甲醇,木精 / ～ engraving 木版画

woodblock ['wudblɔk] *n.* 木版;木砖,木块

woodcut ['wudkʌt] *n.* 版画,木刻;木版

⒜**woodcutter** ['wud,kʌtə] *n.* 伐木者,樵夫;木刻家

⒤**wooden** ['wudn] *a.* 木(制)的;粗鲁的;木然的;无表情的

⒜**woodland** ['wudlənd, -lænd] *n.* (森)林地

woodman ['wudmən] *n.* (复数: -*men* [-mən]) 护林人;伐木工人;林务官 ▶又拼写为 woodsman [美]

woodpecker ['wud,pekə] *n.* 啄木鸟

woodsman ['wudzmən] [美] = woodman

wool [wu:l] *n.* 羊毛;绒线;呢绒;羊毛制品 *a.* 羊毛的;呢绒的

woolen [美] = woollen

woollen ['wulən] *a.* 羊毛(制)的;毛织(品)的 *n.* 毛织品;毛料衣服 ▶又拼写为 woolen [美].

woolly ['wuli] *a.* 羊毛的;羊毛状的;长满鬈发的;(思想等)模糊不清的

***word** [wə:d] *n.* 词;字;单词;言词,话;消息(⇨news);口令(⇨password)

⒤**word-stress** ['wə:d,stres] *n.* 词重音

wore [wɔ:] wear 的过去式

***work** [wə:k] *n.* 工作;劳动;作品,著作;产品;《用复数,可当作单数》工厂,工程 *v.* 工作;劳动;(使)运行;(使)运转(⇨operate)

▲**workday** ['wə:kdei] *n.* 工作日;一天的工作时间

⁺worker ['wə:kə] *n.* 工人; 劳动者; 工作者

working ['wə:kiŋ] *a.* 工作的, 劳动的; 运转的; 业务用的 *n.* 作用; 活动; 运转 ‖ ～ class 工人阶级 / ～ drawing 设计图 / ～ lunch 工作午餐 / ～ party 作业队; 社会或工业问题调查委员会

⁺workman ['wə:kmən] *n.* (复数: *-men* [-mən]) 工人, 工匠; 工作者

⁺workmate ['wɔ:kmeit] *n.* (在一起干活的) 工友; 同事

workpiece ['wə:kpi:s] *n.* 工件

⁺workroom ['wə:krum, -ru:m] *n.* 工作室

⁺workshop ['wə:kʃɔp] *n.* 车间; 工场

worksite ['wə:ksait] *n.* 工地

⁺world [wə:ld] *n.* 世界, 宇宙; 万物 (⇨universe); 天体, 地球; 世间; 世事, 世人;…界 ‖ the literary ～ 文学界 / ～ war 世界大战

world-class [,wə:ld'klɑ:s] *a.* 国际水平的

⁺world-famous [,wə:ld'feiməs] *a.* 举世闻名的

worldly ['wə:ldli] *a.* 世间的 (⇨earthly); 世俗的; 俗气的 *ad.* 世俗地 ‖ ～ affairs 俗事

⁺worldwide [,wə:ld'waid] *a.* 遍及全球的, 世界范围的; 闻名世界的

⁺worm [wə:m] *n.* 虫; 蠕虫; 蛆 ‖ ～ gear [wheel] 蜗轮

worn [wɔ:n] wear 的过去分词 *a.* 穿旧了的; 疲倦的 (⇨tired)

worn-out [,wɔ:n'aut] *a.* 穿破的; 用坏的; 累坏的

⁺worried ['wʌrid] *a.* 烦恼的; 担忧的; 焦虑的

⁺worry ['wʌri] *vt.* 使担忧, 使烦恼 (⇨bother); 使郁闷 *vi.* 烦恼, 担心; 闷闷不乐 *n.* 担心 (⇨anxiety)

⁺worse [wə:s] *a.* [bad, ill 的比较级] 更差的, 更坏的, 更糟的 (← better); 更厉害的 *ad.* [badly, ill 的比较级] 更差, 更坏; 更厉害 *n.* 更坏的事

⁺worship ['wə:ʃip] *n., vt.* 崇拜; 尊敬; 爱慕

⁺worst [wə:st] *a.* [bad, ill 的最高级] 最坏的, 最差的 *ad.* [badly, ill 的最高级] 最坏; 最厉害 *n.* 最坏的东西; 《加 the》最不利的情况

⁺worth [wə:θ] *a.* 《作表语》值得…的; 有…的价值的 *n.* 价值 (⇨value); 资产 ▶worth 是个特别形容词, 必须带一个宾语.

worthless ['wə:θlis] *a.* 没有价值的; 无用的 (⇨useless)

worthwhile [,wə:θ'wail] *a.* 值得的

⁺worthy ['wə:ði] *a.* 有价值的; 配得上的; 相称的; 可敬的; 值得的

⁺would [wud; (弱) wəd, d] *v. aux.* [will 的过去式] 将, 想要; 愿; 会; 总是

wouldn't ['wudnt] would not 的缩合式

wound¹ [waund] winde 的过去式和过去分词

⁺wound² [wu:nd] *vt.* 使受伤; 打伤 (⇨injure); 伤害 (⇨hurt) *n.* 伤; 伤口; 创伤 ▶不要与 wound¹ 相混, 并注意二者发音不同.

⁺wounded ['wu:ndid] *a.* 受伤的 (⇨hurt)

wove [wəuv] weave 的过去式

woven ['wəuvən] weave 的过去分词

⁽⁴⁾wrap [ræp] *vt.* 包, 裹 (⇨envelop); 卷, 缠; 覆盖 *n.* 《常用复数》围巾, 披「肩, 头巾

wrath [rɔ:θ, 美: ræθ] *n.* 〈书面语〉愤怒 (⇨rage)

wreath [ri:θ] *n.* 花圈; 花冠; 花环 (⇨garland)

⁺wreck [rek] *n.* 失事的船; (失事的船或飞机等的) 残骸 *v.* (使) 失事, (使)

遇难; (船、火车等)遭受破坏

wren [ren] *n.* 鹪鹩 ‖ house ~ [美]少女, 女子

wrench [rentʃ] *vt.* 扭, 拧, 揪; 扭伤; 歪曲 *n.* 猛扭; 扭伤; 曲解; 螺丝扳手

wrest [rest] *v.* 扭, 拧, 撕, 扯(⇨tear); 夺取(←yield); 曲解, 歪曲

wrestle ['resəl] *n., v.* 摔跤, 角力; 格斗, 搏斗 ▶ t 不发音

wrestling ['resliŋ] *n.* 摔跤, 角斗; 格斗 ‖ ~ match 摔跤赛

wretch [retʃ] *n.* 可怜的人, 不幸的人; 卑鄙的人; 〈口语〉家伙 「的

▲**wretched** ['retʃid] *a.* 可怜的, 悲惨的, 不幸的(⇨miserable); 恶劣的; 极坏

▲**wriggle** ['rigl] *v.* (使)蠕动; (使)扭动(身体、尾巴等); 蜿蜒前进 *n.* 蠕动; 扭动; 蜿蜒

wring [riŋ] *v.* (*wrung* [rʌŋ], *wrung*) 扭; 绞(湿布等); 拧断(鸟颈); 拧干(衣服等); 挤出(水); 勒索

wrinkle ['riŋkəl] *n.* 皱纹, 褶子 *v* 使起皱纹; 起褶

▲**wrist** [rist] *n.* 手腕; 腕关节

*✦**write** [rait] *v.* (*wrote* [rəut], *written* ['ritn]) 写; (给…)写信; 写文章; 写作; 作曲(⇨compose)

✦**writer** ['raitə] *n.* 作家; 作者

▲**writing** ['raitiŋ] *n.* 写作, 著作; 作品; 笔迹 ‖ ~ ink 墨水 / ~ pad 便条 / ~ paper 信纸, 写字纸

writing-brush ['raitiŋbrʌʃ] *n.* 毛笔 「语

written ['ritn] write 的过去分词 *a.* 用笔写的 ‖ ~ language 书写语, 文

✦**wrong** [rɔŋ] *a.* 错误的, 不对的(←right); 不正常的; 有毛病的 *ad.* 错误地; 不好 *n.* 过失, 错误; 坏事; 邪恶 *vt.* 加害; 冤枉; 毁谤; 虐待 ‖ ~ side (衣服、料子等的)反面

wrote [rəut] write 的过去式

wrung [rʌŋ] wring 的过去式和过去分词

X, x

xerox ['ziərɔks, zerɔks; 美: 'ziərɑːks, 'ziːrɑːks] *v., n.* 静电复印

Xmas ['krisməs, 'eksməs] *n.* 〈口语〉圣诞节(= Christmas) ▶ 不可加省略号写成 X'mas. 「射线的

X-ray ['eksrei] *n.* 《用复数》X光, X射线(= Roentgen rays) *a.* X光的, X

xylonite ['zailənait] *n.* 赛璐珞

xylophone ['zailəfəun, '-zil-] *n.* 木琴

Y, y

-y [i] *suf.* ①表示"充满；性质"之意，如 rainy (有雨的)，snowy (有雪的)，handy (手巧的)，mighty (强有力的)．②表示"亲昵"之意，如 daddy (爹爹，父亲的昵称)．Johnny (小约翰，约翰的昵称)。

yacht [jɔt, 美: jɑːt] *n.* 快艇，游艇 ‖ ～ racing 快艇比赛

yak [jæk] *n.* 牦牛

Yankee ['jæŋki] *n.* 扬基(指美国佬，也指美国北部人和新英格兰人)

△**yard**¹ [jɑːd] *n.* 码(长度单位，= 3 英尺，约91.4厘米) ‖ ～ measure 码尺

▲**yard**² [jɑːd] *n.* 院子，庭院，…场地

yardstick ['jɑːdstik] *n.* 码尺；衡量的标准；尺度

yarn [jɑːn] *n.* 纱，纱线；毛线；〈口语〉奇谈，故事 *v.* 〈口语〉讲故事

yawn [jɔːn] *vi.* 打呵欠；张开口(⇨gape)；裂开 *n.* 呵欠

***year** [jiə, jəː] *n.* 年，《用复数》年岁，…岁 ‖ New *Year's* Day 元旦

yearbook ['jiəbuk, 'jəː-] *n.* 年刊，年鉴

yearly ['jiəli, 'jəːli] *a.* 每年的，一年一度的(⇨annual)；按年的 *ad.* 每年，一年一度；按年 *n.* 年刊

yearn [jəːn] *vi.* 思念，怀念；向往；渴望

yeast [jiːst] *n.* 酵母 ‖ ～ cake 酵母片

yell [jel] *v.*, *n.* 叫喊，叫嚷

***yellow** ['jeləu] *n.* 黄色；蛋黄；黄种人 *a.* 黄色的；黄皮肤的；黄种人的

yelp [jelp] *vi.* (狗、狐等) 猎猎叫；(痛苦地) 叫喊 *n.* 猎叫；短促的尖叫

***yes** [jes] *ad.* 《回答问话》是，是的；《应答呼唤》嗨，嗳；《促请对方说下去》嗯，那么 *n.* 是

***yesterday** ['jestədi] *n.*, *ad.* 昨天，昨日

***yet** [jet] *ad.* 《肯定句》仍然，依然；《否定句》尚(未)，还(没有)；《疑问句》已经；《与比较级连用》更，还要(⇨still) *conj.* 然而，可是

yield [jiːld] *v.* 出产；生产(⇨produce)；放弃(⇨abandon)；让出(⇨resign) *n.* 产量；收获(量)；作物(⇨crop)；收益(⇨profit)

yoke [jəuk] *n.* 轭；牛轭 ▶发音与 yolk(蛋黄)相同．

yolk [jəuk] *n.* 蛋黄

yonder ['jɔndə] *a.* 那边的，远处的 *ad.* 那边；在远处 ▶ yonder 为与近称语 here、中称语 there 相对的远称语．

⌐格your⌐
***you** [ju; (弱) ju, jə] *pron.* 《第二人称，单复数，主格，宾格》你，你们(所有格your)

you'd [juːd; (弱) jud, jəd] = you had, you would

you'll [juːl; (弱) jul, jəl] = you will, you shall

***young** [jʌŋ] *a.* 年轻的(⇨youthful) (← old)；年幼的；年轻人的；新生的，朝气蓬勃的；无经验的；年龄较小的 *n.* 《加 the》青年们，年轻人 ‖ ～er brother [sister] 弟弟[妹妹]

youngster ['jʌŋstə] *n.* 年轻人(⇨youth)；少年(⇨lad)；小孩(⇨child)

***your** [jɔː, juə; (弱) jə] *pron.* [you 的所有格] 你的；你们的

(*)you're [jɔ:, juə; (弱)jə] = you are 　　　　　　　　　「西」

***yours** [jɔ:z, juəz] *pron.* [you 的名词性物主代词] 你的(东西)；你们的(东

***yourself** [jɔ:'self, jə-] *pron.* (复数: *yourselves* [-'selvz]) [反身代词] 你自己；《加强语气》你亲自，你本人

(▲)youth [ju:θ] *n.* (复数: *youths* [ju:ðz; 美: ju:ðz, ju:θs]) 青年；《加 the》青年们(青年男女的总称)；青年时代；青春

youthful [ju:θfəl] *a.* 年轻的(⇨young)；青年的；朝气蓬勃的

you've [ju:v, (弱)jev] = you have 　　　　　　　　　「人物」

yo-yo ['jəujəu] *n.* 约约(一种线轴形玩具，拉动线即上下升降)；摇摆不定的

yuan [ju:'ɑ:n] *n.* (复数: *yuan*) 元(中国货币单位)

Z, z

zeal [zi:l] *n.* 热心(⇨ardour)；热情(⇨enthusiasm)；热忱(← coolness)

zealous ['zeləs] *a.* 热情的；热心的(⇨eager)；有热忱的

zebra ['zi:brə, 'zeb-; 美: 'zi:b-] *n.* 斑马 ‖ ~ crossing [英] (街道上的)斑马线(即人行横道线)

▲zero ['ziərəu, 美: 'zi:r-] *n.* 零；零点，零位，零度；最低点 ▶美国人说零时用 zero；英国人惯用 nought.

zest [zest] *n.* 兴趣(⇨interest)；风趣；兴味(⇨enjoyment)；热心；热情

zigzag ['zigzæg] *n.* 之字形，Z 字形；锯齿形　*a.* 成之字形地；成锯齿形地

zinc [ziŋk] *n.* 锌 ‖ ~ ointment 氧化锌油膏

zip [zip] *v.* 拉开[拉上]…的拉链；发尖啸声　*n.* 尖啸声，嘘嘘声；拉链

ZIP code ['zipkəud] (美国)邮政编码 (ZIP = *Z*one *I*mprovement *Pro*gram 的缩略).

zip-fastener [,zip-'fɑ:snə] *n.* 拉链(=zip)

zipper ['zipə] *n.* [美]拉链([英] zip)

zone [zəun] *n.* 地区，区域，地带(⇨region)；…带(温带、热带等) ‖ school ~ 文教区 / the torrid [frigid, temperate] ~ 热[寒，温]带

***zoo** [zu:] *n.* 动物园

zoological [,zəuə'lɔdʒikəl] *a.* 动物学(上)的

zoology [zəu'ɔlədʒi] *n.* 动物学

▲)zoom [zu:m] *vi.* 迅速或突然地移动同时发出嗡嗡声；(飞机)陡直上升

▲Zurich ['zjuərik] *n.* 苏黎世(瑞士城市)

（Ⅱ）
词　组

〔使用说明〕

1. 本词典所收词组均按中心词的字母顺序排列。中心词用黑正体印刷。

2. 动词词组, 除必须与 to 连用者外, 均省去表示动词不定式的 to,

3. 词组末尾的 in, on, as, to 等, 如果是介词或连词, 在后面加三连点, 如 in … 。

4. 释义后面的〔= …〕是表示这个词组的同义词或同义词组。

5. 词组前注有*或⁽*⁾符号者, 表示词组见初中英语课本; 注有▲或⁽▲⁾符号者, 表示该词组见高中英语课本。加圆括号的是指课本中练习和阅读材料。

A

[△]be taken **aback** 吃了一惊

*be **able** to (do) 能(做),会(做)〔= **can**〕

All **aboard**! 请各位上船(或上飞机,上车)!

go **aboard** 上船(或上飞机,上车)

abound in ... 富于,有大量的,盛产(鱼、石油等)

be **about** to (do) 即将,正要〔= be going to〕

How **about** ...? ...怎么样? ...如何?

What **about** ...? ...如何? ...怎么样?

[△]**above** all (things) 首要,最重要的是,尤其是;首先

above the rest 特别,格外

absent oneself from ... 缺勤,缺课,缺席;不在...

be **absent** from 缺勤,缺课,缺席;不在...

be **abundant** in ... 富于,富有

accept ... as ... 把...当作

by **accident** 偶然,意外地,无意中

of one's own **accord** 自愿地,自发地,自动地

according as ... 〔后接从句〕依照,依...为准,全看... 「(而不同)

^(•)**according** to 〔后接名词〕按照,根据...(所说);视...而定;随...的不同

account for ... 报告(经过),说明(理由)

make much **account** of ... 重视

of no **account** 无关紧要

[△]on **account** of ... 由于,为了...(的理由),因为〔= **because of** 〕

on no **account** (无论持任何理由)决不,总不

take ... into **account** 考虑到某事物,重视〔= take **account** of〕

turn ... to (good) **account** (充分)利用

be **accustomed** to ... 习惯于

make an **achievement** 取得成就

be (或 get, become) **acquainted** with ... 与...相识(或熟识);知道;精通

[△]**act** as ... 担任;起...作用,作为;充当

act for... 代理

act on ... 按照...行动;对...起反应

put into **action** 使行动起来;启动,开动

take ... **action** 采取...步骤;采取...行动

[△]be **active** in ... 积极于...

add in 包括;加进

add on 另外加上去

add to ... 增加,增进〔= **increase**〕

add ... to ... 加...于...;把...加在...上

(*)**add up** 加起来,合计

▲**add up to ...** 加起来总和是,总计达;意味着;等于

in **addition** 此外,加上,并且

in **addition** to ... 除…之外(还)

admit ... **into** ... 把…接纳进…;让…进入…

in **advance** 在前头;提前;事先,预先;预付

in **advance** of ... 比…进步,优于

be of **advantage** to ... 对…有利

have (或 get, gain) an **advantage** over ... 比…有个有利的条件;比…占一点便宜;优于

take **advantage** of ... 利用…,乘…之机

to **advantage** 有利地;达到好效果

(▲)**give advice on ...** 对…提出很好的意见(或建议)

take **advice** 接受意见

*be **afraid** of ... 恐怕,害怕,担忧

I am **afraid** ... 我想恐怕…;(我)很遗憾…[= I **fear**]

▲**after all** 终究,毕竟,到底,终归,终于[= in the end]

▲be **after** ... 寻找,寻求;追赶

one **after** another 相继,依次

▲**shortly after** ... …之后不久

soon after 不久以后

in the **afternoon** 在下午

▲**again** and **again** 一再,再三地,屡次

once **again** 再一次,又一次[= over **again**]

over **against** ... 正对着,与…相对

*at the **age** of ... 在…岁时;在…时期

for **ages** 〈口语〉好久,很长一段时期[= for an **age**]

agree as to ... 对…意见一致

(▲)**agree to ...** 同意,赞成(计划、建议等)

▲**agree with ...** 赞同(某人);与…一致

(▲)**agree with one another** 意见一致

ahead of ... 在…之前,优于,先于

go **ahead** 前进,进步,继续进行

▲take **aim** at ... 瞄准

with the ultimate **aim** of ... 以…为最终目的

by **air** 乘飞机;航空

*go by **air** 坐飞机去

in the **air** 在空中;在流传中;未定;渺茫

on the **air** 在广播中,正在播音

take the **air** 开始广播;散步[= take a **walk**]

be on the **alert** 警惕着;戒备着,提防

be **alive** to ... 发觉,感觉;对…敏感

all at once 突然,一下子

all but ... 几乎跟…一样[= **almost**];除…之外全部都

all in one 一致,一揽子,合在一起

▲**all** in white （全身）穿着白色衣服
  all of ... 所有的, 全部, 全体
  all out 全力以赴, 竭尽全力
* **all** over 到处, 处处〔= everywhere〕· 结束, 完了
* **all** over the country 遍及全国
* **all** right 正常, 情况良好;（病）好了, 行了, 好吧; 没关系
▲**all** the mroe 更加, 越发
  all together 同时, 一起, 总共
(*)at **all** 〔否定句〕完全, 全然; 根本; 〔疑问句〕究竟; 〔条件句〕既然…就得··
  for **all** 虽然, 尽管〔= in spite of, with all〕
  in **all** 总共, 总计, 全部〔= altogether〕
  not at **all** （客套话）别客气, 不用谢; 一点也不
(*)**not** ... at **all** 根本不…, 一点也不…
  thank ... **all** the same 尽管这样, 仍然感激…
  That's **all**. 没有了。完了。
* That's **all** right. 没关系。没什么。（表示"不用谢"或"不用抱歉"）
  allow for ... 考虑到; 体谅
* **all** along 一直, 一贯, 始终
  not **always** 未必, 不一定（总是）
  amount to ... 总计, 合计; 达
  a certain **amount** of ... 一定量的
  a large **amount** of .. 大量的
  a small **amount** of ... 少量的
  in **ancient** times 在古代
  and all 以及其他, 等等, 连…都
▲**and** so on 诸如此类; 等等〔= and so forth, etc.〕
  and that 而且〔= and all this〕
  and then 其次, 然后, 于是
  and what not 等等〔= and so on〕
  and yet 然而, 可是, 但
▲turn red wiht **anger** 因发怒而脸胀红
  be **angry** at (或 about) ... 因某事生气
  be **angry** wiht ... 对某人发怒
  get (或 become) **angry** 生气
  answer back 顶嘴
▲**answer** for ... 对··负责, 担保; 受到惩罚; 得到报应
  answer to ... 与…一致, 符合
  in **answer** to... 响应…; 为回答…
  be **anxious** about .. 担心, 为…忧虑
  be **anxious** for ... 急切盼望, 渴望
  be **anxious** to (do) 渴望
  any longer 〔否定句, 疑问句, 条件句〕再
  (not) **any** more 〔疑问句、否定句〕再, 较…多些
  if **any** 如果有, 若有的话; 只不过是
  anything but .. 除…之外什么都; 决不是

Anything else? 还要什么别的东西吗?

anything of … 〔疑问句, 条件句〕多少, 少许; 〔否定句〕一点也(没有)

for **anything** I know 据我所知

▲**apart** from … 除…外; 除开, 且不谈; 离开

*make an **apology** to sb. 向某人道歉

apply oneself to … 专心于, 致力于

apply … to… 把…应用于…; 把…敷(或施, 加)到…上

apt to (do) 易于, 善于

arm in arm 手挽手地, 携手

*join the **army** 参军

around here 这儿附近

all **around** 到处, 四处〔= all round〕

make an **arrangement** 作安排, 整理; 商定

arrive at (或 in) … 得出; 达到(团结等); 抵达(某地)〔= reach〕

***as** … as … 与…一样…

as for … 至于, 就…而言〔= as to〕

▲**as** if … 好像, 仿佛; 好似; 恰似…一样〔= as though〕

as is usual with … (某人)像往常一样…

as it is (或was) 照现在(或当时)的情况就; 本来就; 照原样, 照旧

as it were 可谓; 也可以这么说〔= so to speak〕

as of … 到…时止; 自…时起; 根据…(日期)的材料

***as** soon as … 一…就; 刚…就

(▲)**as** though 好像, 似乎

as to … 关于, 至于, 就…而论

as yet 〈书面语〉迄今为还, 到目前为止(仍)

*not **as** (so) … as … 不如…那样…; 与…不一样…

such **as** 例如

be **ashamed** of … 为…而感到害臊

go **ashore** 上岸, 登陆

ask about … 查问; 打听

ask after … 问候; 问安; 探问

ask out 辞职

***ask** for … 请求; 向…要; 讨; 找(人)

***ask** … for help 请某人帮忙

ask for it 〈口语〉活该, 自找麻烦, 自讨苦吃

ask … to (do) 请某人做某事

have an **attack** of … 发…病, 为…所侵袭

in an **attempt** to (do) 企图, 打算

attend to … 注意, 倾听; 照顾

*pay **attention** to … 注意, 关心

attribute … to … 把…归功于…; 认为…是…引起的

on the **average** 平均; 一般说来

be **aware** of … 意识到

(far) **away** from … (远)离

right **away** 立刻, 马上

B

▲**back** and forth　来回, 往复, 前后〔= to and fro〕

back away　退缩; 倒退

back down (或 off)　让步, 放弃要求

back out (of)　失约, 逃避, 放弃, 不履行(责任等)

back ... up　支持, 支援

back up　向后移动

*at the **back** of ...　在…之后; 支持; 维护

be on one's **back**　卧病, 躺倒

be **bad** at ...　拙于, 不善于〔= be poor at〕

go **bad**　腐烂, 腐败

Too **bad**!　真糟糕! 真可惜! 真遗憾!

That's too **bad**.　那太遗憾了。真可惜。

be **badly** off　生活穷困; (感到)缺少

in the **bag**　〈口语〉十拿九稳, 笃定

be in the **balance**　处于平衡状态; 未见分晓; 成败未定

on **balance**　总的来说

be on the **ball**　特别注意, 保持警惕; 机警能干

keep one's eye on the **ball**　专心致志

band together　联合起来, 抱成一团

▲**base** ... on　基于; 以…作依据

be **based** on ...　根据, 以…为基础

*a **basin** of ...　一盆, 一碗(粥等)

have a **bath**　洗个澡, 冲个凉

take a **bath**　洗澡

bear fruit　(树)结果; 产生效果

bear on ...　与…有关

bear out　证明, 证实; 支持

bear up　支持, 坚持; 承受

have a **bearing** on ...　与…有关系; 对…有影响

beat up　毒打, 痛打

▲**because** of ...　因为, 由于

not ... **because** ...　不要因…就…

become of ...　(of 的宾语所指人或物)结果成为(或遭遇)

What has **become** of ...?　某人怎么样了? 某人的遭遇怎样?

*go to **bed**　上床睡觉, 就寝

make the **bed**　铺床

have **been** to ...　(曾经)去过…, 刚刚去过…

have (或 has) **been** in ...　曾经住在…

before everything　最先, 首先

(▲)**before** long　不久

beg one's pardon　请(某八)原谅

*__begin__ classes　开始上课

begin with ...　由…开始, 先做…

to **begin** with　首先〔= **first** of all〕

▲at the **beginning** of ...　在…的初期; (月)初; 起初, 开始

(▲)by the **beginning** of ...　到…之初

on **behalf** of ...　代替, 代表某人, 以…名义; 为了

behind one's back　在某人背后, 背地里, 暗中

▲**believe** in ...　信仰; 相信; 信任; 赞成

▲**believe** it or not　信不信由你

make **believe**　假装

There goes the **bell**.　铃响了。

▲**belong** to ...　属于

be **bent** on ...　热中于, 一心想

be **beside** oneself　忘乎所以; 不能控制自己

best of all　最好的, 出类拔萃的; 第一

at one's **best**　在…的全盛时期; 处于…的最佳状态

at (the) **best**　充其量; 最多, 最好

at the **best** of ...　在…情况最有利的时候

get the **best** of ...　从中得到最大好处

in one's **best**　穿着最好的衣服

make the **best** of ...　尽量利用(时间、机会); 善于处理

be **better** off　处境较好, 情况转好

for the **better**　好转, 改善

get **better**　(健康)好转, 渐渐恢复

get the **better** of ...　占上风, 胜过

had **better** (do)　[劝告或建议用语] 还是…好, 最好…

no **better** than ...　简直; 无异

between ourselves　这是我们之间的秘密; 就我们(俩)之间说说(别让他人知道)〔= **between** you and me〕

billions upon billions　亿万, 无数

bit by bit　一点一点地, 逐渐地〔= by **bits**〕

'a **bit**　有点儿

a **bit** of ...　一点儿, 一些; 少许

not a **bit**　一点儿也不, 一点没有

quite a **bit**　相当多

black and blue　(被打得)青一块紫一块的

be to **blame** for .　应对…负责; 应因…而受责备

be **blessed** with ...　幸运地享有…

*a **block** of ..　一大块, 一批, 一组

in **bloom**　(花)盛开

blow off　吹掉; 放气, 排气

*__blow__ out　吹灭; 打穿

blow ... **up** 炸毁

blow up 爆炸;〈口语〉发脾气

on board 在船(或飞机,车)上

△**in the same boat** 境遇相同

book in 预订(房间)

book up 预定(座位、房间);安排好时间

*__be born in__ ... 出生于(时间、地点)

*__be born of__ ... 出生于(家庭)

be born with ... 生来就有…

*__both__ ... **and** ... 既是…又是…;不仅…而且…;…和…两者都

*__a bottle__ of ... 一瓶(酒、牛奶等)

from the bottom of one's heart 从心底里,衷心地

be bound to (do) 一定会,不得不

bow down 鞠躬;屈服

in a box 〈口语〉处于困境,不知所措

put on the brakes 刹车

take off the brakes 松闸,开闸

be out of bread 失业

△**break away from** ... 脱离(政党等);摆脱;打破(陈套)

break down 打破,毁掉;分解,瓦解;(机器)发生故障;(车辆)抛锚;(计划)失败;(体力)衰退

break in 突然进入,闯入,破门而入

break in on 打扰,打断,插入

*__break into__ ... 突然开始;突然(笑、唱)起来;闯入

break off 突然中断,打断

△**break out** (战争、地震等)爆发,突然发生

break through 突破

break ... **up** 打碎,停止,驱散

break up 拆散;打散;解散;(学校)放假;散(会)

break with ... 与…绝交,断绝关系

*__have breakfast__ 吃早饭

*__hold (或 catch) one's breath__ 屏住气

△**out of breath** 喘不过气来,上气不接下气

in brief 简言之〔= in short〕

bring about 导致,惹起,引起,使发生

bring back 拿回,送回;恢复;使…想起

bring in 引进,介绍;挣得

bring on 引起,导致,带来

bring oneself to (do) 使自己(做一件难做、不愿做的事);忍心(做)

△**bring out** 拿出;揭示出;提供;出版(书籍等)〔= publish〕

bring round 使苏醒,使恢复知觉

bring up 培养,养育;提出;使突然停止

brush up (on) 刷净,擦亮;温习,重新学习

build on ... 信赖,指望

build up 建立(起);建成;积聚;增进

a **bundle** of ... 一束, 一包

be **buried** in ... 沉(思), 陷于; 专心于(工作等)

burn down (房子等)全部焚毁

burn up 烧掉, 烧尽

be **burned** out 住所(因火灾)被烧光

▲**burst** forth 突然发生; 突然爆发

▲**burst** into ... 突然…起来; 闯入…

▲**burst** into tears 放声大哭

(▲)**burst** out 突然迸发(大笑或大哭); 咆哮, 大声叫喊; 冲口而出

(▲)a **burst** of ... 一阵(大怒, 大笑, 大哭)

by **bus** 乘公共汽车(去或来)

miss the **bus** 未赶上公共汽车

take a **bus** 乘公共汽车

do **business** with ... 和…交易

do good **business** 生意好, 赚钱

(▲)get down to **business** 言归正传(说到正题上)

go out of **business** 歇业, 关店

on **business** 有事, 因事, 因公, 因商务

out of **business** 破产; 失业

*be **busy** (doing) 忙着(做某事)

be **busy** with (或 about) ... 忙于

but for ... 如果没有; 要不是; 除了…以外

buy in (大批)买进

buy off 收买, 贿赂

*by and by 不久, 不一会儿

by the **by(e)** 顺便说〔= by the way〕

C

a **cake** of ... 一块(肥皂、冰等)

call at ... 拜访(家里), 访问(某地)〔= visit〕

call back 叫回, 召回; 稍后再打电话

call down 祈求到; 招来; 斥责

call for ... 需要, 要求; 去接(某人), 去找(某人)同往某处, 去拿(物件)

call in 请(专家、医生等); 召来

call ... names 〔口语〕辱骂某人, 谩骂某人

call off 取消(约定的事), 宣告终止

call on ... 访问(人)〔= visit〕; 约清; 求援, 号召

call on ... to (do) 要求某人(做)

*call out 大声叫唤; 召集; 请…出动

call over 点名

call round　偶然拜访

call ... **up**　给(某人)打电话；征召(服役)；使人想起

call up 〈口语〉打电话

give ... a **call** (或 **ring**)　给…打电话

what is **called** ...　所谓的〔= what we (或 you, they) **call** ...〕

can but (do)　只能，只得(做)

as ... as **can** be　极其…；十分…

as ... as one **can**　尽可能地…

cannot but (do)　不得不(做)

(A)**cannot** help doing　不能不，忍不住，情不自禁

cannot ... too　无论如何…也不为过

care about　计较，讲究；关心；留心

(A)**care** for ...　关心，照顾〔= take **care** of〕；喜欢，意欲〔= like〕

(in) **care** of ...　由…转交(略作：c/o 或 c.o.)

take **care**　留心，注意，当心

*take (good) **care** of ...　(小心)照顾，照料，保管

with **care**　小心地，当心

in full **career**　以全速

*be **careful** of ...　爱惜，注意

be **careful** to (do)　务必，注意(做)

carry away　冲走，搬去；使人迷，使陶醉

carry back　拿回，使…回想(起)

carry forward　发扬，推向前进；(帐目)转下页(略作c/f 或 c.f.)

carry off　带走；获得(奖品等)

(A)**carry** on　进行下去；坚持下去；从事，经营

▲**carry** out　实现，贯彻，执行(计划、命令)；开展

carry through　完成；贯彻；使渡过难关

carry ... through to the end　把…进行到底

as the **case** may be　看情形，视情况如何而定

in **case**　假如；以防

in **case** of ...　万一，要是…的话

in any **case**　无论如何，总之

(A)in that **case**　既然是那样

in the **case** of ...　在…情况下；就…来说，至于

in all these **cases**　在所有这些情况中，就这一切情况而论

in certain **cases**　在某些情况下

in many **cases**　在很多情况下

in nine **cases** out of ten　十有八九

cast a covetous eye at ...　对…看着眼红，对…垂涎三尺

cast an eye at ...　看一看，查看一下

cast out　驱逐，逐出

catch at ...　想抓住，把握住(机会)

*catch (a) cold　感冒，伤风，受凉

catch fire　着火，失火

catch on (to ...)　理解，领会，明白

catch the bus (或 train) 赶上公共汽车(或火车)
catch up with … 赶上, 追着
cave in 下陷, 坍陷
in the **centre** of … 在…中心
be **certain** to (do) 一定(做), 必然(做)
for **certain** 的确, 一定
make **certain** of … 弄清楚, 弄确实
▲a **chain** of … 一连串的, 一系列的
chain up 用链子锁住, 拴住
(▲)by **chance** 偶然地, 意外地, 碰巧
take a **chance** (或 chances) 冒险, 碰一下运气
take one's **chance** 听凭运气, 听其自然
*change … into … 把…变成…
change oneself 换衣服
for a **change** 换换口味; 变变花样
be **characterized** by … 以…为特征, …的特征是
at one's own **charge** 自费
▲in **charge** of … 管理, 掌管, 负责
in the **charge** of … 由…掌管; 在…照顾下
take **charge** of … 负责; 管理; 照顾
chat … up 与…攀谈
feel **cheap** 〈口语〉觉得惭愧; 觉得身体不舒服
check in (at …) 投宿(旅馆); 登记(姓名); 签到
check out 结帐后离开; 检验
check up 查证, 核对, 校对; 检查, 检验
hold … in **check** 制止, 阻止
cheer … up 使人高兴, 鼓舞
cheer up 打起精神来, 振作起来
*go to the **cinema** 去看电影
in no **circumstances** 在任何情况下都不, 无论如何不
under the **circumstances** 在这种情形下, 既然如此
claim to be 自称, 要求承认
Class dismissed！ 下课！
in **class** 在上课中
*begin **classes** 开始上课
have **classes** 上课
clean out 清除, 肃清
clean up 打扫干净, 整理; 获利
*do (some) **cleaning** 扫除
▲**clear** away 收拾; 清除; 消除(疑难)
clear up 阐明; 整理, 收拾; (天气)变晴
be **clever** at … 擅长于
climb up 爬上, 攀登
around (或 round) the **clock** 昼夜不断地, 连续24小时地
close down (雾等)笼罩; 停止

(A)**close in** 从四面逼近, 包围
  close round ... 包围, 围住; 抱住
  close to ... 在…的近旁, 接近于
  close up 合起来, 堵塞; (网球等)封网
  catch (a) **cold** 感冒, 伤风
  have a **cold** 感冒, 伤风
  (out) in the **cold** 被忽视, 受怠慢
*go to **college** 上大学
▲be **combined** with ... 与…结合着; 与…化合
  come about 发生, 出现
(A)**come across** ... 碰见, (偶然)遇见; 穿过
. **come across with** ... 供给, 供应; 交出
  come along 陪同来; 走过来; 进展; 快来! 快点!
  come around 绕道而来; 重又来到; 顺便走访〔＝**come round**〕
*come at ... 袭击; 向…扑来
  come back 回来〔＝return〕; 恢复, 复原
  come by ... 走过, 经过; 偶然获得; 弄到
*come down 下来, 倒下
  come for ... 来取(物); 来接(人)
  come from ... 出生于, (某地)人; 产自
  come in 进来〔＝enter〕; 当选; (比赛时)获得…名次
▲come into being 出现, 产生; 成立; (事物、局面等)形成
  come of ... 由于…; 出身于(家庭); 是…的结果
  Come off it ! 〈美口语〉别胡扯! 别装蒜!
  come off well 成功, 奏效
*come on 来到, 跟随; 上演, 登场; [命令式]请! 赶快! 来吧!
*come out 出来; 出版, (电影)放映; 开花
  come out of ... 出自; 是…的结果
  come over 〈口语〉顺便过访
  come through 经历; 脱险
  come to (do) 开始; 逐渐; 终于
  come true 实现, 达到
*come up 走近, 走过来; 流行; 上升; (从土中)长出, 发芽
  come up against 遇到, 遭到
  come up to ... 达到(某一水准), 不辜负(期望)
(A)**come upon** ... 侵袭; 碰见; 偶然发现
*I'm **coming**. 我就来。
  in **common** 共有, 公有; 共用; 共同
  in **common** with ... 与…相同
  a **company** of ... 一队, 一班, 一伙
  keep **company** with ... 与…结交; 与…结伴
  compare ... to ... 把…比作…
▲compare with ... 与…相比
  in **comparison** with ... 与…比较起来
  be **composed** of ... 由…组成

show **concern** for ...   对…表示关怀
be **concerned** about ...   关心, 挂念
*give a **concert**   举行音乐会
▲in **concert**   一致, 一齐; 齐声地
take **concerted** action   采取一致行动
come to the **conclusion** that ...   得出…的结论
▲draw a **conclusion**   得出结论
on **condition** that ...   在…的条件下; 要是…的话, 如果
throw ... into **confusion**   使…陷入混乱
(▲)**congratulate** sb. on sth.   为某事祝贺某人
▲**connect** ... with ...   把…连接起来
▲be **connected** with ...   与…有关
in **consequence**   结果; 因此
in **consequence** of ...   由于…的缘故
of no **consequence**   无关紧要的
consist in ...   在于, 寓于〔= lie in〕
consist of ...   由…组成, 由…构成
to be **continued**   待续
▲on the **contrary**   相反地, 正相反
to the **contrary**   相反, 适得其反
make a **contribution** to ...   对…作出贡献
out of **control**   失去控制
bring ... under **control**   将…控制住; 置于控制之下
cook up   编造, 捏造, 虚构
do some **cooking**   烹调, 烧饭
copy ... down   把…抄下
a **copy** of ...   一册, 一部, 一本, 一份(书、报等)
at **cost**   按原价, 照成本
at all **costs**   不惜任何代价; 不管怎样〔= at any **cost**〕
have a **cough**   咳嗽
count on (或 upon) ...   信赖, 期望, 指望
count ... up   把…相加
run **counter** to ...   与…背道而驰, 违反
a **couple** of ...   两个…; 一对, 一双; (美口语)三两个…
be **coupled** with ...   与…相配合
▲in the **course** of ...   在…过程中, 在…期间; 在…之中
*of **course**   当然; 自然, 无疑
cover up   掩盖; 包庇
from **cover** to **cover**   (书本的)从头到尾
take **cover**   掩蔽
under the **cover** of ...   在…的幌子下, 在…的掩护下
*be **covered** with ...   盖满着, 被…覆盖
crack a joke   讲笑话
on **credit**   赊帐
cross out   划去, 删掉

a **crowd** of ... 许多(东西)；一堆；一群〔= **crowds** of〕

be **crowded** with ... 挤满，拥塞

cry down 贬低；大声叫喊使(发言者)讲不下去

cry out 大声呼喊〔= shout〕

cry up 称赞

*a **cup** of ... 一杯(茶、咖啡等)

be **curious** to (do) 很想(做)

curl up 蜷伏；卷起来

cut across 抄近路，走捷径，横穿过去

cut back 削减，减少

cut down 砍掉，砍伐(树木)；降低，缩减(费用)

cut in 插嘴；超车

Cut it out!〈口语〉住嘴！别说了！停止！

cut off 切掉，剪去，删去；打断，停止；隔绝

cut ... out 切去，剪去；删去，略去

cut short 打断；缩短

cut through 切割，洞穿，挖通

cut up 切碎，割裂

a **cut** of ... 一片，一块(肉等)

⒜short **cut** 近路，捷径

take (或 make) a short **cut** 抄近路，走捷径

D

in **danger** 在危险中，危急

out of **danger** 脱离危险

dare to (do) 敢于(做)

I **dare** say ... 〈插入语〉我想，我以为；恐怕，也许

dash off 急急地做，匆匆写(或画)

make a **dash** at ... 向...猛冲，奔向

have a **date** with ... 〈美口语〉与...约会(尤指异性间)

out of **date** 过时，旧式；落伍

up to **date** 时髦的，最新式的；直到最近的

day after day 每天，一天天，逐日

*(the) **day** after tomorrow 后天

***day** and night 日日夜夜，夜以继日〔= **night** and day〕

*(the) **day** before yesterday 前天

day by day 一天天地，逐日

a **day** off 休息日

all **day** 整天

*all **day** and all night 整日整夜

all **day** long　整天, 一天到晚
another **day**　改天, 他日
by **day**　在白天
have a **day** off　请一天假, 休一天假; 一天不上班(或不上学)
have an off **day**　干什么事都不顺手
*in the **day**　在白天
*one **day**　(过去或将来)有一天; 他日, 改天
the other **day**　几天前, 前些日子; 那天
*to this **day**　直到今天, 至今
in those **days**　当时, 那时候
*these **days**　现在, 如今
*in the **daytime**　在白天, 在白昼
▲**deal** with ...　应付; 处理; 对待; 涉及
(*)a good (或 great) **deal** (of)　大量, 许多〔= much〕; 非常多地
in **debt**　负债
go into **debt**　负债
declare war on (或 upon, against) ...　向...宣战
*do a good **deed**　做一件好事
in **deed**　真正地, 事实上
in **defence** of ...　保卫
define ... as ...　给...下...的定义, 把...规定为...
by **degrees**　逐渐, 渐渐地
to a remarkable **degree**　极大地, 显著地
take **delight** in ...　乐于..., 以...为乐
***depend** on (或 upon) ...　依赖, 依靠, 取决于
be **dependent** upon ...　取决于
be **derived** from ...　由...得到, 源出于
in **detail**　详细地
be **determined** to (do)　决心(做), 决定(做)
devote oneself (或 one's life) to ...　致力于, 专心于, 献身于
keep a **diary**　(每天)写日记
die down (或 away)　(声音)消失; 减弱, 凋落; (火)渐熄
▲**die** from (或 of) ...　因(受伤、发生意外等)致死; 死于
die out　消失; 灭绝
on **diet**　吃规定的饭食, 忌口
differ from ...　和...不同; 和...意见不同
differ in ...　在...方面有差别
make some **difference**　有关系
make no **difference**　没有关系; 无关紧要
different kinds of ...　各种...
be **different** from ...　与...不同
in **difficulties**　处境困难
with **difficulty**　好不容易才
without **difficulty**　轻易地, 毫不困难地
have **dinner**　吃晚饭(或午饭)(指一日中的主餐)

*dip ... into ... 把…浸入(液体)中

△dip into a book 随便翻阅, 浏览

△disagree about sth. 对某事意见不一致

have a discussion 讨论

▲on display 陈列, 展览

at a distance 在稍远处, 隔开一些

▲in the distance 在远处, 远距离

distinguish oneself for (或 in) ... 在…方面出名, 以…闻名

▲make a dive for ... 向…猛冲, 冲过去拿…

▲divide ... into ... 把…分成…

be divided by ... 除以…

be divided into ... 被分成

do away with ... 废除, 除去; 干掉

do good 有益, 有效

do ... harm 对…有害

*do one's best 尽力, 尽最大努力

do one's bit 尽自己的一份力量

do ... over 重做, 再做

*do with ... 处置; 办完; 和…相处

do without ... 无需, 不要; 没有…也行

do wrong 做错, 作恶

That will do. 够了。行了。

be doing well 安好; (事情进行)顺利

What's to be done? 怎么办呢?

at the door 在门口, 快, 将

next door to ... 在…隔壁; 近乎

out of doors 在室外

double up 弯腰, 把…折起来

no doubt 无疑地, 必定

There's no doubt about it. 毫无疑问。

△throw doubt on ... 对…产生怀疑

▲dozens of ... 几十; 许多

△drain off (水等)排干, 放干; 滴干, 控干, 滤干

draw in 收(网); 拉入; 引诱; 到站

draw near 靠近; 临近

draw out 拉出, 抽取, 延长; 描绘出

draw up 起草(文件); 写出, 画出; (使)停住

▲draw upon ... 拔出(刀、剑)威胁

dream of ... 梦想…; 想像…

△dress ... up 给…穿衣; 装饰; 化装

△drink in (如饥似渴地)吸取; 陶醉于

drink to ... 为…干杯

drive away 赶走; 乘车离开

drive ... back 击退

drive back 开车返回

***drive** off 击退, 驱散, 赶走

  drive out 驾车外出; 逐出

  have a **drive** 驾车出游, 出去兜风

▲**drop** in (或 by) 偶然过访, 顺便拜访, 非正式访问

  drop out 弃权, 退出; 中途退学

*a **drop** of ... 一滴(泪、水等)

(A)**dry** up 干涸; (因害羞、紧张等)说不出话来; 住嘴

  due to ... 由于, 起因于; 归于

  do one's **duty** 尽自己的责任, 尽职

(A)off **duty** 下班, 不值勤

  on **duty** 值班, 值日; 上班

  dwell on ... 深思; 详述

E

***each** other [原则上用于二者之间] 互相, 彼此

  be **eager** for ... 渴望

  be **eager** to (do) 急于要(做), 极想(做)

  give **ear** to ... 注意, 倾听

  early in life 年轻时

  as **early** as ... 早在…时〔= as **far** back as〕

  earn one's living 谋生

  in **earnest** 认真地, 郑重地; 真挚地

  on **earth** 世界上; [接在疑问词后, 加强疑问]到底, 究竟

  at **east** 安逸, 自在

(A)to the **east** (或 west, south, north) of ... 在…东边(或西边, 南边, 北边)

  eat in 在家吃饭

  eat out 上馆子

***eat** up 吃完, 吃光

▲at the **edge** of ... 在…边缘

  educate oneself 自学, 自修

  in **effect** 实际上, 事实上

  put into **effect** 实施, 生效

  to no **effect** 无效

  to the **effect** that ... 大意是这样的…; 内中说…; 旨在

  exert an **effort** 尽力, 努力

  in an **effort** to (do) 力图

  make every **effort** 尽一切努力

  with one's own **efforts** 依靠自己的力量

***either** ... or ... 或者…或者…; 不论…还是…

(A)at one's **elbow** 在近旁, 近在手边

be in one's **element** 得其所；自在

end in ... 终成...，结果为...

*at the **end** of ... 在...末端，在...最后；到...的尽头

*by the **end** of ... 在...结束时；到...末为止

come to an **end** 结束；告终；收场

*in the **end** 最后，终于

on **end** 竖着；一个接一个，接连

put an **end** to ... 结束，终止；废除，除去

to the **end** 到底

without **end** 无尽的，无休止的，永久

be **engaged** in ... 忙于，从事于

in **English** 用英语

***enjoy** oneself 过得快活，玩得愉快〔= have a good **time**〕

enough to (do) 足以(做)

cannto do **enough** 怎样...(做)都不够

enter into ... 开始；谈到(细节等)；参与

be **equal** to ... 等于，和...相等；胜任，有能力...

▲run **errands** 跑腿，供差遣

(▲)**even** as ... 正当...的时候

(▲)**even** if ... 即使〔= **even** though〕

even so 即使如此

even then 尽管那样

in the **evening** 在晚上

in the **event** of ... 如果，万一

at all **events** 无论如何，在任何情况下

***ever** since then 从那时起一直到现在，以后一直

ever so 非常〔= very〕

*for **ever** 永远〔= forever〕

every now and then 有时，偶尔；每隔一些时候

every other day 每隔一天

as an **example** 举例来说，例如

*for **example** 例如(一般加逗号，与后接句子分开)

set an **example** for ... 为...树立榜样

set an **example** to ... 给...作出榜样

take ... for **example** 以...为例

(*)**except** for ... 除...之外；只有...

exchange ... for ... 用...(交)换...

in **exchange** 交换

exclusive of ... 除...外，不算...〔= not **including**〕

***Excuse** me. 对不起。请原谅。打扰你了。劳驾。借光。

exert an effort 尽力，努力

exert oneself to (do) 努力；尽力(去做)

come into **existence** 产生，出现，出生

in **existence** 现有的，存在的

expect to (do) 期望

at the **expense** of ...　以…为代价, 牺牲
by **experience**　根据经验, 凭经验
become **expert** at ...　成为…能手
expose ... to light　把…曝光; 使…暴露出来
express oneself　表达自己的意见; 表示态度
give **expression** to ...　陈述, 表达出
to a certain **extent**　在一定程度上
to the **extent** of ...　达到…的程度; 在…范围内
catch some one's **eye**　看着某人以引起他的注意
in the **eye** of ...　从…观点来看, 在…眼里
keep one's **eyes** open　留心看着; 注意, 留神
with one's own **eyes**　亲眼

F

face to face with ...　与…面对面地
face up to ...　大胆面向
(▲)in the **face** of　面对, 面临; 在…面前
Let's **face** it (或 the truth). 说实在的。
*make **faces**　做鬼脸
*in **fact**　实际上; 事实上; 其实〔= as a matter of fact〕
in good **faith**　正直地, 诚实地
keep **faith**　守信用
fall asleep　睡着, 入睡
(▲)**fall** back　后退, 退却
fall back on ...　撤退到; (没有别的办法时)求助于; 回头谈到
fall behind　落后, 跟不上
fall down　倒下; 伏下
fall ill　生病, 病倒
fall in　(房屋等)坍下; 往里塌陷
fall into ...　陷入; 分成(类别)
fall on (或 upon) ...　落在…上; 攻击; 适逢(…的日子)
fall out　争吵; 结果是
fall sick　生病, 病倒
fall through　落空, 失败
be **famous** for ...　以…著名
take a **fancy** to...　喜爱, 爱好
far and wide　四面八方, 普遍, 到处
***far** away　离得远远的, 遥远, 很远
(▲)**far** behind　远远落后
far from ...　离…差得远; 远非; 一点也不...

far more　远比；更…得多

as (或 so) **far** as …　到(某地点)为止；…那么远；在(某种程度、范围)内

as (或 so) **far** as … be concerned　就…而言

as **far** as possible　尽可能，尽量

as **far** as we know　据我们所知〔＝ as we **know**〕

△by **far**　显然地；很，非常；…得多

how **far**　(离…)多远；到什么程度

so **far**　至今，到目前为止

be all the **fashion**　非常流行

out of **fashion**　不流行，过时

find **fault** with …　对…不满，挑剔

▲do someone a **favour**　给某人做好事；帮某人一个忙

in **favour** of …　支持，赞成；有利于

for **fear** of (doing)　唯恐；以免；为防…起见

△in **fear** of …　为…而担心；由于害怕…

△**feast** on　饱餐一顿美食

be **fed** up　因多而厌烦，腻烦

feed in　进(料)，灌进

▲**feed** … to　把…喂给

feel for …　摸索着寻找；同情

feel like …　摸着觉得像；想要

feel with …　同情

△help one to one's **feet**　帮助某人站起来

rise to one's **feet**　站起来

get a high **fever**　发高烧

few or no　很少，甚至没有

*a **few**　[后接可数名词]少数，几个，有一些

not a **few**　不少的，许多

only a **few**　只有几个

*quite a **few**　相当多，颇有几个

no **fewer** than …　不下，不少于

in a **fidget**　坐立不安

△**fight** against　与…作斗争

▲**fight** back　还击

fight with (或 against) …　同 …作战，与…作斗争

▲**figure** out　理解；想出；合计，计算出；断定

△in five **figures**　以五位数计；以万计

fill in　填写(文件、空白)；填充

fill in for …　代替

fill out　填写，填好

***fill** … with …　使…充满…

(*)eat one's **fill**　吃个饱

be **filled** with …　充满〔＝ be **full** of〕

find oneself …　发现自己处身于(某场所、状态)

***find** out　找出，发现，查出(真相、底细等)；认识到

Just **fine** !　好极了!

finish with …　完成；截止；与…断绝关系

fire at …　对…射击，向…开火

be on **fire**　着火，起火

catch **fire**　着火，烧着

make a **fire**　生火

open **fire**　开火

set **fire** to …　放火焚烧，点燃…

first of all　首先，第一

*at (the) **first**　起先，最初，首先，开始的时候

for the **first** time　第一次，首次

*go **fishing**　去钓鱼

fit for …　使适合于…；使胜任…

△**fit in with** …　适应；适合

a **fit** of …　一阵

▲be **fit** for …　适合；胜任

keep **fit**　保持健康，身体好

▲**fix** one's eyes on　注视，凝视

fix up　修补，修配好；整顿；安排

▲**fix upon**　确定，决定，选定

△**flare up**　突然闪现

a **flock** of …　一大群(禽、兽、畜)；(结伴的有人率领或管理的)一群人

a **flood** of …　一阵，一片，一大批(信件等)

fly a kite　放风筝；试探舆论

fly over　飞过

△let **fly**　发射；攻击

follow through　贯彻，执行，进行到底

as **follows**　如下

It **follows** that …　其结果是…；由此可以推测(或断定)

▲be **fond** of …　喜欢，爱好〔= like〕

make a **fool** of …　愚弄，戏弄，嘲弄

*at the **foot** of …　在…脚下，在…的下部

on **foot**　步行，徒步

be **for** it　〈口语〉必定会遭到麻烦，注定要倒霉

be in **for**　难免，定会，必然

but **for**　如果没有，要不是

by **force**　强迫

in the **form** of …　用…的形式，以…的方式

make a **fortune**　发财，致富

a **fraction** of …　很小的一部分…，…的一小部分

to be **frank**　坦白地说，老实说

free … from　使…从…摆脱出来

be **free** from …　没有…的，不受…影响的

△for **free**　免费

*set … **free**　释放(某人)；解放

freeze to death　冻死
be **friends** with ...　与…友好
***make friends** with ...　与…交朋友
be **frightened** at ...　受…惊骇,见…而大吃一惊
to and **fro**　往返地,来回地,前前后后地
***from** ... **to** ...　从…到…
in **front** of ...　在…之前(指位置),面对
on the **front** of ...　在…战线上
full of ...　充满…
house **full**　客满
in **full**　不省略地,全文;充分地,完全地
to the **full**　完全地;十分
have great **fun**　极为快乐
▲make **fun** of ...　开玩笑;取笑,嘲弄〔= poke **fun** at〕
▲in the **future**　将来(某个时候)
in **future**　今后

G

gain one's living　挣钱维持生活
gain over　争取过来,说服
play the **game**　遵守(比赛)规则,照章办事;行动光明正大
play **games**　进行比赛
gang up　联合起来;结成一伙
▲**gasp** at ...　因(痛苦、惊奇等)而屏息(或喘气)
gather together　聚集,收集,集合
gather up　收集;总结,概括
in **general**　总的,一般的;总的来说;一般说来
generally speaking　概括地说,一般言之〔= speaking **generally**〕
get about　各处走动;传播出去
get across　渡过,越过,穿过;解释清楚
get ahead of ...　〈口语〉超过,胜过
get along　过活,度日;和睦相处;有进展
▲**get** along (或 on) with ...　在…方面有进展;与…合得来
get at ...　到达,接近;了解;发现
get away (from)　离开;逃脱;寄出去
▲**get** back (from)　回来〔= return〕;取回,收回;寻回
get back at ...　报复
get by　通过;勉强及格;侥幸躲过
get down　下来;拿下来;咽下
get down to ...　认真对待(工作);专心做…

get home 到家里；(说的话)被对方听懂

*get in 进入；乘(出租汽车)；当选

*get into ... 陷于，变为；进入；从事于，进行

get ... off 送出，发出

get off 走下来，下车；出发，动身

*get off ... 从…上去下，下(车)，(从火车、船、飞机、公共汽车等)下来

get ... on 穿上

*get on 上(车)，搭乘(火车、船、飞机、公共汽车等)

(*)get on well with ... 与…相处融洽

get on with ... 在…方面有进步；同…友好相处

get out 拿出；离开；出去；放弃；出版

get out of ... 下(车)；由…出来；摆脱，逃避

get over ... 克服；超过，战胜；(从病中)恢复过来；做完(不乐意做的事)

▲get round (或 around) 走动，旅行；(消息)传开〔= spread〕；规避

get there 到那里；达到目的；成功

▲get through 通过；及格，完成(任务)；办完

*get to ... 达到某个阶段；到达某地〔= reach〕

get ... together 聚会，集合；召集；收集，归拢；把…组织起来

get up 起床〔= rise〕；起立〔= stand up〕；乘上，骑；登上

give away 赠送(物品)，颁发；泄露

give back 退回〔= return〕；归还(失物)

*give in 屈服，让步，投降

give in to ... 对…让步，屈服于，接受

▲give off 发出，放出(蒸气、气味、光等)

▲give out 用完，耗尽；精疲力竭；公布；分配

give over to ... 交给，让给

*give up 放弃(希望)；让给；停止(尝试)；认输；投降〔= give in〕

give way (to) (向…)让步，退却；屈服于

be glad to (do) 乐于(做)，对…感到高兴

at a glance 一眼，一见就

glare at ... 向人瞪眼，怒目注视

*a glass of ... 一杯(水、酒、牛奶等)

go about ... 着手(工作)；闲游；四处传播

go after ... 追求(名誉等)，追逐，追踪

Go ahead! 〈口语〉说吧！问吧！干吧！

go ahead with ... 继续进行

go all out 〈口语〉全力以赴

go along 前进，进行下去

go along with ... 结伴而行，和…一道走，随行；和…协调，合作

go around 足够分配〔= go round〕

go at ... 冲向，攻击；着手

go away (from) (从…)走开，离去；潜逃

go back (to) 回去，回(到…)；回顾，追溯(到…)

go back on ... 毁约；背叛；出卖(某人)

go before ... 居于…之前

go by (时间)过去〔= pass〕;遵照;经过(地点);以…为标准 「平静

*go down** 沿着(马路、胡同、铁路等)走;下跌;沉没;(日、月)落下;(风浪)

go down with ... 为…所接受,为…所相信

go for ... 为…去;去找;尽力想求得;支持

*go forward** 前进,进展

*go home** 回家;回国

go in 进入;参与

(*)**go in for ...** 酷爱,爱好;追求;从事于;赞成

go into ... 进入,乘上(车);深入研究;涉及;通向

go off 离去〔= leave〕;爆炸,(枪)响;(演员)下场;(牛奶)变坏;失去知觉

*go on** 继续(说,做)下去;(时间)过去;发生;(灯)亮

*go on with one's wrok** 继续自己的工作

*go out** 出去;熄灭;辞职;死亡

*go over ...** 越过;检查;过一遍;复习

go over 去,成功

go round 绕道走;流传;足够分配

go so far as to (do) 甚至(做某事),竟然

*go through ...** 经历;完成;通过;仔细查看;审查;履行

go through with ... 做完,完成…;干到底

go together 相配,调和;伴随

go under 沉没;失败,破产

go up 上升,攀登;长大;进入(大学)

(▲)**go upstairs** 上楼

(▲)**go with ...** 与…调和;陪伴;连同

go without ... 没有…也行;只好没有

go wrong 出毛病,发生故障

God (或 **Heaven**) **knows ...** 没人知道…

by God 发誓,对天发誓

(*)**be going to (do)** 打算(做什么);即将,就要,正要

What's going on here? 这儿发生(或出)什么事啦?

good at ... 善于

good for 有效,适用;胜任

as good as ... 几乎等于;简直跟…一样,不亚于

*be good at (doing)** 善于,擅长;在…方面(学得,做得)好

be good for ... 适于;在…期间有效

be no good (或 **use**) 毫无用处,毫无价值

do good to ... 为…做好事,有益于某人〔= do ... good〕

for good (and all) 永远,永久地〔= for ever〕

make good on ... 实现,兑现

have the goodness to (do) 承蒙;恳请

have got 〈口语〉有〔= have〕

have got to (do) 〈口语〉必须,不得不〔= have to〕

graduate from ... 从…毕业

(▲)**take ... for granted** 认为…当然;不觉得有什么特别

(*)**be grateful to sb.** 感谢某人,感激某人

That's **great**. 好极了。

from the **ground** up 从头开始,从最低一级开始

on the **ground** of … 因为,根据;以…为基础

*a **group** of … 一群,一组

(*)in **groups** 分组,成群地

grow together (伤口)愈合

grow up 成长,成熟,长大

on **guard** 值班,在岗位上,站岗

on one's **guard** 当心着,警戒着

by **guess** 凭猜测,未经精确计算

under the **guidance** of … 在…指引下

H

▲get into the **habit** of … 养成…的习惯

had better do 还是…好,最好

had rather … than … 宁愿…而不…

had to (do) (那时候)必须…(才行)

(▲)do up one's **hair** (女子)梳理头发

get a **haircut** 理发

in **half** 成半;成两半〔= into **halves**〕

hand and foot 手脚一起;完全地;尽力尽心

hand down 传下来,往下递

***hand** in 交进来,交上,递交,交纳

hand in hand 手挽手地,联合起来〔= **arm** in arm〕

hand on 传下来,依次传递

(*)**hand** … out 散发,把…拿出来

hand … over 移交,让与

at **hand** 临近,即将来临;在附近;在手边

▲by **hand** 用手工(做的);亲手

▲from **hand** to hand 转手,从一人之手转到他人之手

from **hand** to mouth 仅够度日

in **hand** 进行中;在考虑中

on **hand** 在手边,临近

on the one **hand** 一方面

on the other **hand** 在另一方面;反之

write a good **hand** 书法好,写一手好字

in the **hands** of … 掌握在…的手中

shake **hands** 握手

▲**hang** about (或 around) 徘徊,闲荡

hang around … 在…附近闲荡

hang back 犹豫,畏缩不前
hang on (to) 抓紧不放,坚持下去;(打电话)不挂断
hang ... up 挂起,中止
*hang up 挂断电话
happen on (或 upon) 偶然碰到;偶然看到
happen to ... 落到…身上;…遭遇到
△happen to (do) 碰巧,偶然发生,碰上,正好
as it **happens** 凑巧,偶然
It (so) **happens** that ... 恰巧,碰巧
be **happy** together 和睦相处
(*)make sb. **happy** 使某人高兴
at **hard** edge 真刀真枪;拚命,拚搏
hardly any 几乎没有,极少
hardly at all 几乎完全不
hardly ... when (或 before) ... 刚刚…就…
▲do **harm** to ... 对…有害,损害,伤害〔= do ... harm〕
in **haste** 急切;匆匆;仓促地
make **haste** 赶快〔= hurry〕
take (one's) **hat** off to ... 向…表示敬意
have ... on 穿,戴
have only to (do) 只须…即可
*have to do 必须,不得不(做)〔= must (do)〕
have ... to do with ... 与…有…关系
△head for ... 走向,向…前进,(向特定的方向)出发
head on 迎头,迎面
at the **head** of ... 居…首位,在…最前面
give one his **head** 让某人自由行动
▲hold one's **head** high 昂首,满怀信心
keep one's **head** 保持冷静
lose one's **head** 失去理智;慌张
use one's **head** 动脑筋
have a **headache** 头痛
be in good **health** 健康
a **heap** of ... 许多,大量〔= **heaps** of〕
*hear from ... 收到…来信(或消息等)
△hear of ... 听到,听说
heart and soul 全心全意地
at **heart** 内心里;实质上
by **heart** 熟记,暗记
have ... at **heart** 对…十分关心;把…放在心里
△lose **heart** 灰心,气馁,失去信心
*put one's **heart** into ... 专心于,全神贯注于…之中
at one's **heels** 紧跟着,尾随
on the **heels** of ... 紧跟…(而来)
▲say **hello** to ... 向…问好

help oneself to ...　享用…(食物、烟等)，自取(所需)

▲**help** ... out　帮助完成；帮助克服困难；帮助从…里面出来

***help** yourself (to some fish)　随便吃(吃些鱼吧)

help sb. with sth.　帮助某人做某事

call for **help**　呼救

can not **help**　禁不住，忍不住

with the **help** of ...　由于(有)…的帮助；借助

***here** and there　到处，四处

***Here** you are.　给你。这就是你所要的东西。

hide away　躲藏

It is **high** time ...　[后接从句，谓语动词用过去式] 早(就应)该…了

on **hire**　出租的

hit at　打击，瞄准

hit on (或 upon) ...　忽然想出(主意、办法等)

▲**hold** back　阻止，抑制；踌躇；隐瞒

hold in　抑制，约束；忍住

hold ... off　抑制

hold off　拖延，耽搁

hold on　等候，停止；[打电话用语]等一下

hold on to ...　紧紧抓住；保住；指靠

△**hold** out　伸出(手臂等)；支持，主张

hold out on ...　对某人保守秘密，不让某人知道情况

△**hold** to　坚持，遵守

hold together　连在一起，团结一致

***hold** up　举起(手等)；妨碍，使停滞；抢劫，拦截

*catch **hold** of ...　抓住，捏住

▲get **hold** of ...　握；抓住

take **hold** of ...　抓住，握住；掌握；利用

on **holiday**　在休假中，在假期中

at **home**　在家；在国内；安适地；不拘束地

at **home** and abroad　在国内外

be at **home** in ...　精通，熟习

make oneself at **home**　(请)别客气，随便一点

*do one's **homework**　做作业

to be **honest** with you　老实告诉你

△have the **honour** ...　〈客套语〉荣幸地…

in **honour** of ...　纪念，庆贺；对…表示敬意

on (或 upon) one's **honour**　以名誉担保；凭良心做事

hope for ...　希望

in **hopes** of ...　怀着…的希望〔= in the hope of〕

place **hopes** on ...　寄希望于…

at all **hours**　任何时候；经常地，不断地

at the eleventh **hour**　在最后时刻

by the **hour**　以一小时为单位；按小时(计算)

for **hours**　好几个钟头

full **house** 客满〔= **house full**〕
keep **house** 看家,管家,做家务
How about …? (你以为)…怎么样? …好吗〔= **What** about …?〕
How are you? [招呼用语] 你好! 你身体好吗?
How do you do? [初次见面时问候语] 您好!
***how** many [用于可数名词] 多少
***how** much [用于不可数名词] 多少
How then? 后来怎么样? 这是什么意思?
how to (do) 怎样(做)
hundreds of … 数以百计的,许许多多的
▲**hundreds** of millions of … 亿万…; 无数
(▲)go **hungry** 挨饿
Hurry up! 赶紧! 赶快!〔= Be **quick**!〕
in a **hurry** 匆忙,很快地,慌张〔= in **haste**〕

I

be **identified** as … 被辨认为
if any 如果有,若有的话(那也是…)
if only 只要…就好了,但愿
as **if** … 好像,仿佛
be taken **ill** 〈书面语〉生病
fall **ill** 生病,病倒
attach **importance** to … 重视,着重于
make an **impression** on … 给…留下印象
improve on (或upon) … 对…加以改良;改进
(*)be **in** 在家
be **in** for … 〈口语〉定为;不可避免…,免不了遭受
be **in** on … 〈口语〉与…有关;参预,参加
be **in** with … 与…亲密,熟悉…
have it **in** for … 蓄意加害(或报复);有意刁难
inch by inch 渐渐地,一步一步地〔= by **inches**〕
every **inch** 彻头彻尾地,完完全全地
on the **increase** 在增长中,不断增加   「赖…的
be (或 become) **independent** of … 脱离…而独立;与…无关;不依
be **indispensable** for … 对…必不可少的
have **influence** on … 对…有影响
for your **information** only 仅供参考
inquire after … 问候
inquire into … 调查,研究
inside of … 〈口语〉在不到…以内(指时间)〔= **within**〕

insist on doing ... 坚持, 坚决要求

for **instance** 例如

in this **instance** 在这一情况下

instead of ... 代替; 而不是…; 不…而

to all **intents** and purposes 事实上, 实际上; 无论从那点看

*be (或 become) **interested** in ... 对…感兴趣, 爱好

introduce ... into ... 把…引入…, 引用…到…

introduce ... to ... 向…介绍…, 把…介绍给…

be **involved** in ... 包括在…中, 被卷入

be **involved** with ... 涉及

take **issue** 持异议, 争论

It is ... who ... …的是…

It is ... that ... …的是…

by **itself** 单独地; 自行

in **itself** 本来; 本质上; 本身

of **itself** 自行; 自愿地

J

^(▲)in **jail** 进监狱; 蹲监狱

by the **job** 包工, 按件

do a good **job** of ... 把…做好, 好好做

It's quite a **job** (做)…可真费劲

out of **job** 失业

take a **job** 找个零活做, 做临时工

join in ... 参加, 加入

[▲]**join** ... to ... 把…和…连接起来

[▲]**join** up 连接起来; 参军

[▲]**join** with ... 与…联合(行动等); 和…结合, 和…一起

in **joke** 开玩笑地

make a **joke** 说笑话, 开玩笑

^(*)play a **joke** 开玩笑

^(*)cry with **joy** 高兴得叫起来

*to one's **joy** 使某人高兴的是

judge by ... 根据…判断

***jump** off 跳离

jump on (或 upon) ... 扑向

jump onto ... 跳到…上面, 跳上

jump over ... 跳过…去

just a moment [minute] 稍等一下

^(▲)**just** about 几乎, 差不多

just now　刚才，立即，马上
just the same　仍然，尽管，完全一样
do **justice** to …　公平对待；不辜负；充分发挥，充分表现；酷肖；饱吃

K

keep away from …　避开，离开；不挨近
***keep** back　忍住；不使接近；阻止(某人)向前；留下；隐瞒(某事)；保留
▲**keep** body and soul together　维持生命，活命
▲**keep** doing sth.　不停地做…，反复做…
keep down　缩减(开支)；控制；压服；蹲下
keep … from …　使…不…，阻止某人做…
keep … going on　使事物(有条不紊地)前进
keep in　闭门不出，闲居；隐藏着
keep off　隔离，避开，远离
keep on doing …　继续做某事，反复做某事
▲**keep** … out　不让…进来；阻挡；使不进入
▲**keep** out of …　置身于…之外，躲开；不过问
keep to …　遵守，固守(习惯等)；保持(作风等)
keep together　团结在一起
***keep** up　维持；保持；坚持；继续使(斗志、价格等)不低落；振奋起
***keep** up with …　跟上，赶上，不落后
kick … around　捉弄某人
▲**kick** off　(足球)开球；踢掉(鞋等)
***kick** … out　把(某人)解雇；逐出(某人)；把…踢出去
kill time　消磨时间
kind of　〈口语〉稍稍有点，有点儿
▲a **kind** of …　一种，某种〔= a **sort** of〕
be **kind** enough to (do)　承某人好意…；恳请…〔= be so **kind** as to (do), have the **kindness** to (do)〕
*all **kinds** of …　各种各样的，形形色色的；各类
get down on one's **knees**　(双膝)跪下
***knock** at (或 on) the door　敲门
knock down　击倒，撞倒
***knock** into sb.　撞在…身上
Knock it off !　住嘴！别笑了!
knock out　击倒，击昏
know about (或 of) …　知道(关于某事)
know better than to (do)　很明白(而不至于)，不会傻到…
come to **know**　终于懂得；开始懂得
*get to **know**　认识

you **know** [用于会话中间歇语]不是吗
What do you **know**! 真是出人意料! (表示惊奇、不相信)
There is no **knowing**. 无从知道。
to the best of one's **knowledge** 就某人所知
be **known** as ... 被称为…, 叫做…; 以…著称
be **known** to ... 为…所熟知

L

labour for ... 努力争取
by **land** 由陆路
(▲)at **large** 一般地; 自由地; 充分地; 未被捕; 消遥自在地
in the **large** 大规模地, 一般地
last night 昨夜
▲**last** time 上次
***last** year 去年
*at **last** 终于, 最后, 到底
late at nigh 深夜
be **late** for (school) (上学)迟到
(▲)**better** late than never 迟做也比不做好
of **late** 最近, 近来
later on 后来; 待会儿
sooner or later 迟早, 早晚, 终究
at (the) **latest** 至迟, 最晚
laugh at ... 嘲笑, 见(或听)…而笑
*have a good **laugh** over ... 对…笑个够
What a **laugh**! 笑话! (表示嘲弄、讽刺、不相信等)
▲break the **law** 违反法律
lay aside 搁置; 贮藏
lay down 放下; 铺设; 制订
(▲)**lay** low 推翻, 翻倒
lay out 安排, 布置, 设计, 陈列, 展示
lay up 储蓄, 贮存
▲**lead** a ... life 过…的生活
lead ... into ... 把…引进…
lead to ... (道路等)通往; 导致, 致使, 引起
under the **leadership** of ... 在…领导下
lean on ... 依赖; 对…施加压力, 胁迫
learn ... by heart 记住, 背下, 暗记
learn ... from sb. 向某人学习…
learn to (do) 学会(做)

least of all　最不

▲at **least**　至少,起码;最低限度;无论如何

in the **least**　一点,丝毫

leave ... alone　听其自然,不要去管

leave ... behind　遗下,忘记携带

leave for ...　出发到…去,前往

leave off (doing)　停止;结束;放弃

(*)**leave** sb. by himself　把某人单独留下

leave out　遗漏;忽略,省去

leave ... to ...　把…交给…,把…委托给…

(▲)**leave** ... with sb.　把…交给某人

on **leave**　请假,休息

take **leave** of ...　向…告别〔= take one's **leave**〕

give ... a **leg** up　助某人一臂之力

at **leisure**　闲暇的;慢慢地,从容地

at one's **leisure**　当…空闲的时候

a **length** of ...　一节,一段(布等)

at **length**　最后,终于〔= at last〕;详细地;时间很长地

less and less　越来越少

*****less** than ...　少于,小于,不到…

no **less** than ...　不少于,不亚于〔= as many as〕

none the **less**　仍然,还是

*do one's **lesson**　做(预习或复习)功课

*give **lesson** to ...　给…上课

have a **lesson**　上课

(*)take **lesson** in ...　跟人学习…

▲teach ... a **lesson**　给某人一个教训,教训…一顿

do one's **lessons**　做功课

*have **lessons**　上课

let (或 leave) ... alone　任其…不管,听任

(▲)**let** alone ...　…更不用说,…不在话下

(▲)**let** ... be　放任,不打扰

let down　放下;使失望;松劲

let go (of)　放掉,释放

let in　让…进来,放入

(▲)**let** it be　别管它

let off　放(炮),开(枪);宽恕;免除(责任)

let on to ...　向某人透露…

▲**let** out　放出;放松;放大(衣服等);发出;泄露

to the **letter**　不折不扣地

at **liberty**　自由的;闲暇的〔= free〕;随意的

*****lie** down　躺下(休息);屈服

(▲)**lie** in ...　在于

lie on (或 upon)　位在…之上;压迫

tell a **lie**　说谎

▲all one's **life** 终身, 一辈子

bring ... to **life** 使…苏醒; 使…康复

*come back to **life** 苏醒过来, 复活

▲give one's **life** for ... 献身于…, 为…而牺牲

*in **life** 一生中; 活着

in all one's **life** 在某人的一生中

lead a ... **life** 过…的生活

lose one's **life** 丧生, 死

lift up 举起; 提起

(*)ask ... for a **lift** 请求让搭便车

light a fire 点火

light up 照亮; 点燃; 容光焕发; 露出笑容

▲throw **light** on ... 使…清楚地显示出, 使人明白…

▲had **like** to 几乎, 差一点

I **like** that ! 〔反话〕干的好事! 说得真好听!

I'd **like** to. 我很愿意。

What's ... **like** ? …是什么样的?

would (或 should) **like** to (do) 想…, 愿意…〔= **want** to〕

be **likely** to (do) 像是要; 可能要

It is **likely** that ... 很可能…

off **limits** (美)禁止进入的(场所、地区)

within **limits** 在限度内, 适度地

line up 整队, 排成一列, 列队; (有效地)组织好, 安排好

a **line** of ... 一排, 一列, 一行

*in **line** 成一直线, 排成队; (行为)未越轨的

in **line** with ... 与…一致, 符合; 按照

*wait in **line** 排队等候

listen in (to) 偷听(电话等); 收听(无线电等)

listen to ... 听, 倾听; 听从

***little** by little 逐渐地, 一点一点地

*a **little** [后接不可数名词] 一点儿, 少许, 一点点

a **little** more than ... 比…稍多一些

(▲)a **little** now and a **little** then 时断时续

after a **little** 不久, 过一会儿

make **little** of ... 不重视, 轻视

not a **little** 不少, 相当多

quite a **little** 不少, 相当多

live a (happy, poor) life 过着(幸福的, 穷困的)生活

(*)**live** on (或 by) ... 靠…生活, 以…为生; 以…为主食

live through 度过, 经受住

live up to ... 做到, 实践(原则、誓言等), 达到(目标); 无愧于, 不辜负

***live** with ... 与…生活在一起

*make a **living** 谋生, 度日

make one's **living** 谋生

a **loaf** of ... 一块(面包等)

(*)**long,** long ago　很久很久以前
　　long since　很久以前，早已
　　all day **long**　整天，终日
(▲)**as long as** ...　长达…之久，只要，如果〔= so **long** as〕
(▲)**before long**　不久以后(= in a **while,** soon)
　　for **long**　长久
　　how **long**　多久，多长时间
(▲)**so long as** ...　只要…的话〔= as **long** as〕
　　take **long**　费很多时间
(▲)**no longer**　不再〔= not any **longer**〕
(*)**not** ... any **longer**　不再，已不〔= no **longer**〕
(▲)**look about**　四下里看，环顾四周；到处去寻找
　　look after ...　照顾，关心，照看〔= take **care** of〕
　　look around　环视，察看〔= **look** round〕
　　look as if (或 as though) ...　看起来像是，似乎…
(*)**look at** ...　注视，察看，朝…看
(▲)**look back upon** ...　回顾；回顾
　　look down on ...　向下看，俯视；看不起，轻视
(*)**look for** ...　搜寻，寻找
　　look forward to ...　期待，盼望
　　look here　喂；听着；听我说
　　look in　朝里看；顺便进去看看；顺便访问
　　look ... in the face　凝视某人，盯着某人的脸看
　　look into ...　窥视；调查
　　look like ...　看上去像…
(*)**look on**　旁观，观看
(*)**look on** ... as ...　把…看作是…〔= **regard**〕
　　Look out !　当心!〔= **Watch** out !〕
　　look out of ...　(从…)向外看
　　look over　过目；检查(书等)〔= **examine**〕
　　look round　环顾，观察；仔细考虑
(▲)**look through**　透过…看；浏览；仔细查看，查阅
(*)**look up**　仰望，向上看；(在词典、参考书等中)查寻，查(生字)
　　look up to ...　尊敬〔= **respect**〕
(*)**have a look at** ...　看一看
　　have a good **look**　仔细地看一看
(*)**take a look**　看一看
(▲)**take on a new look**　呈现新面貌
　　a **lorry-load** of ...　一卡车…
　　lose out　〈美口语〉彻底失败，(竞争中)输掉
　　at a **loss**　困惑，为难，不知所措
　　be **lost**　迷途，入迷〔= **lose** oneself〕
(*)**a lot**　大量，很多〔= very **much**〕
(*)**a lot of** ...　很多，许多，大量的〔= **lots** of, many, much〕
(*)**lots of** ...　许多，大量(= a **lot** of)

love for ...　对…的爱好
be in **love** with ...　与…在恋爱中
fall in **love**　相爱
fall in **love** with　爱上…
have a deep **love** for ...　对…有深厚的爱,热爱
make **love** to ...　向…表示爱恋(亲吻,拥抱,抚摸等);跟…性交
no **luck**　运气不佳〔= have no **luck**〕
have **lunch**　吃中饭
^(▲)take ... **lying** down　甘受(挑战、侮辱)

M

be **mad** about ...　迷恋
[▲]drive ... **mad**　逼得某人发狂
like **mad**　像疯了一样,拼命地,使劲地
made in China　中国制造
be **made** from ...　由…制成,用…(原料)制成(指原料的质起了变化)
*be **made** of ...　由…构成,由…(材料)制成(指材料的质不起变化)
[▲]be **made** up of ...　由…组成;由…构成
by **mail**　邮寄
make for ...　朝某方向进行,走向;有助于
make ... from ...　用…(原料)制造…
[▲]**make** into ...　制成,做成;使转变为
make ... of ...　用…(材料)制造…;使…成为…
make oneself at home　随便,不拘束
make oneself out as ...　把自己打扮成(或说成)…,冒充…,假装…
make out　理解,辨认出;开(支票、帐单、清单等);起草(文件)
^(▲)**make** ... out of ...　= **make** ... from ...
make through with ...　完成
make towards ...　向…前进
[▲]**make** up　补偿;编排;化装;捏造;组成
^(▲)**make** up for ...　弥补,补偿
make up one's mind　决定,下定决心
make use of ...　使用,利用
manage to (do)　设法做到…
[▲]a good (或 great) **many** ...　很多的,许多,相当多的
as **many** as ...　和…(可数名词)一样多;多达…
as **many** ... as ...　和…一样多的…(可数名词)
How **many**?　多少? 几个?
march on　向…进军
mark down　记下;标低价码,减价

mark time 原地踏步,停止不前,拖延时间

be beside the **mark** 不对,不切题;未成功

(▲)make one's **mark** 使自己出名

be on the **market** 出售,上市

*be **married** 已婚

have a **match** 举行一场比赛

(▲)a **matter** of ... …左右;…上下

as a **matter** of course 理所当然地,当然

as a **matter** of fact [用于句首] 事实上,实际上,其实

(*)It doesn't **matter**. 没有关系。

(▲)no **matter** 不必介意,不要紧;不管,无论

(▲)no **matter** how ... [后加从句] 不管怎样

no **matter** what ... [后加从句] 不管什么

What is the **matter** with ... ? …怎么啦?

(*)What's the **matter**? 怎么啦?

may (或 might) as well (do) 还是…的好;还不如,倒不如

may well be 很可能是;很可以,有理由

mean by ... 意思是

mean ... for ... 将…送给…;要使…成为…

(▲)**mean** to (do) 打算,想要

by **means** of ... 用…的方法(或手段);借助于

by all **means** 不惜一切,不管怎样,务必

*by this **means** 通过这种方法

by no **means** 决不,一点也不

(▲)in the **meantime** 在此期间;同时〔= in the **time** between〕

in the **meanwhile** 在此期间;同时

a **measure** of ... 一定程度的

(▲)make ... to sb.'s **measure** 照某人的尺寸做…

take **measures** 采取措施

meet the needs of ... 满足…的需要

meet with ... 偶然遇到;碰到〔= happen to **meet**〕遭遇到

call a **meeting** 召集会议

*have a **meeting** 开会

hold a **meeting** 举行会议

(▲)in **memory** of ... 纪念,为了纪念…

Don't **mention** it. [对别人道谢的答话] 不必客气。别客气。不用谢。

not to **mention** 更不用说,且不提

at the **mercy** of ... 听任…摆布,受…支配

(▲)without **mercy** 毫不容情地;残忍地

*make **merry** 作乐,行乐

make a **mess** of ... 把…弄糟

*take a **message** for ... 给…捎个信儿;把留下的话转达给…

*in the **middle** of ... 在…中央,在…当中

make it in the **middle** 采取折衷办法

in the **midst** of ... 在…当中;在作…的中途

might as well ... as ...　如果…倒不如

* **millions** of ...　成百万的,许许多多的

　be of the same **mind**　意见相同

　change one's **mind**　改变主意,变卦

　have a good **mind** to (do)　很想,切望

　keep ... in **mind**　把…记在心里,牢记

△ **make** up one's **mind**　下决心,决意〔= decide〕

* **Never mind** !　没关系! 不要紧! 不要放在心上!

　speak one's **mind**　坦率地说出心里的话,畅所欲言

　Would you **mind** doing ... ?　〔请别人做某事〕你乐意…吗? 请你…好吗?

　go deep in the people's **minds**　深入人心

　at any **minute**　随时

* in a **minute**　一会儿,立刻

　to the **minute**　准时,一分不差

　wait a **minute**　稍待片刻

　in a few **minutes**　一会儿

　miss the bus　未赶上公共汽车; 错过机会

　by **mistake**　由于差错,错误地

* make a **mistake**　出差错,犯错误

　mix ... up　搅匀; 调好; 拌和,混杂

　mix with ...　与…混合; 交往,交游

　be (或 get) **mixed** up　混杂,混在一起; 看不清; 给弄糊涂

* a **moment** ago　前一会儿,刚才

　a **moment** later　过了一会儿

　at any **moment**　随时; 马上

　for a **moment**　片刻,一会儿

　make **money**　赚钱

* **more** and **more**　越来越(多)

　more or less　或多或少,多少,有点

　more than ...　超过,大于,多于; …以上

　a little **more**　再多一点

　any **more**　还,再,另外

　no **more**　不再,没有再多

△ no **more** than ...　不过; 只,仅仅〔= only〕

　no **more** ... than ...　和…一样不…; 不超过

* not ... any **more**　不再…,再也不…〔= no **more**〕

　... or **more**　…或更多一点; 至少

　still **more**　更多,更加

△ the **more** ... the better　越…越好

　the **more** ... the more ...　愈…愈…

　in the **morning**　在早上; 在上午

　most of all　最; 尤其是

△ at (the) **most**　至多,充其量

△ at the very **most**　至多,不超过

　make the **most** of ...　充分使用,充分利用

in **motion**　在运动中；在运转着
put (或 set) ... in **motion**　使…起动(运转)；开动
*__move__ away　离开，离去
▲__move__ in ...　搬进，迁入
move in on　向…进逼
*__move__ on　继续向前移动
*__move__ over　挪过去，移开
▲__much__ better than　比…好得多；胜过
much more　更加，何况
much of a ...　了不起的…，称得上…
as **much**　同样(多)，同量
as **much** as ...　和…(不可数名词)一样多
▲as **much** ... as ...　和…一样多的…(不可数名词)；跟…达到同一程度
as **much** as possible　尽可能地(多)
make **much** of ...　尊重，重视
not so **much** ... as ...　不要太多…以致…；与其说是…不如说是…
not so **much** as (do)　甚至于不…，甚至连…也不(没有)
so **much** as　甚至于
too **much** for ...　对…太难了，超出…能力
set ... to **music**　为(诗歌等)谱曲

N

name ... after ...　依…之名而命名…，以…命名
name for ...　提名为，任命为
by **name**　名义上；指名
by (或 under) the **name** of ...　以…名义，用…名字
in **name**　名义上，只有虚名
in the **name** of ...　以…的名义
have a **nap**　打一个盹
by **nature**　天生地，天性地；生来，本来
come to **naught**　徒劳无功；毫无结果
near at hand　在近旁，在手头；快要
near by　近旁的，附近的
near here　在附近
as **near** as ...　差不多(＝nearly)
come **near** (doing)　差不多…，几乎…，赶得上…
▲not **nearly**　远非，完全不
if **necessary**　如果有必要，必要时
need not (do)　用不着(做)，不必(做)
*in (great) **need** of ...　(很)需要

*neither ... nor ...　既不…也不…

next to ...　挨着; 次于; 与…相邻

next to none　几乎没有

·(*)What **next** ?　还要什么? 下一步会怎么样呢?

*It's very **nice** of you !　你[你们]真太好了!

night and day　夜以继日, 昼夜不停〔= day and night〕

▲all **night** (long)　整夜, 通宵

*at **night**　天黑时, 在夜里

by **night**　在夜间

have a bad **night**　一夜都睡不好

have a late **night**　很迟才睡

take ... in for the **night**　让…在家过夜, 留宿

(▲)the **night** before last　前天晚上

nine out of ten　十之八九, 常常

no longer　不再

no one　谁也不, 没有人

(▲)no one but ...　除…外谁也不, 只有

no other ... than ...　除…外没有…; [加强语气]只有, 正是

*make a **noise**　喧闹; 吵闹; 弄出响声

none but ...　只有, 除…外谁也不

none of ...　…中任何一个都不

*at **noon**　在中午, 正午

look down one's **nose** at ...　瞧不起, 轻视

poke one's **nose** into ...　干涉

turn up one's **nose** at ...　瞧不起…, 鄙视…

not ... but ...　不是…而是

not only ... but (also) ...　不仅…而且…

not that ... but that ...　不是因为…而是因为…

not (in) the least　一点也不, 毫不

(▲)not (或 never) ... without doing　一…必…; 不…就不…

not yet　尚未, 还没有

take **note** of ...　留心, 注意

It should be **noted** that ...　应该指出…

take **notes**　记笔记

(▲)nothing but ...　除了; 只不过, 只是, 只有〔= only〕

all for **nothing**　无益, 无效

do **nothing** but (do)　只是…

for **nothing**　免费; 无用; 白费; 无缘无故, 无端

*have **nothing** to do with ...　与…无关

make **nothing** of ...　不重视, 对…毫不在意; 不能理解

There is **nothing** to it.　没有困难。这没什么(很容易)。

to say **nothing** of ...　不提…, 更不待说; 不论, 何况〔= not to mention〕

take **notice** of ...　注意, 留心

without **notice**　未预先通知, 不另行通知

now and again　时而; 不时

▲**now** and then　时而, 不时
▲**now** that　既然; 因为, 由于〔= since〕
　by **now**　此刻(已经); 至此
　from **now** (on)　从今以后, 从现在起
*just **now**　刚才, 刚刚; 目前
*a **number** of ...　一些, 若干〔= some〕; 许多〔= many〕
　a large (或 great) **number** of ...　许多, 大量的, 多数的
　in **number**　在数目上; 总共
　in big **numbers**　大批地

O

　object to ...　反对, 抗议
　with the **object** of ...　以…为目的
▲**be obliged** to (do)　被迫做某事; 不得不做某事
　be obliged to ... for ...　因…而感激…
　on **occasion**　不时地, 偶尔〔= occasionally〕
　on the **occasion** of ...　在…之际
　off duty　下班
　be off　滚开; 取消; 不新鲜, 变味
　be well **off**　生活富裕
　right **off**　立刻, 马上
▲**take office**　就职, 上任
　how **often**　隔多少时候(一次)
*how **old**　多大年纪, 几岁
　on and off　断断续续〔= **off** and on〕
　on and on　继续不断地, 不停地
　and so **on**　等等
*be **on**　进行
▲have ... **on**　穿着…, 戴着…〔= be **wearing**〕
　have nothing **on**　什么也没有穿, 一丝不挂
　once and again　一再地, 重复地, 屡次
　once (and) for all　只此一次, 不再; 断然地
▲**once** in a while　偶尔, 间或, 有时
　once more　再次, 再来一次〔= **once** again〕
***once** upon a time　[常用于故事开头]从前〔= **long** (long) ago〕
　all at **once**　一起, 一齐; 突然〔= **suddenly**〕
*at **once**　立刻, 马上〔= **right** now〕　　　　　　　　　　〔and ...
　be at **once** ... and ...　不但…而且…; 既是…又是…; 同时〔= **both** ...
　for this **once**　只此一次　　　　　　　　　　　　　　　　　　〔other〕
　one after another　一个接一个地, 接连地, 依次, 相继〔= **one** after the

one and the same 同一的, 一样的

(*)**one** another 彼此, 互相〔= **each** other〕

one by one 一个(接着)一个地, 逐一

one or two 一两个; 一些, 少许

***one** ... the other ... 一个…另一个…, 前者…后者…

every **one** 每一个

all by **oneself** 独自地, 独立地

by **oneself** 独自; 独立, 单独地〔= alone〕

for **oneself** 为自己; 独自, 独立地; 亲自

have ... to **oneself** 独占…; …归自己支配

of **oneself** 自行, 自动地

only that 只是, 要不是

only too ... [用以加强语气] 很, 十分

if **only** 但愿, 只要

*not **only** ... but also ... 不但…而且…

open air 户外, 野外, 露天

open up 展开, 打开; 透露

in the **open** (air) 在露天, 在户外

***operate** on ... 对…动手术, 开刀

in my **opinion** 据我的意见, 我看

in **opposition** to ... 与…相反, 反对

or else 否则, 要不就

* ... **or** so 大约, …上下, …左右

in **order** 整齐地; 按顺序

▲in **order** that ... 为了…, 以便…

*in **order** to (do) 为了(做), 为的是要

in short **order** 迅速地, 匆匆

keep **order** 维持秩序

made to **order** 定做的

on the **order** of ... 与…相似; 大概, 大约

out of **order** 发生故障, 出了毛病, 失常态, 失调, 打乱; 违反会议规则

▲place an **order** 定购, 订货

put ... in **order** 整顿…秩序; 将…收拾整齐

give **orders** 下命令

each **other** 相互, 彼此

every **other** 每隔一个的

among **others** 和别人一样; 就中, 其中〔= among the **rest**〕

and **others** 等等, 及其他

ought to (do) 应该(做)〔= should (do)〕

out and out 彻头彻尾, 十足地

***out** of ... (场所)出自; (数目)从…之中; (原因·动机)由于; 因; (材料)由…, 用…; (状态·形式)脱离; 缺乏; 越出…范围

(*)be **out** 不在家

▲**over** and over again 一再, 三番五次, 再三, 反复

(all) **over** again 再一遍, 再一次

over the radio　通过无线电广播
*over there　在那边(指较远处)
all over　到处,遍布;完全
be over　完了,结束
Class is over.　下课了。
School is over.　放学了。
owing to ...　由于,因为;对…负有(义务)
of one's own　自己独有的;自己做的
(△)on one's own　自行地,独立地;凭自己

P

keep pace with ...　与…并进,和…步调一致,跟上
pack ... off　把某人打发走,解雇某人;把…包装寄出
pack up　收拾行李;停止工作,收工;(机器)失灵
have a pain　有痛楚的感觉
take pains　尽力,费力;苦干;煞费苦心
*a pair of ...　一对,一双,一条(裤子),一副(眼镜等)
in pairs　成对,一双双
put ... on a par with　把…放在与…同等地位;把…与…相提并论
I beg your pardon.　请原谅。请再说一遍。
(a) part of ...　…的一部分
a great part of ...　大部分…,…的大部分
for my part　至于说到我
for the most part　多半,大部分
(△)in part　一部分,部分地
on one's part　在…一方面,就…而言;来自…的〔= on the part of〕
play a part in ...　在…中起作用,与…有关
*take part in ...　参与,参加…(活动)〔= join in〕
take part with ...　站在某人一边;拥护某一方〔= take the part of ...〕
*take an active part in ...　积极参加
partake of ...　一起…(吃,喝),分享;具有…(某种气质)
participate in ...　参加;分担
(△)in particular　尤其,特别
(△)pass away　度过;消失;〈委婉语〉去世
*pass by　打…旁边过去;经过,(时间)过去〔= go by〕
pass for (或 as) ...　被认为,被当作;冒充
pass off　(感觉等)中止,停止,过去
pass on　传递;继续下去
(△)pass out　昏过去,失去知觉
pass over　越过;置之不理;省略

pass through ... 穿过, 贯穿; 经历
come to **pass** 发生(事情)
in the **past** 在过去, 从前
pay back 偿还, 回报
pay for ... 付…的工资, 偿付…的代价
▲**pay** off 偿清, 还清
pay up 全部付清
at **peace** 和平的; 友好的
make **peace** 讲和
in certain **percentages** 以一定的比例
persevere in ... 坚持, 固守
persist in ... 坚持, 固执
in **person** 本人, 亲自〔= in one's own **person**〕
▲**persuade** ... to (do) 说服某人(做)
*take **photos** 照相, 拍照
play the **piano** 弹钢琴
***pick** out 选出, 拣出; 辨别出; 领会
***pick** ... up 拣起, 拾起; 让某人搭车, 接(乘客)
pick up with ... 结识, 与…交朋友
go on a **picnic** 野餐
take a **picture** 照相〔= take a photo〕
(*)talk about the **pictures** 看图说话
*a **piece** of ... 一块(布), 一支(粉笔), 一篇(作品), 一张(纸), 一段(路),
  一首(歌曲), 一幅(画), 一份(点心), 一枚(硬币), …
break into **pieces** (使)成为碎片
in (into) **pieces** 破碎地, 粉碎地
to **pieces** 破碎, 粉碎
*a **pile** of ... 一(大)堆, 一(大)批, 一(大)群
pile up 堆积起来
***piles** and piles of ... 一堆堆的
have **pity** on ... 可怜(某人)
take **pity** on ... 对…怜悯
(▲)What a **pity**! 多可惜啊! 真可惜!
find one's **place** in ... 在…方面占有一席地位
give **place** to ... 让位给…; 由…所取代
give first **place** to … 把…放在首位
in **place** 在适当的位置
(▲)in **place** of ... 代替(= **instead** of)
in the first **place** 首先, 第一, 起初
out of **place** 不得其所的, 不适当的
*take **place** 发生〔= happen〕; 产生; 举行(会议)
*take one's **place** 就座, 坐某人的坐位; 就位
(▲)take the **place** of ... 代替, 取代, 代理〔= take sb.'s **place**〕
by **plane** 乘飞机
play a role in ... 在…中起作用

play back 放(录音带、唱片)

play on ... 利用

play truant 逃学

play up 开始演奏; 夸大; 渲染; (多用命令式)加油

play up to ... 配合…演好; 讨好

play with ... 玩弄; 以…为消遣

as you **please** 随你便, 随你的意思

if you **please** 如果你愿意; 请…; 随你便〔= if you like〕

(*)Will you **please** ...? 请你…好吗?

*be **pleased** 高兴

*be **pleased** to (do) 乐于

be **pleased** with ... 对…感到满意, 中意

take **pleasure** in ... 对…感到高兴; 喜欢…, 以…为乐

with **pleasure** 乐意, 高兴地

***plenty** of ... 充足的, 相当多的, 大量的〔= a lot of〕

be out of **pocket** 白花(一笔钱), 赔(钱)

in sb.'s **pocket** 因拿了某人的钱而受其控制

point out 指出, 指示; 指摘; 提醒

▲**point** to ... 指向, 针对

be on the **point** of (doing) 正要(做)

come to the **point** 说到要点, 扼要地说

be **popular** with ... 得人心的, 受某人的欢迎

hold a **position** 担任职务

be **possessed** of ... 具有; 拥有

in **possession** of ... 占有, 拥有

as ... as **possible** 尽可能…, 尽量…

if **possible** 如果可能的话

(▲)make ... **possible** 使…成为可能

(▲)**pour** down (大雨)倾盆而下; 倾注

a **power** of ... 许多, 大量

▲come into **power** 上台, 开始执政

in **practice** 实际上, 事实上

put ... into **practice** 把…付诸实施; 实践

prefer ... to ... 宁可…而不…; 喜欢…胜于

(▲)**prepare** sb. to do sth. 使某人(思想上)准备好去做某事

▲be **prepared** for ... 做…的打算; 对…作好准备

▲at **present** 现在, 目前〔= at the present time〕

be **present** at ... 出席〔= attend〕

▲**prevent** ... from (doing) 阻止…(做); 保护; 使免受, 防止, 制止, 预防

at any **price** 不惜任何代价

without **price** 无价的, 极贵重的

▲take **pride** in ... 对…感到得意; 以…自豪

in **principle** 原则上, 大体上

in **print** 印刷中; 印好的; 书店有售

out of **print** 绝版

put into **print**　付印

(*) be put in **prison**　被关进监狱

throw sb. into **prison**　把某人关进监狱

(A) in all **probability**　很可能；十之八九

be in **process**　在进行中

▲ make **progress**　取得进步

(A) keep one's **promise**　遵守诺言

*make a **promise**　答应；许下诺言；约定

a **proportion** of ...　一部分

in **proportion** to ...　与…成正比例

protect ... from ...　保护…免受…

(*) be **proud** of ...　以…自豪，因…感到得意

provide ... with ...　为…提供…

be **provided** with ...　备有，装备有

*in **public**　公开地，公然地，当众

make ... **public**　公布；发表

pucker up one's lips　皱起双唇

pull ... apart　把…拉开

pull down　拉下；破坏；拆除(房子)

pull in　(车)停下，进站，(船)靠岸

▲ **pull** on　穿，戴(袜子、手套等)

pull out　拔出，抽出；(车、船)驶出

pull up　阻止；停住(车)；拔起

for the **purpose** of ...　为了…的目的，为…起见

on **purpose**　故意地；有目的地

serve the same **purpose** as ...　起跟…同样的作用

to no **purpose**　毫无效果，徒然地

to the **purpose**　中肯的，切题的；合适的

▲ **push** ... aside　把…推到旁边

push against ...　对着…推，推撞

push back　推回；打退

push down　推下

▲ **push** on　推动，推进；努力向前

push on with ...　继续干…

***push** to the front of the line　挤到队伍的前面去

***push** up　把…向上推，增加

put across　解释清楚，说明

put aside　置于一旁，搁下；储存；排除

▲ **put** away　放好，把…收起来；储存；抛弃；拿开

put back　放回原处；拨回(钟、表的针)；(船)回港

***put** down　放下；记下，写下；制止，扑灭，平息

put forth　长出，发出；发表，出版

put forward　建议，提出(问题)；拨快(钟、表)

***put** in ...　提出；插话说；(船)进港

put in for ...　请求，申请

put into ... 输入; (使)进入; 翻译成…
(A)**put off** 拖延, (会议等)延期, 推迟; 摆脱
***put on** 穿上(衣、鞋); 戴上(帽子); 假装; 增加(体重); 上演(戏剧)
(*)**put out** 熄灭(火、灯等); 发行; 出版; 发布; 伸出, 长出; 开航
put together 组合; 综合; 聚集
***put up** 举起(旗、手等); 抬起; 留宿; 搭起; 挂起; 建造(房屋); 张贴(布告)
(A)**put up with** ... 忍受, 容忍

Q

qualify ... **as** ... 把…看做…
a large **quantity of** ... 大量的
a small **quantity of** ... 少量的
quarrel with sb. **about** sth. 与某人为某事争吵; 找…岔子
a **quarter of** ... …的四分之一
in **quest of** ... 寻求, 寻找
out of **question** 的确, 毫无疑问
out of the **question** 完全不可能的, 做不到的, 不能考虑
raise a **question** 提出问题
(A)set out to **question** 提出疑问
without **question** 毫无疑问
(A)make **questions** 组成问句
Be **quick**! 快!
Be **quiet**! 安静!
keep ... **quiet** 使…保持安静; 对…保持秘密
quite a few 相当多, 不少
quite right 很好, 完全正确
quite so 正是这样; 〈口语〉(我)完全同意

R

have a **race** 赛一赛
on the **radio** 经无线电广播, 在无线电广播中讲话(或表演)
▲in **rags** 穿着破衣服
by **rail** 乘火车(= by train)
rain or shine 不论晴雨, 风雨无阻
for (或 against) a **rainy** day 防备将来需要, 以备不虞

at **random**　随便地,无目的地
a **range** of ...　一大片,一排,一群
at any **rate**　无论如何;总而言之
at that (或 this) **rate**　照那种(或这种)情形,照那样(或这样)下去
the first **rate**　头等的
rather ... than ...　宁愿…而不…
would (或 had) **rather** (do)　宁愿
a **ray** of ...　一丝(光线),一线(希望)
(▲)**reach** for ...　伸手去(拿)
read after ...　跟…读
(*)**read** aloud　朗读
read back　重读一遍,复述
read between the lines　从字里行间来体会言外之意
read out　宣读,朗读;读出(从电脑等传送或显示出数据、资料)
read through　读一遍
read up　研读(有关某一问题的书籍、资料)
do some **reading**　(进行)阅读,看点书
ready for ...　预备好(从事…)
be **ready** to (do)　准备好(做);乐意(做)
get **ready**　准备;〈口令〉预备!
*get **ready** for ...　为…准备好
for **real**　〈口语〉当真,真的
in **reality**　实际上,事实上
reason ... into (doing)　说服…去做
reason out　推论出
reason ... out of ...　向…解释使消除…,说服…放弃…
by **reason** of ...　由于,基于…理由
in **reason**　合理的,合情合理
out of all **reason**　全无理由
with **reason**　理所当然地
on (the) **record**　记录在案的,公开宣布的
▲**refer** to ...　关于,涉及,指;谈到;参照
▲**regard** ... as ...　认为…是…;把…认(或看)作…
in (或 with) **regard** to ...　关于,对于
be **regarded** as ...　被认为是,被当作是
regardless of ...　不管…,不顾…
as **regards** ...　至于,关于,说到
give one's **regards** to ...　代为向某人…问候
have a **relation** to ...　与…有关
rely on ...　信赖,依靠
remember one to ...　请代某人向…问候
remember to (do)　别忘了(做某事)
remind one of ...　使某人想起…,提醒某人…
for **rent**　(房屋)招租
*make **repairs**　修补

(A)**replace** with (或 by) ... 以…代替

reply to ... 答复,回答

report on ... 作关于…的报告;报告(或报道)某事

make a **report** 作报告

(A)come to the (sb.'s) **rescue** 援救,营救或帮助

resign oneself to ... 顺从,听任〔= be **resigned** to〕   〔to〕

in **respect** to ... 关于,涉及;和…比较起来;就…而言〔= with **respect**

in every **respect** 从各方面来看

with **respect** to ... 关于,就…而论,在…方面

give one's **respects** to ... 向…致意

in all **respects** 在各个方面

in some **respects** 在某些方面

at **rest** 在静止状态中;休息

*have a **rest** 休息一会儿,歇会儿

take a **rest** 休息(一下)

result from ... 起因于…,由…引起

result in ... 结果…,形成,导致,引起(…的结果)

(A)as a **result** 结果;所以,因此

as a **result** of ... 作为…的结果

without **result** 徒劳地,无效地

return ... for ... 以…报答…

(A)in **return** (for) 作为报答(或报酬,报复);代之以

make a **return** 作汇报

be **rich** in ... 富于

be **rid** of ... 除去,摆脱〔= **rid** oneself of ...〕

*get **rid** of ... 摆脱,除掉,去掉,驱除

▲**right** away (或 off) 立刻,马上(比 at once 更口语化)

*right now 立刻,马上

Right on! 千真万确! 对极了!

*all **right** 好,行;没有什么

Keep to the **right**. 靠右边走。

on one's **right** (或 left) 在某人的右面(或左面)

ring off 挂断电话

ring up 打电话〔= **call** up〕;打铃开(幕)

▲**rise** up 起来反抗;起义

give **rise** to ... 引起,导致

at **risk** 处于危险之中

at the **risk** of ... 冒…的危险

at one's own **risk** (损失等)自行负责

on the **road** 在旅途中

play a ... **role** 起…作用

play an important **role** in ... 在…中起重要作用;在…中演重要角色

▲**roll** over ... 在…上滚动,翻滚

roll up 卷起;席卷

a **roll** of ... 一卷(纸、布等)

(*)make **room** 让出点地方

▲**rot** away 腐烂,烂掉

round about 大约

all **round** 到处,处处;周围

rule over 统治;治理

(▲)as a **rule** 通常,照例,一般说来〔= as a general **rule**〕

as a general **rule** 一般而言,通常

make it a **rule** to (do) 总是,习以为常…

run about 到处跑,乱跑

▲**run** across … 偶遇,不期而遇〔= **come** across〕;穿过

run after … 追赶;追捕;追求

run against … 撞上,偶遇

***run** away 跑掉,逃跑

run down (人)逐渐精疲力竭,(健康情况)逐渐变坏;(钟、表等)停止;(车)撞倒(人);(价值)下跌

(▲)**run** for … 竞选

run into … 撞上,偶遇;陷入;达到

run off 逃跑;复印,打印;进行决赛

run out 流出;用尽,用光;期满;(绳子、铁链)放出去

(▲)**run** out of … 耗尽,用完;缺乏

run over 溢出;超过;(车)压过(人等);浏览,匆匆复习

run short of … 不足,不够;快把…用完

***run** up to … 向…跑去;(数目)达到…;跑上去,跑过去

in the long **run** 最后,最终,终究,从长远观点来看

***rush** out 冲出

with a **rush** 猛地,匆忙地

S

a **sack** of … 一袋(土豆),一包(水泥)

at (或 by) the **sacrifice** of … 以…为牺牲

safe and sound 安然无恙

be on the **safe** side 为保险起见,谨慎地

in **safety** 安然无恙地

sail out 开船

set **sail** for … 启航去…,驶往

for the **sake** of … 为了…;为…起见〔= for some one's **sake**〕

for God's (或 goodness', heaven's, mercy's) **sake** 看在上帝份上;务请

for **sale** 供出售,待售

on **sale** 在出售,上市;特价出售,减价,贱卖

all the **same** 尽管;仍然;无关紧要;没有两样

all the **same** to ...   对…反正一样;对…无所谓
just the **same**   尽管如此,仍然〔＝ all the **same**〕
the **same** ... as ...   与…一样的…
*be **satisfied** with ...   对…感到满意,满足于
save ... from ...   挽救…使免于…
say to oneself   (内心)想;自言自语
I dare **say**   我想,大概,恐怕
not to **say** ...   即使不能说…,虽说不上…
that is to **say**   就是说,换句话说
What do you **say** to ... ?   …你认为怎么样?
It goes without **saying** that ...   不消说…〔＝ **needless** to say that〕
there is no **saying**   很难说
on a wide **scale**   大规模地
to a **scale**   按比例
scarcely ... when (或 before) ...   仅仅;刚…就…
on **schedule**   按时;如期
*after **school**   放学后,下课后
at **school**   在校学习;就学
*go to **school**   上学
on the **score** of ...   因为,为了
▲**scores** of ...   许多;大量
start from **scratch**   从头做起,从零开始
screw off   拧开(螺丝、盖子)
▲**screw** up   拧紧;鼓起(勇气);使紧张;揉成一团;皱(脸),眯(眼睛)
at **sea**   在海上;茫然,不知所措
by **sea**   乘船,经海路
go to **sea**   当海员,当水手
▲**search** for ...   寻找…
Search me !   谁知道! 我可不知道。
▲in **search** of ...   寻找;寻求
*have one's **seat**   坐…的座位
▲take a **seat**   坐下
*take this **seat**   坐这个座位
*be **seated**   就座,坐下;坐着
be **second** to none in ...   在…方面不亚于任何人
keep ... **secret**   保密;对某事保守秘密
in **sections**   分段
see a doctor   看医生,就诊
see about ...   处理,安排;考虑,研究
see ... off   送别某人,给某人送行
see over   仔细查看一遍
see the sights of ...   游览(风景、名胜)
see ... through   将…进行到底;完成
see through ...   看透,看穿,识破
(▲)**see** to ...   留心,照料

*I see　(我)明白了；原来如此

Let me see.　让我想一想。

We'll see.　我们考虑考虑。我们看看再说。　　　　　　　　「回事

you see　[插入语,用于解释]你(一定)知道(或明白)；你听我说；是这么

seeing that ...　鉴于；既然；考虑到…

seem to be ...　好像,看似〔= look like〕

it seems as if ...　仿佛是

*sell out　卖完；脱销；出卖,叛卖

send away　赶走,逐出；解雇,辞掉

*send for ...　派人去请(医生)；派人把…取来；召唤

send forth　发出(光、香气)；生出(叶子、芽)；寄出(信)

send in　提出(报告),递进(名片),交上(申请书)

send off　发出(货物)；寄出(信)；派遣

send ... off　送别〔= see ... off〕

*send out　放出,发出；派遣；发射

*send up　把…往上送,呈报；发报,发射

in a sense　某种意义来说,在某种意义上

in no sense　决不

make sense　有意义,可理解,讲得通；合理,言之有理

*sentence sb. to death　宣判…死刑

*make sentence with ...　用…造句

▲separate ... from ...　把…与…分离；把…与…分隔

in sequence　顺次,逐一

a series of ...　一系列的…

serve ... right　给某人应得的报应,活该

It serves you right !　你活该!

after service　(商品出售后)包修服务

at sb.'s service　可由某人随时使用；听某人吩咐

be of service to ...　对…有用,有助于

in service　服役,在位,在使用中

set about　着手,开始做

set ... aside　把某物搁在一边；贮存；撇开；撤消

set back　推迟,延缓,阻碍；使人花费

set fire to ...　点燃,放火焚烧

set free　释放,放出

set in　插入；来临,开始；涨潮；流行

*set off　出发,动身；爆发；对照,衬托

set on (或 upon)　攻击；开始；怂恿；唆使

*set out　出发,动身〔= start〕；企图,着手；开始；阐述,表述

*set up　竖立,搭起,建立,开办；创立；提出(意见)；使振作(精神)；排版

▲a set of ...　一套,一组(杯子、餐具等)

settle down　定居；平静下来；沉下,沉淀

settle upon (或 on) ...　决定,选定；停在

do some sewing　做针线活,缝补衣服

▲shake hands with ...　同…握手

shake one's head　摇头
What a **shame** !　太不像话了！真不应该!
in the **shape** of ...　呈…的形状；通过…方式
take **shape**　形成；实现；具体化
take the **shape** of ...　呈…的形状
▲**share** in sth.　分担(或同享)某事(或某物)
a **sheet** of ...　一张(纸)，一片(雪)，一块(玻璃)
shift for oneself　自行设法；自谋生路
be on the night **shift**　值夜班
make **shift** to (do)　设法…；尽量想办法…
shoot at ...　向…射击
shop around　四处选购(挑选比较，购买最合适的)
talk **shop**　说本行话
*do (some, one's) **shopping**　买东西
go **shopping**　去买东西
on the **shore(s)**　在岸上
a **short** cut　捷径，近路
be **short** for ...　是…的略字(或缩写、简称)
be **short** of ...　缺少，不足，未到达…
cut ... **short**　缩短…；打断…
for **short**　简称；缩写
in **short**　总而言之，简单地说
run **short**　将近耗尽，用完；不够
to be **short**　简单地说
shoulder to shoulder　肩并肩地，协力
***shout** out　对…大声叫嚷
show in　领入
show off　炫耀，卖弄
'**show** ...on TV　在电视中放映
▲**show** ... out (或 in)　领某人出去(或进来)
***show** ... round (或 around) ...　带领…参观…
'**show** slides　放映幻灯片
show ... up　揭露，揭穿
show up　〈口语〉出现，到场
*be on **show**　展览，展出
make a **show** of ...　向人夸耀，卖弄
a **shower** of ...　一批，一阵
shut ... off　关掉(马达)，切断(电源)，停止供应(煤气、水)
shut out　阻止；遮住，排除(可能性)
shut the door upon　禁止出入；不理睬
shut up　〈口语〉住嘴!
sick with ...　由于…而极难受；生了…病
be **sick** for ...　渴望
be **sick** in bed　病在床上
be **sick** of ...　对…感到厌倦，厌烦

call in **sick**　打电话请病假

(△)lie **sick**　病倒

▲**side by side with** ...　与…并肩地, 同…并列; 肩并肩地

***be on the side of** ...　支持某人(或某方); 在…一边

by the side of ...　在…旁边; 在…附近

from side to side　左右摇摆, 从一侧到另一侧

on the side　作为兼职, 额外

***on the other side of** ...　在(河的)对岸; 在…的另一面

***take the side of** ...　支持某人(或某方)

take sides with ...　袒护; 支持某方

a sight of ...　〈口语〉许多, 无数, 非常多的〔= a great **number** of〕

at the sight of ...　一见到…就

▲**catch (a) sight of** ...　看到; 发现

in (或 within) sight　看得见, 在视力范围之内

know ... by sight　认得某人; 与某人面熟

lose sight of ...　看不见; 忽视

▲**out of sight**　看不见; 〈美口语〉好到极点

***keep silent**　保持沉默, 保持肃静

since then　从那时以来, 从那时到现在

ever since　从那时起

▲**sing high praise for** ...　高度赞扬

(*)**sit down**　坐下

sit for ...　参加(考试), 应(考)

sit in　列席, 旁听

***sit up**　坐直, 坐起来; 熬夜, 不睡〔= stay **up**〕

size ... up　估计某物大小; 打量; 估量

be of a size　同样大小, 尺码相同

***go skating**　(去)滑冰

sketch ... out　拟订(要点、轮廓)

▲**slap one's face**　打某人的耳光

go to sleep　入睡, 睡着

make slight of ...　视轻

not ... the slightest　一点也不…

slip off　滑落; 溜走

slip up　滑跤; 〈口语〉失败; 犯错误

make a slip　失误

slow down　放慢; 减速, 缓行

on the sly　偷偷地, 冷不防地

smile at ...　向…微笑; 冷笑; 对…一笑置之

be all smiles　满面笑容

▲**smooth away**　克服(困难); 消除(障碍); 使顺利

smooth over　掩饰, 调停, 平息

so and so　如此这般; 某某(人)

(△)**so as to (do)**　为了, 以便〔= in **order** to〕

so ... as to (do)　如此…以致

so far   迄今为止

so far as ... is concerned   就…而论

so long   再见

so so   〈口语〉马马虎虎, 普普通通; 还可以

*__so__ that   为的是, 使得; 结果是, 以致, 以便

*__so__ ... that ...   如此…以致…; 如此…使得…

so that one may (或 can, will)   为了…; 以便某人(能)…

even **so**   虽然, 即使如此

not **so** ... as ...   没有…那样…

or **so**   大约, 左右

play **soldiers**   玩打仗(游戏)

some day   (将来)有一天, 总有一天; 改日〔= one of these **days**〕

*__some__ ... others ...   一些…另一些…; 一些(人, 物)…其他(人, 物)…

something else   别的东西; 另一回事

something like ...   有点儿像; 大约, 约莫

something of a ...   略有

... or **something**   …或是别的什么, …之类

for a **song**   非常便宜, 几乎白送

▲**soon** after   不久以后

as **soon** as ...   一…就

*as **soon** as possible   尽快, 尽早〔= as **soon** as one can〕

would as **soon** ... as ...   与其…宁愿…

*__sooner__ or later   迟早, 终究

no **sooner** ... than ...   刚…就…

would **sooner** ... than ...   与其…宁愿…

be **sorry** for ...   对…感到抱歉, 对…表示遗憾

a **sort** of ...   一种, 像…一般的人(或物)

▲all **sorts** of ...   各种各样的…; 一切种类的…

sound off   充分发表意见, 长篇大论地发言

(*)make **sounds**   发出声音

*in **space**   在空间

spare one's life   饶某人一命

speak for ...   为某人辩护; 表明

speak ill of ...   说…的坏话, 诽谤

speak of ...   提及…(之事), 谈到, 说到

▲**speak** out   大胆地说; 清楚和响亮地说

speak to ...   对…说话, 同…交谈〔= **talk** to〕

speak up   大点声说; 大胆地说; 明白地直说

speak with ...   同…交谈〔= **talk** with〕

not to **speak** of ...   不用说…了〔= to say **nothing** of〕

so to **speak**   可以说〔= as it were〕

make a **speech**   发表演说, 讲话

speed away   飞驰

speed up   加快, 加速

at a **speed** of ...   以…的速度

at full **speed** 全速; 用最快的速度

spell ... out 高声拼读出; 吃力地逐字读出; 详细说明

***spend** (money, time) on ... 在⋯上花费(金钱、时间)

in high **spirits** 情绪高涨, 兴高采烈

▲**spit** out 吐出

spit it out 坦白地讲, 直言

▲in **spite** of ... 不管, 不顾〔= despite〕

splash down (太空飞行后在海洋中)溅落

in **sport** 开玩笑地

*have **sports** 进行体育活动

a **spot** of ... 少量, 少许

on the **spot** 当即, 就地; 当场

spread over 传播, 散播

***spy** on 窥探; 监视

go on the **stage** 当演员

at **stake** 在危险中, 利害攸关

stand at attention 立正

▲**stand** by 和⋯站在一起, 站在⋯一边; 支持; 袖手旁观; 待机

stand by one's words 信守诺言

▲**stand** for ... 代替, 代表; 拥护; 象征; 主张; 〈口语〉容忍

stand for nothing 毫无用处

stand guard 站岗

stand in with ... 与⋯有交情; 受到⋯的特别优待; 与⋯一致; 同⋯分担

stand on end 直竖, 竖着; 侧着放

stand out 突出, 显眼

(A)**stand** up 站起, 起立

stand up for ... 坚持, 拥护; 为⋯辩护

stand up to ... 抵抗; 勇敢地面对(敌人、困难); 经得起⋯考验; 耐用

on **standby** 戒备; 待命; 随时可用的

▲**stare** at ... 注视, 盯着看

start doing 开始做

(*)**start** ... moving 开动⋯

start off 开始, 出发

start on 开始(旅程等)

start out 出发, 动身; 着手

(A)make a **statement** 陈述(事实、看法等)

stay at home 留在家里

stay away 不在家; 缺席; 外出; 躺开

(*)**stay** up 不睡觉, 熬夜

stay with ... 住在某人处; 在某人家作客

in one's **stead** 代替某人

steal out 溜出去

(A)**steal** the show 抢镜头, 出风头

▲**step** by step 一步一步地, 逐步地, 循序渐进地

step in 插入, 介入

▲**step** on the gas   踩油门
step up   加紧, 加速; 促进
in **step**   同步, 合拍
out of **step**   步调不一致, 不协调
stick out   伸出, 突出; 显眼
▲**stick** to ...   坚守, 坚持, 固执于; 粘住; 忠于(理想等)
stick up for ...   为…辩护, 支持
stick with ...   与…坚持在一起, 不背弃, 不离开
still less   更不必说, 何况
still more   更多; 更加, 更其, 还要更; 何况
in **stock**   现货供应; 备有
out of **stock**   售完; 缺货
stop doing   停止做某事
stop over   中途在某处作短暂逗留
stop to (do)   停下来(做某事)
come to a **stop**   停止, 告一段落
out of **store**   售完
straight away   立刻, 马上
strange to say   说也奇怪; 奇怪的是〔= **strangely** enough〕
put (或 lay) **stress** on ...   强调, 把重点放在…
***be strict** with ...   对某人要求严格
make great **strides**   大有进步, 取得极大进展
strike in   插嘴, 干涉
strike out   挥拳; 打出(火花等); 删除; 失败
strike up   开始(与某人结交、演奏等)
***be** on **strike**   (在)罢工
***go** on **strike**   举行罢工
a **string** of ...   一串, 一系列, 一行(人、马、车等)
strive for ...   争取; 为…而奋斗
at one **stroke**   一举; 马上
struggle against ...   同…作斗争, 向…斗争
struggle for ...   为…而斗争, 争取…
study for ...   为…而学习
in **style**   豪华; 盛大, 排场
succeed in doing ...   在…方面获得成功
in **succession**   接连地, 一个接着一个
such and such   诸如此类, 如此这般
▲**such** as ...   如同, 例如, 诸如…之类的
such ... as ...   如…一样…的
such ... as to (do)   如此…以致
⑭**such** ... that ...   非常…所以…; 如此…以致…
⑭all of a **sudden**   突然; 冷不防
suffer from ...   遭受, 因…而受损害; 患(病)
⑭**suggest** doing ...   建议
a **suit** of ...   一套(衣服), 一副(同花纸牌)

be **suited** to (或 for) ...   适合于
sum up   概括; 总结; 总计
at **sunrise**   黎明时刻
***by supper** time   晚饭以前
be **supposed** to (do)   应该; 非…不可
be **sure** of (或 that) ...   坚信, 确信; 肯定
be **sure** and (do)   〈口语〉千万要〔= be **sure** to (do)〕
be **sure** to (do)   一定, 必定
I am **sure** of ...   我深信…
make **sure**   弄确实, 查明; 务必; 确信
to be **sure**   的确, 确实〔= indeed〕
***in surprise**   惊异地, 惊奇地
take ... by **surprise**   奇袭; 使出其不意; 使吃惊
***to one's surprise**   使某人惊奇的是〔= to the **surprise** of one〕
***be surprised** at ...   对…感到惊奇
No **sweat**!   〈口语〉没问题!（指容易做到, 不费什么力气）
sweep into ...   急速进入
sweep up   扫除
***swim** about   四处游动
***have** a **swim**   游泳
in the **swim**   赶上时代潮流, 赶时髦
go **swimming**   (去)游泳
(▲)**switch** ... off   关(收音机等)
switch ... on   接通(电源); 开动(机器); 开(灯、收音机等)

T

be at (the) **table**   用餐中
lay (或 set, spread) the **table**   将餐具等摆在桌上(准备开饭)
sit (down) at (the) **table**   就座准备用饭
under the **table**   喝得烂醉; 偷偷摸摸地, 不光明正大地
take after ...   (与双亲等)相似; 摹仿
take ... as ...   把…作为…
***take** away   拿走, 运走; 减去
take back   拿回, 收回; 取消; 使回忆起
take care   当心, 留心, 注意
take a cold   感冒
***take** down   拿下, 取下; 写下; 记下; 拆毁
take five (或 ten)   休息 5 分钟(或 10 分钟)
take ... for ...   把…误认为…; 误把…当作…〔= **mistake** ... for ...〕
take in   吸收; 接受, 理解; 定阅(报刊); 包括

take in a show (或 movie, stage play) 看一场演出(或电影, 话剧)

▲**take** it easy 别着急; 别紧张; 别过于劳累

take it out of ... 使…精疲力竭

take notes 记笔记

***take** ... off 拿去; 离去, 脱去(衣、帽)

take off (飞机)起飞; 离职; 请假; (时尚等)开始流行; 学样

take office 就职, 上任

take on 承担(工作、责任等); 雇用; 呈现

***take** out 取出; 把…拿出来; 带(人)出去(玩等); 邀请

take over 接过; 接管; 接任

take part in ... 参与, 参加

take to ... 喜欢; 养成…的习惯; 嗜好; 热衷于…

take up 拿起; 从事; 占去(时间、地方等); 停车让搭客上车; 吸收

take up too much room 占太多的地方

be **taken** aback 吃惊

be **taken** by surprise 被出其不意地, 被突袭

***talk** about ... 讲(某事); 谈到, 谈论〔= **talk** of〕

talk back 回嘴, 顶嘴

talk down 大声说话压倒; ; 驳到; 贬低

talk in English 用英语交谈

talk into 说服

▲**talk** of ... 谈起…, 说到; 考虑到

talk over 商量, 讨论〔= **discuss**〕

talk round 劝说; 转弯抹角地谈

talk to ... 找(某人)谈话〔= **speak** to〕; 责备某人

talk to oneself 自言自语

talk with ... 同…交谈, 同…讨论

*give a **talk** 做讲演, 做报告

have a **talk** 谈话

(*)**tap** out 打出

on **target** 中肯的, 恰当的, 对头的

(▲)**tear** at ... 撕, 扯

(▲)**tear** ... open 撕开

in **tears** 哭泣

on (或 over) the **telephone** 用电话, (打)电话中〔= by **telephone**〕

(▲)**tell** sb. of sth. 给某人讲某事

tell ... to (do) 叫(或让)某人做(某事)

(*)lose one's **temper** 发脾气, 生气

run a **temperature** 发烧

*take one's **temperature** 量体温

ten to one 十之八九, 很有可能

▲**tens** of thousands of ... 数以万计的…, 成千上万的…, 好几万

come to **terms** 达成协议, 达成妥协

in **terms** of ... 用…的话说; 从…的角度(或观点)

be **terrified** at ... 被某事吓一跳

*have a **test** 进行测验(或考查,试验)

　thank ... all the same 尽管这样,仍然感激…

(▲)**thank** ... for ... 因…而感谢…

(▲)**thanks** to ... 由于,全靠,多亏

(▲)owe **thanks** to 感激

　that is to say 即是〔= **that** is〕;换言之

　That will do. 〈口语〉行了。正合适。够了。

　now **that** 既然,由于,因为

　That's **that**. 就这么着吧。就这样定了。

　then and there 当场,立即〔= there and **then**〕

▲by **then** 到那时候;到那时以前

*from **then** on 从那时起,打这以后

　just **then** 正在那时

　Well, **then**? 后来怎样?

　for one **thing** 理由之一是,举一个例说

　the very **thing** 正是那个

　of all **things** 居然有这种事,偏偏,令人惊讶的是

*think about ... 考虑,想到…

　think back a bit 回顾一下

　think better of ... 改变主意,重新考虑

▲**think** highly of … 对…评价很高

▲**think** of ... 考虑,想到;想起;关心;[用进行式]打算…

　think of ... as ... 把…视为…

　think out 想出(办法等);彻底地想一想

*think ... over 仔细考虑,熟思

　think to oneself 心中暗想

　think up 想出;发明

(▲)be lost in **thought** 沉思

　on second **thoughts** 经重新考虑,一转念

*thousands of ... 几千…,数千…,数以千计的,成千上万的

▲a **thousand** times 一千遍;一千倍;无数次〔= **thousands** of times〕

　through to ... 直到

▲all **through** 自始至终

　be **through** with ... 结束

　throw away 扔掉;浪费(金钱、时间);错过(机会)

▲**throw** off 匆匆脱掉(衣服),摆脱,扔掉

(*)**throw** ... to ... 把…扔给

▲**thus** far 迄今,至今〔= so far〕

　tick ... off 使…发怒,激怒;责骂

　tie up 系牢,包扎

　till (或 up to) now 直到现在,迄今为止

▲after a **time** 过了一会儿,过了一段时间

　ahead of **time** 提前

(*)all the **time** [指某段时间内] 一直,不断地;始终,总是

(▲)at a **time** 每次;一次;同时

at any **time** 无论何时, 随时
*at one **time** 曾经; 以前有个时期; 同时〔= at a **time**〕
at the **time** 在那时
▲at the same **time** 同时; 但, 然而; 可是
be in **time** for … 及时赶上…
by the **time** of … 到…的时候(已经)
for a long **time** 长时间; 好久
for some **time** 有一段时期, 暂时
for the **time** being 暂时
*from **time** to time 不时, 有时〔= sometmes〕
*have a good **time** 玩得很高兴; 玩得痛快; 过得愉快
have a wonderful **time** 玩得活极了
*in **time** 及时, 赶得上; 迟早总会
in good **time** 恰好, 及时地
*in no **time** 立刻, 很快〔= very **soon**〕
It's **time** for … 是…的时候了。
*It's **time** to get up. 该起床(的时候)了。
keep **time** (唱歌、跳舞)合拍
keep good (或 bad) **time** (钟表)走得准(或不准)
kill **time** 消磨时间
(▲)lose no **time** 赶紧, 马上; 抓紧时间
*on **time** 按时, 准时
some **time** 将来某个时候, 有朝一日
take one's **time** 不急不忙, 从容进行
(▲)at **times** 有时; 间或(= sometimes)
in old **times** 在古时候
in these **times** 当今
(▲)**tip** off 警告
tire of … 厌烦, 厌倦
tire … out 使精疲力竭
be **tired** from … 因…而疲乏
be **tired** of (doing) 厌烦…, 对…厌倦
be **tired** out 疲倦极了, 累得很
propose a **toast** to … 提议为…干杯
together with … 同…一起, 连同
*too … to … 太…以致不能…
*none **too** … 不见得太…; 绝不…, 一点也不…
only **too** … 非常, 太…
at the **top** of … 在…顶点上
▲at the **top** of one's voice 高声叫喊; 放开嗓门
▲at the **top** of … 在…的上面; 除…之外(还)
carry a (或 the) **torch** for … 单相思, 单恋
▲be **torn** open 被撕开
touch at … 停泊在, 靠在
touch on … 谈及, 触及, 说到

touch up 修整, 修饰, 润色

▲be (或 keep) in **touch** with ... 和…保持联系

get in **touch** with ... 和…取得联系

⁽▲⁾in **touch** with ... 与某人保持联系

keep in **touch** 保持联系

out of **touch** 失去联系

keep **track** 通晓事态, 注意动向

lose **track** 失去联系

trade with ... 用…进行交易

be in **trade** 做买卖, 经商

*by **train** 乘火车, 搭火车〔= by rail〕

transform ... to (或 into)... 把…变成…; 把…改造成…

translate ... into ... 把…译成…

treat ... as ... 把…当作…

a **trifle** 少许〔= a little〕

make a **trip** 旅行

get into **trouble** with ... 惹某人麻烦, 和某人闹纠纷

have **trouble** in doing ... 做某事有困难

*in **trouble** 处于困境

▲take great **trouble** to do sth. 不辞辛劳地做某事

▲play **truant** 逃学; 偷懒

be **true** of ... 适用于, 对…是正确的

come **true** (梦、预言等)成为事实, 应验

to tell (you) the **truth** 说实话, 老实(对你)说

try and ... 〈口语〉试, 想法

try hard 苦干, 竭力

try on 试穿, 试用

*try one's best 尽力而为, 努力; 竭尽所能

⁽*⁾**try** out (彻底)试验; 试行

have a **try** 试一试

tune in 转旋钮; 校准频率, 调谐

turn about 向后转; 转身〔= turn around〕

*turn against ... 背叛

turn around 转身, 转向

turn back 折; 翻; 折回, 返回; 倒拨(钟、表)

turn down 〈口语〉拒绝; 扭小(火、煤气等); 调低

▲**turn** from side to side (把身体)转过来转过去

*turn green 变绿(色)

*turn ... in 交出, 上缴

turn in 上床就寝; 上缴; 拐入

turn in to ... station 收…电台

*turn ... into ... 把…变成…; 使转变为…〔= change into〕; 把…译成…

▲**turn** off (将电灯、收音机、电视、煤气等)关掉, 拧掉

*turn on (将电灯、收音机、电视、煤气等)打开, 拧开, 旋开　　　〔(房间)〕

turn out 关上(电灯、煤气、收音机等); 生产出; 培养出; 倒空(容器); 腾出

turn ... **over** 把…翻过来；反复思考
turn over to ... 移交，交给
turn round 回头，转身
turn to ... 转向；求助于；着手(某种工作)
turn up 发现，露面，(事情)发生；被找到
turn ... **upside down** 把…翻转过来，倒置
(*)in **turn** 依次(序)地；轮流地
in its **turn** 而，反过来；也
*take one's **turn** 依次，轮流
by **turns** 轮流地，依次地，交替地
by **twos** and **threes** 三三两两地
*a **type** of ... 一种类型的…

U

be **unconscious** of ... 不知道…
*by **underground** 乘地(下)铁(道)
come to **understand** 终于理解；开始理解   「的意见
make oneself **understood** 使自己的意思让人了解(或听懂)；表白自己
be **unequal** to ... 无法胜任…的
▲be **unfit** for ... 不合适；不胜任
be **united** as one 团结如一人，团结一致
until now 直到现在，迄今
(*)not ... **until** ... 直到…才…
It was not **until** ... that ... 直到…才…
▲**up** and down 来来回回，前前后后，上上下下；到处，处处
(▲)be **up** to ... 达到；胜任；从事于；正在干；应由某人负责
It's all **up** with ... …(的)一切都完了
ups and downs 涨落，浮沉；兴衰
(▲)**upside** down 乱七八糟；上下倒置；颠倒
use up 把…用尽；使…精疲力竭
be in **use** 在使用中
be of **use** 有用〔= useful〕
be of great **use** 很有用处〔= be very **useful**〕
come into **use** 开始应用，被采用
go (或 fall) out of **use** 已不被使用，废弃
in **use** 使用着，通行
It is no **use** doing (或 to do) ... 做…也无用(或无益)
make **use** of ... 利用
make the best **use** of ... 充分利用
out of **use** 已不用，报废

put ... to **use**　将…加以使用;利用
used to (be, do)　(过去)惯常…,习惯于
be **used** as ...　被用作
▲be **used** to ...　习惯于
(▲)get **used** to ...　习惯于…
be **useful** to ...　对…有用,用于
(▲)as **usual**　如往常一样;照例,照常
do one's **utmost**　尽全力;竭力

V

on **vacation**　在度假中
in **vain**　无效地,徒然地
be of **value**　有价值〔= valuable〕
a great **variety** of ...　各式各样的,多种多样的
on the **verge** of ...　将近…,行将…;濒于…
very good　极好
***very** much　非常,十分
very well !　极好! 好罢!
from **victory** to victory　从胜利走向胜利
(*)hold the **view**　认为
in **view**　在视界中;在心目中;盼望
in **view** of ...　鉴于,由于
keep ... in **view**　把…放在心上;照顾到,考虑到
with a **view** to (doing)　为了,为的是,目的在于〔= for the **purpose** of〕
by (或 in) **virtue** of ...　由于;凭借着,靠…的力量,借助于
(▲)pay a **visit** to ...　访问〔= pay ... a **visit**〕;参观
*in a low **voice**　低声地
void of ...　缺乏,没有
volunteer to (do)　自愿(做)
vote for ...　投…的票;投票赞成

W

(*)**wait** for ...　等待,等候
wait on (或 upon) ...　服侍,侍候;跟随…而来
wait up　等候着不睡

*__wake up__ 醒,醒过来
*__wake__ ... __up__ 把某人弄醒,唤醒某人
　__walk__ about 四处走动,徘徊,信步走走,散步
*__walk on__ 继续走
　__walk out__ 罢工;离席而去
*__go out for a walk__ 出去散步
　__have a walk__ 散散步
　__take a walk__ 散步
　with one's back to the __wall__ 处于无可逃遁的境地
　go to the __wall__ 失败,败北
　be at __war__ with ... 同…处于交战状态,同…作战
*__warm__ ... __up__ 使…暖和,变热
*__get warmer__ 变得更暖和
　__warn off__ 警告某人离开
　__wash__ away (或 off) 冲洗掉;洗去
　__wash__ down 冲洗干净
*__do some washing__ 洗衣服
　__watch__ for ... 等待(机会等)
　__watch__ out for ... 注意,警戒,提防
　__watch__ over 守卫
▲__keep watch__ 看守,监视,守望;值班;放哨
*__on watch__ 守望;值班
　by __water__ 乘船,由海路,由水路
(▲)__way ahead__ 遥遥领先
(▲)__way behind__ 远远落后
　__way in__ 入口
　__way out__ 出口
(*)__a way out__ 出路;办法
　a long __way off__ (离得)很远
　all the __way__ 一路上;从远道
　any __way__ 总之,无论如何,不管怎样
　by __way of__ ... 经过,通过;用…方法;作为(一种替代),当作;意在
*__by the way__ 〈口头语〉顺便问一下;附带说说;另外
(*)__find a way out__ 找(到)出路(或办法)
　__find one's way__ 努力前进;寻路前往
*__get in one's way__ 挡了…的去路
　__go one's own way__ 自顾自,各管各;一意孤行
　__have one's (own) way__ 遂了自己的心愿,自行其事
　__in a way__ 在某点上;在某种意义上;在某种程度上
　__in a big way__ 大大地,大规模地
　__in any way__ 在任何情况下
　__in much the same way as__ ... 几乎跟…完全一样地
　__in the (或 one's) way__ 妨碍(某人)
　__in this way__ 就这样,这样地
　__lead the way__ 引路,带路

lose one's **way** 迷路,迷失方向

▲make one's **way** 进行;努力向上;排除困难前进

no **way** 不行,没门儿

*on one's **way** to ... 在去...的途中

on the (或 one's) **way** 在(旅)途中;在路上

out of the **way** 很偏远的;不寻常的

wear away (时间)消耗;磨损

wear off 逐渐消逝

▲**wear** out 用坏,穿旧;使精力力竭

once a **week** 每周一次

Welcome home! 欢迎你(们)回来!

welcome in 迎进 〔**mention** it〕

You are **welcome**. 〔当对方道谢时的答语〕不要客气。不谢。〔= Don't

Well done! (干得)好!

well enough 很好,相当好;足够好;还好,还可以

as **well** 同样,也;倒不如

as **well** as 也〔= too〕;又;和;同样

... as **well** as ... 除...之外;也

be **well** off 生活好,富有,处境良好

be **well** up in ... 精通,熟悉,对...内行

⟨*⟩do **well** 干得不错,进行得很好

do **well** in ... 在...方面成绩好

get **well** 恢复健康

What about ...? (对于)...怎么样? ...(事情)怎么了?

What ... for? 为何...? 〔**happen** if ...〕

What if ...? 如果...该怎么办呢? 如果...就不知怎样了。〔= what would

What of it? 那又怎么样呢? 这有什么关系呢? 「面因为...

What with ... and (what with) ... 半因...半因...;一方面因为...,一方

what's **what** 事情的真相,真实情况;好歹,是非

only **when** ... 只有当...

⟨*⟩**whether** ... or ... 不论...或...,不管...还是...,或者...或者...

whether or no 〈口语〉无论如何,总之

while away 消磨(时间)

*after a **while** 过了一会儿,不久

all the **while** 一直,始终

be worth one's **while** 值得(某人)花时间(或劳力),上算的

for a **while** 片刻,暂时,一阵

*in a short **while** 不久

once in a **while** 偶尔,有时

⟨*⟩go **white** 变白

as a **whole** 就全体而论,整个看来;概括地

in the **whole** of ... 整个...之中的

on (或 upon) the **whole** 总的来说,大体上,基本上

be **wild** with joy 欣喜若狂

at **will** 任意,随意

of one's own (free) **will**　自愿地, 自动地
be **willing** to (do)　乐意…
win back　恢复; 赢回, 夺得
win over　把…争取过来; 战胜
wind one's way　蜿蜒前进
▲**wipe** off　抹掉, 擦干净, 擦去
Wipe it off !　别笑了! 别开玩笑了!
wipe out　擦去(污点等); 消灭; 清除
with all (one's)　虽然(尽了某人的努力等)
with this　说了这话后, 这样做了之后
without fail　必定, 一定
without so much as (doing)　甚至连…也不
be at one's **wits'** (或 **wit's**) end　不知所措, 毫无办法
wonder about …　极想知道; 对…感到怀疑
wonder at …　因…而惊奇
▲no **wonder** that …　…不足为奇, 难怪…
get **word**　得到通知(或命令, 消息)
▲get in a **word**　插话
*have a **word** with …　与…谈一下, 和某人说句话
in a **word**　总而言之, 一言以蔽之
keep one's **word**　守信用
upon my **word**　我保证; 一定, 千真万确
have **words** with …　跟…吵嘴
⊛in other **words**　换句话说, 换言之, 也就是说
⊛**work** at …　致力于, 努力从事, 花时间精力于
⊛***work** away　继续工作
***work** hard at …　努力学习
⁽*⁾**work** on …　从事于〔= **work** at〕; 对…起作用; 演算
work on the problem　做题
***work** out　制订出; 解决(问题等); 想出〔= **think** out〕; 算出; 用尽
▲**work** overtime　加班加点, 做额外工作
work up　引起, 激起; 逐渐向上
*at **work**　在工作, 忙于; (机器)在运转
go to **work**　(去)上班
⊛out of **work**　失业; (机器)有毛病
set to **work**　着手工作, 开始工作
for (all) the **world**　[用否定式] 无论如何(不)
How is the **world** treating you ?　(你)近况怎样?
⊛in the **world**　[用以强调疑问句] 究竟, 到底〔= at **all**〕
(all) the **world** over　遍及全世界, 在全世界
be **worried** about …　为某事烦恼, 为某事担心
feel **worried**　担忧
***worry** about …　为…而担忧, 担心
and what is **worse**　更糟的是〔= to make matters **worse**〕
be **worse** off　处境较坏, 情况恶化

at (the) **worst** 无论怎样坏(或恶劣)，在最坏的情况下

*be **worth** (doing) 值得(做)

be **worth** (one's) while doing (或 to do) 值得花时间(或精力)去…，做…是值得的

***write** down 写下，记下

(*)**write** in Japanese 用日文写

(*)**write** out 写出；开(药方)

***write** to ... 写信给某人

be **wrong** with ... 有点毛病；有点不舒服

be in the **wrong** 错，不对

*do **wrong** 做错事(或坏事)；犯罪

something is **wrong** with ... …出了毛病，…不对头

What's **wrong** with ...? …怎么啦？…出了什么毛病啦？

X, Y, Z

year in year out 一年又一年，年年不断地

all the **year** round 一年到头，终年

from **year** to year 年年，每年〔= **year** after (或 by) **year**〕

(▲)in another **year** 再过一年，又过一年

in recent **years** 近年来

*the last two **years** 前两年

and **yet** 然而，可是

but **yet** 可是还

not **yet** 尚未，还没有

yield to ... 向…让步

yield up 放弃

(▲)**zoom** past 呼啸飞驰而过

部首检字表

（一）部首目录

部首左边的号码指部首的次序

一画
1 丶
2 一
3 丨
4 丿
5 乙（乛乚）

二画
6 亠
7 冫
8 冖
9 讠
10 二
11 十
12 厂
13 ナ
14 匚（匸）
15 卜（⺊）
16 刂
17 冂
18 亻
19 亻
20 厂
21 人（入）
22 八（丷）
23 勹
24 儿
25 几
26 マ
27 刀（⺈）
28 力
29 卩
30 阝（左）
31 阝（右）
32 又
33 廴
34 厶
35 凵
36 匕

三画
37 氵
38 忄
39 宀
40 辶
41 广
42 门
43 辶
44 工
45 土
46 士
47 艹
48 大
49 廾
50 寸
51 扌
52 小（⺌）
53 口
54 囗
55 巾
56 山
57 彳
58 彡
59 夕
60 夂
61 犭
62 饣
63 彐
64 尸
65 己（已巳）
66 弓
67 女
68 子（孑）
69 幺
70 纟
71 马
72 巛

四画
73 灬
74 斗
75 文
76 方
77 火
78 心
79 户
80 礻
81 王
82 耂
83 廿（卅）
84 木
85 犬
86 歹
87 车
88 戈
89 比
90 瓦
91 止
92 攴
93 日
94 曰
95 贝
96 见
97 父
98 牛（牜）
99 手
100 毛
101 气
102 攵
103 片
104 斤
105 爪（⺥）
106 月（⺼）
107 欠
108 风
109 殳
110 尺
111 母
112 水（氺）

五画
113 穴
114 立
115 疒
116 衤
117 矛
118 示
119 石
120 龙
121 目
122 田
123 申
124 罒
125 皿
126 钅
127 矢
128 禾
129 白
130 瓜
131 鸟
132 皮
133 羊（⺶羊）
134 米
135 衣
136 聿
137 耒
138 耳
139 臣
140 西
141 页
142 虍
143 虫
144 缶
145 舌
146 竹（⺮）
147 臼
148 自
149 血

六画
150 舟
151 羽
152 艮
153 系

七画
154 言
155 辛
156 麦
157 走
158 赤
159 豆
160 酉
161 里
162 足（⻊）
163 豸
164 谷
165 釆
166 身
167 角

八画
168 青
169 雨
170 齿
171 金
172 隹
173 鱼

九画
174 音
175 革
176 骨
177 食
178 鬼

十画以上
179 髟
180 麻
181 鹿
182 黑
183 鼠
184 鼻

（二）检字表

字右边注的是汉语拼音

(1) 、部

义	yì
为	wéi, wèi
主	zhǔ
半	bàn
永	yǒng
州	zhōu
农	nóng
良	liáng
举	jǔ
叛	pàn

(2) 一部

一	yī

一至二画

七	qī
丁	dīng
三	sān
于	yú
下	xià
上	shàng
丈	zhàng
万	wàn
与	yǔ
才	cái

三画

丰	fēng
天	tiān
夫	fū
开	kāi
井	jǐng
无	wú
专	zhuān
五	wǔ
尤	yóu
不	bù
丑	chǒu

互	hù
牙	yá

四画

平	píng
未	wèi
末	mò
甘	gān
世	shì
可	kě
业	yè
丛	cóng
册	cè
东	dōng
丝	sī

五画

亚	yà
再	zài
百	bǎi
而	ér

六画

来	lái
严	yán
更	gēng, gèng
束	shù
两	liǎng
求	qiú

七至八画

表	biǎo
事	shì
甚	shèn
歪	wāi
面	miàn

九画以上

艳	yàn
哥	gē
整	zhěng

(3) 丨部

三至六画

丰	fēng
中	zhōng
内	nèi
北	běi
旧	jiù
申	shēn
电	diàn
由	yóu
史	shǐ
出	chū
师	shī
曲	qǔ
肉	ròu
串	chuàn

七画以上

非	fēi
临	lín
畅	chàng

(4) 丿部

一至二画

九	jiǔ
匕	bǐ
千	qiān
川	chuān
久	jiǔ
及	jí

三画

午	wǔ
升	shēng
乌	wū
长	cháng, zhǎng

四画

生	shēng
失	shī
丘	qiū
乐	lè, yuè

五画

年	nián
丢	diū
乒	pīng
向	xiàng
血	xuè

六至八画

我	wǒ
卵	luǎn
系	jì, xì
垂	chuí
重	chóng, zhòng

九画以上

乘	chéng
甥	shēng
孵	fū
靠	kào

(5) 乙（乛乛乚）部

一至三画

了	liǎo
习	xí
也	yě
飞	fēi
乡	xiāng
以	yǐ
丑	chǒu
孔	kǒng
书	shū

四画以上

司	sī
民	mín
买	mǎi
乱	luàn
乳	rǔ
承	chéng

(6)
亠部

二至五画

六 liù
市 shì
产 chǎn
交 jiāo
充 chōng
弃 qì

六至七画

变 biàn
享 xiǎng
夜 yè
亭 tíng
亮 liàng
哀 āi

八画

旁 páng
衰 shuāi
高 gāo
离 lí

九画

商 shāng
毫 háo
率 shuài

十画以上

就 jiù
豪 háo
裹 guǒ
赢 yíng

(7)
冫部

一至五画

习 xí
冲 chōng
次 cì
决 jué
冰 bīng
冻 dòng
冷 lěng

八画以上

凉 liáng

准 zhǔn
减 jiǎn
凝 níng

(8)
冖部

写 xiě
军 jūn
冠 guān,
　　guàn
幂 mì

(9)
讠部

二画

计 jì
订 dìng
认 rèn

三画

讨 tǎo
让 ràng
议 yì
训 xùn
记 jì

四画

访 fǎng
讲 jiǎng
许 xǔ
论 lùn
设 shè

五画

证 zhèng
评 píng
识 shí
诉 sù
诊 zhěn
词 cí
译 yì

六画

该 gāi
详 xiáng
诧 chà
诗 shī

试 shì
诚 chéng
话 huà
诞 dàn
诡 guǐ
询 xún

七画

说 shuō
语 yǔ
误 wù
诱 yòu

八画

谈 tán
谅 liàng
请 qǐng
诸 zhū
诺 nuò
读 dú
课 kè
谁 shuí
调 diào,tiáo
谄 chǎn

九画

谜 mí
谚 yàn
谋 móu
谓 wèi

十画以上

谦 qiān
谢 xiè
谨 jǐn
遣 qiǎn

(10)
二部

二 èr
干 gān,gàn
亏 kuī
五 wǔ
开 kāi
井 jǐng
元 yuán
云 yún

(11)
十部

十 shí

二至六画

支 zhī
古 gǔ
毕 bì
协 xié
华 huá
克 kè
丧 sàng
直 zhí
卑 bēi
卖 mài

七画以上

南 nán
真 zhēn
博 bó

(12)
厂部

厂 chǎng

二至六画

厅 tīng
历 lì
厉 lì
压 yā
厌 yàn
厕 cè

七至十画

厚 hòu
原 yuán
厨 chú
雁 yàn

(13)
广部

友 yǒu
左 zuǒ
右 yòu
布 bù
灰 huī

在	zǎi	剃	tì	仙	xiān	**七画**	
有	yǒu	削	xuē	仪	yí	信	xìn
存	cún	剑	jiàn	仔	zǐ	便	biàn,pián
		剧	jù			俩	liǎ
(14)		剥	bāo,bō	**四画**		修	xiū
匚部		**九至十一画**		仿	fǎng	保	bǎo
		副	fù	伙	huǒ	促	cù
区	qū	割	gē	传	chuán,zhuàn	俘	fú
巨	jù	剩	shèng	伟	wěi	俗	sú
医	yī	剽	piāo	休	xiū	俄	é
匪	fěi			优	yōu	每	wū
		(17)		伐	fá	侵	qīn
(15)		**冂部**		价	jià	侯	hóu
卜(⼘)部				伦	Lún		
		内	nèi	份	fèn	**八画**	
卡	kǎ	用	yòng	件	jiàn	倍	bèi
占	zhàn	同	tóng	任	rèn	俯	fǔ
卧	wò	肉	ròu	伤	shāng	债	zhài
桌	zhuō	网	wǎng	仰	yǎng	借	jiè
		周	zhōu	似	sì	值	zhí
(16)						倚	yǐ
刂部		**(18)**		**五画**		倒	dǎo,dào
		⼅部		位	wèi	倾	qīng
三至四画				住	zhù	俱	jù
刊	kān	乞	qǐ	伴	bàn	倡	chàng
刑	xíng	年	nián	估	gū	候	hòu
列	liè	每	měi	体	tǐ	健	jiàn
划	huá,huà	复	fù	但	dàn	**九至十三画**	
刚	gāng	舞	wǔ	伸	shēn	停	tíng
创	chuāng,			佃	diàn	偏	piān
	chuàng	**(19)**		伶	líng	做	zuò
五画		**亻部**		作	zuò	偿	cháng
判	pàn			伯	bó	偶	ǒu
别	bié,	**一至二画**		佣	yòng	偷	tōu
	biè	亿	yì	低	dī	假	jiǎ,jià
利	lì	仁	rén	你	nǐ	傍	bàng
刨	bào	什	shén	佛	fó	储	chǔ
六画		仆	pú	**六画**		傲	ào
刻	kè	仍	réng	依	yī	催	cuī
刺	cì	化	huà	侍	shì	傻	shǎ
到	dào	仅	jǐn	供	gòng	僵	jiāng
刹	shā	**三画**		使	shǐ		
制	zhì	付	fù	例	lì		
刷	shuā	代	dài	侄	zhí	**(20)**	
七至八画		他	tā	侥	jiǎo	**厂部**	
				侦	zhēn		
				侧	cè	反	fǎn

| 后 | hòu |
| 质 | zhì |

(21)
人(入)部

| 人 | rén |
| 入 | rù |

一至三画

个	gè
今	jīn
介	jiè
从	cōng,cóng
以	yǐ
仓	cāng
令	lìng
丛	cóng

四至五画

伞	sǎn
全	quán
会	huì,kuài
合	hé
企	qǐ
众	zhòng
余	yú

六画以上

舍	shě
命	mìng
禽	qín
舒	shū

(22)
八(丷)部

| 八 | bā |

二至五画

分	fēn,fèn
公	gōng
兰	lán
半	bàn
只	zhǐ
兴	xīng, xìng
关	guān
并	bìng
共	gòng

兑	duì
兵	bīng
弟	dì

六至八画

卷	juǎn, juàn
具	jù
单	dān
其	qí
典	diǎn
养	yǎng
前	qián
首	shǒu
真	zhēn
益	yì

九画以上

黄	huáng
兽	shòu
普	pǔ
曾	céng
舆	yú

(23)
勹部

勿	wù
勾	gōu
匆	cōng
句	jù
包	bāo
匈	xiōng
够	gòu

(24)
儿部

儿	ér
元	yuán
允	yǔn
兄	xiōng
光	guāng
兑	duì
先	xiān
克	kè
党	dǎng

(25)
几部

几	jǐ,jī
壳	ké
秃	tū
凳	dèng

(26)
マ部

矛	mǎo
勇	yǒng
疏	shū

(27)
刀(ク)部

| 刀 | dǎo |

二至七画

切	qiē
分	fēn, fèn
召	zhāo
危	wēi
负	fù
争	zhēng
色	sè
龟	guī
免	miǎn
兔	tù

九画以上

剪	jiǎn
象	xiàng
劈	qī

(28)
力部

| 力 | lì |

二至六画

办	bàn
劝	quàn
功	gōng
加	jiā
务	wū

动	dòng
劣	liè
劫	jié
劳	láo
助	zhù
男	nán
努	nǔ
势	shì

七画以上

勋	xūn
勉	miǎn
勇	yǒng
勤	qín

(29)
卩部

卫	wèi
印	yìng
即	jǐ
卸	xiè

(30)
阝(左)部

二至四画

队	duì
防	fáng
阵	zhèn
阳	yáng
阶	jiē
阴	yīn

五画

陆	Lù
阿	ā
陈	chén
阻	zǔ
附	fù

六至七画

陌	mò
降	jiàng
限	xiàn
院	yuàn
除	chú
陛	bì

八至九画		取 qǔ		(37)		测 cè
陪 péi		叔 shū		氵部		浑 hún
陶 táo		受 shòu				浓 nóng
陷 xiàn		艰 jiān		二至三画		洪 hóng
随 suí		七画以上		汁 zhī		洗 xǐ
隆 lóng		叙 xù		汇 huì		活 huó
隐 yǐn		难 nán		汉 hàn		派 pài
十画以上		叠 dié		汗 hàn		七画
隔 gé				污 wū		流 liú
障 zhàng		(33)		江 jiāng		浪 làng
隧 suì		廴部		汲 jí		酒 jiǔ
				池 chí		消 xiāo
(31)		延 yán		汤 tāng		涉 shè
阝(右)部		建 jiàn		四画		浮 fú
				沉 chén		涂 tú
四至六画		(34)		沥 lì		浴 yù
邪 xié		厶部		沙 shā		海 hǎi
那 nà				泛 fàn		浸 jìn
邮 yóu		云 yún		汹 xiōng		八画
邻 lín		允 yǔn		汽 qì		淀 diàn
郊 jiāo		去 qù		沟 gōu		淡 dàn
郁 yù		台 tái		没 méi		深 shēn
八画		县 xiàn		五画		液 yè
部 bù		参 cān		注 zhù		清 qīng
都 dōu,		奋 bèn		法 fǎ		添 tiān
dū		能 néng		浅 qiǎn		鸿 hóng
				泄 xiè		淋 lín
(32)		(35)		河 hé		淹 yān
又部		凵部		泪 lèi		渐 jiàn
				沮 jǔ		淌 tǎng
又 yòu		凶 xiōng		油 yóu		混 hùn
一至六画		击 jī		泥 ní		渔 yú
叉 chā		出 chū		波 bō		淘 táo
支 zhī		画 huà		泡 pào		渗 shèn
友 yǒu		幽 yōu		沿 yán		涵 hán
反 fǎn				沼 zhāo		九画
双 shuāng		(36)		治 zhì		渡 dù
劝 quàn		匕部		泼 pō		游 yóu
圣 shèng				沸 fèi		港 gǎng
对 duì		匕 bǐ		六画		湖 hú
发 fā,fà		北 běi		洋 yáng		湿 shī
戏 xì		匙 chí		浏 liú		温 wēn
观 guān		疑 yí		洲 zhōu		渴 kě
欢 huān				浇 jiāo		溅 jiàn
变 biàn				洞 dòng		十画

溶 róng
滨 bīn
滑 huá
滚 gǔn
溢 yì
满 mǎn
源 yuán
滤 lù
溪 xī
溜 liū
溺 nì

十一画

演 yǎn
滴 dī
漂 piāo,
　　piǎo,
　　piào
漫 màn
漏 lòu

十二画

潜 qián
潮 cháo
澳 ào
澄 chéng

十三画以上

濒 bīn
澡 zǎo
激 jī
瀑 pù
灌 guàn

(38)
忄 部

三至四画

忙 máng
忏 chàn
怀 huái
忧 yōu
快 kuài

五画

性 xìng
怕 pà
怜 lián

六画

恃 shì
恢 huī
恍 huǎng
恰 qià
恨 hèn

七至八画

悔 huī
惋 wǎn
惊 jīng
惦 diàn
情 qíng
惭 cán
惯 guàn

九画

愤 fèn
愣 lèng
愉 yú

十一画以上

慷 kāng
慢 màn
懂 dǒng
懊 ào
懒 lǎn
懦 nuò

(39)
宀 部

二至四画

宁 nìng
它 tā
宇 yǔ
守 shǒu
安 ān
字 zì
灾 zāi
完 wán
宏 hóng
牢 láo

五画

实 shí
宝 bǎo
宗 zōng
定 dìng
审 shěn

官 guān

六至八画

宣 xuān
室 shì
宫 gōng
宪 xiàn
客 kè
宰 zǎi
害 hài
宽 kuān
家 jiā
宴 yàn
宾 bīn
密 mì
寄 jì
寂 jì
宿 sù

九至十一画

寒 hān
富 fù
寓 yù
寝 qǐn
塞 sāi
蜜 mì
赛 sài
寡 guǎ
察 chá

(40)
爿 部

壮 zhuàng
状 zhuàng
将 jiāng

(41)
广 部

广 guǎng

三至五画

庄 zhuāng
庆 qìng
应 yīng,yìng
床 chuáng
序 xù

庞 páng
店 diàn
庙 miào
底 dǐ
废 fèi

六至九画

度 dù
庭 tíng
席 xí
座 zuò
康 kāng

十至十一画

廉 lián
腐 fǔ

(42)
门 部

门 mén

二至四画

闪 shǎn
闭 bì
问 wèn
闯 chuǎng
闷 mēn
闰 rùn
闲 xián
间 jiàn

六至八画

闻 wén
阀 fá
阁 gé
阅 yuè
阐 chǎn

(43)
辶 部

二至三画

边 biān
迂 yū
达 dá
过 guò
迅 xùn
迁 qiān

四至五画		避 bì		型 xíng		苍 cāng
这 zhè				垮 kuǎ		花 huā
进 jìn		**(44)**		城 chéng		芬 fēn
远 yuǎn		**工部**		垫 diàn		芭 bā
运 yùn				七至九画		苏 sū
违 wéi		工 gōng		埋 mái		**五画**
还 hái,huán		左 zuǒ		埃 āi		范 fàn
连 lián		巧 qiǎo		培 péi		苹 píng
近 jìn		功 gōng		堵 dǔ		苦 kǔ
返 fǎn		式 shì		基 jī		苯 běn
迎 yíng		巩 gǒng		堂 táng		苛 kē
迟 chí		贡 gòng		堆 duī		若 ruò
迫 pò		攻 gōng		堕 duò		苗 miáo
六画		项 xiàng		塔 tǎ		英 yīng
迹 jī				堤 dī		茄 jiā,qié
送 sòng		**(45)**		十至十三画		茅 máo
迷 mí		**土部**		塞 sāi		茎 jīng
逆 nì				塑 sù		**六画**
逃 táo		土 tǔ		填 tián		茫 máng
选 xuǎn		二至三画		塌 tā		荒 huāng
适 shì		去 qù		境 jìng		荧 yíng
追 zhuī		圣 shèng		墙 qiáng		荣 róng
退 tuì		在 zài		增 zēng		草 cǎo
七画		寺 sì		墨 mò		茧 jiǎn
递 dì		至 zhì		壁 bì		茶 chá
逗 dòu		尘 chén				荫 yìn
速 sù		地 dì		**(46)**		药 yào
逐 zhú		场 chǎng		**士部**		**七画**
造 zào		**四画**				荸 bí
透 tòu		坟 fén		士 shì		莴 wō
通 tōng		坑 kēng		吉 jí		莫 mò
八至十画		社 shì		壳 ké		荷 hé
逻 luó		坛 tán		声 shēng		获 huò
逮 dài		坏 huài		壶 hú		**八画**
道 dǎo		坚 jiān		喜 xǐ		菠 bō
遍 biàn		赤 chì		鼓 gǔ		菩 pú
逼 bī		坝 bà				营 yíng
遇 yù		坐 zuò		**(47)**		著 zhù
遗 yí		坍 tān		**艹部**		菲 fēi,fěi
遥 yáo		均 jūn				萌 méng
十一画以上		块 kuài		一至四画		萝 luó
遮 zhē		五至六画		艺 yì		菌 jūn
遭 zāo		垃 lā		节 jié		菜 cài
遵 zūn		幸 xìng		芳 fāng		菊 jú
邀 yāo		坦 tǎn		芽 yá		萧 xiāo

九画
落　luò
葡　pú
葱　cōng
十画
蒲　pú
蒙　méng
蓝　lán
墓　mù
幕　mù
蓖　bì
蒸　zhēng
十一画
蔗　zhè
蔷　qiáng
蔓　màn
蔑　miè
十三画以上
蔬　shū
薄　báo, bó, bò
薪　xīn
藏　cāng
藤　téng
藻　zǎo
蘸　zhàn

(48)
大部

大　dà, dài
一至五画
太　tài
头　tóu
夹　jiā
夸　kuā
夺　duó
尖　jiān
奔　bēn
奇　qí
奋　fèn
六至九画
奖　jiǎng
美　měi

牵　qiān
套　tào
爽　shuǎng
奠　diàn
奥　ào

(49)
廾部

开　kāi
弃　qì
弄　nòng

(50)
寸部

对　duì
寺　sì
寻　xún
封　fēng
耐　nài
尊　zūn

(51)
扌部

一至三画
扎　zá, zhā
打　dá, dǎ
扑　pū
扒　pá
扔　rēng
扩　kuò
扛　káng
扣　kòu
托　tuō
执　zhí
扫　sǎo, sào
扬　yáng
四画
抗　kàng
护　hù
扶　fú
抚　fǔ
技　jì

扰　rǎo
拒　jù
找　zhǎo
批　pī
扯　chě
抄　chāo
扮　bàn
抢　qiǎng
折　zhé
抓　zhuā
扳　bān
投　tóu
抑　yì
抛　pāo
扭　niǔ
把　bǎ
报　bào
五画
拧　nǐng
拉　lā
拦　lán
抹　mā
拔　bá
拣　jiǎn
担　dān, dàn
抽　chōu
拖　tuō
拍　pāi
拐　guǎi
拆　chāi
拥　yōng
抵　dǐ
拘　jū
抱　bào
拼　pīn
抬　tái
拂　fú
拨　pī
招　zhāo
拨　bō
六画
挖　wā
按　àn
挤　jǐ
拼　pīn

挥　huī
挂　guà
持　chí
拷　kǎo
挡　dǎng
拴　shuān
拾　shí
挑　tiāo, tiǎo
挺　tǐng
括　kuò
指　zhǐ, zhǐ
挣　zhēng, zhèng
挪　nuó
拯　zhěng
七画
捞　lāo
捕　bǔ
振　zhèn
捏　niē
捉　zhuō
捆　kǔn
损　sǔn
捡　jiǎn
挫　cuò
换　huàn
挽　wǎn
挨　āi, ái
八画
控　kòng
接　jiē
掠　lüè
掷　zhì
掸　dǎn
掮　qián
探　tàn
捧　pěng
措　cuò
描　miáo
掩　yǎn
捷　jié
排　pái
掉　diào
捆　guǎi
捶　chuí
推　tuī

掏	tāo	**一至四画**		吉	jí	哑	yǎ
掐	qiā	少	shǎo, shào	吊	diào	虽	suī
据	jù	尘	chén	合	hé	品	pǐn
掘	jué	尖	jiān	吃	chī	咽	yān,yàn
九画		光	guāng	向	xiàng	哈	hā
搅	jiǎo	当	dāng,dàng	后	hòu	哇	huā
搁	gē	肖	xiào	名	míng	响	xiǎng
搭	dā	**五画以上**		各	gè	哆	duō
揩	kāi	尚	shàng	吸	xī	哪	nǎ
提	tí	尝	cháng	**四画**		**七画**	
揭	jiē	省	shěng	呈	chēng	哼	hēng
揣	chuǎi	党	dǎng	呆	dāi	哥	gē
援	yuán	堂	táng	吱	zhī	唠	láo
插	chā	常	cháng	呕	ōu	哺	bǔ
搜	sōu	雀	què	否	fǒu	哽	gěng
揉	róu	辉	huī	吨	dūn	哲	zhé
握	wò	耀	yào	呀	yā	哨	shào
十至十一画				吵	chǎo	哭	kū
摄	shè	**(53)**		员	yuán	唤	huàn
摸	mō	**口部**		吩	fēn	唉	ài
搏	bó			含	hán	啊	ā
摆	bǎi	口	kǒu	告	gào		
摇	yáo	**二画**		吞	tūn	**八画**	
携	xié	叶	yè	听	tīng	啄	zhuó
搬	bān	古	gǔ	吹	chuī	啭	zhuàn
摘	zhāi	右	yòu	吻	wěn	啃	kěn
摔	shuāi	叮	dīng	呜	wū	唱	chàng
摧	cuī	可	kě	吮	shǔn	唾	tuò
十二画		号	hào	君	jūn	唯	wéi
撞	zhuàng	占	zhàn	吼	hǒu	售	shòu
撤	chè	只	zhǐ	**五画**		啤	pí
撵	niǎn	史	shǐ	味	wèi	啜	chuò
撕	sī	兄	xiōng	哎	āi	啸	xiào
撒	sǎ	句	jù	咕	gū	**九画**	
播	bō	叹	tàn	咀	jǔ	啼	tí
十三画以上		台	tái	呻	shēn	善	shàn
擅	shàn	司	sī	咒	zhòu	喷	pēn
操	cāo	叫	jiào	呼	hū	喜	xǐ
擦	cā	叩	kòu	知	zhī	喋	dié
攫	jué	召	zhào	和	hé	喊	hǎn
		另	lìng	呱	guā	喧	xuān
(52)		加	jiā	咖	kā	喇	lǎ
小 (⺌) 部		**三画**		**六画**		喝	hē
		吓	xià	咬	yǎo	喂	wèi
小	xiǎo	吐	tǔ	咳	ké	喘	chuǎn
						喉	hóu

喔　ō

十画

嘟　dū
嗜　shì
嗨　hāi
嗡　wēng
嗅　xiù
嗓　sǎng

十一画以上

嘀　dī
嘈　cáo
噎　yē
嘲　cháo
嘿　hēi
嘴　zuǐ
器　qì
噪　zào
嚼　jiáo

---

(54)
口部

二至四画

囚　qiú
四　sì
团　tuán
因　yīn
回　huí
园　yuán
围　wéi
困　kùn

五画以上

国　guó
固　gù
图　tú
圆　yuán
圈　quān

---

(55)
巾部

巾　jīn

二至四画

布　bù
吊　diào

帆　fān
希　xī
帐　zhàng

五至六画

帝　dì
带　dài
帮　bāng

八画以上

常　cháng
帽　mào
幕　mù

---

(56)
山部

山　shān

三至四画

岁　suì
岗　gǎng
岔　chà
岛　dǎo

五至六画

岸　àn
岩　yán
峡　xiá
炭　tàn

七画以上

峰　fēng
崇　chóng
崩　bēng
嵌　qiàn
崽　zǎi

---

(57)
彳部

三至五画

行　háng,
　　xíng
彻　chè
往　wǎng, wàng
征　zhēng
径　jìng
彼　bǐ

六至七画

待　dāi
律　lǜ
很　hěn
徒　tú

八画

徘　pái
得　dé
衔　xián
街　jiē
御　yù

九画以上

循　xún
微　wēi
德　dé

---

(58)
彡部

形　xíng
彩　cǎi
影　yǐng

---

(59)
夕部

外　wài
名　míng
多　duō
梦　mèng

---

(60)
夂部

冬　dōng
处　chǔ,chù
务　wù
各　gè
条　tiáo
备　bèi
夏　xià

---

(61)
犭部

二至五画

犯　fàn
狂　kuáng
犹　yóu
狐　hú
狗　gǒu

六至七画

狭　xiá
狮　shī
独　dú
狼　láng

八至十画

猜　cāi
猪　zhū
猎　liè
猫　māo
猛　měng
猴　hóu
猿　yuán

---

(62)
饣部

二至五画

饥　jī
饭　fàn
饮　yǐn
饰　shì
饲　sì

六至七画

饼　bǐng
饵　ěr
饶　ráo
饿　è

八至九画

馆　guǎn
馉　hú

---

(63)
彐部

归　guī
寻　xún
当　dāng, dàng
灵　líng
录　lù

(64) 尸部

尸 shī

一至四画

尺 chǐ
尼 ní
尽 jìn, jǐn
层 céng
尿 niào
尾 wěi
局 jú

五至六画

居 jū
屈 qū
屏 píng
屋 wū

七画以上

展 zhǎn
屠 tú
屡 lǚ
属 shǔ
履 lǚ

(65) 己(巳)部

已 yǐ
巴 bā
异 yì
导 dǎo
巷 xiàng

(66) 弓部

弓 gōng

一至五画

引 yǐn
张 zhāng
弦 xián
弥 mí

六至九画

弯 wān
弱 ruò

弹 dàn, tán
粥 zhōu
强 qiáng, qiǎng

(67) 女部

女 nǚ

一至三画

奶 nǎi
奴 nú
妄 wàng
如 rú
妇 fù
她 tā
好 hǎo, hào
妈 mā

四画

妨 fáng
妒 dù
妙 miào
妖 yāo

五画

妹 mèi
姑 gū
妻 qī
姐 jiě
姓 xìng
始 shǐ

六画

姿 zī
姥 lǎo
要 yāo, yào
姨 yí
娇 jiāo

七画以上

娱 yú
婶 shěn
娶 qǔ
婴 yīng
嫁 jià
嫩 nèn

(68) 子(孑)部

子 zǐ
孔 kǒng
存 cún
孙 sūn
学 xué
享 xiǎng
孤 gū
孢 bāo
孪 luán
孩 hái

(69) 幺部

幻 huàn
幼 yòu

(70) 纟部

二至三画

纠 jiū
红 hóng
纤 xiān
约 yuē
级 jí
纪 jì

四画

纹 wén
纯 chún
纱 shā
纵 zòng
纷 fēn
纸 zhǐ
纽 niǔ

五画

线 xiàn
练 liàn
组 zǔ
绅 shēn
细 xì

织 zhī
终 zhōng
经 jīng

六画

绞 jiǎo
统 tǒng
绑 bǎng
绒 róng
结 jiē, jié
绕 rào
绘 huì
给 gěi
绝 jué

七画

继 jì
绣 xiù

八画

综 zōng
续 xù
绳 shéng
维 wéi
绵 mián
绷 bēng
绸 chóu
绿 lǜ

九画

缔 dì
编 biān
缆 lǎn
缓 huǎn

十至十一画

缠 chán
缝 féng, fèng
缩 suō

十二画以上

缭 liáo
缰 jiāng

(71) 马部

马 mǎ

三至四画

驮 duò
驯 xùn

驴 lú

驱 qū

五画

驼 tuó

驻 zhù

驶 shǐ

驾 jiā

六至九画

骂 mà

骄 jiāo

骆 luò

验 yàn

骑 qí

骗 piàn

骚 sāo

(72)

《《部

巢 cháo

(73)

灬部

四至七画

杰 jié

点 diǎn

羔 gāo

烈 liè

热 rè

烹 pēng

八至九画

煮 zhǔ

焦 jiāo

然 rán

煎 jiān

蒸 zhēng

照 zhào

十画以上

熬 áo

熙 xī

熊 xió ng

燕 yàn

熟 shú

(74)

斗部

斗 dǒu, dòu

斜 xié

(75)

文部

文 wén

齐 qí

斑 bān

(76)

方部

方 fāng

房 fáng

放 fàng

施 shī

旁 páng

旅 lǔ

旋 xuān

旗 qí

(77)

火部

火 huǒ

一至三画

灭 miè

灰 huī

灯 dēng

灾 zāi

灿 càn

灼 zhuó

灵 líng

四至五画

炉 lú

炊 chuī

炫 xuàn

烂 làn

荧 yíng

炼 liàn

炭 tàn

炸 zhà

炮 pào

六至七画

烤 kǎo

烦 fán

烧 shāo

烟 yān

烽 fēng

九画以上

煤 méi

熄 xī

熨 yùn

燃 rán

爆 bào

(78)

心部

心 xīn

一至三画

必 bì

忘 wàng

闷 mèn

志 zhì

忍 rěn

四至五画

态 tài

忠 zhōng

念 niàn

忽 hū

总 zǒng

思 sī

怎 zěn

怨 yuàn

急 jí

怒 nù

六画

恋 liàn

恐 kǒng

恶 ě, è

恩 ēn

恳 kěn

七至八画

悬 xuán

患 huàn

惹 rě

悲 bēi

惩 chéng

九画

意 yì

慈 cí

想 xiǎng

感 gǎn

愚 yú

愈 yù

十至十一画

愿 yuàn

慰 wèi

(79)

户部

户 hù

启 qǐ

房 fáng

肩 jiān

扁 biǎn

雇 gù

(80)

衤部

一至四画

礼 lǐ

社 shè

视 shì

祈 qí

五至九画

祖 zǔ

神 shén

祝 zhù

祸 huò

福 fú

(81)

王部

王 wáng

一至四画

主 zhǔ

玉 yù

全 quán
弄 nòng
玩 wán
环 huán
现 xiàn
玫 méi

五至六画

珍 zhēn
珉 dài
皇 huáng
玻 bō
班 bān
珠 zhū

七至八画

望 wàng
球 qiú
琐 suǒ
理 lǐ
斑 bān
琥 hǔ

九画

瑟 sè
瑞 ruì

(82)
耂部

老 lǎo
考 kǎo

(83)
廿(卅)部

共 gòng
昔 xī
巷 xiàng
恭 gōng
黄 huáng
燕 yàn

(84)
木部

木 mù
一至二画

术 shù
本 běn
未 wèi
末 mò
朴 pǔ
杀 shā
机 jī
杂 zá
权 quán

三画

床 chuáng
杆 gān
杜 dù
村 cūn
材 cái
束 shù
条 tiáo
极 jí
杨 yáng
李 lǐ

四画

杰 jié
枕 zhěn
林 lín
枝 zhī
杯 bēi
柜 guì
果 guǒ
采 cǎi
松 sōng
枪 qiāng
板 bǎn
枫 fēng
构 gòu

五画

柠 níng
亲 qīn
柱 zhù
栏 lán
标 biāo
柑 gān
某 mǒu
枯 kū
柄 bǐng
查 chá

相 xiāng, xiàng
栅 zhà
柏 bǎi, bó
树 shù
柔 róu

六画

案 àn
校 jiào, xiào
核 hé
样 yàng
框 kuàng
桔 jú
栽 zāi
桌 zhuō
桦 huà
桃 táo
桥 qiáo
格 gé
桅 wéi
桑 sāng
根 gēn

七画

梳 shū
梯 tī
梗 gěng
检 jiǎn
梨 lí
梅 méi
桶 tǒng
梭 suō

八画

棕 zōng
棒 bàng
棱 léng
棋 qí
植 zhí
森 sēn
椅 yǐ
棍 gùn
集 jí
棉 mián
棚 péng

九画

楼 lóu
榆 yú

概 gài
十画

榜 bǎng
模 mó, mú

十一画以上

横 héng
樱 yīng
橡 xiàng
橄 gǎn
橱 chú
橘 jú

(85)
犬部

状 zhuàng
哭 kū
臭 chòu
献 xiàn

(86)
歹部

死 sǐ
残 cán
殖 zhí

(87)
车部

车 chē
二至四画

军 jūn
轨 guǐ
转 zhuǎn, zhuàn
轮 lún
斩 zhǎn
轰 hōng

五至七画

轻 qīng
较 jiào
轿 jiào
辅 fǔ

九画以上

辐 fú

输 shū
辗 zhǎn

(88)
戈部

划 huá, huà
成 chéng
戏 xì
戒 jiè
我 wǒ
或 huò
战 zhàn
咸 xián
威 wēi
戳 chuō

(89)
比部

比 bǐ
毕 bì

(90)
瓦部

瓦 wǎ
瓶 píng
瓷 cí

(91)
止部

正 zhèng
此 cǐ
步 bù
武 wǔ
肯 kěn
歪 wāi
整 zhěng

(92)
支部

敲 qiāo

(93)
日部

日 rì

一至三画
旧 jiù
早 zǎo
旷 kuàng
时 shí

四画
昆 kūn
昌 chāng
明 míng
易 yì
昏 hūn
昂 áng

五画
春 chūn
是 shì
显 xiǎn
映 yìng
星 xīng
昨 zuó

六至七画
晒 shài
晕 yūn
匙 chí
晚 wǎn

八画
普 pǔ
景 jǐng
晴 gíng
暑 shǔ
量 liáng, liàng
暂 zàn
晶 jīng
智 zhì

九画以上
暗 àn
暖 nuǎn
暴 bào
曝 pù

(94)
日部

曲 qǔ
冒 mào
曾 céng
替 tì
最 zuì

(95)
贝部

贝 bèi

二至四画
贞 zhēn
负 fù
财 cái
贮 zhù
责 zé
败 bài
贪 tān
贫 pín
货 huò
质 zhì
购 gòu
贯 guàn

五画
贴 tiē
贵 guì
贸 mào
费 fèi
贺 hè

六至八画
资 zī
贼 zéi
赌 dǔ
赏 shǎng
赐 cì

十画以上
赛 sài
赚 zhuàn
赠 zèng
赞 zàn
赡 shàn

(96)
见部

见 jiàn
观 guān
视 shì
现 xiàn
规 guī
觉 jué

(97)
父部

父 fù
爷 yé
斧 fǔ
爸 bà
爹 diē

(98)
牛(牛)部

牛 niú

三至四画
牢 láo
牡 mǔ
告 gào
牧 mù
物 wù

五画以上
牵 qiān
特 tè
牺 xī
犁 lí

(99)
手部

手 shǒu
拜 bài
拳 yuán
拿 ná
掌 zhǎng
攀 pān

(100) 毛部		版 bǎn 牌 pái		肯 kěn 肾 shèn		膝 xī 膳 shàn

(100)
毛部

毛 máo
尾 wěi
毫 háo
毯 tǎn

(101)
气部

气 qì
氢 qīng
氨 ān
氧 yǎng
氮 dàn

(102)
攵部

二至五画

收 shōu
攻 gōng
改 gǎi
放 fàng
败 bài
政 zhèng
故 gù
效 xiào
致 zhì

七画以上

敌 dí
教 jiào
救 jiù
敏 mǐn
敢 gǎn
散 sǎn, sàn
敬 jìng
敞 chǎng
数 shǔ, shù

(103)
片部

片 piàn

版 bǎn
牌 pái

(104)
斤部

斥 chì
斩 zhǎn
斧 fǔ
所 suǒ
欣 xīn
断 duàn
新 xīn

(105)
爪(⺥)部

爪 zhǎo
受 shòu
采 cǎi
爬 pá
爱 ài
舀 yǎo
孵 fū
爵 jué

(106)
月(⺝)部

月 yuè

二至三画

有 yǒu
肌 jī
肋 lèi
肝 gān
肚 dù
肘 zhǒu
肠 cháng

四画

肮 āng
育 yù
肩 jiān
肤 fū
肺 fèi
肢 zhī

肯 kěn
肾 shèn
肿 zhǒng
胀 zhàng
朋 péng
股 gǔ
肥 féi
服 fú

五画

胖 pàng
脉 mài
胡 hú
背 bēi, bèi
胆 dǎn
胃 wèi
胜 shèng

六画

胶 jiāo
脊 jǐ
脑 nǎo
脏 zāng
朗 lǎng
脆 cuì
胳 gē
胸 xiōng
脂 zhī
能 néng

七画

脱 tuō
脖 bó
脚 jiǎo
脸 liǎn

八画

腔 qiāng
腕 wàn
期 qī
朝 cháo, zhāo
脾 pí

九画

腻 nì
腰 yāo
腹 fù
腺 xiàn
腿 tuǐ

十画以上

膝 xī
膳 shàn
臂 bì

(107)
欠部

欠 qiàn
欢 huān
欧 ōu
软 ruǎn
欣 xīn
款 kuǎn
欺 qī
歇 xiē
歌 gē

(108)
风部

风 fēng
飘 piāo

(109)
殳部

段 duàn
殷 yīn
毁 huǐ
毅 yì

(110)
尺部

尺 chǐ
尽 jǐn, jìn

(111)
母部

母 mǔ
每 měi
毒 dú

(112)
水(氺)部

水 shuǐ
永 yǒng
求 qiú
录 lù
泵 bèng
浆 jiàng
黎 lí

(113)
穴部

穴 xué
二至五画
究 jiū
空 kōng, kòng
帘 lián
突 tū
窃 qiè
穿 chuān
容 róng
窄 zhǎi
七画以上
窝 wō
窗 chuāng
窥 kuī
窠 kē

(114)
立部

立 lì
产 chǎn
亲 qīn
竖 shù
站 zhàn
竞 jìng
章 zhāng
童 tóng
意 yì
竭 jié
端 duān

(115)
广部

二至四画
疗 liáo
疮 chuāng
疯 fēng
五画
病 bìng
疾 jí
疼 téng
疲 pí
六画以上
痒 yǎng
痕 hén
痛 tòng
痰 tán
瘦 shòu
癌 ái

(116)
衤部

二至三画
补 bǔ
初 chū
衬 chèn
衫 shān
五画
袜 wà
袒 tǎn
袖 xiù
被 bèi
七画以上
裤 kù
裙 qún
裸 luǒ
褐 hè

(117)
夫部

奉 fèng
奏 zòu
春 chūn

泰 tài
蠢 chǔn

(118)
示部

票 piào
禁 jìn

(119)
石部

石 shí
三画至四画
矿 kuàng
码 mǎ
研 yán
砖 zhuān
砍 kǎn
泵 bèng
五至七画
砰 pēng
破 pò
硕 shuò
硬 yìng
确 què
八画
碗 wǎn
碎 suì
碰 pèng
碘 diǎn
碉 diāo
九画以上
磁 cí
碟 dié
磋 cuō
碳 tàn
磅 bàng
礁 jiāo

(120)
龙部

龙 lóng
袭 xí

聋 lóng

(121)
目部

目 mù
二至四画
盯 dīng
盲 máng
相 xiāng, xiàng
省 shěng
盼 pàn
看 kān, kàn
眉 méi
五至六画
眩 xuàn
眯 mī
眺 tiào
眼 yǎn
八画
瞄 miáo
睫 jié
睡 shuì
十画以上
瞎 xiā
瞥 piē
瞳 tóng
瞭 liào
瞬 shùn
瞪 dèng

(122)
田部

田 tián
一画
甲 jiǎ
申 shēn
由 yóu
电 diàn
二至四画
男 nán
备 bèi
思 sī
畏 wèi

胃	wèi		**(126)**	锯	jù	称	chèn,
界	jiè		**钅部**				chēng
五至六画				**九至十画**		**六至七画**	
留	liú		**二至三画**	镀	dù	移	yí
略	lüè	针	zhēn	锻	duàn	税	shuì
累	lèi	钉	dīng, dìng	镑	bàng	稍	shāo
七画以上		钋	pō	镐	gǎo	程	chéng
富	fù	钓	diào	镇	zhèn	稀	xī
番	fān	**四画**		**十一画以上**		**八画以上**	
畸	jī	钝	dùn	镜	jìng	稞	luǒ
畿	jī	钞	chāo	镰	lián	稚	zhì
		钟	zhōng	镭	léi	稳	wěn
(123)		钢	gāng	镶	xiāng	稻	dào
申部		钥	yào			黎	lí
		钦	qīn	**(127)**		穗	suì
申	shēn	钩	gōu	**矢部**			
畅	chàng	钮	niǔ			**(129)**	
		五画		知	zhī	**白部**	
(124)		钱	qián	短	duǎn		
罒部		钳	qián	矮	ǎi	白	bái
		钻	zuàn			百	bǎi
四	sì	铀	yóu	**(128)**		的	de, dí
罗	luó	铃	líng	**禾部**		皇	huáng
罚	fá	铁	tiě			泉	quán
罢	bà	铅	qiān	**二至三画**			
置	zhì	**六画**		利	lì	**(130)**	
罪	zuì	铲	chǎn	秃	tū	**瓜部**	
罩	zhào	铜	tóng	私	sī		
		银	yín	和	hé	瓜	guā
(125)		**七画**		委	wěi		
皿部		锐	ruì	季	jì	**(131)**	
		铺	pù	**四画**		**鸟部**	
四至五画		链	liàn	科	kē		
盆	pén	销	xiāo	秋	qiū	鸟	niǎo
益	yì	锁	suǒ	秒	miǎo	鸡	jī
盐	yán	锉	cuò	香	xiāng	驼	tuó
监	jiān	锄	chú	种	zhǒng,	莺	yīng
盎	àng	锅	guō		zhòng	鸭	yā
六画以上		锋	fēng	**五画**		鸽	gē
盗	dào	**八画**		秘	mì	鹅	é
盖	gài	错	cuò	秤	chèng	鹤	hè
盛	shèng	锚	máo	乘	chéng	鹦	yīng
盒	hé	锡	xī	租	zu	鹰	yīng
盘	pán	锤	chuí	秧	yāng		
盥	guàn	锦	jǐn	积	jī		
				秩	zhì		

(132) 皮部

皮	pí
皱	zhòu
颇	pō

(133) 羊(丷 ⺶)部

羊	yáng

一至四画

养	yǎng
差	chā, chà, chāi
美	měi
羞	xiū

五画以上

着	zhāo, zhuó
盖	gài
羡	xiàn
善	shàn
群	qún

(134) 丷部

券	quàn
卷	juǎn, juàn
拳	quán
眷	téng

(135) 米部

米	mǐ

三至五画

类	lèi
料	liào
粉	fěn
粘	nián, zhān
粗	cū

六画以上

粥	zhōu
粮	liáng

精	jīng
糊	hú
糖	táng
糕	gāo
糟	zāo

(136) 衣部

衣	yī
表	biǎo
袋	dài
装	zhuāng
裁	cái
裂	liè
裹	guǒ

(137) 耒部

耕	gēng
耗	hào

(138) 耳部

耳	ěr
取	qǔ
耽	dān
耻	chǐ
聋	lóng
职	zhí
聊	liáo
联	lián
聚	jù
聪	cōng

(139) 戋部

栽	zāi
载	zài
裁	cái
截	jié
戴	dài

(140) 西部

西	xī
要	yāo, yào
栗	lì
票	piào
覆	fù

(141) 页部

页	yè

二至四画

顶	dǐng
顺	shùn
烦	fán
顽	wán
顾	gù
颂	sòng
颁	bān
预	yù

五至六画

硕	shuò
领	lǐng
颈	jǐng
颇	pō
颗	kē
颊	jiá
颌	hé

七画以上

频	pín
颗	kē
额	é
颜	yán
题	tí
颚	è
颠	diān
颤	chàn

(142) 虍部

虎	hǔ
虐	nüè

虔	qián
虚	xū

(143) 虫部

虫	chóng

三至四画

虻	méng
虹	hóng
虽	suī
蚁	yǐ
蚂	mǎ
蚊	wén
蚌	bàng
蚜	yá
蚕	cán

五画

蛇	shé
蚱	zhà
蚯	qiū
蛋	dàn

六至七画

蛙	wā
蜈	wú
蜗	wō
蜂	fēng

八画

蜜	mì
蜿	wān
蜷	quán
蝉	chán
蜡	là
蜘	zhī

九画以上

蝙	biān
蝴	hú
蝗	huáng
融	róng
螺	luó
蟋	xī
蠕	rú
蟾	chán
蠢	chǔn

(144)		篇	piān
缶部		箱	xiāng

十一画以上

缸	gāng	篱	lí
缺	quē	篮	lán
罐	guàn	簿	bù
		簸	bò

(145)	
舌部	

(147)
臼部

舌	shé
乱	luàn	舀	yǎo
舔	shì	舅	jiù
甜	tián
辞	cí	**(148)**
舔	tiǎn	**自部**

(146)		自	zì
竹(⺮)部		臭	chòu

| 竹 | zhú | **(149)** |
| | | **血部** |

四至五画

笔	bǐ	血	xuè
笑	xiào
笨	bèn	**(150)**
笼	lǒng,lòng	**舟部**
笛	dí
符	fú
第	dì	航	háng
		舰	jiàn

六画

等	děng	舱	cāng
策	cè	舵	duò
筒	tǒng	船	chuán
答	dā, dá	艇	tǐng
筋	jīn

七画 | **(151)** |
| | | **羽部** |

筹	chóu
简	jiǎn
筷	kuài	羽	yǔ
签	qiān	扇	shān,
			shàn

八至九画

管	guǎn	翅	chì
算	suàn	翻	fān
箭	jiàn
篓	lǒu

(152)		(158)
艮(⻌)部		**赤部**

赶	gǎn
起	qǐ
越	yuè
良	liǎng	趁	qū
艰	jiān	超	chāo
即	jí	趣	qù
恳	kěn
既	jì	**(158)**
		赤部

(153)
糸部

| 赤 | chì |

系	jì, xì	**(159)**
紊	wěn	**豆部**
索	suǒ
紧	jǐn	豆	dòu
紫	zǐ	短	duǎn
繁	fán	登	dēng

(154)		(160)
言部		**酉部**

言	yán	酒	jiǔ
誊	téng	配	pèi
誓	shì	酗	xù
警	jǐng	酣	hān
		酬	chóu

(155)
辛部 | 醋 | cù |
| | | 醒 | xǐng |

辛	xīn
辞	cí	**(161)**
辣	là	**里部**
辨	biàn
辩	biàn	里	lǐ
		野	yě

(156)
麦部 | **(162)** |
| | | **足(⻊)部** |

| 麦 | mài |
| | | 足 | zú |

(157)
走部

四至五画

		距	jù
步	zǒu	趾	zhǐ
		跃	yuè
		践	jiàn

跌 diē
跑 pǎo
跛 bǒ

六画

跨 kuà
跳 tiào
跪 guì
路 lù
跟 gēn

七至八画

踉 liàng
踌 chóu
踮 diǎn
踝 huái
踢 tī

九画以上

踱 duó
踵 zhǒng
蹑 niè
蹒 pán
蹩 bié
蹦 bèng
蹲 dūn

**(163)
豸部**

豺 chái
豹 bào

**(164)
谷部**

谷 gǔ
欲 yù

**(165)
釆部**

番 fān
释 shì

**(166)
身部**

身 shēn

射 shè
驱 qū
躲 duǒ
躺 tǎng

**(167)
角部**

角 jiǎo, jué
触 chù
解 jiě

**(168)
青部**

青 qīng
静 jìng

**(169)
雨部**

雨 yǔ
雪 xuě
雷 léi
零 líng
雾 wù
雹 báo
需 xū
震 zhèn
霉 méi
霜 shuāng
霸 bà
露 lòu, lù

**(170)
齿部**

齿 chǐ
龃 jǔ

**(171)
金部**

金 jīn
鉴 jiàn

**(172)
佳部**

难 nán
雀 què
售 shòu
焦 jiāo
雇 gù
集 jí
雁 yàn
雄 xióng
雏 chú
雌 cí
雕 diāo

**(173)
鱼部**

鱼 yú
鲜 xiān
鲑 guī
鲸 jīng
鳃 sāi
鳄 è
鳗 mán

**(174)
音部**

音 yīn
章 zhāng
竟 jìng

**(175)
革部**

革 gé
勒 lè
靴 xuē
靶 bǎ
鞋 xié
鞠 jū
鞭 biān

**(176)
骨部**

骨 gǔ
骷 kū
髓 suǐ

**(177)
食部**

食 shí
餐 cān

**(178)
鬼部**

鬼 guǐ
魂 hún
魔 mó

**(179)
髟部**

鬈 quán
鬓 bìn

**(180)
麻部**

麻 má
摩 mó
磨 mó
魔 mó

**(181)
鹿部**

鹿 lù

**(182)
黑部**

黑 hēi
墨 mò
默 mò

(183)
鼠部

鼠 shǔ

(184)
鼻部

鼻 bí
鼾 hān

汉语拼音音节索引

chàn 忏颤

chāng 昌
  cháng 长*肠尝常偿
  chǎng 厂场敞
  chàng 畅倡唱

chāo 抄钞超
  cháo 巢朝*潮嘲
  chǎo 吵

chē 车
  chě 扯
  chè 彻撤

chén 尘沉陈
  chèn 衬称*

chēng 称*
  chéng 成呈诚承城乘程惩澄
  chèng 秤

chī 吃
  chí 池迟持匙
  chǐ 尺齿耻
  chì 斥赤翅

chōng 冲充
  chóng 虫重*崇

chōu 抽
  chóu 绸酬筹踌
  chǒu 丑
  chòu 臭

chū 出初
  chú 除厨锄雏橱
  chǔ 处*储
  chǔ 处*触

chuǎi 揣

chuān 川穿
  chuán 传*船
  chuǎn 喘

chuāng 创*疮窗
  chuáng 床
  chuǎng 闯
  chuàng 创*

chuī 吹炊
  chuí 垂捶锤

chūn 春
  chún 纯
  chǔn 蠢

chuō 戳
  chuò 啜

cí 词瓷辞慈磁雌
  cǐ 此
  cì 次刺赐

cōng 从*匆葱聪
  cóng 从*丛

cū 粗
  cù 促醋

cuī 催摧
  cuì 脆

cūn 村
  cún 存

cuō 磋
  cuò 挫措
  cuò 锉错

D

dā 搭答*
  dá 打*达答*
  dǎ 打*
  dà 大*

dāi 呆
  dài 大*代带玳待袋逮戴

dān 单担*耽
  dǎn 胆掸
  dàn 但担*诞淡蛋弹*氮

dāng 当*
  dǎng 挡党
  dàng 当*

dāo 刀
  dǎo 导岛倒*
  dào 到倒*盗道稻

dé 得德
  de 的*

dēng 灯登
  děng 等
  dèng 凳瞪

dī 低堤滴
  dí 的*敌笛嘀
  dǐ 底抵
  dì 地弟帝递第缔

diān 颠
  diǎn 典点碘踮
  diàn 电佃店垫淀惦奠

diāo 碉雕
  diào 吊钓调*掉

diē 爹跌

dié 喋叠碟

dīng 丁叮盯钉
　dǐng 顶
　dìng 订立

diū 丢

dōng 东冬
　dǒng 懂
　dòng 动冻洞

dōu 都*
　dǒu 斗*
　dòu 斗*豆逗

dū 都*嘟
　dú 毒独读
　dǔ 堵赌
　dù 杜肚妒度渡镀

duān 端
　duǎn 短
　duàn 段断锻

duī 堆
　duǐ 队对兑

dūn 吨蹲
　dùn 纯

duō 多哆
　duó 夺踱
　duǒ 躲
　duò 舵驮堕

E

é 俄鹅额
　ě 恶*
　è 恶*饿颚鳄

ēn 恩

ér 儿而
　ěr 耳饵
　èr 二

F

fā 发*
　fá 伐罚阀
　fǎ 法
　fà 发*

fān 帆番翻
　fán 烦繁
　fǎn 反返
　fàn 犯泛饭范

fāng 方芳
　fāng 防妨房

fǎng 访仿
　fàng 放

fēi 飞非菲*
　féi 肥
　fěi 匪菲*
　fèi 沸废肺费

fēn 分*芬吩纷
　fén 坟
　fěn 粉
　fèn 分*份奋愤

fēng 丰风枫疯封峰烽锋蜂
　féng 缝*
　fèng 奉缝*

fó 佛

fǒu 否

fū 夫肤孵
　fú 扶拂服俘浮符福辐
　fǔ 抚斧俯辅腐
　fù 父付负妇附复副富腹覆

G

gāi 该
　gǎi 改
　gài 盖概

gān 干*甘杆肝柑
　gǎn 赶敢感橄
　gàn 干*

gāng 刚缸钢
　gǎng 岗港

gāo 高羔糕
　gǎo 镐
　gào 告

gē 哥胳鸽割搁歌
　gé 革阁格隔
　gè 个各

gěi 给

gēn 根跟
　gēng 更*耕
　gěng 哽梗
　gèng 更*

gōng 工弓公功攻供宫恭
　gǒng 巩
　gòng 共贡

gōu 勾沟钩
　gǒu 狗
　gòu 构购够

gū　估咕孤姑
　　gǔ　古谷股骨鼓
　　gù　固故顾雇
guā　瓜呱
　　guǎ　寡
　　guà　挂
guāi　掴
　　guǎi　拐
guān　关观官冠*
　　guǎn　馆管
　　guàn　贯冠*惯盥灌罐
guāng　光
　　guǎng　广
guī　归鲑龟规
　　guǐ　轨诡鬼
　　guì　柜贵跪
gǔn　滚
　　gùn　棍
guō　锅
　　guó　国
　　guǒ　果裹
　　guò　过

H

hā　哈
hāi　嗨
　　hái　还*孩
　　hǎi　海
　　hài　害
hān　酣鼾
　　hán　含涵寒
　　hǎn　喊
　　hàn　汉汗
háng　行*航
háo　毫豪
　　hǎo　好*
　　hào　号好*耗
hē　喝
　　hé　合颌河和荷核盒贺
　　hè　褐鹤
hēi　黑嘿
hén　痕
　　hěn　很
　　hèn　恨
hēng　哼
　　héng　横

hōng　轰
　　hóng　红宏洪虹鸿
hóu　侯喉猴
　　hǒu　吼
　　hòu　后厚候
hū　呼忽
　　hú　糊狐胡壶湖蝴猢
　　hǔ　虎琥
　　hù　户互护
huā　花哗
　　huá　划*华滑
　　huà　桦化划*话画
huái　怀踝
　　huài　坏
huān　欢还*
　　huán　环
　　huǎn　缓
　　huàn　幻换唤患
huāng　荒
　　huáng　皇黄蝗
　　huǎng　恍
huī　灰恢挥辉
　　huí　回
　　huǐ　悔毁
　　huì　汇会*绘
hūn　昏
　　hún　浑魂
　　hùn　混
huó　活
　　huǒ　火伙
　　huò　或货获祸

J

jī　几*击饥机肌鸡迹积基畸畿激
　　jí　及汲吉级极即急疾集
　　jǐ　几*挤脊
　　jì　计记纪技系*季既继寄寂
jiā　加夹茄*家
　　jiá　颊
　　jiá　甲假*
　　jià　价驾假*嫁
jiān　尖坚肩艰监煎
　　jiǎn　拣茧捡检剪减简
　　jiàn　见件间建剑舰健渐溅践鉴箭
jiāng　江将浆僵缰
　　jiǎng　讲奖

jiàng　降

　jiāo　交郊浇娇骄胶焦礁

　jiáo　嚼

　jiǎo　角*佼绞脚搅

　jiào　叫校*较轿教

jiē　阶结*接揭街

　jié　节劫杰结*捷睫竭截姐

　jiě　解

　jiè　介戒界借

jīn　巾今金筋

　jǐn　仅尽*紧锦谨

　jìn　尽*进近浸禁

jīng　茎经惊晶精鲸

　jǐng　井颈景警

　jìng　径竟竞敬境静镜

jiū　纠究

　jiǔ　九久酒

　jiù　旧救就舅

jū　拘居鞠

　jú　局桔菊橘

　jǔ　沮龃咀举

　jù　巨句拒具剧据距锯聚

juǎn　卷*

　juàn　卷*

jué　决角*觉绝掘爵攫

jūn　军均君菌

K

kā　咖卡

　kāi　开揩

kān　刊看*

　kǎn　砍

　kàn　看*

kāng　康慷

　káng　扛

　kàng　抗

kǎo　考拷烤

　kào　靠

kē　颏苛科窠颗

　ké　壳咳

　kě　可渴

　kè　克刻客课

kěn　肯恳啃

kēng　坑

　kōng　空*

　kǒng　孔恐

　kòng　空*控

kǒu　口

　kòu　叩扣

kū　枯哭骷

　kǔ　苦

　kù　裤

kuā　夸

　kuǎ　垮

　kuà　跨

kuài　会*快块筷

kuān　宽

　kuǎn　款

kuáng　狂

　kuàng　旷矿框

kuī　亏窥

　kūn　昆

　kǔn　捆

　kùn　困

kuò　扩括

L

lā　拉垃

　lǎ　喇

　là　辣蜡

lái　来

lán　兰拦栏蓝篮

　lǎn　缆懒

　làn　烂

láng　狼

　lǎng　朗

　làng　浪

lāo　捞

　láo　牢劳唠

　lǎo　老姥

lè　乐*勒

　léi　雷镭

　lèi　肋泪类累

léng　棱

　lěng　冷

　lèng　愣

lí　离梨犁黎篱

　lǐ　礼李里理

　lì　力历立厉沥利例栗

liǎ　俩

lián　连帘怜联廉镰

　liǎn　脸

liàn 练炼恋链
liáng 良凉量*粮
  liǎng 两
  liàng 亮谅量*踉
liǎo 疗聊缭
  liǎo 了
  liào 料瞭
liě 列劣烈猎裂
lín 邻林临淋
líng 伶灵铃零
  lǐng 领
  lìng 另令
liū 溜
  liú 浏流留
  liù 六
lóng 龙聋笼*隆
  lǒng 笼*
lóu 楼
  lǒu 篓
  lòu 漏露*
lú 炉
  lù 陆录鹿路露*
lǘ 驴
  lǚ 旅屡履
  lǜ 律绿滤
luán 孪
  luǎn 卵
  luàn 乱
lüè 掠略
lún 伦轮
  lùn 论
luó 罗萝逻螺
  luǒ 裸稞
  luò 骆落

M

mā 妈抹
  má 麻
  mǎ 马码蚂
  mà 骂
mái 埋
  mǎi 买
  mài 麦卖脉
mán 鳗
  mǎn 满
  màn 漫蔓慢

máng 忙盲茫
māo 猫
  máo 毛矛茅锚
  mào 冒贸帽
méi 没玫眉梅煤霉
  měi 每美
  mèi 妹
mēn 闷
  mén 门
méng 虻萌蒙
  měng 猛
  mèng 萝
mī 眯
  mí 弥迷谜
  mǐ 米
  mì 秘密幂蜜
mián 绵棉
  miǎn 免勉
  miàn 面
miáo 苗描瞄
  miǎo 秒
  miào 妙庙
miè 灭蔑
mín 民
  mǐn 敏
míng 名明
  mìng 命
mō 摸
  mó 模*摩磨魔
  mò 末陌莫墨默
móu 谋
  mǒu 某
mú 模*
  mǔ 母牡
  mù 木目牧墓幕

N

ná 拿
  nǎ 哪
  nà 那
nǎi 奶
  nài 耐
nán 男南难
  nǎo 脑
nèi 内
nèn 嫩

néng 能
ní 尼泥
　nǐ 你
　nì 逆溺腻
niǎn 年粘*
　niǎn 辇
　niàn 念
niǎo 鸟
niē 捏
　niè 蹑
níng 柠凝
　nǐng 拧
　nìng 宁
niú 牛
　niǔ 扭纽钮
nóng 农浓
　nòng 弄
nú 奴
　nǔ 怒
　nù 怒
nǚ 女
nuǎn 暖
nüè 虐
nuó 挪
　nuò 诺懦

O

ō 喔
ōu 欧
　ǒu 呕偶

P

pá 扒爬
　pà 怕
pāi 拍
　pái 排徘牌
　pài 派
pān 攀
　pán 盘蹒判
　pàn 叛盼
páng 庞旁
　pàng 胖
pāo 抛
　pǎo 跑
　pào 泡炮
péi 陪培
　pèi 配

pēn 喷
　pén 盆
pēng 烹砰
　péng 朋棚
　pěng 捧
　pèng 碰
pī 批披劈
　pí 皮疲啤脾
piān 偏篇
　pián 便*
　piàn 片骗
piāo 剽漂*飘
　piǎo 漂*
　piào 票漂*
piē 瞥
　pīn 拼拚
　pín 贫频
　pǐn 品
pīng 乒
　píng 平苹屏瓶
pō 钋泼颇
　pò 迫破
pū 扑铺
　pú 仆菩葡蒲
　pǔ 朴普
　pù 瀑曝

Q

qī 七妻期欺
　qí 齐祈其奇骑棋旗
　qǐ 乞企启起
　qì 气汽弃器
qiā 掐
　qià 恰
qiān 千迁牵铅谦签
　qián 前钳虔钱掮潜
　qiǎn 浅遣
　qiàn 欠嵌
qiāng 枪腔
　qiáng 强*墙蔷
　qiǎng 抢强*
qiāo 敲
　qiáo 桥
　qiǎo 巧
qiē 切
　qié 茄*

qiè 窃
qīn 亲侵钦
qín 禽勤
qǐn 寝
qīng 青轻氢倾清
qíng 情晴
qǐng 请
qìng 庆
qiū 丘秋蚯
qiú 囚求球
qū 区驱屈躯趋
qǔ 曲取娶
qù 去趣
quā 圈权
quán 全泉拳蜷鬈
quà 劝券
quē 缺
què 雀确
qún 裙群

R

rán 然燃
ràng 让
ráo 饶
rǎo 扰
rào 绕
rě 惹
rè 热
rén 人仁
rěn 忍
rèn 认任
rēng 扔
réng 仍
rì 日
róng 荣绒容溶融
róu 柔揉
ròu 肉
rú 如蠕
rǔ 乳
rù 入
ruǎn 软
ruì 锐瑞
rùn 闰
ruò 若弱

S

sǎ 撒

sāi 塞鳃
sài 赛
sān 三
sǎn 伞散*
sǎn 散*
sāng 桑
sǎng 嗓
sàng 丧
sāo 骚
sǎo 扫*
sào 扫*
sè 色瑟
sēn 森
shā 杀沙纱刹
shǎ 傻
shài 晒
shān 山衫
shǎn 闪
shàn 扇善擅膳赡
shāng 伤商
shǎng 赏
shàng 上尚
shāo 烧稍
shǎo 少*
shào 少*哨
shé 舌蛇
shě 舍
shè 设社涉射摄
shēn 申伸身呻绅深
shén 什神
shěn 审婶
shèn 肾甚渗
shēng 升生声甥
shéng 绳
shěng 省
shèng 圣胜盛剩
shī 尸失师诗狮施湿
shí 十石识时实拾食
shǐ 史使始
shì 驶士市世式试势事侍视饰室
恃是适舐释嗜誓
shōu 收
shǒu 手守首
shòu 受兽售瘦
shū 书叔梳舒疏输蔬

shú 熟
shǔ 属暑数*鼠
shù 术束树竖数*
shuā 刷
shuāi 衰摔
shuài 率
shuān 拴
shuāng 双霜
shuǎng 爽
shuí 谁
shuǐ 水·
shuì 税睡
shǔn 吮
shùn 顺瞬
shuō 说
shuò 硕
sī 司丝私思撕
sǐ 死
sì 四寺似饲
sōng 松
sòng 送颂
sōu 搜
sū 苏
sú 俗
sù 诉速宿塑
suàn 算
suī 虽
suí 随
suǐ 髓
suì 岁碎隧穗
sūn 孙
sǔn 损
suō 梭缩
suǒ 所索琐锁

T

tā 它他她塌
tǎ 塔
tái 台抬
tài 太泰态
tān 贪坍
tán 谈坛弹*痰
tǎn 坦毯袒
tàn 探叹炭碳
tāng 汤
táng 糖堂

tǎng 淌躺
tāo 掏
táo 逃桃陶淘
tǎo 讨
tào 套
tè 特
téng 疼誊藤
tī 梯踢
tí 提啼题
tǐ 体
tì 剃替
tiān 天添
tián 田甜填
tiǎn 舔
tiāo 挑*
tiáo 条调*
tiǎo 挑*
tiào 跳跳
tiē 贴
tiě 铁
tīng 厅听
tíng 亭庭停
tǐng 挺艇
tōng 通
tóng 同铜童瞳
tǒng 统桶筒
tòng 痛
tōu 偷
tóu 头投
tòu 透
tū 秃突
tú 图涂徒屠
tǔ 土吐
tù 兔
tuán 团
tuī 推
tuǐ 腿
tuì 退
tūn 吞
tuō 托拖脱
tuó 驼鸵
tuò 唾

W

wā 挖
wā 蛙

wǎ	瓦	xiē	歇
wà	袜	xié	协邪斜携鞋
wāi	歪	xiě	写
wài	外	xiè	泄卸谢
wān	弯蜿	xīn	心辛欣新薪
wán	完玩顽	xìn	信
wǎn	挽愧晚碗	xīng	兴*星
wàn	万腕	xíng	刑行*形型
wǎng	王	xǐng	醒
wǎng	网往*	xìng	兴*性幸姓
wàng	妄忘往*望	xiōng	凶兄匈汹胸
wēi	危威微	xióng	雄熊
wéi	为*违围桅唯维	xiū	休修羞
wěi	伟尾委	xiù	袖绣嗅
wèi	卫为*未位味畏胃谓喂慰	xū	虚需
wēn	温	xǔ	许
wén	文纹闻纹	xù	序叙酗续
wěn	吻紊稳	xuān	宣喧旋
wèn	问	xuán	悬
wēng	嗡	xuǎn	选
wō	莴窝蜗	xuàn	炫眩
wǒ	我	xuē	削靴
wò	卧握	xué	穴
wū	乌污呜屋	xué	学雪
wū	无蜈	xuè	血
wǔ	五午武侮舞	xūn	勋
wù	勿务物误雾	xún	驯寻询循
		xùn	训迅
	X		
xī	西吸希昔牺稀溪锡熄熙膝蟋		**Y**
xí	习席袭		
xǐ	洗喜	yā	压呀鸭
xì	戏系*细	yá	牙芽
xiā	瞎	yǎ	哑
xiá	峡狭	yà	亚
xià	下吓夏	yān	咽*烟淹
xiān	仙先纤鲜	yán	延言严沿岩研盐颜
xián	闲弦咸衔	yǎn	掩眼演
xiǎn	显	yàn	厌咽*宴艳验谚雁燕
xiàn	县现限线宪陷羡献腺	yāng	秧
xiāng	乡相*香箱镶	yáng	羊阳扬杨洋
xiǎng	享响想	yǎng	仰养氧痒
xiàng	向巷项相*象橡	yàng	样
xiāo	消萧销	yāo	妖要*腰邀
xiǎo	小	yáo	遥摇
xiào	肖效校*笑啸	yǎo	咬舀
		yào	药要*钥耀

yē 噎	zé 责
yé 爷	zéi 贼
yě 也野	zěn 怎
yè 业叶页夜液	zēng 增
yī 一衣医依	zèng 赠
yí 仪姨移遗疑	zhā 扎*
yǐ 已以蚁倚椅	zhà 炸栅蚱
yì 义亿艺议异译抑易益溢意毅	zhāi 摘
yīn 因阴音殷	zhǎi 窄
yín 银	zhài 债
yǐn 引饮隐	zhān 粘*
yìn 印荫	zhǎn 斩展辗
yīng 应*英莺婴樱鹦鹰	zhàn 占战站蘸
yíng 迎荧营赢	zhāng 张章
yǐng 影	zhǎng 长*掌
yìng 应*映硬	zhàng 丈帐胀障
yōng 拥	zhāo 招朝*
yǒng 永勇	zháo 着*
yòng 用佣	zhǎo 爪找沼
yōu 优忧幽	zhào 召照罩
yóu 尤由邮犹油铀游	zhē 遮
yǒu 友有	zhé 折哲
yòu 又右幼诱	zhè 这蔗
yū 迂	zhēn 针侦珍真
yú 于余鱼娱渔愉愚榆舆	zhěn 诊枕
yǔ 与宇羽雨语	zhèn 阵振震镇
yù 玉育郁浴预寓遇御愈	zhēng 争征挣*蒸
yuán 元园员原圆援源猿	zhěng 拯整
yuǎn 远	zhèng 正证政挣*
yuàn 怨院愿	zhī 支汁吱枝知肢织指*脂蜘
yuē 约	zhí 执直侄值职植殖
yuè 月乐*阅跃越	zhǐ 只纸指*趾
yún 云	zhì 至志治质制致秩掷智置稚
yǔn 允	zhōng 中忠终钟
yùn 运晕熨	zhǒng 肿种*踵
Z	zhòng 众种*重*
zá 扎*杂	zhōu 州周洲粥
zāi 灾栽	zhǒu 肘
zǎi 宰崽	zhòu 咒皱
zài 再在载	zhū 珠诸猪
zàn 暂赞	zhú 竹逐
zāng 脏	zhǔ 主煮
zāo 遭糟	zhù 助住注贮驻祝柱著
zǎo 早澡藻	zhuō 抓
zào 造噪	zhuān 专砖

zhuǎn　转*	zòng　纵
zhuàn　传*转*啭赚	zǒu　走
zhuāng　庄装	zōu　奏
zhuàng　壮状撞	zū　租
zhuī　追	zú　足
zhǔn　准	zǔ　阻组祖
zhuō　捉桌	zuàn　钻
zhuó　灼着*啄	zuǐ　嘴
zī　姿资	zuì　最罪
zǐ　子仔紫	zūn　尊遵
zì　字自	zuó　昨
zōng　宗棕综	zuǒ　左
zǒng　总	zuò　坐作座做

A a

阿 (ā)【阿拉伯】*n.* Arabia; *a.* Arab, Arabic, Arabian〖～人〗*n.,a.* Arab, Arabian; *a.* Arabic〖～语〗Arabic〖～数字〗Arabic numerals【阿姨】aunt, auntie

啊 (ā, á, ǎ, à) *int.* ah, oh, o, eh【啊哈】*int.* aha

哎 (āi)【哎呀】【哎哟】*int.* alas, dear / Dear me.

哀 (āi)【哀悼】*v.* mourn【哀叹】*v.* lament【哀痛】*v.* mourn【哀乐】funeral music, dirge

挨 (āi) be next to【挨擦】*v.* nuzzle【挨次】in turn【挨近】*a.* near / draw on【挨着】close to ◇ 挨 (ái)

埃 (āi)【埃及】*n.* Egypt; *a.* Egyptian〖～人〗*n.,a.* Egyptian

挨 (ái)〖～打〗be beaten〖～饿〗*v.* starve / go hungry, suffer from hunger〖～骂〗be scolded ◇ 挨 (āi)

癌 (ái) cancer〖肺～〗cancer of the lung〖肝～〗cancer of the liver

矮 (ǎi) *a.* short, low〖～凳〗low stool【矮小】*a.* undersized, little / short and small【矮子】dwarf

唉 (ài) *int.* oh, eh

爱 (ài) *v., n.* love【爱尔兰】*n.* Ireland; *a.* Irish〖～人〗*n., a.* Irish〖～语〗*n., a.* Irish【爱戴】love and support【爱抚】*v.* pet【爱国】*a.* patriotic〖～者〗patriot〖～主义〗patriotism【爱好】*n.* interest, fancy; *v.* like / be fond of, be interested in, go in for〖～自由〗*a.* freedom-loving〖强烈的～〗*n.* fascination〖业余～〗*n.* hobby【爱护】take good care of【爱克斯射线】X-ray(s)【爱慕】*v.* admire, worship; *n.* adoration【爱情】*n.* love, affection〖～故事〗romance【爱琴海】Aegean Sea【爱人】love, sweetheart / one's wife [husband]【爱上】fall in love with, be attached to

安 (ān)【安定】*n.* stability; *a.* stable, quiet, settled【安放】*v.* place, lay / set up【安家】*v.* settle / settle down【安静】*a.* quiet, calm; *ad.* quietly【安乐】*n.* ease; *a.* easy, comfortable〖～椅〗easy-chair【安排】*v.* arrange, manage, settle【安全】*n.* safety, security; *a.* safe〖～岛〗safety island〖～地点〗places of safety【安培】〔电〕ampere【安慰】*v.,n.* comfort【安心】feel at ease, be relieved【安逸】*n.* ease; *a.* easy【安葬】*v.* bury; *n.* burial【安置】*v.* set, station, settle / arrage for【安装】*v.* assemble, fix, fit, install

氨 (ān) ammonia

岸 (àn) shore, bank, coast〖海～〗seashore〖河～〗bank

按 (àn) *v.* press; *prep.* by〖～电钮〗push a button〖～铃〗*v.* ring【按摩】*v.,n.* massage【按钮】*n.* button〖信号～〗call button【按时】*ad.* regularly, on time〖不～〗be late for【按语】*n.* note, commentary【按月】*ad.* monthly / by the month【按照】*conj.* as / according to

案 (àn)【案件】【案例】case【案卷】file【案情】details of a case

暗 (àn) a. dark; n. darkness【暗处】dark【暗淡】a. dim, faint, glommy【暗号】secret signal【暗示】v. suggest, hint【暗室】darkroom【暗语】n. password / code word

肮 (āng)【肮脏】a. dirty; filthy, foul

昂 (áng)【昂贵】a. expensive, costly, dear【昂首】lift up the head, hold one's head high〖～阔步〗stride forward proudly

盎 (àng)【盎司】ounce

熬 (áo) v. boil【熬夜】stay up, sit up (late or all night)

傲 (ào) a. proud【傲慢】a. arrogant, haughty, insolent

奥 (ào)【奥地利】n. Austria; a. Austrian〖～人〗n.,a. Austrian【奥林匹克】a. Olympic〖～运动会〗the Olympics, the Olympic Games【奥妙】n. mystery; a. mystic, marvellous

澳 (ào)【澳大利亚】【澳洲】n. Australia; a. Australian〖～人〗n.,a. Australian

懊 (ào)【懊悔】v. regret【懊恼】a. vexed, annoyed【懊丧】a. •disappointed, dispressed / low in spirits

B b

八 (bā) eight〖～倍〗a.,ad. eightfold〖第～〗eighth【八十】eighty〖～倍〗a.,ad. eightyfold〖第～〗eightieth〖～年代〗the eighties【八月】August【八折】twenty percent discount

巴 (bā)【巴不得】be eager to【巴基斯坦】Pakistan【巴黎】Paris〖～公社〗Paris Commune【巴拿马】Panama〖～运河〗the Panama Canal【巴士底狱】the Bastille【巴西】Brazil【巴掌】palm; slap (in the face)

芭 (bā)【芭蕉】plantain〖～扇〗palm-leaf fan【芭蕾舞】ballet〖～演员〗ballet-dancer

拔 (bá) v. pull, pluck〖～草〗v. weed〖～剑〗draw one's sword〖～牙〗extract a tooth【拔出】pull out【拔除】v. uproot【拔掉】tear up【拔河】〔体〕tug of war【拔起】pull up

把 (bǎ)【把柄】handle【把持】v. control【把守】v. guard【把手】handle【把头】gangmaster【把握】v.,n. grasp, hold〖有～〗be sure

靶 (bǎ) target〖打～〗target practice【靶场】range, firing-ground

坝 (bà) dam, dyke

爸 (bà) dad, daddy; papa, pa

罢 (bà)【罢工】v., n. strike〖～中〗on strike〖举行～〗go on strike【罢课】strike of students【罢免】n.,v. recall /dismiss from office

霸 (bà)【霸道】n. tyranny【霸权】hegemony〖～主义〗hegemonism【霸占】seize [occupy] by force【霸主】overlord

白 (bái) a. white; n. whiteness【白菜】cabbage【白痴】idiot【白肤金发碧眼】a. blond〖～男子〗blond〖～女子〗blonde【白宫】the White

House【白桦】birch【白金】platinum【白兰地(酒)】brandy【白人】
white / white man [woman]【白色】*n.,a.* white〘全身穿着～衣服〙all
in white【白天】day, daytime, daylight〘在～〙in the daytime【白皙】
a. fair【白血病】*n.* leuk(a)emia; *a.* leuk(a)emic【白血球】leucocyte
【白杨】poplar【白蚁】termite

百 (bǎi) *num.* hundred【百倍】*a.,ad.* hundredfold【百分比】percentage
【百分度】*a.* centigrade【百分之…】… per cent〘～百〙a hundred per
cent〘～一〙hundredth【百合】*n.* lily【百货】commodities〘～商店〙
department store【百科全书】encyclopaedia【百灵】lark【百年】*n.*
century【百万】*num.* million〘～富翁〙millionaire〘成～〙millions of
【百叶窗】shutter, jalousie, blind【百褶裙】pleated skirt

柏 (bǎi) cypress【柏油】tar, asphalt　◇柏 (bó)

摆 (bǎi) *v.* put, lay【摆动】*v.,n.* wag, swing; *v.* wiggle【摆渡】*v.,n.* ferry
【摆脱】rid of, get rid of, throw off, break away from

败 (bài) *v.,n.* defeat【败坏】*v.* corrupt; *a.* bad【～名誉】*v.* discredit

拜 (bài)【拜访】call on, pay a visit〘顺便～〙drop in【拜托】*v.,n.* request

扳 (bān) *v.* pull【扳手】【扳头】wrench, spanner

班 (bān) class, grade, team〘上～〙go on duty〘下～〙get off duty【班
车】regular bus【班机】airliner / regular air service【班级】class【班
轮】passenger liner【班长】monitor / class leader, team leader,〔军〕
squad leader【班主任】head-teacher / class adviser

颁 (bān)【颁布】*v.* publish, promulgate【颁发】*v.* award, issue

斑 (bān)【斑白】*n.,a.* grey【斑点】spot, speckle【斑鸠】turtledove【斑
马】zebra〘～线〙zebra crossing

搬 (bān) move, remove【搬动】move【搬家】【搬迁】*v.* move, remove; *n.*
removal【搬开】remove【搬运】*v.* carry, convey〘～工〙porter, car-
rier; docker, stevedore

板 (bǎn) board, plank, plate【板凳】stool【板刷】scrubbing brush

版 (bǎn) edition〘普及～〙popular edition〘修订～〙revised edition
〘原～〙original edition【版本】edition【版画】engraving, print【版权】
copyright〘～所有〙All rights reserved【版图】territory

办 (bàn)〘～得好〙Well done!【办法】way, means, method, step, meas-
ure【办公】*v.* work〘～室〙office〘～时间〙office hours【办理】*v.*
deal, handle, manage【办事】*v.* work / handle affairs〘～处〙office,
agency〘～员〙clerk / office worker

半 (bàn) *n.,a.* half〘～机械化〙*n.* semi-mechanization〘～自动化〙*n.*
semi-automation【半岛】peninsula【半导体】semiconductor, transis-
tor〘～收音机〙transistor radio [set]【半径】radius, semi-diameter
【半路】*a.,ad.* midway / on the way【半年】half a year【半身像】bust
【半天】half a day【半途】*a.,ad.* halfway【半夜】*n.* midnight〘过～〙af-
ter midnight【半圆】*n.* semicircle【半月】half a month〘～刊〙fort-
nightly, semimonthly, biweekly

扮 (bàn)【扮演】act / play the role [part] of

伴 (bàn) *n.* companion; *v.* accompany【伴侣】company, companion,
partner【伴随】*v.* accompany, follow【伴奏】*v.* accompany〘钢琴～〙

piano accompaniment

帮 (bāng) 【帮忙】 help / come to sb.'s aid, lend aid to, do someone a favour 【帮手】 helper, assistant 【帮凶】 accomplice 【帮助】 v. help, assist, aid; n. help, aid, assistance, favour 〖在…的~下〗 with one's help, with the help of 〖在…方面~某人〗 help sb. with 〖对…~很大〗 a great help to

绑 (bǎng) v. tie, bind 【绑架】 v. kidnap

榜 (bǎng) n. notice 【榜样】 example, model, pattern 〖给某人树立~〗 set an example to sb.

蚌 (bàng) clam, mussel

傍 (bàng) prep. by 【傍晚】 evening, dusk / in the evening, at dusk

棒 (bàng) n. stick, cane, club; a. fine 【棒冰】 ice sucker 【棒球】 baseball

磅 (bàng) n. pound (lb.) 【磅秤】 scales

镑 (bàng) n. pound (£)

包 (bāo) v. wrap, cover; n. bag, packet 〖手提~〗 handbag 〖书~〗 satchel / school bag 〖邮~〗 postal parcel 【包工】 n. contract / contract labour 〖~制〗 piece-work system 【包裹】 v.,n. package; n. parcel 【包含】 v. contain, include; prep. including 【包括】 v. include, cover / consist of 【包围】 v. surround / close round [in] 【包装】 v. pack; n. packing, package 〖~纸〗 wrapping paper

孢 (bāo) 【孢子】 spore

剥 (bāo) v. strip, peel 【剥光】 strip bare 【剥去】 strip off ◇ 剥 (bō)

雹 (báo) hail

薄 (báo) a. thin 【薄板】 sheet 【薄饼】 pancake 【薄片】 flake ◇ 薄 (bó, bò)

宝 (bǎo) 【宝贝】 treasure 【宝贵】 a. precious, valuable 【宝石】 gem, jewel, (precious) stone 〖~匠〗 jeweler 〖蓝~〗 sapphire 〖红~〗 ruby 【宝塔】 pagoda 【宝藏】 treasury / hidden treasure 【宝座】 throne

保 (bǎo) 【保持】 v. keep, maintain, remain / keep up 〖~安静〗 keep quiet 〖~不动〗 keep still 〖~沉默〗 keep silent 〖~警惕〗 maintain vigilance 〖与…~密切联系〗 keep in close touch with 【保存】 preserve, keep 【保管】 preserve / take care of 【保护】 v. protect, preserve, keep; n. protection, cover 〖~人〗 protector, guardian 【保健】 health protection 【保留】 v. retain, keep, reserve / keep back 【保密】 keep sth. secret 【保姆】 nurse 【保守】 v. conserve; a. conservative 【保卫】 v. defend, guard; n. defence 【保温瓶】 thermos (bottle) 〖气压~〗 air pot 【保险】 v. insure; n. insurance, safety 〖~公司〗 insurance company 〖~丝〗〔电〕 fuse-wire 〖~箱〗 safe / safe deposit box 【保佑】 v. bless 【保育】 n. nursing 〖~员〗 nurse 【保证】 v.,n. guarantee; n. assurance, seal, pledge, security 〖~人〗 guarantor, sponsor 〖~书〗 guaranty / letter of guarantee 〖向…~〗 v. promise

报 (bào) v. report, announce; n. newspaper 〖画~〗 pictorial magazine 〖日~〗 daily 〖晚~〗 evening paper 〖星期日~〗 Sunday newspaper 【报仇】 v.,n. revenge 【报酬】 n. reward 〖给…~〗 v. pay 〖作为~〗 in return 【报答】 v.,n. reward; n. return 〖作为~〗 in return 【报到】 re-

port on duty【报道】v.,n. report; n. account〖新闻～〗news report
【报废】v. reject【报复】v. retaliate; n. revenge【报告】v.,n. report〖～
人〗reporter【报刊】newspapers and magazines【报名】v. enroll,
enlist / sign up【报幕】announce the programme〖～员〗announcer
【报社】newspaper office【报应】n. retribution,〖得到～〗answer for
【报纸】newspaper, paper〖低级趣味的～〗gutter press

刨 (bào) v.,n. plane【刨冰】water ice【刨床】planer, planing-machine
【刨工】planer【刨花】shavings

抱 (bào) v. embrace【抱负】n. ideal【抱歉】v.,n. regret; a. sorry【抱怨】
v. complain; a. bitter【抱住】v. hug / close round

豹 (bào) leopard

暴 (bào)【暴动】n. uprising, rebellion, riot【暴风】windstorm【暴风雪】
snowstorm【暴风雨】n. storm, tempest; a. rough〖～般〗ad. wildly
【暴光】v. expose【暴力】n. violence; (brutal) force【暴露】v. disclose;
discover; expose【暴雨】shower【暴躁】a. irritable

爆 (bào)【爆发】v. burst / break out, burst out [forth]; n. outburst〖突
然～〗burst forth【爆裂】v. pop, blow〖～声〗crackle, crack【爆满】
full house, be filled to capacity【爆破】v. explode【爆炸】v. explode,
burst / blow up〖～性事物〗n. dynamite【爆竹】(fire) cracker

杯 (bēi) cup, glass〖玻璃～〗glass, tumbler〖茶～〗teacup〖奖～〗prize
cup〖啤酒～〗mug〖使成～形〗v. cup

卑 (bēi) a. low, humble【卑鄙】a. mean, ignoble【卑贱】a. low, base

背 (bēi) carry on the back【背带】suspenders ◇ 背 (bèi)

悲 (bēi)【悲哀】n. sadness, sorrow; a. sad; ad. sadly【悲惨】n. misery,
sadness; a. miserable, tragic, wretched【悲观】a. pessimistic【悲剧】
n. tragedy; a. tragic【悲伤】n. sorrow; n. sadness【悲痛】n. sorrow,
grief; a. grievous; ad. bitterly〖深切的～〗deep grief

北 (běi) n.,a. north【北冰洋】the Arctic Ocean【北部】【北方】n.,a. north;
n. the North; a. nothern【北极】n. the Arctic, the North Pole; a. arctic
【北纬】north latitude

贝 (bèi)【贝壳】shell

备 (bèi)【备件】spare part【备考】for reference【备忘录】memorandum,
note【备用】a. spare【备注】n. remarks

背 (bèi) n. back; v. memorize【背包】knapsack, packsack【背部】n. back
【背地里】behind sb.'s back【背脊】back, backbone【背景】back-
ground【背后】behind / at the back【背离】v. deviate【背叛】v.
betray / turn against, turn traitor (to)【背诵】v. recite; n. recitation
【背下】learn ... by heart【背心】(英) waistcoat, (美) vest〖汗～〗n.
singlet ◇ 背 (bēi)

被 (bèi) n. quilt; prep. by【被单】sheet【被动】a. passive〖～语态〗the
passive voice【被告】n.,a. defendant / the accused【被迫】be com-
pelled〖～做某事〗be obliged to do sth.【被褥】bedding / bedclothes
and mattress【被子】quilt, bedding

倍 (bèi) v.,a.,ad. double; n. times【倍数】multiple

奔 (bēn) v.,n. run, rush【奔驰】v. speed【奔流】v. pour〖～而入〗pour

into【奔跑】run【奔人】rush into【奔走】run

本 (běn) *n.* volume, copy〖笔记～〗notebook〖练习～〗exercise-book〖平装～〗paperback〖精装～〗hardbound edition〖袖珍～〗pocket edition〖改写～〗adaptation〖节写～〗abridged edition〖合订～〗bound volume【本地】*a.* local, native〖～人〗native【本分】*n.* duty, obligation【本国】*n.* home, homeland; *a.* native【本～语】one's native language【本科】regular (college) course【本来】*a.* proper, original; *ad.* originally【本领】skill, ability, faculty【本能】instinct【本年】this year【本人】*pron.* myself【本土】*n.* homeland; *a.* native【本文】text【本性】nature【本义】original meaning【本月】this month【本职】*a.* professional【本质】*n.* essence; *a.* essential【本周】this week【本子】book, notebook, copy

苯 (běn) *n.* benzene

畚 (běn)【畚箕】dust-pan

笨 (bèn) *a.* dull, stupid, foolish【笨蛋】fool, idiot【笨人】stupid fellow【笨重】*a.* cumbersome【笨拙】*a.* clumsy

崩 (bēng)【崩溃】*v.,n.* collapse; *n.* ruin

绷 (bēng) *v.* bind, tie【绷带】bandage

泵 (bèng) *n.* pump

蹦 (bèng) *v.* skip【蹦跳】*v.* skip, leap, jump

逼 (bī) *v.* force, press【逼近】*v.* approach / close in [on]【逼使】*v.* force【逼真】*a.* lifelike

荸 (bí)【荸荠】water chestnut

鼻 (bí) *n.* nose〖～出血〗*n.* nose-bleeding〖用～擦〗*v.* nuzzle【鼻涕】(nasal) mucus【鼻音】nasal

匕 (bǐ)【匕首】dagger

比 (bǐ) *v.* compare; *conj.* than〖～…更…〗more … than …〖～…好得多〗much better than …〖～不上〗not to be compared with〖～得上〗can compare with【比方】【比如】for example [instance], such as【比分】〔体〕score【比较】*v.* compare; *n.* comparison; *a.* relative, comparative; *ad.* comparatively, relatively; *conj.* than〖～等级〗〔语〕degrees of comparison〖～级〗〔语〕the comparative degree【比利时】Belgium【比例】*n.* proportion【比率】*n.* rate, ratio【比赛】*n.* match, game, competiton, race; *v.* contest, play, compete〖～项目〗event〖进行～〗have [hold] a match〖势均力敌的～〗a close game【比重】specific gravity

彼 (bǐ)【彼此】one another, each other

笔 (bǐ) pen〖粉～〗chalk〖钢～〗pen〖毛～〗writing-brush〖铅～〗pencil〖圆珠～〗ball-pen, ballpoint-pen〖自来水～〗fountain pen【笔杆】penholder【笔迹】handwriting【笔记】*n.* notes; *v.* note〖～本〗notebook【笔尖】nib【笔名】pen name【笔试】written test, written examination【笔芯】refill (for a ball point pen); pencil lead【笔译】written translation【笔者】the writer; the author【笔直】*a.,ad.* upright, straight

必 (bì)【必定】*v.* must; *a.* sure; *ad.* surely, certainly【必然】*a.* necessary;

ad. inevitably 〖～性〗 inevitability, necessity 【必修课】 requirement / required course 【必须】 *v.aux.* must / have to 〖对…是～的〗 be a must for ... 【必需】 *n.* need; *a.* necessary 【必要】 *n.* need; *a.* necessary, essential 〖～时〗 when necessary 〖不～〗 *a.* unnessary 〖如有～〗 if need be, if necessary, in case of necessity

闭 (bì) *v.* close, shut 〖～口〗 shut up, shut one's mouth 〖～眼〗 close one's eyes 〖～门〗 shut [close] the door 【闭幕】 *v.* close, conclude / The curtain falls. 〖～词〗 closing address 〖～式〗 closing ceremony 【闭音节】 closed syllable

毕 (bì) 【毕竟】 after all, at all 【毕生】 all one's life, the whole life 【毕业】 *n.* graduation; *v.* graduate 〖～论文〗 dissertation / graduation thesis 〖～生〗 graduate 〖～文凭〗〖～证书〗 diploma / graduation certificate 〖～于〗 graduate from

陛 (bì) 【陛下】 (直接称呼) Your Majesty, (间接称呼) His [Her] Majesty

蓖 (bì) 【蓖麻】 castor 〖～油〗 castor-oil 〖～子〗 castor-bean

避 (bì) *v.* avoid 【避开】 *v.* flee / keep off, keep away from 【避雷针】 lightning rod 【避免】 *v.* avoid / refrain from / keep away from, prevent from, get rid of 【避难】 take refuge 〖～所〗 refuge 【避孕】 contraception / conception control

壁 (bì) *n.* wall 【壁报】 wall newspaper 【壁橱】 closet, built-in, wardrobe 【壁灯】 wall lamp 【壁虎】 lizard 【壁炉】 fireplace

臂 (bì) arm 〖～挽～〗 arm in arm 【臂章】 arm band

蝙 (biān) 【蝙蝠】 bat

边 (biān) *n.* side, edge, rim 〖右～〗 right-hand side; *a.* right 〖左～〗 left-hand side; *a.* left 〖在…～上〗 at the edge of 【边防】 frontier defence 〖～军〗 frontier forces 【边疆】 frontier, border 【边界】 border, boundary 【边缘】 rim, verge, edge, border

编 (biān) *v.* compile; weave 【编号】 *v., n.* number 【编辑】 *v.* edit; *n.* editor 〖～部〗 editoral department 〖总～〗 editor-in-chief 【编剧】 write a play; *n.* scenarist 【编目】 *v., n.* catalogue 【编排】 *v.* arrange; *n.* set-up 【编书】 compile books 【编写】 *v.* compile, compose, write 【编译】 *v.* translate (and edit) 【编者】 editor, compiler 〖～按〗 editor's note 【编织】 *v.* weave 〖～者〗 weaver 【编制】 draw up, work out; *n.* organization 【编著】 *v.* compile, write 【编纂】 *v.* compile

鞭 (biān) 【鞭策】 spur on 【鞭笞】【鞭打】 *v.* whip, lash 【鞭炮】 fire-cracker 【鞭子】 *n.* whip, lash

扁 (biǎn) *a.* flat 【扁豆】 hyacinth bean 【扁平】 *a.* flat 【扁桃腺】 tonsil

变 (biàn) *v., n.* change 〖～暗淡〗 *v.* dim 〖～白〗 go white 〖～坏〗 *v., n.* decay 〖～凉〗 *v.* cool 〖～热〗 *v.* heat / get hot 〖～硬〗 *v.* stiffen, harden 【变成】 *v.* become, turn, go, get, fall 〖把…～〗 change [turn] ... into 〖由…～〗 change from ... to 【变得】 *v.* get 【变动】 *v.* change, range; *n.* change, movement 【变革】 *v.* transform 【变化】 *v., n.* change; *n.* transformation 【变换】 *v.* switch 【变节】 *v.* defect, betray 【变压器】 transformer

便 (biàn) 【便餐】 *n.* lunch / a light meal 【便饭】 ordinary meal 【便服】

casual clothes 【便利】 *a.* convenient; *n.* facilities 【便帽】 cap 【便盆】〔医〕 bed pan 【便士】 *n.* penny 【便条】 (short) note 〖～簿〗 memo pad 【便鞋】 slippers ◇ 便 (pián)

遍 (biàn) *n.* time; *ad.* everywhere 【遍地】 *ad.* everywhere 【遍及】 *ad.* throughout, over / all over 〖～全国〗 all over the country 〖～全球〗 *a.,* *ad.* worldwide 【遍体是伤】 be black and blue all over

辨 (biàn) 【辨别】 *v.* distinguish / (can) tell ... from ... 【辨认】 *v.* identify, recognize

辩 (biàn) 【辩护】 *v.* defend / plead for 〖～士〗 apologist 【辩解】 *v.* excuse, justify 【辩论】 *v.,n.* debate; *v.* argue; *n.* argument 【辩证】 *a.* dialectical 〖～法〗 dialectics 〖～唯物主义〗 dialectical materialism

标 (biāo) 【标本】 specimen, sample 【标点】 *n.* punctuation; *v.* punctuate 〖～符号〗 punctuation mark 【标记】 *n.* mark, sign 〖有～〗 *a.* marked 【标明】 *v.* mark, read 【标签】 *n.* label, tag 【标枪】 javelin 【标示】 *v.* mark 【标题】 title, heading, headline 〖小～〗 subheading 【标语】 slogan 【标志】 *v.* signify; *n.* sign, symbol, mark 【标准】 *n.* level, standard; *a.* normal 〖～化〗 *v.* standardize; *n.* standardization

表 (biǎo) *n.* list, table, form; meter; watch 〖时间～〗 time-table 〖电度～〗 meter for measuring electricity 〖电～〗 electric meter 〖水～〗 water meter 〖寒暑～〗 thermometer 〖体温～〗 clinic thermometer 〖手～〗 wrist watch 〖记秒～〗 stopwatch 【表达】 *v.* express 【表带】 *n.* watch-bracelet 【表格】 list, form, table 【表决】 *v.* vote 〖～权〗 vote / right to vote 【表链】 watch chain 【表面】 *n.* face, surface; *a.* superficial, external 〖～不平〗 *a.* rough 【表明】 *v.* prove 【表情】 *n.* expression 【表示】 *v.* express, show, exhibit, figure; *n.* expression, indication 【表现】 *v.,n.* show, display; *v.* express, behave 〖～好〗 *a.* well-behaved 【表兄弟】【表姐妹】 cousin 【表演】 *v.* perform, act; *n.* acting 〖～者〗 performer 〖体育～〗 sports exhibition 【表扬】 *v.,n.* praise, *v.* commend 【表意】 *a.* notional 【表语】 *n.,a.* predicative 〖～从句〗 predicative clause

别 (bié) don't 〖～管它〗 Let it be. 〖～客气〗 Don't mention it. 〖～着急〗〖～紧张〗 Take it easy. 【别的】 *a.,pron.* other, another; *ad.* else 〖～东西〗 other things 【别离】 *v.* depart, leave; *n.* departure 【别名】 *n.* alias 【别人】 others 【别墅】 villa, cottage 【别针】 pin, safety-pin ◇ 别 (biè)

蹩 (bié) *n.* sprain 【蹩脚】 *a.* shabby, clumsy; *ad.* poorly 〖～英语〗 broken English

别 (biè) 【别扭】 *a.* awkward, uncomfortable ◇ 别 (bié)

宾 (bīn) 【宾格】 objective case 【宾馆】 guesthouse 【宾客】 guest 【宾语】 object 〖～从句〗 object clause 〖直接～〗 direct object

滨 (bīn) shore 〖海～〗 seashore 〖河～〗 bank

濒 (bīn) 【濒临】 *v.* approach 【濒于】 on the brink of, on the point of

鬓 (bìn) *n.* temples 【鬓发】 hair on the temples

冰 (bīng) ice 【冰雹】 hail 【冰袋】 ice bag 【冰冻】 *v.* freeze 【冰棍儿】 ice-lolly, ice-sucker 【冰河】 glacier 【冰淇淋】【冰激凌】 ice-cream 【冰球】 ice-hockey 【冰山】 iceberg 【冰水】 iced water 【冰糖】 crystal sugar 【冰箱】 refrigerator, icebox 【冰鞋】 skates. 【冰镇】 *a.* iced

兵 (bīng) soldier 【兵器】weapon 【兵团】corps, army 【兵役】military service 【兵营】camp

柄 (bǐng) handle

饼 (bǐng) cake 【饼干】biscuit, cracker

并 (bìng) *conj.* and; *ad.* also; *v.* combine 【并不】*ad.* no / not at all, by no means 【并非】*ad.* no 【并肩】shoulder to shoulder 〖和…~作战〗 fight beside ... 【并列】put close together 〖～句〗 compound sentence 〖～连词〗 co-ordinative conjunction 【并且】*ad.* moreover, besides; *conj.* and 【并吞】*v.* annex

病 (bìng) *n.* disease, illness; *a.* ill, sick 【病床】sick-bed 【病倒】fall ill 【病房】ward 【病假】sick-leave 【病菌】germs 【病历】case history 【病例】case 【病人】patient 【病痛】*a.* sick, injured, bad; *n.* ailment

波 (bō) wave 【波动】*v.* wave, fluctuate; *n.* fluctuation, wave 【波兰】*n.* Poland; *a.* Polish 〖～人〗*a.* Pole; *a.* Polish 〖～语〗 Polish 【波浪】wave 【波罗的海】*n.* the Baltic Sea; *a.* Baltic 【波士顿】(美) Boston 【波涛】billows 【波纹】ripple

拨 (bō) *v.* turn 〖～号码〗 dial a number 〖～快〗 set ahead 〖～慢〗 set [put] back 〖～钟〗 regulate [set] a clock 【拨动】*v.* move 【拨开】*v.* open 【拨弦】pluck a string 〖～声〗 wang

玻 (bō) 【玻璃】glass 〖～板〗 plate-glass 〖～杯〗 glass 〖～管〗 glass tube 〖～器皿〗 glassware, glass

剥 (bō) 【剥夺】*v.* deprive 【剥削】*v.* exploit; *n.* exploitation 〖～者〗 exploiter 〖～阶级〗 exploiting class 〖残忍地～〗 tax without mercy ◇ 剥 (bāo)

菠 (bō) 【菠菜】spinach 【菠萝】pineapple

播 (bō) *v.* sow; spread 【播送】*v.* broadcast, transmint / send out 【播音】*n.* broadcast 【播种】*v.* sow

伯 (bó) 【伯父】uncle 【伯母】aunt, auntie

脖 (bó) 【脖子】neck

柏 (bó) 【柏林】Berlin ◇ 柏 (bǎi)

博 (bó) *a.* wide; rich 【博得】*v.* win 【博士】doctor 〖～论文〗 doctor's thesis 〖～学位〗 doctor's degree 【博物】natural science 〖～馆〗 museum 〖～学家〗 naturalist 【博学】*a.* learned, erudite; *n.* erudition / vast learning

搏 (bó) *v.* grasp, combat 【搏斗】*v.,n.* fight, wrestle

薄 (bó) 【薄膜】membrane, film 【薄暮】dusk, twilight 【薄弱】*a.* weak, feeble ◇ 薄 (báo, bò)

跛 (bǒ) *a.* lame 【跛行】*v.* limp 【跛子】*n.* cripple

薄 (bò) 【薄荷】peppermint 〖～油〗 peppermint oil ◇ 薄 (báo, bó)

簸 (bò) 【簸箕】*n.* dustpan

补 (bǔ) *v.* mend, patch, repair 【补牙】fill a tooth 〖～衣服〗 patch [mend] clothes 【补偿】*v.* compensate 【补充】*v.* replace, supply; *a.* supplementary; *n.* supplement 〖～读物〗 supplementary reading material 〖～说〗*v.* add 【补丁】*n.* patch 〖打～〗 patch up 【补给】*v.* supply 〖～品〗 supplies 【补考】make-up examination 【补课】make up missed lessons 【补习】 take lessons after school 【补药】 tonic 【补遗】 *n.* addendum 【补助】 *v.* subsidize; *n.* subsidy 【补缀】 *v.* patch 【补足】 make up for 〖～语〗〔语〕 complement

捕 (bǔ) *v.,n.* clutch, catch 〖未被～〗 at large 【捕获】 *v.* capture 【捕鱼】 *v.* fish / catch fish

哺 (bǔ) *v.* feed 【哺乳】 *v.* suckle, nurse 〖～动物〗 mammal 〖～室〗 nursing room 【哺育】 *v.* nurture

不 (bù) *ad.* no, not; *prep.* without; 【不安】 *n.* uneasiness; *v.,n.* discomfort; *a.* uneasy, upset 【不必】 *a.* needless, unnecessary / no need 【不变】 *a.* invariable; *ad.* fixedly 【不便】 *n.* discomfort , inconvenience 【不常】 *ad.* seldom 【不迟于】 *prep.* by / not later than. 【不错】 *ad.* exactly, correct 〖很～〗 *a.* nice 【对…～】 be good to sb. 【不但】 not only 〖～…而且〗 both ... and, not only ... but also 【不到…不】 not ... until 【不得】 must not, may not 〖～不〗 have to do sth., be obliged to do sth., cannot help doing 【不得了】 *a.* terrible; *ad.* extremely 【不定】 *a.* indefinite, infinitive 〖～代词〗 indefinite pronoun 〖～冠词〗 the indefinite article 【不定式】〔语〕 infinitive 〖～短语〗 infinitive phrase 〖动词～〗 infinitive 【不懂事】 *a.* ignorant ; badly-behaved 【不动】 *a.* still, motionless 【不断】 *a.* constant; *ad.* constantly / all the time 【不对】 *a.* incorrect, wrong 【不多】 *a.* little, few / not much, not many 【不服】 *v.* disobey / refuse to accept 【不敢】 dare not 〖～做…〗 be afraid to do 【不够】 *a.* insufficient, short 【不顾】 *v.* ignore; *prep.* despite / in spite of 【不管】 *prep.* notwithstanding / in spite of, no matter 〖～怎样〗 *ad.* anyway, however / no matter how 【不规则】 *a.* irregular 〖～动词〗 irregular verb 【不过】 *ad.,conj.* but, only / no more than 【不好】 *a.,ad.* poor,bad 【不好意思】 *a.* embarrassed / too shy to 【不慌不忙】 in no hurry 【不会】 *a.* unable / will not, be unable to 【不禁】 cannot help doing 【不仅】 not only, not merely 〖～…而且〗 not only ... but also 【不久】 *ad.* soon, shortly, presently / by and by, before long, in a short while 【～前】 *ad.* lately / just now 【～以后】 soon after 〖前～〗 not long before 【不可】 cannot / should not, must not 〖～避免〗 *a.* inevitable 〖～救药〗 *a.* hopeless, incurable 〖～思议〗 *a.* unthinkable, miraculous, mysterious, strange 〖～想象〗 *a.* unimaginable 〖～战胜〗 *a.* invincible 【不肯】 *a.* unwilling 【不理】 *v.* ignore, dismiss / pay no attention to 【不利】 *a.* disadvantageous, bad; *n.* disadvantage 【不料】 *ad.* unexpectedly / contrary to expectation 【不列颠】 *n.* Britain; British 〖～群岛〗 the British Isles 【不论】 *prep.* despite / no matter 〖～…还是〗 either ... or, wheather ... or 【不满】 *a.* dissatisfied 【不难】 *a.* easy 【不能】 *a.* unable / fail to 【不怕】 *a.* fearless / not afraid of 【不巧】 *a.,ad.* unfortunate / by mischance 【不屈】 *a.* unbending, inflexible 【不然】 *conj.* otherwise, or / if not 【不少】 *a.* considerable / not a few 【不少于】 no less than 【不十分】 *ad.* not very 【不时】 now and then, from time to time 【不停】 *a.* incessant 【不同】 *n.* difference; *a.* different, various, unlike / be different from 〖～的地方〗 here and there ; various places 【不该】 should not (have done) 【不像】 *a.* unlike; *ad.*

unlikely 【不行】 *a.* impracticable / won't do, No good! 【不幸】 *a.* unhappy, unlucky, unfortunate; *ad.* unfortunately; *n.* distress, misfortune 【不朽】 *a.* immortal 【不锈钢】 stainless steel 【不许】 *a.* no; *v.* forbid, disapprove / must not 【不要紧】 Never mind. It's nothing serious. 【不用】 〖～说〗 not to mention 〖～谢〗 Not at all. 【不愿】 *v.* hate 【不再】 no longer, not any longer [more] 【不在】 *n.* absence; *a.* absent / be out 〖～话下〗 let alone 【不至于】 can not go so far 【不知怎么】 *ad.* somehow 【不中用】 *a.* useless / be of no use 【不准】 *v.* forbid / not allow 【不足】 *a.* scarce; *n.* shortage 〖～为奇〗 no wonder

布 (bù) cloth 【布丁】 *n.* pudding 【布尔什维克】 *n.* Bolshevik 【布告】 *n.* notice, announcement 〖～牌〗 bulletin board 【布景】 scenes 【布谷鸟】 cuckoo 【布料】 cloth 【布置】 *v.* arrange, furnish, make; *n.* arrangement

步 (bù) *n.* step, pace 【步兵】 infantry 【步调】 *n.* pace 〖～一致〗 keep pace 【步伐】 pace 【步枪】 rifle 【步入】 step in 【步速】 *n.* pace 【步行】 *v.* walk, / on foot 〖～者〗 walker 【步骤】 step

部 (bù) *n.* department 【部队】 troop(s), unit, force, army 【部分】 *n.* part, section, share, deal, division; *ad.* partly / in part 〖大～〗 *ad.* mainly, largely 〖小～〗 *n.* fraction 【部件】 unit, part 【部门】 department, branch 【部首】 (汉字的) radical 【部位】 region 【部下】 *n.* subordinate 【部长】 minister

簿 (bù) book 〖便条～〗 memo pad 〖点名～〗 roll 〖练习～〗 exercise-book 【簿子】 notebook

C c

擦 (cā) *v.* wipe, mop, rub, scratch; shine, clean, brush 〖～地板〗 mop the floor 〖～火柴〗 strike a match 〖～鞋〗 polish shoes 〖～桌〗 wipe the table 【擦掉】 wipe away [out] 〖～汗水〗 wipe the sweat away 【擦干净】 *v.* clean 【擦亮】 *v.* polish 【擦去】 wipe off 【擦伤】 *v.* rub, graze 【擦油】 *v.* grease, oil / rub on oil

猜 (cāi) guess 【猜测】 *v.* guess, surmise 【猜谜】 guess a riddle 【猜想】 *v.* suppose, guess, suspect, presume 【猜疑】 *v.* mistrust, suspect; *n.* suspicion

才 (cái) *n.* ability; *ad.* just, only, hardly, barely 【才干】 ability, capability 【才能】 *n.* ability, talent 【才学】 *n.* learning 【才智】 *n.* wisdom, intelligence 〖有～〗 *a.* intelligent

材 (cái) 【材料】 material, stuff

财 (cái) 【财宝】 treasure 【财产】 wealth, property, possessions 〖～权〗 property right 〖大量～〗 *n.* fortune 【财富】 treasure, wealth 【财务】 financial affairs 〖～科〗 finance section 【财政】 finance 〖～部〗 Ministry of Finance

裁 (cái) *v.* cut 〖～衣〗 cut out clothes 〖～纸〗 cut paper 【裁缝】 *n.* tailor, dressmaker【裁减】v. reduce / cut down【裁判】v.,n. judge《～员》judge, umpire, referee

采 (cǎi) v. pick, pluck, gather《～茶》collect tea leaves《～花》pluck flowers《～煤》mine [cut] coal《～药》gather herbs【采访】v. report, interview【采购】v., n. purchase【采集】v. gather, collect【采纳】v. adopt, accept; n. adoption【采取】take【采用】use, adopt, introduce

彩 (cǎi)【彩虹】rainbow【彩旗】coloured flags【彩排】dress rehearsal【彩色】a. multicoloured; n. colour, variegation《～电视》colour television《～胶卷》colour film《～影片》colour film《～照相》n. photochromy

菜 (cài) vegetable, greens《菠～》spinach《卷心～》cabbage《青～》greens《芹～》celery《塌～》savoy《甜～》sugar-beet《油～》rape【菜单】menu / bill of fare【菜刀】kitchen knife【菜馆】restaurant【菜市场】food market【菜摊】vegetable stall【菜园】vegetable garden

参 (cān)【参观】v.,n. visit, tour / look into, go over, pay a visit to《～者》visitor《带领某人～》show sb. around【参加】v. join, attend / go in for, join in, take part in《积极～》take an active part in《～比赛》v. compete, race / take part in a competition《～选拔赛》try out (for)《～宴会》v. feast / go to a banquet《～者》participant【参见】【参阅】see also, refer to【参军】join the army【参考】n. reference; v. refer, consult / look up《～书》manual / reference book《～书目》references《～资料》reference material【参谋】v. staff-officer / give advice《～部》general staff《～长》chief of staff【参议员】senator《～院》senate【参与】v. partake, participate【参照】in the light of, refer to

餐 (cān) meal《早～》breakfast《午～》lunch《晚～》supper《正～》dinner《快～》snack / quick lunch《冷～》buffet《野～》picnic【餐叉】fork【餐车】dining-car【餐刀】table-knife【餐馆】restaurant【餐巾】napkin【餐具】tableware, dinner-set【餐室】dining-room【餐厅】dining hall【餐桌】table, dinner-table

残 (cán)【残暴】a. atrocious, brutal【残废】n. disability; a. disabled, crippled《～者》cripple【残骸】wreck【残害】cruelly injure【残酷】a. cruel, savage; n. cruelty《～的人》savage【残忍】a. cruel, brutal; ad. without mercy【残余】n. remnants, remainder, remains

蚕 (cán) n. silkworm【蚕豆】broad bean【蚕蛾】silkworm moth【蚕花娘子】Lady Silkworm【蚕茧】silkworm cocoon【蚕丝】natural silk

惭 (cán)【惭愧】n. shame; a. shameful, ashamed

灿 (càn)【灿烂】a. splendid, brilliant, bright; ad. brilliantly

仓 (cāng)【仓促】in a hurry【仓库】warehouse, storehouse《～管理员》warehouseman, storekeeper

苍 (cāng) a. grey, azure【苍白】n. pallidness; a. pale, pallid【苍老】a. old【苍天】azure [blue] sky【苍蝇】n. fly

舱 (cāng) cabin, module【舱面】deck【舱位】berth / shipping space

藏 (cáng) v. hide【藏匿】v. hide, conceal【藏在…中间】hide among

操 (cāo)【操场】playground, schoolyard, sports-ground【操练】v.,n. drill

〖句型～〗 pattern drill 【操心】 v. worry 【操纵】 v. control, manipulate 【操作】 v. operate; n. operation 〖～规程〗 operating rules

嘈 (cáo) 【嘈杂】 a. noisy 〖～声〗 noise

草 (cǎo) grass, straw 【草案】 draft 【草地】 meadow, grass, grassland, lawn 【草稿】 rough draft 【草绿】 grass green 【草帽】 straw hat 【草莓】 strawberry 【草拟】 v. draft 【草皮】 turf 【草坪】 lawn 【草绳】 straw-rope 【草率】 a. careless, rash 【草图】 sketch / rough map 【草鞋】 straw sandals 【草原】 grassland 【草纸】 toilet paper

册 (cè) n. volume, copy 〖画～〗 album of paintings 〖纪念～〗 autograph album 【册子】 book 〖小～〗 booklet, pamphlet

厕 (cè) 【厕所】 lavatory, toilet, washroom, water-closet (W.C.) 〖男～〗 Men's room 〖女～〗 Ladies' room 〖公共～〗 public lavatory [convenience], (美) comfort station, rest room

侧 (cè) n. side 【侧门】 side-door 【侧面】 n. side, flank

测 (cè) v. measure 【测定】 v. determine 【测绘】 surveying and drawing 【测量】 v. survey 〖～员〗 surveyor 【测验】 v.,n. test 〖进行～〗 have (或 give) a test 〖小～〗 n. quiz 〖智力～〗 intelligence test

策 (cè) 【策划】 v. plot 【策略】 tactics, strategy 【策源地】 source

曾 (céng) ad. already, yet 【曾经】 ad. ever, once

层 (céng) n. storey, floor, layer

叉 (chā) n. fork

差 (chā) a. inferior, weak 【差别】 n. difference; a. different 【差错】 n. error, mistake 〖出～〗 make a mistake 【差额】 balance 【差距】 gap, odds 【差异】 n. difference, a. different   ◇ 差 (chà, chāi)

插 (chā) v. insert, thrust 【插袋】 inset pocket 【插花】 (日本) flower arrangement 【插话】【插嘴】 v. interpose, interrupt / get in a word 【插曲】 n. episode, incident 【插入】 v. thrust / put [plug, get] in, inset in 〖～语〗 〔语〕 parenthetical statement 【插手】 have a finger in 【插头】 plug 〖接上～通电〗 plug in 【插图】 n. illustration; v. illustrate 〖有～〗 a. illustrated 【插座】 outlet, socket

茶 (chá) tea 〖红～〗 black tea 〖绿～〗 green tea 【茶杯】 teacup, cup 【茶道】 (日本) tea ceremony 【茶点】 refreshments 【茶馆】 teahouse 【茶壶】 teapot 【茶花】 camellia 【茶几】 teapoy / tea table 【茶室】 teahouse 【茶水】 tea 【茶托】 saucer 【茶叶】 tea

查 (chá) v. examine 〖～词典〗 consult a dictionary 【查出】 look up, find out 【查对】 v. check 【查看】 see / look at 【查明】 find out 〖～真相〗 find out the truth 【查问】【查询】 demand / inquire about, look into 【查阅】 consult / look up, refer to

察 (chá) 【察觉】 v. find, discover 【察看】 v. watch, inspect 〖四处～〗 look around

岔 (chà) 【岔开】 v. distract / branch off 【岔路】 forked road 【岔子】 accident

诧 (chà) 【诧异】 v.,n. surprise, n. amazement 〖使…～〗 to one's surprise

差 (chà) a. wrong, poor 〖更～〗 a. worse 【差不多】 ad. almost, nearly / just about, as   ◇ 差 (chā, chāi)

拆 (chāi) 〖～机器〗 disassemble a machine 〖～房屋〗 pull down a house 〖～信〗 open a letter 【拆除】 dismantle 【拆穿】 expose 【拆毁】 pull [tear] down 【拆开】 take part 【拆散】 break up 【拆下】 take down 【拆卸】 disassemble

差 (chāi) *v.* send 【差遣】 *v.* dispatch 【差使】 *n.* errand; *v.* assign, send 【差事】 *n.* errand ◇ 差 (chā, chà)

豺 (chāi) *n.* jackal 【豺狼】 jackals and wolves

缠 (chán) *v.* wrap / tie up 【缠结】 *v.* mat 【缠绕】 *v.* twist

蝉 (chán) cicada

蟾 (chán) 【蟾蜍】 toad

产 (chǎn) *v.* bear, produce 【产妇】 confined woman 【产假】 maternity leave 【产科】 obstetrical department 〖～医生〗 obstetrician 〖～医院〗 maternity hospital 【产量】 yield, output, production 【产品】 product, produce 〖农～〗 farm produce 【产卵】 *v.* lay 【产生】 *v.* bring, give, make, produce / come into being 〖由…～〗 grow out of 〖因…而～〗 due to, caused by 【产业】 *n.* industry, property; *a.* industrial

谄 (chǎn) 【谄媚】 *v.* flatter, toady

铲 (chǎn) *v.,n.* spade 【铲除】 uproot 【铲子】 spade, shovel

阐 (chǎn) 【阐明】 *v.* explain, clarify 【阐述】 *v.* elaborate / set out

忏 (chàn) 【忏悔】 *v.* repent, confess; *n.* repentance, confession; *a.* repentant, penitant

颤 (chàn) 【颤动】 *v.* twitch, quiver 【颤抖】 *v.* shiver, shake; *a.* shaky 【颤音】 *n.* trill

昌 (chāng) 【昌盛】 *n.* prosperity, glory; *a.* prosperous

长 (cháng) *a.* long; *n.* length 【长城】 the Great Wall 【长处】 *n.* merit 【长凳】 bench 【长笛】 flute 【长度】 length 【长方形】 *n.,a.* oblong; *n.* rectangle; *a.* rectangular 【长颈鹿】 giraffe 【长久】 *ad.* long / for a long time 【长裙】 train 【长裤】 trousers 【长袍】 *n.* robe 【长跑】 long--distance race 【长篇小说】 novel 【长期】 *a.* long-term 〖～性〗 protracted nature 【长驱直入】 drive forward 【长沙发椅】 couch 【长舌妇】 gossip 【长时间】 *a.* long / for ages / for a long time 【长寿】 *n.* longevity; *a.* long-lived 【长统】〖～袜〗 stockings 〖～靴〗(英) high boots, (美) boots 〖半～〗(英) boots 【长途】 *a.* long-distance 〖～电话〗 long-distance call 〖～汽车〗 long-distance bus 【长袜】 stockings 【长牙】 *n.* tusk (of elephant, boar, etc.) 【长征】 the Long March ◇ 长 (zhǎng)

肠 (cháng) intesines 【肠胃】 stomach, belly 〖～病〗 stomach disease 【肠炎】 enteritis

尝 (cháng) *v.* taste 【尝试】 *v.,n.* try, attempt 【尝味】 *v.,n.* taste

常 (cháng) 【常常】 *ad.* usually, often, frequently / ever and again; *a.* frequent 〖过去～〗 used to (do) 【常春藤】 ivy 【常服】〖男式～〗 business suit 〖女式～〗 woman's suit 【常规】 rule 【常见】 *a.* common 〖～病〗 common dfisease 【常青树】 evergreen 【常情】 *a.* natural 【常去】 *v.* resort, frequent 〖～之地〗 *n.* resort 【常设】 *a.* standing, permanent 【常识】 common knowledge [sense] 【常数】 *n.* constant 【常委】 *n.* member of the standing committee 〖～会〗 standing committee 【常用】 in common use 〖～词〗 common word 〖～词语〗 everyday expressions

偿 (cháng) 【偿还】 v.,n. repay / pay [answer] for 【偿清】 pay off

厂 (chǎng) factory, works, mill, plant 【厂长】 director (of a factory)

场 (chǎng) n. ground; 〔体〕game, round; 〔剧〕scene 〖剧～〗 theatre 〖溜冰～〗 rink 〖体育～〗 stadium / sports field 〖游戏～〗 playground 【场地】 ground, field 【场合】 occasion, situation 【场面】 scene 【场所】 spot, site, place

敞 (chǎng) 【敞开】 v.,a. open 【敞篷车】 open car

畅 (chàng) 【畅快】 a. delightful, pleasant 【畅谈】 have a delightful talk 【畅销】 sell well 〖～书〗 best seller 【畅游】 have a good swim

倡 (chàng) 【倡议】 v.propose; n. proposal 〖～书〗 proposal 〖～者〗 initiator

唱 (chàng) v. sing 〖独～〗 n. solo 〖合～〗 n. chorus 【唱歌】 v. sing; n. singing 【唱机】 gramophone, record-player 【唱片】 record / gramophone record 【唱诗班】 choir

抄 (chāo) v. copy 【抄本】 n. copy, transcript 【抄写】 v. copy, transcribe 〖～员〗 copyist

钞 (chāo) 【钞票】 banknote, note, (美) bill

超 (chāo) v. exceed 【超出】 prep. above, over / out of 【超导体】 superconductor 【超额】 above quota 〖～完成〗 v. overfulfill 【超过】 v. exceed, surpass / run over; ad.,prep. over; prep. above, beyond / more than 〖不～〗 at the most 【超级】 a. super 〖～大国〗 superpower 〖～市场〗 supermarket 【超龄】 over age 【超人】 n. superman; a. superhuman 【超声波】 supersonic wave 【超音速】 supersonic speed

巢 (cháo) nest 【巢穴】 den, lair

朝 (cháo) v. face prep. towards 〖～前看〗 look straight ahead 〖～…外边看〗 look out of 〖～东〗 a. eastern 〖～南〗 a. southern, south-facing 〖～西〗 a. western 〖～北〗 a. northern 【朝拜】 v. worship 【朝代】 dynasty 【朝廷】 court ◇ 朝 (zhāo)

潮 (cháo) n. tide 【潮流】 tide, current 【潮湿】 a. damp, moist 【潮汛】 spring tide

嘲 (cháo) 【嘲弄】 v. mock / play with 【嘲笑】 v. scorn / make fun of, laugh at

吵 (chǎo) 【吵架】 v. quarrel 【吵闹】 v.,n. brawl; a. loud, noisy 【吵嚷】 n. noise 【吵声】 noise

车 (chē) n. vehicle; v. turn 〖敞篷～〗 convertible / open car 〖大～〗 cart 〖火～〗 train 〖机～〗 engine 〖吉普～〗 jeep 〖轿～〗 sedan, saloon 〖救护～〗 ambulance 〖卡～〗 truck, lorry 〖客～〗 coach, car 〖缆～〗 cable car 〖旅游～〗 sightseeing bus 〖马～〗 carriage 〖面包～〗 minibus 〖小卧～〗 automobile, car 〖手推～〗 push-cart 〖消防～〗 fire engine 〖运货～〗 wagon 〖自行～〗 bicycle, bike 【车床】 lathe 【车费】 fare 【车工】 turner 【车号牌】 number plate 【车祸】 traffic accident 【车间】 shop, workshop 【车库】 garage 【车辆】 vehicle, car 【车轮】 wheel 【车票】 (train or bus) ticket 【车胎】 tyre 【车厢】 car, carriage, compartment / railroad car 【车站】 station, stop

扯 (chě) *v.* tear, pluck, pull 【扯开】 tear away, pull apart 【扯起】 lift, hoist 【扯下】 tear off

彻 (chè) 【彻底】 *a.* thorough, complete; *ad.* thoroughly, entirely, quite, completely; *n.* thoroughness 〖不~〗 *ad.* halfway 【彻头彻尾】 *ad.* throughout / out and out

撤 (chè) *v.* withdraw 【撤回】 recall, withdraw 【撤退】 *v.,n.* retreat; evacuate 【撤销】 *v.* annul, cancel / do away with 【撤职】 *v.* dismiss

尘 (chén) 【尘土】 dust

沉 (chén) *v.* sink; *a.* heavy 〖~下去〗 sink down 【沉淀】 *n.* precipitation 【沉积】 *a.* sedimentary 【沉静】 *a.* quiet, calm 【沉闷】 *a.* dull 【沉没】 *v.* sink, submerge 【沉默】 *a.* silent, reticent; *ad.* silently / in silence; *n.* silence 【沉思】 *ad.* thoughtfully; *v.* ponder / think deeply, be lost in thought 【沉痛】 *ad.* bitterly / deep sorrow 【沉下】 fall in 【沉着】 *a.* calm, composed; *ad.* coldly 【沉重】 *a.* heavy, serious; *ad.* heavily

陈 (chén) 【陈旧】 *a.* old, obsolete, old-fashioned 【陈列】 *v.,n.* display, exhibit / on display 〖~柜〗 showcase 〖~品〗 exhibit 〖~室〗 showroom / exhibition room 〖~中〗 on display 【陈述】 *v.* state; *n.* statement; *a.* declarative 〖~句〗 declarative sentence

衬 (chèn) 【衬裤】 drawers, underpants 【衬裙】 petticoat 【衬衫】 shirt 〖女~〗 blouse 【衬衣】 underwear, underclothes

称 (chèn) 【称身】 *a.* fit 【称心】 *a.* satisfactory; *n.* satisfaction 【称职】 *a.* competent ◇ 称 (chēng)

称 (chēng) *v.* call; weigh 〖~得上〗 much of a ... 【称号】 *n.* title, designation 【称呼】 *v.* call 【称为】 *v.* call 【称赞】 *v.* praise, commend; *n.* tribute ◇ 称 (chèn)

成 (chéng) 〖~一直线〗 in line 【成百】 hundreds of; by hundreds 【成百万】 millions of 【成本】 cost 【成对】 in pairs 【成分】 element, component 【成功】 *v.* succeed; *n.* success; *a.* successful; *ad.* successfully 〖~地干某事〗 succeed in doing sth. 〖不~〗 *v.* fail 【成果】 result, product, fruit 【成行】 in lines, in rows 【成绩】 result, achievement 〖~单〗 report card, school report 〖在 … 方面~好〗 do well in 【成就】 *n.* achievement, accomplishment, success 【成立】 *v.* found, establish / come into being 【成名】 become famous 【成年】 grow up; *a.* grown-up; *n.* adult 〖~人〗 *n.,a.* grown-up, adult 〖未~〗 *a.* minor 【成品】 finished product 【成千上万】 thousands and thousands of; hundreds and thousands 【成群】 in groups 〖~结队地走〗 troop 【成人】 *n.,a.* adult, grown-up 〖~教育〗 adult [further] education 〖~夜校〗 night school for adults 【成熟】 *a.* ripe; grown-up, adult 【成为】 *v.* become, get, fall / come to be 〖~…的专家〗 become expert at 【成衣铺】 tailor's shop 【成语】 idiom, phrase 【成员】 member 【成长】 *v.* develop / grow up; *a.* grown-up

呈 (chéng) *v.* offer 【呈现】 *v.* appear / take on, take the appearance of 〖~新面貌〗 take on a new look

诚 (chéng) 【诚恳】 *a.* sincere, cordial; *ad.* sincerely, heartily 【诚实】 *n.* honesty; *a.* honest, truthful 【诚意】 *n.* sincerity / good faith 【诚挚】 *a.*

sincere, cordial

承 (chéng)【承办】*v.* undertake 【承包】*v.* undertake, contract (for) 〖～人〗 contractor 【承担】*v.* assume, charge, bear / take over 【承接】*v.* accept 【承诺】*v.* promise 【承认】*v.* admit, acknowledge, accept, recognize; *n.* admission, recognition 〖不～〗 *v.* deny 〖姑且～〗 grant 【承受】*v.* receive, endure

城 (chéng) city 【城堡】 castle 【城里】 inside the city, in town 【城门】 city gate 【城墙】 city wall 【城区】 ward / the city proper 【城市】 city 【城外】 outside the city, out of town 【城镇】 town

乘 (chéng) *v.* multiply; ride 〖～飞机〗 by plane [air] 〖～公共汽车〗 by bus 〖～火车旅行〗 travel by train 〖～船旅行〗 a journey by water 【乘车】 *v.* ride, take 〖～的人〗 rider, passenger 【乘法】 *n.* multiplication 【乘方】 *n.* power 【乘机】 take the chance 【乘积】 product 【乘客】 passenger 【乘凉】 enjoy cool air 【乘骑】 *v.* ride 【乘务员】 conductor, steward

程 (chéng)【程度】 degree, standard 〖～高〗 *a.* advanced 〖在某种～上〗 in a way, to a certain extent 【程式】 form, pattern, formula 【程序】 procedure, program(me), course

惩 (chéng)【惩罚】 *v.* punish; *n.* punishment 〖受到～〗 answer for

澄 (chéng)【澄清】 *v.* clarify / clear up

秤 (chèng) *n.* balance, steelyard

吃 (chī) *v.* eat, take, have 〖～个饱〗 eat one's fill 〖～点心〗 take refreshments 〖～东西〗(动物) *v.* feed 〖～药〗 take medicine 【吃不下】 not feel like eating 【吃不消】 *a.* intolerable / unable to stand it 【吃饭】 take [have] a meal 【吃光】 eat up 【吃惊】 *a.* astonished, surprised / be taken aback 【吃苦】 bear hardships 【吃亏】 suffer a loss

池 (chí) pool, pond 〖游泳～〗 swimming pool 〖浴～〗 bathing pool 【池塘】 pool

迟 (chí) *a., ad.* late, tardy 【迟到】 *a.* late / be late for, come late 【迟钝】 *a.* slow, dull 【迟缓】 *a.* tardy / be slow in 【迟延】 *v.* delay 【迟早】 sooner or later

持 (chí) *v.* grasp, hold 【持久】 *a.* lasting; *v.* endure / keep on; *a.* enduring 【持续】 *v.* last; *a.* continuous 【持有】 *v.* hold

匙 (chí) spoon 〖茶～〗 teaspoon 〖汤～〗 soup spoon

尺 (chǐ) ruler 〖直～〗 ruler 〖角～〗 angle square 〖三角～〗 triangle 〖卡～〗 caliper 〖计算～〗 slide rule 〖千分～〗 micrometer 〖丁字～〗 T-square 【尺寸】 *n.* size, measure, dimension 〖照某人的～做…〗 make … to one's measure 【尺度】 *n.* measurement, scale 【尺码】 size

齿 (chǐ) tooth 【齿轮】 gear wheel 【齿音】 dental

耻 (chǐ) *a.* shameful 【耻辱】 *n.* shame

斥 (chì) *v.* blame 【斥责】 *v.* scold, rebuke

赤 (chì) *a.* red 【赤膊】 *a.* half-naked, barebacked 【赤道】 the equator 【赤脚】 *a., ad.* barefoot 【赤裸裸】 *a.* bare, naked 【赤字】 deficit

翅 (chì)【翅膀】 wing

冲 (chōng) *v.* rush, dash; pour; clash; thrust 〖～出去〗 rush out 〖～过去拿…〗 make a dive for 【冲床】 punch 【冲动】 *n.* impulse 【冲锋】 *v.*

charge, assault 〖～枪〗 submachine gun 【冲击】 *n.* impact 〖～波〗 shock wave 【冲进】 rush into 【冲浪(运动)】 *n.* surf-riding 【冲破】 *v.* burst / break through 【冲刷】 *v.* wash; *n.* washout 【冲突】 *n.* clash, conflict 〖小～〗 *n.* brush 【冲入】 thrust in 【冲洗】 *v.* wash 〖～底片〗 *v.* develop 【冲线】 breast the tape 【冲向】 dash towards, rush at 【冲走】 wash away

充 (chōng) 【充电】 *v.* electrify, charge 【充当】 act [serve] as 【充分】 *a.* full, good, thorough, sufficient; *ad.* enough, well, wide 【充满】 *a.* full; crowded; *ad.* fully; *v.* fill / fill with 〖～深情〗 *ad.* affectionately 【充实】 *a.* rich, substantial; *v.* substantiate 【充裕】 *a.* ample, abundant 【充足】 *n.,a.* enough / in abundance, in plenty

虫 (chóng) insect, worm, bug 〖臭～〗 bedbug 〖甲～〗 beetle 〖爬～〗 reptile 〖蠕～〗 worm 【虫害】 insect pests 【虫蛀】 *a.* worm-eaten

重 (chóng) 【重叠】 *v.* overlap 【重读】 *v.* reread 【重复】 *v.* repeat, duplicate; *n.* repetition 【重建】 *v.* rebuild, reconstruct 【重申】 *v.* restate, reiterate 【重述】 *v.* retell 【重温】 *v.* review 【重新】 *ad.* again, anew / over again 〖～开始〗 *v.* renew 〖～开发〗 *n.* redevelopment 〖～考虑〗 *v.* reconsider 〖～统一〗 *v.* reunite 〖～整理〗 *v.* rearrange 【重印】 *v.* reprint ◇ 重 (zhòng)

崇 (chóng) 【崇拜】 *v.,n.* worship 【崇高】 *a.* high, noble, lofty; *n.* majesty 【崇敬】 *v.* revere

抽 (chōu) *v.* pull 【抽鼻子】 *v.* sniffle 【抽出(时间)】 *v.* spare 【抽得出(时间)】 *v.* afford 【抽打】 *v.* whip 【抽动】 *v.,n.* twitch 【抽空】 manage to find time 【抽签】 draw lots 【抽球】 *v.* drive 【抽水】 draw up water 〖～机〗 pump 〖～马桶〗 watercloset, pan / flush toilet 【抽税】 *v.* tax 【抽屉】 drawer 【抽象】 *v.* abstract 〖～名词〗 abstract noun 【抽搐】 *v.* twitch 【抽血】 *v.* draw blood 【抽烟】 *v.* smoke 【抽样】 take a sample 【抽噎】 *v.,n.* sniffle; sob

绸 (chóu) *n.* silk 【绸伞】 silk parasol 【绸衣】 silk clothing

酬 (chóu) 【酬金】 *n.* reward, remuneration; fee 【酬劳】【酬谢】 *v.* reward

筹 (chóu) 【筹备】 *v.* arrange, prepare

踌 (chóu) 【踌躇】 *v.* hesitate; *n.* hesitation; *a.* hesitant

丑 (chǒu) *a.* ugly 【丑化】 *v.* uglify, tarnish, defame 【丑角】 clown, comedian 【丑陋】 *a.* ugly 【丑事】 scandal

臭 (chòu) *a.* foul, bad, stinking 【臭虫】 bug, bedbug 【臭气】【臭味】 *n.* stink / bad smell 【发出～】 *v.* smell

出 (chū) *ad.* out 【出版】 *v.* pulish, print / come [put] out; *n.* publication 〖～社〗 publishing house 〖～物〗 publication, print 〖～业〗 press 【出差】 be on a business trip, go away on official duty 【出产】 produce / turn out 【出场】 *n.* appearance 【出处】 *n.* source 【出错】 make mistakes 【出动】 set [turn] out 【出发】 *v.* start, leave, head / set out [off], head for 〖～到某地〗 leave for 【出风头】 push oneself forward 【出国】 go abroad 【出汗】 *v.* sweat 【出击】 *v.* attack 【出价】 offer (a price) 【出借】 *v.* lend 【出境】 leave the country 〖～签证〗 exit visa 【出口】 *v.,n.* export; *n.* exit 〖～货〗 exports 【出来】 come out 〖由…～〗 come [get] out of【出路】*n.* outlet / way out【出卖】*v.* betray / sell out【出名】*a.* famous, well-known〖不～〗*a.* unknown〖使自己～〗make one's mark【出纳（员）】*n.* cashier【出其不意】take by surprise【出勤】work attendance〖～率〗rate of attendance【出去】go [get, turn] out【出入】come in and go out〖～口〗passage〖～证〗pass【出色】*a.* excellent, splendid【出声】*ad.* aloud【出身】*n.* parentage, origin, birth〖～于…家庭〗come from a ... family【出生】*n.* birth / be born〖～地〗*n.* birthplace〖～率〗bith-rate【出神】*n.* trance; *a.* ecstatic【出示】*v.* show【出售】*v.* sell; *n.* sale / on sale【出庭】appear in court【出席】*a.* present; *v.* attend / be present, show up【出现】*v.* emerge, appear; arise / come before [along], be seen by, come into being; *n.* appearance【出于】out of【出自】come out of【出租】*v.* let / hire out〖～汽车〗taxi, cab〖～汽车司机〗taxi driver

初 (chū) *a.* original / at the beginning of【初版】first edition【初步】*a.* initial / first step【初次】first time【初等】〖初级〗*a.* elementary, primary【初校】〔印〕first revisal【初学】begin to learn〖～者〗beginner【初中】junior middle school

除 (chú) *v.* remove; exclude〖～…之外〗*prep.* except; besides / apart from【除草】*v.* weed【除此之外】*ad.* moreover【除法】*n.* division【除非】*conj.* unless【除开】count out【除了】*prep.* except, but〖～…没有别的〗nothing but ...〖～(做)…外别无他法〗have no choice but to (do) ...

厨 (chú)【厨刀】kitchen knife【厨房】kitchen〖～用具〗kitchenware【厨师】cook

锄 (chú) *v.,n.* hoe〖鹤嘴～〗*n.* pick【锄草】*v.* weed【锄头】*n.* hoe

雏 (chú) *n.* young (bird)【雏鸡】chick, chicken

橱 (chú)〖壁～〗built-in, wardrobe, closet〖书～〗bookcase〖五斗～〗chest of drawers【橱窗】shopwindow【橱子】cabinet, commode

处 (chǔ)【处罚】【处分】*v.* punish; *n.* punishment【处理】*n.* treatment; *v.* handle, manage, treat / deal with, take care of, carry on, do with【处女】virgin【处死】*v.* execute / put to death【处于】find oneself in〖～困境中〗in trouble【处在】*v.* lie【处置】*v.* dispose ◇ 处 (chù)

储 (chǔ)【储备】*v.* store, reserve〖为…～〗save for【储藏】*v.* store / store up【储存】*v.* save / lay aside【储蓄】*v.* save; *n.* savings〖～所〗savings bank

处 (chù) *n.* department, bureau【处处】*ad.* everywhere / here and there, up and down ◇ 处 (chǔ)

触 (chù) *v.* feel, touch【触电】*v.* get an electric shock【触动】*v.* touch【触犯】*v.* offend【触角】feeler【触觉】*n.* touch / the sense of touch【触毛】feeler【触摸】*v.,n.* touch【触怒】*v.* exasperate

揣 (chuǎi)【揣测】*v.* figure, conjecture【揣摩】*v., n.* guess

川 (chuān) *n.* river

穿 (chuān) *v.* wear〖～破烂衣服〗in rags〖～袜〗pull on stockings〖～鞋〗put on shoes〖什么也没～〗have nothing on【穿戴】*v.* wear, dress〖～盔甲〗*a.* armoured【穿过】*v.* cross / run across; *prep.*

through 【穿旧】 *a.* threadbare, worn / wear out 【穿孔】 *v.* pierce 【穿上】 put on 【穿衣】 *v.* dress / wear [have on] clothes 〖～镜〗looking-glass 【穿越】 *prep.* across / pass through 【穿着】 have sth. on

传 (chuán) 【传遍】 spread throughout 【传播】 *v.* spread, travel / pass along 【传达】 *v.* report, communicate 〖～室〗 reception office 【传单】 leaflet 【传递】 *v.* pass, hand, transmit / pass on 〖～信息〗 *v.* communicate 【传感器】 sensor 【传开】 *v.* spread / get round 【传奇】 *n.* legend 【传球】 pass the ball 【传染】 *v.* infect 〖～病〗 infectious disease 【传入】 pass into 【传授】 *v.* instruct 【传说】 *n.* tale, legend / it is said 【传送】 *v.* communicate, transmit / send over 〖～带〗 conveyer belt 【传统】 *n.* tradition 【传阅】 *v.* circularize / pass round 【传真照相】 *n.* telephotograph ◇ 传 (zhuàn)

船 (chuán) ship, boat, vessel 〖渡～〗 ferry boat 〖货～〗 freighter 〖商～〗 merchantman 〖小～〗 boat 〖有桨的～〗 rowboat 【船舱】 cabin 【船费】 fare 【船票】 passage ticket 〖船上〗 *ad.* aboard 【船坞】 dock 【船舷】 side 【船员】 seaman, crew 【船长】 captain, skipper, shipmaster

喘 (chuǎn) 【喘气】 *v.,n.* gasp, pant 【喘息】 gasp for breath

创 (chuāng) 【创痕】 scar 【创伤】 *n.* wound ◇ 创 (chuàng)

疮 (chuāng) *n.* sore 【疮疤】 scar 【疮口】 open sore

窗 (chuāng) window 〖百叶～〗 shutter, blind 〖气～〗 transom window 〖天～〗 skylight 【窗玻璃】 windowpane 【窗口】【窗户】 window 【窗帘】 curtain, shade 【窗台】 window-sill

床 (chuáng) bed 〖单人～〗 single bed 〖双人～〗 double bed 〖小～〗 cot 〖机～〗 machine tool 〖车～〗 lathe 〖冲～〗 punch 〖磨～〗 grinder 〖刨～〗 planer 〖镗～〗 borer 〖铣～〗 miller 〖钻～〗 drill 【床单】 sheet 【床垫】 mattress 【床头柜】 bedside cupboard 【床罩】 bedcover

闯 (chuǎng) *v.* rush, crash 【闯进】 break in 【闯入】 break [run] into

创 (chuàng) 【创办】 *v.* establish, found 〖～人〗 founder 【创汇】 earn foreign exchange (income) 【创刊】 start publication 〖～号〗 initial [inaugural, first] issue 【创立】 *v.* found, institute / set up; *n.* institution 〖～者〗 founder 【创始】 *n., a.* initiative 〖～人〗 founder 【创新】 create sth. new 【创造】 *v.* set, create, invent; *n.* creation, invention 〖～性〗 creativeness 〖～者〗 inventor 【创作】 *v.* create, write, invent, compose / literary and artistic works ◇ 创 (chuāng)

吹 (chuī) *v.,n.* blow, puff 〖～笛〗 *v.* play the flute 〖～口哨〗 *v.* whistle 〖～喇叭〗 wind a trumpet 【吹出】 puff out 【吹过】 blow over 【吹积】 *v.* drift 〖～物〗 drift 【吹落】 blow off 【吹毛求疵】 *v.* carp / find fault with 【吹牛】 *v.,n.* brag, boast 【吹捧】 *v.* extol, flatter 【吹气】 *v.* puff 【吹熄】 blow out

炊 (chuī) *v.* cook 【炊具】 cooking utensils 【炊事员】 cook

垂 (chuí) hang down 【垂死】 *a.* dying 【垂危】 at death's door 【垂下】 *v* hang, droop 【垂直】 *a.* perpendicular

捶 (chuí) 【捶打】 *v.* hammer

锤 (chuí) 【锤子】 hammer

春 (chūn) spring 【春耕】 spring plowing 【春季】 spring 【春假】 spring

vacation [holidays] 【春节】 the Spring Festival 【春雷】 spring thunder 【春天】 spring, springtime 【春游】 spring outing

纯 (chún) *a.* pure 【纯粹】 *a.* pure; sheer 【纯洁】 *a.* pure, fine 〖～性〗 purity 【纯净】 *a.* pure; *n.* purity 【纯熟】 *a.* skilful 【纯正】 *a.* pure

蠢 (chǔn) *a.* stupid, silly 【蠢人】 fool 【蠢事】 folly

戳 (chuō) *v.* thrust, stab 【戳穿】 *v.* pierce 【戳子】 *n.* seal, stamp

啜 (chuò) *v.* drink, sip 【啜泣】 *v.,n.* sob

词 (cí) word, term 〖代～〗 pronoun 〖动～〗 verb 〖副～〗 adverb 〖感叹～〗 interjection 〖冠～〗 article 〖介～〗 preposition 〖连～〗 conjunction 〖名～〗 noun 〖数～〗 numeral 〖形容～〗 adjective 〖生～〗 new words 〖替换～〗 substitute 【词典】 dictionary 〖～条目〗 dictionary entry 【词法】 morphology 【词汇】 vocabulary / words and phrases 〖～表〗 vocabulary, glossary 〖～量〗 vocabulary 【词句】 expressions 【词类】 part(s) of speech 【词头】 prefix 【词尾】 suffix 【词序】 word order 【词义】 meaning 【词语】 words and expressions 【词源】 etymology 【词缀】 affix 【词重音】 word stress 【词组】 phrase, expression / word group

瓷 (cí) *n.* porcelain 【瓷器】 porcelain, chinaware

辞 (cí) *v.* depart; refuse 【辞别】 bid farewell 【辞典】 dictionary 【辞书】 lexicographical work 【辞退】 *v., n.* discharge 【辞职】 *v.* resign; *n.* resignation

慈 (cí) *a.* kind 【慈爱】 *a.* affectionate; *ad.* affectionately; *n.* kindness 【慈悲】 *n.* mercy 【慈姑】 〔植〕 arrowhead 【慈善】 *a.* charitable

磁 (cí) *n.* magnet 【磁带】 (magnetic) tape 〖～录音机〗 tape-recorder 【磁力】 magnetic force 【磁铁】 magnet 【磁性】 magnetism

雌 (cí) *a.* female

此 (cǐ) *pron.* this 【此地】 *ad.* here 【此后】 *ad.* hereafter, afterwards 【此刻】 *ad.* now / at this moment 【此时】 *ad.* now / right now, at present 【此外】 *ad.* moreover, besides; *prep.* besides

次 (cì) *n.* time; *a.* next 〖～晨〗 next morning 〖～日〗 next day 〖～于〗 next to 〖一～〗 once 〖两～〗 twice 〖三～〗 three times 【次等】 *a.* second-class 【次品】 seconds / substandard goods 【次数】 time 【次序】 order 【次要】 *a.* secondary, minor

刺 (cì) *v.* stab, thrust; *n.* thorn 【刺穿】 *v.* pierce / cut through 【刺刀】 bayonet 【刺耳】 *a.* harsh 【刺激】 *v.* stimulate; *n.* stimulus 【刺入】 *v* pierce 【刺杀】 *v.* assassinate / 〔军〕 bayonet fighting 【刺探】 *v.* spy 【刺痛】 *v.* sting 【刺猬】 hedgehog 【刺绣】 *v.* embroider; *n.* embroidery

赐 (cì) *v.* grant 【赐福于】 *v.* bless

从 (cōng) 【从容】 *ad.* calmly, unhurriedly　◇ 从 (cóng)

匆 (cōng) 【匆促】 *ad.* hastily 【匆匆】 *ad.* hurriedly / in a hurry 〖～脱掉〗 throw off 【匆忙】 *a.* hurried, hasty; *n.* hurry

葱 (cōng) *n.* onion 【葱绿】 light green 【葱头】 onion

聪 (cōng) 【聪明】 *a.* clever, wise, bright, intelligent, smart

从 (cóng) *prep.* from, since 〖～…到…〗 from ... to ... 〖～…下去〗 get off 〖～…以来〗 *prep., conj.* since 〖～那时起〗 from then on 〖～那时起直到现在〗 ever since 〖～那时以后〗 after that 〖～现在起〗 from now on

〖～远处〗 from far away【从不】 *ad.* never【从此】 *ad.* hence 〖～以后〗 since then【从而】 *ad.* thus, thereby【从句】 (subordinate) clause 〖主语～〗 subject clause 〖宾语～〗 object clause 〖表语～〗 predicative clause 〖定语～〗 attributive clause 〖状语～〗 adverbial clause【从来】 *ad.* ever / at all times 〖～没有〗 never【从旁】 from the side【从前】 *ad.* formerly, once / once upon a time【从上】 from above【从事】 be engaged in, go in for 〖～于〗 get into, work at [with]【从属】 *a.* subordinate 〖～连词〗 subordinative conjunction【从头至尾】 from top to bottom, from begining to end【从未见过】 never before see【从下】 from below【从小】 from childhood【从中】 from among   ◇从 (cōng)

丛 (cóng) *n.* clump【丛林】 jungle【丛生】 grow in clumps【丛书】 *n.* library / a series of books 〖自学～〗 self-study series

粗 (cū) *a.* crude, rough, coarse【粗暴】 *a.* rough, tough; *ad.* roughly【粗糙】 *a.* rough, coarse; *ad.* roughly【粗陋】 *a.* mean, rough【粗鲁】 *a.* rude; *ad.* roughly【粗略】 *ad.* roughly【粗绳】 a thick rope【粗线】 cord【粗心】 *a.* careless【粗硬】 *a.* bristly

促 (cù) *v.* hasten, urge【促成】 bring about【促进】 *v.* advance, speed, stimulate【促使】 impel, hasten, cause

醋 (cù) *n.* vinegar【醋栗】 gooseberry

催 (cuī) *v.* urge【催办】 urge to do【催逼】 *v.* press, urge【催促】 *v.* urge, hasten【催眠】 *v.* hypnotize 〖～曲〗 lullaby

摧 (cuī)【摧残】 destroy【摧毁】 blast, shatter, wreck【摧折】 break off

脆 (cuì) *a.* brittle, fragile; crisp【脆弱】 *a.* frail, tender【脆性】 *n.* fragility

村 (cūn) *n.* village【村民】 villager【村舍】 cottage【村庄】 village, hamlet

存 (cún) *n.* exist【存车处】 cycle-stand, bicycle-park【存放】 *v.* deposit 〖～处〗 depository【存根】 counterfoil【存货】 *n.* stock / existing stock【存款】 deposit 〖定期～〗 fixed deposit 〖活期～〗 current deposit【存在】 *v.* exist, lie, remain, be; *n.* being, existence, presence【存折】 bankbook【存贮】 *v.* store 〖～器〗 memory

磋 (cuō)【磋商】 *v.* consult, confer

挫 (cuò) *v.* obstruct【挫败】 *v.* frustrate【挫伤】 *v.* damp, dampen, discourage【挫折】 *v.,n.* defeat, setback

措 (cuò)【措辞】 wording, phraseology, expression【措施】 *n.* measure, step

锉 (cuò) *v.,n.* file【锉刀】 file

错 (cuò) *n.,a.* wrong【错别字】 incorrectly written or pronounced characters【错过】 *v.* miss, cross【错觉】 *n.* illusion【错拿】 take … by mistake【错事】 *n.* wrong 〖做～〗 do wrong【错误】 *n.* mistake, error, fault; *a.* wrong, mistaken 〖犯～〗 make a mistake 〖显著的～〗 glaring errors【错综复杂】 *a.* complicated

D d

搭 (dā) *v.* take (a bus, train, etc.) 〖～便车〗 *v.* hitchhike / ask sb. for a lift 〖～棚〗 put up a shed 〖～桥〗 put up a bridge 【搭挡】 *n.* partner 【搭救】 *v.* save, rescue 【搭配】 *n.* collocation 【搭起】 set [put] up

答 (dā) 【答应】 *v.,n.* promise, *v.* accept; *n.* permission / make a promise ◇ 答 (dá)

打 (dá) *n.* dozen 〖一～〗 a dozen ◇ 打 (dǎ)

达 (dá) 【达成】 *v.* reach / arrive at 〖～协议〗 reach an agreement 【达到】 *n.* achievement; *v.* arrive, reach, achieve / come to, succeed in 〖未～〗 *v.* miss / fail to reach

答 (dá) *v.,n.* answer, reply 【答案】 answer, key 【答辩】 *v.* plead, defend; *n.* defence 【答复】 *v.,n.* answer, reply / write back 【答数】 result 【答问】 answer a question 【答谢】 return one's thanks for ◇ 答 (dā)

打 (dǎ) *v.* beat, strike, hit, knock 〖～点子〗 *v.* dot 〖～电报〗 *v.* telegraph 〖～电话〗 *v.* phone, telephone / ring [call] up 〖～篮球〗 play basketball 〖～门〗 knock at the door 〖～牌〗 play cards 〖～乒乓〗 play table tennis [ping-pong] 〖～秋千〗 *v.* swing 〖～水〗 draw water 〖～鼓〗 beat a drum 〖～钟〗 ring the bell 〖～鱼〗 *v.* fish; *n.* fishing 〖～算盘〗 work the abacus 〖～行李〗 pack up 〖～折扣〗 give a discount 〖狠狠地～〗 strike hard 〖砰砰地～〗 *v.* pound 【打靶】 target practice 〖～场〗 range 【打败】 *n.,v.* defeat / suffer a defeat 【打扮】 dress [make] up 【打包】 *v.* pack 【打出】 tap out 【打倒】 *n.,v.* overthrow / lay low, knock [put] down; Down with...! 【打得】〖～粉碎〗 break to pieces 〖～落花流水〗 *n.,v.* rout 【打动】 *v.* strike, touch 【打赌】 *n.,v.* bet 【打断】 *v.* interrupt / break in 【打耳光】 slap on the face, box on the ear 【打发走】 *v.* dismiss, dispatch / send off 【打官司】 go to court 【打滚】 *v.* roll, tumble 【打呵欠】 *v.* yawn 【打呼噜】 *v.* snore 【打火机】 (cigarette) lighter 【打击】 *n.,v.* strike, hit, shock 〖～报复〗 *v.* retaliate 【打基础】 lay a foundation 【打架】 *v.,n.* fight 【打交道】 treat / deal with 【打结】 *v.* tie 【打开】 *v.* open, unwrap 【打瞌睡】 *v.* doze 【打垮】 break down 【打捞】 *v.* salvage 【打雷】 *v.,n.* thunder 【打量】 *v.* measure / size up 【打猎】 *v.,n.* hunt; *n.* hunting 【打牌】 play cards 【打喷嚏】 *v.* sneeze 【打破】 *v.* break; *v.* smash 【打气】 *v.* pump, inflate 〖～筒〗 pump 【打球】 play a ball game 【打拳】 *v.* box 【打扰】 *v.* bother, disturb, interrupt / break in 【打扫】 *v.* sweep, clean, dust 〖～干净〗 clean up 【打伤】 *v.* wound; *a.* wounded 【打胜】 *v.* conquer, win 【打死】 beat to death 【打算】 *v.* plan, mean, intend / be going to (do) 【打碎】 *v.,n.* smash / break up, break in pieces 【打听】 *n.* inquiry; *v.* ask / inquire about 【打退】 push [beat] back 【打消】 *v.* cancel; dispel 【打赢】 *v.* win

【打杂】do odd jobs【打仗】 *v.,n.* fight; *n.* war【打招呼】 *v.* greet, nod【打褶】 *v.* plait【打针】 *v.* inject; *n.* injection【打中】 *v.* hit〖没～〗 *v.,n.* miss【打字】 *v.* type, typewrite〖～机〗typewriter〖～员〗typist ◇打 (dǎ)

大 (dà) *a.* great, large, big; *ad.* greatly, largely, *n.* bigness〖较～〗 *a.* major〖最～〗 *a.* utmost〖极～〗 *a.* huge, enormous, extrme, *ad.* extremely【大半】 *ad.* largely / most probably【大白菜】Chinese cabbage【大便】 *n.* stool; *v.* defecate【大部分】 *ad.* mostly; *a.,n.* most / greater part【大车】cart【大臣】minister【大葱】green Chinese onion【大大】 *ad.* greatly, widely, enormously〖～超过〗be well past〖～低于〗far below【大胆】 *a.* bold, daring; *n.* bravery【大地】earth【大豆】soyabean【大队】battalion; brigade; army【大多数】 *n.* majority, mass / most of, the mass of【大方】 *a.* liberal, generous【大风】gale / high wind【大副】the chief mate [officer]【大概】 *ad.* probably, ordinarily, perhaps, possibly, maybe; *a.* general【大纲】outline【大规模】large scale【大国】power【大海】sea【大合唱】 *n.* chorus【大亨】a big shot, (美) fat cat【大会】congress / general [mass] meeting【大家】 *pron.* all, everyone, everybody〖～都知道〗it was well known that ...【大减价】bargain sale【大叫】 *v.,n.* shout【大街】avenue / main street【大惊小怪】 *v.,n.* fuss【大考】final exam【大块】 *n.* block【大理石】marble【大礼堂】auditorium【大量】 *n.* plenty, heaps; *n.,a.* mass, much; *a.* heavy; *ad.* largely / a great deal, a lot (of), lots [much, plenty, scores, supplies] of, large quantities of〖～地给〗be heaped upon ...〖～降下〗 *v.* rain【大楼】block【大陆】continent【大路】 *n.* highway【大麻】hemp【大麦】barley【大门】gate【大米】rice【大拇指】thumb【大脑】cerebrum【大怒】 *v.,n.* rage【大炮】gun, cannon【大批】a large number of【大气】atmosphere〖～层〗atmospheric layer〖～压〗atmospheric pressure【大人】adult, grown-up, man【大扫除】general [thorough] cleaning【大厦】mansion【大声】 *a., ad.* loud; *ad.* aloud〖～呼叫〗cry [burst] out〖～朗读〗read out〖～说〗 *v.* exclaim〖～说出〗 *v.* shout【大师】master【大使】ambassador〖～馆〗embassy【大事】event〖～记〗chronicle of events【大蒜】garlic【大提琴】cello, violoncello【大体】on the whole, more or less【大厅】hall, lobby【大头菜】turnip【大头针】pin【大腿】thigh【大西洋】the Atlantic Ocean; *a.* Atlantic【大小】 *n.* size【大笑】 *v.,n.* laugh / hearty laugh〖～一场〗have a good laugh【大写】 *n.* capitalization〖～字母〗capital letter【大熊猫】giant panda【大学】university, college〖～校长〗president〖上～〗go to college [the university]〖在～〗in college〖师范～〗normal [teacher's] university〖科技～〗university of science and technology〖理工科～〗university of science and engineering〖文科～〗university of liberal arts〖医科～〗medical university〖业余工业～〗part-time engineering college【大学生】college [university] student【大雪】snowstorm / heavy snow【大洋】ocean【大洋洲】Oceania【大衣】coat, overcoat〖风雪～〗parka〖棉～〗cotton padded overcoat【大意】general idea【大雨】downpour / heavy rain【大约】 *ad.* about, generally, some / or so, a matter of【大致】*ad.* roughly / in the main, for the most part【大众】*a.* popular / the masses; the public [million]〖～化〗*v.* popularize; *n.* popularization【大自然】*n.* nature ◇ 大 (dài)

呆 (dāi) *a.* foolish, silly, stupid; *v.* stay〖～下去〗stay on〖～在家里〗stay at home, stay inside【呆笨】*a.* dull, idiotic【呆子】fool, ass

大 (dài)【大夫】doctor ◇ 大 (dà)

代 (dài) *v.* substitute; *n.* generation; dynasty〖古～〗*a.* ancient〖现～〗*a.* contemporary〖近～〗*a.* modern【代办】chargé d'affaires〖～处〗the Office of the Chargé d'Affaires【代表】*n.* representative, delegate / stand for, on behalf of〖～大会〗congress〖～权〗representation〖～团〗delegation〖～作〗representative work【代词】pronoun〖不定～〗indefinite pronoun〖反身～〗reflexive pronoun〖关系～〗relative pronoun〖人称～〗personal pronoun〖物主～〗possessive pronoun〖形容～〗adjective pronoun〖疑问～〗interrogative pronoun〖指示～〗demonstrative [indicative] pronoun【代沟】generation gap【代号】*n.* code【代价】*n.* price, cost【付…的～】pay for【代课】take one's class【代理】*n.* agent; *a.* acting / act for〖～人〗agent, representative【代数】algebra【代替】*v.* replace; *ad.* instead / instead of, stand for, take the place of, in place of〖～…的职务〗take one's place【代谢】*n.* 〔生〕metabolism【代用品】substitute

带 (dài) *v.* take, carry, bring; *n.* cord, band, strap〖背～〗suspenders〖领～〗necktie〖腰～〗belt〖吊袜～〗garters【带到】take to【带给】bring to【带回】bring back【带进】bring [take] in【带扣】*n.* buckle【带来】bring, fetch / bring over〖给…～〗*v.* cause【带领】*v.* lead, guide, take, show【带头】take the lead【带有】*prep.* with【带鱼】hairtail【带子】string, belt, band, girdle【带走】take away

玳 (dài)【玳瑁】tortoise / hawksbill turtle〖～壳〗tortoiseshell

待 (dài) *v.* treat; await / wait for〖～…很好〗be good to sb.【待机】await an opportunity【待命】await orders【待续】to be continued【待业】wait to be employed【待遇】*n.* treatment

袋 (dài) bag, pocket, sack〖冰～〗ice bag〖插～〗inset pocket〖口～〗pocket, bag〖热水～〗hot water bottle【袋鼠】kangaroo

逮 (dài) *v.* seize【逮捕】*v.* arrest【逮住】*v.* catch

戴 (dài) *v.* wear / put on, have on〖～帽子〗wear a hat〖～手套〗put on gloves〖～眼镜〗wear spectacles【戴上】put on

单 (dān) *n.* bill; *a.* single, only / thin; weak【单程】*a.* one-way【单纯】*a.* simple; *ad.* simply【单词】word【单打】*n.* 〔体〕singles【单调】*a.* monotonous【单独】*a.* individual, separate; *ad.* alone, separately【单方面】*a.* one-side【单杠】*n.* horizontal bar【单个】*a.* single, individual【单据】attesting documents of business transactions【单人】〖～床〗single bed〖～牢房〗cell【单身】*n.* single〖～汉〗bachelor【单数】*a.* singular / singular [odd] number【单位】unit【单项赛】*n.* 〔体〕individual event【单行本】separate edition【单一】*a.* single, individual【单音节词】〔语〕monosyllabic word【单元】unit【单子】bill【单足跳】*v.,n.* hop / jump on one foot

担 (dān) v. carry (on a shoulder pole) 【担保】 v. guarantee 【担当】 assume / take on 【担负】 v. bear, undertake 〖～费用〗 bear the expenses 〖～得起(费用)〗 be able to afford 【担任】 hold (a post), take charge of 【担心】 a. worried; ad. anxiously; v. worry; n. care; v.,n. concern, fear / in fear of 〖为…担心〗 be afraid for, be worried about 【担忧】 v.,n. fear, worry 〖～某事〗 be afraid of sth. ◇ 担 (dàn)

耽 (dān) 【耽搁】 v. delay, procrastinate 【耽误】 v. delay / lose time

胆 (dǎn) n. gall 【胆大】 a. brave, bold, daring 【胆敢】 v. dare 【胆量】 n. courage 【胆怯】 a. timid, cowardly, shy 【胆小】 a. timid, cowardly 【胆战心惊】 tremble with fear

掸 (dǎn) v. brush, sweep 【掸去】 brush off 【掸子】【掸帚】 duster

但 (dàn) conj. but 【但是】 conj. but, however, though, yet / on the other hand 【但愿】 if only, I wish 〖～如此〗 I wish it were true !

担 (dàn) 【担架】 stretcher 【担子】 load, burden ◇ 担 (dān)

诞 (dàn) 【诞辰】 birthday 【诞生】 n. birth / be born 〖～地〗 birthplace

淡 (dàn) a. tasteless, thin, weak, light, pale 〖～红〗 pink / pale red, 〖～黄〗 light yellow 〖～蓝〗 light blue 〖～绿〗 light green 〖～紫〗 lilac / pale purple 【淡薄】 a. thin, light; indifferent 【淡季】 slack [off] season 【淡色】 a. light-coloured 【淡水】 fresh water

蛋 (dàn) egg 【蛋白】 egg white 【蛋白质】 protein 【蛋糕】 cake 【蛋黄】 yolk

弹 (dàn) n. bullet, ball 【弹弓】 slingshot 【弹孔】 shot-hole 【弹片】 shell splinter 【弹丸】 bullet 【弹药】 munitions 【弹子】 marble; billiards 〖～房〗 billiard-room ◇ 弹 (tán)

氮 (dàn) nitrogen 【氮肥】 nitrogenous fertilizer

当 (dāng) conj. when / work as 〖～…时候〗 conj. when, as 【当班】 on duty 【当场】 on the spot 【当初】 at the begining 【当代】 a. contemporary, present-day 【当地】 a. local 【当家】 keep up a household 【当局】 the authorities 【当面】 in the presence of 【当年】 in those years 【当前】 a. current, present-day 【当权】 be in power, come into power 【当然】 a. natural; ad. naturally, surely, certainly / of course 〖认为…～〗 take … for granted 【当时】 ad. then, meantime / in those days 【当事人】 the person concerned 【当心】 v. mind / be careful (of), take care 【当选】 be elected 【当中】 prep. among / in the midst 【当众】 in public ◇ 当 (dàng)

挡 (dǎng) v. block; resist 【挡路】 stand in the way, get in one's way 【挡住】 stem 〖～在外面〗 keep out

党 (dǎng) party 〖～组织〗 Party organization 〖～的建设〗 Party building 〖整～〗 Party consolidation 【党费】 Party membership dues 【党风】 Party style 【党纲】 program(me) of the Party 【党纪】 Party discipline 【党课】 Party education class 【党龄】 Party standing 【党派】 political parties and factions, party groupings 【党旗】 Party banner 【党委】 Party committee 【党小组】 Party group 【党校】 Party school 【党性】 Party spirit 【党员】 Party member 【党章】 Constitution of the Party 【党支部】 Party branch 【党中央】 the Central Committee of the Party 【党总

支】general Party branch【党组】leading Party group

当 (dàng)【当日】that very day, the same day【当时】right away, at once【当真】take seriously, in earnest【当作】*v.* represent, regard〖～…教给〗teach as …〖把…～〗take [regard, treat] … as〖被～…(对待)〗be treated as … ◇ 当 (dāng)

刀 (dāo) knife, sword〖裁纸～〗paper knife〖厨～〗kitchen knife〖点心～〗dessert knife〖卷笔～〗pencil sharpener〖开罐～〗can opener〖剃须～〗razor〖摺～〗pocket knife【刀刺】*n.* sword-thrust, cutting tool【刀口】blade / knife edge【刀片】razor blade

导 (dǎo) *v.* guide, lead【导弹】(guided) missile【导管】*n.* pipe, duct【导火线】fuse【导师】teacher, tutor【导体】conductor〖半～〗semiconductor【导言】*n.* introduction【导演】*v.* direct; *n.* director【导游(者)】*n.* guide / tour guide【导致】*v.* cause / lead to, result in

岛 (dǎo) island, isle〖小～〗islet【岛屿】islands, isles【岛状物】*n.* island

倒 (dǎo) fall down【倒闭】close down, go bankrupt【倒伏】*n.* lodging【倒霉】*a.* unlucky【倒塌】*v.* fall, collapse【倒台】*n.* collapse, downfall【倒下】fall / tumble down ◇ 倒 (dào)

到 (dào) *v.* reach, arrive; *prep.* to, by〖～…的时候〗by the time, when〖～…时为止〗*prep.* by, untill, till〖～…尽头〗at the end of〖～…末为止〗by the end of〖～…之初〗by the beginning of〖～那时〗by that time〖～那时以前〗by then〖～现在〗by now〖～楼下〗*ad.* downstairs【到场】be present, show up【到处】*ad.* everywhere, throughout, around, about / here and there, up and down, on all sides〖～寻找〗look around【到达】*n.* arrival; *v.* reach, arrive, get / arrive at [in], get to [in]【到底】after all; to the end【到来】*n.* arrival, advent; *v.* arrive【到期】become due【到任】take office【到手】come to hand; have in one's hands

倒 (dào) *v.* pour; *ad.* backward【倒出】pour out【倒进】pour into【倒空】*v.* empty【倒入】pour into【倒退】*v.* reverse, back【倒转】turn upside down, turn the other way round【倒装】*n.* inversion ◇ 倒 (dǎo)

盗 (dào) *v.* steal, rob; *n.* thief, robber【盗窃】*v.* steal, rob; *n.* stealing, robbery〖～犯〗thief, burglar, embezzler【盗取】*v.* steal, rob【盗用】*v.* usurp【盗贼】robber

道 (dào) *n.* road, way〖航～〗channel〖快车～〗freeway〖林荫～〗avenue, boulevard〖人行～〗(英) pavement, (美) side-walk〖小～〗path【道德】*n.* ethics, morality, virtue; *a.* moral〖～败坏〗demoralization; *a.* demoralized, degenerate〖不～〗*a.* immoral【道贺】*v.,n.* congratulate【道理】reason, principle〖有～〗*a.* reasonable【道路】way, path, road, course【道歉】*v.* apologize / make an apology〖向某人～〗say sorry to sb., make an apology to sb.【道谢】*v.* thank / express thanks【道义】*n.,a.* moral

稻 (dào) rice【稻草】straw〖～人〗scarecrow【稻谷】paddy【稻米】rice【稻穗】ears of rice【稻田】rice field, paddy field

得 (dé) *v.* get, gain【得病】get ill, become sick【得出】come to (a conclusion)【得到】v. get, receive, obtain 【得分】n., v. score, goal 【得奖】win a prize 【得人心】a. popular 【得胜】v. win, triumph 〖～者〗victor; winner, champion 【得体】a. appropriate, proper 【得益】v. benefit 【得意】a. complacent, triumphant / pleased with oneself; ad. proudly; 〖对…感到～〗take pride in 【得罪】v. offend

德 (dé) n. virtue 【德国】n. Germany; a. German 〖～人〗n., a. German 【德行】virtue / moral conduct 【德语】n., a. German 【德育】moral culture [education]

的 (de) 〖…的〗prep. of … ◇ 的 (dí)

灯 (dēng) lamp, light 〖壁～〗wall lamp 〖吊～〗pendent lamp 〖床头～〗bedside lamp 〖交通～〗traffic lights 〖落地～〗floor lamp 〖路～〗street lamp 〖日光～〗fluorescent lamp 〖台～〗desk [reading] lamp 【灯光】lamplight 【灯笼】lantern 【灯泡】bulb 【灯塔】lighthouse 【灯罩】lampshade

登 (dēng) step up 【登报】publish in the newspaper 【登高】v. ascend, mount 【登广告】v. advertise (in a newspaper) 【登记】v. book, record, register 〖～表〗form 〖～簿〗n. register 【登陆】v. land; n. landing 【登山】n. mountain-climbing / ascend a mountain 〖～队〗mountaineering team 〖～运动员〗mountaineer 【登载】v. carry

等 (děng) v. wait; n. rank, class 〖头～〗a. first-class 〖特～〗special class 【等待】v. await 【等到】wait until 【等等】and so forth [on], et cetera (etc.) 【等候】wait (for) 【等级】class, grade, rank, degree, rate 【等式】n. equality 【等一下】just a minute, wait a moment 【等于】be equal to, amount to 〖不～〗a. unequal

凳 (dèng) n. stool 〖矮～〗low stool 〖长～〗bench 【凳子】stool, bench

瞪 (dèng) v. stare 【瞪眼】v., n. glare; a. glaring 〖向…～〗glare at

低 (dī) a. low 〖～年级〗a. junior 【低等】a. low 【低级】a. junior, elementary, vulgar / low grade 〖～趣味〗vulgar tastes 【低栏】n. 〔体〕low hurdle 【低劣】a. mean, inferior 【低落】ad. down 【低声】a. low / in a low voice 〖～说〗v. murmur, whisper 【低头】v. bow (the head) 【低温】n. 〔医〕hypothermia! / low temperature, 【低下】a. low 【低音】n. undertone 〖男～〗bass 〖女～〗alto 【低语】v. whisper

堤 (dī) dike, dam 【堤岸】bank

滴 (dī) v., n. drop, trickle 〖～药水〗drop medicine 〖一～水〗a drop of water 【滴答(声)】n. tick, tick-tack 【滴下】v. drip, drop

的 (dí) 【的确】ad. indeed, really / for certain 〖～如此〗quite so ◇ 的 (de)

敌 (dí) 【敌对】a. hostile, antagonistic 【敌国】hostile power [country], enemy state 【敌情】enemy's situation 【敌军】hostile army, enemy troops 【敌人】enemy, foe 【敌视】be hostile toward 【敌手】rival, adversary 【敌意】n. animosity

笛 (dí) fife, flute

嘀 (dí) 【嘀咕】v. murmur, mutter, whisper / talk in undertones

底 (dǐ) n. bottom, base 【底层】basement / (英) ground floor, (美) 1st (first) floor 【底稿】draft, manuscript 【底片】negative 【底下】ad.

prep. below, under, beneath, underneath

抵 (dǐ)【抵偿】*v.* compensate【抵触】*v.* conflict【抵达】*n.* arrival / arrive at [in]【抵抗】*v.* resist【抵赖】*v.* repudiate【抵消】*v.* offset, counteract / conceal out【抵御】*v.* resist【抵制】*v.* oppose, boycott, resist

地 (dì) *n.* earth, land【地板】floor【地表】*n.* land-surface【地层】*n.* layer【地带】region, zone【地道】tunnel, subway【地点】place, spot, location, point, site, situation【地洞】burrow【地方】position, place, locality【地瓜】sweet potato【地基】*n.* foundation【地极】pole【地窖】cellar, basement【地雷】land mine【地理】geography〖~学〗geography〖~学家〗geographer【地面】ground, area【地皮】building land【地平线】horizon〖在~上〗on the horizon【地球】the earth [globe]〖~上〗on earth〖~物理〗*n.* geophysics〖~仪〗globe〖~引力〗*n.* gravity【地区】part, region, district, area【地毯】carpet, rug【地铁】subway【地图】map【地位】place, position【地下】*a.,ad.* underground〖~躲藏处〗burrow〖~室〗basement, cellar〖~铁道〗underground, subway【地狱】hell【地震】*n.* earthquake【地址】address【地质】geology〖~学〗geology【地主】landlord

弟 (dì) younger [little] brother【弟兄】brothers, (美俚) buddy

帝 (dì) emperor, monarch【帝国】empire〖~主义〗*n.* imperialism; *a.* imperialist〖~主义者〗imperialist【帝王】emperors and kings

递 (dì) *v.* hand / send to【递交】*v.* present / hand in【递送】*v.* send, deliver

第 (dì)〖~…号〗No. (=number)【第一】*a.,ad.* first / first of all〖~次〗first time, for the first time〖~课〗first lesson, lesson one〖~流〗*a.* first-class〖~名〗*n.* first / first place〖~手〗*a.,ad.* firsthand〖~线〗the first line, at the front〖~性〗*a.* primary【第二】*a.,ad.* second〖~手〗*a.* secondhand〖~线〗the second line〖~性〗*a.* secondary【第三】*a.,n.* third〖~世界〗the Third World【第四】fourth【第五】fifth【第六】sixth【第七】seventh【第八】eighth【第九】ninth【第十】tenth【第十一】eleventh【第十二】twelfth【第五十 (个)】fiftieth【第十亿 (个)】(美) billionth【第一万亿 (个)】(英) billionth

缔 (dì)【缔约】conclude a treaty【缔造】*v.* found, create, build〖~者〗founder

颠 (diān)【颠簸】*v.* jolt, bump; *ad.* jerkily【颠倒】*v.* reverse / turn [put] upside down【颠覆】*v.* subvert; *n.* subversion

典 (diǎn)【典范】model, example【典故】(classical) allusion【典礼】ceremony【典型】*n.* type, model; *a.* typical

点 (diǎn) *n.* point, dot, spot; *v.* light, burn〖~灯〗light a lamp〖~火〗*v.* ignite / light a fire〖冰~〗freezing point〖沸~〗boiling point〖起~〗starting-point〖终~〗end; destination; terminus【点滴】*n.* drop / a bit【点名】call the roll〖~簿〗roll【点燃】*v.* kindle, ignite, light / light up【点数】*v.* count【点头】*v.* nod, bow【点心】dessert, refreshment〖~刀〗dessert knife【…点钟】*ad.* o'clock【点缀】*v.* dot, adorn【点字】*n.* braille【点子】*n.* spot, dot〖打~〗*v.* dot

碘 (diǎn) iodine 【碘酒】iodine tincture

踮 (diǎn) on tiptoe 〖～着脚尖走〗*v.* tiptoe / walk on one's toes 【踮起脚】 stand on tiptoe

电 (diàn) *n.* electricity, *a.* electric 〖阴～〗negative electricity 〖阳～〗 positive electricity 【电报】telegram 〖～单〗blank, form 〖～机〗tele-graph 〖～技术〗telegraphy 〖海底～〗cable 〖打～〗*v.* telegraph / send a telegram 【电表】electric meter 【电冰箱】(electric) refrigerator 【电波】electrode / electric wave 【电唱机】gramophone, record-player 【电车】tram, trolley 〖～站〗tram stop, streetcar stop 〖无轨～〗trol-ley, trolley-bus / trolley car 〖有轨～〗tram, tramcar, streetcar 【电池】 battery, cell 【电灯】electric light 【电动】*a.* electromotive 【电度表】 electric meter 【电镀】*v.* electroplate 【电工】*n.* electrician 【电焊】 electric welding 【电话】telephone, phone 〖～簿〗telephone directory 〖～机〗telephone set 〖～接线员〗telephonist / telephone operator 〖～局〗telephone office 〖～接上了〗TCP (telephone call is placed) 〖～说完了〗TCO (telephone call is over) 〖打～〗*v.* telephone, phone, call / ring up 〖叫人听～〗call one on the telephone 〖挂上～〗hang up 〖别挂上～〗hold the line 〖回～〗call back 〖长途～〗long-distance call 〖传呼～〗neighbourhood telephone service 〖公用～〗public phone 〖无 线～〗wireless telephone 【电机】electrical machinery 【电缆】 cable 【电烙铁】electric iron 【电力】*n.* electricity / electric power 〖～ 网〗electric power network 【电铃】electric bell 【电流】electric cur-rent 【电炉】electric stove; electric furnace 【电路】electric circuit 【电 码】code 【电门】switch 【电脑】(electronic) computer / electronic brain 【电气化】*v.* electrify; *n.* electrification 【电器】electrical equip-ment 【电热毯】heating pad 【电容器】condenser 【电扇】electric fan 【电视】television, TV 〖～广播〗*v.* televise; *v.,n.* telecast 〖～机〗 televisor / television set, TV 〖～剧〗teleplay / TV play 〖～录像〗tele-vision recording 〖～台〗television station 〖～大学〗television uni-versity 〖～电话〗visionphone, video-phone 〖～讲座〗telecourse 〖～系 列片〗TV serial 〖彩色～〗colour television 〖看～〗*v.* teleview / watch television 〖在～中放映〗show ... on TV 【电台】radio [broadcasting] station 【电梯】elevator, lift 〖～司机〗lift operator 〖～通道〗shaft 【电 筒】torch, flashlight 【电线】(electric) wire 〖～杆〗telegraph [wire] pole 【电信】*n.* telecommunications, telegraphy; *a.* telegraphic 【电学】 *n.* electricity 【电讯】(telegraphic) dispatch; telecommunications 【电 压】*n.* voltage 【电影】film, movie / moving picture 〖～剧本〗script, screenplay 〖～演员〗film [movie] actor [actress] 〖～院〗cinema, movies 〖彩色～〗colour film 〖宽银幕～〗wide-screen film 〖立体～〗 stereoscopic film 【电源】power supply 〖～插座〗outlet 【电熨斗】 electric iron [flatiron] 【电站】power station 〖水～〗hydro-power sta-tion 【电钟】electric clock 【电子】electron 〖～管〗electron [radio] tube 〖～学〗electronics 〖～计算机〗electronic computer 〖～显微镜〗 electronic microscope 〖～音乐〗electronic music 【电阻】*n.* resistance

佃 (diàn) 【佃户】tenant

店 (diàn) shop, store 〖书～〗bookshop, bookstore 〖水果～〗fruit stall 〖食品～〗provision store 【店铺】shop, store 【店员】shop-assistant, clerk, salesman, saleswoman

垫 (diàn) v.,n. mat / place under 〖床～〗mattress 〖椅～〗chair cushion 【垫款】n. advance 【垫圈】n. washer 【垫子】mat, pad, cushion

淀 (diàn) shallow lake 【淀粉】starch

惦 (diàn) 【惦念】miss / be anxious about, keep worrying about

奠 (diàn) 【奠定】v. establish 【奠基】lay the foundation [cornerstone] 〖～人〗founder

碉 (diāo) 【碉堡】pillbox, blockhouse

雕 (diāo) n. eagle; v. carve 【雕刻】v. sculpture, engrave 【雕塑】n. sculpture 〖～家〗sculptor, statuary 【雕像】(carved) statue

吊 (diào) v. hang 【吊车】crane 【吊灯】pendent lamp 【吊起】hang up 【吊桥】suspension bridge 【吊扇】ceiling fan 【吊死】hang / hang oneself 【吊桶】bucket 【吊袜带】garters

钓 (diào) 【钓竿】fishing rod 【钓具】fishing tackle 【钓鱼】v. fish, angle 〖～钩〗fishhook

调 (diào) v. remove, transfer; n. tone 【调查】n. inquiry, research; v. investigate, inquire, examine / look into 【调动】v. transfer; mobilize 【调度】v. arrange, dispatch 〖～员〗dispatcher 【调换】v. change, exchange 【调子】tune, melody ◇调 (tiáo)

掉 (diào) v. fall; turn 〖～眼泪〗shed tears 〖～座位〗change seats 【掉队】fall behind 【掉换】v. exchange 【掉头】turn away, turn one's head 【掉下】fall [drop] down 【掉转】turn round

爹 (diē) father, daddy 【爹爹】daddy, dad 【爹娘】parents

跌 (diē) v. stumble, fall 【跌倒】.v. tumble, fall 【跌跌撞撞地走过】stagger across 【跌价】price reduction 【跌跤】trip and fall 【跌落】v. fall

喋 (dié) 【喋喋】a. talkative / talk endlessly 〖～不休〗v.,n. chatter; drop

叠 (dié) v. pile, fold 【叠起】pile [fold] up

碟 (dié) dish, tray 〖大～〗plate 〖小～〗saucer 〖烟灰～〗ashtray

丁 (dīng) 【丁香】clove 【丁香花】lilac 【丁字尺】T-square

叮 (dīng) v. sting, bite 【叮嘱】exhort again and again

盯 (dīng) v. stare / stare at 〖～在…上〗fix ... on 【盯住】v. fix / be fixed on, fix one's eyes on

钉 (dīng) n. nail 【钉鞋】spiked running shoes 【钉子】nail ◇钉 (dìng)

顶 (dǐng) n. top, summit 【顶部】top, roof 【顶点】summit 【顶峰】summit 【顶楼】attic 【顶篷】ceiling 【顶替】v. substitute; ad. instead 【顶针】n. thimble 【顶住】v. withstand 【顶嘴】talk [answer] back

订 (dìng) v. contract 【订购】order / give an order for 【订户】subscriber 【订婚】v. engage 【订立】make (a contract, etc.) 【订书机】staple 〖～钉〗staples 【订约】conclude a treaty 【订正】v. revise

钉 (dìng) v. nail; sew 〖～钉子〗drive in a nail 〖～扣子〗sew on a button ◇钉 (dīng)

定 (dìng) v. fix, decide 【定额】quota 【定稿】final draft 【定购】place an order 【定冠词】the definite article 【定货】v. order / order goods 〖～

单】 *n.* order; order-form 【定价】 *v.* price / fixed price 【定居】 settle down 【定理】 theorem 【定量】 *n.* ration / fixed quantity 【定律】 law 【定期】 *a.* regular; *ad.* regularly / at a fixed time 〖～存款〗 fixed deposit 〖～移栖〗 *v.* migrate 【定钱】 *n.* deposit 【定义】 definition 【定语】 〔语〕 attribute 〖～从句〗 attributive clause 【定罪】 *v.* convict 【定做】 have sth. made to order [measure]

丢 (diū) 【丢掉】 *v.* reject, drop / throw away 【丢弃】 *v.* discard 【丢失】 *v.* lose; *a.* missing, lost

东 (dōng) *n.,a.* east 【东北】 *n.,a.* northeast 【东道主】 host 【东方】 *n.,a.* east; *n.* the East, the Orient; *a.* oriental 〖～人〗 Oriental 【东经】 east longitude 【东京】 Tokyo 【东南】 *n.,a.* southeast 【东南亚】 south-east Asia 【东西】 *n.* thing 〖没有～〗 *n.* nothing

冬 (dōng) winter 【冬瓜】 wax [white] gourd 【冬季】 winter 【冬眠】 *v.* hibernate; *n.* hibernation 〖半～〗 *v.* half-hibernate 【冬青】 *n.* holly

懂 (dǒng) 【懂得】 *v.* know, understand, grasp

动 (dòng) *v.* move, stir, shake 【动词】 *n.* verb *a.* verbal 〖～短语〗 verbal phrase 〖～原形〗 root form of the verb 〖～不定式〗 infinitive 〖短语～〗 phrasal verb 〖规则～〗 regular verb 〖不规则～〗 irregular verb 〖及物～〗 transitive verb 〖不及物～〗 intransitive verb 〖连系～〗 link verb 〖情态～〗 modal verb 〖实义～〗 notional verb 〖限定～〗 finite verb 〖非限定～〗 non-finitive verb 〖助～〗 auxiliary verb 【动画片】 cartoon 【动机】 motive 【动力】 (motive) power 【动脉】 artery 【动名词】 gerund 【动人】 *a.* moving, exciting, touching, charming, pleasing 【动身】 *v.,n.* start; *v.* leave / start [set] off 【动手术】 *v.* operate 【动态】 *a.* dynamic; *n.* developments 【动物】 creature, animal 〖～学〗 zoology 〖～园〗 zoo 〖四足～〗 beast 〖同类相食的～〗 cannibal 【动摇】 *v.* waver shake 〖不～〗 stand firm 【动因】 agent 【动员】 *v.* mobilize 〖～令〗 mobilization order 【动作】 *n.* motion, action, movement

冻 (dòng) *v.* freeze 【冻疮】 chilblain 【冻僵】 *v.* freeze / frozen stiff 【冻结】 *v.* freez; *a.* freezing 【冻伤】 *v.* frostbite 【冻死】 freeze to death

洞 (dòng) cave,hole, opening 〖山～〗 cavern 【洞察】 see or understand clearly 〖～力〗 *n.* insight 【洞窟】【洞穴】 grotto

都 (dōu) *pron.* all 〖(两者)都不〗 *a., pron.* neither ◇ 都 (dū)

斗 (dǒu) 【斗篷】 cloak, mantle ◇ 斗 (dòu)

斗 (dòu) *v.* fight 【斗牛】 *n.* bullfight 【斗争】 *v.* struggle, fight, battle 〖为…而～〗 fight for, wage a struggle for ◇ 斗 (dǒu)

豆 (dòu) bean, pea 〖赤～〗 small red bean 〖黄～〗 soybean 〖绿～〗 mung bean 【豆腐】 bean-curd 〖～干〗 bean-curd cake 【豆浆】 soybean milk 【豆蔻】 *n.* nutmeg 【豆油】 bean-oil

逗 (dòu) 【逗号】 comma 【逗乐】 *v.* tickle, amuse 【逗留】 *v.,n.* stay, remain, stop, sojourn

都 (dū) 【都市】 city, town ◇ 都 (dōu)

嘟 (dū) 【嘟囔】 *v.,n.* murmur, mutter

毒 (dú) *n.* poison 〖有～〗 *a.* poisonous 〖中～〗 be poisoned 【毒害】 *v.* poison; 【毒计】 insidious scheme 【毒菌】 poisonous mushroom 【毒辣】

a. vicious, ruthless 【毒瘤】 malignant tumour 【毒气】 poison-gas 【毒蛇】 poisonous snake 【毒手】 murderous scheme 【毒素】 toxin 【毒物】 venom, poison 【毒性】 toxicity 【毒药】 poison

独 (dú) *a.* only, single 【独白】 monologue 【独裁】 *n.* dictatorship; *a.* dictatorial 〖～者〗 dictator 【独唱】 *n.* solo 【独创】 *a.* original 【独断独行】 *a.* arbitrary 【独立】 *n.* independence; *a.* independent; absolute; separate; *ad.* independently / on one's own, by oneself 〖～思考〗 independent thinking 〖～性〗 *n.* independence 〖～自主〗 independence and initiative 【独木舟】 canoe 【独幕剧】 one-act play 【独身】 *n.* singleness, celibacy; *a.* unmarried, single 【独特】 *a.* unique, peculiar 【独子】 only son 【独自】 *ad.* alone / by oneself, all by oneself 【独奏】 *n.* (instrumental) solo

读 (dú) *v.* read 〖～点书〗 do some reading 〖～完〗 read through 〖～一遍〗 read over 【读本】 reader, reading-book 【读书】 *v.* read, study 【读物】 reading material 【读音】 *n.* pronunciation 【读者】 reader / the reading public

堵 (dú) stop up 【堵塞】 stop (up) 〖交通～〗 traffic jam 〖～漏洞〗 stop a loophole

赌 (dú) *v.* gamble 【赌博】 *v.* gamble; *n.* gambling 【赌徒】 gambler 【赌咒】 *v.* swear 【赌注】 *n.* stake

杜 (dú) 【杜鹃】 cuckoo 【杜鹃花】 azalea 【杜绝】 *v.* stop, eliminate / cut off 【杜松子酒】 gin

肚 (dú) belly, abdomen 【肚子】 belly 〖～痛〗 stomach-ache

妒 (dú) *v.* envy 【妒忌】 *n.*, *v.* envy; *a.* envious, jealous; *n.* jealousy

度 (dú) *n.* measure, degree; *v.* spend 〖～周末〗 spend weekend with sb. 〖高～〗 *ad.* highly / high degree 〖经～〗 longitude 〖纬～〗 latitude 【度过】 *v.* spend, pass 【度假】 have holidays 【度量衡】 weights and measures 【度日】 make a living 【度数】 *n.* degree

渡 (dú) *v.,n.* ferry 【渡船】 ferryboat 【渡过】 *v.* cross 【渡河】 cross a river 【渡口】 ferry 【渡过难关】 get over difficulties 〖帮助～〗 see sb. through

镀 (dú) *v.* plate; *n.* plating 【镀金】 *v.* gild; *n.* gilding / get gilded 【镀镍】 *v.* nickel; *n.* nickel-plating 【镀锌】 *n.* zinc-plating 【镀银】 *v.* silver; *n.* silver-plating

端 (duān) 【端出】 *v.* carry / hold out 【端正】 *v.* correct; *a.* upright, proper

短 (duǎn) *a.* short, brief 【短波】 short wave 【短处】 shortcoming 【短笛】 piccolo 【短笺】 note 【短裤】 shorts / knee breeches 【短跑】 *n.* dash, sprint 【短篇小说】 short story 【短片】 short (film) 【短期】 *a.* short-term 【短缺】 *a.* deficient; *n.* shortage / be short of 【短上衣】 jacket 【短少】 *n.* lack 【短统靴】 buskins / ankle boots 【短途旅行】 *n.* trip 【短袜】 socks 【短小】 *a.* small, short 〖～精悍〗 small but effective 【短语】 *n.* phrase; *a.* phrasal 〖～动词〗 phrasal verb 〖～介词〗 phrasal preposition 〖～连词〗 phrasal conjunction 〖不定式～〗 infinitive phrase 〖动词～〗 verbal phrase 〖分词～〗 participial phrase 〖副词～〗 adverbial phrase 〖介词～〗 prepositional phrase 【短元音】 short vowel

段 (duàn) *n.* section, piece 【段落】 passage, paragraph

断 (duàn) *v.* discontinue / cut off 【断定】 *v.* judge, conclude, decide, claim / figure out 【断断续续】 off and on, now and then 【断绝】 *v.* sever / cut off 〖～关系〗 break off relations with 【断裂】 *v.* break 【断片】 piece, fragment, fraction 【断气】 stop breathing; breathe one's last 【断然】 *ad.* flatly, categorically, absolutely 【断言】 *v.* declare, affirm 【断语】 *n.* judgement; conclusion

锻 (duàn) *v.* forge 【锻工】 blacksmith 【锻炼】 *v.* steel, train, exercise; *n.* training 〖～身体〗 *v.* train / physical training 【锻铁】 *n.* wrought-iron

堆 (duī) *v.,n.* heap, pile; *n.* mass 【堆放】 heap up 【堆积】 pile up 〖～物〗 deposit 【堆起】 pile up 【堆栈】 storehouse, warehouse

队 (duì) team, group 〖球～〗 team 〖主～〗 home team 〖客～〗 visiting team 【队伍】 procession, line; ranks; contingent 【队友】 teammate 【队员】 member 【队长】 captain / team leader

对 (duì) *n.* pair, couple; *v.* face; *a.* right; *prep.* towards 〖～了〗 That's right. 〖不～〗 *a.* incorrect; *ad.* wrong 〖很～〗 quite right 【对白】 *n.* dialogue 【对比】 contrast with 【对不起】 *a.* sorry / Excuse me. 【对称】 *n.* symmetry 【对答】 *v.* answer, reply 【对待】 *v.* treat, regard; *n.* treatment 〖不友好地～〗 *v.* ill-treat 〖开始认真～〗 get down to 【对等】 *n.* equity 【对调】 *v.* exchange 【对方】 opposite side 【对付】 *v.* manage / do [deal] with 〖设法～〗 *v.* manage 【对号】 check the number 【对话】 *n.* dialogue 【对抗】 *v.* oppose, confront; *n.* antagonism, confrontation; *a.* opposed, antagonistic; *prep.* against 【对立】 *a.* opposite, antithetic 〖～面〗 contrary, opposite 【对面】 *n.,a.* opposite / face to face 【对手】 opponent, enemy 【对数】 logarithm 【对虾】 prawn 【对象】 object 【对应】 *v.* correspond 【对于】 *prep.* toward, about, over, for / in relation to, as to 【对照】 *v.* contrast 【对着】 *prep.* against 【对质】 *v.* confront 【对准】 aim at

兑 (duì) *v.* exchange 【兑换】 *v.* change, exchange 【兑现】 *v.* cash; fulfil / get cash for; make good

吨 (dūn) ton 【吨位】 tonnage

蹲 (dūn) *v.* squat 【蹲下】 squat down 【蹲坐】 *v.* squat

钝 (dùn) *a.* blunt, dull 〖～刀〗 dull knife 【钝角】 obtuse angle

多 (duō) *a.* many, much 〖很～〗 a great deal, a good many, plenty of 〖相当～〗 plenty of, quite a few 〖最～〗 *a.* most 〖不～〗 *a.* few 〖没有再～〗 no more 〖…得～〗 by far 【多半】 *n.,a.* most; *ad.* mostly; probably / most likely 【多变】 *a.* changeable, capricious; varied 【多病】 *a.* sickly 【多次】 many times, again and again 【多方面】 *a.* many-sided / in many ways 【多过】 more than 【多好】 How nice! 【多久】 How long? 【多可惜】 What a pity! 【多亏】 thanks to 【多年前】 years ago 【多么】 *ad.* how, what 【多少】 How many [much]? 〖～钱〗 How much? 【多数】 *n.* majority; *a.* most; *n.,a.* many 〖～票〗 majority vote 【多些】 a little more 【多谢】 many thanks, thanks a lot 【多疑】 *a.* suspicious 【多义词】 polysemant 【多音节】 polysyllable 【多余】 *a.* superfluous; surplus, spare 【多于】 more than … 【多雨】 *a.* rainy 【多云】 *a.* cloudy

哆 (duō)【哆嗦】 *v.,n.* shiver, tremble〖～地说〗say in a trembling voice

夺 (duó) *v.* seize, snatch【夺得】 *v.* get, win, obtain【夺回】 *v.* recapture, recover【夺目】 *a.* dazzling【夺取】 *v.* capture, seize【夺去】 snatch away【夺走】take ... away from

踱 (duó)【踱步】 *v.* pace【踱来踱去】pace up and down

躲 (duǒ) *v.* hide, conceal【躲避】 *v.* avoid; dodge【躲藏】 *v.* hide, conceal〖～处〗hiding-place【躲开】 *v.* hide, avoid, withdraw / keep out of

舵 (duò) *n.* rudder, helm【舵手】helsman, steersman

驮 (duò) *n.* load【驮子】pack

堕 (duò) *v.* fall, descend, sink【堕落】 *v.* degenerate【堕入】fall [sink] into〖～圈套〗fall into a trap【堕下】fall down

E e

俄 (é)【俄国】 *n.* Russia; *a.* Russian〖～人〗 *n.,a.* Russian【俄语】 *n.,a.* Russian

鹅 (é) goose〖公～〗gander〖母～〗goose【鹅蛋】goose-egg【鹅卵石】cobble【鹅毛】goose feather

额 (é) *n.* forehead / specified number or amount【额角】temple【额外】 *a.* extra, additional〖～负担〗added burden

恶 (ě)【恶心】feel sick; , feel nauseated ◇ 恶 (è)

恶 (è) *n.* evil, wickedness【恶霸】 *n.* bully / local despot【恶毒】 *a.* evil, vicious【恶感】 *n.* ill-feeling; *v.* detest【恶棍】rogue【恶果】serious consequences【恶化】 *v.* worsen【恶劣】 *a.* wretched, bad; *ad.* badly【恶魔】devil, demon【恶人】wicked fellow【恶习】bad habit【恶性】 *a.* malignant, bad〖～肿瘤〗cancer / malignant tumour【恶意】 *n.* spite, ill-will【恶作剧】 *n.* trick, mischief ◇ 恶 (ě)

饿 (è) *n.* hunger; *a.* hungry〖挨～〗go hungry【饿死】starved to death

颚 (è) *n.* jaw〖上下～〗jaws

鳄 (è)【鳄鱼】crocodile

恩 (ēn)【恩爱】affection (between husband and wife)【恩赐】 *n.* grant / bestow favours【恩惠】 *n.* favour〖给某人以～〗do someone a favour【恩情】graciousness【恩人】benefactor

儿 (ér) son, child【儿歌】children's song, nursery rhyme【儿童】kids, children〖～读物〗children's books〖～节〗Children's Day〖～文学〗children's literature〖～演员〗child actor〖～医院〗children's hospital【儿媳】daughter-in-law【儿戏】trifling matter【儿子】son

而 (ér) *conj.* and, yet, but, while【而不…】instead of【而今】 *ad* now, nowadays / at the present time【而且】 *ad.* besides, moreover, *conj.* and【而已】that's all, nothing more than

耳 (ěr) *n.* ear【耳朵】ear【耳鼓膜】ear drum【耳环】earrings【耳机】earphone【耳科医生】aurist【耳聋】 *n.* deaf【耳套】earcap【耳语】

v., n. whisper

饵 (ěr) *n.* bait, lure 【饵虫】lug, lugworm

二 (èr) *num.* two; *a.* both 【第～】*num.* second 【二倍】*ad.* twice, two-fold; *n., a.* double 【二重】*n.* double, duplication 〖～性〗duality 〖～奏〗*n.* duet 【二等】second class 【二分之一】*n., a.* half 【二副】second mate [officer] 【二楼】(英) lst floor, (美) 2nd floor 【二轮运货马车】cart 【二十】*num.* twenty; *n.* score 〖第～〗*num.* twentieth 【二月】February 【二者】*pron.* both / the two

F f

发 (fā) *v.* issue / send out 【发白】go white 【发表】publish, announce / bring out 〖～意见〗express an opinion 【发病】fall ill 【发布】*v.* proclaim, issue 〖～命令〗give an order 【发财】make a fortune 【发愁】*v.* worry 【发臭】*v.* stink; *a.* rotten, smelly 【发出】send off [out], let out, give off 〖～订单〗place an order 〖～尖叫〗*v.* scream 〖～尖锐刺耳的声音〗*v.* screech 〖～…气味〗*v.* smell 〖～声音〗make sounds [a noise] 【发达】*v.* develop, prosper; *a.* developed 〖不～〗*a.* underdeveloped 【发呆】be in a trance, be petrified, become stupefied 【发电】power generation, generate electricity 〖～厂〗power plant 〖～机〗dynamo, generator 〖～站〗power station 【发电报】*v.* telegraph 【发动】launch, start 〖～机〗engine, motor 【发抖】*v.* tremble, shudder 【发疯】*a.* mad / go mad 〖逼使～〗drive sb. mad 【发高烧】have a high fever 【发给】give, grant / issue to 【发光】*v.* shine, beam, glisten; glow 【发还】return 【发慌】*v.* upset / feel nervous 【发挥】exert / bring into play 【发昏】*v.* faint / get giddy; lose one's head 【发火】get angry 【发火花】*v.* sparkle 【发酵】*v.* ferment 【发觉】*v.* discover / find (out) 【发刊词】foreword, introduction / inaugural statement 【发狂】go crazy 【发牢骚】*v.* complain, grumble 〖不～〗*a.* uncomplaining 【发冷】feel chilly 【发愣】*v.* bewilder / stare blankly, look bewildered 【发亮】*v.* shine; *a.* shiny, light 【发麻】*v.* numb 【发霉】*a.* mouldy; *v.* mould / go mouldy 【发明】*v.* invent; *n* invention 〖～家〗inventor 【发怒】get angry, become furious, flare up, fly into a rage 〖对…～〗be angry with sb. 〖因～而脸胀红〗turn red with anger 【发脾气】lose one's temper 【发票】bill, receipt 【发起】*v.* sponsor, initiate 〖对…～攻击〗launch blows at … 【发球】*v.* serve 【发烧】*a.* feverish; *n.* fever / have a fever, run a temperature 【发射】*v.* shoot, send, launch / send up, let fly 〖～场〗launching site 【发生】*v.* happen / take place, go on, bring [come] about, break out 〖～影响〗make a difference 〖～在〗take place in 〖～器〗generator 〖必然～〗*a.* inevitable 〖自然～〗*a.* self-generating 【发誓】*v.* swear, vow 【发售】*v.* sell 【发条】spring 【发现】*n.* discovery; *v.* discover, find (out) / come across, catch sight of

〖～者〗discoverer〖新～〗n. revelation【发笑】v. laugh【发泄】vent / let off【发信】dispatch [send, post] a letter〖～人〗addresser【发行】v. publish, issue / send [put] out【发芽】v. sprout / come up【发言】n. speech; v. speak / make a speech〖～人〗speaker, spokesman【发炎】n. inflammation【发音】v. pronounce; n. pronunciation;〖～嘶哑〗a. hoarse【发育】v. grow, develop【发源地】birthplace, fountainhead【发展】v. develop, blossom, grow; n. development, evolution〖～缓慢〗behind in development〖～中国家〗developing country【发作】break out, have an attack of; burst out, flare up ◇ 发 (fà)

伐 (fá) v. chop / cut down【伐木】n. lumbering〖～者〗wood-cutter, lumberman

罚 (fá) v. punish【罚款】v.,n. fine【罚球】n. penalty / (篮球) free throw

阀 (fá) n. valve【阀门】valve

法 (fǎ) n. law, rule; method【法典】code【法定】a. legal〖～人数〗n. quorum【法官】judge【法规】rule【法国】n. France; a. French〖～人〗n. Frenchman; a. French〖～女人〗Frenchwoman【法纪】law and discipline【法兰西】n. France【法郎】franc【法令】laws and decress【法律】law〖～顾问〗legal adviser〖违反～〗break the law【法庭】court【法西斯主义】fascism〖～者〗fascist【法学】the science of law〖～家〗jurist, lawyer【法语】French【法院】court【法则】law, rule【法制】legal system〖～教育〗education in legal matters

发 (fà) n. hair【发辫】plait, braid【发夹】hair-pin【发式】【发型】hair style【发油】hair-oil ◇ 发 (fà)

帆 (fān) n. sail【帆布】canvas〖～床〗campbed〖～鞋〗canvas shoes【帆船】sailboat, junk / sailing boat,〖～运动〗n. sailing

番 (fān)【番茄】tomato〖～酱〗ketchup / tomato sauce【番薯】sweet potato

翻 (fān) v. upset / turn over【翻版】n. reproduction, copy【翻倒】lay low, turn over【翻滚】v. tumble / roll over (and over)【翻筋斗】v. somersault【翻开】v. open (a book)【翻来复去】ad. repeatedly / turn from side to side【翻起】v. upturn【翻砂】n. casting【翻身】turn [roll] over【翻译】v. translate, interpret; n. version〖～片〗dubbed film〖～员〗〖～者〗translator, interpreter〖把…～成〗put ... into〖同声～〗simultaneous interpreting【翻印】v. reprint【翻转】v. turn, roll

烦 (fán) be annoyed【烦交】care of (c /o)【烦闷】v. annoyed / be unhappy【烦恼】v.,n. worry, trouble〖令人～〗a. troublesome【为…烦恼】be worried about sth.【烦扰】v. trouble, worry, bother【烦琐】a. trivial〖～哲学〗scholasticism【烦躁】a. fretful / be fidgety

繁 (fán)【繁多】a. numerous, various, plenty【繁华】a. flourishing, bustling【繁忙】n. rush; a. busy【繁荣】n. prosperity; a. flourishing【繁殖】v. reproduce, propagate【繁重】a. heavy

反 (fǎn) v. oppose, rebel / turn over【反驳】v. refute【反比例】inverse proportion【反常】a. unusual, abnormal【反动】n. reaction; a. reactionary〖～分子〗n. reactionary〖～派〗n. reaction, reactionary【反

对】 v. oppose; v.,n. protest; a. opposed; *prep.* against / object to, in opposition to, be against 〖～党〗 opposition party 〖～派〗 opposition faction 【反而】 on the contrary 【反复】 n. repetition; a. repeated / over and over, again and again 〖～无常〗 a. inconstant 〖～做某事〗 keep on doing sth. 【反感】 n. repugnance / be averse to 【反革命】 n.,a. counterrevolutionary 【反攻】 v. counter-attack / strike back 【反悔】 go back on (a promise) 【反击】 strike back, beat back 【反抗】 v. resist, revolt 〖起来～〗 rise up 【反馈】 n. feedback 【反面】 contrary / reverse side, wrong side, negative opposite, 【反叛】 v. rebel; n. rebellion 〖～者〗 rebel 【反射】 v. reflect; n. reflection 【反身】 a. reflexive 〖～代词〗 reflexive pronoun 【反跳】 v. bounce 【反响】 n. reflection 【反意】 a. disjunctive 【反义词】 antonym 【反应】 v. respond 〖～堆〗 reactor 【反映】 v. reflect, report; n. reflection 【反正】 ad. anyway, anyhow / in any case, after all 【反之】 on the contrary, on the other hand 【反作用】 n. counteraction, reaction

返 (fǎn) v. return 【返工】 do what was done unsatisfactorily over again 【返航】 return to base 【返回】 v. return / go back

犯 (fàn) v. offend 〖～错误〗 make a mistake 【犯法】 v. infringe / break the law 【犯规】 n. foul, offence 【犯人】 prisoner, criminal 【犯罪】 n. crime; v. perpetrate / commit a crime, do wrong

泛 (fàn) v. overflow 【泛读】 wide [extensive] reading 【泛泛】 ad. generally / in general terms 【泛滥】 v. overflow, flood; n. flooding

饭 (fàn) rice, meal, food 【饭菜】 meal 〖做～〗 prepare [cook] a meal 【饭店】 restaurant; hotel 〖小～〗 coffee bar 【饭盒】 mess tin, dinner pail, lunch box 【饭票】 meal ticket 【饭食】 food, fare 【饭厅】 dining hall [room] 【饭碗】 rice bowl 【饭桌】 dinner-table

范 (fàn) 【范本】 model (for calligraphy or painting) 【范畴】 category 【范例】 example, model 【范围】 sphere, scope, limits

方 (fāng) n. direction, side; a. square 〖东～〗 east 〖南～〗 south 〖西～〗 west 〖北～〗 north 【方案】 plan, scheme 【方便】 a. expedient, convenient 〖不～〗 a. inconvenient 【方才】 ad. just (now) 【方程式】 equation 【方法】 method, means, manner, way 〖用这种～〗 in this way 〖用各种～〗 one way or the other, this way and that 〖通过这种～〗 by this means 〖以某种～〗 ad. somehow 〖～论〗 methodology 【方括号】 square brackets 【方面】 direction; respect; side 〖另一～〗 on the other hand 【方式】 way, manner, fashion, mode 〖以某种～〗 ad. somehow 〖以这种或那种～〗 in one way or another 〖以同样的～〗 in the same way 【方向】 direction, way 〖～盘〗 steering-wheel 【方针】 policy, course / guiding principle

芳 (fāng) 【芳香】 a. sweet-scented, fragrant, aromatic; n. fragrance

防 (fáng) v. defend / guard against 【防备】 provide against 【防毒】 gas defence 〖～面具〗 gas mask 【防腐】 a. antiseptic n. preservation 【防洪】 n. flood-control 【防护】 v. protect 〖～面具〗 mask 【防火】 a. fireproof 【防空】 air defence 〖～洞〗 air-raid [bomb] shelter 【防水】 a. waterproof 【防线】 defence line 【防疫】 n. anti-epidemic 〖～针〗 inoculation 【防御】 *v.* defend; *n.* defence 〖～工事〗 defence works 〖～者〗 defender 【防止】 *v.* prevent (from)

妨 (fáng) 【妨碍】 *v.* hinder, prevent (from) / be in the way of

房 (fáng) room; house 【房东】 *n.* landlord 【房间】 room 〖小～〗 closet 【房客】 tenant, lodger 【房屋】 hóuses, buildings 〖一排～〗 *n.* block 【房主】 house-owner 【房子】 house, room, building 【房租】 house-rent

访 (fǎng) *v.* visit / call·on 【访问】 *v.* visit / call on, pay a visit to 〖～团〗 visiting delegation 〖～演出〗 visiting performance 〖～者〗 visitor

仿 (fǎng) *v.* imitate; resemble 【仿佛】 *v.* seem / as if 【仿照】 *prep.* after / according to 〖～范例〗 after the model

放 (fàng) *v.* put, lay, place, set 〖～电影〗 show a film 〖～风筝〗 fly a kite 【放出】 send [let, put, give] out 【放大】 *v.* enlarge 〖～机〗 enlarger 〖～镜〗 magnifier 【放低】 *v.* drop 【放好】 put away 【放火】 set fire 【放假】 have a holiday, have a day off 【放箭】 shoot an arrow 【放进】 put in [into], let in 【放宽】 *v.* widen 【放炮】 fire a gun 【放屁】 (骂人话) shit / break wind 【放弃】 *v.* surrender, abandon / give up 〖～要求〗 back down 【放枪】fire a shot 【放射】 *v.* radiate, emit / send out 〖～性〗 *n.* radioactivity; *a.* radioactive 〖～性元素〗 radioactive element 【放声大哭】 burst into tears 【放水】 discharge water 【放松】 *v.* ease, relax, loosen; *n.* relaxation 【放下】 *v.* drop / put [set, lay] down 〖～武器〗 lay down one's arms 【放心】 feel relieved, be at ease, rest assured 【放学】 school is over 〖～后〗 after school 【放映】 *v.* project; *v., n.* show 〖～幻灯片〗 show slides 〖～机〗 projector 【放在】〖～…旁边〗 put ... beside ... 〖～外面〗 leave outside 〖～一边〗 put aside 〖～一起〗 place together 【放债】 lend money 【放置】 place, put, lay 【放逐】 *v.* banish, exile 〖被～者〗 exile, outlaw 【放走】 *v.* release / let go

飞 (fēi) *v.* fly; *n.* flight 〖～过去〗 fly over 【飞奔】 fly 【飞驰】 shoot 【飞出】 fly out 【飞蛾】 moth 【飞机】 airplane, aircraft, plane 〖～场〗 airport, airfield 〖～票〗 plan ticket 〖乘～〗 by plane [air] 〖坐～去〗 go by air 〖喷气～〗 jet plane 【飞开】 fly away 【飞快】 at top speed 〖～地跑开〗 dash away 【飞去】 fly off 【飞往】 fly to 【飞翔】 *v.* fly, hover; *n.* flight 【飞行】 *v.* fly; *n.* flight 〖～员〗 flyer, pilot, aviator 【飞跃】 forward leap

非 (fēi) 【非常】 *a.* extraordinary, frightful; *ad.* much, most, greatly, extremely, extra, very, so, simply, highly, badly / a lot 【非法】 *a.* illegal, unlawful 【非凡】 *a.* uncommon, extraordinary 【非卖品】 Not for Sale 【非议】 *v.* blame, reproach 【非英语】 *a.* non-English 【非洲】 *n.* Africa; *a.* African 〖～人〗 *n., a.* African

菲 (fēi) 【菲律宾(群岛)】 the Philippines ◇ 菲 (fěi)

肥 (féi) *a.* fat 【肥大】 *a.* loose-fitting; stout, fat 【肥料】 fertilizer, manure 【肥胖】 *a.* fleshy, fat 【肥肉】 fat / fat meat 【肥沃】 *a.* fat, fertile, rich 【肥皂】 soap 〖～粉〗 soap powder 〖～盒〗 soap box

匪 (fěi) 【匪帮】 bandit gang 【匪徒】 bandit, gangster

菲 (fěi) 【菲薄】 *a.* poor, meagre, humble; *v.* belittle ◇ 菲 (fēi)

沸 (fèi) *v.* boil 【沸点】 boiling-point 【沸水】 boiling water 【沸腾】 *v.* boil; *a.* boiling

废 (fèi) *a.* waste; *v.* abolish / give up【废除】*v.* abolish / do away with【废话】*n.* nonsense / an empty talk【废料】waste【废品】waste products【废弃】*a.* waste; *v.,n.* discard〖～的旧物〗*n.* junk【废物】waste, rubbish; go-for-nothing【废墟】ruins【废止】put an end to【废纸】waste paper〖～箱〗waste-paper box

肺 (fèi) lung【肺癌】lung cancer【肺结核】tuberculosis【肺炎】pneumonia

费 (fèi) *v.* spend, waste; *n.* expense【费解】difficult of explanation; hard to understand【费了些劲(做)】have some difficulty (in doing)【费力】*a.* laborious, strenuous / (do) with a great effort【费心】*v.* trouble / take a lot of trouble【费用】*n.* expenses, cost

分 (fēn) *v.* divide; *n.* cent; fen; minute【分别】*v.* part, separate; *ad.* separately【分布】*v.* distribute【分成】〖把…～〗divide … into …【分词】participle〖～短语〗participial phrase〖～介词〗participial preposition〖现在～〗present participle〖过去～〗past participle【分担】*v.* share【分发】*v.* distribute / give [hand] out【分隔】*v.* divide【分割】cut apart【分给】*v.* distribute / deal out【分工】division of labour【分号】semi-colon[;]【分化】*v.* distintegrate【分界】*v.* delimit〖～线〗boundary【分解】*v.* decompose; analyse【分开】*v.* separate, split〖把…和…～〗separate … from …〖被…分开〗divided by【分类】*v.* arrange, classify, assort〖～目录〗classified catalogue〖～室〗sorting room〖按目录～〗*v.* catalogue【分离】*v.* part; *a.* separate; *ad.* apart, separately〖使…和…～〗separate … from …〖从…～出去〗break away from【分裂】*v.,n.* split【分泌】*v.* secrete【分娩】*n.* childbirth / give birth to a child【分母】denominator【分配】*v.* distribute, deal, assign, allot【分期】by (in) instalments〖～付款〗*s.* instalment plan; budget plan【分歧】*n.* divergence, difference【分遣】*v.* detach〖～队〗*n.* detachment【分散】*v.* scatter【分数】mark, (美) grade,〔数〕fraction,〔体〕point〖平均～〗average mark【分水岭】watershed【分为】be divided into【分析】*v.* analyse; *n.* analysis【分享】*v.* share (in)〖～快乐〗share in the pleasure【分支】*n.* branch【分钟】*n.* minute【分子】molecule; numerator ◇ 分 (fèn)

芬 (fēn)【芬芳】*n.* fragrance; *a.* fragrant, balmy【芬兰】Finland〖～人〗*n.* Finn; *a.* Finnish〖～语〗*n., a.* Finnish

吩 (fēn)【吩咐】*v.* tell, instruct, order

纷 (fēn)【纷繁】*a.* complicated【纷飞】*v.* swirl【纷乱】*a.* disorderly【纷扰】*n.* confusion〖无谓～〗*n.* fuss

坟 (fén) *n.* grave, tomb【坟场】graveyard【坟墓】grave, tomb

粉 (fěn) *n.* powder, flour【粉笔】chalk【粉红色】*n.,a.* pink【粉末】powder, dust【粉饰】*v.* whitewash / gloss over【粉刷】*v.* whitewash【粉碎】*v.* smash / crush up

分 (fèn)〖水～〗moisture〖盐～〗salt content【分量】weight; quantity【分子】element; member ◇ 分 (fēn)

份 (fèn) *n.* part, share【份额】share

奋 (fèn)【奋斗】*v.,n.* struggle; *v.* strive【奋发】exert oneself【奋起】*v.*

rise (up)

愤 (fèn)【愤恨】*n.* hatred; resentment【愤怒】*n.* anger; *a.* angry; *ad.* angrily〖～的声音〗exasperated voice

丰 (fēng)【丰富】*n.* plenty, abundance; enrichment; *a.* plentiful,, rich〖～多采〗*a.* colourful, variegated【丰满】*a.* plump, full【丰盛】*n.* bumper; *a.* affluent, abundant, lavish【丰收】bumper harvest

风 (fēng) wind〖多～〗*a.* windy〖无～〗*a.* calm【风暴】storm, tempest【风潮】agitation, unrest【风度】appearance, demeanour【风格】style【风景】view, sights, landscape, scenery〖～美丽〗*a.* scenic〖～区〗scenic spot【风浪】wind and waves〖海上～大〗have a stormy [rough] sea【风力】wind force; wind power【风凉】cool and breezy【风帽】hood【风气】fashion / general practice【风琴】organ【风沙】sandstorm【风扇】(electric) fan【风俗】custom【风箱】bellows【风向】wind direction【风险】*n.* risk【风雪】snowdrift〖～大衣〗parka【风雨】wind and rain【风筝】kite〖放～〗fly a kite

枫 (fēng)【枫树】maple【枫叶】maple-leaf

疯 (fēng) *a.* mad【疯狂】*a.* mad, frenzied; *n.* madness【疯人院】mental hospital【疯瘫】*n.* paralysis, palsy【疯子】madman, lunatic

封 (fēng) *v.* seal【封闭】seal up [off]【封建】*a.* feudal〖～领主〗feudal lord〖～主义〗feudalism【封面】cover【封皮】*n.* envelope【封锁】*v.*,*n.* blockade〖～线〗cordon / blockade line【封条】seal

峰 (fēng)【峰峦】ridge

烽 (fēng)【烽火台】beacon tower

锋 (fēng)【锋利】*a.* sharp; incisive, poignant【锋芒】*n.* cutting-edge

蜂 (fēng) bee【蜂房】hive【蜂蜜】honey【蜂乳】royal jelly【蜂王】queen bee【蜂窝】honeycomb【蜂箱】hive【蜂拥】*v.* swarm / move in a swarm

缝 (féng) *v.* sew, stitch〖～衣服〗sew clothes【缝补】sew and patch【缝纫】*v.* sew; *n.* sewing, needle-work〖～机〗sewing machine【缝制】*v.* sew〖～物〗sewing ◇ 缝 (fèng)

奉 (fēng)【奉承】*v.* flatter【奉命】by order【奉送】offer as a gift【奉献】*v.* offer, consecrate【奉行】*v.* follow, pursue / carry out

缝 (fèng) *n.* seam【缝隙】split; crack, crevice ◇ 缝 (féng)

佛 (fó) *n.* Buddha【佛教】Buddhism【佛经】Buddhist scriptures【佛罗里达(州)】(美) Florida

否 (fǒu) *ad.* no【否定】*v.* deny; *n.* negation; *a.*,*v.* negative〖～语〗*n.* negative【否决】*v.*,*n.* veto; *v.* reject〖～权〗veto【否认】*v.* deny, renounce〖不可～〗*a.* undeniable【否则】*conj.* otherwise, or, else / if not

夫 (fū) *n.* husband, man【夫妇】husband and wife, married couple【夫人】wife, lady, madame / (称呼用) Mrs., Madame, Lady

肤 (fū) *n.* skin【肤浅】*a.* shallow, superficial

孵 (fū) *v.* hatch; sit〖～小鸡〗hatch chickens【孵化】*v.* hatch, incubate; *n.* hatching

扶 (fú) *v.* help, support【扶起】raise up【扶手】*n.* railing〖～椅〗

armchair 【扶梯】 staircase 【扶养】 *v.* support, raise, maintain / bring up 【扶植】 *v.* foster

拂 (fú) *v.* dust, brush 【拂拭】 wipe off 【拂晓】 *n.* dawn, daybreak 〖～前〗 by daybreak

服 (fú) *v.* obey / bend to, submit to 〖不～〗 *v.* disobey 【服毒】 take poison 【服侍】 *v.* tend / wait on 【服务】 *v.* serve; *n.* service 〖～台〗 information desk, inquiry office 〖～员〗 attendant, boy, waiter, steward 【服药】 take medicine 【服役】 *v.* serve / in active service 【服用】 *v.* take 【服装】 clothing, dress, wear 〖～式样〗 style, fashion

俘 (fú) 【俘获】 *v.* seize, capture 【俘虏】 *n.* captive, prisoner (of war)

浮 (fú) *v.* float 【浮雕】 *n.* relief 【浮动】 *v.* float; *a.* floating 【浮华】 *a.* showy, flashy 【浮力】 buoyancy 【浮现】 present itself, rise before one's eyes, come back to one's mind 【浮肿】 *n.* dropsy

符 (fú) 【符号】 symbol, sign, mark 〖标点～〗 punctuation mark 【符合】 *v.* suit, fit / accord with, correspond with

福 (fú) *n.* blessing 【福利】 *n.* welfare 〖～事业〗 welfare work

辐 (fú) *n.* spoke 【辐射】 *v.* radiate; *n.* radiation 〖～能〗 radiant energy

抚 (fú) 【抚摩】【抚摸】 *v.,n.* pat, stroke 【抚慰】 *v.* pacify, soothe 【抚恤】 bring comfort and relief (to the injured or the family of the dead) 〖～金〗 pension 【抚养】 *v.* raise / bring up 【抚育】 *v.* nurture

斧 (fú) *n.* ax(e) 〖小～〗 *n.* hatchet 【斧头】 hatchet

俯 (fú) *v.* bow / bend down 【俯冲】 *v.,n.* dive 〖～轰炸机〗 dive-bomber 【俯伏】 *v.* prostrate 【俯身在…上面】 lean over ... 【俯视】 *v.* overlook / look down at

辅 (fú) *v.* help, assist 【辅导】 *v.,n.* coach 〖～员〗 coach, assistant 【辅音】 consonant 【辅助】 *v.,n.* aid; *a.* auxiliary, supplementary 〖～工〗 auxiliary worker

腐 (fú) 【腐败】 *a.* bad; *v.* corrupt / go bad 【腐化】 *v.* corrupt 【腐烂】 *v.* rot (away); *n.* decay; *a.* rotten 【腐蚀】 *v.* corrode 〖～剂〗 caustic 【腐朽】 *a.* rotten; decadent; degenerate

父 (fù) father, papa 〖伯～〗〖叔～〗〖舅～〗 uncle 〖祖～〗 grandfather 【父母】 parents 【父亲】 father

付 (fù) *v.* pay, give 〖～表决〗 put to the vote 【付出】 pay out [for] 【付款】 *v.* pay / make a payment 〖～人〗 payer 【付讫】 paid 【付清】 pay off [in full] 【付印】 send [put] to the press 【付帐】 pay a bill

负 (fù) *v.* bear, carry 【负担】 *v.,n.* burden; *n.* load 【负号】 *n.* minus / negative sign 【负伤】 *a.* injured, hurt, wounded 【负数】 *n.* negative (number) 【负责】 *a.* responsible / (be) in charge of 〖～人〗 responsible member, person in charge 〖对…～〗 answer for 【负债】 be in debt

妇 (fù) 【妇科】 gynaecology 【妇联】 the Women's Federation 【妇女】 woman, lady 〖～节〗 International Working Women's Day

附 (fù) 【附表】 attached list [chart] 【附带】 *a.* attached; subsidiary / in passing 〖～说说〗 by the way 【附和】 *v.* echo / follow plavishly 【附加】 *v.* add, annex; *a.* supplementary, more 〖～条款〗 rider / additonal artical 【附件】 parts, accessory; appendix, enclosure / appended documents;【附近】*a.,ad.* nearby; *n.* neighbourhood〖在～〗*ad.* around, by, nearby 【附录】appendix, supplement 【附属】*a.* auxiliary; *v.* attach / belong to 〖～国〗dependency / dependent state 【附图】attached map [drawing] 【附言】*n.* postscript (PS) 【附中】attached middle school 【附注】*n.* notes, comments, remarks

复 (fù) *v.* return, reply 【复查】*v.* recheck, reexamine 【复仇】*v.,n.* revenge 【复发】*v.,n.* relapse 【复合】*a.* complex; compound; composite 〖～介词〗compound preposition 〖～句〗composite sentence 〖主从～句〗complex sentence 〖并列～句〗compound sentence 〖～语〗compound 【复活】*v.* revive / come back to life 〖～节〗Easter Day 【复赛】intermediary heat 【复审】*v.* reexamine 【复述】*v.* retell, repeat; *n.* retelling 【复数】*n.* plural (number); *a.* plural 【复习】*v.* review / go over 【复写】*v.,n.* duplicate 〖～纸〗carbon paper 【复信】answer [reply to] a letter 【复兴】*v.* reconstruct 【复印】*v.* duplicate 〖～机〗duplicator 〖～纸〗duplicating paper 【复员】*v.* demobilize 【复原】*v.* heal, recover / get well 【复杂】*a.* complex, complicated 【复制】*v.* reproduce

副 (fù) deputy, assistant; vice- 〖～部长〗vice-minister 〖～教授〗associate professor 〖～主席〗vice-chairman 〖～总编辑〗associate editor 〖～总理〗vice-premier 〖～总统〗vice-president 【副本】copy, duplicate 【副产品】by-product 【副词】adverb 〖～短语〗adverbial phrase 〖关系～〗relative adverb 〖连接～〗conjunctive adverb 〖普通～〗ordinary adverb 〖疑问～〗interrogative adverb 【副歌】refrain 【副食品】non--staple food 【副手】*n.* assistant 【副业】side-line 【副作用】side effect

富 (fù) *a.* rich, wealthy 【富强】prosperous and strong 【富饶】*a.* rich, opulent 【富翁】money bags; rich man, man of wealth, 【富裕】*a.* wealthy, rich, well-off 【富于】be full of, rich in

腹 (fù) belly 【腹部】stomach, abdomen 【腹膜】peritoneum 〖～炎〗peritonitis 【腹痛】*n.* belly-ache, stomach-ache / abdominal pains

覆 (fù) *v.* cover; upset 【覆盖】*v.* cover; *a.* covered 〖～物〗covering 〖～着〗be covered with 〖被水～〗*a.* water-covered 【覆灭】*n.* destruction 【覆没】sunk; routed, annihilated

G g

该 (gāi) *v.* should, ought to 【该是】*v.* will 【该由】be up to

改 (gǎi) *v.* change 〖～主意〗change one's mind 【改版】*n.* correcting 【改编】*v.* adapt, reorganize 【改变】*v.* change, shift 〖～方向〗change in direction 〖～立场〗go over 〖～位置〗change in position 〖随着…～〗change with 【改订】*v.* reformulate,rewrite 【改革】*n.* revolution, reformation, improvement; *v., n.* reform 【改过】correct one's errors 【改

行】change one's occupation [calling]【改换】v. change【改悔】repent and correct one's mistakes【改建】v. rebuild【改进】v. improve; n. improvement【改良】v. improve; reform〖～主义〗n. reformism【改期】v. postpone【改善】v. improve; n. improvement【改天】ad. someday / some time, some other day【改写】v. rewrite, adapt; n. rewriting, adaptation〖～本〗adaptation【改选】v. reelect【改造】v. remould, reform, transform【改正】v. correct; n. correction【改组】v. reorganize

盖 (gài) v., n. cover, lid〖～被子〗cover with a quilt〖～房子〗build a house〖～起来〗cover up【盖章】v. seal, stamp【盖子】n. cover, lid〖揭开…的～〗v. uncover

概 (gài)【概况】survey / general situation【概括】v. generalize, summarize【概论】n. introduction, outline【概貌】general view [picture]【概念】n. idea, concept, notion〖～化〗v. generalize【概要】n. sketch, summary

干 (gān) a. dry〖使～〗v. dry【干巴巴】a. dry, insipid【干杯】n. toast / bottom up〖为…～〗drink to【干瘪】a. shrunken, empty【干草】hay【干脆】a. straightforward【干电池】dry cell【干旱】n. drought; a. thirsty, arid【干净】a. clean; fair〖～整齐〗clean and tidy〖把…弄～〗v. clean【干枯】a. dry, withered【干酪】n. cheese【干扰】v. jam; disturb【干涉】v. interfere【干尸】mummy【干洗】v. dry-clean【干预】intervene / meddle with【干燥】a. dry, thirsty〖～剂〗dryer (或 drier) ◇ 干 (gàn)

甘 (gān) a. sweet【甘草】liquorice【甘受】take … lying down【甘心】a. willing / be reconciled to〖～情愿〗willingly and gladly【甘油】glycerin(e)【甘愿】be willing to【甘蔗】cane, sugar-cane

杆 (gān) n. pole, stick, staff, bar〖栏～〗balustrade〖旗～〗flagpole

肝 (gān) liver【肝癌】liver cancer【肝炎】hepatitis

柑 (gān) orange

赶 (gǎn) v. drive, rush, pursue / catch up with〖～不上〗lag behind; miss〖～得上〗get there in time〖～大车的人〗cart-driver〖～牲口的人〗cattle-driver【赶车】v. drive (a cart)【赶紧】【赶快】v. hurry / Hurry up! Make haste!【赶来救援】come to the rescue【赶上】v. catch / catch up with; gain on, get nearer to〖未～〗v. miss【赶往】rush to【赶走】drive off

敢 (gǎn) v. dare〖～拚〗dare to risk all〖～说〗dare to say【敢于】v. dare (to)

感 (gǎn) v. sense【感到】v. find / feel, perceive〖～不舒服〗feel very bad〖～好多了〗feel much better〖～很满意〗feel quite satisfied【感动】v. move, touch, strike, impress, affect〖令人～〗a. moving【感恩】v. owe; n. gratitude / be grateful [thankful]【感官】sense (organ)【感激】v. owe; n. gratitude; a. grateful, thankful〖表示～〗express one's gratitude to【感觉】v. feel; n. sensation, sense, feeling【感冒】n. cold / catch cold〖流行性～〗n. influenza〖重～〗a bad cold【感情】n. emotion, feeling, sentiment【感染】v. get, catch, infect【感叹】v., n. sigh exclamation; *a.* exclamatory 〖～词〗 interjection 〖～号〗 exclamation mark 〖～句〗 exclamatory sentence 【感想】 *n.* impressions, reflections 【感谢】 *v.* thank, appreciate; *n.* gratitude, thankness; *a.* grateful, thankful / be grateful to, thank for 【感兴趣】 be interested in 【感知】 *v.* feel; perceive

橄 (gǎn) 【橄榄】 olive 〖～球〗 rugby / American football 〖～油〗 olive oil 〖～枝〗 olive-branch

干 (gàn) *v.* do; *n.* stem 〖～吧〗 Go ahead! 【干部】 cadre 【干活】 *v.* work 【干劲】 drive, vigour, energy 【干事】 *n.* secretary, clerk, manager
◇ 干 (gān)

刚 (gāng) 【刚才】 just now, a short time ago, a moment ago 【刚刚】 *ad.* just 【刚毛】 bristle 【刚强】 *a.* tough, firm, staunch 【刚巧】 just in time, happen to

缸 (gāng) jar; vat; bowl

钢 (gāng) steel 〖不锈～〗 stainless steel 【钢板】 steel-plate 【钢笔】 pen 【钢材】 steels / steel products 【钢管】 steel tube 【钢琴】 piano 〖～家〗 pianist 〖～演奏者〗 pianist 【钢水】 molten steel 【钢丝】 steel wire 〖～绳〗 cable 【钢铁】 steel / iron and steel

岗 (gǎng) 【岗楼】 watchtower 【岗位】 post

港 (gǎng) port 【港币】 Hong Kong currency 【港口】 harbour, port 【港市】 port

高 (gāo) *a.* high, tall; *ad.* high 【高超】 *a.* superb, excellent, magnificent 【高潮】 climax; upsurge 【高大】 *a.* tall 【高档】 *a.* high-grade 【高等】 *a.* higher / of a higher grade 〖～院校〗 institutions of higher learning 【高度】 *ad.* highly; *n.* height / high degree 〖在…～〗 at a height of 【高跟鞋】 high-heeled shoes, high heels 【高贵】 *a.* noble, high, majestic, magnificent, galant; *n.* nobility, majesty 【高呼】 *v., n.* shout, cheer 【高级】 *a.* senior, superior, advanced 〖～中学〗 senior middle school 〖～职员〗 official, officer; executive 【高价】 *a.* expensive, high-priced 【高考】 college entrance examination 【高粱】 sorghum 【高明】 *a.* excellent, well-qualified; wise, clever 【高频】 high frequency 【高尚】 *a.* noble 【高声】 loud voice 〖～说话〗 speak out loud 【高速】 *a.* high-speed 〖～公路〗 speedway, freeway 【高统靴】 high boots 【高兴】 *n.* delight, joy, pleasure; *v.* rejoice; *a.* happy, glad, cheerful, joyful, pleased; *ad.* happily, gladly / with joy, be glad to (do) 〖～得叫起来〗 cry with joy 〖使～〗 *v.* please, delight, cheer 〖使…～的是〗 to one's delight [joy] 〖非常～的〗 *a.* overjoyed 〖不～〗 *a.* unhappy 【高血压】 *n.* hypertension 【高压】 *a.* high-handed 〖～锅〗 pressure cooker 【高原】 high-land

羔 (gāo) 【羔羊】 lamb, kid

糕 (gāo) cake

镐 (gǎo) *n.* pick 〖十字～〗 pick, pickaxe, mattock

告 (gào) 【告别】 say good-bye to 【告密】 *v.* tip (off), inform (against, on) 【告诉】 *v.* tell, inform 〖～…有关…的情况〗 tell ... about ... 【有事要～某人】 have sth. to tell sb. 【告诫】 *v.* warn 【告知】 *v.* inform, acquaint 〖事先～某人可能发生某事〗 warn sb. of sth. 【告终】 come to the end

哥 (gē) *n.* (elder) brother 【哥哥】*n.* (elder) brother

胳 (gē) 【胳膊】arm

鸽 (gē) dove, pigeon

割 (gē) *v.* cut 〖～草〗*v.* mow / cut grass 〖～麦〗cut wheat 【割开】cut open

搁 (gē) *v.* lay, place 【搁板】*n.* shelf

歌 (gē) *n.* song 【歌唱】*v.* sing 〖～队〗choir, chorus 〖～家〗singer 【歌剧】opera 【歌曲】song 【歌手】singer 【歌谣】*n.* ballad / folk song 【歌咏】*n.* singing 〖～组〗singing group

革 (gé) 【革命】*n.* revolution; *a.* revolutionary 〖～化〗*v.* revolutionize 〖～者〗revolutionary 【革新】*v.* innovate; *n.* innovation

阁 (gé) 【阁楼】attic 【阁下】gentleman, Sir / Your Excellency [Honour]

格 (gé) 〖主～〗nominative case 〖宾～〗objective case 〖所有～〗possessive case 【格式】pattern, form 【格言】proverb, maxim, aphorism

隔 (gé) 【隔壁】neighbour / next door 【隔断】cut off 【隔离】*v.* isolate 〖～室〗isolation ward 【隔日】every other day

个 (gè) 【个别】*a.* single; *ad.* separately 【个人】*n.* individual; *a.* personal 【个性】individuality, personality

各 (gè) 【各别】*a.* different; *ad.* separately 【各处】*ad.* everywhere / here and there 【各方面】all sides 【各个】*a.* each, every 【各式各样】*a.* various / all sorts of 【各种】all kinds of 【各自】*a.* each, respective

给 (gěi) *v.* give, hand; *prep.* for

根 (gēn) *n.* root 【根本】*n.* origin; *a.* basic // at all 【根据】*n.* grounds; *prep.* by / according to 〖～…所说〗according to 〖～地〗base 【根源】*n.* source

跟 (gēn) *v.* follow; *prep.* with 〖～…一样〗*prep.* like 〖～在…后面〗come after 【跟随】*v.* follow 【跟踪】*v.* trail, track, shadow

更 (gēng) 【更改】*v.* alter 【更换】*v., n.* change 【更年期】change of life 【更新】*v.* renew, replace 【更正】*v.* correct ◇ 更 (gèng)

耕 (gēng) *v.* plough 【耕种】*v.* cultivate, till

哽 (gěng) *v.* choke (with a strong feeling)

梗 (gěng) *n.* stem 【梗概】broad outline

更 (gèng) *a., ad.* more 〖～多〗*a.* more 〖～少〗*a.* fewer, less 〖～好〗*a., ad.* better 〖～差〗*a., ad.* worse 〖～远〗*a., ad.* further, farther 〖比…〗even more … than 【更加】*ad.* still / all the more ◇ 更 (gēng)

工 (gōng) *n.* workman 〖电～〗electrician 〖锻～〗blacksmith 〖管道～〗plumber 〖矿～〗miner 〖木～〗carpenter 【工场】workshop 【工厂】factory, plant, mill, works 【工程】works, engineering, project〖～师〗engineer 〖市政～局〗the Public Works Department 【工段】working section 【工会】trade union 〖～会员〗unionist 【工件】workpiece 【工具】tool, instrument, implement, means, organ 【工龄】length of service 【工人】worker, workman 〖搬运～〗porter 〖建筑～〗builder 〖园林～〗gardener 【工事】(defence) works 【工头】foreman, boss 【工序】process 【工业】*n.* industry; *a.* industrial 〖～品〗industrial product 〖～化〗*v.* industrialize; *n.* industrialization 【工艺】*n.* technology *a.* technological, technical 〖～师〗 technologist 〖～学〗 technology 【工友】 workmate 【工资】 pay, wages 〖付…的工资〗 pay for 【工作】 v., n. work; n. job, task 〖～服〗 overalls 〖～人员〗 officer / staff member 〖～日〗 workday 〖～室〗 workroom 〖～者〗 worker 〖～证〗 identity card 〖在～〗 be at work 〖继续自己的工作〗 go on with one's work 〖不停地继续～〗 work away 〖激励人去努力完成的困难～〗 n. challenge 〖共同～的人〗 n. co-worker 〖为…～〗 work for

弓 (gōng) bow 【弓起】 v. hump (up), arch 【弓形】 n. arc / segment of a circle; a. bow-shaped, arched

公 (gōng) 【公安】 public security 〖～部门〗 organs of public security; the police 〖～局〗 public security bureau 【公报】 n. bulletin, communique 【公布】 v. publish 【公尺】 metre 【公费】 at public expense 【公告】 n. bulletin; v. declare / make known 【公共】 a. common 【公共汽车】 bus 〖～站〗 bus stop 〖乘～〗 by bus 【公鸡】 cock 【公斤】 kilogram(me) 【公开】 a. public / in public 【公里】 kilometre 【公路】 road, highway 〖高速～〗 speedway, freeway 【公民】 citizen 〖～权〗 citizenship 〖被剥夺～权的人〗 outlaw 〖～身份〗 citizenship 【公墓】 cemetery 【公平】 a., ad. fair 〖不～〗 a. unjust, unfair 【公社】 commune 【公式】 formula 【公司】 company, corporation 【公用】 a. public, communal 〖～电话〗 public telephone, (美) pay phone 〖～电话亭〗 phone [coin] box, (美) pay station 【公寓】 (英) block of flats, (美) apartment house 【公园】 park 【公正】 a., ad. fair 〖不～〗 a. unfair 【公职】 public office 【公众】 n., a. public 【公主】 princess

功 (gōng) n. merit, work 【功绩】 achievements, contributions, merits 【功课】 lesson 〖做～〗 do one's lessons 【功劳】 merit, credit 【功率】 power 【功能】 function 【功用】 function

攻 (gōng) v. attack 【攻读】 study hard 【攻击】 v., n. attack 【攻克】 v. capture; overcome

供 (gōng) v. supply; prep. for 【供给】 v., n. supply; v. afford, provide, furnish, maintain 【供养】 v. maintain; v., n. support 【供应】 v., n. supply; v. provide 〖～品〗 supplies 〖停止～〗 shut off

宫 (gōng) palace; temple 【宫殿】 palace 【宫廷】 court

恭 (gōng) 【恭贺】 v. congratulate 【恭维】 v., n. compliment; v. flatter

巩 (gǒng) 【巩固】 v. strengthen, secure; a. firm

共 (gòng) a. all, whole 【共产党】 n. the Communist Party; a. communist 〖～员〗 communist 【共产主义】 n. communism; a. communist 〖～者〗 n., a. communist 【共和】 a. republican 〖～国〗 republic 【共计】 n. sum; n., v., total / in all, come to 【共鸣】 n. resonance; sympathy / sypathetic response 【共同】 a. common; ad. together / in common 〖～体〗 community

贡 (gòng) 【贡献】 v. contribute, offer

勾 (gōu) v. cancel 〖～出来〗 tick off 〖～轮廓〗 v. outline, sketch 【勾号】 tick 【勾结】 v. collude / in league with 【勾引】 v. entice

沟 (gōu) n. ditch 【沟渠】 canals and ditches

钩 (gōu) n. hook 【钩住】 v. catch, clasp 【钩子】 n. clasp, hook

狗 (gǒu) dog【狗叫】v., n. bark【狗熊】black bear

构 (gōu)【构成】v. form〖由…～〗consist of, be made up of【构词法】word-building, word-formation【构造】v. build, construct

购 (gòu) v. buy, purchase【购买】buy, purchase〖～力〗purchasing power〖～者〗buyer, purchaser【购货合同】buying contract

够 (gòu) a. enough〖～了〗a. enough〖～多了〗quite enough〖伸手去～…〗reach for

估 (gū)【估计】v. figure, calculate; n., v. estimate〖～不足〗v. underestimate〖～过高〗v. overestimate〖～错误〗v. miscalculate【估价】v. appraise, evaluate

咕 (gū)【咕咕叫】v. coo【咕哝】v. murmur, mutter

孤 (gū) [孤独] a. lonely, solitary【孤立】a. alone, isolated【孤儿】orphan〖～院〗orphanage

姑 (gū) n. aunt【姑父】uncle【姑母】aunt【姑娘】girl, maid【姑息】v. appease; indulge

古 (gǔ) a. old, ancient, antique【古代】n. antiquity / ancient times; a. ancient【古典】a. classical【古董】n. antique【古怪】a. odd, funny〖样子～〗a. funny-looking【古老】a. old, ancient【古玩】n. antique

谷 (gǔ) n. grain; valley【谷仓】granary【谷物】grain, corn, cereal

股 (gǔ)【股东】shareholder【股份】share〖～有限公司〗limited company【股票】share certificate〖～市场〗stock market【股息】dividend

骨 (gǔ) bone【骨骼】skeleton【骨髓】marrow

鼓 (gǔ) n. drum【鼓动】v. agitate【鼓励】v. encourage, hearten【鼓声】drumbeats【鼓舞】v. inspire, encourage; n. inspiration〖～人心〗a. inspiring【鼓掌】v. clap, applaud

固 (gù)【固定】v. fix; ad. fixedly; a. fixed, regular〖～器〗brace〖腿～器〗leg brace【固然】ad. surely【固体】n,, a. solid【固执】a. obstinate, stubborn / hold to

故 (gù)【故事】story, tale〖～片〗feature film〖～书〗story-book〖爱情～〗romance【故乡】home town, native land【故意】ad. purposely, intentionally, deliberately / on purpose【故障】breakdown trouble

顾 (gù)【顾客】customer【顾虑】n. worries, misgivings【顾问】n. adviser, consultant, counseller

雇 (gù)【雇用】v. hire, employ / take on【雇员】employee【雇主】master, employer

瓜 (guā) melon〖黄～〗cucumber〖甜～〗musk melon〖冬～〗Chinese wax gourd〖南～〗pumpkin〖西～〗water melon〖香～〗cantaloupe【瓜分】divide up

呱 (guā)【呱呱地叫】v. caw

寡 (guǎ)【寡妇】widow

挂 (guà) v. hang〖～在…上〗hang on〖把…～起来〗hang up【挂号】v., n. register〖～信〗registered letter【挂念】be concerned [worried] about【挂图】wall-map / hanging chart【挂物架】rack

掴 (guāi) v. slap〖～耳光〗slap sb. on the face

拐 (guǎi)【拐角】n. corner〖在街道～〗at a street corner【拐骗】v. swindle【拐弯】*n.* turning / turn a corner【拐杖】cane, stick

关 (guān) *v.* close, shut〚～电灯〛turn off (the light)〚～门〛shut a door〚把…～起来〛shut ... up【关掉(电源)】shut off【关怀】*n.* care, concern, solicitude【关键】*n.* key〚～性〛*a.* critical【关节】*n.* joint〚～炎〛*n.* arthritis【关上】*v.* shut (up)【关税】customs duty【关系】*n.* relation〚～代词〛relative pronoun〚～副词〛relative adverb〚与…有～〛be connected with, have sth. to do with【关心】*n.* concern, attention; *a.* interested; *v.* care, concern / care for, care about, think of〚不～〛*a.* indifferent / be careless of【关于】*prep.* about, on, over, concerning, regarding / with respect to〚～…的记述〛an account of〚～…的意见〛opinion [advice] on【关照】*v.* inform, notify

观 (guān) *v.* look【观察】*n. v.* view; *v.* observe, examine; *n.* observation〚～不到〛*a.* unseen【仔细～】*v.* study【观点】*n.* view, viewpoint〚从…～来看〛in the eye of【观光】*v.* tour; *n.* sightseeing【观看】*v.* see, watch / look on〚～橱窗〛*v.* window-shop【观念】*n.* idea【观赏】*v.* admire / enjoy the sight of【观众】spectators, viewers, audience

官 (guān) official, officer【官方】*a.* official〚非～〛*a.* unofficial【官僚】*n.* bureaucrat〚～主义〛bureaucracy【官能】*n.* function【官位】office【官员】official

冠 (guān) *n.* hat【冠词】article〚定～〛the definite article〚不定～〛the indefinite article　◇ 冠 (guàn)

馆 (guǎn) hall【旅～】hotel【宾～】guest house【咖啡～】coffee house【博物～】museum【图书～】library【美术～】art gallery【体育～】gymnasium【天文～】planetarium【展览～】exhibition hall【大使～】embassy【领事～】consulate

管 (guǎn) *n.* tube, pipe; *v.* control【食～】gullet【气～】windpipe【管道】canal; piping〚～工〛plumber【管理】*v.* govern, rule, manage, run, handle, direct; *n.* management, direction【管弦乐】orchestral music〚～队〛orchestra【管制】*v.* control, govern

贯 (guàn)【贯彻】carry out【贯穿】*v.* penetrate / run through

冠 (guàn)【冠军】champion / gold medalist〚～称号〛championship　◇ 冠 (guān)

惯 (guàn)【惯常】〚～做…〛used to do sth.【惯例】rule, custom【惯用】〚～法〛*n.* usage〚～语〛*n.* idiom

盥 (guàn)【盥洗】〚～室〛closet, washroom〚～用品〛toilet article

灌 (guàn) *v.* pour【灌溉】*v.* water, irrigate【灌木】bush〚～林〛brush【灌输】*v.* inculcate, instil【灌注】pour into

罐 (guàn) jar【罐头】tin, can

光 (guāng) light【光滑】*a.* smooth〚摸起来～〛feel smooth〚使～〛*v.* smooth【光辉】*a.* brilliant, sparkling, glowing〚～灿烂〛*a.* splendid, brilliant【光亮】*n.* light, shine; *ad.* brightly〚使～〛*v.* light【光明】*a.* bright, light【光谱】*n.* spectrum【光圈】*n.* aperture【光荣】*n.* glory, honour; *a.* glorious, honourable〚为…感到～〛be proud of【光束】*n.* (light) beam【光秃】*a.* bare【光线】ray【光学】*n.* optics【光阴】time【光泽】*n.* lustre; *a.* shiny【光柱】beam

广 (guǎng)【广播】*v., n.* broadcast〖～电台〗broadcasting [radio] station〖～员〗(radio) announcer【广场】square【广大】*a.* broad, wide【广泛】*a.* extensive, wide; *ad.* widely【广告】*n.* advertisement〖分类～〗classified advertisement【广阔】*a.* wide, broad, vast

归 (guī) *v.* return / belong to【归功于】*v.* owe (to)【归还】*v.* return【归来】get back【归类】*v.* classify / sort out【归纳】*v.* generalize / sum up【归属】belong to

鲑 (guī) salmon

龟 (guī)【tortoise【龟甲】tortoiseshell

规 (guī)【规定】*n.* rule / provide for【规范】*n.* norm, standard, pattern, model【规格】*n.* specifications, standards【规划】*v., n.* plan【规律】law, rule【规模】size, scale【规则】*n.* rule, regulation; *a.* regular〖～动词〗regular verb〖不～〗*a.* irregular〖不～动词〗irregular verb

轨 (guī)【轨道】track, rail

诡 (guī)【诡辩】*n.* sophistry【诡计】*n.* trick

鬼 (guī) ghost【鬼怪】bogey【鬼鬼祟祟】*a.* sneaky【鬼子】*n.* devil

柜 (guì) *n.* chest, case〖床头～〗bedside cupboard〖书～〗bookcase〖衣～〗wardrobe【柜台】counter【柜子】cupboard, case, cabinet

贵 (guì) *a.* costly【贵宾】distinguished guest【贵重】*a.* valuable, precious【贵族】*n.* noble, nobleman, aristocrat; *a.* noble

跪 (guì) *v.* kneel【跪下】*v.* kneel / get down on one's knees

滚 (gǔn) *v.* roll【滚动】*v.* roll (over)【滚过】roll across【滚开】Get away!

棍 (gùn) cane, stick【棍棒】stick, club

锅 (guō) pan, pot〖蒸～〗steamer〖高压～〗pressure cooker〖平底煎～〗frying-pan【锅铲】slice【锅炉】boiler

国 (guó)【国防】national defence〖～部〗Ministry of National Defence【国歌】national anthem【国徽】state [national] emblem【国会】*n.* (美) congress【国籍】citizenship, nationality〖无～的人〗a stateless person【国际】*a.* international〖～歌〗the Internationale〖～象棋〗chess〖～主义〗*n.* interationalism; *a.* internationalist〖～主义者〗internationalist【国家】*n.* state, country, nation; *a.* national〖～队〗national team【国境】frontier【国库】*n.* exchequer / national treasury〖～券〗treasury bill【国民】*a.* national【国内】*a.* civil, internal, domestic〖在～〗at home【国旗】national flag【国庆】National Day【国土】land / national territory【国外】*ad.* abroad【国王】king【国务卿】(美) Secretary of State【国务院】State Council, (美) State Department

果 (guǒ) *n.* fruit【果断】*a.* resolute, decisive, unwavering【果酱】jam【果然】just as expected, sure enough【果肉】pulp【果实】fruit【果馅饼】tart / fruit pie【果园】orchard【果汁】fruit juice【果子冻】*n.* jelly

裹 (guǒ) *v.* wrap; bind

过 (guò) *v.* pass, cross〖～…生活〗lead [have] a ... life【过得】〖～快乐〗enjoy oneself〖～痛快〗have a wonderful time〖～愉快〗have a good time〖～困苦〗have a bad time【过称】*v.* weigh【过程】process, course〖在…的～中〗in the course of【过错】*n.* fault【过度】*a.* excessive【过分】*ad.* too【过后】*ad.* later【过活】*v.* live〖靠…～〗live on 【过来】come over [up]【过劳】*n.* strain【过了】*prep.* past〖～一会儿〗 after a while, a moment later〖～一段时间〗after a time〖～很久〗a long time later【过路人】passer-by【过目】read [look, run] over【过期】*a.* overdue【过去】*n., a.* past / in the old days, in the past; go by 〖～了〗be over〖～分词〗past participle〖～式〗past tense form【过时】*a.* out-of-date / go out【过失】*n.* mistake, fault, error【过夜】put up in [at]; stay overnight【过一遍】go over【过于】*ad.* too (much)

H h

哈 (hā) *int.* ha

嗨 (hāi) *int.* hey, why

还 (hái) *ad.* yet, still; even / at the same time〖～没有〗not yet〖～不错〗 well enough【还好】not bad【还是】*conj.* or; *ad.* still / all the same 〖～…好〗had better (do)【还算】*ad.* tolerably【还有】*ad.* besides ◇ 还 (huán)

孩 (hái)〖男～〗boy〖女～〗girl【孩子】child, (美) kid

海 (hǎi) sea【海岸】coast, seashore〖～线〗coast-line【海拔】*n.* altitude, altitude / (height) above sea level【海豹】seal【海报】*n.* poster, bill 【海滨】seaside, seashore【海岛】island【海盗】*n.* pirate【海底】ocean floor / bottom of the sea〖～电缆〗cable【海港】harbour【海关】cus-tomhouse, customs (office)【海龟】turtle【海军】navy〖～上将〗 admiral【海里】nautical mile, sea mile【海绵】sponge【海鸥】sea-gull 【海水】seawater【海滩】beach【海图】chart【海豚】dolphin【海外】 *ad.* abroad, overseas【海湾】gulf, bay【海味】sea-food【海峡】strait, channel〖英吉利～〗the English Channel【海燕】petrel【海洋】ocean, sea【海域】sea area【海员】seaman, sailor【海藻】marine algae

害 (hài) *v.* harm, hurt〖有～〗*a.* harmful, pernicious, detrimental〖无～〗 *a.* harmless【害病】*a.* diseased / get ill【害虫】pest【害怕】*v.,n.* fear; *a.* afraid, frightened / in fear of, be afraid of sth., be afraid that ..., be afraid to (do)【害臊】*a.* ashamed【害羞】*a.* shy; *ad.* shyly

酣 (hān)【酣睡】be fast asleep

鼾 (hān) *v.,n.* snore【鼾声】snoring

含 (hán) *v.* contain【含泪】*a.* tearful【含羞】*ad.* bashfully / with a sky look〖～草〗mimosa【含蓄】*a.* implicit, implied【含有】*v.* contain【含义】*n.* meaning

涵 (hán)【涵义】*n.* connotation

寒 (hán) *a.* cold, chilly【寒假】winter vacation [hoidays]【寒冷】*n., a.* cold【寒暑表】thermometer

喊 (hǎn) *v., n.* cry, shout【喊叫】*v.* cry, shout, call

汉 (hàn)【汉堡包】*n.* hamburger【汉学】*n.* sinology【汉语】*n.* Chinese (language) 〖～拼音字母〗Chinese phonetic alphabet 【汉字】Chinese character

汗 (hàn) sweat 【汗背心】singlet 【汗衫】shirt, undershirt, T-shirt 【汗水】sweat

行 (háng) *n.* row, line 【行列】*n.* line, procession, parade 【行情】*n.* quotations / current market prices 【行业】*n.* trade, occupátion ◇ 行 (xíng)

航 (háng) *v.* sail 【航程】*n.* voyage 【航道】channel 【航海】*n.* voyage 【航空】*n.* aviation 〖～器〗aircraft 〖～信〗air mail 〖～站〗airport 【航天】space flight 〖～飞行器〗space-craft 【航线】marine [air] route 〖～图〗chart 【航行】*v.* sail, navigate; *n., v.* voyage 【航运】*n.* shipping

毫 (háo) 【毫不】not at all 〖～迟疑〗without hesitation 〖～容情〗without mercy 【毫米】*n.* millimetre 【毫升】*n.* millilitre

豪 (háo) 【豪放】*a.* unrestrained 【豪华】*a.* magnificent, luxurious

好 (hǎo) *a.* good, nice, fine; *ad.* well, OK / all right 〖～得很〗very well [good] 〖～极了〗*a.* excellent, splendid, marvellous, great 〖～几万〗tens of thousands 〖比…～得多〗much better than 〖较～〗*a.* better 〖最～〗*a.* best / had better (do sth.) 〖极～〗*a.* perfect; *ad.* wonderfully 〖相当～〗not half bad, fairly good 〖不～〗*a.* poor 【好处】*n.* advantage, benefit 【好多】a great many 【好看】*a.* lovely 【好事】good deed 〖做一件～〗do a good deed 【好玩】*a.* funny 【好像】*v.* seem, appear / as if, as though 【好笑】*a.* funny 【样子～】*a.* funny-looking 【好些个】quite a few 【好心】*a.* kind-hearted 【好意】*a.* kind; *n.* kindness, favour 【好运】*n.* luck 【好转】*v.* improve / take a turn for the better ◇ 好 (hào)

号 (hào) *n.* sign; number 〖句～〗period / full stop 〖逗～〗comma 〖分～〗semi-colon 〖冒～〗colon 〖问～〗question mark 〖感叹～〗exclamation mark 〖引～〗quotation marks 〖破折～〗dash 〖连字～〗hyphen 〖省略～〗ellipsis 〖省字母～〗apostrophe 〖括～〗brackets 〖第…～〗No. (=number) 【号角】horn, bugle 【号令】*n.* order, command 【号码】*n.* number 【号外】*n.* extra (issue) 【号召】*v., n.* call

好 (hào) be fond of 【好奇】*a.* curious; *ad.* curiously, inquiringly 〖～心〗*n.* curiosity 【好学】*a.* studious / given to study ◇ 好 (hǎo)

耗 (hào) 【耗费】*v.* expend 【耗尽】*v.* exhaust / give [run] out

喝 (hē) *v.* drink 〖～一口〗take a drink 〖～茶〗take [have, drink] tea 〖～酒〗drink wine 〖～汤〗take soup 〖～水〗drink water 【喝采】*v.* applaud; *n.* applause 【喝醉】get drunk

合 (hé) *v.* combine, unite 【合并】*v.* combine 【合唱】*n.* chorus 〖～队〗choir 〖～团〗*a.* chorus / chorus troupe 【合成】*n.* synthesis; *a.* synthetic 〖～纤维〗=synthetic fibre 【合订本】bound volume 【合法】*a.* legal, lawful, legitimate 【合格】*a.* qualified 〖不～〗*a.* unqualified 【合伙】*n.* partnership 〖～人〗partner 【合计】*v., n.* total / add up to; figure out 【合金】*n.* alloy 〖～钢〗alloy steel 【合理】*a.* rationable, reasonable 〖合情～〗fair and reasonable 【合身】*v., n.* fit 【合适】*a.* suitable, appropriate 〖不～〗*a.* unfit / be unfit for 【合同】*n.* contract, agreement 〖～工〗 contract worker 【合意】 *a.* agreeable 〖对…～〗 be pleasant to 【合资】 joint stock 【合作】 *v.* cooperate; *n.* cooperation; *ad.* cooperatively 〖～者〗 co-worker, collaborator 〖抱～态度〗 *ad.* cooperatively

颌 (hé) jaw

河 (hé) river 〖小～〗 stream, creek, brook 〖运～〗 canal 【河岸】 bank 【河边】 bank, riverside 【河流】 rivers 【河马】 hippopotamus / river horse 【河滩】 river beach

和 (hé) *conj.* and; *prep.* with / as well as 〖～…不一样…〗 not so ... as ... 〖～…一起〗 *prep.* with 【和蔼】 *a.* kind, gentle, friendly, amiable 【和睦】 *a.* amicable 〖～相处〗 live together amicably, be happy together 【和平】 *n.* peace; *a.* peaceful 【和气】 *a.* friendly / in a friendly way 【和尚】 monk 【和谐】 *n.* harmony, concert

荷 (hé) 【荷兰】 *n.* Holland / the Netherlands; *a.* Dutch 〖～人〗 *n.* Dutchman / the Dutch; *a.* Dutch 〖～语〗 *n.*, *a.* Dutch 【荷花】 lotus

核 (hé) *n.* kernel; nucleus 〖～电站〗 nuclear power station 〖～扩散〗 nuclear proliferation 〖～试验〗 nuclear test 〖～武器〗 nuclear weapon 【核弹】 nuclear bomb 〖～头〗 nuclear warhead 【核对】 *v.*, *n.* check 【核能】 nuclear energy 【核算】 *v.* calculate 【核桃】 walnut 【核心】 *n.* nucleus; *a.* nuclear

盒 (hé) box, case 【盒式磁带录音机】 cassette tape recorder 【盒子】 box, case

贺 (hè) 【贺词】 congratulations, greetings 【贺礼】 *n.* gift (on some happy occasion) 【贺年片】 greeting card, New Year card

褐 (hè) 【褐色】 *a.*, *n.* (dark) brown

鹤 (hè) crane 【鹤嘴锄】 pick

黑 (hēi) *a.* black 【黑暗】 *a.* dark; *n.* darkness, gloom 【黑板】 blackboard 〖～擦〗 blackboard eraser 【黑管】 clarinet 【黑幕】 the inside story of a plot, dark deeds behind the scenes 【黑人】 *n.*, *a.* Negro, black 【黑色】 *a.* black 【黑市】 black market 【黑夜】 dark night

嘿 (hēi) *int.* hey, ha

痕 (hén) 【痕迹】 *n.* mark, trace, track, trail

很 (hěn) *ad.* very, quite, much 〖～大〗 very large [big] 〖～小〗 very little [small] 〖～多〗 very much 〖～少〗 *a.* little, few, *ad.* seldom 〖～好〗 very good 〖～坏〗 very [too] bad 〖～清楚〗 clear enough 〖～可能〗 most probably

恨 (hèn) *v.*, *n.* hate 【恨不得】 have a strong desire to, itch to

哼 (hēng) *int.* hm, hem; *v.* groan 【哼唱】 *v.* hum

横 (héng) 【横笛】 *n.* flute 【横渡】 *v.* cross (a river, etc.); *ad.*, *prep.* across 【横过】 *v.* cross; *prep.* across 【横梁】 *n.* beam

轰 (hōng) 【轰动】 *v.*, *n.* stir / cause a sensation; *a.* stirring, sensational 【轰击】 *v.* bombard 【轰隆声】 rumble, roll; crash 【轰鸣声】 roar 【轰炸】 *v.* bomb, 〖～机〗 bomber

红 (hóng) *a.* red 【红茶】 black tea 【红绿灯】 red and green lights, traffic lights 【红旗】 red flag [banner] 〖～手〗 red-banner bearer 【红色】 *n.*, *a.* red 【红糖】 brown sugar 【红外线】 infrared rays 【红血球】 red blood corpuscle

宏 (hóng) *a.* huge 【宏大】 *a.* spacious, vast 【宏伟】 *a.* grand, magnificent

洪 (hóng) 【洪亮】 *a.* sonorous 【洪水】 flood

虹 (hóng) rainbow 【虹彩】【虹膜】 iris

鸿 (hóng) 【鸿沟】 gulf 【鸿雁】 wild goose

侯 (hóu) 【侯爵】 marquis

喉 (hóu) throat, larynx 【喉痛】 sore throat 【喉音】 *n., a.* guttural

猴 (hóu) monkey

吼 (hǒu) *v.* roar 【吼叫】 *v., n.* roar, howl

后 (hòu) *a.* back / at the back of 〖在 … 之~〗 *prep.* after 〖最~〗 *ad.* finally / at last 【后备军】 reserves 【后部】 *a.* hind; *n., a.* rear 【后代】 offspring, descendants, posterity / future generations 【后方】 rear 【后果】 consequence 【后悔】 *v.* regret; *a.* sorry 【后记】 *n.* postscript 【后来】 *ad.* later, afterwards / by and by 【后门】 back door 【后面】 *n.* back, rear; *a.* hind; *ad.* behind / at the back, in the rear 〖跟在…~〗 come after 〖在…~〗 *prep.* behind 【后勤】 rear-service 【后台】 backstage 【后天】 the day after tomorrow 【后卫】 rear guard 【后院】 backyard 【后者】 the latter 【后缀】 *n.* suffix

厚 (hòu) *a.* thick 【厚板】 plank 【厚颜无耻】 *a.* shameless

候 (hòu) *v.* await 【候补】 *a.* alternate 〖~委员〗 alternate committee member 【候鸟】 migrant 【候选人】 candidate 【候诊室】 waiting-room (for outpatients)

呼 (hū) *v.* call 【呼喊】 *v.* shout, exclaim / cry out 【呼唤】 *v.* summon 【呼吸】 *n.* breath; *v.* breathe 【呼啸】 *v.* screech; whistle 〖~飞驰而过〗 zoom past 【呼语】 direct address 【呼吁】 *n.* appeal

忽 (hū) 【忽然】 *ad.* suddenly / all of a sudden 【忽视】 *v.* ignore, overlook

狐 (hú) fox 【狐狸】 fox

胡 (hú) 【胡萝卜】 carrot 【胡说】 talk nonsense 〖~八道〗 *int.* nonsense 【胡桃】 walnut 【胡同】 lane, alley / side road 〖死~〗 blind alley, dead end 【胡子】 moustache, beard

壶 (hú) pot, kettle 〖茶~〗 teapot 〖大~〗 jug 〖烧水~〗 kettle

湖 (hú) lake 【湖滩】 lake beach

糊 (hú) *v.* paste 【糊涂】 *n.* muddle; *a.* silly 〖~虫〗 muddle-headed fellow

蝴 (hú) 【蝴蝶】 butterfly 〖~结〗 *n.* bow 〖大~〗 monarch

糊 (hú) 【餬口】 make a living, keep the pot boiling 〖仅能~〗 barely keep body and soul together

虎 (hǔ) tiger

琥 (hǔ) 【琥珀】 amber 〖~色〗 amber

户 (hù) *n.* door; household 【户口】 number of households and inhabitants 〖~簿〗 register of household 【户内】 *a.* indoor 【户外】 *a.* outdoor 〖~运动〗 outdoor games 〖在~〗 *ad.* outdoors / in the open air 【户主】 head of a household

互 (hù) 【互利】 mutual benefit 【互相】 each other, one another 〖~勾结〗 collude with each other 〖~联系〗 *a.* interconnected 〖~配合〗 *v.*

coordinate 〖～依赖〗 *a.* interdependent 【互助】 mutual help

护 (hù) *v.* protect 【护理】 *v.* tend, nurse; *n.* nursing 〖～员〗 orderly 【护士】 nurse 【护照】 passport

花 (huā) flower, bloom, blossom 〖一簇～〗 a bunch of flowers 【百合～】 lily 【茶～】 camelia 〖杜鹃～〗 azalea 〖荷～〗 lotus 〖鸡冠～〗 cockscomb 〖菊～〗 chrysanthemum 〖兰～〗 orchid 〖梅～〗 plum blossom 〖牵牛～〗 morning glory 〖桃～〗 peach blossom 【花瓣】 petal 【花布】 print 【花朵】 flower 【花费】 *n.* expense; *v.* spend, expend, cost / use up 〖～得起〗 *v.* afford 〖～…做某事〗 spend ... doing 〖在…上～…〗 spend ... on ... 〖做某事～某人多少时间〗 take sb. so much time to do sth. 【花岗石】 granite, 【花环】 garland 【花卉】 flowers and plants 【花篮】 flower basket 【花露水】 perfumed toilet water 【花盆】 flowerpot 【花瓶】 vase 【花圈】 wreath 【花色】 designand colour 〖～品种〗 *n.* variety 【花生】 *n.* peanut 【花束】 bouquet 【花坛】 flower bed 【花样】 design, pattern 【花园】 garden 〖～城市〗 garden city 〖屋顶～〗 roof garden

哗 (huā) 【哗啦声】 *n.* crash

划 (huá) *v.* cut; row 【划船】 *n.* boating, *n.* boating, rowing / row [paddle] a boat, go boating rowboat, rowing / row [paddle] a boad, go boating 〖～比赛〗 boat race 【划破】 *v.* scratch ◇ 划 (huà)

华 (huá) 【华尔兹舞】 waltz 【华丽】 *a.* magnificent, gay 【华美】 *a.* brilliant, splendid 【华侨】 overseas Chinese 【华盛顿】 Washington 【华裔】 (foreign citizen of) Chinese descent [stock, origin]

滑 (huá) *v.* slide 【滑冰】 *v.* skate; *n.* skating 【滑倒】 *v.* slip 【滑动】 *v.* glide, slip, slide 【滑过】 slip [glide] by 【滑稽】 *a.* funny, comical 〖～可笑〗 *a.* funny 〖～戏〗 farce 【滑溜溜】 *a.* slippery 【滑落】 *v.* slip off 【滑水 (运动)】 *n.* water-skiing 【滑梯】 slide 【滑翔】 *v.* glide 〖～机〗 glider 【滑雪】 *v.* ski

桦 (huà) *n.* birch 【桦木】 birch

化 (huà) *v.* change, turn; melt 〖电气～〗 *v.* electrify, electrize 〖工业～〗 *v.* industrialize 〖现代～〗 *v.* modernize 〖自动～〗 *v.* automatize; *n.* automation 【化肥】 chemical fertilizer 【化合】 *v.* combine (chemically) 〖～物〗 *n.* compound 〖碳水～物〗 carbohydrate 〖与…～〗 be combined with ... 【化石】 fossil 【化学】 *n.* chemistry 〖～家〗 chemist 〖～药品〗 chemicals 【化验】 *v.,n.* test 〖～室〗 laboratory 【化妆】 *n.* make-up 〖～品〗 cosmetics 【化装】 *v.* disguise / dress up

划 (huà) *v.* divide 【划分】 *v.* divide 〖～为〗 be divided into 【划时代】 *a.* epoch-making 【划线】 *v.* line, underline ◇ 划 (huá)

话 (huà) *n.* word, talk, saying 【话剧】 stage play, modern drama 【话题】 *n.* topic 【话筒】 microphone

画 (huà) *v.* draw, paint; *n.* picture 〖～横线〗 *v.* cross 【画报】 pictorial magazine 【画家】 painter, artist 【画眉】 *n.* thrush 【画图】 draw a design, a map, etc. 【画像】 *n.* portrait

怀 (huái) 【怀恨】 nurse hatred, bear [cherish] a grudge, harbour resentment 【怀念】 *v.* miss 【怀疑】 *n., v.* doubt, *v.* question 〖使人对…产

生～〗 throw doubt upon 【怀孕】 *a.* pregnant

踝 (huái) *n.* ankle

坏 (huài) *a.* bad; *ad.* badly 〖更～〗 *a.,ad.* worse 〖最～〗 *a.,ad.* worst 〖极～〗 *a.* awful 〖越来越～〗 from bad to worse 【坏事】 *n.* wrong / bad thing 〖做～〗 do wrong

欢 (huān) *a.* glad 【欢呼】 *v.* cheer, applaud 【欢乐】 *a.* merry, cheerful 【欢喜】 *a.* delighted, pleased, happy 【欢心】 〖得某人～〗 in somebody's favour 【欢迎】 *v.,int.* welcome 〖～词〗 address of welcome 〖～会〗 reception 〖～参观〗 visitors are welcome 〖受～〗 *a.* welcome, popular / well received

还 (huán) *v.* return 【还击】 fight back 【还清】 pay off 【还原】 *v.* restore 【还债】 repay a debt ◇ 还 (hái)

环 (huán) *n.* ring 【环顾】 look round 【环节】 *n.* link 【环境】 surroundings, environment 【环绕】 *v.* surround, circle 〖～着〗 *prep.* around 【环视】 look around

缓 (huǎn) 【缓慢】 *a.* slow 【缓刑】 *n.* reprieve, probation

幻 (huàn) 【幻灯片】 slide 〖放映～〗 show slides 【幻想】 *n.* illusion, fancy, fantasy 【幻影】 phantasm, ghost

换 (huàn) *v.* change, exchange 〖～药〗 *v.* redress 〖～衣服〗 change clothes 〖拿…～…〗 change ... for ... 【换句话说】 in other words

唤 (huàn) *v.* call 【唤起】 *v.* arouse / stir up 【唤醒】 *v.* awaken / wake up

患 (huàn) *v.* suffer 【患病】 fall ill, suffer from a disease 【患者】 patient; case

荒 (huāng) *a.* waste 【荒诞】 *a.* absurd, fantastic 〖～无稽〗 *a.* fantastic and unfounded 【荒地】 desert, wasteland 【荒废】 *v.* waste; *a.* deserted 【荒凉】 *a.* desolate, deserted 【荒谬】 *a.* absurd, preposterous; foolish, ridiculous; 【荒唐】 *a.* absurd, ridiculous

皇 (huáng) 【皇帝】 emperor 【皇宫】 palace 【皇后】 empress 【皇家】 *a.* royal, imperial

黄 (huáng) *a.* yellow 【黄豆】 soybeam 【黄瓜】 cucumber 【黄昏】 dusk 【黄金】 gold 〖～时代〗 the golden age 〖～时间〗 peak hour, (美) prime time 【黄色】 *a.* yellow 〖～书〗 obscene book 【黄莺】 oriole 【黄油】 butter

蝗 (huáng) 【蝗虫】 locust

恍 (huǎng) 【恍惚】 *a.* faraway; *n.* trance 【恍然】 *ad.* suddenly (realize) 〖～大悟〗 *n.* revelation / suddenly see the light

灰 (huī) *n.* ash; lime; grey 【灰白】 *a.* pale 【灰尘】 dust, dirt 〖去掉…上的～〗 *v.* dust 【灰堆】 ash 【灰烬】 ashes 【灰色】 *a.* grey 【灰心】 *a.* discouraged

恢 (huī) 【恢复】 *v.* recover

挥 (huī) *v.* wave, move, shake 【挥动】 *v.,n.* wave, shake 【挥霍】 *v.* squander 【挥手】 *v.* wave (one's hand) 【挥舞】 *v.* wave, brandish

辉 (huī) *a.* bright 【辉煌】 *a.* glorious, splendid, brilliant

回 (huí) *v.* return; *ad.* back; *n.* chapter 【回避】 *v.* avoid 【回答】 *v.* answer, reply, respond / in answer to 【回到】 get back to 〖～家里〗 get home

【回顾】 v. review **【回合】** n. round **【回家】** go home 〖在～路上〗 on one's way home **【回来】** v. return / come [get] back **【回去】** v. return **【回声】** n. echo 〖起～〗 v. echo **【回收再用】** v., n. recycle **【回首】** look back **【回头】** ad. later / turn round 〖～看〗 look behind 〖～见〗 See you later. **【回想】** v.,n. recall **【回形针】** (paper) clip **【回信】** answer a letter, write back, letter in reply **【回忆】** v. recollect, recall; n. memor memories, recollections 〖～录〗 memoirs, reminiscences

悔 (huǐ) v. regret **【悔改】** v. reform **【悔过】** v. repent **【悔恨】** n., v. regret

毁 (huǐ) **【毁谤】** v.,n. slander **【毁坏】** v. destroy; damage **【毁灭】** v. destroy

汇 (huì) **【汇报】** v., n. report **【汇编】** n. collection **【汇集】** v. gather, collect **【汇款】** v. remit

会 (huì) v. aux. can; n. meet; society **【会场】** meeting-place **【会话】** n. conversation **【会见】** v. meet **【会客】** receive visitors [guests] 〖～室〗 parlor / reception room **【会谈】** n. talk **【会堂】** hall **【会演】** n. festival **【会议】** meeting, conference 〖～室〗 meeting-room **【会员】** n. member **【会战】** be engaged in a decisive battle **【会长】** n. president (of an association etc.) ◇ 会 (kuài)

绘 (huì) v. paint, draw **【绘画】** n. painting; drawing **【绘制】** v. draw

昏 (hūn) n. dusk **【昏倒】** v. faint **【昏过去】** pass out **【昏迷】** a. unconscious; a. stupor **【昏睡状态】** n. trance

浑 (hún) a. muddy **【浑身】** from head to foot, all over

魂 (hún) n. soul, spirit

混 (hùn) **【混乱】** a. confused, chaotic; n. confusion, chaos, whirl **【混合】** v. mix, blend 〖～物〗 mixture 〖与…～〗 mix with **【混凝土】** n. concrete **【混血种】** a., n. halfbreed; coloured **【混淆】** v. confuse **【混杂】** mix up **【混战】** free fight

活 (huó) a. living, alive 〖～下来〗 v. survive **【活动】** v. stir, move; n. movement, action, activity; a. moving, mobile, movable 〖～性〗 n. activity **【活力】** vigour, vitality, energy **【活泼】** a. lively, vivacious n. piston **【活页】** leaflet 〖～纸〗 loose-leaves **【活跃】** n. activity; a. active **【活着】** a. alive 〖使～〗 keep sb. alive

火 (huǒ) n. fire 〖～一般〗 a. fiery **【火柴】** match **【火车】** train 〖～司机〗 engineer 〖～头〗 locomotive 〖～站〗 railway station 〖～站站长〗 station-master 〖乘～〗 by train **【火花】** sparkle **【火鸡】** turkey **【火箭】** rocket **【火柜】** torch **【火炉】** stove **【火山】** volcano **【火腿】** ham **【火线】** firing line **【火药】** gun-powder **【火焰】** flame

伙 (huǒ) **【伙伴】** partner, companion, (美) buddy **【伙食】** n. food, mess

或 (huò) conj. or / or else **【或是…或是…】** either ... or ... **【或许】** v.aux. may; ad. maybe, perhaps **【或是】** conj. or, either

货 (huò) n. goods **【货币】** money, currency **【货车】** freight car **【货船】** freighter **【货物】** goods, freight

获 (huò) v. catch, obtain **【获得】** v. gain, obtain, get / pick up 〖从…～…〗 get ... out of ... **【获胜】** v. win 〖～者〗 winner

祸 (huò) n. misfortune, disaster **【祸害】** n. disaster; scourge; v. damage

J j

几 (jǐ)【几乎】*ad.* almost, nearly, practically / just about, all but 〖～不〗*ad.* hardly 〖～没有〗*a.* few; *ad.* barely 〖～全部〗*ad.* mostly ◇ 几 (jǐ)

击 (jī) *v.* knock, strike 【击败】*n.,v.* defeat 【击剑】*n.* fencing 【击溃】*v.* rout, smash 【击中】*v.* hit

饥 (jī)【饥饿】*n.* hunger; *a.* hungry

机 (jī) *n.* machine 〖电唱～〗record-player / electric phonograph 〖电话～〗telephone 〖电视～〗television, TV 〖发动～〗engine, motor 〖抽水～〗pump 〖缝纫～〗sewing-machine 〖复印～〗duplicating machine 〖计算～〗computer, calculator / calculating machine 〖录像～〗videotape recorder 〖录音～〗recorder, taperecorder 〖收音～〗radio, wireless 〖洗衣～〗washer / washing machine 〖拖拉～〗tractor 〖照相～〗camera 〖蒸汽～〗steam engine 〖织布～〗loom 【机场】airport, airfield 【机车】engine, locomotive 【机床】machine tool 【机构】organisation / organisational structure 【机关】organ, (government) office 〖～炮〗(machine) cannon 〖～枪〗machine-gun 【机会】chance, opportunity 〖错过～〗miss an opportunity 【机灵】*a.* clever, sharp, intelligent 【机轮】wheel 【机密】*n.,a.* secret 【机能】function 【机器】machine, machinery, apparatus 〖～脚踏车〗motorbike 〖～零件〗spare parts of a machine 〖～人〗robot 【机枪】machine-gun 【机械】machine, machinery 〖～化〗*v.* mechanize; *n.* mechanization; *a.* mechanized 〖～工人〗mechanic 〖～师〗machinist 【机要】*a.* confidential 【机修工】mechanic 【机智】*n.* wit; *a.* tactful, resourceful, quick-witted

肌 (jī)【肌肉】muscle, flesh

鸡 (jī) fowl, hen, cock 〖母～〗hen 〖公～〗cock 〖小～〗chicken 【鸡蛋】egg 【鸡冠】cockscomb 〖～花〗cockscomb 【鸡叫】*v.* crow; *n.* cock-a-doodle-doo 【鸡肉】chicken 【鸡尾酒】cocktail

迹 (jī) *n.* trace 【迹象】indication, sign

积 (jī) *v.* amass, accumulate; gather 【积极】*a.* active; positive 〖～分子〗activist 〖～性〗activity, enthusiasm 〖在…(方面)～〗be active in 【积聚】*v.* accumulate / heap up 【积累】*v.* accumulate; *n.* accumulation 【积蓄】*n.* savings / store up 【积压】*v.* overstock

基 (jī) *n.* foundation, base 【基本】*a.* essential, key, elementary, fundamental, prime; *ad.* basically 〖～上〗*ad.* fundamentally / on the whole 〖～建设〗capital construction 〖～粒子〗elementary particle 〖～原理〗fundamental principle 〖～原则〗foundation 〖或～上如此〗or almost so 【基础】foundation, base 【基地】base 【基督教】*n.* Christianity; *a.* Christian 〖～徒〗 *n.* Christian 【基金】 fund 【基数】 base / cardinal number 〖～词〗 cardinal numeral 【基于】 be based (on); because of

畸 (jī) *a.* odd 【畸形】 *n.* deformity

幾 (jī) 【幾尼】 (英国辅币) guinea

激 (jī) 【激昂】 *a.* excited 【激动】 *v.* stir, heat, inspire, excite; *n.* excitement, emotion; *ad.* excitedly 〖～人心〗 *a.* soul-stirring 〖～人心的人 (或物)〗 inspiration 〖使人～〗 *a.* exciting 【激光】 laser 【激励】 *v.* urge, stimulate, inspire 【激烈】 *a.* fierce, fiery 〖～的争论〗 heated argument 【激怒】 *v.* enrage 【激起】 *v.* arouse / stir up 【激情】 strong emotion

及 (jí) *conj.* and / as well as 【及格】 *v.* pass 〖不～〗 *v.* fail, (美) flunk; *n.* failure 【及时】 *a.* timely / in time, without delay 【及物】 *a.* transitive 〖～动词〗 transitive verb 〖不～动词〗 intransitive verb

汲 (jí) *v.* draw, pump 【汲水】 draw [pump] water

吉 (jí) 【吉卜赛人】 Gypsy, Gipsy 【吉他】 guitar 〖电～〗 electric guitar 【吉普车】 jeep

级 (jí) *n.* class, grade, rank 〖升～〗 go up 〖留～〗 stay down 〖原～〗 the positive degree 〖比较～〗 the comparative degree 〖最高～〗 the superlative degree

极 (jí) *ad.* very, most, much, extremely; *n.* pole 〖地～〗 pole 〖北～〗 the North Pole 〖南～〗 the South Pole 〖～大〗 *n.* maximum; *a.* greatest, largest 〖～小〗 *n.* minimum; *a.* tiny, smallest 〖～好〗 *a.* splendid, excellent, perfect, splendid, wonderful; *ad.* wonderfully, perfectly 〖～坏〗 *a.* awful 〖～冷〗 *a.* freezing cold 〖～艰难〗 with the greatest difficulties 〖～讨厌〗 *a.* horrible 〖～厌倦〗 be fed up (with) 〖～想念〗 *a.* long 【极点】 *n.* extremity, limit 【极度】 *a.* utmost, extreme; *ad.* terribly 【极端】 *n.*, *a.* extreme; *ad.* extremely

即 (jí) *ad.* namely / that is to say 【即将】 be about to 〖～到来〗 *a.* approaching 【即刻】 *ad.* instantly / at once 【即时】 *ad.* immediately / at once 【即使】 *ad.* even / even though [if]

急 (jí) *a.* rapid, urgent, hurried 【急奔】 *v.* dash 【急扯】 *n.*, *v.* twitch 【急促】 *a.* hurried 【急救】 first aid 【急拉】 *v.* jerk 【急忙】 *v.*, *n.* hurry, haste; *ad.* hurriedly / in a hurry 【急迫】 *a.* pressing 【急切】 *a.* anxious; *ad.* wildly, anxiously 【急速】 *a.* rapid 〖～地移动〗 *v.* sweep 〖～地抓住〗 *v.* grab 〖～进入〗 sweep into 【急于】 be anxious to do sth. 【急躁】 *a.* impatient 【急诊】 emergency case 【急抓】 *v.* grab 【急转】 *v.* whirl

疾 (jí) 【疾病】 disease, illness, sickness, trouble 【疾驰】 *v.* race

集 (jí) *v.* gather, collect 〖全～〗 complete works 〖选～〗 selected works 【集成电路】 integrated circuit 【集合】 *v.* troop, gather / troop up [together] 【集会】 *n.* assembly, meeting, (美) meet 【集市】 *n.* fair 〖～贸易〗 (country) fair trade 【集体】 *n.*, *a.* collective 〖～名词〗 collective noun 〖～化〗 *v.* collectivize 【集团】 group, bloc, clique, community 【集中】 *v.* concentrate 〖～起来〗 gather together 【集装箱】 container

几 (jǐ) 〖～十…〗 scores [dozens] of 〖～千…〗 thousands of 〖～亿…〗 hundreds of millions of 〖～百万…〗 millions of 〖～分钟以后〗 in a few minutes 〖～天前〗 the other day 【几个】 *a., pron.* several, some / a few 〖颇有～〗 quite a few 【几何】 *n.* geometry ◇ 几 (jī)

挤 (jǐ) *v.* crowd; press, squeeze, crush 〖～到队伍的前面去〗 push to the front of the line 【挤满】 *v.* crowd, pack; *a.* packed, crowded 【挤奶】 *v.* milk

脊 (jǐ) *n.* backbone 【脊背】 back 【脊椎】 *n.* vertebra

计 (jì) 【计划】 *n., v.* plan; *n.* idea 【～性】 planned character 【计较】 care / bother about 【计谋】 *n.* trick 【计数】 *v., n.* count 【计算】 *v.* calculate, figure, compute; *n.* count 〖～出〗 figure out 〖～尺〗 slide rule 〖～机〗 computer 〖电子～机〗 electronic computer 〖～器〗 calculator

记 (jì) *v.* remember 〖～在心间〗 keep in mind 【记得】 *v.* remember 【记号】 mark, sign, symbol 〖作～ 于〗 *v.* mark 【记录】 *n.* note; *n., v.* record / take notes 〖～片〗 documentary film 〖破～〗 break a record 〖最高～〗 all-time high 【记秒表】 stopwatch 【记起】 *v.* recall 【记下】 *v.* note / put down 【记忆】 *v.* remember; *n.* memory 〖～力〗 memory 【记载】 *n., v.* record 【记者】 reporter, correspondent 【记住】 *v.* remember, memorize / learn by heart

纪 (jì) 【纪律】 discipline 【纪念】 *v.* commemorate; *n.* memory; *a.* memorial 〖～碑〗 monument, memorial 〖～品〗 souvenir, memento 〖～章〗 medal / souvenir badge 〖为了～…〗 in memory of 【纪元】 epoch, era

技 (jì) 【技能】 *n.* technique, skill; *a.* technical 【技巧】 skill, technique 【技师】 engineer, technician 【技术】 *n.* technique, technology; *a.* technical 〖～员〗 technician 〖非～〗 *a.* unskilled

系 (jì) *v.* tie, bind ◇ 系 (xì)

季 (jì) season 〖春～〗 spring, springtime 〖夏～〗 summer, summertime 〖秋～〗 autumn, (美) fall 〖冬～〗 winter, wintertime 【季节】 season 【季刊】 quarterly

既 (jì) *ad.* already 〖～…又…〗 both ... and ... 〖～不…也不…〗 neither ... nor ... 【既然】 *ad.* since / now that, seeing that

继 (jì) 【继承】 *v.* inherit 〖～人〗 *n.* heir 【继父】 stepfather 【继母】 stepmother 【继续】 *v.* remain; succeed; continue / go on, keep up [on] 〖～不断〗 *ad.* continuously 〖～存在〗 *v.* remain 〖～活着〗 live on 〖～进行〗 go ahead with 〖～前进〗 march on 〖～往前跑〗 race on 〖～做…〗 keep doing, go on doing 〖～进行…〗 go on with sth. 〖～下去〗 carry on 〖～自己的工作〗 go on with one's work 〖～忙于…〗 keep busy doing sth.

寄 (jì) *v.* send 〖～希望于〗 place hope on 【寄出】 send off 【寄存】 *v.* deposit 【寄生】 *a.* parasitic 〖～虫〗 parasite 【寄售】 *v.* consign 【寄宿】 *v.* lodge 【寄信】 send [post] a letter 〖～人〗 addresser, sender

寂 (jì) *n.* silence; *a.* quiet, silent; *ad.* quietly, silently 【寂寞】 *a.* lonely

加 (jiā) *v.* add; *prep.* plus; *conj.* and 〖～起来总和是〗 add up to 〖把…～ 在…上〗 add ... to ... 【加班】 work overtime 〖～费〗 overtime pay 【加倍】 *v.* double 【加法】 *n.* addition 〖～机〗 adding machine 【加号】 *n.* plus 【加紧】 *v.* intensify / step up 【加勒比海】 *n;* *a.* Caribbean 【加利福

尼亚】(美) California【加仑】n. gallon【加拿大】n. Canada; a. Canadian〖～人〗n., a. Canadian【加强】v. strengthen〖～语气〗n. emphasis【加热】v. heat【加入】v. join, enter / put in, add to【加速】v. speed〖～器〗accelerator【加油站】gas station

夹 (jiā) n. clip〖发～〗hair-pin〖衣～〗clothes-peg〖文件～〗folder【夹心】〖～饼干〗sandwich biscuits〖～面包片〗sandwich【夹杂】v. mix, mingle【夹住】v. clamp

茄 (jiā)【茄克衫】jacket ◇ 茄 (qié)

家 (jiā) home, family〖在～〗be in〖在～中〗at home〖不在～〗be out〖回～〗go home〖回到～里〗ad. home【留在～里】stay at home〖艺术～〗artist〖画～〗painter, artist〖音乐～〗musician〖作曲～〗composer〖钢琴～〗pianist〖舞蹈～〗dancer〖歌唱～〗singer〖作～〗writer〖思想～〗thinker〖银行～〗banker〖法学～〗lawyer, jurist〖科学～〗scientist〖数学～〗mathematician〖物理学～〗physicist〖生理学～〗physiologist〖地理学～〗geographer〖博物学～〗naturalist〖雕刻～〗sculptor【家常】a. homely, everyday【家伙】fellow【家具】furniture, furnishing〖不备～〗a. unfurnished【家禽】poultry / domestic fowl【家属】n. family, folk【家庭】family〖～主妇〗housewife〖～作业〗homework〖小～〗nuclear family【家乡】home (town)【家畜】domestic animal【家务】housework〖～劳动〗n. housework【家长】n. head of a family, parent of a child【家族】clan, race, family

颊 (jiá) n. cheek

甲 (jiǎ) n. shell【甲板】deck【甲虫】beetle【甲壳】n. shell【甲鱼】(soft-shelled) turtle【甲状腺】thyroid gland

假 (jiǎ) a. false【假定】v. suppose, grant【假发】wig【假冒】v., a. counterfeit【假如】conj. if / in case, on condition that【假山】rockery / artificial hill【假设】n. hypothesis【假腿】artificial leg【假牙】false [artificial] tooth【假装】v. pretend / make believe ◇ 假 (jià)

价 (jià) n. price【价格】price〖～高〗a. costly, expensive【价值】n. value, worth; merit〖有～〗a. valuable, worthy〖有…的～〗a. worth〖无～〗a. worthless, unimportant

驾 (jià)【驾驶】v. drive, sail〖～员〗driver

假 (jià) n. vacation〖请一天～〗have a day off〖寒～〗winter vacation [holidays]〖暑～〗summer vacation [holidays]【假期】vacation, holidays【假日】holiday ◇ 假 (jiǎ)

嫁 (jià) v. marry / get married【嫁接】v. graft

尖 (jiān) n. top, tip; a. sharp【尖叫】v. scream〖～声〗scream【尖锐】a. sharp【尖端】n. tip, point / pointed end

坚 (jiān) a. strong【坚持】v. insist (on) / stick [hold] to, keep up〖～不懈〗ad. consistently〖～下去〗carry on〖～在一起〗stick with【坚定】a., ad. firm; ad. firmly / stand firm【坚固】a. solid, strong【坚果】nut【坚决】a. determined, firm〖～要求〗v. insist〖～支持〗back solidly, support steadfastly【坚牢】a. strong【坚强】a. strong〖使～〗v. steel【坚忍】v. persevere; a. uncomplaining〖～不拔〗n. perseverance

肩 (jiān) shoulder【肩膀】shoulder【肩并肩】side by side【肩章】epaulet / shoulder loop

艰 (jiān) 【艰苦】 *n.* hardship; *ad.* hard 〖～奋斗〗 arduous struggle 【艰难】 *a.* difficult, hard

监 (jiān) *n.* prison 【监察】 *v.* supervise; control 〖～员〗 inspector 【监督】 supervise 【监视】 *v.* watch / keep watch on 【监狱】 prison, jail 〖关进～〗 throw into prison, put in prison

煎 (jiān) *v.* fry (in shallow fat) 【煎饼】 *n.* pancake 【煎锅】 frying-pan

拣 (jiǎn) *v.* select 【拣出】 pick out

茧 (jiǎn) *n.* cocoon

捡 (jiǎn) *v.* take, pick 【捡起】 take [pick] up

检 (jiǎn) *v.* examine 【检查】 *v.* examine, inspect; *n.* inspection, examination; *v., n.* check / go over, check up [on] 〖～员〗 inspector 【检举】 *v.* accuse 【检讨】 *n.* self-criticism 【检验】 *n.* examination; *v.* prove; *v., n.* test / check on 【检阅】 *v.* review; *v.* inspect; *n.* inspection 〖～台〗 *n.* reviewing stand

剪 (jiǎn) *v.* cut, shear 【剪报】 *n.* clipping 【剪裁】 *v., n.* cut 〖～合身〗 *a.* well-cut 【剪刀】 scissors 【剪短】 *v.* clip 【剪断】 cut through 【剪去】 cut off

减 (jiǎn) *v.* decrease; *prep.* minus, less 【减低】 *v.* lower 【减法】 *n.* subtraction 【减号】 *n.* minus 【减轻】 *v.* lighten 【减去】 *prep.* minus 【减弱】 *v.* weaken 【减少】 *v.* reduce, lessen 【减退】 go [come] down

简 (jiǎn) *a.* simple 【简称】 for short 【简单】 *a.* simple, brief, short; *ad.* simply 【简短】 *ad.* briefly 【简介】 *n.* synopsis / brief introduction 【简明】 *a.* concise 【简体字】 simplified Chinese character 【简写】 *n.* abbreviation 【简要】 *a.* brief 【简易】 *a.* simple 【简直】 *ad.* simply 〖～不〗 *ad.* hardly

见 (jiàn) *v.* see 【见解】 *n.* opinion, view / point of view 【见面】 *v.* meet / see each other 【见闻】 *n.* information 【见证】 *v., n.* witness 〖～人〗 eyewitness

件 (jiàn) 〖部～〗 units 〖零～〗 parts

间 (jiàn) 【间谍】 spy 【间断】 *n.* interruption 【间隔】 *n.* interval 【间接】 *a.* indirect 〖～引语〗 indirect speech 【间隙】 *n.* space; gap

建 (jiàn) *v.* build 【建立】 *v.* found, build, form, establish / set up 〖～起〗 build up 〖～组织〗 *v.* organize 【建军节】 Army Day 【建设】 *v.* build, construct; *n.* construction 【建议】 *v.* suggest, propose; *n.* advice, proposal, suggestion 【建造】 *v.* build / put up 【建筑】 *v.* build, construct; *n.* construction, architecture 〖～工人〗 builder 〖～师〗 architect 〖～物〗 building 〖～学〗 architecture

剑 (jiàn) sword 【剑刺】 *n.* sword-thrust 【剑桥】 (英) Cambridge 【剑术】 *n.* swordsmanship

舰 (jiàn) warship / war vessel 【舰队】 fleet 〖～司令〗 commander of a fleet

健 (jiàn) 【健康】 *a.* healthy, fit, well; *n.* health 〖～状况〗 health 〖恢复～〗 get well again 【健全】 *a.* sound 〖不～〗 *a.* diseased, unsound 【健忘】 *a.* forgetful 〖～症〗 amnesia 【健壮】 *a.* strong, healthy

渐 (jiàn) 【渐渐】 *ad.* gradually / by degrees, little by little 〖～变得〗 *v.* grow 【渐进】 *v.* inch / advance gradually, progress step by step

溅 (jiàn) *v.* splash 【溅落】 splash down

践 (jiàn) 【践踏】 *v.* tread, trample

鉴 (jiàn) 【鉴别】 *v.* distinguish, discriminate 【鉴定】 *v.* judge, appraise; authenticate 【鉴赏】 *v.* appreciate 【鉴于】 *conj.* since, as; *prep.* considering / in view of

箭 (jiàn) arrow

江 (jiāng) river

将 (jiāng) *v. aux.* will, shall 【将近】 *ad.* almost, nearly 【将就】 make do with 【将军】 general 【将来】 future / in (the) future, future time 【将要】 be going to (do)

僵 (jiāng) *a.* stiff 【僵化】 *v.* petrify 【僵尸】 *n.* corpse 【僵硬】 *a.* stiff, stark 【僵直】 *a.* stiff

缰 (jiāng) 【缰绳】 rein

讲 (jiǎng) *v.* say, tell, speak 〖～到〗 speak about 〖～得响一点〗 speak up 【讲和】 make peace 【讲话】 *v., n.* talk; *v.* speak; *n.* speech / make a speech 〖向…～〗 *v.* address 【讲解】 *v.* explain 【讲课】 *v., n.* lecture 【讲师】 lecturer 【讲述】 *v.* tell 【讲台】 platform, rostrum, rostrum 【讲演】 *n.* address, speech, speech 〖～者〗 speaker 【讲桌】 lecture desk

奖 (jiǎng) *n., v.* reward 【奖杯】 cup 【奖金】 prize; bonus; premium 【奖励】 *v.* commend, encourage 【奖品】 prize 【奖赏】 *v., n.* reward 【奖章】 medal 【奖状】 citation / certificate of award

浆 (jiāng) 【浆糊】 paste

降 (jiàng) *v.* fall 【降临】 *v.* fall / come to 【降落】 *v.* fall; land 〖～伞〗 parachute 【降温】 reduce temperature; drop in temperature 【降下】 *v.* drop

交 (jiāo) 【交叉】 *v.* cross; *n.* crossing 〖～路〗 crossroad, crossway 【交出】 *v.* hand (over) / turn [hand] in 【交付】 hand [deliver] to 【交给】 *v.* leave / leave sth. to, hand to 【交换】 *v., n.* exchange 〖～意见〗 exchange views 【交际】 *n.* communication / social intercourse 〖～舞〗 social dance 【交流】 *v.* exchange, interflow; *a.* [电] alternating 【交朋友】 make friends (with) 【交融】 *v.* blend 【交谈】 *n.* conversation / talk with 【交替】 *v.* interchange; alternate 【交通】 *n.* traffic 〖～灯〗 traffic lights 〖～规则〗 traffic regulations 〖～事故〗 traffic accident 〖～线〗 *n.* line 【交响乐】 symphony 〖～队〗 symphony orchestra 〖～团〗 philharmonic (society) 【交易】 *v.* trade 【交战】 *a.* belligerent / at war

郊 (jiāo) 【郊区】 *n.* suburbs; *a.* suburban 【郊外】 *n.* outskirts, suburbs

浇 (jiāo) *v.* pour 【浇灌】 *v.* water, irrigate 【浇花】 to water flowers 【浇水】 *v.* water 〖～壶〗 watering-can

娇 (jiāo) *a.* charming 【娇嫩】 *a.* delicate

骄 (jiāo) *a.* haughty 【骄傲】 *n.* pride, conceit; *a.* proud, conceited; *ad* proudly, conceitedly

胶 (jiāo) *n.* glue 【胶合】 *v.* agglutinate; veneer 【胶卷】 *n.* film 〖黑白～〗 black and white film 〖彩色～〗 coloured film 【胶水】 glue 【胶鞋】 rubber shoes, rubber-soled shoes

焦 (jiāo) *a.* scorched 【焦点】*n.* focus 【焦急】*a.* anxious 【焦虑】*a.* worried 【焦油】tar

礁 (jiāo) *n.* reef 【礁石】rock

嚼 (jiáo) *v.* chew

角 (jiǎo) angle; horn; corner 【角度】angle 【角落】corner ◇ 角 (jué)

侥 (jiǎo) 【侥幸】*n.* luck; *a.* lucky / by luck

绞 (jiǎo) *v.* twist 【绞肉机】meat-grinder 【绞索】noose 【绞死】*v.* hang

脚 (jiǎo) *n.* foot 【脚脖子】ankle 【脚步】step 【脚后跟】heel 【脚尖】tiptoe 【脚踏车】bicycle, bike, cycle 〖机器~〗motorbike 〖三轮~〗tricycle 【脚印】footmark, footprint 【脚趾】toe 【脚爪】paw 【脚注】*n.* footnote

搅 (jiǎo) *v.* mix 【搅拌】*v.* stir 〖~机〗mixer 【搅动】*v.* stir

叫 (jiào) *v.* call, shout; bark 【叫喊】*v.* cry, shout (at) 【大声~】call out 【叫(进)来】call in 【叫唤】call (out) 【叫卖的小贩】pedlar 【叫嚷】*v.* shout 【叫人】call for sb. 【叫声】*n.* call, cry, shout

校 (jiào) *v.* revise, correct 【校订】*v.* revise 【校对】*v.* proof-read; *n.* proof-reading 〖~员〗proof-reader 【校样】*n.* proof-sheet 【校阅】*v.* examine / read and revise, look over ◇ 校 (xiào)

较 (jiào) *v.* compare 〖~大〗*a.* major 〖~小〗*a.* lesser, minor 〖~多〗*a.*, *ad.* more 〖~少〗*a.*, *ad.* less 〖~好〗*a.*, *ad.* better / quite good 〖~差〗relatively poor 【较量】*v.* match / a trial of strength

轿 (jiào) 【轿车】car, sedan, limousine

教 (jiào) *v.* teach 【教鞭】pointer 【教材】teaching material 【教程】course 【教导】*v.* teach, instruct; *n.* teaching 【教会】*n.* church 【教科书】textbook 【教练】*v.*, *n.* coach; drill 〖~员〗coach 【教师】teacher 〖男~〗master, schoolmaster 【教士】priest 【教室】classroom, schoolroom 〖阶梯~〗lecture theatre 【教书】*v.* teach 【教授】*n.* professor 〖~职位〗professorship 〖副~〗associate professor 【教堂】church 〖小~〗chapel 〖附属~〗chapel 【教学】*v.* teach; *n.*, *a.* teaching 【教训】*v.* teach; *n.* lesson 〖~一顿〗teach sb. a lesson 【教研组】teaching and research group 【教养】*v.* train, culture / bring up 【教义】*n.* creed 【教育】*v.* educate; *n.* education, schooling 〖~部〗the Ministry of Education 〖国家~委员会〗the State Commission of Education 〖有~意义〗*a.* instructive

阶 (jiē) 【阶层】stratum 【阶段】stage, period 【阶级】class

结 (jiē) 【结果】*n.* result, effect, outcome 〖~良好〗*a.* successful; *ad.* successfully 【结实】*a.* tough, strong ◇ 结 (jié)

接 (jiē) *v.* receive, accept; connect 〖~人〗*v.* fetch 〖~乘客〗pick up passengers 【接班】take over from 〖~人〗*n.* successor 【接触】*v.*, *n.* touch, contact 〖~到〗get in touch with 【接待】*v.* receive 【接到】*v.* receive 〖~…的信〗hear from … 【接合】*v.* join 【接近】*a.* near; *a.*, *ad.* close / be close to 【接力】*n.* relay 〖~赛跑〗relay race 【接连】*v.* connect / in turn 【接收】take over 〖~机〗*n.* receiver 【接受】*v.* accept, receive / take over 〖可~〗*a.* acceptable 【接通(电源)】switch on 【接吻】*v.* kiss 【接着】*v.* follow; *ad.* then, after that 〖~做

…〗 go on to do sth.【接住】*v.* catch

揭 (jiē) *v.* raise【揭发】*v.* expose, disclose【揭开】*v.* disclose / open up 〖～盖子〗*v.* uncover【揭露】*v.* expose, disclose【揭示】*n.* reveal; disclose

街 (jiē) street〖大～〗avenue / main street【街道】street【街坊】*n.* neighbourhood【街区】*n.* block

节 (jié) *n.* section, passage; festival; knob〖国庆～〗National Day〖劳动～〗Labo(u)r Day〖妇女～〗Women's Day〖青年～〗Youth Day 〖春～〗Spring Festival〖圣诞～〗Christmas〖复活～〗Easter〖感恩～〗Thanksgiving【节录】*v.* extract【节目】*n.* programme〖～单〗programme【节拍】*n.* beat【节日】holiday, festival【节省】*v.* spare, save 【节育】birth control【节约】*v.* save; *n.* thrift, economy【节奏】*n.* rhythm

劫 (jié) *v.* rob【劫持】*v.* kidnap; hijack【劫夺】*v.* rob / seize by force

杰 (jié)【杰出】*a.* prominent, outstanding【杰作】*n.* masterpiece

结 (jié) *n.* knot【结冰】*v.* freeze; *a.* freezing【结构】*n.* frame, structure 【结合】*v.* combine / join with, be combined (with)【结婚】*v.* marry; *n.* marriage【结局】*n.* end, result【结牢】*v.* fasten【结论】conclusion 〖得出～〗draw a conclusion【结盟】*v.* ally; align【结束】*v.* finish, complete; *v., n.* end, close / be through with, come [bring] to an end 〖～了〗*ad.* over〖在…～时〗by the end of【结尾】*n.* end, ending

◇ 结 (jiē)

捷 (jié) *a.* quick【捷径】a short cut

睫 (jié)【睫毛】eyelash

竭 (jié) *v.* exhaust【竭力】try one's best

截 (jié) *v.* cut【截断】*v.* break; block / cut off【截肢】*v.* amputate【截止】 *v.* end, close〖～时间〗*n.* deadline【截至】by the end of, up to; as of

姐 (jiě) *n.* (elder) sister【姐妹】sisters

解 (jiě) *v.* untie【解答】*v.* solve; *v., n.* answer【解冻】*v.* thaw【解放】*n.* liberation; *v.* liberate, emancipate / set free【解雇】*v.* dismiss【解决】 *v.* settle, solve【解开】*v.* unwrap; untie【解剖】*v.* anatomize【解散】*v.* dismiss; disolve / fall out, break up; send away【解释】*n.* explanation; *v.* explain / clear up〖作…～〗*v.* mean【解说】*v.* explain; *n.* definition

介 (jiè)【介词】preposition〖～短语〗prepositional phrase〖分词～〗participle preposition〖复合～〗compound preposition〖短语～〗phrasal preposition【介绍】*v.* introduce; *n.* introduction / make known, introduce … to〖自我～〗introduce oneself to【介意】*v.* care, mind〖不必～〗Never mind !

戒 (jiè) abstain from; give up〖～酒〗abstain from wine〖～烟〗abstain from tobacco; give up smoking【戒指】ring

界 (jiè) *n.* boundary【界标】landmark【界线】boundary line

借 (jiè) *v.* borrow; lend〖续～〗*v.* renew【借出】*v.* lend【借口】*v.* pretend, excuse; *n.* pretext【借款】*n.* loan【借入】*v.* borrow【借用】*v.* borrow【借债】incur a debt, get into debt【借助】with sb.'s help, with the help of, by means of

巾 (jīn) a piece of cloth 〖餐～〗table napkin 〖毛～〗towel 〖头～〗scarf, kerchief 〖围～〗scarf 〖浴～〗bath towel

今 (jīn) *ad.* now【今后】in future【今年】this year【今天】*n., ad.* today 〖～上午〗this morning 〖～下午〗this afternoon 〖～晚上〗this evening【今晚】*n., ad.* tonight

金 (jīn) *n., a.* gold; *a.* golden【金箔】gold foil【金刚石】diamond【金黄色】*a.* golden【金库】treasure【金钱】money【金融】finance 〖～资本〗finance-capital【金色】*n.* gold【金属】*n.* metal 〖～线〗wire 〖非～〗*n.* non-metal【金丝雀】canary【金星】*n.* Venus【金银财宝】treasure【金鱼】goldfish【金制】*a.* golden【金子】gold【金字塔】pyramid

筋 (jīn) *n.* sinew【筋疲力竭】*a.* exhausted / worn out [up]〖筋肉〗muscle

仅 (jīn) *ad.* only【仅仅】*a.* mere; *ad.* just, alone, barely, simply, merely, only / no more than【仅有】*a.* mere, bare

尽 (jīn)【尽管】*conj.* though; despite, in spite of 〖～如此〗*ad., conj.* nevertheless【尽可能】as … as possible【尽快】as soon as possible【尽量】as far [much] as possible ◇ 尽 (jìn)

紧 (jīn) *a.* tight / immediately after【紧抱】*v.* hug【紧跟】follow closely [on sb.'s heels]; keep in step with【紧急】*a.* urgent, critical【紧接】*a.* next 〖～着…〗right after【紧紧】*ad.* tightly, firmly【紧密】*a.* close; *ad.* closely【紧贴】*a.* close-lying【紧握】*v.* clasp, grasp / hold closely【紧要】*a.* critical【紧张】*a.* nervous, tense 〖～不安〗*a.* nervous; *ad.* nervously 〖别～〗Take it easy! Don't be nervous!

锦 (jīn) *n.* brocade【锦标】*n.* prize, trophy 〖～赛〗championships

谨 (jīn)【谨慎】*a.* careful, circumspect, cautious, prudent; *ad.* carefully

尽 (jìn) *v.* exhaust 〖～全力〗by main strength 〖～责任〗*a.* dutiful【尽力】do one's best 〖～而为〗try one's best 〖～做〗in an effort to do sth.【尽头】the end 〖在…～〗at the end of【尽职】do one's duty ◇ 尽 (jīn)

进 (jìn) *v.* enter; *prep.* into【进步】*n., v.* progress; *a.* progressive 〖取得～〗make progress【进攻】*n., v.* attack【进化】*n.* evolution【进口】*v., n.* import; *n.* entrance 〖～货〗imports【进来】*v.* enter / come in 〖不让…～〗keep … out【进入】*v.* enter; *n.* entrance / get in, come [go, pass, get] into 〖～室内〗(go) indoors【进行】*n.* march, advance; *v.* wage / put up, be on, make one's way, go on (with) 〖～时态〗the continuous tense 〖～曲〗march 〖～下去〗carry on 〖继续～〗go ahead with【进展】*n., v.* progress / (do) get along 〖在…方面有～〗get along [on] with

近 (jìn) *a.* close; *a., ad.* near 〖将～〗*ad.* nearly 〖新～〗*ad.* recently 〖最～〗*ad.* recently; soon / of late; in the near future【近代】modern times【近海】*a., ad.* offshore【近来】*a.* recent; *ad.* lately, recently / of late【近路】a short cut【近旁】*ad.* near 〖在～〗*ad.* by / at one's elbow【近视】*a.* near-sighted, short-sighted

浸 (jìn) *v.* bathe, dip, soak【浸入】*v.* dip (into)【浸湿】*v.* soak

禁 (jìn)【禁闭】*v.* confine / lock up, place in confinement【禁区】forbidden zone【禁止】*v.* forbid, prohibit 〖～吸烟〗No smoking! 〖～入内〗

No entrance ! No admittance !

茎 (jīng) stalk, stem

经 (jīng) 【经常】 *a.* constant, frequent, regular; *ad.* constantly, frequently, often, regularly 【经典】 *n.* classic 〖～著作〗 classical works 【经费】 *n.* funds; expenditure 【经过】 *n.* course; *ad.* over, by, after; *prep.* through; *v.* pass / pass by [on], go by 〖从…旁～〗 go past … 【经济】 *n.* economy, economics 〖～上〗 *a.* economic 〖～效益〗 economic results [efficiency] 〖～学〗 *n.* economics; *a.* economic 〖开放～〗 open economy 【经理】 *n.* manager 【经历】 *n.* experience, past, story; *v.* undergo / go through 【经受】 *v.* undergo 〖～得起〗 *v.* afford 【经销】 *v.* distribute; sell 【经验】 *n.* experience 〖无～〗 *a.* inexperienced 【经营】 *v.* handle, run, manage; *v.,n.* conduct / carry on 〖～管理〗 *n.* management 【经由】 via, by way of

惊 (jīng) *v.* frighten 【惊动】 *n.* alarm; *v.* disturb 【惊吓】 *v.* scare; *n.* fright 【惊慌】 *n.* panic, alarm; *a.* scared 【惊叫】 *v.* exclaim 【惊恐】 *v.* frighten / in alarm 【惊奇】 *n.* amazement; *v.* astonish, wonder, surprise / in surprise 〖令人～的人(或物)〗 *n.* miracle 〖对…感到～〗 be surprised at 【惊人】 *a.* astonishing, amazing, striking wonderful; *ad.* astonishingly, wonderfully, incredibly 【惊跳】 *n.* start 【惊险】 *a.* thrilling 〖～活动〗 *n.* adventure 【惊讶】 *v.* surprise, wonder, astonish / in surprise, be astonished 【惊异】 be surprised 〖对…感到～〗 be astonished at sth. 〖使…～〗 to one's amazement

晶 (jīng) *n.* crystal 【晶体管】 transistor 〖～收音机〗 transistor (radio) 【晶状体】 crystalline lens

精 (jīng) 【精彩】 *a.* wonderful; *ad.* wonderfully 【精读】 *v.* peruse / intensive reading 【精华】 *n.* essence, cream, soul 【精简】 *v.* reduce 【精力】 *n.* energy, vigour 【精良】 *a.* excellent 【精美】 *a.* delicate 【精明】 *a.* smart 【精密】 *a.* precise, accurate 【精疲力竭】 *a.* exhausted / give out 【精确】 *a.* accurate, exact *ad.* exactly 【精神】 *n.* spirit; *a.* mental 〖～上〗 *a.* moral 〖～饱满〗 *a.* energetic / full of vigour 〖～力量〗 mental energy 〖～文明〗 moral civilization 【精通】 *v.* master / proficient in, well-versed in, expert at 【精致】 *a.* fine, exquisite 【精装】 *a.* clothbound, hardback 〖～本〗 hardback edition

鲸 (jīng) whale 【鲸吞】 *v.* annex 【鲸须】 *n.* baleen

井 (jǐng) well

颈 (jǐng) neck

景 (jǐng) 【景气】 *n.* boom, prosperity 〖不～〗 *n.* depression 【景色】 *n.* view, scenery, outlook

警 (jǐng) 【警报】 *n.* alarm / warning message 〖～器〗 alarm 【警察】 policeman, police / 〖～机关〗 the police 〖～局〗 police station 〖～亭〗 police box 【警岗】 police station 【警告】 *v.* warn; *n.* warning 【警官】 officer, inspector 【警戒】 *v.* guard; *n.* lookout 【警士】 sergeant 【警惕】 *n.* vigilance / be on the alert, guard against 【警卫】 *v., n.* guard 【警钟】 *n.* alarm bell

径 (jìng) *n.* path 【径赛】 *n.* track 【径直】 *ad.* directly, straight

竞 (jìng)【竞赛】v. compete, contest; n. competition, match, race, game, contest【竞选】run for【竞争】n. competition; v. compete【竞走】n. (heel-and-toe) walking race〖～者〗walker

竟 (jìng) ad. actually【竟然】v.aux. should

敬 (jìng) n., v. respect【敬礼】v., n. salute【敬佩】a. admire【敬畏】v. revere / hold in awe and veneration【敬仰】esteem and admire【敬意】n. honour, respects〖表示～〗do honour to, pay respects [tribute] to

境 (jìng) n. boundary; situation; region【境况】n. situation; circumstances【境界】boundary; state

静 (jìng) a. silent, still, quiet〖～听〗listen quietly and attentively〖～下来〗Silence!【静脉】vein【静默】n. silence; a. silent【静静地】ad. silently, quietly / in silence【静止】a. still, motionless

镜 (jìng) n. mirror【镜框】picture frame【镜头】n. camera lens; shot scene〖抢～〗steal the show〖试～〗screen test【镜子】mirror, glass

纠 (jiū)【纠察】v. picket【纠纷】n. dispute【纠正】v. correct; cure

究 (jiū)【究竟】n. outcome; ad. finally / in the end, after all; in the world

九 (jiǔ) num. nine〖第～〗n., a. ninth【九十】num. ninety【九月】September【九折】ten percent discount

久 (jiǔ) a. long【久别】long separation【久远】a. remote / far back

酒 (jiǔ) wine, drinks〖白～〗liquor〖葡萄～〗wine; port〖香槟～〗champagne〖啤～〗beer〖鸡尾～〗cocktail【酒吧间】bar【酒杯】wine glass【酒店】pub, wine-shop【酒家】restaurant【酒精】alcohol

旧 (jiù) a. old, second-hand【旧货】junk / second-hand good〖～店〗second-hand goods store【旧金山】San Francisco【旧式】a. old-style【旧书】second-hand book, used book〖～店〗second-hand bookshop

救 (jiù) v. rescue, save【救出】v. rescue / help out【救火】fight the fire〖～车〗fire engine【救济】v. relieve〖～金〗relief funds【救护】give first aid〖～车〗ambulance【救命】Help!【救生】n. lifesaving〖～圈〗life buoy〖～艇〗lifeboat〖～衣〗life-jacket

就 (jiù) ad. right, then【就会】v. aux. should【就来】come at once / I'm coming.【就寝】go to bed〖～时间〗n. bedtime【就去】go at once【就是】v. mean; ad. namely〖～这样〗That's that.【就位】take one's place【就要】be about to【就医】see a doctor【就职】take office【就座】be seated, take one's seat

舅 (jiù) n. uncle【舅父】uncle【舅母】aunt

拘 (jū)【拘留】v. detain / hold in custody【拘束】n. restraint; a. binding〖不受～〗a. free

居 (jū) v. dwell, stay【居民】n. inhabitants, residents〖全体～〗n. population【居然】ad. surprisingly; actually【居住】v. live, dwell, inhabit

鞠 (jū)【鞠躬】v., n. bow〖向…～〗bow before

局 (jú) n. bureau, department; game【局部】a. partial【局促】a. narrow; uneasy【局势】n. situation, condition【局长】bureau head

桔 (jú) 见 "橘 (jú)"

菊 (jú)【菊花】chrysanthemum

橘 (jú) orange【橘子】tangerine; orange〖～水〗orangeade〖～汁〗orange juice

沮 (jǔ)【沮丧】a. downhearted; n. depression

龃 (jǔ)【龃龉】a. irregular; n. disagreement / not in harmony

咀 (jǔ)【咀嚼】v. chew

举 (jǔ) v. raise〖～起手来!〗Hands up!【举步】v. step〖～向前〗step forward〖～行走〗v. step【举出】v. enumerate〖～例子〗give examples【举动】v. behave; n. behaviour【举过】raise [hold] above【举例】for example [instance]【举起】v. lift, raise / put [lift, hold] up【举手】raise [put up] one's hand【举行】v. give, hold / take place〖～罢工〗go on strike【举重】n. weight-lifting

巨 (jù) a. enormous【巨大】a. large, big, great, huge, giant, tremendous; n. bigness【巨人】giant

句 (jù) n. sentence〖陈述～〗declarative sentence〖疑问～〗interrogative sentence〖感叹～〗exclamatory sentence〖祈使～〗imperative sentence〖主从复合～〗complex sentence〖并列复合～〗compound sentence〖简单～〗simple sentence〖从～〗(subordinate) clause〖范～〗model【句法】syntax【句号】period / full stop【句型】sentence pattern〖～练习〗pattern drills【句子】sentence

拒 (jù) v. refuse【拒付】refuse payment【拒绝】n. refusal; v. refuse, decline, reject / turn down【拒收】v. reject

具 (jù) n. tool〖工～〗tool〖餐～〗tableware〖茶～〗tea service〖咖啡～〗coffee service〖家～〗furniture〖文～〗stationery〖烟～〗smoking set〖钓～〗fishing tackle〖农～〗farm implements【具体】a. concrete〖～化〗v. substantiate【具有】v. possess, have / be provided with

俱 (jù) a. all; ad. altogether【俱乐部】club

剧 (jù) n. play〖话～〗(stage) play〖歌～〗opera〖舞～〗dance-drama〖电视～〗TV play【剧本】play【电影～〗scenario, script【剧场】theatre【剧烈】a. severe; violent【剧团】(theatrical) troupe【剧终】the end, curtain

据 (jù)【据点】n. stronghold〖防守上的战术～〗n. strongpoint【据说】it is said that …【据我看】in my opinion【据有】take possession of

距 (jù)【距离】n. distance〖远～〗a. long-distance, remote

锯 (jù)【距离】v., n. saw【锯木厂】sawmill【锯条】saw blade

聚 (jù) v. gather【聚餐】dinner party; Dutch treat【聚集】v. gather, collect【聚会】n. party, meeting【聚精会神】a. concentrated, intent; ad. attentively

卷 (juǎn) v. roll【卷笔刀】pencil sharpener【卷尺】tape (measure)【卷毛】n. curl【卷起】roll [turn] up【卷曲】v. curl; a. curly【卷入】v. involve【卷心菜】cabbage   ◇ 卷 (juàn)

卷 (juàn) n. volume【卷子】examination paper   ◇ 卷 (juǎn)

决 (jué)【决不】ad. never / by no means【决定】v. decide, determine; n. decision, determination〖～做…〗make up one's mind to do …【决非】ad. no / certainly not【决裂】n. break / break with【决赛】finals

〖半～〗semi-finals【决心】*v.* will, decide, determine; *n.* determination, decision 〖下～〗*v.* decide / make up one's mind 〖有～〗*a.* determined【决意】*v.* resolve / be determined【决议】*n.* decision

角 (jué)【角斗】*v., n.* wrestle【角色】part, role, character ◇ 角 (jiǎo)

觉 (jué) *v.* feel【觉察】*v.* sense, read, find【觉得】*v.* feel【觉悟】*n.* consciousness【觉醒】*v.* awaken

绝 (jué)【绝不】*ad.* never【绝对】*a.* absolute; *ad.* absolutely 〖～必要〗*a.* indispensable / absolutely necessary【绝密】*n.* top-secret【绝热】*a.* heat-insulating【绝望】*v.,n.* despair; *a.* hopeless / in despair【绝育】*v.* sterilize【绝缘】*v.* insulate【绝种】*n.* extinction; *a.* extinct

掘 (jué) *v.* dig, pick【掘墓人】*n.* grave-digger

爵 (jué)【爵士】*n.* Sir 〖～音乐〗*n.* jazz

攫 (jué) *v.* grab【攫取】*v.* snatch【攫住】*v.* clutch

军 (jūn)【军备】*n.* armament【军队】army, troops, forces【军官】(military) officer 〖～学校〗academy【军服】*n.* (military) uniform【军舰】warship【军区】military area command【军人】*n.* soldier, armyman / the military; *a.* military【军士】sergeant【军事】*a.* military / military affairs 〖～家〗strategist 〖～演习〗military manoeuvre, war exercise【军用】*a.* military【军衔】military rank【军校】military academy

均 (jūn)【均分】*v.* share【均衡】*v.* balance【均匀】*a.* even / evenly distributed

君 (jūn) *n.* king; sir, Mr.【君主】monarch, sovereign

菌 (jūn) fungus; bacterium, germs

K k

咖 (kā)【咖啡】coffee 〖～色〗*a.* brown 〖～馆〗*n.* cafe / coffee house 〖加牛奶的～〗white coffee 〖速溶～〗instant coffee

卡 (kǎ) *n.* card【卡嗒声】click 〖发出～〗*v.* click【卡车】truck, lorry 〖～司机〗truck driver 〖载货～〗lorry 〖一～木材〗a lorry-load of timber【卡片】card

开 (kāi) *v.* open; *ad. prep.* off 〖～车〗*v.* drive 〖～车送…上下班〗drive sb. to and from work 〖～船〗sail out 〖～灯〗switch [turn] on the light 〖～门〗open the door 〖～矿〗*v.* mine 〖～球〗*n.* serve 〖～锁〗*v.,n.* unlock 〖～着〗*a.* open【开创】*v.* start, initiate, pioneer【开除】*v.* dismiss, expel, discharge【开刀】*v.* operate【开动】*v.* start / start ... moving [working]【开端】*n.* beginning, start【开发】*v.* develop / open up; *n.* development【开方】*n.* evolution【开放】*v.,a.* open【开关】*n.* switch【开花】*v., n.* blossom; *v.* bloom 〖～期〗*n.* bloom【开会】hold a meeting【开火】*v.* fire 〖对…～〗fire at【开垦】*v.* reclaim / open up【开阔】*a.* open【开幕】*v.* inaugurate 〖～词〗opening address 〖正式的～式〗an official opening ceremony【开辟】*v.* cut / open up【开枪】

v. shoot / fire a shot 【开始】 *v.* begin, start, open, break / come to, go [set] about; *n.* begining, outset / at the beginning of, at first 〚～干〛 go ahead 〚～做〛 start doing sth., begin [start] with 【开水】 boiling water 【开拓】 *v.* pioneer 〚～者〛 pioneer 〚～者精神〛 pioneer [frontier] spirit 【开玩笑】 *v.* joke / play a joke on sb., make fun of 【开学】 School opens. 【开夜车】 stay [sit] up, work late into the night 【开凿】 *v.* cut 【开展】 *v.* launch (a movement), develop 【开战】 make war. open hostilities 【开着】 *a.* open 【开支】 *v.* expense; *n.* expenses, expenditure

揩 (kāi) *v.* wipe 〚～干净〛 wipe clean 【揩布】 mop, rag; dishcloth

刊 (kān) *v.* publish 〚期～〛 periodical 〚周～〛 weekly 〚双周～〛 bi-weekly 〚月～〛 monthly 〚半月～〛 fortnightly 〚双月～〛 bi-monthly 〚季～〛 quarterly 〚年～〛 annual, yearbook 〚纪念～〛 memorial volume 【刊登】 *v.* carry 【刊印】 *v.* print 【刊物】 *n.* publication, journal, magazine

看 (kān) 【看管】 guard, watch / look after 【看护】 *v.* tend, nurse 【看守】 *v.* guard, watch / keep watch 〚～人〛 watchman   ◇ 看 (kàn)

砍 (kǎn) *v.* cut, chop 【砍倒】 cut down 【砍掉】 chop off, cut away 【砍伐】 *v.* fell / cut down

看 (kàn) *v.* see, look / look at 〚～…外面〛 look out of … 〚～…一下〛 have a look (at) 〚～不见〛 *a.* invisible, unseen / be out of sight 〚～不起〛 look down upon 〚～得见〛 *a.* visible 〚～起来像〛 look like 〚给…～〛 *v.* show 【往下～】 look down 【向四周～】 look round 【看出】 *v.* discover / make out 【看待】 *v.* treat, regard / look on 【看法】 *n.* view, opinion, attitude, judgement 【看见】 *v.* see, sight / 〚一～〛 at the sight of, catch sight of, get a sight of 【看来】 *v.* appear, seem / it appears, it looks as if 〚～好像〛 look like 〚从…～〛 in the eyes of 【看书】 *v.* read 【看台】 *n.* stand 【看透】 see through 【看望】 look up [in] 【看戏】 see a play 【看一看】 have [take] a look (at) 〚最后～〛 take a last look at 【看医生】 see a doctor 【看作】 *v.* regard 〚把…～〛 *v.* treat / look on [upon] … as, regard [consider, think, see] … as 〚被～〛 be regarded as   ◇ 看 (kān)

康 (kāng) 【康乐】 *n.* peace and happiness 【康乃馨】 carnation

慷 (kāng) 【慷慨】 *a.* generous, liberal, unstinting; impassioned

扛 (káng) *v.* carry / carry on the shoulder

抗 (kàng) *v.* resist 【抗拒】 *v.* resist 【抗生素】 antibiotics 【抗议】 *v.*, *n.* protest

考 (kǎo) *v.* examine 【考查】 *v.*, *n.* test, check 〚进行～〛 have a test 【考察】 *n.* expedition, inspection; *v.* inspect, investigate / observe and study, search into 【考卷】 examination paper 【考虑】 *v.* consider, figure; *n.* consideration / think about [of], think over 〚仔细～〛 *v.* study 【考试】 *v.* examine; *n.* exam, examination, test 〚入学～〛 entrance examination 〚学期～〛 terminal examination 〚期中～〛 mid-term examination 〚期终～〛 end-of-term [terminal] examination 〚学年～〛 annual examination 【考题】 examination question 【考问】 question on 【考验】 *n.* trial test

拷 (kǎo) 【拷贝】 *n.* copy 【拷打】 *v.* beat, flog, torture

烤 (kǎo) *v.* roast; bake 〖～肉〗 roast meat 〖～面包〗 bake bread 〖～鸭〗 roast duck

　　(kào) *v.* lean / rely on, depend upon 〖～…生活〗 live on … 〖～…喂养 …〗 feed … on … 〖～自己〗 rely on oneself, by oneself 【靠岸】 draw alongside a shore 【靠近】 *ad.* up; *prep.* near / close to 【靠拢】 come [draw] close 〖不～〗 keep away 【靠着】 lean against

颏 (kē) *n.* chin

苛 (kē) 【苛刻】 *a.* harsh 〖对…～〗 be hard on

科 (kē) *n.* section 【科目】 subject 【科学】 *n.* science; *a.* scientific 〖～家〗 scientist 〖不～〗 *a.* unscientific 【科研】 scientific research 【科长】 *n.* section chief

窠 (kē) nest

颗 (kē) 【颗粒】 grain

壳 (kē) *n.* shell; casing

咳 (ké) *v., n.* cough

可 (kě) *v.aux.* may, can 【可爱】 *a.* lovely, likeable, charming, delightful 【可悲】 *a.* sad; lamentable 【可耻】 *a.* shameful 〖～的事〗 *n.* shame 【可恨】 *a.* hateful 【可敬】 *a.* honest, respectable 【可靠】 *a.* certain, reliable 〖不～〗 *a.* unreliable 【可可茶】 cocoa 【可口】 *a.* tasty 【可怜】 *a.* poor, wretched / have pity on (sb.) 【可能】 *v. aux.* may, will, would, might; *a.* possible; *ad.* perhaps, likely, possibly 〖～性〗 *n.* possibility 〖不～〗 *a.* impossible 〖不大～〗 *a.* unlikely, improbable 〖很～〗 *a., ad.* likely; *ad.* probably 【可怕】 *a.* awful, terrible, horrible, frightful, dreadful; *ad.* terribly 【可是】 *conj.* but, though, yet, however / at the same time 【可数】 *a.* countable 〖～名词〗 countable noun 〖不～名词〗 uncountable noun 【可惜】 *ad.* unfortunately / it's a pity 〖～的事〗 *n.* pity 〖真～〗 It is too bad, … 【可喜】 *a.* gratifying 【可笑】 *a.* laughable, ridiculous, absurd 【可以】 *v.aux.* may, might, can, could / OK, all right 【可疑】 *a.* suspicious 【可憎】 *a.* hateful, detestable, abominable

渴 (kě) *n.* thirst; *a.* thirsty 【渴望】 thirst [yearn, long] for; *a.* anxious; *ad.* eagerly

克 (kè) *n.* gram(me) 〖～分子〗 *n.* gram molecule 【克服】 *v.* overcome, conquer 〖～困难〗 overcome [smooth away] the difficulties 〖帮助某人～困难〗 help sb. out 〖不可～〗 *a.* unsurmountable 【克制】 *v.* restrain / hold back

刻 (kè) *v.* cut; *n.* quarter 【刻薄】 *a.* unkind, harsh, mean / treat harshly 【刻苦】 *a.* hard-working 〖～前进〗 plough through

客 (kè) *n.* guest 【客舱】 cabin 【客车】 coach / passenger train 〖～厢〗 carriage 〖大～〗 town bus 〖微型～〗 minibus 【客队】 visiting team 【客观】 *n.* objectivity; *a.* objective 【客机】 passenger plane 【客满】 full house, full up 【客气】 *a.* polite, courteous 〖不～〗 *a.* impolite 【客人】 guest, visitor 【客套】 *n.* civilities / conventional greetings 〖～话〗 polite formula 【客栈】 inn

课 (kè) *n.* class, lesson 【课本】 textbook 【课程】 course; curriculum 〖～表〗 school timetable 【课目】 subject 【课时】 period / class hour 【课

堂】classroom【课外作业】homework【课文】text【课业】lessons【课桌】desk

肯 (kěn) *v.* agree, consent【肯定】*v.* affirm; *a.* definite, positive, sure; *ad.* certainly, definitely

恳 (kěn)【恳切】*a.* sincere, earnest【恳求】*v.* beg, appeal, request

啃 (kěn) *v.* nibble; gnaw

坑 (kēng) *n.* pit, hole, hollow【坑道】tunnel

空 (kōng) *a.* empty; disengaged; hollow【空地】*n.* space【空洞】*a.* empty【空间】*n.* space, room〖在～〗in space【空军】air force〖～基地〗air base【空旷】open and spacious【空难】air disaster【空气】air; atmosphere〖～调节〗*n.* air-conditioning〖～调节器〗air-conditioner〖充满～〗*a.* air-filled〖缺少～〗*a.* airless【空谈】idle talk【空想】*n.* fancy, dream, fantasy【空虚】*a.* empty, terror, vain【空中】air〖在～〗*ad.* overhead / in the air   ◇ 空 (kòng)

孔 (kǒng) *n.* hole, opening【孔雀】peacoak

恐 (kǒng)【恐怖】*n.* fright, terror, horror〖令人～〗*a.* frightful【恐吓】*v.* frighten, terrify, threaten【恐慌】*n.* panic【恐惧】*v., n.* fear; *a.* afraid, frightened〖令人～〗*a.* terrible【恐怕】be afraid that

空 (kòng)【空白】*n.* margin, blank; *a.* empty, blank〖～处〗blank【空缺】*n.* vacancy / vacant position【空隙】*n.* gap; interval【空闲】*a.* spare, free; *n.* leisure〖～时间〗spare time   ◇ 空 (kōng)

控 (kòng)【控诉】*v.* accuse【控制】*v.* control, command〖不受～〗*a.* uncontrolled

口 (kǒu) *n.* mouth〖一～〗*a.* mouthful【口岸】port【口部】jaws【口吃】*v.* stammer【口袋】bag; pocket【口号】slogan【口红】lipstick【口角】*v., n.* quarrel【口渴】*v.* thirst; *a.* thirsty【口令】*n.* password【口腔】oral cavity【口琴】*n.* harmonica【口哨】*n.* whistle【口述】*v.* dictate【口试】oral examination [test]【口头】*a.* oral, spoken〖～练习〗oral work【口香糖】chewing gum【口信】*n.* message【口译】interprete / translate orally【口音】*n.* accent【口语】spoken language; *a.* oral, spoken, colloquial【口罩】(gauze) mask【口子】*n.* opening

叩 (kòu) *v.* knock【叩击】*n., v.* tap

扣 (kòu) *v.* deduct【扣除】*v.* deduct【扣紧】*v.* fasten【扣留】*v.* detain, arrest【扣杀】*v.* smash【扣上】*v.* buckle【扣住】*v.* clasp【扣子】*n.* button, clasp

枯 (kū) *a.* withered / dried up【枯燥】*a.* insipid, dry【枯萎】*v.* wither【枯枝】dry stick

哭 (kū) *v.* cry【哭泣】*v.* weep

骷 (kū)【骷髅】skeleton

苦 (kǔ) *a.* bitter; *ad.* bitterly【苦工】*n.* slave【苦闷】*a.* depressed / in anguish【苦难】*n.* misery【苦恼】*n., v.* trouble; worry〖在～时〗in time of trouble【苦痛】*n.* pain, suffering

裤 (kù) *n.* trousers〖长～〗trousers〖短～〗shorts【裤子】trousers

夸 (kuā) *v.* boast【夸大】*v.* exaggerate【夸口】*v.* brag【夸耀】show off

垮 (kuǎ) *v.* fall, collapse, go【垮台】*n., v.* collapse / fall down

跨 (kuà) *v.* span 【跨步】 *v.* step 【跨过】 *v.* span / step over; stride over

会 (kuài) 【会计】 *n.* accountant 〖～师〗 accountant ◇ 会 (huì)

快 (kuài) *a.* quick, rapid; *a., ad.* fast 〖～一点〗 hurry up 〖很～〗 *ad.* soon / in no time 【快步】 *n., v.* trot 〖～舞〗 *n.* jig 【快餐】 quick lunch 〖～餐厅〗 snack bar 【快车】 *n.* express 〖～道〗 freeway 【快活】 *a.* gay, cheerful, lively 【快来】 come along 【快乐】 *n.* delight, joy, pleasure; *a.* gay, happy, joyful, cheerful, bright, merry; *ad.* happily

块 (kuài) *n.* piece; cake; block; mass; sheet

筷 (kuài) 【筷子】 chopsticks

宽 (kuān) *n.* breadth, width; *a.* wide, broad 【宽敞】 *a.* spacious 【宽大】 *a.* spacious; lenient, liberal 【宽阔】 *a.* broad; *a., ad.* wide 【宽恕】 *v.* pardon, excuse, forgive; *n.* pardon, mercy 【宽慰】 *n.* relief 【宽银幕】 *n.* wide-screen

款 (kuǎn) *n.* article; sum 【款待】 *v.* entertain 【款式】 style, design

狂 (kuáng) *a.* mad 【狂欢】 *a.* rapturous 【狂怒】 *a.* furious 【狂热】 *a.* wild, fanatic; *ad.* fanatically 【狂喜】 *n.* rapture

旷 (kuàng) 【旷工】 *n.* absenteeism / stay away from work (without good cause) 【旷课】 absent from class without leave, cut school 【旷野】 wilderness

矿 (kuàng) *n.* mine 【矿层】 *n.* seam 【矿工】 miner 【矿山】 mine 【矿石】 *n.* ore, mineral 【矿物】 minerals

框 (kuàng) 【框架】 setting, framework 【框子】 frame

亏 (kuī) 【亏本】 loss of capital 【亏待】 *v.* wrong / treat unfairly 【亏得】 thanks to 【亏损】 *v.* lose; *n.* loss

窥 (kuī) *v.* pry 【窥视】 *v., n.* peep / look into 【窥探】 spy on

昆 (kūn) 【昆虫】 insect, bug

捆 (kǔn) *v.* bind, tie, wrap; *n.* packet 〖～在一起〗 tie together 【捆扎】 *v.* pack / bind up

困 (kùn) 【困乏】 *a.* sleepy, tired 【困境】 *n.* plight 【困难】 *n.* trouble, disconfort, difficulty; *a.* hard, difficult, tough 〖发现做…是～的〗 find it difficult to do 〖排除～前进〗 make one's way 〖在～时〗 in time of trouble

扩 (kuò) 【扩充】 *v.* expand, enlarge 【扩大】 *v.* extend, enlarge 【扩散】 *v.* spread, diffuse 【扩音器】 *n.* megaphone / audio amplifier 【扩张】 *v.* expand; swell / spread out

括 (kuò) 【括号】 *n.* parentheses, brackets 〖方～〗 square brackets

L l

拉 (lā) *v.* draw, drag, pull, tug 【拉倒】 pull dowon 【拉丁】 Latin 〖～美洲〗 Latin America 〖～语〗 Latin 〖～语族〗 Latin family 【拉紧】 *n., v.* strain; *a.* taut 【拉链】 *n.* zipper

垃 (lā)【垃圾】rubbish, waste〖～堆〗dump〖～清运工〗dustman〖～箱〗dustbin〖禁倒～〗No nuisance !

喇 (lǎ)【喇叭】trumpet, horn; loudspeaker

辣 (là) *a.* hot【辣椒】chilli, capsicum

蜡 (là) wax【蜡笔】(wax) crayon【蜡纸】wax-paper【蜡烛】candle

来 (lái) *v.* come【来宾】guest, visitor【来不及】too late to【来到】*v.* appear / arrive at【来访】come to visit, call in【来回】back and forth, to and fro, make a round trip【来接(人)】come for【来来回回】up and down【来源】*n.* origin, source【来自】come from〖～…的声音〗sound from

兰 (lán)【兰花】orchid

拦 (lán) *v.* hinder【拦劫】hold up【拦住】*v.* stop, check【拦阻】*v.* block

栏 (lán) bar; column【栏杆】railings【栏外】*n.* margin

蓝 (lán) *a.* blue【蓝本】*n.* model (for copying)【蓝色】*n., a.* blue【蓝图】blueprint

篮 (lán) basket【篮球】basketball【篮子】basket

缆 (lǎn) *n.* cable【缆车】cable car〖～铁道〗cable railway

懒 (lǎn) *a.* lazy, idle【懒惰】*a.* lazy

烂 (làn) *v.* rot, decay; *a.* rotten, tender【烂泥】mud

狼 (láng) wolf〖母～〗she-wolf

朗 (lǎng)【朗读】read [reading] aloud〖大声～〗read out【朗诵】*v.* recite

浪 (làng) *n.* wave【浪费】*n.,v.* waste, squander; *a.* wasteful〖～时间〗waste time【浪漫】*a.* romantic

捞 (lāo) fish up【捞取】fish for

牢 (láo) *n.* prison, jail【牢房】prison〖单人～〗cell【牢固】*a.* firm, tight; *ad.* firmly, tightly【牢记】keep firmly in mind〖使…～〗impress upon【牢骚】*n.* complaint

劳 (láo)【劳动】*v., n.* work, labour〖～力〗labour force【劳驾】Excuse me. May I trouble you?【劳苦】*n.* labour, toil, pains; *v.* toil, labour *a.* painstaking; toiling【劳作】manual work

唠 (láo)【唠叨】*v., n.* chatter

老 (lǎo) *a.* old, aged【老百姓】common people【老板】boss【老虎】tiger〖～窗〗dormer window〖～钳〗vice【老老少少】young and old【老练】*a.* expert, experienced【老年】old age【老婆婆】granny【老人】old man【老师】teacher【老师傅】master worker【老实】*a.* honest【老式】*a.* old-fashioned【老是】*ad.* always【老鼠】mouse, rat【老爷】lord【老一辈】the older generation

姥 (lǎo)【姥姥】grandma【姥爷】grandpa

乐 (lè) *n.* delight; *a.* happy, cheerful【乐观】*a.* optimistic〖～主义〗optimism【乐趣】*n.* joy【乐事】*n.* joy, delight【乐意】*a.* willing, [ready, happy, glad] (to)【乐园】paradise ◇ 乐 (yuè)

勒 (lè) *v., n.* bridle【勒逼】*v.* force【勒令】*v.* order; force, compel / insist on【勒索】*v.* extort, squeeze, blackmail

雷 (léi) *n.* thunder【雷达】radar【雷鸣】*v.* thunder【雷雨】thundershower; thunderstorm

镭 (léi) radium

肋 (lèi) *n.* rib, side

泪 (lèi) *n.* tear 〖含～〗*a.* tearful 〖泪珠〗tears

类 (lèi) *n.* kind, sort 【类别】class, category; classification 【类似】*a.* similar 【类型】type 〖一种…～〗*a.* a type of

累 (lèi) *a.* tired, fatigued

棱 (léng) *n.* edge 【棱角】edges and corners; *a.* angular

冷 (lěng) *a.* cold 〖极～〗*a.* freezing 【冷不防】all of a sudden 【冷藏】*v.* refrigerate 〖～箱〗refrigerator 【冷淡】*a.* indifferent, cold; *ad.* coldly 【冷冻】*v.* freeze 【冷酷】*a.* harsh 〖～无情〗*a.* cold-hearted 【冷清】*a.* lonely 【冷却】*v.* cool; *a.* cooling 【冷杉】fir 【冷霜】cold cream 【冷笑】*v.* sneer, scoff 【冷心肠】*a.* cold-hearted 【冷血】*a.* cold-blooded

愣 (lèng) *a.* stupefied, stunned 【愣住】be dumbfounded, be struck dumb

离 (lí) *v.* leave, depart 〖～…近〗be close to, near to 〖～…远〗far from 【离岸】*a.,ad.* offshore 【离婚】*v.,n* divorce 【离家】be away from home 【离开】*v.* leave; *ad.* away / keep [get, run, go] away 〖从…～〗*prep.* off 〖不～〗*v.* stick; linger 【离休】retire on preferential terms 【离子】*n.* ion

梨 (lí) pear

犁 (lí) *v.* plough, plow

黎 (lí) 【黎明】*n.* dawn, daylight, daybreak 〖在～时刻〗at sunrise

篱 (lí) 【篱笆】fence

礼 (lǐ) 【礼拜】*v.,n.* worship; *n.* week 〖～堂〗church 【礼服】ceremonial dress, full dress 〖男~〗dress suit 〖女~〗evening gown 【礼貌】courtesy, manners 〖有～〗*a.* polite 〖很有～〗have good manners 〖没有～〗have bad manners 【礼堂】hall, auditorium 【礼物】present, gift; souvenir 【礼仪】ceremony

李 (lǐ) *n.* plum 【李子】plums

里 (lǐ) *n.* li 【里面】*n.* inside 〖在～〗*prep.* in, inside 【里弄】lanes, alleys; neighbourhood

理 (lǐ) 【理发】*n.* haircut, hairdressing 〖～员〗barber 【男子～店】barber's shop 【女子～店】hairdresser's shop 【理解】*v.* understand, follow, read / make out 〖～力〗*n.* understanding 〖不可～〗*a.* unintelligible 【理科】science department 【理论】theory 〖～家〗theorist 【理事】*n.* director 〖～会〗council / board of directors 【理硕士】M. S. (Master of Science) 【理想】*n.* ideal 【理学士】B. S. (Bachelor of Science) 【理由】cause, reason, account, why 【理智】reason, intellect

力 (lì) *n.* strength, force 【力量】force, power, strength 〖无～〗*a.* powerless 【力气】(physical) strength 〖～大〗*a.* strong, powerful 【力图】try hard to 【力学】*n.* mechanics

历 (lì) 【历程】course, journey 【历史】history 〖～性〗*a.* historic

立 (lì) *v.* stand 【立场】position, stand, standpoint 【立方】*n.* cube 〖～米〗cubic metre 【立即】*a.* immediate, instant; *ad.* immediately / in a hurry, in no time, right now [away], as soon as 〖…之后～〗immediately after 【立刻】*ad.* immediately / at once, right away 【立体】*a.*

stereoscopic; *n.,a.* solid 〖～交叉公路〗flyover highway 【立正】 Attention ! / stand at attention

厉 (lì) 【厉害】*a.* terrible; formidable; violent

沥 (lì) 【沥清】tar 〖～坑〗tar pits

利 (lì) 【利己】*a.* selfish 〖～主义〗*n.* egoism 【利润】profit, gains 【利息】 interest 【利益】benefit, good, gain, interest, advantage 【利用】*v.* exploit / use for [as], make use of, take advantage of

例 (lì) *n.* example, instance 【例如】for instance [example], such as 【例题】example 【例外】*n.* exception 【例子】example, instance

栗 (lì) 【栗子】chestnut

俩 (liǎ) *pron.* both / the two

连 (lián) *v.* join, connect 〖～…都〗*ad.* even 【连队】company 【连词】 conjunction 〖短语～〗phrasal conjunction 〖从属～〗subordinative conjunction 〖并列～〗co-ordinative conjunction 【连环】*n.* link 〖～画〗pictorial story-book 【连接】*v.* connect, join, fasten, attach; *n.* joint, link; *v.* join; *a.* connected 〖～副词〗conjunctive adverb 〖～起来〗join up 〖把…和…～起来〗join ... to ..., connect ... with ... 〖把…～在一起〗join ... together 【连锁】*n.* chain of rings 【连系】*v.* link 〖～动词〗link verb 【连续】*v.* continue; *a.* continuous 〖～轻打〗*v.* tap 【连衣裙】frock, (one-piece) dress 【连字号】hyphen

帘 (lián) *n.* shade, screen 【帘子】*n.* curtain

怜 (lián) 【怜悯】*n.,v.* pity; *n.* mercy / have pity on 【怜惜】pity and cherish

联 (lián) *v.* unite 【联邦】*n.* union, federation / the Union; *a.* federal 〖～工学院〗Federal Institute of Technology 【联合】*v.* unite, league, join, link; *n.* union, unity; *a.* federal, joint, united 〖～国〗the United Nations (UN) 【联欢】hold a party 〖～会〗get-together / social party 〖～节〗festival 【联络】*v.* communicate 〖～员〗liaison officer 【联盟】 *v.* ally, unite; *n.* league, union; *a.* federal 【联系】*n.* touch, relation, link, connection, contact 〖有～〗*a.* connected 〖与…保持～〗in touch with sb.

廉 (lián) 【廉价】*a.* cheap 〖～品〗cheap goods

镰 (lián) 【镰刀】sickle

脸 (liǎn) face 【脸盆】washbasin 【脸色】*n.* expression; look, complexion

练 (liàn) 【练习】*n.,v.* exercise; *n.* practice; *v.* practise, train, drill 〖～本〗 exercise-book 〖口头～〗oral work 〖书面～〗written work 〖书法～〗penmanship

炼 (liàn) 【炼乳】condensed [evaporated] milk

恋 (liàn) *v.* love / be attached to 【恋爱】*n.* love / bel in love 【恋人】 sweetheart

链 (liàn) chain

良 (liáng) *a.* good 【良好】*a.* good, fine 【良机】good opportunity 【良心】 conscience

凉 (liáng) *a.* cool 〖变～〗cool down 【凉帽】summer hat 【凉鞋】sandals 【凉快】*a.* pleasantly cool

量 (liáng) v. measure 〖～体温〗take one's temperature 【量度】v., n. measure 【量具】measuring instrument ◇ 量 (liàng)

粮 (liáng) n. provisions 【粮仓】granary 【粮食】food

两 (liǎng) num. two; a. both 【两倍】n., a. double 【两次】ad. twice 【两个】num. two; pron. both / 〖～都〗both ... and 【两三个】two or three 【两者】pron. both 〖～都不〗a., pron. neither 〖～之一〗pron. either 【两周】fortnight 〖～后〗in two weeks' time

亮 (liàng) a. bright 【亮光】n. light 【亮晶晶】ad. brilliantly

谅 (liàng) 【谅必】ad. surely 【谅解】n. understanding

量 (liàng) n. quantity, amount, deal 【量子】n. quantum ◇ 量 (liáng)

踉 (liàng) 【踉跄】v. stagger, teeter

疗 (liáo) v. cure 【疗养】n. convalescence 〖～所〗nursing home 〖～院〗sanatorium 【私人～院】nursing home

聊 (liáo) 【聊天】v., n. chat / talk in an easy friendly way

缭 (liáo) 【缭绕】v. wreathe / curl up, wind round

了 (liǎo) 【了不起】a. remarkable, extraordinary, terrific / much of a ... 〖～的成就〗wonderful achievement 【了解】v. grasp, realize, understand, know, acquaint / know about 【了结】v. finish, settle / wind up

料 (liào) 【料想】v. expect, imagine 【料子】n. material

瞭 (liào) 【瞭望】v. overlook / keep a lookout 〖～塔〗watchtower 〖～台〗lookout

列 (liè) n. rank, line 【列车】train 〖～员〗conductor 【列席】attend as an observer, sit in on

劣 (liè) a. bad 【劣等】low grade 〖最～〗a. tenth-rate 【劣质】a. poor, bad, inferior / of low quality

烈 (liè) 【烈士】martyr

猎 (liè) v. hunt 【猎取】v. hunt (for) 【猎犬】hound 【猎人】hunter

裂 (liè) v. split, rend 【裂开】split open 【裂缝】n. rent, rift, crack

邻 (lín) n. 【邻邦】a neighbouring country 【邻近】a. neighbouring; ad. near 【邻居】【邻人】n. neighbour 【邻里】n. neighbourhood

林 (lín) n. forest 【林地】woodland 【林荫道】avenue, boulevard 【林务员】forester

临 (lín) overlooking / about to, on the point of 【临床】a. clinical 【临近】be close to 【临时】a. temporary, odd 〖～工〗n. odd-jobber / a casual labourer 〖～工作〗odd job 【临行】on leaving 【临终】a. dying / on one's deathbed

淋 (lín) 【淋巴】n. lymph 〖～腺〗lymphatic gland 【淋浴】n. shower 〖～室〗shower room

伶 (líng) 【伶俐】a. bright, quick-witted, smart; ad. smartly

灵 (líng) 【灵感】n. inspiration 【灵魂】soul 【灵活】a. nimble 〖～性〗flexibility 〖不～〗a. stiff 【灵敏】a. sensitive 〖～度〗n. sensitivity 〖～元件〗sensor 【灵巧】a. neat, clever, nimble, skillful; ad. smartly

铃 (líng) n. bell

零 (líng) num. zero 【零度】n. zero 【零分】goose 〔duck〕egg 【零工】【零

活】*n.* chores / odd jobs【零件】*n.* parts【零钱】broken [till] money, small change [coin]【零售】*v.,n.* retail 〖~店店主〗storekeeper 〖~价〗retail price【零用】petty [everyday] expenses 〖~钱〗pocket money

领 (lǐng) *v.* lead 〖~…出去〗show sb. out 〖~…进来〗show sb. in【领导】*v.* lead, guide; *n.* leadership, guidance 〖~干部〗leading cadre 〖~人〗leader【领带】tie, necktie 〖~别针〗tie-pin【领队】team leader【领会】*v.* grasp, realize, follow, catch【领结】bow tie【领取】*v.* receive, draw【领事】*n.* consul 〖~馆〗consulate【领土】territory【领先】*v.* lead / be in the lead【领袖】leader, chief【领域】field, area, province【领章】collar badge【领子】collar

另 (lìng) *a.* another, other 〖~一方面〗on the other hand 〖~一个〗*a.* another, other【另加】*a.* additional, extra【另外】*a.* other, more; *ad.* otherwise 〖~一次〗another time 〖~一些人〗*pron.* others

令 (lìng)【令人】〖~不快〗*a.* uncomfortable, melancholy, depressing 〖~烦恼〗*a.* troublesome 〖~感动〗*a.* moving 〖~惊异〗*a.* amazing 〖~敬畏〗*a.* awesome, awe-inspiring 〖~恐惧〗*a.* terrible, frightening 〖~满意〗*a.* satisfactory 〖~难忘〗*a.* impressive 〖~伤感〗*a.* melancholy 〖~神魂颠倒〗*a.* charming 〖~神往〗*a.* enchanting, fascinating 〖~失望的人(或事物)〗*n.* despair 〖~泄气〗*a.* depressing 〖~兴奋〗*a.* exciting 〖~厌烦〗*v.* bore, annoy, weary; *a.* boring 〖~厌倦〗*a.* tiresome 〖~愉快〗*a.* pleasant

溜 (liū) *v.* steal, slip 〖~出去〗steal out【溜冰】*v.* skate 〖~场〗(skating) rink【溜达】*v.,n.* stroll【溜进】slide into

浏 (liú)【浏览】dip into, look through, glance over [through]

流 (liú)【流产】*v.* miscarry【流畅】*a.* smooth【流出】*v.* shed【流传】*v.* spread【流动】*v.* flow *a.* mobile【流浪】*v.* wander 〖~者〗wanderever, vagrant, vagabond, tramp【流泪】shed tears【流利】*a.* fluent【流露】*v.* reveal, show, betray【流氓】rogue, hooligan【流体】fluid【流通】*v.* circulate【流亡】*v.* exile【流下】*v.* shed【流血】*v.* bleed; *a.* bleeding【流行】*a.* popular; *v.* prevail 〖~性〗*a.* widespread, epidemic 〖~性感冒〗*n.* influenza, flu【流域】*n.* valley

留 (liú) *v.* remain, stay 〖~在后面〗stay behind 〖~在家里〗stay at home 〖~痕迹于〗*v.* mark【留给】leave … to [with]【留级】stay down【留念】keep as a souvenir [memento]【留下】leave / keep back, leave over 〖~深刻的印象〗*v.* impress【留心】*n.* attention; *n.,v.* watch / care about 〖~看看〗keep one's eyes open 〖~听〗listen to【留学】study abroad 〖~生〗student studying abroad【留言】leave word 〖~薄〗visitor's book【留意】watch out for

六 (liù) *num.* six 〖第~〗sixth【六十】*num.* sixty【六月】June

龙 (lóng) *n.* dragon【龙头】tap, faucet【龙虾】lobster

聋 (lóng) *a.* deaf【聋哑】*a., n.* deaf-mute【聋子】the deaf, deaf person

笼 (lóng) *n.* cage ◇ 笼 (lǒng)

隆 (lóng)【隆起】*v.* hump / swell upwards; *n.* lump【隆盛】*n.* glory【隆重】*a.* ceremonious

笼 (lǒng)【笼统】in general terms【笼罩】*v.* envelop, shroud

◇ 笼 (lóng)

楼 (lóu) storied building〖公寓～〗apartment building【楼上】*a.* upstairs〖在～〗〖往～〗*ad.* upstairs【楼梯】*a.* stairs, staircase, stairway〖～的一段〗*a.* flight of stairs【楼下】*a.* downstairs〖在～〗〖往～〗*ad.* downstairs

篓 (lóu)【篓子】deep basket

漏 (lòu) *v.* leak; *a.* leaky【漏洞】*n.* leak【漏斗】*n.* funnel【漏下】*v.* drip【漏隙】*n.* leak

露 (lòu)【露面】*v.* show; *n.* appearance　　◇ 露 (lù)

炉 (lú) *n.* stove〖煤油～〗kerosene stove〖煤气～〗gas stove【炉火】*n.* fire (in the stove)

陆 (lù)【陆地】*n.* land〖大片～〗*n.* landmass【陆军】*n.* army; *a.* military〖～上尉〗captain【陆续】one after another

录 (lù)【录取】*v.* admit【录音】*n.,v.* record; *n.* recording〖～带〗tape〖～机〗recorder, taperecorder / recording machine〖盒式磁带～机〗cassette tape recorder【录像】video recording; *v.* videotape / make a video recording;〖～机〗video-recorder, videotape recorder, video cassette recorder

鹿 (lù) deer〖雄～〗stag〖长颈～〗giraffe【鹿角】buckhorn, antler【鹿茸】pilose antler

路 (lù) *n.* road, route, way〖～的边栏〗*n.* curb〖～的终点〗the end of the road〖岔～〗forked road〖十字～〗crossroad, crossway〖往 … 去的～上〗on one's way to〖在回家的～上〗on one's way home【路边】*n.,a.* roadside; *n.* curb【路程】route, path, way, journey〖乘车一小时的～〗an hour's ride【路灯】street lamp【路过】pass by【路牌】guideboard【路线】course, route, line

露 (lù) *n.* dew; *v.* show【露出】*v.* disclose, reveal【露水】*n.* dew【露天】*n.* open-air / in the open air【露营】*n.* camping　　◇ 露 (lòu)

驴 (lǘ) donkey

旅 (lǚ)【旅程】*n.* trip, journey〖往返的～〗a round trip【旅费】travelling expenses【旅馆】hotel〖小～〗inn【旅客】traveller, passenger【旅行】*v.,n.* travel, journey, trip, tour / make a trip [journey]〖～社〗Travel Service〖短途～〗*n.* trip【旅游】*v.* tour〖～事业〗tourism

屡 (lǚ)【屡次】*ad.* frequently, repeatedly / time and again

履 (lǚ)【履历】*n.* antecedents【履行】*v.* perform; fulfil

律 (lǜ)【律师】lawyer, (英) barrister, (美) attorney

绿 (lǜ) *a.* green【绿茶】green tea【绿化】*n.* greening〖～地带〗green belt【绿色】*a.,n.* green

滤 (lǜ) *v.* filter【滤干】drain off【滤网】*n.* screen

孪 (luán)【孪生】*a.* twin〖～子〗*n.* twins

卵 (luǎn) *n.* egg【卵石】pebble【卵细胞】*n.* ovum; egg

乱 (luàn) *n.* disorder【乱蹦乱跳】hop about【乱七八糟】in a mess, at sixes and sevens【乱涂】*v.* scratch【乱子】disturbance

掠 (lüè)【掠夺】*v.* rob, loot, seize【掠过】*v.* sweep (past), skim (over)

略 (lüè)【略过不提】*v.* pass【略去】*v.* omit / leave out【略语】*n.* abbreviation

伦 (lún)【伦敦】London【伦理】ethics【伦琴射线】roentgen rays

轮 (lún) n. wheel; round【轮班】n. rotation / by turns【轮船】n. ship, steamer〖小～〗boat【轮到】it's one's turn to do【轮机】n. turbine【轮廓】n. outline【轮流】n. turn / take turns, in turn【轮胎】tyre, tire【轮替】by turns【轮椅】wheelchair

论 (lùn)【论点】n. argument, point (of view)〖令人信服的～〗n. case【论及】speak about【论据】n. data, argument【论说】v. discuss, expound〖～文〗exposition essay【论文】paper, article, thesis〖毕业～〗graduation thesis〖博士～〗doctor's thesis〖学术～〗thesis / research paper【论证】v. prove; n. proof

罗 (luó)【罗宾汉】Robin Hood【罗马】n. Rome; a. Roman〖～数字〗Roman numerals【罗盘】compass

萝 (luó)【萝卜】radish, turnip

逻 (luó)【逻辑】n. logic; a. logical〖不合～〗a. illogical

螺 (luó) n. (spiral) shell【螺丝】screw〖～起子〗〖～刀〗screw driver〖卷成～状〗screw up【螺栓】n. bolt【螺旋桨】propeller

裸 (luǒ) a. bare, naked【裸体】a. naked, nude

稞 (luǒ)【稞麦】rye

骆 (luò)【骆驼】camel

落 (luò) v. fall, drop, set【落地灯】floor lamp【落后】a. backward / lag [fall] behind【落户】settle down【落实】v. fulfill【落下】v.,n. fall, drop / go down

M m

妈 (mā)【妈妈】〈儿语〉ma, mom, mum; mother

抹 (mā)【抹布】rag, duster, wiper

麻 (má)【麻布】linen【麻袋】sack【麻烦】v. bother; v.,n. trouble; n. difficulty〖～事〗the matter〖发生～〗in trouble【麻木】a. asleep〖～不仁〗a. apathetic【麻雀】sparrow【麻醉】n. anaesthesia〖～毒品〗drug

马 (mǎ)【马】horse〖小～〗pony【马鞍】n. saddle【马背】n. horseback【马车】n. carriage〖双轮运货～〗n. cart〖大～〗coach〖四轮大～〗coach〖四轮运货～〗wagon【马达】motor【(大)马哈鱼】Salmon【马甲】waistcoat【马具】harness【马克思主义】Marxism〖～者〗Marxist【马拉松赛跑】Marathon race【马力】horse-power【马铃薯】potato【马路】road【马球 (运动)】polo【马上】ad. immediately, soon / at once, right away【马术】horsemanship【马戏团】circus

码 (mǎ) n. yard【码头】dock, wharf, quay〖～装卸工人〗longshoreman

蚂 (mǎ)【蚂蚁】ant

骂 (mà) v. curse, swear, abuse; scold / call names【骂人】v. abuse / swear [rail] at〖～话〗abusive language

埋 (mái)【埋藏】v. bury【埋伏】v. ambush【埋葬】v. bury; n. burial

买 (mǎi) v. buy〘～得起〙v. afford〘～东西〙v. shop; n. shopping / do some shopping【买回】buy back【买卖】n. business, trade【买主】buyer, customer

麦 (mài) n. wheat【麦秆】straw【麦克风】n. microphone【麦片】oatmeal〘～粥〙porridge【麦芽】malt【麦子】wheat

卖 (mài) v. sell〘～得贱〙sell [go] cheap【卖掉】sell off【卖给】sell to【卖光】sell out【卖国贼】traitor【卖弄】show off【卖主】seller

脉 (mài) n. pulse〘动～〙artery〘静～〙vein【脉搏】pulse【脉冲】n. impulse

鳗 (mán) eel

满 (mǎn) a. full〘～得溢出来〙v. overflow【满分】full mark【满口】n. mouthful ad. profusely, readily【满期】v. expire【满意】n. satisfaction; a. satisfied / in satisfaction〘不～〙n. disapproval〘对 … ～〙be satisfied at, be pleased with〘感到很～〙feel quite satisfied〘极为～〙with great satisfaction【满足】n. satisfaction; v. satisfy; a. content〘～于〙be content with【满座】full house

漫 (màn)【漫步】n.,v. stroll【漫不经心】a. careless, casual【漫画】n. cartoon, caricature【漫射】v. diffuse【漫游】v. wander (through)

蔓 (màn)【蔓延】v. spread

慢 (màn) a. slow; ad. slowly【慢车】slow train〘～道〙slow traffic lane

忙 (máng) a. busy; hurried【忙碌】a. busy【忙于】be busy with〘～干 …〙be busy doing sth.〘继续 ～ 做 …〙keep busy doing sth.

盲 (máng) a. blind, sightless【盲目】a. blind【盲人】blind man〘～学校〙the Institution for the Blind【盲文】n. braille〘用～印〙v. braille

茫 (máng)【茫茫】a. vast / boundless and indistinct〘～一片〙sea of【茫无头绪】completely at a loss [at sea]

猫 (māo) cat【猫头鹰】owl

毛 (máo) n. hair〘短而粗的～〙n. bristle【毛笔】writing-brush【毛病】n. fault, trouble / the matter【毛巾】towel【毛皮】fur【毛刷】brush【毛毯】woollen blanket【毛线】knitting wool【毛衣】woolen sweater

矛 (máo) n. spear【矛盾】n. contradiction

茅 (máo) n. thatch【茅屋】thatched hut [cottage]

锚 (máo) n. anchor

冒 (mào) v. emit; assume〘从 … ～ 出来〙come out of【冒充】assume / pass off as【冒号】colon【冒昧】a. presumptuous【冒名】go under sb. else's name〘～顶替者〙n. impostor【冒牌】n. imitation【冒险】v., n. risk, adventure〘～家〙adventurer【冒烟】v. smoke

贸 (mào)【贸易】n. trade, commerce

帽 (mào) hat〘风～〙hood〘童～〙bonnet〘草～〙straw hat【帽徽】cap insignia【帽子】cap, hat

没 (méi)〘～赶上〙v. miss〘～关系〙never mind, that's all right〘～经验〙a. unfamiliar〘～看到〙v. miss〘～礼貌〙have bad manners〘～说一句话〙without saying a word【没有】a. no; prep. without; v. lack / not have, there is not, empty of〘～把握〙not sure〘～东西〙pron.

nothing【～多少】*a. pron.* little【～关系】It doesn't matter【～人】*pron.* none, nobody【～任何东西】*pron.* none【～一个】none of【～怨言】*a.* uncomplaining【几乎～】*a., pron.* few, little / hardly any

玫 (méi)【玫瑰花】rose

眉 (méi)【眉毛】brow, eyebrow【眉题】guide word

梅 (méi)【梅花】plum blossom

煤 (méi) coal【煤层】seam【煤矿】coal-mine【煤气】gas〖～炉〗gas stove【煤烟】soot【煤油】kerosene〖～炉〗kerosene stove

霉 (méi) *n.* mould【霉菌】mould【霉烂】mildewed and rotten

每 (méi) *prep.* per; *a.* every, each【每次】each [every] time【每当】*conj.* whenever【每个】*a.* each, every【～人】everybody, everyone【每件事】*n.* everything【每况愈下】go from bad to worse【每人】*pron.* each; everybody【每日】*a.,ad.* daily; *a.* everyday【每一】*a.* every【每月】*a.,ad.* monthly【每周】*a.,ad.* weekly

美 (méi) *n.* beuty; *a.* beautiful【美钞】*n.* greenback【美国】*n.* America, U. S. / the United States; *a.* American〖～人〗*n.,a.* American【美好】*a.* nice, good, fine, fair, lovely【美化】*v.* beautify, prettify【美丽】*a.* beautiful, lovely, pretty, fair【美利坚合众国】the Union, the United States of America【美满】*a.* happy; perfect【美妙】*a.* great, wonderful【美人】beauty【～蕉】canna【美容】*n.* cosmetology〖～院〗beauty salon [shop, parlor]【美术】*n.* art / the fine arts,〖～馆〗gallery〖～家〗artist【美味】*a.* tasty, delicious; *n.* delicacy / delicious food【美元】dollar【美洲】*n.* Amenca; *a.* American〖～豹〗cougar, puma / mountain lion〖北～〗North America〖拉丁～〗Latin America

妹 (mèi) sister【妹妹】younger sister

闷 (mēn) *a.* stuffy; suffocating【闷热】*a.* muggy

门 (mén) door, gate【门口】doorway, gateway【门廊】porch【门铃】door-bell【门牌】house number; (house) number plate【门票】admission ticket【门市】retail sales〖～部〗sales department【门闩】latch【门诊】outpatient service〖～所〗clinic

虻 (méng) *n.* gadfly

萌 (méng)【萌芽】*n., v.* bud / come up

蒙 (méng)【蒙蔽】*v.* hoodwink / hide the truth from, throw dust in the eyes of【蒙昧】*a.* uncivilized; ignorant

猛 (měng) *a.* violent; vigorous; sudden〖～地一动〗*v.* jerk【猛冲】*n.* dash, dive; *v.* drive〖向…～〗make a dive for【猛攻】*v.,n.* storm【猛烈】*ad.* hard, fierce【猛犸象】*n.* mammoth【猛扑】pounce on, spring on【猛敲】*v.* bang【猛然】*ad.* suddenly【猛掷】*v.* smash

梦 (mèng) *n., v.* dream【梦想】*n., v.* dream

眯 (mī)【眯着眼看】squint at

弥 (mí)【弥补】make up【弥漫】*a.* widespread

迷 (mí)【迷惑】*v.* bewilder, puzzle【迷路】*v.* stray / go astray【迷人】*a.* fascinating, charming【迷信】*n.* superstition【迷住】*v.* fascinate

谜 (mí) *n.* puzzle【谜语】*n.* riddle

米 (mǐ) rice; (长度单位) metre

秘 (mì)【秘密】 a. secret; n. mystery; a.,ad. underground【秘书】secretary〖～处〗secretariat

密 (mì)【密度】 n. density【密封】 v. seal up【密集】 a. concentrated, crowded【密林】jungle / thick forest【密码】code【密切】 a. close, intimate【密谈】 v. whisper

幂 (mì) n. power

蜜 (mì)【蜜蜂】bee, honeybee【蜜饯】 n. sweetmeats / preserved fruit【蜜露】honeydew【蜜乳液】honeydew milk【蜜月】honeymoon

绵 (mián)【绵羊】sheep

棉 (mián) cotton【棉袄】cotton padded coat [jacket]【棉布】cotton【棉大衣】cotton padded overcoat【棉纺厂】cotton mill【棉花】cotton【棉织品】cotton fabrics

免 (miǎn) v. escape【免不了】 a. unavoidable【免费】 a. free / for free【免去】 v. exempt; dismiss

勉 (miǎn)【勉强】 ad. barely; reluctantly〖～过得去〗 a. so-so【勉力】 v. endeavour〖～前进〗plough through【勉励】 v. encourage

面 (miàn) n. side; face〖～对～〗face to face【面包】bread〖夹馅～〗sandwich〖夹牛肉饼的 ～ 片〗hamburger〖烤～〗toast〖小～〗roll〖小圆～〗bun【面部】face【面对】 v. face / in the face of【面粉】flour【面积】area〖～…… 的地方〗(a place) with an area of …【面颊】cheek【面孔】face【面具】mask【面临】 v. face / to be faced with, in the face [presence] of【面貌】 n. looks, features; appearance【面盆】basin〖～架〗washstand【面容】visage, countenance【面条】noodles

苗 (miáo) n. shoot / young plant【苗圃】nursery【苗条】 a. slim, slender

描 (miáo)【描绘】 v. depict, portray【描述】 v. describe【描写】 v. describe, paint; n. portrait

瞄 (miáo)【瞄准】 v., n. aim / take aim

秒 (miǎo) n. second

妙 (miào) a. wonderful〖简直 ～ 极了〗Simply wonderful!

庙 (miào)【庙宇】temple

灭 (miè) v. destroy / go [put] out【灭亡】 v. ruin, perish【灭火器】(fire) extinguisher

蔑 (miè)【蔑视】 v. scorn, despise

民 (mín)【民法】civil law【民歌】folk song【民航】civil aviation【民间舞】folk dance【民用】 a. civil【民众】the masses, the common people【民主】 n. democracy; a. democratic【民族】 n. race, nation, people; a. national

敏 (mǐn)【敏感】 a. sensitive【敏捷】 a. quick, agile, nimble, smart; ad. smartly【敏锐】 a. sharp, acute

名 (míng) n. name【名称】 n. name, title【名词】noun〖可数～〗countable noun〖不可数～〗uncountable noun〖抽象～〗abstract noun〖物质～〗material noun〖集体～〗collective noun〖专有～〗proper noun〖普通～〗common noun【名次】place, placing〖依次轮流的～〗 n. turn【名单】list / name list【名匠】craftsman【名叫】be named, be called, by the name of【名片】calling card〖业务用～〗business card

【名声】 *n.* fame 【名胜】 sights / a place of interest 【名言】 famous saying 【名义】 in name 【名誉】 *n.* fame, reputation; honour 【名著】 classic, masterpiece 【名字】 name

明 (míng) 【明白】 *v.* understand; *a.* clear, plain; *ad.* plain, clearly 〖我 ～ 了〗 I see. 【明矾】 alum 【明朗】 *a.* bright, serene, clear; *ad.* clearly 【明亮】 *a.* bright 〖不～〗 *a.* dim 【明年】 next year 【明确】 clear and definite; 【明天】 *ad.* tomorrow 〖～ 见〗 See you tomorrow. 【明显】 *a.* obvious, evident 【明信片】 *n.* card, postcard 【明星】 star

命 (mìng) 【命令】 *v.* tell, order, command; *n.* instruction 〖发布～〗 give [issue] orders 【命名】 *v.* name 【命运】 *n.* destiny, fate; *a.* fatal

摸 (mō) *v.* touch, feel 〖～起来冰凉〗 feel cold

模 (mó) 【模范】 *n.* model, pattern, example 【模仿】 *v.* imitate, copy 【模糊】 *a.* dim, indefinite, vague, foggy 【模特儿】 *n.* model 【模型】 model, pattern ◇ 模 (mú)

摩 (mó) 【摩擦】 *v.* rub 〖～ 力〗 friction 〖～音〗 fricative 【摩天大楼】 skyscraper 【摩托车】 motor-cycle

磨 (mó) *v.* grind; polish 【磨床】 grinder 【磨光】 *v.* polish 【磨损】 *v.,n.* wear / wear and tear

魔 (mó) *n.* devil 【魔鬼】 devil, demon 【魔力】 *n.* magic 〖有～〗 *a.* magic 【魔术】 】 *n.,a.* magic 〖～师〗 magician, conjuror 〖变～〗 *n.* conjuring / perform magic tricks

末 (mò) *a.* last 【末端】 *n.* end, bottom 〖在 …～〗 at the end of 【末了】 *ad.* finally 【末梢】 *n.* end; tip 【末尾】 *n.* end; *a.* last

陌 (mò) 【陌生】 *a.* strange; unfamiliar 〖～人〗 stranger

莫 (mò) 【莫非】 could it be 【莫说】 let alone

墨 (mò) ink-stick 【墨西哥】 Mexico 【墨水】 ink 〖～瓶〗 inkbottle

默 (mò) 【默默】 *a.* silent / in silence 【默读】 silent reading 【默记】 *v.* memorize 【默写】 *n.* dictation

谋 (móu) *v.* plan 【谋求】 *v.* pursue, seek / strive for 【谋杀】 *v.,n.* murder 【谋生】 *n.* living / make a living

某 (mǒu) *a.* cerain 〖～ 一 天〗 one day, some day 【某人】 *pron.* somebody, someone 【某事】【某物】 *pron.* something 【某一】 *a.* certain, some, one 【某种】 *a.* certain / a kind of

模 (mú) 【模样】 looks, appearance 【模子】 model, mould ◇ 模 (mó)

母 (mǔ) *n.* mother; *a.* female 〖伯～〗〖婶～〗〖舅～〗 aunt 〖祖～〗〖外祖～〗 grandmother 【母鸡】 hen 【母牛】 cow 【母亲】 mother 〖～节〗 Mother's Day 【母校】 alma mater 【母语】 mother tongue

牡 (mǔ) 【牡丹】 peony

木 (mù) 【木板】 board 【木材】 wood, timber 【木槌】 hammer 【木工】 carpenter 【木刻】 woodcut 【木料】 timber, log 【木马】 wooden horse 【木乃伊】 mummy 【木偶】 puppet 〖～ 戏〗 puppet-show 【木炭】 charcoal 【木头】 wood; log 【木屋】 log cabin 【木制】 *a.* wooden

目 (mù) *n.* eye 【目标】 aim, goal, object, target 【目瞪口呆】 *a.* dumbfounded 〖使～〗 *v.* dumbfound 【目的】 aim, purpose, end 【目睹】 *v.* see (with one's own eyes), witness 【目录】 *n.* list; contents; catalogue

〖按 ～ 分类〗 v. catalogue 【目前】 a. present / at present

牧 (mù) v. herd, tend 【牧草】 forage grass 【牧场】 pasture, grassland 【牧师】 pastor 【牧童】 cowboy 【牧羊】 tend sheep 〖～人〗 shepherd

墓 (mù) tomb 【墓碑】 tombstone 【墓地】 graveyard, cemetery, churchyard

幕 (mù) n. screen; curtain 〖银～〗 screen 〖屏～〗 fluorescent screen 【幕间休息】 n. interval

N n

拿 (ná) v. take, hold 〖～着〗 v. hold, keep 【把 …～ 出来】 hand out 【拿出】 take [get] out 〖从 … 里～〗 take ... out of 【拿来】 v. fetch, bring (here) 【拿起】 take up 【拿走】 take away [off]

哪 (nǎ) 【哪个】 pron. which 【哪里】 ad. where 〖无论～〗 ad. anywhere

那 (nà) pron. that, those 【那边】 ad. there 〖在～〗 over there 〖在 … 的～〗 prep. beyond 【那个】 pron. that; art. the 〖～地方〗 ad. there 【那里】 ad. there 【那么】 ad. such, then, so, that; int. well 【那时】 n. then 【那时候】 in those days, at that time 【那些】 pron. those 【那样】 ad. so / like that 〖既然是～〗 in that case

奶 (nǎi) milk 【奶粉】 milk powder, powdered milk 【奶妈】 nurse 【奶奶】 grandma 〖老～〗 granny 【奶牛】 (milch) cow 【奶油】 cream

耐 (nài) 【耐烦】 a. patient 【耐久】 v. last 【耐心】 n. patience; ad. patiently 〖有～〗 a. patient 【耐用】 a. durable

男 (nán) n. man, male 〖～教师〗 schoolmaster, master 〖～学生〗 schoolboy 〖～高音〗 tenor 〖～低音〗 bass 【男孩】 boy 【男人】 man

南 (nán) n.,a. south 【南部】 n.,a. south; a. southern 【南方】 n.,a. south; a. southern 〖在～〗 ad. south / in the south 【南瓜】 pumpkin 【南极】 the South Pole 〖～洲〗 Antarctica

难 (nán) a. difficult 【难熬】 a. grinding 【难得】 ad. seldom 【难懂】 a. complicated 【难怪】 no wonder that ... 【难过】 a.,ad. upset; a. sad, sorry; ad. sadly / feel sorry 〖替某人～〗 feel sorry for sb. 【难解的事物】 n. mystery 【难看】 a. ugly 【难免】 hard to avoid 【难弄】 a. intractable 【难事】 n. difficulty 【难受】 a. uncomfortable 〖由 … 而极～〗 be sick with 【难题】 n. puzzle 【难忘】 a. memorable 【难为情】 a. ashamed 【难以】 be hard to (do) 〖～忍受〗 a. grinding 〖～想象〗 a. unthinkable 〖～置信〗 a. incredible; ad. incredibly

脑 (nǎo) brain 【脑力】 n. brain; a. mental 〖～劳动〗 mental labour 【脑膜炎】 n. meningitis

内 (nèi) a. inside, inner 〖在 …～〗 prep. inside 【内部】 n.,a. inside 【内服】 for internal use 〖～药〗 medicine 【内阁】 cabinet 【内行】 n., a. expert 【内科】 (internal) medicine 〖～学〗 medicine 〖～医生〗 physician 【内幕】 inside story 【内容】 content 【内心】 mind, heart 【内衣】

underwear 【内战】 civil war

嫩 (nèn) *a.* tender 【嫩枝】 shoot

能 (néng) *v.aux.* can; *a.* able; *n.* energy 〖～做〗 be able to (do) 〖不～〗 *v.aux.* cannot; *v.* fail (to) *a.* unable 【能动性】 activity 【能干】 *a.* able, clever 【能力】 power, ability, strength, might 〖无～〗 *a.* unable 【能量】 energy 【能手】 expert, master / a crack hand 〖成为 …～〗 become expert at

尼 (ní) 【尼姑】 nun 【尼龙】 nylon

泥 (ní) *n.* mud, earth 【泥刀】 trowel 【泥浆】 mud 【泥泞】 *a.* muddy 【泥水匠】 bricklayer; plasterer 【泥土】 earth, mud, clay

你 (nǐ) *pron.* you 〖～自己〗 *pron.* yourself 〖～的〗 *pron.* your, yours 【你们】 *pron.* you 〖～自己〗 *pron.* yourselves 〖～的〗 *pron.* your, yours

逆 (nì) (go) against 【逆差】 *n.* deficit 【逆风】 adverse wind; against the wind 〖～行驶〗 sail against the wind

溺 (nì) 【溺爱】 dote on 【溺死】 *v.* drown

腻 (nì) *a.* greasy 【腻烦】 be tired of

年 (nián) year 〖今～〗 this year 〖明～〗 next year 〖去～〗 last year 【闰～】 leap year 〖历～〗 over the years 〖周～〗 anniversary 〖十～〗 decade 〖二十～〗 score years 【年初】 the beginning of the year 【年代】 years; date 【年富力强】 in the prime of life 【年级】 class, grade 【年纪】 age 〖上了～〗 *a.* elderly 【年鉴】 *n.* annual, yearbook 【年老】 *a.* old 【年龄】 age 〖～较大〗 *a.* elder 【年末】 the end of the year 【年轻】 *a.* young 【年长】 *a.* senior

粘 (nián) *a.* sticky 【粘土】 clay 【粘性】 *a.* sticky; *n.* stickiness ◇ **粘** (zhān)

撵 (niǎn) *v.* drive 〖把 …～出去〗 kick ... out, throw ... out

念 (niàn) think of; read aloud 【念头】 *n.* idea

鸟 (niǎo) bird 〖家养的～〗 tame birds 【鸟瞰】 bird's-eye view 【鸟笼】 cage, birdcage

尿 (niào) *n.* urine; *v.* urinate / pass water 【尿床】 wet the bed

捏 (niē) *v.* knead 【捏造】 *v.* invent, fabricate / make up

蹑 (niè) 【蹑手蹑脚】 *a.* stealthily / on tiptoe 〖～地走〗 *v.* tiptoe

柠 (níng) 【柠檬】 *n.* lemon 〖～水〗 lemonade

凝 (níng) 【凝固】 *v.* solidify, coagulate 【凝视】 *v.,n.* gaze, stare / gaze [stare] at, fix upon

拧 (níng) *v.* screw; twist, wring 【拧掉】 *v.* pinch (off) 【拧紧】 *v.* screw (up) 〖～螺丝〗 tighten up a screw

宁 (nìng) 【宁可】 *v.* prefer; *ad.* better / would rather 〖～ … 不愿 …〗 would rather ... than ... 【宁愿】 *ad.* rather 【宁择】 *v.* prefer

牛 (niú) ox, cattle 〖公～〗 bull 〖母～〗 〖奶～〗 cow 〖水～〗 water buffalo 〖小～〗 calf 【牛痘】 cowpox 【牛津】 Oxford 【牛虻】 gad-fly 【牛奶】 milk 〖～场〗 dairy 〖脱脂～〗 skim milk 〖鲜～〗 fresh milk 〖消毒～〗 certified milk 【牛排】 beefsteak 【牛皮】 cowhide 〖～纸〗 kraft (paper) 【牛肉】 beef

扭 (niǔ) *v.* twist 【扭动】 *v.* wiggle, twist 【扭转】 turn round; turn back

纽 (niǔ)【纽带】 *n.* tie【纽约】 New York

钮 (niǔ)【钮扣】 button

农 (nóng)【农产品】 farm produce【农场】 farm【～主】 farmer【在～】 on a farm【农村】 countryside; village【农夫】 farmer【农具】 farm implements [tool]【农民】 peasant【农奴】 serf【农舍】 farmhouse【农业】 agriculture, farming【～机械】 farm machinery【农艺】 *n.* agriculture, agronomy【农作物】 crops

浓 (nóng) *a.* thick; dense【浓茶】 strong tea【浓度】 *n.* density【浓烟】 dense smoke

弄 (nòng) play with【～糊涂】 *v.* bewilder【～清楚】 find out【～确实】 make sure【弄错】 *v.* confuse; *v.,n.* mistake; *a.* mistaken【完全～了】 be quite mistaken【弄短】 *v.* shorten【弄干】 *v.* dry【弄死】 *v.* kill【弄碎】 *v.* crumble, break【弄弯】 *v.* bend【弄醒】 wake up【弄脏】 *v.* dirty; soil, mud; pollute

奴 (nú)【奴隶】 slave【～制度】 slavery【奴役】 *v.* enslave

努 (nǔ)【努力】 *n.* effort; *ɿ.,* *ad.* hard; *v.* endeavour / try hard, make great efforts【～工作】 be hard at work【～获得】 go for【～上进】 make one's way

怒 (nù) *n.* anger; *a.* angry【怒目而视】 *a.* glaring【怒视】 glare at

女 (nǚ) *n.* female【～高音】 *n.* soprano【～教师】 schoolmistress【～警察】 policewoman【～售货员】 salesgirl, saleswoman【～学生】 schoolgirl【～演员】 actress【女儿】 daughter【女服】 *n.* dress【女孩】 girl【女郎】 girl, miss【女仆】 maid【女裙】 skirt【女人】 woman【女生】 schoolgirl【女士】 Miss, lady【女王】 queen【女婿】 son-in-law

暖 (nuǎn)【暖房】 hothouse, greenhouse【暖和】 *n.* warmth; *a.* warm【使…～】 *v.* warm (up)【暖气】 *n.* central heating【～片】 radiator

虐 (nüè) *a.* cruel【虐待】 *v.* ill-treat

挪 (nuó) *v.* move【～过去】 move over【挪动】 move (about)【挪开】 move away【挪威】 Norway

诺 (nuò)【诺言】 *n.* promise【遵守～】 keep one's word

懦 (nuò)【懦夫】 weakling【懦弱】 *a.* weak

O o

喔 (ō) *int.* oh, well

欧 (ōu)【欧亚大陆】 Eurasia【欧洲】 *n.* Europe; *a.* European【～人】 European【～共同体】 the European Community【欧姆】〔电〕 ohm

呕 (ǒu) *v.,n.* vomit【呕吐】 vomit / throw [bring] up

偶 (ǒu)【偶尔】 *ad.* occasionally / once in a while, now and then【偶然】 *ad.* occasionally, accidentaly / by chance【～的事】 accident【～发现】 come upon【～碰上】 *v.* hit【～听到】 *v.* overhear【～遇见】 run into【～性】 fortuity

P p

扒 (pá) v. scratch; rake 【扒窃】 v. pick (sb.'s pocket) 【扒手】 n. pickpocket

爬 (pá) v. climb, crawl 【爬虫】 reptile 【爬过】 climb over 【爬近】 crawl close 【爬进】 crawl into 【爬上】 climb up

怕 (pà) v. fear, dread; a. afraid / be afraid of 【怕羞】 a. shy; ad. shyly

拍 (pāi) v. pat, slap 【拍马】 v. flatter 【拍卖】 v.,n. auction 【拍手】 v.,n. clap 〖～喝采〗 v.,n. clap; v. applaud 【拍照】 take photos 【拍纸簿】 pad

排 (pái) n. row, rank 〖～成一行〗 line up 【排斥】 v. exclude; repel 〖～在外〗 keep … out 【排除】 v. remove; n. removal 【排队】 v. line up 〖～等候〗 wait in line [a queue] 【排骨】 n. spareribs; chop 【排列】 v. arrange, line 【排球】 volleyball 【排水】 v. drain 〖～管〗 drain pipe 【排泄】 v. excrete, 【排字】 n. type-setting

徘 (pái) 【徘徊】 v. wander (about) / pace up and down

牌 (pái) n. tablet, board 〖车号～〗 number plate 【牌价】 market price [quotation] 【牌子】 plate / trade mark

派 (pài) v. send 【派别】 n. sect, faction 【派遣】 v. send 【派生】 n. derivation 〖～词〗 derivative

攀 (pān) seize sth. higher up 【攀登】 v. climb, clamber

盘 (pán) n. dish; 〔体〕 set, game 〖托～〗 n. tray 【盘绕】 v. coil, entwine / twine [twist] round 【盘算】 v. figure; contrive 【盘旋】 v. circle; spiral 【盘子】 plate, tray

蹒 (pán) 【蹒跚】 v. stagger; limp

判 (pàn) v. decide 【判断】 v. judge; n. judgement 〖根据…～〗 judge by 【判决】 v. judge; v.,n. sentence

叛 (pàn) 【叛变】 v. betray / turn traitor 【叛国】 n. treason / betray one's country 【叛乱】 n. rebellion; a. rebellious 【叛徒】 n. traitor

盼 (pàn) 【盼望】 v. expect / hope [long] for, look forward to

庞 (páng) n. huge, colossal, mammoth 【庞然大物】 mammoth 【庞杂】 a. unwieldy and complex

旁 (páng) n. side 【旁边】 n. side 〖在 …～〗 prep. beside / by the side of 【旁观】 look on 〖～者〗 n. spectator, onlooker, bystander 【旁听】 v audit 〖～生〗 auditor / external [guest] student

胖 (pàng) a. fat, fatty; stout; plump

抛 (pāo) v. throw (down), cast (off) 【抛出】 v. shoot / throw out 【抛锚】 cast anchor 【抛弃】 v. abandon, reject / throw away [off]

跑 (pǎo) v. run, race 〖短～〗 n. sprint, dash 〖长～〗 long-distance race 【跑表】 stopwatch 【跑步】 v. run / at a run 【跑出】 run out 【跑道】 n track; runway 【跑街】 n. runner 【跑开】 run away 【跑上】 run up 【跑腿】 run errands

泡 (pào) v. steep, bathe; n. bubble 【泡沫】 n. foam, froth 【泡泡糖】 bubble gum

炮 (pào) n. gun, cannon 【炮兵】 artillery 【炮弹】 shell 【炮管】 barrel 【炮火】 (artillery) fire 【炮舰】 gunboat 【炮台】 fort 【炮艇】 gunboat

陪 (péi) v. accompany 【陪伴】【陪同】v. accompany / go along with

培 (péi) 【培养】 v. train, educate; n. education, training 【培育】 v. cultivate, foster 【培植】 v. cultivate, train / build up

配 (pèi) 〖～得上〗 a. worthy / be worthy of 〖～不上〗 a. undeserving / unworthy of 【配备】 v. equip, furnish; n. equipment 〖～人员〗 v. man 【配给】 v. allocate 【配合】 v. coordinate, concert / in harmony with 【配角】 supporting actor 【配偶】 n. spouse 【配音】 v. dub

喷 (pēn) v. spray 【喷出】 v. spurt, spout; puff 〖从 … ～〗 come up from 【喷气】 v. snort / eject gas 〖～发动机〗 jet 〖～式飞机〗 jet-plane 【喷泉】 fountain 【喷射】 v. jet, spray 【喷水池】 fountain 【喷嚏】 n. sneeze 【喷雾】 n. spray, atomization

盆 (pén) basin

烹 (pēng) v. cook 【烹调】 v. cook; n. cooking

砰 (pēng) 〖～地把门关上〗 v. bang the door shut 【砰砰地打】 v. pound

朋 (péng) 【朋友】 friend 〖交～〗 make friends (with)

棚 (péng) n. shed 【棚屋】 hut, shed

捧 (pěng) v. flatter / hold in both hands 【捧场】 v. flatter; n. flattery 【捧住】 hold firm

碰 (pèng) v. hit, bump; v.,n. touch 【碰到】 v. touch 【碰见】 v. meet / hit on 【碰巧】 v. happen (to) / by chance 【碰锁】 n. latch / spring lock 【碰撞】 v. knock, hit

批 (pī) n. group 【批驳】 v. refute, denounce 【批发】 n. wholesale 【批判】 v. criticize; ad. critically 【批评】 v. criticize; n. criticism

披 (pī) put on, throw on 【披风】 n. cloak 【披肩】 n. cape, shawl

劈 (pī) v. split / cut open 〖把 … ～ 成两半〗 split … in half 【劈开】 v. split, wedge 【劈啪声】 n. crack

皮 (pí) n. skin; fur; leather 【皮包】 n. handpag 【皮带】 strap 【皮肤】 skin 【皮革】 leather 【皮货】 furs 【皮夹】 n. wallet 【皮毛】 fur 【皮球】 ball 【皮箱】 leather trunk 【皮鞋】 leather shoes 〖～油〗 shoe polish 【皮靴】 leather boots 【皮子】 fur; leather

疲 (pí) 【疲劳】 v. tire; a. tired 〖使人～〗 a. tiresome 【疲倦】 v. tire; a. tired

啤 (pí) 【啤酒】 n. beer

脾 (pí) n. spleen 【脾气】 n. temper 〖～坏〗 a. bad-tempered

偏 (piān) a. partial 【偏爱】 n. partiality 【偏差】 n. deviation 【偏见】 n. prejudice 【偏僻】 a. remote, out-of-the-way 【偏袒】 v. favour / be partial to 【偏向】 n. deviation

篇 (piān) n. piece, (of writing); sheet (of paper) 【篇幅】 n. space

便 (pián) 【便宜】 a. cheap   ◇ 便 (biàn)

片 (piàn) n. blade; sheet; piece 〖记录～〗 documentary film 【新闻~~】 newsreel 〖翻译～〗 dubbed film 〖科教～〗 science and educational film 【动画～】(animated) cartoon 【故事～】feature film 【黑白～】black and white film 【彩色～】colour film 【片面】 *a.* one-sided; unilateral 【片刻】 *n.* moment, second; *ad.* awhile / for a short time 〖～间〗a few seconds

骗 (piàn) *v.* deceive 【骗局】 *n.* fraud, trickery 【骗子】crook, cheat, impostor

剽 (piāo) *v.* rob, pirate 【剽窃】 *v.* plagiarize

漂 (piāo) 【漂浮】 *v.* float 【漂流】 *v., n.* drift 【漂泊】rove ◇ 漂 (piǎo, piào)

飘 (piāo) *v.* wave, flutter 【飘动】 *v.* ripple, float, flutter 【飘扬】 *v.* wave, flutter; fly

漂 (piǎo) 【漂白】 *v.* bleach ◇ 漂(piāo, piào)

票 (piào) *n.* ticket 【票价】 *n.* fare 【票据】 *n.* certificate, bill

漂 (piào) 【漂亮】 *a.* pretty, smart, handsome, beautiful; *ad.* smartly ◇ 漂 (piāo, piǎo)

瞥 (piē) *n., v.* glimpse 【瞥见】 *n.* sight; *v.* glimpse / catch sight of

拼 (pīn) *v.* spell 【拼凑】scrape together 【拼法】 *n.* spelling 【拼写】 *v.* spell 〖～错误〗spelling errors 〖～法〗 *n.* spelling, orthography 〖～课本〗spelling book 【拼音】 *n.* spelling / spell phonetically

拼 (pīn) 【拼搏】(wage) an all-out struggle 【拼命】desperately / at the risk of one's life; with all one's might

贫 (pín) *a.* poor 【贫乏】 *a.* poor; lacking; meagre 【贫困】 *n.* poverty 〖～中〗in poverty 【贫穷】 *n.* poverty; *a.* poor / poorly off 【贫血】 *n.* anemia

频 (pín) 【频繁】 *a.* frequent; *ad.* frequently 【频率】 *n.* frequency

品 (pǐn) 【品行】 *n.* conduct, behaviour 【品质】 *n.* character, quality 〖～的培养〗 *n.* character-training 【品种】 *n.* kind, variety, breed

乒 (pīng) 【乒乓球】table-tennis, ping-pong

平 (píng) *a.* flat; even; level 【平安】 *n.* safety; *a.* safe 〖～无恙〗safe and sound 【平常】 *a.* ordinary, usual, common; *ad.* usually 〖不～〗 *a.* unusual 【平等】 *n.* equality; *a.* equal 〖不～〗 *n.* inequality; *a.* unequal 【平底锅】pan, frying-pan 【平凡】 *a.* ordinary, common 【平方】 *n.* square 〖～米〗square metre 【平放】 *v.* lie 【平房】one-storey house 【平分】divide equally 【平衡】 *n.* balance 【平滑】 *a.* smooth 【平静】 *n.* peace; *a.* smooth, peaceful, quiet, still; *ad.* quietly, calmly 〖使～〗 *v.* calm, settle, still 【平均】 *n., v., a.* average 【平面】 *n.* plane 【平时】 *ad.* usually, ordinarilly 【平台】 *n.* platform 【平坦】 *a.* smooth, flat 【平躺】 *v.* lie 【平稳】 *ad.* steadily 【平息】put down 【平信】ordinary mail 【平行】 *a.* parallel 【平易】 *a., ad,* plain 【平原】 *n.* plain 【平装本】paperback

评 (píng) *v.* comment; appraise 【评比】compare and appraise 【评分】give a mark 【评级】 *v.* grade 【评价】 *v.* evaluate, appraise 【评论】 *v.* discuss / comment on 【评判】 *v.* judge 【评选】choose through discussion 【评语】comments, remarks

苹 (píng) 【苹果】apple

屏 (píng) *n.* screen 【屏风】screen 【屏幕】screen

瓶 (píng) jar, bottle, vase〖墨水～〗inkbottle〖广口～〗jar〖花～〗flower vase〖热水～〗thermos【瓶子】bottle

钋 (pō) *n.* polonium

泼 (pō) *v.* splash; sprinkle; spill

颇 (pō) *ad.* rather, quite, very〖～有几个〗quite a few

迫 (pò) *v.* press【迫害】*v.* persecute【迫切】*a.* urgent, pressing; anxious【迫使】*v.* force, oblige, drive

破 (pò) *v.* break〖～记录〗break a record【破布】rag【破产】*a.* bankrupt〖使某人～〗bring sb. ruin【破坏】*n.,v.* wreck; *v.* destroy, sabotage / break up【破旧】*a.* shabby, worn-out〖～衣服〗rags【破裂】*v.* burst, crack【破碎】*v.* crumble, break (to pieces)【破晓】*n.* daybreak【破绽】*n.* rent; flaw【破折号】dash

扑 (pū) *v.* pounce (at)【扑克牌】playing cards〖打～〗play cards【扑灭】*v.* extinguish / put out【扑向】throw oneself on, rush at

铺 (pū) *v.* cover, spread【铺床】make a bed

仆 (pú)【仆人】*n.* servant

菩 (pú)【菩萨】Bodhisattva【菩提树】pipal tree

葡 (pú)【葡萄】*n.* grape〖～干〗*n.* raisin〖～酒〗grape-wine〖～树〗vine〖～糖〗glucose【葡萄牙】*n.,a.* Portuguese〖～人〗Portuguese〖～语〗*n.,a.* Portuguese

蒲 (pú)【蒲公英】*n.* dandelion

朴 (pǔ)【朴素】*a.* simple, plain, modest; *ad.* simply

普 (pǔ)【普及】*v.* popularize〖～版〗popular edition【普鲁士】*n.* Prussia; *a.* Prussian〖～人〗Prussian【普通】*a.* common, ordinary; *ad.* commonly〖～副词〗ordinary adverb〖～名词〗common noun【普遍】*a.* universal, general; widespread; *ad.* generlly

瀑 (pù)【瀑布】waterfall, falls〖小～〗cascade

曝 (pù)【曝光】*n.* exposure

Q q

七 (qī) *num.* seven〖第～〗seventh【七十】seventy〖第～〗seventieth【七月】July

妻 (qī) *n.* wife

期 (qī) *n.* term【期待】*v.* expect / look forward to【期间】*n.* period〖在…～〗*prep.* during / in the course of【期刊】*n.* periodical, magazine【期望】*v.* expect, hope【期限】*n.* term / time limit

欺 (qī)【欺骗】*v.* cheat, deceive【欺侮】*v.* bully【欺诈】*n.* swindle, cheat

齐 (qí) *a.* even【齐唱】*n.* chorus【齐全】*a.* complete【齐声】in concert [chorus]

祈 (qí)【祈祷】*v.* pray【祈求】*v.* beg【祈使】*a.* imperative〖～句〗imperative sentence〖～语气〗the imperative mood

其 (qí)【其次】*a., ad.* next【其间】*n.* meantime【其实】*ad.* actually / in, as a matter of fact【其它】*a.* else, other; *n.* rest; *pron.* others【其余】*a.* other / the rest, the others〖～的人(或物)〗the rest【其中】*prep.* among

奇 (qí)*a.* wonderful【奇怪】*a.* odd, peculiar, strange, curious; *ad.* strangely【对…感到～】*v.* wonder【奇观】a glorious view【奇迹】*n.* miracle, wonder【～般】*a.* miraculous【奇景】wonderful sight【奇妙】*a.* marvellous【奇事】*n.* wonder【奇异】*a.* strange peculiar

骑 (qí)*v.* ride【～自行车】*v.* cycle / by bicycle【骑马】*v.* ride; *n.* riding【～的人】rider【～越障表演】show jumping【骑士】knight, cavalier【骑手】horseman【骑术】horseman ship

棋 (qí)*n.* board game

旗 (qí)*n.* flag, banner【旗语】*n.* semaphore【旗帜】banner

乞 (qǐ)*v.* beg【乞丐】*n.* beggar【乞求】*v.* beg

企 (qǐ)【企鹅】penguin【企图】*n., v.* attempt; *n.* trial【企业】*n.* enterprise〖～家〗entrepreneur

启 (qǐ)*v.* open【启程】*v.* start / set out on a journey【启发】*v.* enlighten【有～】*a.* instructive【启航】*v.* sail / set sail【启示】*n.* revelation

起 (qǐ)*v.* rise【起草】*v.* draft / draw up【起初】at first, at the beginning of【起床】*v.* rise / get up【起点】starting point【起动】*v.* start【～器】starter【起飞】take off【起居室】sitting-room【起来】*v.* arise / get up【～反抗】rise up【起立】*v.* rise / stand up【起码】at least【起诉】*v.* charge, prosecute【起细浪】*v.* ripple【起先】at first【起义】*n.* uprising / rise up【起因】*n.* cause, reason【～于】due to【起源】*n.* origin【起重器】jack【起作用】*v.* work / to be effective

气 (qì)*n.* air, gas〖蒸～〗vapour〖天然～〗natural gas【气喘】*v.* pant〖～病〗asthma【～吁吁地说】*v.* pant【气氛】*n.* atmosphere【气概】*n.* spirit【气管】windpipe【气候】climate【气力】energy; effort【气馁】*n.* discouragement【气球】balloon【气体】gas【气味】smell【气温】*n.* atmospheric temperature【气息】*n.* breath【气象】weather〖～台〗weather-station〖～预报〗weather forecast【气压】barometric [atmospheric] pressure

汽 (qì)*n.* steam, vapour【汽车】automobile, car, auto〖～库〗garage〖～司机〗driver〖～修理厂〗garage【小～】car【长途～】coach〖出租～〗taxi, cab【公共～】bus【汽笛】siren, whistle, steam-whistle, horn〖～声〗whistle【汽酒】sparkling [bubbling] wine【汽枪】air-gun【汽水】soda / soda [fizz] water【汽艇】steam boat【汽油】petrol, gasoline, gas〖～站〗gas-station

弃 (qì)*v.* reject【弃绝】*v.* abandon【弃去】give up

器 (qì)*n.* vessel〖传感～〗sensor〖起动～〗starter〖起重～〗jack〖扬声～〗speaker, loudspeaker〖计算～〗calculator【器官】organ【器具】tool, implement【器皿】*n.* utensil; vessel【器械】instrument; apparatus; appliance

掐 (qiā)【掐掉】*v.* pinch (off)

恰 (qià)【恰当】*a.* fit, correct, appropriate; *ad.* right【恰好】*a.* very; *ad.*

exactly, right, just【恰巧】by chance〖～做某事〗happen to do sth.

千 (qiān) *num.* thousand【千百万】millions upon millions of【千倍】*a.* thousandfold / a thousand times【千斤顶】jack【千克】kilogram(me)【千米】kilometre【千千万万】thousands upon thousands of【千瓦】kilowatt【千周】kilocycle

迁 (qiān) *v.* move; change【迁就】*v.* accommodate【迁居】*v.* move (house)【迁入】move in【迁移】*v.* move, remove, migrate

牵 (qiān) *v.* pull, draw / lead by the hand【牵连】*v.* involve【牵牛花】morning-glory【牵强】*a.* unnatural, forced, far-fetched【牵引】*n.* tug, pull

铅 (qiān) lead【铅笔】pencil〖～盒〗pencil-box〖用～写〗*v.* pencil / write in pencil【铅字】type〖黑体～〗holdfaced type

谦 (qiān)【谦虚】*a.* modest

签 (qiān)【签到】sign in〖～簿〗attendance book【签名】*v.* sign / sign one's name; *n.* signature【签证】*n.* visa【入境～】entry visa〖出境～〗exit visa〖过境～〗transit visa【签字】*v.* sign; *n.* signature

前 (qián) *a.* former; *ad.* before / in front of〖～不久〗not long before〖～两年〗the last two years〖在 … ～〗*prep.* before【在 … 的～】in the front of【前额】brow, forehead【前锋】forward【前后】【前前后后】up and down, back and forth【前进】*v.* march; *v.,n.* progress, advance; *ad.* ahead, forward / go ahead〖停止～〗*v.* halt〖向 …～〗*v.* head / advance towards …, head for …【排除困难～】make one's way【迅速～】*v.* speed〖继续～〗move on【前景】*n.* prospect【前门】front door【前面】*n.* front〖在～〗*ad.* ahead〖在 …～〗in front of【前任】*n.* predecessor〖～总统〗expresident〖～总理〗former prime minister【前天】the day before yesterday〖～晚上〗the night before last【前途】future【前腿】〔动〕foreleg【前线】the front【前夕】eve【前言】*n.* foreword, preface【前者】the former【前缀】prefix【前奏曲】prelude

钳 (qián) *n.* pincers; tongs; *v.* grip, clamp〖手～〗*n.* pliers〖老虎～〗*n.* vice【钳工】fitter【钳子】pincers

虔 (qián)【虔诚】*a.* religious; pious, devout

钱 (qián) money【钱夹】*n.* wallet

掮 (qián) *v.* shoulder〖～在肩上〗carry on the shoulder

潜 (qián)【潜伏】*a.* latent【潜入】sneak into〖～水中〗dive under the water【潜水】*n.* dive〖～员〗diver【潜在】*a.* latent

浅 (qiǎn) *a.* shallow; low【浅近】*a.* easy【浅盘】tray【浅色】light colour

谴 (qiǎn)【谴责】*v.* condemn, denounce

欠 (qiàn) *v.* owe【欠款】*n.* debt【欠债】*v.* owe a debt / be in debt

嵌 (qiàn) *v.* set, inlay

枪 (qiāng) *n.* gun, pistol【枪毙】execute by shooting【枪弹】bullet【枪管】barrel

腔 (qiāng)【腔调】*n.* accent; tone; tune

强 (qiáng) *a.* strong【强大】*a.* powerful【强调】*n.* emphasis; *v.* emphasize【强读式】strong form【强健】*a.* vigorous【强国】power【强烈】*a.*

strong, violent; *ad.* strongly, violently 【强行】 *v.* force / by force 【强硬】 *a.* tough 【强有力】 *a.* strong 【强制】 *v.* force 【强壮】 *a.* strong ◇ 强 (qiǎng)

墙 (qiáng) wall 【墙报】 wall-newspaper 【墙角】 corner (of a room or house)

蔷 (qiáng) 【蔷薇】 rose

抢 (qiǎng) *v.* grab, rob 【抢购】 *v.* (shopping) rush 【抢劫】 *v.* rob, plunder / stick [hold] up 【抢镜头】 steal the show 【抢救】 *v.* rescue, save

强 (qiǎng) *v.* force, compel 【强夺】 take by force 【强迫】 *v.* force, compel ◇ 强 (qiáng)

敲 (qiāo) *v.* beat, knock 【敲打】 *v.* strike, knock 〖～的谈话方式〗 talking 【敲击声】 *n.* knock 【敲门】 knock at the door 【敲诈】 *v.* extort

桥 (qiáo) bridge 【桥牌】 *n.* bridge

巧 (qiǎo) *a.* skillful 【巧克力】 *n.* chocolate 【巧妙】 *a.* clever, ingenius; skillful 【巧遇】 meet by chance, chance upon; chance meeting [encounter]

切 (qiē) *v.* cut 【切断】 cut [shut] off 【切除】 *n.* excision; *v.* excise 【切开】 cut open 【切削】 *v.* cut

茄 (qié) 【茄子】 eggplant ◇ 茄 (jiā)

窃 (qiè) *v.* steal 【窃取】 *v.* steal 【窃听】 *v.* eavesdrop; bug 【窃贼】 *n.* thief

亲 (qīn) 【亲爱】 *a.* dear, beloved 【亲睦】 on friendly terms (with) 【亲戚】 *n.* relative 【亲切】 *a.* kind, warm-hearted 【亲密】 *a.* close, intimate 【亲热】 *a.* warm, cordial 〖～起来〗 warm up 【亲身】 *a.* personal; *ad.* personally 〖从～体验中学到〗 learn ... by experience 【亲属】 *n.* folks relatives 【亲王】 *n.* prince 【亲眼】 with one's own eyes 【亲自】 *ad.* personally / in personal 〖某人～〗 for oneself

侵 (qīn) 【侵犯】 *v.* invade 【侵害】 *v.* damage; infringe (on) 【侵略】 *v.* invade; *n.* invasion, aggression 〖～者〗 invader, aggressor 【侵入】 *v* invade 【侵袭】 *v.* affect; attack 【侵占】 *v.* occupy / break into

钦 (qīn) 【钦佩】 *v.* admire; *n.* admiration 〖对 … 的～〗 admiration for

禽 (qín) *n.* fowl, bird 〖水～〗 water fowl 〖野～〗 wild bird 〖家～〗 domestic fowl 【禽类】 birds

勤 (qín) 【勤奋】 *a.* diligent 【勤俭】 diligent and frugal, industrious and thrifty 【勤劳】 *a.* hard-working 【勤务】 *n.* service 〖～兵〗 *n.* orderly

寝 (qīn) 【寝具】 *n.* bedding 【寝室】 bedroom; dormitory

青 (qīng) *a.* green; blue 【青菜】 greens 【青春】 youth 〖永葆～〗 keep alive the fervour of youth 【青霉素】 penicillin 【青年】 youth 〖～时期〗 youth 【青色】 *n.* blue 【青蛙】 frog 【青一块紫一块】 black and blue

轻 (qīng) *a.* light; easy 〖～工业〗 light industry 〖～劳动〗 light work 〖～音乐〗 light music 【轻便】 *a.* light 【轻快】 *a.* smart, lively, brisk 【轻蔑】 *v.* scorn; *ad.* scornfully 〖～地笑〗 *v.* sneer 【轻拍】 *v.,n.* tap, clap, pat 【轻轻】 *ad.* softly, gently 【轻视】 *v.* despise, scorn / look down on [upon], make light [little] of 【轻松】 *a.* easy; *v.* relax 〖～愉快〗 *a.* light-hearted 〖变得～〗 *v.* relax 【轻微】 *a.* slight; *ad.* slightly 【轻信】 *a.* credulous; *v.* swallow 【轻易】 *n.* ease; *a.* easy; *ad.* easily

氢 (qīng) *n.* hydrogen 【氢弹】 H-bomb / hydrogen bomb

倾 (qīng) *v.* pour 【倾家荡产】 *n.* ruin 【倾盆而下】 pour down 【倾听】 *v.* listen / listen (attentively) to 【倾向】 *v.* tend (to) 〖有…～〗 *a.* liable (to)【倾斜】 *v.,n.* tilt, slant, slope; *v.* lean, incline; *a.* leaning / at a slant 【倾泻】 rush down 【倾注】 *v.* shower (upon) / pour into

清 (qīng) *a.* pure 【清查】 *v.* check thoroughly 【清除】 *v.* clear / clear away [out] 【清楚】 *a.* clear, plain; *ad.* clearly 【清单】 *n.* itemized list 【清点】 make on inventory of 【清洁】 *a.* clean 〖～工〗 *n.* cleaner 【清算】 *v.* liquidate 【清晰】 *a.* distinct clearcut; *ad.* clearly 【清新】 *a.* fresh 【清秀】 *a.* handsome

情 (qíng) *n.* feeling; passion; condition 【情节】 plot 【情景】 sight 【情况】 case, situation, condition, way, things 【情态助动词】 modal auxiliary verb 【情形】 state, condition 【情绪】 emotion 〖～低落〗 *a.* low-spirited; *n.* gloom 【情愿】 be willing to; would rather

晴 (qíng) *a.* fine, clear 【晴朗】 *a.* fine, bright, shiny, clear, sunny

请 (qǐng) *v.* please; ask, beg 〖～进来〗 Come in, please. 〖～你…好吗〗 Will you please … ? 〖～上车〗 All aboard! 〖～原谅〗 Excuse me. 〖～坐〗 Please take a seat. 〖～一天假〗 have a day off 【请假】 ask for leave 【请柬】 invitation 【请教】 *v.* consult 【请客】 stand treat; give a dinner party 【请求】 *v.* pray, beg, entreat; *v.,n.* request / ask for 〖～某人做…〗 ask sb. to do sth.

庆 (qìng) 【庆贺】 *n.* congratulation; *v.* congratulate 【庆祝】 *v.* celebrate; *n.* celebration 〖～会〗 celebration

丘 (qiū) *n.* hill 【丘陵】 hills, mounds

秋 (qiū) autumn 【秋天】 autumn, fall 【秋千】 swing

蚯 (qiū) 【蚯蚓】 earthworm

囚 (qiú) 【囚犯】 prisoner 【囚禁】 *v.* imprison

求 (qiú) *v.* beg 【求学】 *v.* study 【求助】 *v.* resort (to) / turn to sb. for help

球 (qiú) ball; globe 〖篮～〗 basketball 〖羽毛～〗 badminton 〖足～〗 football 〖手～〗 handball 〖网～〗 tennis 〖排～〗 volleyball 〖乒乓～〗 table tennis, ping-pong 〖水～〗 (water) polo 〖棒～〗 baseball 〖垒～〗 softball 〖曲棍～〗 hockey 〖冰～〗 ice hockey 〖马～〗 polo 〖台～〗 billiards 〖高尔夫～〗 golf 【球队】 *n.* team 【球门】 goal 【球迷】 ball-game fan 【球鞋】 gym shoes 【球形】 *a.* round, spherical 【球状物】 globe

区 (qū) *n.* district 【行政～】 administrative district 【区别】 *v.* distinguish / (can) tell one from the other 【区分】 *v.* differentiate 【区域】 *n.* district, region, area

驱 (qū) *v.* drive 【驱除】 get rid of 【驱赶】 *v.* drive 【驱逐】 *v.* expel / drive out 〖～出境〗 *v.* deport

屈 (qū) *v.* bend 【屈服】 *v.* yield, surrender; bow / give in 【屈身】 *v.* bend 【屈膝】 bend the knees; knuckle under

躯 (qū) 【躯干】 *n.* trunk 【躯体】 body

趋 (qū) 【趋势】 *n.* tendency, trend 【趋向】 *v.* tend (to); *n.* tendency, trend

曲 (qǔ) *n.* song 〖进行～〗 march 〖圆舞～〗 waltz 【曲调】 *n.* melody

取 (qǔ) v. take, get, fetch 【取出】 take [get] out 【取代】 v. replace / take the place of 【取得】 v. obtain, gain 〖～进步〗 make progress 【取缔】 v. prohibit, ban 【取回】 get back 【取决于】 depend on 【取来】 v. fetch, bring 【取名】 give [take] a name 〖给…～〗 v. name 【取去】 v. remove / take away 【取消】 v. cancel 【取笑】 make fun of

娶 (qǔ) v. marry

去 (qù) v. go, leave 〖～看电影〗 go to a film 〖～旅行〗 take a trip, go on a journey 〖～睡觉〗 go to bed 【去掉】 v. rid, remove / get rid of 【去年】 last year 【去世】 v. die / pass away 【去污粉】 cleanser

趣 (qù) 【趣味】 n. interest; taste 〖有～〗 a. interesting

圈 (quān) n. ring, circle 【圈套】 n. trap

权 (quán) n. right, power 【权力】 power, authority 【权利】 n. right 【权势】 power and influence 【权威】 n. authority

全 (quán) a. all 【全部】 a. all, whole, total, entire; ad. wholly, totally, entirely; a., n. whole 〖～工作时间〗 a. full-time 【全集】 complete works 【全力以赴】 go all out, do one's level best 【全面】 a. full-scale; a. ad. overall, thoroughly 【全能】 a. almighty 【全权】 a. plenipotentiary / full powers 〖～代表〗 n. plenipotentiary 【全然】 ad. completely, entirely, wholly 【全日制】 a. full-time 〖～学校〗 full-time school 〖非～〗 a. part-time 【全神贯注】 v. concentrate / be engrossed in 【全世界】 all over the world 【全速】 at full speed 【全体】 pron. all, everyone; a. entire, whole total 〖～乘务人员〗 n. the crew 〖～人员〗 all the staff 【全文】 full text 【全校】 the whole school

泉 (quán) n. spring, fountain 〖温～〗 hot spring 【泉水】 spring (water) 【泉源】 fountainhead; source

拳 (quán) n. fist 【拳击】 n. boxing 【拳头】 fist

蜷 (quán) 【蜷缩】 huddle [curl, roll] up

鬈 (quán) 【鬈发】 curl 〖长满～〗 a. woolly

劝 (quàn) v. advise 【劝告】 n. advice; v. advise 【劝说】 v. persuade

券 (quàn) n. certificate, ticket; coupon

缺 (quē) 【缺点】 n. fault, shortcoming 【缺乏】 n., v. lack; n. absence; a. scarce 【缺货】 be out of stock 【缺课】 miss lesson [school] be absent from school 【缺口】 n. gap 【缺少】 n. shortage; v., n. lack 〖不可～〗 a. indispensable 【缺席】 a. absent; n. absence

雀 (què) sparrow 【雀斑】 freckles 【雀巢】 bird's nest

确 (què) 【确定】 v. fix; a. definite 【确切】 a. exact 【确实】 a. true, certain; ad. indeed, really, exactly, surely 【确信】 a. sure 〖使～〗 v. assure

裙 (qún) n. skirt 〖百褶～〗 pleated skirt 〖衬～〗 petticoat 【裙子】 skirt

群 (qún) n. group, crowd, company 【群集】 v. crowd / gather together 【群众】 the masses 〖～性〗 a. mass

R r

然 (rán)【然而】*conj.* however, though, yet, while, nevertheless / at the same time【然后】*ad.* then, afterwards

燃 (rán)【燃烧】*v.* burn【燃料】*n.* fuel

让 (ràng) *v.* let【让步】*v.* yield / give in, back down【让给】give up to【让座】make room (for), offer one's seat to sb.

饶 (ráo)【饶舌】*v., n.* chatter; *a.* talkative【饶恕】*v.* forgive; *v., n.* pardon

扰 (rǎo)【扰乱】*v.* disturb, disrupt / throw into disorder [confusion]

绕 (rào) *v.* wind【绕过】go round【绕起】screw up

惹 (rě) *v.* incite, provoke〖～麻烦〗invite trouble【惹事】stir up trouble

热 (rè) *n.* heat; *a.* hot【热爱】*v.* love; *n.* devotion【热带】tropics【热度】*n.* heat, warmth, temperature【热量】*n.* heat【热烈】*n.* heat; *a.* ardent, enthusiastic; fiery; warm【热闹】*a.* busy【热切】*a.* earnest, eager; *ad.* eagerly, dearly【热情】*a.* ardent, warm-hearted【热水瓶】thermos【热心】*n.* zeal, devotion, enthusiasm; *a.* devout〖～于〗be devoted to, put one's heart into (sth.)【热心肠】*a.* warm-hearted

人 (rén) *n.* person, people, fellow, creature; *a.* human / human being【人才】*n.* talent〖～外流〗brain drain【人称】*n.* person〖～代词〗personal pronoun【人格】*n.* personality【人工】*a.* man-made, artificial【人间】in the world【人口】*n.* population【人类】*n.* mankind; *a.* human / the human race, human being【人们】*n.* folk, people【人民】people〖～解放军〗the People's Liberation Army【人群】*n.* crowd【人人】*pron.* everybody, everyone【人参】ginseng【人生】*n.* life〖～观〗*n.* philosophy / outlook on life【人数】*n.* population【人物】character; personage, figure【人像】portrait【人行】〖～道〗*n.* pavement, (美) side-walk〖～横道〗pedestrian [zebra] crossing〖～桥〗foot [pedestrian] bridge【人员】personnel【人造】*a.* man-made, artificial【人证】testimony of witness【人种】race

仁 (rén)【仁慈】*n.* mercy; *a.* kind, benevolent; *ad.* kindly

忍 (rěn) *v.* bear, endure〖～不住〗cannot help doing【忍耐】*v.* endure, bear; *n.* patience; *a.* patient【忍受】*v.* bear, undergo, endure, swallow / put up with【忍住】*v.* repress

认 (rèn)【认出】*v.* recognize【认错】*n.* apology【认清】make out【认识】*v.* know, recognize / get to know〖～到〗*v.* realize〖开始～〗come to know【认为】*v.* hold, think, regard, consider, believe, feel〖～…是…〗look upon ... as ...【认真】*a.* earnest, serious〖～负责〗*a.* responsible

任 (rèn)【任何】*a.* any〖～地方〗*ad.* wherever / any place〖～人〗*pron.* anybody, anyone〖～时候〗*ad.* whenever, anytime〖～事物〗*pron.* anything〖～一个〗*a.* any; either【任凭】no matter how [what]; as you [he, etc.] please(s) 【任务】task, duty, responsibility 【任意】 ad. wilfully / at will

扔 (rēng) v. throw 〖～在一边〗throw aside 【扔掉】throw off [away] 【扔给】throw ... to 【扔入】cast [plunge] into 【扔下】v. drop

仍 (réng) ad. still 【仍旧】ad. still; v. remain 【仍然】ad. still, yet; conj. however / all the same 【仍是】v. remain

日 (rì) n. day 〖工作～〗workday 〖生～〗birthday 〖假～〗holiday 〖某～〗one day 〖次～〗next day 〖闰～〗leap day 【日报】n. daily 【日本】n. Japan; a. Japanese 〖～人〗Japanese 【日常】a. daily, everyday, day--to-day 〖～生活〗daily life 〖～英语〗everyday English 【日出】n. sunrise 〖～时〗at sunrise 【日光】n. daylight, sunlight, sunshine 〖～灯〗fluorescent lamp 【日后】in the future 【日记】n. diary 【日落】n. sunset, sundown 【日历】calendar 【日期】date 【日校】day-school 【日夜】day and night, night and day 【日用品】daily necessaries 【日语】n. Japanese 【日子】day

荣 (róng) 【荣誉】n. honour, glory 〖给 … 带来～〗do honour to ... 〖给 … 以～〗v. honour

绒 (róng) n. wool 【绒线】woolen yarn 〖～衫〗woolen sweater

容 (róng) 【容量】n. capacity 【容纳】v. contain 【容器】container 【容忍】v. tolerate; / put up with 【容许】v. permit, allow 【容易】a. easy; ad. easily

溶 (róng) 【溶化】【溶解】v. dissolve; melt 【溶液】n. solution

融 (róng) 【融化】v. thaw 【融洽】a. harmonious

柔 (róu) 【柔和】a. soft, mild; ad. gently, softly

揉 (róu) v. rub; knead 【揉进】rub into

肉 (ròu) n. meat, flesh; a. fleshy 〖猪～〗pork 〖羊～〗mutton 〖牛～〗beef 【肉搏】fight hand-to-hand 【肉类】n. meats 【肉铺】butcher's shop 【肉体】n. body; a. physical

如 (rú) conj. as, if / such as 【如此】a. such; ad. so, thus 〖～ … 以致〗such ... that; so ... that 〖或基本上～〗or almost so 【如果】conj. if 〖～不〗conj. unless / if not 〖～没有〗prep. without 【如何】ad. how 【如今】ad. now / these days 【如同】conj. as / as if 【如有】〖～必要〗if necessary 〖～可能〗if possible

蠕 (rú) 【蠕虫】n. worm 【蠕动】v. wriggle

乳 (rǔ) n. milk 【乳酪】cheese 【乳房】breast 【乳液】milk 【乳脂】butterfat

入 (rù) v. enter; prep. into 〖～党〗join the Party 〖～团〗join the League 〖～队〗join the Young Pioneers 【入场】n. entrance, admission 〖～券〗admission ticket 【入口】gateway; entrance 【入睡】fall asleep, go to sleep 【入学】enter a school 〖～考试〗entrance examination

软 (ruǎn) a. soft 〖～垫子〗n. cushion 〖～饮料〗soft drink 【软毛】fur 【软木塞】cork 【软片】film 【软弱】a. powerless, weak

锐 (ruì) 【锐角】acute angle 【锐利】a. sharp, keen

瑞 (ruì) 【瑞典】n. Sweden 〖～人〗Swede 【瑞士】n. Switzerland; a. Swiss 〖～人〗n., a. Swiss

闰 (rùn) a. intercalary 〖～年〗leap year 〖～月〗leap month 〖～日〗leap day

若 (ruò) *conj.* if【若干】*a.,pron.* some / a number of

弱 (ruò) *a.* weak【弱点】weak point【弱读式】weak form【弱小】*a.* puny

S s

撒 (sǎ) *v.* cast; scatter; sow【撒种】sow seeds

塞 (sāi) *v.* sstuff; plug, stick / fill in, plug up, squeeze in 〖软木～〗*n.* cork【塞满】*v.* crowd, pack; *a.* crowded, packed【塞入】*v.* stuff / plug into【塞住】stop up 〖以塞子～〗*v.* plug【塞子】*n.* plug

鳃 (sāi) *n.* gill

赛 (sài) *v.* compete, contest, race 〖单项～〗individual event 〖团体～〗team event 〖锦标～〗*n.* championships 〖友谊～〗friendly match 〖邀请～〗invitational tournament【赛马】*n.* horse-race, horseracing 〖～用的马〗*n.* pony【赛跑】*n., v.* race, run 〖～运动员〗runner 〖马拉松～〗Marathon race 〖环城～〗round-the-city race 〖障碍～〗obstacle race 〖越野～〗cross-country race 〖接力～〗relay race【赛球】a game of ball

三 (sān) *num.* three 〖第～〗*num.* third 【三藩市】(美) San Francisco【三脚架】tripod【三角】*n.* trigonometry ; triangle【三两个】two or three, a couple of【三楼】(英) 2nd floor, (美) 3rd floor【三轮】〖～车〗pedicab 〖～脚踏车〗tricycle 〖～送货车〗three-wheel delivery lorry [truck]【三明治】*n.* sandwich【三十】*num.* thirty【三月】March

伞 (sǎn) umbrella 〖降落～〗parachute【伞兵】paratrooper

散 (sǎn)【散漫】*a.* desultory【散文】prose; essay【散射】*n.* scattering【散装】in bulk　◇ 散 (sàn)

散 (sàn) *v.* scatter【散布】*v.* scatter, spread【散步】*v., n.* walk, stroll / take a walk, walk about 〖和…一起～〗stroll with【散发】*v.* distribute; diffuse / hand out【散开】*v.* diffuse; scatter, disperse　◇ 散 (sǎn)

桑 (sāng) *n.* mulberry tree【桑树】mulberry tree

嗓 (sǎng)【嗓音】voice【嗓子】throat

丧 (sàng)【丧失】*v.* lose; *n.* loss 〖～信心〗*v.* despair / lose confidence

骚 (sāo)【骚动】*n.* stir , commotion【骚扰】*v.* disturb; harass

扫 (sǎo) *v.* sweep【扫除】*v.* sweep (away), clear; *n.* cleaning【扫过】*v.* sweep【扫描】*v.* scan【扫墓】visit a tomb (to pay respects to the dead person)【扫射】*v.* shoot　◇ 扫 (sào)

扫 (sào)【扫帚】*n.* broom　◇ 扫 (sǎo)

色 (sè) *n.* colour 〖深～〗*a.* deep-coloured 〖淡～〗*a.* light-coloured 〖红～〗*n., a.* red 〖黄～〗*n., a.* yellow 〖蓝～〗*n., a.* blue 〖白～〗*n., a.* white 〖黑～〗*n., a.* black 〖灰～〗*n., a.* grey, gray 〖紫～〗*n., a.* purple 〖棕～〗*n., a.* brown 〖米～〗*n.* beige 〖金黄～〗*n.* gold; *a.* golden 〖银～〗*n., a.* silver 〖橙黄～〗*n., a.* orange 〖绿～〗*n., a.* green 〖褐～〗

n., a. brown 【色彩】 *n.* colour, hue 【色调】 *n.* tone, shade 【色拉】 *n.* salad

瑟 (sè) *n.* Chinese harp 【瑟瑟声】 *n.* rustle

森 (sēn) 【森林】 forest 【森严】 *a.* stern; forbidding

杀 (shā) *v.* kill 【杀害】 *v.* kill, murder 【杀菌】 *v.* sterilize 【杀人】 *v., n.* manslaughter; murder 【～犯】 murderer 【杀死】 *v.* kill

沙 (shā) *n.* sand 【沙丁鱼】 *n.* sardine 【沙发】 *n.* sofa, settee 【～椅】 uphol-stered chair 〖长～〗 divan, couch 【沙皇】 Czar 【沙丘】 sandhill 【沙漠】 desert 【沙沙声】 rustle 〖作～〗 *v.* rustle 【沙滩】 sands / sandy beach

纱 (shā) *n.* yarn 【纱布】 gauze 【纱厂】 cotton-mill 【纱窗】 gauze [screen] window 【纱锭】 *n.* spindle

刹 (shā) 【刹车】 *n., v.* brake 【紧急～】 an emergency brake

傻 (shǎ) *a.* silly, foolish 【傻子】 *n.* fool, idiot 〖天生的～〗 a born fool

晒 (shài) *v.* sun / shine upon 〖～太阳〗 bask in the sun 〖～衣服〗 sun clothes 【晒干】 *a.* sun-dried 【晒黑】 *a.* suntanned, sunburned

山 (shān) mountain, mount 〖假～〗 rockery 〖小～〗 hill 〖火～〗 volcano 【山洞】 cave 【山峰】 mount, peak 【山沟】 gully 【山谷】 valley 【山脉】 mountains / mountain range 【山区】 mountainous district 【山羊】 goat 〖小～〗 kid 【山腰】 hillside 【山芋】 sweet potato 【山楂】 hawthorn; haw

扇 (shān) *v.* fan   ◇ 扇 (shàn)

衫 (shān) *n.* unlined upper garment 〖衬～〗 shirt 〖开襟羊毛～〗 cardigan 〖汗～〗 T-shirt 〖卫生～〗 jersey 〖绒线～〗 woolen sweater 〖厚运动～〗 sweater

闪 (shǎn) *v., n.* flash 【闪电】 *n.* lightning 【闪光】 *v., n.* sparkle, gleam, flash 〖～灯〗 *n.* flashlight 【闪亮】 *v.* flash; *a.* shining 【闪烁】 *v., n.* twinkle, glimmer 【闪耀】 *v., n.* flare, twinkle, sparkle, glare; *v.* glisten, glitter

扇 (shàn) 【扇子】 *n.* fan   ◇ 扇 (shān)

善 (shàn) *a.* good; kind *n.* virtue 【善良】 *a.* kind 【善于】 be good at 〖不～〗 be poor [bad] at

擅 (shàn) 【擅长于】 be good [expert] at 【擅自】 without permission

膳 (shàn) 【膳食】 *n.* meals 【膳厅】 dining hall

赡 (shàn) 【赡养】 *v.* support, keep

伤 (shāng) *n., v.* wound 【伤残】 *a.* disabled 【伤风】 *n.* cold / catch a cold 【伤感】 *a.* sad , sentimental 【伤害】 *v.* hurt, wound, injure; *v., n.* harm; *n.* injury 【伤痕】 scar of a wound

商 (shāng) 【商标】 *n.* mark, trade-mark, brand 【商埠】 *n.* port / a com-mercial port 【商场】 bazaar 【商店】 shop, store 〖～橱窗〗 shopwindow 【商行】 *n.* firm 【商量】 *v.* consult 【商品】 goods 【商人】 merchant, businessman 【商业】 business, trade, commerce 【商议】 *v.* discuss

赏 (shǎng) *v., n.* reward 【赏光】【赏脸】 do sb. favour 【赏识】 *v.* appreciate

上 (shàng) *ad., prep.* up, above; *a.* last; upper 〖在…～〗 *prep.* upon, on 〖在…以～〗 *prep.* over 【上岸】 *v.* land / go ashore 【上班】 go on duty, go to work 【上边】【上部】 upper part 【上册】 the first volume 【上车】

ad. aboard; *v.* board / get on (a train, bus, etc.) 【上次】 last time 【上等】 *a.* first-class 【上帝】 God 【上级】 *n.* superior 【上缴】 turn [hand] in 【上课】 give lesson to; go to class 【上客】 *v.* load 【上流】 *a.* upper-class 【上楼】 go upstairs 【上面】 *ad.,prep.,n.* above; *n.* top; surface; upper 〖到…~〗 *prep.* onto 【上气不接下气】 be out of breath 【上上下下】 up and down 【上升】 *a.* rising, upward; *v., n.* rise / go [send] up 【上诉】 *v.* appeal 【上述】 *a.* above-mentioned 【上台】 come into power 【上尉】 captain 【上午】 *n.* morning 〖在~〗 in the morning 【…上下】 or so 【上下】 up and down 〖~文〗 context 【上学】 go to school 【上演】 *v.* show / be put on (the stage) 【上衣】 coat 〖短~〗 jacket 【上涨】 *v.* rise / go up

尚 (shàng) *ad.* yet, still 【尚未】 not yet

烧 (shāo) *v.* cook, fire 〖~得精光〗 be burnt to the ground 【烧掉】 burn off, burn up, throw sth. in the fire 【烧毁】 burn out [down] 【烧开】 *v.* boil 【烧伤】 *v.* burn 【烧水壶】 kettle 【烧着】 *v.* burn / take fire

稍 (shāo) *ad.* slightly, any 【稍微】 a little, a trifle

少 (shǎo) *a.* few, little 〖很~〗 *n.* little, few; *ad.* seldom 〖较~〗 *a., ad.* less 〖最~〗 *a., ad., n.* least 【少见】 *a.* scarce, rare 【少量】 *a.* slight / a small amount 【少数】 *n.* minority, few; *a.* few / some few 〖~人〗 a small number of people, the few 【少许】 a little ◇ 少 (shào)

少 (shào) 【少年】 *n.* adolescent, (young) teenager; *a., n.* juvenile 〖~时代〗 boyhood / early youth 【少女】 girl 【少先队】 Young Pioneers 〖~员〗 Young Pioneer 【少校】 major ◇ 少 (shǎo)

哨 (shào) 【哨兵】 sentry, guard 【哨所】 sentry post 【哨子】 *n.* whistle

舌 (shé) *n.* tongue 【舌头】 tongue 【舌音】 lingual sound

蛇 (shé) snake 〖大毒~〗 bushmaster

舍 (shě) give up 【舍弃】 *v.* abandon / give up

设 (shè) 【设备】 *v.* equip; *n.* equipment, apparatus, furniture 【设法】 *v.* contrive, manage 〖~做…〗 manage to do sth. 【设计】 *v.* design / plan out 〖~师〗 designer 〖~图〗 *n.* plan 【为…~】 plan … for … 【设立】 *v.* establish / set up 【设想】 *v.* suppose, imagine

社 (shè) *n.* society 【社会】 *n.* society; *a.* social, public 〖~事业机构〗 institution 〖~思潮〗 climate 〖~学〗 sociology 〖~主义〗 *n.* socialism; *a.* socialist 【社交】 social intercourse 〖~聚会〗 *n.* party 〖~界〗 the fashionable world 【社论】 *n.* editorial 【社团】 mass organizations 【社长】 director

涉 (shè) 【涉及】 *v.* involve / relate to 【涉水】 *v.* paddle 〖~玩〗 go padding

射 (shè) *v.* shoot 【射程】 range 【射击】 *v.* fire, shoot; *n.* shot, shooting 〖~声〗 shot 〖对~…〗 fire [shoot] at 〖火炮的单发~〗 *n.* gunshot 【射箭】 *n.* archery / shoot an arrow 【射手】 marksman shot 【射死】 *v.* shoot 【射线】 ray, radiation 【射中】 *v.* hit

摄 (shè) *v.* photograph, shoot 【摄氏】 〖~零度以上〗 above zero centigrade 〖~温度计〗 centigrade [celsius] thermometer 【摄影】 take a photo 〖~机〗 camera 〖~师〗 photographer, cameraman

申 (shēn)【申报】 v. report【申辩】defend oneself【申请】 v. request, apply〖～人〗applicant〖～书〗application【申诉】 v. appeal

伸 (shēn) v. stick, extend【伸出】 v. stick, reach / put [stretch] out【伸开】 v. spread【伸手】stretch out the hand【～拿】reach for【伸展】 v. extend, stretch, spread【伸张】 v. uphold

身 (shēn) n. body【身边】by one's side【身份】 n. status; identity, capacity【～证】identity [I. D.] card【身受】experience personally【身体】 n. body; a. physical〖～不好〗be in poor health〖～好〗 a. well / keep fit; enjoy good health

呻 (shēn)【呻吟】 v. groan

绅 (shēn)【绅士】gentleman

深 (shēn) a. deep【深奥】 a. abstruse【深度】 n. depth【深厚】 a. deep, profound【深刻】 a. profound, penetrating【深坑】 n. well【深切】 a. deep, profound【深情】deep feelings〖充满～〗 ad. affectionately【深色】deep colour【深深】 ad. deeply【深思熟虑】 a. well-considered / carefully think over【深洼】 n. pit【深陷】 a. deep-set (eyes)【深夜】far into the night

什 (shén)【什么】 a., pron. what〖～地方〗 ad. where〖～地方也没有〗 ad. nowhere〖～时候〗 ad. when

神 (shén) god, spirit【神殿】temple【神甫】 n. priest, father【神话】 n. myth〖～故事〗fairy tales【神经】 n. nerve〖～紧张〗be nervous〖～衰弱〗 a. neurasthenia【神经质】 n. nervousness【神秘】 a. mysterious〖～的事物〗mystery【神色】 n. look, expression【神圣】 a. holy; sacred【神态】 n. look, expression; mien【神仙】fairy, immortal【神志昏迷】 n. trance, delirium

审 (shěn) v. examine, investigate【审核】 v. check【审美】aesthetic appreciation【审判】 v. try, judge; n. trial【审问】【审讯】 v. try, interrogate【审阅】 v. examine / check for approval

婶 (shěn)【婶母】aunt, auntie

肾 (shèn) n. kidney【肾炎】 n. nephritis

甚 (shèn) ad. very【甚至】 ad. even

渗 (shèn) v. leak【渗出】 v. seep, ooze【渗入】 v. permeate

升 (shēng) v. rise【升级】 v. promote / going up【升降机】 n. elevator〖～井〗 n. shaft【升起】 v. rise, arise【升旗】hoist a flag【升学】be admitted to a higher school〖～考试〗promotion examination

生 (shēng) v. live; bear〖以～为〗live on〖谋～〗make a living〖旁听～〗 n. auditor〖实习～〗trainee〖研究～〗postgraduate / research student〖住读～〗boarder〖走读～〗day student【生病】fall ill〖由…而～〗be sick with【生产】 v. produce; n. production〖～力〗productive forces〖～装配线〗assembly line〖～责任制〗system of production responsibility【生存】 v. live, exist; n. life, survival【生词】new word【生蛋】lay an egg【生动】 a. lively【～活泼】 a. lively【生活】 v. live; n. life, living / make a living〖～条件〗living conditions〖～必需品〗necessaries of life〖过…的～〗lead a ... life〖仅能维持～〗barely keep body and soul together〖与…～在一起〗live with【生火】make a fire【生计】*n.* livelihood, living【生客】stranger【生来】*a.* natural, inborn【生理学】physiology【生命】life【无～】*a.* lifeless【生气】*a.* angry, exasperated / be exasperated, get angry, be angry with [at]【生日】birthday【生手】a fresh hand【生疏】*a.* unfamiliar〖对…～〗be new to【生态平衡】the balance of nature【生物】creature, life, being〖～学〗*n.* biology; *a.* biological〖～钟〗biological clock【生养】*v.* bear【生意】*n.* business【生硬】*a.* stiff【生于】be born in【生长】*v.* grow; *n.* growth〖～过旺〗*v.* overgrow; *a.* overgrown

声 (shēng) *n.* sound〖大～〗*a.* loud〖低～〗*a.* low〖汽笛～〗*n.* whistle〖敲击～〗*n.* knock〖尖叫～〗*n.* scream〖作刮擦～〗*v.* scratch【声称】*v.* claim, state【声带】vocal cords【声调】intonation, tone【声明】*v.* declare, state; *n.* statement【声音】*n.* voice, sound; *a.* vocal〖发出～〗make sounds【声誉】*n.* fame

甥 (shēng) *n.* nephew【甥女】niece

绳 (shéng) string, rope, cord〖细～〗string〖钢丝～〗cable【绳子】rope

省 (shěng) *n.* province; *v.* save, economize; spare【省会】*n.* provincial capital【省略】*n.* ellipsis; *v.* omit/ leave out〖～号〗ellipsis (…)【省字母号】apostrophe (')

圣 (shèng) *a.* holy【圣诞节】Christmas / Christmas Day〖～前夕〗Christmas Eve〖祝～快乐〗Merry Christmas【圣诞树】Christmas-tree【圣经】the Bible【圣人】sage【圣堂】temple

胜 (shèng) *v., n.* win【胜地】resort / scenic spot【胜过】*prep.* above / much better than【胜利】victory, triumph, success【胜任】*a.* competent (for, to), fit (for)〖不～〗*a.* incompetent (for, to), unfit (for)

盛 (shèng) *a.* flourishing【盛大】*a.* grand【盛情】*n.* courtesy / great kindness【盛宴】(sumptuous) feast〖～款待〗*v.* feast

剩 (shèng) *v.* remain【剩下】*v.* remain, leave / leave over〖～的东西〗*n.* remains【剩余】*v.* remain〖～物〗remainder

尸 (shī)【尸体】corpse, (dead) body

失 (shī) *v.* lose【失败】*v.* fail, lose; *n.* defeat, failure【失常】*a.* abnormal; odd【失调】*n.* disorder; maladjustment【失火】catch fire; have a fire accident【失礼】*n.* impoliteness, discourtesy【失恋】disappointed in love【失落】*v.* lose【失眠】*n.* insomnia【失去】*v.* lose, miss〖～信心〗*a.* discouraged / lose confidence【失声痛哭】burst into tears【失实】*a.* untrue【失事】*v.* wreck, accident【失望】*v.* despair; *a.* disappointed【失误】*n.* fault【失效】*a.* invalid【失言】indiscreet remark【失业】*a.* unemployed, jobless; *n.* unemployment【失约】break one's word【失主】loser【失踪】*a.* missing【失足】*v.* slip / false step

师 (shī) *n.* teacher;〔军〕division〖工程～〗engineer〖设计～〗designer〖工艺～〗technologist〖建筑～〗architect〖会计～〗accountant〖摄影～〗cameraman〖魔术～〗conjuror【师范学院】teacher's college【师傅】master【师长】division commander

诗 (shī) poetry, poem【诗句】verse【诗人】poet

狮 (shī) lion

施 (shī)【施工】*v.* construct【施加】exert / bring to bear on【施行】*v.*

enforce

湿 (shī) *a.* wet 【湿气】 *n.* moisture

十 (shí) *num.* ten 〖第～〗 *num.* tenth 〖几～〗 dozens of 【十一】 *num.* eleven 〖第～〗 *num.* eleventh 【十一月】 November 【十二】 *num.* twelve; *n.* dozen 〖～个〗 *n.* dozen 〖第～〗 *num.* twelfth 【十二月】 December 【十三】 *num.* thirteen 【十四】 *num.* fourteen 【十五】 *num.* fifteen 【十六】 *num.* sixteen 【十七】 *num.* seventeen 【十八】 *num.* eighteen 【十九】 *num.* nineteen 【十倍】 ten times 【十分】 *ad.* quite, very, fairly, most, pretty, 〖～高兴〗 with great joy 〖～艰难〗 have great trouble (to do) 〖～满意〗 with great satisfaction 〖～喜爱〗 take great delight in ... 〖～正确〗 quite right 【十年】 *n.* decade 【十亿】 *num.* (美) billion, (英) milliard 〖～分之一〗 (美) billionth 【十月】 October 【十字】 *n.* cross 〖～镐〗 *n.* pick 〖～架〗 *n.* cross 〖～路〗 crossroad, crossway 〖～路口〗 crossroads, crossing 〖～形〗 *n.* cross

石 (shí) stone 【大理～】 marble 【花岗～】 granite 【金刚～】 diamond 〖钻～〗 diamond 【绊脚～】 stumbling block 【石碑】 stone tablet 【石膏】 gypsum 〖～像〗 plaster figure 【石化】 *v.* petrify 【石灰】 *n.* lime 〖～石〗 limestone 【石榴】 pomegranate 【石头】 stone 〖大～〗 *n.* rock 【石像】 stone statue 【石英】 *n.* quartz 【石油】 petroleum, oil

识 (shí) *v.* know 【识别】 *v.* distinguish / pick out 【识破】 see through

时 (shí) *n.* time, hour 〖按～〗 on time 〖及～〗 in time 〖同～〗 *ad.*, *n.* meanwhile 〖不～〗 now and then 【时常】 *ad.* often, frequently 【时代】 age, era, period 〖黄金～〗 the golden age 【时断时续】 on and off, off and on 【时而】 *ad.* sometimes / now ... now ... 〖一些～〗 some time 〖当…的～〗 *conj.* when, while 〖到…的～〗 by the time ... 〖在…的～〗 *prep.* during 【时机】 *n.* occasion, opportunity / favourable time 【时间】 time 〖～表〗 time-table 〖部分～〗 *a.* part-time 〖打烊～〗 closing time 〖抓紧～〗 lose no time 〖在某一～〗 *ad.* sometime 〖有干…的～〗 have time to do ... 〖没有干…的～〗 have no time to do ... 〖在规定(工作)～之外〗 *n.* overtime 【时刻】 *n.* hour, time; moment 〖～表〗 schedule 【时髦】 *a.* stylish, smart, fashionable 【时期】 *n.* age, period 【时时】 now and then, at intervals 【时式】 *n.* fashion, mode 【时事】 current events 【时态】 *n.* tense 〖一般～〗 the indefinte tense 〖完成～〗 the perfect tense 〖进行～〗 the continuous tense 〖完成进行～〗 the perfect continuous tense 【时钟】 clock 【时装】 woman's dree; fashionable clothes 〖～表演〗 fashion show

实 (shí) 【实话】 *n.* truth 【实际】 *n.* fact, reality; *a.* actual, practical 〖～存在的事物〗 *n.* reality 〖～情况〗 *n.* fact, truth 〖～上〗 *ad.* actually, practically / in fact 【实践】 *n.* practice; *v.* practise; *a.* practical 【实实在在】 *a.* literal / true to fact 【实物】 *n.* object 〖～教学〗 object lesson 【实习】 *v.* practice 〖～生〗 *n.* trainee 【实现】 *v.* realize, execute / carry out 【实行】 carry out 【实验】 *v.*, *n.* experiment 〖～室〗 lab, laboratory 【实义动词】 notional verb 【实用】 *n.* utility; *a.* practical 【实在】 *n.* reality; *ad.* indeed / in fact 【实质】 *n.* substance, essence; *a.* essential

拾 (shí) 【拾起】 pick up

食 (shí) *v.* eat 【食道】【食管】esophagus gullet 【食品】food, provisions 〖～店〗provisions store 〖～杂货店〗grocery / grocery's shop 〖副～〗non-staple food 【食人者】cannibal 【食堂】dining-room 【食糖】table sugar 【食物】food, edibles, bread, nourishment 【食欲】*n.* appetite 【食指】forefinger / indexx finger

史 (shǐ) *n.* history 【史前】*a.* prehistoric, prehistorical 【史诗】epic

使 (shǐ) *v.* cause 【使得】*v.* make / so that 【使馆】embassy 【使命】*n.* mission 【使用】*v.* use, apply 【使者】messenger; envoy

始 (shǐ) *v.* begin; *n.* beginning 【始终】*ad.* throughout, always / all along

驶 (shǐ) *v.* sail, drive

士 (shì) *n.* scholar 【士兵】soldier, man

市 (shì) *n.* city, town 【市场】market, marketplace 〖旧货露天～〗flea market 【市郊】the suburbs 【市民】citizen 【市长】mayor 【市镇】town 【市政】municipal administration 【市中心】the centre of town

世 (shì) 【世代】generation 【世纪】century 〖半个～〗half a century 【世界】*n.* world, earth; *a.* international 〖～范围〗*a.* worldwide 〖～观〗world outlook 〖～闻名〗*a.* world-famous 【世人】the world; the common people

式 (shì) *n.* type, 〔化〕formula 【式样】*n.* model; pattern 〖时新～〗current fashions

试 (shì) *v.* try, test 〖笔～〗written test [examination] 〖口～〗oral test [examination] 【试穿】fit [try] ... on 【试管】*n.* test-tube 〖～婴儿〗test-tube baby 【试卷】examination-paper 【试探】*v.* explore / feel out 【试题】examination questions 【试图】*n.*, *v.* attempt 【试验】*n.* trial; *n.*, *v.* test, try, experiment / have a test , try out

势 (shì) 【势不可当】*a.* overwhelming 【势力】force, power, influence

事 (shì) business, matter 【事变】*n.* event, incident 【事故】accident 【事迹】deed 【事假】leave of absence (for personal affairs) 【事件】event, incident, affair 〖小～〗incident 〖令人大为震惊的意外～〗bombshell 【事例】instance 【事情】matter, affair, thing 【事实】fact, reality 〖～上〗in fact 〖既成～〗accomplished facts 【事事】*n.* everything 【事态】situation / state of affairs 【事务】*n.* business, affair 【事物】thing, object 【事业】cause

侍 (shì) 【侍候】*v.* serve / wait on 【侍者】waiter

视 (shì) *v.* look, see 〖～…为…〗regard ... as ... 【视察】*n.* inspection; *v.* inspect, view / look at 〖～员〗inspector 【视觉】*n.* sight 【视力】eyesight, sight 【视野】〖视域〗*n.* view / field [range] of vision

饰 (shì) *v.* adorn 〖～…主角〗*v.* star 【饰物】*n.* ornament 【饰针】brooch

室 (shì) *n.* room 〖卧～〗bedroom 〖会客～〗palor 〖起居～〗living room 〖浴～〗bathroom 〖办公～〗office 〖会议～〗meeting-room 〖休息～〗restroom, lounge 〖教～〗classroom 〖实验～〗lab 〖阅览～〗reading room 〖茶～〗tea house 〖候车～〗waiting-room 〖地下～〗cellar, basement 〖温～〗hothouse, greenhouse, glasshouse 【室内】*a.* indoor 【室外】*a.* outdoor 〖向～〗*ad.* outside

恃 (shì) rely on 【恃强欺弱的人】*n.* bully

是 (shì) v. be (am, is, are, was, were); ad. yes 〖不～〗ad. no, not 〖总～〗ad. always 〖是否〗conj. if, whether

适 (shì) 〖适当〗a. proper; ad. properly 〖不～〗a. improper 〖适合〗a. fit, suitable; v. fit / be fit for, fit in with, agree with 〖不～〗be unfit for 〖适应〗v. suit / fit in with, be adapted to 〖适用〗a. applicable

舐 (shì) 〖舐食〗v. lap, lick

释 (shì) 〖释放〗set free 〖释义〗v. explain; n. explanation; meaning

嗜 (shì) take delight in 〖嗜好〗n. hobby

誓 (shì) v. swear, vow, pledge 〖誓词〗〖誓言〗oath, pledge 〖誓愿〗make a vow

收 (shōu) v. receive / gather in (crops) 〖～起来〗put away 〖收藏〗v. collect / store up 〖收成〗n. crop, harvest 〖收到〗v. receive 〖～…的信〗hear from 〖收费〗v. charge 〖收割〗v. harvest, reap 〖收购〗v. purchase 〖收回〗v. withdraw / call in, take back 〖收获〗n., v. harvest, crop / get [bring] in 〖～季节〗harvest-time 〖收集〗v. collect 〖～者〗collector 〖收据〗n. receipt 〖收款台〗cash-desk 〖收票员〗ticket--collector 〖收讫〗a. received 〖收容所〗refuge / a house of refuge 〖收入〗n. receipts, income 〖收拾〗tidy up, do up 〖收缩〗v. shrink, contract 〖收网〗draw in 〖收信人〗addressee, recipient 〖收益〗n. gain 〖收音机〗radio (set) 〖半导体～〗transistor

手 (shǒu) n. hand; a. manual 〖用～操作〗a. manual 〖从一人之～转到他人之～〗from hand to hand 〖手臂〗arm 〖手表〗watch 〖手册〗handbook 〖手持〗v. hold 〖手电筒〗flashlight / electric torch 〖手段〗n. means, way, agency 〖手风琴〗accordion 〖～演奏者〗accordionist 〖手稿〗manuscript 〖手工〗n. handicraft / manual work 〖～做〗a. handmade 〖手工艺〗handicraft arts 〖～品〗handicrafts 〖手迹〗n. autograph / original manuscript or painting 〖手铐〗handcuffs 〖手帕〗handkerchief 〖手钳〗n. pliers 〖手枪〗pistol 〖手球(运动)〗handball 〖手势〗n. gesture 〖做～〗v. sign, motion; gesticulate 〖手术〗n. operation 〖动～〗operate on, perform an operation 〖手套〗gloves 〖手提〗〖～包〗bag, handbag 〖～皮箱〗suitcase 〖手腕〗n. wrist 〖手续〗n. procedure 〖手艺〗n. workmanship 〖手语字母〗manual alphabet 〖手杖〗cane, stick 〖手掌〗palm 〖手指〗finger 〖手纸〗toilet paper

守 (shǒu) v. keep 〖～纪律〗observe discipline 〖守望〗n. lookout / on watch 〖守卫〗v. guard; n. watch / watch over

首 (shǒu) n. chief 〖首次〗num. first 〖～演出〗n. premiere 〖首都〗capital 〖首脑〗leader, head 〖首饰〗jewelry 〖首位〗the first place 〖首先〗ad. first / at first, above all 〖首相〗the Prime Minister 〖首要〗prime / of the first importance 〖首长〗chief, head / leading cadre; high-ranking official or officer

受 (shòu) v. accept; bear 〖～不了〗unable to bear 〖～欢迎〗a. welcome / be welcomed 〖～蒙蔽〗be deceived 〖～影响〗be infected 〖～尊敬〗be respected 〖受到〗v. receive 〖受罚〗be punished 〖受害〗be injured 〖～者〗n. victim 〖受苦〗v. suffer; a. suffering 〖受困〗in trouble 〖受伤〗be wounded 〖～处〗injury 〖使～〗v. wound, hurt 〖受益〗v.

benefit

兽 (shòu) *n.* beast, animal【兽类】beasts【兽穴】den

售 (shòu) *v.* sell; *n.* sale【售货】sell goods【～员】salesman【女～员】saleswoman, salesgirl【售价】selling price【售票】sell tickets【～处】booking [box] office【～员】booking-clerk; (公共车辆) conductor【售完】sold out

瘦 (shòu) *a.* thin, lean【极～】*a.* skinny【瘦子】lean person

书 (shū) *n.* book【参考～】reference book【教科～】textbook【图画～】picture-book【书包】bag, schoolbag【书橱】bookcase【书店】bookshop, bookstore【书蠹】*n.* bookworm【书法】handwriting, calligraphy【书房】*n.* study【书籍】books【书记】*n.* secretary【书架】bookshelves【书面】in writing【～练习】written work【～作业】*n.* paper【书名】title【书签】*n.* bookmark【书摊】*n.* bookstall【书亭】book pavilion【书桌】desk

叔 (shū) *n.* uncle

梳 (shū) *v.*, *n.* comb【～好头发】do up one's hair【梳发】comb one's hair【梳头】comb the hair【梳妆台】dressing table【梳子】comb

舒 (shū)【舒服】*v.* ease, *a.* easy, comfortable【不～】*a.* bad, uncomfortable / out of sorts, something is wrong with sb.【感到极不～】*a.* terrible【舒适】*n.* ease; *a.* pleasant, comfortable, *ad.* comfortably【不～】*n.* discomfort【使～】*v.* comfort【使不～】*v.* discomfort

疏 (shū) *a.* inattentive, careless【疏散】*v.* evacuate

输 (shū)【输掉】*v.* lose【输出】*v.*, *n.* export【输入】*v.*, *n.* import【输送】*v.* transport; convey【～管】pipe【输血】blood transfusion

蔬 (shū)【蔬菜】vegetable【卖～水果的商人】greengrocer

熟 (shú) *a.* ripe; cooked【熟记】*v.* memorize / learn by heart【熟练】*a.* proficient, practised, expert, skilled, skillful【不～】*a.* fresh, unskilled【熟人】acquaintance【熟悉】*a.* familiar【不～】*a.* unfamiliar【熟语】idiom

属 (shǔ) *v.* belong【属性】*n.* attribute【属于】belong to

暑 (shǔ)【暑假】summer vacation [holidays]【暑天】hot weather

数 (shǔ) *v.* count【～不清】*a.* countless ◇ 数 (shù)

鼠 (shǔ) rat, mouse

术 (shù)【术语】*n.* term

束 (shù) *n.* bunch, bundle; *v.* bind, tie【束紧】tie fast

树 (shù) tree【橡～】oak【枫～】maple【杉～】fir【榆～】elm【柳～】willow【松～】pine【柏～】cypress【可可～】cacao tree【菩提～】pipal tree【常青～】evergreen【树丛】*n.* thicket【树顶】treetop【树干】trunk【树浆】sap【树立】*v.* set / build [set] up【树林】woods, forest【树苗】plant, sapling【树木】tree【树液】sap【树枝】branch, bough, twig

竖 (shù) *v.* stand / set up【竖立】set up【竖琴】harp【竖着】stand on end

数 (shù) *n.* number; *a.* several【～以百计】hundreds of【～以百万计】millions of【分～】*n.* fraction【小～】*n.* decimal【序～】ordinal number〖基~〗cardinal number〖单~〗singular number〖复~〗plural number【数词】numeral【数个】 *a., pron.* several / a few【数据】 *n.* data【数量】quantity, amount, number, deal【数目】number【数学】mathematics, maths〖~家〗mathematician【数字】number, figure ◇ 数 (shǔ)

刷 (shuā) *n., v.* brush【刷牙】brush the teeth

衰 (shuāi)【衰老】 *a.* senile【衰落】 *v.* decline【衰退】 *v.* fail, decline; *n.* ebb

摔 (shuāi)【摔倒】 *v.* fall, tumble / fall down [over]【摔跤】 *v.* wrestle; *n.* wrestling【摔下】 *v.* crash

率 (shuài)【率领】 *v.* head, lead

拴 (shuān) *v.* tie, bind, fasten

双 (shuāng) *n.* couple, pair; *a.* double【双倍】 *a.* double【双边】 *a.* bilateral【双方】both sides【双杠】parallel bars【双光眼镜】double spectacles【双轮运货马车】cart【双胞胎】twins【双亲】parents【双人床】double bed【双数】even number【双元音】 *n.* diphthong【双月刊】bi-monthly【双周刊】bi-weekly【双重】 *a.* double, twofold, dual

霜 (shuāng) *n.* frost

爽 (shuǎng) *a.* clear【爽快】 *a.* refreshed;【爽身粉】talcum-powder

谁 (shuí) *pron.* who, whom; *a.* whose〖~也不〗 *pron.* nobody

水 (shuǐ) water【水坝】 *n.* dam【水泵】pump【水表】water meter【水袋】waterbag【水道】canal, channel; waterway【水罐】jug【水果】fruit〖~店〗fruit stall【水壶】kettle; canteen; pitcher【水晶】crystal【水井】 *n.* well【水库】reservoir【水雷】mine【水龙头】faucet【水泥】cement【水牛】buffalo【水盆】basin【水平】 *n.* level, standard〖~线〗horizontal (line)【水汽】steam【水禽】water fowl【水球(运动)】polo【水手】sailor, seaman〖全体~〗crew【水塘】pool【水桶】bucket【水下作业】underwater work【水仙】 *n.* narcissus【水银】mercury〖~灯〗mercury lamp【水域】 *n.* waters【水灾】 *n.* flood【水蒸气】 *n.* steam

税 (shuì) *n.* tax【税款】taxation【税率】 *n.* tariff【税收】tax revenue

睡 (shuì) *v.,n.* sleep〖~午觉〗take a nap after lunch〖入~〗go to sleep, fall asleep【睡眠】 *n., v.* sleep, rest【睡袋】sleeping bag【睡觉】 *v.,* sleep〖去~〗go to bed【睡莲】waterlily【睡衣】【睡衣裤】pyjamas, nightclothes【睡熟】 *a., ad.* sound asleep【睡椅】couch【睡着】 *ad* asleep / fall asleep

吮 (shǔn)【吮吸】 *v.* suck

顺 (shùn)【顺便】in passing; by the way〖~走访〗drop in【顺利】 *ad* easily【顺序】 *n.* turn, order / in order〖按一定~〗in the proper order

瞬 (shùn) *v.* twinkle【瞬间】 *n.* instant, moment, flash / in a twinkling

说 (shuō) *v.* say, speak, tell〖~大话〗 *v., n.* boast〖~老实话〗be frank; tell the truth〖~笑话〗 *v.* joke【大声~】 *v.* exclaim / speak out [loudly]【更不用~】let alone【跟你~老实话吧】tell you the truth〖顺便~〗by the way【无顾虑地~】speak up, speak out【说到】 *v.* mention / talk of【说服】 *v.* persuade【说话】 *v.* speak; *n.* talk, speech〖~声〗voice〖~者〗speaker〖~算话〗mean what one said〖不能~〗

a. dumb 〖看图～〗 look and say 【说谎】 *v.* lie / tell a lie 【说明】 *v.* illustrate, show, explain; *n.* explanation 〖～书〗 directions; synopsis 【说起】 *n., v.* mention

硕 (shuò) *a.* great 【硕士】 Master 〖理～〗 M. S. 〖文～〗 M. A.

司 (sī) *n.* department 【司法】 *n.* justice 【司机】 *n.* driver, engine-driver; chauffeur 【司令员】 commander

丝 (sī) silk 【丝毫】 in the least 〖～没有…的希望〗 without the least hope of 【丝袜】 silk stockings [socks] 【丝织】 *n.* silk-weaving 〖～品〗 silk fabrics

私 (sī) *a.* private 【私人】 *a.* private; personal 〖～疗养院〗 nursinghome 【私事】 private affairs 【私下】 *ad.* privately 【私心】 *n.* selfishness 【私自】 *ad.* privately

思 (sī) *v.* think 【思考】 *v.* think; *n.* thought 【思念】 think of 【思想】 *n.* thought, idea, mind; *a.* ideological 〖～家〗 thinker 〖～意识〗 ideology

撕 (sī) *v.* tear 【撕毁】 *v.* scrap / tear up 【撕开】 *v.* tear (open) 【撕裂】 *v.* tear 【撕破】 tear up 【撕碎】 tear to pieces

死 (sī) *n.* death; *v.* die, perish, *a.* dead, lifeless 〖～胡同〗 blind alley 〖绞～〗〖吊～〗 *v* hang 【杀～】 *v.* kill 【淹～】 *v.* drown 〖因…而～〗 die of 【死板】 *a.* rigid 【死敌】 sworn enemy 【死灰色】 *a.* ashen / as pale as death 【死绝】 die out 【死去】 pass away 【死尸】 *n.* corpse 【死亡】 *n.* death 〖～率〗 mortality rate 【死刑】 capital punishment, death sentence 【死于】 die from [of] 【死者】 the dead

四 (sì) *num.* four 〖第～〗 *num.* fourth 【四处】 *ad.* everywhere 〖～走动〗 walk around [about] 【四分之一】 *n.* quarter 【四合院】 *n.* quadrangle 【四化】 four modernizations 【四季】 the four seasons 【四楼】 (英) 3rd floor; (美) 4th floor 【四轮马车】 carriage, coach 【四面八方】 up and down, all around 【四散】 *v.* scatter / go in different directions 【四十】 *num.* forty 【四下里看】 look about 【四月】 April 【四周】 all around 〖～长满〗 grow all around 【四足动物】 beast, quadruped

寺 (sì) *n.* temple 【寺院】 temple; monastery

似 (sì) *conj.* as; *prep.* like 【似乎】 *v.* seem, appear / as if |though], look like

饲 (sì) *v.* feed 【饲养】 *v.* raise, feed, keep

松 (sōng) *a.* loose; *n.* pine 【松弛】 *v.* relax; *n.* relaxation; *a.* slack, lax 【松散】 *a.* loose 【松鼠】 squirrel 【松树】 pine 【松懈】 *v.* slacken, relax

送 (sòng) *v.* send; deliver; give (as a present) 【送别】 see sb. off 【送回】 *v.* return 【送货】 deliver goods 【送葬】 attend a funeral ceremony

颂 (sòng) 【颂词】 eulogy / tribute of praise 【颂扬】 *n., v.* praise

搜 (sōu) *v.* search 【搜捕】 search a place and make arrests, round up 【搜查】 *v.* search (for) 【搜集】 *v.* gather, collect 【搜索】【搜寻】 *v.* hunt; *n.* hunting / search for

苏 (sū) 【苏打】 *n.* soda 【苏格兰】 (英) Scotland 【苏黎士】 (瑞士) Zurich 【苏联】 the Soviet Union 【苏醒】 *v.* revive 〖～过来〗 come back to life 【苏伊士】 (埃及) Suez

俗 (sú) *a.* popular; vulgar 【俗话】 *n.* (common) saying

诉 (sù) *v.* tell, appeal; accuse 【诉说】 *v.* tell (with emotion) 【诉讼】 *n.* lawsuit 【诉诸】 *v.* resort (to), appeal (to)

速 (sù) *a.* rapid, quick, swift 【速度】 speed, velocity 【速率】 rate 【速记】 *n.* stenography 【速写】 *v.* sketch

宿 (sù) *v.* stay overnight 【宿舍】 dormitory hostel; living quarters 【宿营】 *v., n.* camp

塑 (sù) make a statue 【塑料】 *n.* plastics; *a.* plastic 〖～制品〗 plastics 【塑像】 statue 【塑造】 *v.* mould; portray

算 (suàn) *v.* compute 【算出】 work out 【算盘】 abacus / counting frame 【算术】 arithmetic 〖～题〗 sums 【算帐】 cast accounts; settle accounts

虽 (suī) 【虽然】 *conj.* though, although / even if

随 (suí) *v.* follow 【随笔】 *n.* essay 【随便】 casually, carelessly, anyhow / by chance, at random 【随带】 bring along 【随后】 *ad.* afterwards 【随身】 (take) with one 【随时】 *ad., conj.* whenever 【随意】 *ad.* freely / at will 〖～做〗 be free to do sth. 【随员】 retinue

髓 (suǐ) *n.* marrow, 〔植〕 pith

岁 (suì) *n.* year; age 〖在…～时〗 at the age of

碎 (suì) *v.* smash; *a.* broken 【碎布】 rag 【碎片】 fragment 〖使成为～〗 break into pieces

隧 (suì) 【隧道】 tunnel

穗 (suì) *n.* ear

孙 (sūn) *n.* grandson 〖外～〗 grandson 【孙女】 granddaughter 〖外～〗 granddaughter 【孙子】 grandson

损 (sǔn) *v.* lose 【损害】 *v.* harm, damage, injure; *n.* injury, harm 〖大大～〗 do great harm to 〖受～〗 *v.* suffer 【损耗】 *v., n.* waste / wear and tear 【损坏】 *v.* spoil, damage 【损伤】 *v., n.* hurt, injure 【损失】 *n.* loss, cost; *v.* lose

梭 (suō) *n.* shuttle 【梭镖】 *n.* spear

缩 (suō) *v.* shrink 【缩短】 *v.* shorten, abridge 〖～差距〗 close the gap 【缩回】 draw back 【缩减】 *v.* reduce 〖～到〗 reduce to 【缩小】 *v.* shrink; minimize 【缩影】 *n.* epitome

所 (suǒ) *n.* place; station, institute 【所得】 *n.* income 〖～税〗 income tax 【所谓】 *a.* so-called 【所以】 *ad.* so, therefore 【所有】 *v.* own; *a.* all; *n.* possession 〖～格〗 possessive case 〖～权〗 ownership 〖～物〗 possession 〖～者〗 owner

索 (suǒ) 【索取】 ask for 【索引】 *n.* index 【索状组织】 *n.* cord

琐 (suǒ) 【琐事】 trifles / petting things 【琐碎】 *a.* trifling, unimportant

锁 (suǒ) *v., n.* lock 【锁链】 *n.* chain 【锁匙】 *n.* key

T t

它 (tā) *pron.* it 〖～自己〗〖～本身〗 *pron.* itself 〖～的〗 *pron.* its 【它们】 *pron.* they, them 〖～自己〗 *pron.* themselves 〖～的〗 *pron.* their, theirs

他 (tā) *pron.* he, him 〖～自己〗 *pron.* himself 〖～的〗 *pron.* his 【他们】 *pron.* they, them 〖～自己〗 *pron.* themselves 〖～的〗 *pron.* their, theirs 【他日】 some day

她 (tā) *pron.* she, her 〖～自己〗 *pron.* herself 〖～的〗 *pron.* her 〖～的东西〗 *pron.* hers 【她们】 *pron.* they, them 〖～自己〗 *pron.* themselves 〖～的〗 *pron.* their, theirs

塌 (tā) *v.* collapse 【塌陷】 fall in

塔 (tǎ) pagoda; tower

台 (tái) *n.* table; station; platform 〖讲～〗 platform 〖梳妆～〗 dressing table 〖阳～〗 balcony 〖月～〗 railway platform 【台布】 cloth / table cloth 【台灯】 desk [reading] lamp 【台阶】 *n.* step 【台子】 table

抬 (tái) 【抬起】 *v.* raise, lift (up) 【抬头】 raise one's head 〖～看〗 look up

太 (tài) *ad.* too 〖～…而不能〗 too … to (do) 【太极拳】 Chinese shadow boxing 【太空】 *n.* space / outer space 【太平门】 exit 【太平洋】 *n.,a.* Pacific / the Pacific Ocean 【太太】 Mrs.; mistress, madam 【太阳】 sun 〖～眼镜〗 sunglasses 〖有～〗 *a.* sunny 【太阳穴】 *n.* temple

泰 (tài) 【泰晤士河】 the Thames

态 (tài) 【态度】 attitude, manner 〖～暧昧〗 assume an ambiguous attitude 〖对…的～〗 attitude towards …, one's attitude to …

贪 (tān) *v.* covet 【贪婪】 *a.* greedy 【贪图】 *v.* seek, covet; *a.* avid 【贪污】 *n.* corruption

坍 (tān) 【坍塌】 *v.* collapse 〖可能～〗 *a.* crazy 【坍下】 fall in

谈 (tán) *v.* talk 【谈到】 *v.* speak (of), talk about [of], refer (to) 【谈话】 *n.* conversation; *v., n.* talk 【谈及】 talk of 【谈论】 *n.* discussion / talk about 【谈判】 negotiations, talks 【谈一谈】 say sth. about; have a word with

坛 (tán) 【坛子】 jar

弹 (tán) *v.* strike; pluck; spring 〖～钢琴〗 play the piano 【弹簧】 *n.* spring 【～锁】 spring-lock 〖小～锁〗 latch 【弹回】 *v.* bounce (back) 【弹起】 *v.* bounce (up) 【弹性】 *a.* elasticity ◇ 弹 (dàn)

痰 (tán) phlegm 【痰盂】 spittoon

坦 (tǎn) 【坦白】 *v.* confess; *a.* frank, candid, plain 【坦克】 *n.* tank 【坦率】 *a.* frank; *ad.* frankly

毯 (tǎn) 【毯子】 blanket

袒 (tǎn) 【袒护】 give biased protection to; be partial to 【袒露】 *a.* bare, naked

探 (tàn) 【探亲】 visit one's relatives, be back home to visit one's family

【探求】v. seek / search after 【探索】v. search, probe 【探讨】v. discuss 【探望】call on 【探险】v. explore; n. exploration, expedition, a. expeditionary 〖～队〗expedition 〖～者〗explorer 【探询】v. inquire; ad. inquiringly 【探寻】v. come after 【探照灯】searchlight

叹 (tàn) v. sigh 【叹词】interjection 【叹气】n. v. sigh 【叹息】v. sigh; regret

炭 (tàn) n. charcoal

碳 (tàn) n. carbon 【碳化】v. carbonize 【碳水化合物】carbohydrate

汤 (tāng) n. soup 【汤匙】soup spoon 【汤勺】soup ladle

糖 (táng) sugar 〖一撮～〗a pinch of sugar 【糖果】sweets, (美) candy

堂 (táng) n. hall 〖礼～〗auditorium 〖食～〗dining-room 【堂兄弟】【堂姐妹】cousins

淌 (tǎng) v. trickle, drip 〖～口水〗v. dribble, slobber 〖～眼泪〗shed tears

躺 (tǎng) v. lie 【躺下】lie down 〖猛然～〗v. flop (down) 【躺椅】lounge

掏 (tāo) v. pull, draw 【掏出】take [pull] out 〖从…～〗draw from

逃 (táo) v. escape, flee 【逃避】v. flee, shirk 〖～责任者〗n. truant, shirker 【逃跑】v. escape, flee / run away 【逃脱】v. escape / get away 【逃亡】flee abroad, become a fugitive 【逃学】play truant 〖～者〗truant 【逃走】v. flee / get away, run away [off]

桃 (táo) n. peach 【桃花】peach blossom

陶 (táo) 【陶器】pottery 【陶醉】be intoxicated (with)

淘 (táo) v. wash 【淘气】a. naughty, mischievous 【淘汰】v. eliminate / fall into disuse

讨 (tǎo) beg for 【讨论】n. discussion; v. discuss / talk over 【讨乞】v. beg for 【讨厌】a. disgusting; tiresome, troublesome

套 (tào) n. suit, set 【套间】n. suite 【套鞋】overshoes 【套住】v. hitch 【套子】n. cover, covering

特 (tè) 【特别】a. extraordinary, special, particular; a., ad. extra; ad. particularly, specially, especially / in particlar 〖～的人(或物)〗n. special 【特长】speciality 【特点】n. characteristic 【特刊】special issue 【特权】privilege 【特色】n. characterisic 【特殊】a. peculiar, special 〖～化〗v. allow oneself exceptional treatment; become privileged 【特务】spy / secret agent 【特写】n. feature 〖～镜头〗n. close-up 【特性】n. character 【特征】feature, characteristic, trait

疼 (téng) n. pain 【疼痛】n. ache, pain; a. painful; v. hurt

誊 (téng) 【誊写】v. copy

藤 (téng) n. vine; cane 〖长春～〗ivy 【藤椅】cane chair

梯 (tī) n. ladder; stairs 【梯级】n. step 【梯子】ladder

踢 (tī) v. kick 【踢出】kick out 【踢掉】kick off 【踢开】v. spurn

提 (tí) lift / carry in the hand 【提案】n. proposal 【提包】bag 【提倡】v. advocate 【提出】v. suggest; offer / bring forth 〖～观点〗make a point 〖～看法〗make a statement 〖～请求〗make a request 【提到】v., n. mention 【提灯】lantern 【提纲】outline 【提高】v. improve; raise 【提供】v. offer; v., n. supply 【提及】n., v. mention / refer to, speak about

【提交】 v. refer / hand over **【提起】** v., n. mention / bring up **【提前】** ahead of time **【提琴】** violin / the violin family 〖小〜〗 violin 〖中〜〗 viola 〖大〜〗 cello 〖〜手〗 violinist **【提取】** take ... out of **【提升】** v. lift; advance **【提问】** v. question **【提醒】** v. remind, suggest / put in mind of **【提要】** n. summary **【提议】** v. propose; n. proposal

啼 (tí) v. crow

题 (tí) n. title; theme **【题材】** subject matter **【题词】** n. inscription **【题目】** subject, topic

体 (tǐ) **【体操】** n. excercise, gymnastics 〖〜运动员〗 gymnast 〖自由〜〗 free exercises **【体罚】** corporal punishment **【体格】** n. physique 〖〜锻炼〗 n. exercise 〖〜检查〗 medical examination **【体会】** n. comprehension / know from experience **【体积】** volume **【体例】** form, style **【体谅】** n. understanding; v. make allowance(s) for **【体面】** n. grace **【体温】** (body) temperature 〖〜表〗 (clinical) thermometer **【体验】** v. experience / learn through practice **【体育】** physical culture [training] 〖〜场〗 stadium / sports field 〖〜馆〗 gymnasium 〖〜运动〗 (athletic) sports 〖进行〜活动〗 have sports **【体制】** system 〖〜改革〗 structural reform **【体重】** weight

剃 (tì) v. shave **【剃须刀】** razor **【剃头】** have a haircut

替 (tì) in place of **【替代】** v. replace / substitute **【替换】** v. replace

天 (tiān) day; sky heaven 〖〜哪〗 Good heavens! 〖每〜〗 every day 〖今〜〗 ad., n. today 〖明〜〗 ad., n. tomorrow 〖昨〜〗 ad., n. yesterday 〖后〜〗 the day after tomorrow **【天才】** genius; talent, endowment / natural gift **【天鹅】** swan **【天赋】** n. gift **【天国】** heaven / the Kindom of Heaven **【天花板】** ceiling **【天井】** courtyard **【天空】** air / the heaven, the sky **【天平】** balance **【天气】** weather 〖〜预报〗 weather forecast **【天然】** a. natural **【天堂】** heaven, paradise **【天文馆】** planetarium **【天线】** n. antenna, aerial **【天性】** instinct, nature **【天灾】** natural disaster **【天真】** a. innocent; naive **【天资】** gift, endowments

添 (tiān) v. increase **【添加】** add to

田 (tián) field **【田地】** field **【田径运动】** field and track sports **【田鼠】** field mouse **【田野】** the fields

甜 (tián) a. sweet **【甜蜜】** a. sweet; happy **【甜面包】** bun **【甜食】** n. sweet, dessert

填 (tián) v. fill, stuff **【填充】** filling blanks, fill in [with] **【填空】** fill in the blanks with **【填满】** v. fill (up) **【填写】** fill in [out]

舔 (tiǎn) v., n. lap, lick **【舔光】** lap up **【舔食】** v. lap

挑 (tiāo) v. choose **【挑出】** pick out **【挑剔】** find fault (with) 〖爱〜〗 a. fussy **【挑选】** v. select, pick, choose ◇ 挑 (tiǎo)

条 (tiáo) n. stripe, line **【条凳】** bench **【条件】** condition **【条款】** item, clause **【条文】** article **【条纹】** stripe 〖有〜〗 a. striped **【条约】** treaty

调 (tiáo) **【调羹】** n. spoon **【调和】** v. reconcile **【调剂】** v. adjust **【调节】** n. control, adjustment **【调解】** v. mediate **【调味】** v. season 〖〜品〗 condiment **【调整】** v. adjust; regulate ◇ 调 (diào)

挑 (tiǎo) v. provoke **【挑拨】** make mischief (between) **【挑战】** n., v. challenge【挑衅】v. challenge　◇ 挑 (tiāo)

眺 (tiào)【眺望】look into the distance from a high place

跳 (tiào) v. jump, spring, skip, leap〖单足～〗n., v. hop【跳动】v., n. beat【跳高】high jump〖撑杆～〗pole vault【跳过】v. skip【跳回】v. bounce【跳离】jump off【跳入】v. plunge / jump into〖～水中〗v. dive【跳伞】parachute jumping【跳上】v. hop / jump onto【跳绳】n. rope-skipping【跳水】n. diving〖花式～〗fancy dive【跳舞】v. dance; n. dancing〖～会〗ball〖～厅〗dance hall〖～者〗dancer【跳远】long jump【跳跃】n., v. leap, jump〖～者〗jumper【跳蚤】flea

贴 (tiē) v. paste / stick on【贴出】v. post【贴近】a. near / keep close to

铁 (tiě) iron【铁锤】hammer【铁轨】rail【铁匠】blacksmith【铁路】rail, railway, railroad【高架～】aerial railway【铁锹】shovel, spade【铁制品】iron

厅 (tīng) hall, parlour

听 (tīng) v. listen, hear; n. hearing〖～…讲〗listen to〖～起来〗v. sound〖～清楚〗v. follow【听从】v. obey【听到】hear of【听见】v. hear【听觉】a. aural / sense of hearing【听课】visit a class; attend a lecture【听力】n. hearing / aural comprehension【听任】v. let, allow【听说】v. learn / hear of【听筒】receiver【听头】n. can, tin【听写】n. dictation / have dictation【听众】n. audience, listeners

亭 (tíng) pavilion, kiosk

庭 (tíng)【庭园】garden【庭院】yard, court

停 (tíng) v. stop〖～下来做…〗stop to do【停车】stop a car, pull up; park a car〖～场〗parking lot, car park〖～线〗stop line〖～站〗n. stop【停顿】v., n. pause, break【停课】suspend classes【停留】v. settle, stay, stop; v., n. pause【停下】(车、马) pull up【停歇】v. pause【停止】v. stop / give up〖～前进〗v. halt〖～做〗stop doing sth

挺 (tǐng) v. stiffen【挺起】heave【挺胸】throw [stick] out one's chest【挺直】ad. straight

艇 (tǐng) n. boat〖救生～〗life boat〖游～〗yacht〖汽～〗steam boat

通 (tōng)【通常】a. usual, ordinary; ad. mostly, usually, generally / as a rule【通道】n. passage【通风】v. ventilate〖不～〗a. airless【通告】n. notice; v. announce【通过】v. pass; prep. through, by / go [get] through, get past〖～这种方法〗by this means【通俗】a. common, popular【通向】lead to【通宵】all night〖～达旦〗all night long【通晓】be well versed in【通行证】n. pass【通讯】v. communicate〖～处〗n. address book〖～录〗reporter【通用】a. current【通知】v. inform, intimate, notify; n. notice

同 (tóng) a. same; prep. with〖～…一样…〗as … as …【同伴】companion, associate, fellow【同等】a. equal【同感】n. sympathy【同化】n. assimilation【同盟】n. league, union〖～国〗ally〖～者〗ally【同情】n. sympathy, pity【同时】n., ad. meantime / in the meantime, at the same time, at a time〖和～〗conj. while【同事】n. co-worker, workmate, colleague, companion【同位】a. appositive〖～语〗appositive【同学】schoolmate〖同班～〗classmate〖同校～〗schoolmate【同样】

a. similar, same; *ad.* similarly / as well as 【同一】 *a.* same, one 【同意】 *v.* agree (with, to); *n.* consent 〖不～〗 *v.* disagree / take issue, disagree with [about] 【同义】 *a.* synonymous 〖～词〗 synonym 【同志】 comrade 〖～关系〗 *n.* comradeship

铜 (tóng) copper 【铜管乐队】 brass band 【铜像】 bronze statue

童 (tóng) 【童车】 pram 【童话】 *n.* fairy tale 【童帽】 bonnet 【童年】 childhood 【童子军】 Boy Scouts 〖～领队〗 scoutmaster

瞳 (tóng) 【瞳孔】 *n.* pupil

统 (tǒng) 【统计】 *n.* statistics 【统一】 *v.* unite; *a.* united 【统治】 *v.* rule, govern 〖～者〗 ruler, governor

桶 (tǒng) barrel

筒 (tǒng) *n.* can; tube

痛 (tòng) *n.* ache, pain; *a.* painful 〖头～〗 headache 〖牙～〗 tooth-ache 〖喉～〗 sore throat 〖胃～〗 stomach-ache 〖肚子～〗 stomach-ache 【痛快】 *a.* delighted; heartily; straightforward 【痛苦】 *n.* pain, misery, suffering, distress, afflication; *a.* painful, miserable; *ad.* painfully 〖使～〗 *v.* pain. 【痛心】 *a.* grieved, pained; *v.* regret

偷 (tōu) *v.* steal 【偷看】 *v., n.* peep 【偷听】 *v.* eavesdrop

头 (tóu) head 【头等】 *a.* first-class 【头顶】 top of the head 〖在～上〗 *a., ad.* overhead 【头发】 hair 【头颈】 neck 【头巾】 kerchief, scarf; hood 【头脑】 brains, mind 【头痛】 *n.* headache 〖～得厉害〗 have a bad headache 【头衔】 *v.* title 【头子】 chief, chieftain

投 (tóu) *v.* throw, cast 【投递】 *v.* deliver 【投寄】 *v.* contribute 【投寄】 *v.* post 【投篮】 shoot a basket 【投票】 *v., n.* vote 【投去】 shoot at 【投入】 plunge into 〖把…～〗 throw … into 【投降】 *v.* surrender 【投邮】 *v.* post 【投掷】 *v.* throw, hurl, shoot 【投资】 *n.* investment

透 (tòu) 【透彻】 *ad.* thoroughly 【透过】 *v.* permeate 【透镜】 lens 【透露】 *v.* reveal 【透明】 *a.* transparent 【透入】 *v.* penetrate 【透视】 *n.,* perspective / X-ray examination

秃 (tū) *a.* bald 【秃鹫】 vulture 【秃头】 baldhead

突 (tū) 【突出】 *v.* protrude / stick out 【突击】 *v.* rush 〖～队〗 storm troops 〖～手〗 shock worker 【突破】 *v.* burst / break through 【突然】 *a.* unexpected, sudden; *ad.* suddenly / all of a sudden 〖～发生〗 burst / break into, come suddenly 〖～发作〗 burst out [into]

图 (tú) *n.* drawing, picture 【图案】 design 【图表】 *n.* chart, graph, table, 【图钉】 *n.* thumb-tack, drawing-pin 【图画】 *n.* picture, drawing 〖～书〗 picture-book 【图解】 *v., n.* diagram 【图片】 picture 【图书】 books 〖～馆〗 library 〖～管理员〗 library assistant 【图像】 *n.* picture, image 【图形】 figure 【图章】 *n.* seal, stamp 【图纸】 blueprint

涂 (tú) *v.* smear, daub 【涂改】 *v.* alter 【涂料】 *n.* paint 【涂抹】 *v.* scribble; smear / blot out

徒 (tú) 【徒步】 go on foot 【徒弟】 apprentice 【徒然】 in vain 【徒刑】 *n.* imprisonment

屠 (tú) 【屠夫】 butcher 【屠杀】 *v., n.* slaughter, massacre 【屠宰】 *v.* butcher

土 (tǔ) *n.* earth, soil 【土地】 land, soil 〖小块～〗 patch 【土豆】 potato 【土匪】 bandit, robber 【土壤】 soil

吐 (tǔ) *v.* spit (out) 〖～唾沫〗 *v.* spit 【吐痰】 *v.* spit, expectorate

兔 (tù) rabbit, hare 〖家～〗 rabbit 〖野～〗 hare

团 (tuán) *n.* mass, lump 【团结】 *v.* unite; *n.* union, unity 【团体】 group, team, body, community 〖～操〗 group callisthenics 〖～赛〗 team event 【团员】 League member

推 (tuī) *v.* push 【把…～到旁边】 push ... aside 【推测】 *v.* guess, suppose 【推迟】 *v.* defer / put off 【推动】 push on 【推断】 *v.* infer; conclude 【推翻】 *v* overthrow, topple / lay low 【推广】 *v.* popularize 【推回】 push back 【推荐】 *v.* recommend 【推进】 *v.* advance / push forward [on] 〖自动～〗 *a.* self-propelled 【推开】 push away 【推理】 *n.* reasoning; *v.* reason / think logically 【推论】 *n.* inference 【推入】 push into 【推销】 *v.* sell / promote sales 【推选】 *v.* elect

腿 (tuǐ) leg 〖～固定器〗 leg brace 〖小～〗 calf

退 (tuì) *v.* withdraw 【退步】 go backward(s) 【退潮】 *n.* ebb 【退回】 *v.* return / give back 【退却】 *n.* *v.* retreat / fall back 【退让】 *v.* yield 【退缩】 *v.* shrink 【退席】 walk out 【退休】 *n.* retirement; *v.* retire 【退学】 give up school

吞 (tūn) *n.*, *v.* swallow 【吞并】 *v.* annex 【吞下】 swallow down

托 (tuō) 【托辞】 *n.* excuse 【托儿所】 nursery 【托福考试】 TOEFL (Test of English as a Foreign Language) 【托拉斯】 *n.* trust 【托盘】 *n.* tray

拖 (tuō) *v.* drag, draw; *v.*, *n.* tug, pull 〖～上船〗 drag [pull] aboard 【拖把】 *n.* mop 【拖船】 tug 【拖裾】 *n.* train 【拖拉机】 tractor 〖～手〗 tractor-driver 【拖鞋】 slippers 【拖延】 *n.*, *v.* delay

脱 (tuō) take [get, strip] off 〖～衣服〗 undress oneself 【脱掉】 *v.* remove 〖匆匆～〗 throw off 【脱离】 separate oneself from 〖与…～关系〗 break away from 【脱去】 take off 【脱水】 *v.* dehydrate 【脱下】 get [take] off 【脱销】 out of stock

驼 (tuó) 【驼背】 *n.* humpback 【驼峰】 hump

鸵 (tuó) 【鸵鸟】 ostrich

唾 (tuò) *v.* spit 【唾液】 saliva

W w

挖 (wā) *v.* dig 【挖壕】 *v.* entrench 【挖苦】 make biting remarks

蛙 (wā) frog 【蛙泳】 *n.* breast-stroke

瓦 (wǎ) *n.* tile; watt 【瓦罐】 earthen jar 【瓦解】 *v.* disintegrate, collapse 【瓦斯】 *n.* gas 【瓦特】 watt 〖～计〗 wattmeter

袜 (wà) stockings, socks, hose 〖长统～〗 stockings 〖短～〗 socks

歪 (wāi) *a.*, *ad.* awry 【歪曲】 *v.* distort 【歪斜】 *v.*, *n.* tilt; *a.* oblique; *ad.* askew,

外 (wài) *a.* outside; *ad.* outwards 〖在…〜〗 *prep.* outside 〖除…之〜〗 *prep.* besides; except 【外币】 foreign currency 【外表】 *n.* appearance, outside, surface 【外宾】 foreign guest 【外部】 *n., a.* outside; *a.* outer 【外观】 *n.* surface, appearance 【外国】 *a.* foreign 〖〜人〗 foreigner 【外行】 *n.* stranger 【外汇】 foreign exchange 【外交】 *a.* diplomatic; *n.* diplomacy 〖〜部〗 Ministry of Foreign Affairs 【外科】 surgery 〖〜学〗 surgery 【外貌】 appearance 〖〜健壮〗 *a.* strong-looking 【外面】 *n.* outside; *a.* outer, outward 〖向〜〗 *ad.* outside 〖在〜〗 *ad.* outside 〖在…〜〗 *prep.* outside 【外事】 foreign affairs 【外孙】 grandson 【外孙女】 granddaughter 【外套】 (outer) garment; overcoat 【外形】 figure, shape 【外衣】 coat 【外语】 foreign language 〖〜学院〗 institude of foreign language 【外祖父】 grandfather 【外祖母】 grandmother, granny, grandma

弯 (wān) *a.* curved 【弯曲】 *v.* bend, bow, curve 【弯腰】 *v.* stoop / bend down

蜿 (wān) 【蜿蜒】 *v.* wriggle; meander 〖〜前进〗 wind one's way

完 (wán) *v.* finish 【完毕】 *v.* finish 【完成】 *v.* complete, accomplish, perform, achieve; *n.* achievement / go through with 〖〜时态〗 the perfect tense 〖〜进行时态〗 the perfect continuous tense 【完结】 *v.* end, complete / be over 【完了】 *a.* through; *ad.* over / be over, come to an end 【完美】 *a.* perfect; *ad.* perfectly 【完全】 *a.* complete, whole, entire, absolute, perfect; *ad.* thoroughly, completely, perfectly, altogether, quite, entirely, fully / at all 〖〜正确〗 quite right 【完整】 *a.* whole, entire; intact, integrated

玩 (wán) *v.* play 〖〜得快活〗 have a wonderful time 【玩具】 toy 〖〜娃娃〗 doll 【玩偶】 doll 【玩弄】 play with 【玩耍】 *n.* play 【玩笑】 *n.* fun, joke

顽 (wán) 【顽固】 *a.* obstinate 【玩皮】 *a.* naughty 【顽强】 *a.* unyielding

挽 (wǎn) *v.* pull, draw / roll up 【挽臂】 arm in arm 【挽回】 *v.* redeem 【挽救】 *v.* save 【挽具】 harness 【挽手】 hand in hand

惋 (wǎn) 【惋惜】 *v.* regret 〖为…感到〜〗 be sorry for

晚 (wǎn) *a.* late 【晚报】 evening paper 【晚餐】 supper, dinner 【晚会】 evening party 〖英语〜〗 an English evening 【晚婚】 late marriage 【晚年】 *n.* old age / declining years 【晚期】 *a.* late / later period, advanced stage 【晚上】 evening, night 〖〜好〗 Good evening! 〖今天〜〗 this evening 〖在〜〗 in the evening 【晚于】 *prep.* behind, beyond / later than

碗 (wǎn) bowl

万 (wàn) ten thousand 〖以〜计〗 in five figures 【万能】 *a.* almighty 【万事】 *n.* everything 【万一】 *a.* eventual / just in case

腕 (wàn) *n.* wrist

王 (wáng) *n.* king 【王朝】 dynasty 【王国】 kingdom 【王后】 queen 【王子】 prince

网 (wǎng) *n.* net 〖蜘蛛〜〗 *n.* web 【网兜】 string-bag 【网孔】 *n.* mesh 【网球 (运动)】 tennis 【网眼】 *n.* mesh 〖细〜〗 *a.* fine-meshed

往 (wǎng) *v.* go 【往常】 what was usual 【往返】 to and fro, go there and back【往后】*ad.* afterwards; hereafter【往事】the past【往往】*ad.* often, frequently　◇往 (wàng)

妄 (wàng) *a.* false【妄想】vainly hope for【妄自尊大】*a.* haughty, arrogant, self-important

忘 (wàng)【忘记】*v.* forget【忘我】*n.* selflessness

往 (wàng) *prep.* to, toward〖～楼上〗*ad.* upstairs〖～楼下〗*ad.* downstairs〖～哪里〗*ad.* where　◇往 (wǎng)

望 (wàng) gaze into the distance【望远镜】telescope; binoculars

危 (wēi)【危害】*v., n.* harm, endanger【危机】crisis【危急】*a.* critical / in a desperate【危难】*n.* distress / in danger【危险】*n.* risk, danger; *a.* dangerous〖处于～中〗be in danger

威 (wēi)【威尔士人】Welshman【威吓】*v.* bully【威力】*n.* power【威士忌酒】*n.* whisky【威胁】*v.* threaten; *n.* threat【威信】*n.* prestige

微 (wēi)【微薄】*a.* meagre, scanty, slender【微粒】*n.* speck; particle【微妙】*a.* delicate【微弱】*a.* faint, weak【微生物】germ【微小】*a.* tiny, slight【微笑】*n., v.* smile; *v.* beam / with smiles, with a smile〖对…～〗smile at【微型】*n.* miniature; *n., a.* midget

为 (wéi) *v.* do; be【为难】*v.* embarrass / feel awkward〖使某人为做某事而～〗put sb. to the trouble of【为首】led [headed] by　◇为 (wèi)

违 (wéi)【违背】*v.* disobey【违法】*a.* illegal / break a law【违反】*v.* violate, break〖～法律〗break the law〖～意愿〗against one's will【违禁品】*n.* contraband【违章】disregard regulations

围 (wéi) *v.* surround【围巾】shawl, scarf【围墙】*n.* enclosure / surrounding wall【围裙】*n.* apron【围绕】*v.* surround; *prep.* round〖～…而转〗*v.* circle / go round【围住】close round [in]【围坐】sit round

桅 (wéi)【桅杆】mast

唯 (wéi)【唯物主义】*n.* materialism; *a.* materialist【唯心主义】*n.* idealism; *a.* idealist【唯一】*a.* only

维 (wéi)【维持】*v.* maintain, support / keep up【维护】*v.* protect, uphold【维生素】*n.* vitamin【维也纳】Vienna

伟 (wěi)【伟大】*a.* grand, great, mighty

尾 (wěi)【尾巴】tail【尾声】epilogue

委 (wěi)【委屈】*v.* wrong【委任】*v.* appoint【委婉】*ad.* tactfully【委员】*n.* committeeman, commissioner / committee member〖～会〗committee, council

卫 (wèi)【卫兵】guard【卫生】*n.* hygiene, sanitation; health〖～间〗toilet〖～衫〗jersey〖～所〗clinic〖～学〗hygiene【卫星】satellite

为 (wèi) *prep.* for【为国捐躯】give one's life to one's country【为了】so that, in order that [to], so as to〖～要〗with a view to, with the intention of〖～做某事〗in order to do sth.【为什么】*ad.* why, what for【为着】in order to [that]　◇为 (wéi)

未 (wèi)【未必】*a.* may not【未定】*a.* undecided【未婚夫】fiancé【未婚妻】fiancée【未看到】*v.* miss【未来】*a.* future / in the future【未知】*a.* unknown〖～数〗unknown number

位 (wèi)【位于】*v.* lie / be situated in〖～…之止〗lie on [upon]【位置】

n. place, situation, position

味 (wèi) *n.* taste, savour; smell

畏 (wèi) *v. n.* fear【畏惧】*v., n.* fear, dread【畏缩】*v.* shrink, flinch

胃 (wèi) stomach【胃口】appetite【胃痛】*n.* stomach-ache / have a sto-mach-ache

谓 (wèi)【谓语】*n.* predicate

喂 (wèi) *int.* hello; *v.* feed〖把…～给〗feed ... to【喂奶】*v.* suckle【喂养】*v.* feed; keep, raise

慰 (wèi)【慰问】*v.* console / express sympathy and concern for

温 (wēn)【温度】temperature〖～计〗*n.* thermometer【温和】*a.* mild, gentle; *ad.* gently, softly〖～有礼〗be gentle with【温暖】*n.* warmth; *a.* warm【温泉】hot spring【温柔】*a.* tender; *ad.* gently【温室】green-house【温习】*v.* review【温血】*a.* (动物) warm-blooded

文 (wén)【文化】*n.* culture, civilization; *a.* cultural〖～用品〗stationery【文集】collection of works【文教】culture and education【文件】pap-ers, documents〖～夹〗*n.* folder【文具】stationery【文明】*n.* civiliza-tion【文凭】*n.* diploma【文硕士】M. A. (Master of Arts)【文体】*n.* style【文物】cultural relic【文学】literature【文学士】B. A. (Bachelor of Arts)【文献】documents; literature【文雅】*a.* elegant, refined【文艺】literature【文娱活动】*n.* amusements【文摘】*n.* digest, abstracts【文章】article〖报刊～〗article【文字】writing; script / written lan-guage

纹 (wén) *n.* grain, veins; lines【纹理】*n.* grain

闻 (wén) hear; smell【闻到】*v.* smell【闻名】*a.* well-known famous〖世界～〗*a.* world-famous

蚊 (wén) mosquito【蚊帐】mosquito net【蚊子】mosquito

吻 (wěn) *v. n.* kiss【吻合】*v.* coincide

紊 (wěn)【紊乱】*n.* disorder; *a.* confused

稳 (wěn) *a.* steady; secure【稳步】*ad.* steadily【稳定】*a.* stable; *ad.* steadily【稳固】*a., ad.* firm

问 (wèn) *v.* ask【问答】questions and answers【问号】question mark【问候】*v.* greet; *n.* greetings〖向某人～〗say hello to sb.〖向…转达某人的～〗give one's love [regards] to ...【问句】*n.* question / interrogative sentence【问题】question, problem, matter【问讯】*v.* in-quire〖～处〗an inquiry office, information desk

嗡 (wēng)【嗡嗡】〖～叫〗*v.* hum, buzz〖发出～声〗*v.* zoom

莴 (wō)【莴苣】*n.* lettuce

窝 (wō) *n.* den, nest

蜗 (wō)【蜗牛】snail

我 (wǒ) *pron.* I, me〖～自己〗*pron.* myself〖～的〗*pron.* my, mine【我们】*pron.* we, us〖～自己〗*pron.* ourselves〖～的〗*pron.* our, ours

卧 (wò) *v.* lie【卧具】*n.* bedding【卧铺】berth【卧室】bedroom

握 (wò) *v.* hold, grasp; *n.* clutch / get hold of【握紧】*v.* clench (one's fist)【握手】*v.* shake / snake hands with【握住】catch [get] hold of

乌 (wū)【乌龟】tortoise【乌鸦】crow【乌烟瘴气】turbid atmosphere

污 (wū)【污点】*n.* stain; speck【污蔑】*v.* slander【污染】*v.* pollute; *n.* pollution【污水】*n.* sewage, slops【污秽】*a.* dirty, foul【污物】*n.* dirt【污浊】*a.* muddy; filthy

呜 (wū)【呜咽】*n.* sob

屋 (wū) house, room〖茅～〗hut〖小～〗cabin〖在～里〗*ad.* indoors【屋顶】roof〖～花园〗roof garden【屋内】*ad.* indoors【屋子】room

无 (wú) *pron.* nothing, none *prep.* without【无边际】*a.* boundless【无不】all without exception【无产阶级】*n.* proletariat; *a.* proletarian【无耻】*a.* shameless【无处】*ad.* nowhere【无敌】*a.* invincible【无关】have nothing to do with【无轨电车】trolley-bus【无国籍的人】a man without a country, a stateless person【无害】*a.* harmless【无家可归】*a.* homeless【无价】*a.* priceless【无尽】*a.* endless【无可救药】*a.* incorrigible, hopeless【无赖】*n.* crook, rascal【无理】*a.* unreasonable【无力量】*a.* powerless【无聊】*a.* bored;【silly【无论】regardless of; no matter (how, etc.)〖～何时〗*ad. conj.* whenever〖～哪里〗*ad.* wherever〖～哪一个〗*pron.* any〖～如何〗*ad.* anyhow, anyway / in any case〖～什么〗*pron.* whatever〖～在哪里〗*ad.* wherever【无名】*a.* unknown【无能】*a.* incompetent〖～为力〗*a.* powerless, unfit【无情】*a.* ruthless, cruel; *ad.* cruelly, mercilessly【无穷】*a.* infinite〖～大〗*n.* infinity〖～小〗*n., a.* infinitesimal【无人】*pron.* nobody; *a.* unmanned〖～驾驶〗*a.* unmanned〖～居住〗*a.* uninhabited; deserted【无数】*a.* countless【无私】*n.* selflessness, unselfishness; *a.* unselfish【无望】*a.* hopeless【无谓纷扰】*n.* fuss【无畏】*a.* fearless【无误】*ad.* surely【无限】*a.* boundless, infinite; *ad.* infinitely〖～物〗*n.* infinite【无限期】*a.* indefinite【无线】*a.* wireless〖～电话〗wireless telephone〖～电报〗radiogram【无线电】*n.* radio; *a.* wireless〖通过～广播〗over [on] the radio【无形】*a.* invisible【无需】*a.* unnecessary【无疑】*ad.* certainly / no doubt【无意】*a.* unintentional〖～中听到〗*v.* overhear【无音】*a.* mute【无用】*a.* futile, useless / of no use【无忧无虑】*a.* light-hearted, carefree【无遮蔽】*a.* bare【无知】*a.* ignorant【无罪】*a.* innocent

蜈 (wú)【蜈蚣】centipede

五 (wǔ) *num.* five〖第～〗*num.* fifth【五彩】*a.* multicoloured〖～缤纷〗a riot of colour【五斗橱】chest of drawers【五十】*num.* fifty〖～年代〗the fifties〖第～〗*num.* fiftieth【五线谱】staff / musical notation【五月】May

午 (wǔ) *n.* noon〖上～〗*n.* morning, forenoon〖中～〗*n.* noon〖下～〗*n.* afternoon【午餐】*n.* lunch【午后】*n.* afternoon / P. M. (或 p. m.)【午前】*n.* forenoon / A. M. (或 a. m.)【午睡】afternoon nap【午夜】*n.* midnight

武 (wǔ)【武功】a feat of arms【武力】*n.* force【武器】weapon〖放下～〗lay down one's arms【武术】martial art, Wu Shu【武装】*v.* arm; *a.* armed

侮 (wǔ)【侮辱】*v., n.* insult

舞 (wǔ) *v., n.* dance〖交际～〗social dance〖民间～〗folk dance〖芭蕾～〗*n.* ballet【舞蹈】*v., n.* dance〖～家〗dancer【舞会】ball, dance

【化装～】costume ball【舞剧】dance-drama, ballet【舞台】stage【舞厅】dancing hall

勿 (wù) *ad.* not / don't【勿忘草】*n.* forget-me-not

务 (wù)【务必】be sure to do sth., by all means【务使】*v.* ensure

物 (wù)【物价】*n.* prices【物理】*n.* physics; *a.* physical〖～学〗physics〖～学家〗physicist【物品】*n.* article; goods【物体】*n.* object【物质】substance, matter〖～名词〗material noun【物主】*n.* owner〖～代词〗possessive pronoun【物资】commodities and materials

误 (wù) *v.* mistake〖～认为〗mistake for【误会】*v.* misunderstand; *n.* misunderstanding【误解】*v.* misapprehend【误认】take for

雾 (wù) fog〖有～〗*a.* foggy

X x

西 (xī) *n., a.* west; *a.* western【西班牙】*n.* Spain; *a.* Spanish〖～人〗*n.* Spaniard / the Spanish *a.* Spanish〖～语〗*n., a.* Spanish【西北】*n., a.* northwest【西伯利亚】Siberia【西部】*n., a.* west【西方】*n., a.* West; *a.* Western〖～人〗Westerner【西服】*n.* suit〖～背心〗waistcoat, vest【西瓜】watermelon【西南】*n., a.* southwest【西式】Western style【西红柿】tomato

吸 (xī) *v.* absorb【吸尘器】vacuum-cleaner【吸进】*v.* draw / breathe in【吸墨纸】blotting-paper【吸收】*n.* assimilation; *v.* absorb, drink / take in【吸铁石】loadstone, magnet【吸烟】*v.* smoke【吸引】*v.* attract〖～注意力〗draw sb.'s attention, hold the attention of〖有～力〗*v.* appeal

希 (xī)【希腊】*n.* Greece; *a.* Greek〖～人〗Greek〖～语〗Greek【希奇】*a.* strange, curious【希望】*n.* prospect; *v.* wish, hope, (would, should) like〖没有～〗*a.* hopeless〖一线～〗a glimmer of hope

昔 (xī) *ad.* before / in the past【昔日】*n.* past / former days

牺 (xī)【牺牲】*n., v.* sacrifice; *n.* death,〖～品〗*n.* sacrifice, victim〖～者〗victim〖为…～〗die for

稀 (xī) *a.* rare; sparse; thin【稀疏】*a.* sparse / here and there【稀有】*a.* rare〖～金属〗rare metal

溪 (xī) brook, stream【溪谷】valley【溪流】stream

锡 (xī) tin

熄 (xī) *v.* extinguish【熄灯】put out a lamp【熄灭】*n.* extinction; *a.* extinct; *v.* die / go out

熙 (xī)【熙熙攘攘】hustling and bustling

膝 (xī) knee【膝上】lap【膝盖】knee

蟋 (xī)【蟋蟀】cricket

习 (xí)【习惯】*n.* habit, custom〖～用语〗idiomatic expression〖～于〗get used to, get into, be used to doing sth.〖养成…～〗get the habit of【习题】*n.* exercise【习性】characteristic behaviour【习语】idiom

【习字】 n. penmanship 〖～帖〗 copybook

席 (xí) n. mat 【席卷】 sweep over 【席位】 n. seat, place

袭 (xí) 【袭击】 n., v. attack, surprise, hit

洗 (xí) v. wash, clean; n. washing 【洗涤】 v. wash 〖～剂〗 detergent 【洗劫】 v. loot 【洗礼】 n. baptism 【洗衣】 wash clothes 〖～机〗 washer / washing machine 【洗澡】 v. bathe; v., n. bath / take a bath

喜 (xí) 【喜爱】 v. enjoy, love; a. fond, care for 〖大众～〗 a. popular 〖特别～〗 a. favourite 【喜欢】 v. like, love, enjoy, a. keen, fond / be fond of 〖不～〗 v. hate, dislike 〖更～〗 v. prefer 【喜剧】 comedy 【喜鹊】 magpie 【喜悦】 a. joyful, cheerful; n. joy, delight

戏 (xì) 〖一出～〗 a play, an opera 【戏剧】 n. play, drama 〖～家〗 dramatist 〖～性〗 a. dramatic 【戏台】 stage 【戏院】 theatre

系 (xì) n. department (in a college) 【系词】 linking [link] verb 【系列】 n. series 【系统】 n. system 〖～化〗 n. systematization ◇ 系 (jì)

细 (xì) a. small, little; thin, slender 【细胞】 cell 【细长】 a. slim 【细读】 read carefully 【细节】 n. detail 〖过分注意～〗 a. fussy 【细菌】 bacteria, germ 【细看】 v. study 【细流】 n. trickle 【细绳】 string, cord; tape 【细谈】 talk over 【细网眼】 a. fine-meshed 【细想】 v. study, consider / think over 【细小】 a. small, tiny 【细心】 a. careful

瞎 (xiā) a. blind 【瞎扯】 talk nonsense 【瞎子】 blind man

峡 (xiá) n. gorge 【峡谷】 canyon

狭 (xiá) a. narrow 【狭隘】 a. narrow 【狭带】 tape 【狭义】 restricted sense 【狭窄】 a. narrow, close

下 (xià) ad. down, below, under; a. lower; next 〖向～〗 ad. down; a., ad. downward 【下巴】 jaw, chin / the lower jaw 【下班】 off duty 【下册】 【下卷】 second volume (in a set of two); third volume (in a set of three) 【下车】 get off 【下沉】 v. sink, set / go down 【下次】 next time 【下蛋】 lay egg 【下级】 n. subordinate 【下降】 v. drop 【下决心】 make up one's mind 【下课】 Class is over. 【下来】 get [come] down, get off 【下列】 a. following 【下流】 a. mean; depraved 〖～话〗 n. obscenities 【下楼】 go downstairs 【下面】 a. lower 〖在…～〗 prep. under, below 【下坡】 a., ad. downward; downhill 【下棋】 play a board game 【下去】 go down 〖从…～〗 get off 【下士】 corporal 【下述】 a. following 【下午】 n. afternoon, P. M., p. m. / in the afternoon 【下乡】 go to the countryside 【下雪】 v. snow 【下一个】 n. next 【下游】 a., ad. downstream / lower reaches 【下雨】 v. rain 【下月】 next month

吓 (xià) v. terrify 【吓唬】 v. frighten 【吓坏】 a. scared 【吓一跳】 be startled, be terrified at sth.

夏 (xià) n. summer 【夏季】 summer, summertime 【夏令时】 daylight saving time (D.S.T.)

仙 (xiān) n. immortal 【仙女】 fairy maiden 【仙人掌】 cactus

先 (xiān) a., ad. first 【先辈】 n. predecessor 【先锋】 n. vanguard; pioneer 〖～队〗 n. vanguard 【先进】 a. advanced, progressive 【先令】 n. shilling 【先驱】 n. pioneer 【先生】 n. teacher, Sir., Mr., monsieur, gentleman

纤 (xiān)【纤维】*n.* fibre, fiber〖～板〗fibreboard〖～素〗cellulose【纤细】*a.* slender, fine, slim

鲜 (xiān)【鲜美】*a.* delicious【鲜明】*a.* sharp, bright; *ad.* brightly【鲜嫩】*a.* crisp / fresh and tender【鲜红】*a.* scarlet / bright red

闲 (xián) *n.* leisure【闲荡】hang around [about]【闲逛】*v., n.* stroll【闲话】*n.* chit-chat〖爱说～的人〗*n.* gossip【闲聊】*v.* gossip【闲谈】*v., n* gossip, chat

弦 (xián) *n.* chord【弦乐器】stringed instruments

咸 (xián) *a.* salt, salted, salty【咸肉】bacon

衔 (xián)【衔接】*v.* connect, link

显 (xiǎn) *v.* show【显出】bring out【显得】*v.* look, seem, appear【显而易见】*a.* plain, obvious; *ad.* obviously【显露】*v.* appear, emerge【显明】*a.* clear【显然】*ad.* apparently; clearly【显示】*v.* show, display,【显微镜】microscope【显现】*v.* show, appear【显像管】kinescope【显要】(a person) of high rank and great power【显著】*a.* marked, noticeable, remarkable

县 (xiàn) county【县长】county magistrate

现 (xiàn)【现钞】*n.* cash【现成】*a.* ready-made〖～货〗ready-made goods【现存】*a.* existing, existent, extant; living【现代】*a.* modern〖～化〗*v.* modernize; *n.* modernization【现今】*ad.* nowadays【现金】*n.* cash / ready money【现实】*n.* reality; *a.* actual, real〖不～〗*a.* unrealistic【现象】phenomenon【现在】*ad.* now; *a., n.* present / at present, present time, these days, right now〖～分词〗present participle〖～时态〗present tense〖从～起〗from now on

限 (xiàn)【限定】*v.* limit; *a.* definite, limiting〖～动词〗finite verb〖非～动词〗non-finitive verb【限度】*n.* limit【限于】be confined to【限制】*v.* limit, restrict

线 (xiàn) *n.* thread; line· wire【线索】clue, thread〖为··提供～〗*v.* clue【线条】line【线圈】coil

宪 (xiàn)【宪兵】military police【宪法】constitution

陷 (xiàn) *v.* fall【陷害】*v.* frame; *n.* frame-up【陷阱】trap; snare【陷落】sink in; fall into enemy hands【陷入】fall [run, get] into〖～困境〗get into trouble〖使～〗*v.* plunge (into)

羡 (xiàn)【羡慕】*v.* admire, envy

献 (xiàn)【献词】dedication【献出】*v.* sacrifice, offer【献给】dedicate to【献礼】*n.* tribute【献身】devote oneself (to); *n.* devotion〖～于〗devote oneself to〖为…而～〗give one's life for

腺 (xiàn) gland

乡 (xiāng) village【乡村】【乡下】country, countryside, village

相 (xiāng)【相比】*v.* compare (with)【相差】*v.* differ【相称】*a.* worthy; *v.* match, suit / be a worthy match (for)【相处融洽】get on well with【相当】*ad.* rather, quite, fairly, comparatively〖～多〗quite a few, a good many【相等】*a.* equal; *n.* equality【相对】*a.* opposite. relative; *ad.* relatively〖～性〗*n.* relativity〖～论〗Theory of Relativity〖使～〗*v.* oppose【相反】*n.* contrary; *a.* opposed / on the contrary【相隔】

ad. apart / be apart【相关】*a.* correlative【相配】*v.* match【相似】*a.*, *prep.* like; *a.* similar【相通】*v.* communicate (with) / be interconnected【相同】*a.* alike, same【相信】*v.* trust; *n.* belief / believe in 〖不～〗*n.*, *v.* doubt【相撞】*v.* knock, collide ◇ 相 (xiāng)

香 (xiāng) *a.* fragrant【香槟酒】champagne【香肠】sausage【香粉】face powder【香蕉】banana【香气】fragrance【香水】perfume【香烟】cigarette【香皂】toilet-soap

箱 (xiāng) box, chest〖冰～〗refrigerator〖衣～〗trunk〖汽油～〗tank【箱子】box, case

镶 (xiāng) *v.* inlay【镶嵌】*v.* set〖～底座〗setting

详 (xiáng) *a.* detailed【详尽】*a.* exhaustive【详情】*n.* details / full particulars【详细】*a.* detailed, minute / in detail

享 (xiǎng)【享乐】enjoy creature comforts; live a life of pleasure【享受】*v.* enjoyment; *n.* enjoyment

响 (xiǎng) *v.* ring, sound【响亮】*a.*, *ad.* loud; *ad.* aloud【响声】*n.* sound, noise【响应】*v.*, *n.* echo, answer; *v.* respond; *n.* response

想 (xiǎng) *v.* think, feel, believe; want / would like to【想不到】*a.* unexpected【想出】think up; find out【想到】think about [of]【想当然】take sth. for granted【想法】*n.* thought, idea, mind【想念】*v.* miss / think of〖极～〗*v.* long (to)【想起】*v.* remember / think of〖使～〗*v.* remind【想睡】*a.* sleepy【想望】*v.* wish【想像】*v.* imagine, fancy〖～力〗imagination〖不可～〗*a.* unimaginable〖难以～〗*a.* unthinkable【想要】*v.* wish, want【想一想】think over〖让我～〗Let me see.【想做】*v.* want to do

向 (xiàng) *prep.* towards, at, to; *v.* face〖～东方〗*ad.* eastward〖～南方〗*ad.* southward〖～西方〗*ad.* westward〖～北方〗*ad.* northward〖～一边〗*ad.* aside【向导】*n.*, *v.* guide【向海】*a.* *ad.* offshore【向后】*ad.* aback; *a.* *ad.* backward / towards the back〖～看〗look behind【向内】*a.*, *ad.* inward【向前】*ad.* ahead, along, forth, forward〖努力～〗push on【向日葵】*n.* sunflower【向上】*ad.* up; *a.*, *ad.* upward【向外】*ad.* forth; outwards〖～看〗look out of【向往】yearn for; look forward to【向下】*a.*, *ad.* downward; *ad.* down, below

巷 (xiàng) *n.* alley, lane

项 (xiàng) *n.* nape【项目】*n.* item【项链】【项圈】necklace

相 (xiàng)【相貌】*n.* looks〖～平常〗*a.* ordinary-looking〖～好看〗*a.* good-looking【相片】photo ◇ 相 (xiāng)

象 (xiàng) *n.* elephant【象鼻】*n.* trunk【象棋】Chinese chess〖国际～〗chess【象牙】ivory【象征】*n.* symbol, sign / stand for

像 (xiàng) *a.*, *prep.* like〖～…一样〗*conj.* as / be like〖～…这样〗such as, the same as

橡 (xiàng) *n.* oak【橡胶】rubber【橡皮】rubber, eraser〖～膏〗adhesive plaster〖～筋〗rubber band

消 (xiāo)【消沉】*v.* sink; *a.* downhearted【消除】*v.* cure, wipe, remove / smooth away, clear up【消毒】*v.* sterilize【消防】*n.* fire-control〖～队〗fire-brigade〖～员〗fireman【消费】*n.* consumption; *v.* consume

〖～品〗consumer goods 〖～者〗consumer 【消耗】v. expend / use up 【消化】v. digest; a. digestive 【消极】a. negative, passive 【消灭】v. destroy / die [wipe] out 【消磨】v. spend, pass 【消遣】n. pastime 〖读…作为～〗read … for pleasure 【消散】v. dissipate; disappear 【消失】v. flee, go, disappear / die down [away, out], out of sight 【消逝】v. elapse / pass away, glide on 【消息】n. news, information, word, message 〖传递～〗v. communicate 〖得到…的～〗hear from

萧 (xiāo)【萧条】n. depression

销 (xiāo) v. sell 【销路】n. sale, market; circulation 〖～好〗have a good sale, be much in demand 【销售】v. sell; n. sale

小 (xiǎo) a. little, small; n. smallness 〖极～〗a. tiny 〖较～〗a. less 【小便】v. urinate 〖～处〗n. urinal 【小册子】booklet 【小吃】n. snack 【小池】pool 【小船】boat 【小刀】knife, penknife 【小岛】islet 【小道】path 【小点】dot 【小贩】pedler, pedlar 【小斧】hatchet 【小孩】kid, child 【小号】n. (乐器) trumpet 【小河】brook, stream, creek 【小伙子】lad / young fellow 【小鸡】chicken 【小姐】Miss 【小径】trail 【小康】comfortably off 〖～之家〗a well-off middle-class family 【小考】n. quiz 【小马】pony 【小麦】wheat 【小卖部】shop 【小米】millet 【小牛】calf 【小片】piece 【小品文】essay 【小人国】Lilliput 【小人书】picture-book 【小山】hill; hillock 【小声】in a low voice 【小诗】rhyme 【小时】hour 【小数】decimal 〖～点〗decimal point 【小说】story, fiction 〖短篇～〗short story 〖中篇～〗novelette 〖长篇～〗novel 〖连载～〗serial story 〖廉价～〗(美) dime novel 【小提琴】violin 〖～手〗violinist 【小甜饼】cookie 【小偷】n. thief 【小屋】cottage, cabin, hut, shed 【小写】small letter 【小心】a. careful / be careful of, take care 〖～地做某事〗be careful to do sth. 【小学】primary school 〖～生〗pupil, schoolchild 【小羊】lamb 【小组】group

肖 (xiào)【肖像】portrait

效 (xiào)【效果】n. result, effect 【效率】n. efficiency 【效用】n. utility

校 (xiào) n. school, college 【校舍】schoolhouse 【校园】schoolyard, campus 【校长】〖小学～〗headmaster 〖中小学～〗headmaster, principal, 〖大学～〗president, chancellor ◇ 校 (jiào)

笑 (xiào) v. laugh; n. laughter 〖嘲～〗v. ridicule / laugh at 〖耻～〗v. mock / sneer at 〖对…～了一个够〗have a good laugh over … 【笑话】n. joke 【笑容】n. smile 【笑声】n. laugh laughter 【笑着(说)】say with a smile

啸 (xiào)【啸叫】v. whistle

歇 (xiē)【歇息】v. rest 【歇一歇】take a rest

协 (xié)【协定】n. agreement 【协会】institute, association, society 【协同】work together 【协议】n. agreement 【协奏曲】concerto 【协助】v help, assist 【协作】n. concert, cooperation

邪 (xié)【邪恶】a., n. evil, wicked, vicious

斜 (xié) a. slanting 【斜面】slant 【斜坡】slope 【斜视】v., n. squint 【斜体字】italics 【斜线】slant

携 (xié)【携带】v. take, carry, bring, bear 〖随身～〗bring sth. with

oneself

鞋 (xié) shoe 〖平底～〗 flat-heeled shoes 〖凉～〗 sandals 〖帆布～〗 canvas shoes 〖胶～〗 rubber shoes; rubber-soled shoes 〖皮～〗 leather shoes 〖套～〗 overshoes 〖高统～〗 high boots 〖高跟～〗 high heels, high-heeled shoes 〖拖～〗 slippers 〖球～〗〖运动～〗 gym shoes 【鞋匠】 shoemaker 【鞋油】 shoe-polish

写 (xiě) v. write 〖～回信〗 write back 〖乱～〗 v. scratch, scribble 【写下】 write down 【写信】 write a letter 【写字】 v. write 【～台】 desk 【写作】 v. write, compose

泄 (xiè) 【泄露】 v. disclose (a secret) / let out 〖～消息〗 leak (out) the news 【泄气】 a. discouraged 〖使～〗 v. discourage

卸 (xiè) 【卸货】 v. unload

谢 (xiè) v. thank 〖不用～〗 Don't mention it. You're weclcome. Not at all. 【谢绝】 v. refuse 【谢幕】 curtain call 【谢谢】 v. thank; n. thanks / thank you 【谢意】 n. thanks

心 (xīn) heart 【心爱】 a. beloved 【心不在焉】 a. distracted, absent-minded, faraway 【心地善良】 a. kind-hearted 【心理】 n. psychology 〖～上〗 ad. psychologically 〖～学〗 psychology 【心灵】 soul, spirit 【心情】 feeling, mood, mind 【心神】 mind 〖～不定〗 restless in mind 【心思】 idea, thinking, mood 【心脏】 heart

辛 (xīn) 【辛苦】 a. laborious, toilsome 【辛勤】 a. diligent; industrious 【辛酸】 a. bitter, sad 【辛辛那提】 (美国城市) Cincinnati

欣 (xīn) 【欣赏】 v. admire, enjoy 【欣慰】 n. relief 【欣喜】 n. joy, delight 〖～若狂〗 be wild with joy

新 (xīn) a. new 【新加坡】 Singapore 【新近】 a. recent, latest; ad. newly, lately 【新来的人】 newcomer 【新郎】 bridegroom 【新年】 New Year's Day 【新娘】 bride 【新式】 new style [fashion] 〖最～〗 a. up-to-date 【新手】 newcomer / new hand 【新闻】 news 〖～报道〗 news report 〖～广播〗 n. newscast 〖～影片〗 newsreel 【新西兰】 New Zealand 【新鲜】 a. fresh; novel

薪 (xīn) 【薪金】 n. pay 【薪水】 n. salary 〖给某人增加～〗 give sb. a rise

信 (xìn) letter 〖平～〗 surface mail 〖航空～〗 airmail 【信封】 enveloppe 【信奉】 v. follow / believe in 【信号】 signal 【信赖】 v. trust / depend on 【信念】 n. belief 【信笺】 letter paper 【信任】 v. trust; a. trusted / believe in, have trust in 【信使】 n. courier 【信徒】 follower 【信息】 n. information, message 【信箱】 letter-box 【信心】 confidence 〖有～〗 a. confident 〖丧失～〗 v. despair; a. discouraged / lose one's confidence 【信仰】 n. belief, faith 【信用】 n. credit 〖～卡〗 credit card 【信纸】 stationery / note paper, writing paper

兴 (xīng) 【兴奋】 v. excite; n. excitement; a. excited; ad. excitedly / be excited 〖令人～〗 a. exciting 【兴旺】 v. prosper, thrive, blossom
◇ 兴 (xìng)

星 (xīng) star 【星期】 week 〖～一〗 Monday 〖～二〗 Tuesday 〖～三〗 Wednesday 〖～四〗 Thursday 〖～五〗 Friday 〖～六〗 Saturday 〖～日〗 Sunday 【这个～】 this week 〖上个～〗 last week 〖下个～〗 next week

〖下下个～〗the week after next〖两～〗*n.* fortnight〖两～以前〗two weeks ago【星际】*a.* interplanetary〖～航行〗interplanetary flight【星条旗】the Stars and Stripes

刑 (xíng) *n.* punishment【刑法】the criminal code【刑罚】*n.* punishment, penalty【刑事犯】*n.* criminal

行 (xíng) *ad.* certainly / All right! O.K.! By all means!〖不～〗No, that won't do. Nothing doing! No good!〖～个方便〗do a favour【行程】*n.* trip, journey / distance of travel【行刺】*v.* assassinate【行动】*v.* act, perform, move; *n.* movement, deed, action / take action【行进】*v.* march〖列队～〗*n.* procession / make one's way〖缓慢而费力地～〗*v.* drag【行军】*v., n.* march〖～床〗camp-bed【行礼】*v., n.* salute【行李】baggage, luggage〖～架〗luggage rack【行人】pedestrian【行驶】*v.* run, go, travel【行为】*v.* act; *n.* deed, action, conduct, behaviour【行星】planet【行政】*n.* administration〖～区〗administrative district〖～人员〗official / administrative personnel【行走】*v.* walk, travel
◇ 行 (háng)

形 (xíng)【形成】*v.* form, emerge【形容】*v.* describe, modify〖～代词〗adjective pronoun〖～词〗adjective【形式】form【形势】situation, condition, things【形象】image, figure【形状】form, shape〖呈…的～〗take the shape of …

型 (xíng) *n.* pattern, type, model

醒 (xíng) *v.* wake; *v., a.* awake【醒来】wake up

兴 (xìng)【兴高采烈】in high spirits; in the best of mood【兴趣】*n.* interest〖感～〗*a.* interested / take an interest in〖使感到～〗*v.* interest〖对…表现～〗show interest in〖对…有～〗*a.* keen / be interested in〖使发生～〗*v.* interest【兴致勃勃】with great relish, full of zest
◇ 兴 (xīng)

性 (xìng) *n.* sex; 〔语法〕gender〖阴～〗*a.* feminine〖阳～〗*a.* masculine〖中～〗*a.* neuter【性别】*n.* sex【性格】nature, character〖～的培养〗*n.* character-training【性能】*n.* performance【性情】temper【性质】nature

幸 (xìng)【幸存】*v.* survive; *n.* survival【幸而】*ad.* luckily, happily【幸福】*n.* happiness; *a.* happy; *ad.* happily〖不～〗*a.* unhappy〖祝新年～〗A Happy New Year!【幸亏】*ad.* fortunately / thanks to【幸运】*n.* luck, fortune, *a.* lucky, fortunate; *ad.* fortunately

姓 (xìng) *n.* surname / family name【姓名】name

凶 (xiōng) *a.* terrible, fierce【凶恶】*a.* evil, fierce, ferocious【凶狠】fierce and cruel【凶猛】*a.* fierce【凶杀】*n.* murder【凶手】murderer

兄 (xiōng) elder brother【兄弟】brothers〖～般〗*a.* brotherly〖同胞～〗full brothers

匈 (xiōng)【匈牙利】*n.* Hungary; *a.* Hungarian〖～人〗*n., a.* Hungarian〖～语〗*n., a.* Hungarian

汹 (xiōng)【汹涌】*a.* turbulent, rough

胸 (xiōng) *n.* bosom, breast, chest【胸部】chest, breast【胸怀】*n.* heart, mind【胸膛】breast【胸针】brooch

雄 (xióng) *a.* male 〖～鸡〗 cock 〖～牛〗 ox, bull 【雄厚】 *a.* rich, abundant 【雄伟】 *a.* grand, magnificent 【雄壮】 *a.* strong, majestic

熊 (xióng) bear 【熊猫】 panda

休 (xiū) 【休假】 *n.* holiday / on leave 【休克】 *n.* shock 【休息】 *n.* repose, relaxation; *v.* relax; *n.* rest 〖～时间〗 *n.* break, interval 〖～大厅〗 foyer 〖～日〗 a day off 〖～室〗 lounge, 〖～一下〗 have [take] a rest 〖让…～〗 let ... have a rest 【休养】 *v.* recuperate

修 (xiū) *v.* repair, mend 【修补】 *v.* patch, repair, mend / make repairs 【修辞学】 rhetoric 【修道士】 monk 【修订】 *v.* revise 〖～版〗 revised edition 【修改】 *v.* revise, correct, alter; *n.* revision / make over 【修建】 *v.* build 【修理】 *v.* fix, mend; *v., n.* repair 【修面】 *v., n.* shave 【修女】 nun 【修饰】 *v.* decorate, adorn; polish; 〔语〕modify 〖～语〗 modifier 【修正】 *v.* amend, correct

羞 (xiū) 【羞怯】 *a.* shy 【羞耻】 *n.* shame; *a.* ashamed

袖 (xiù) *n.* sleeve 【袖口】 cuff 【袖套】 oversleeve 【袖珍】 *a.* pocket 〖～本〗 pocket edition 【袖子】 sleeve

绣 (xiù) 【绣花】 *v.* embroider

嗅 (xiù) *v.* smell 【嗅出】 smell out 【嗅觉】 the sense of smell

虚 (xū) *a.* empty; false 【虚构】 *a.* fairy, fictitious; *n.* make-up 【虚假】 *a.* false 【虚拟语气】 the subjunctive mood 【虚弱】 *a.* weak / in poor health 【虚荣】 *n.* vanity / false pride 【虚伪】 *a.* false, hypocritical 【虚心】 *a.* modest

需 (xū) 【需要】 *v., n.* need, demand; *v.* require, want, take 〖～的地方〗 where neccessary 〖很～〗 in great need of

许 (xǔ) 【许多】 *a.* many, much; *n.* lot, lots, heaps / a lot, a great many, a number [lot] of, a great deal of, lots [dozens, scores] of 【许可】 *v.* permit, allow; *n.* consent, permission 【许诺】 make a promise 【许许多多】 lots and lots of

序 (xù) *n.* introduction, preface 【序幕】 *n.* prologue 【序曲】 *n.* overture 【序数】 ordinal number 〖～词〗 ordinal numeral 【序言】 *n.* preface, introduction, foreword

叙 (xù) *v.* narrete; chat 【叙事诗】 epic 【叙述】 *v.* recite; *n.* account

酗 (xù) 【酗酒】 indulge in excessive drinking

续 (xù) *v.* continue 【续借】 *v.* renew

宣 (xuān) 【宣布】 *v.* declare, announce / make known 【宣传】 *n.* propaganda 【宣读】 *v.* announce, proclaim 【宣判】 *n., v.* sentence 〖～死刑〗 sentence sb. to death 【宣誓】 take an oath 【宣言】 *n.* declaration

喧 (xuān) 【喧闹】 *a.* noisy / make a noise 〖～声〗 noise

旋 (xuán) *v.* spin; screw; return 【旋律】 melody 【旋转】 *v., n.* turn, whirl; *v.* spin, rotate, revolve

悬 (xuán) *v.* hang 【悬挂】 hang up 【悬念】 *v., n.* concern; *n.* suspense 【悬崖】 cliff

选 (xuǎn) *v.* choose, select 【选拔】 *v.* select; *n.* selection 〖～赛〗 *n.* try-out 【选出】 pick out 【选集】 selected works 【选举】 *v.* elect; *n.* election, vote 【选录】 *n.* extracts, excerpts 【选票】 *n.* vote, ticket 【选手】 player, contestant 【选择】 *v.* select, choose; *n.* selection, choice; *a.* alternative / make a choice

炫 (xuàn) *v.* dazzle 【炫耀】 show off

眩 (xuàn) *a.* dizzy 【眩目的光】 *n.* glare 【眩晕】 *n.* dizziness, whirl

削 (xuē) *v.* cut 【削减】 cut down 【削弱】 *v.* weaken

靴 (xuē) boots 〖短统～〗 buskins

穴 (xuē) cave, burrow; opening

学 (xué) *v.* study, learn; *n.* school, learning 〖小～〗 primary school 〖中～〗 middle school 〖大～〗 university, college 〖数～〗 maths, mathematics 〖物理～〗 physics 〖化～〗 chemistry 〖医～〗 medicine 〖生物～〗 biology 〖卫生～〗 hygiene 〖生理～〗 physiology 〖电子～〗 electronics 〖地质～〗 geology 〖动物～〗 zoology 〖植物～〗 botany 〖心理～〗 psychology 〖建筑～〗 architecture 〖政治～〗 politics 〖哲～〗 philosophy 〖历史～〗 history 〖语音～〗 phonetics 【学费】 tuition / school fee, tuition fee 【学分】 credit 【学会】 *v.* learn, master; *n.* academy, institute 【学科】 discipline; subject 【学年】 school year 〖～考试〗 annual examination 【学期】 term, semester, quarter 〖～考试〗 terminal examination 【学生】 student, pupil 〖～成绩报告单〗 school report 【学识】 knowledge 【学士】 〖文～〗 B. A. 〖理～〗 B. S. 【学术】 *n.* learning, scholarship 【学说】 *n.* teaching, theory 【学徒】 apprentice 【学位】 degree 【学问】 knowledge, learning 〖有～〗 *a.* learned 【学习】 *v.* learn; *v., n.* study; *n.* learning 〖跟人～〗 take lessons in 〖为…～〗 study for 〖向…～〗 learn from 【学校】 school, college 〖高等～〗 institutes of higher education 〖专科～〗 college 〖中等技术～〗 secondary technical school 〖音乐～〗 conservatory 〖工业～〗 school of technology 〖职业～〗 vocational school 〖业余～〗 spare-time school 〖函授～〗 correspondence school 〖全日制～〗 full-time school 【学样】 *v.* imitate; minic 【学业】 school work 【学院】 academy, college, institute 〖音乐～〗 conservatory, conservatoire 〖军事～〗 millitary academy 〖体育～〗 physical education institute 〖师范～〗 teacher's training college 〖工～〗 industrial college 〖商～〗 business college 〖农～〗 agricultural college 【学者】 scholar

雪 (xuě) snow 〖降～〗 *v.* snow; *n.* snowfall 【雪白】 *a.* snow-white 【雪堆】 *n.* snowdrift 【雪糕】 ice-cream 【雪花膏】 vanishing cream 【雪橇】 *n.* sledge 【雪茄烟】 cigar 【雪人】 snowman

血 (xuè) blood 〖输～〗 blood transfusion 【血管】 blood vessel 【血腥】 *a.* bloody 【血液】 blood

勋 (xūn) 【勋章】 medal, decoration

驯 (xún) 【驯服】 *a.* tame, gentle; *v.* tame, break

寻 (xún) *v.* seek, search 【寻常】 *a.* common 〖不～〗 *a.* curious, unusual, extraordinary 【寻出】 find out 【寻求】 *n.* quest, pursuit / go in quest of 【寻找】 look [search] for, in search for, be after 【到处～】 look around

询 (xún) 【询问】 *v.* ask, inquire; *n.* inquiry, question / ask about

循 (xún) v. follow【循环】v. circulate, cycle; a. cyclical〖再～〗n. recycle

训 (xùn) v. lecture, teach【训斥】v. lecture, rebuke【训诫】n. lesson【训练】v. train; v., n. drill; n. training, discipline

迅 (xùn)【迅速】a. rapid, quick, swift, fast, speedy; ad. quickly, rapidly, swiftly, fast〖～前进〗v. speed

Y y

压 (yā) v. press, squeeze; n. pressure / lie on [upon]【压倒】a. overwhelming / prevail over【压断】break under the load【压服】v. coerce, overpower【压力】n. pressure【压迫】v. oppress; n. oppression【压缩】v. condense【压碎】v. crush【压弯】v. bend【压抑】v. depress【压制】v. suppress, stifle; n. oppression

呀 (yā) int. ah! oh!

鸭 (yā) duck〖公～〗drake〖母～〗duck【鸭绒】duck down

牙 (yá) tooth〖长～〗n. tusk【牙齿】tooth【牙膏】tooth paste【牙科】dentistry【牙签】toothpick【牙刷】tooth brush【牙痛】tooth-ache【牙医】dentist

芽 (yá) bud, shoot; sprout

蚜 (yá)【蚜虫】aphid / ant cow

哑 (yǎ) a. dumb, mute【哑子】mute / dumb person

亚 (yà) a. second / next to【亚麻】flax【亚军】runner-up / silver medalist【亚洲】n. Asia; a. Asian〖～人〗n., a. Asian

咽 (yān)【咽喉】throat   ◇ 咽 (yàn)

烟 (yān) n. smoke【烟草】tobacco【烟囱】chimney【烟斗】pipe【烟灰碟】ashtray【烟火】fireworks【烟卷】cigarette【烟幕】smokescreen

淹 (yān)【淹没】v. drown, flood / be flooded【淹死】drown / be drowned

延 (yán) v. lengthen【延期】v. postpone / put off【延伸】extend, reach, range【延误】v., n. delay

言 (yán) v. speak, say【言词】word【言语】n. speech, words / spoken language

严 (yán)【严格】n. strictness; a. strict, exacting, severe; ad. properly / be strict in [with]【严酷】a. cruel; harsh【严厉】a. harsh, severe【严密】a. tight, exact, strict【严肃】a. serious, severe; ad. seriously【严正】a. solemn, stern【严重】a. severe, serious, hard; ad. seriously, badly

沿 (yán) prep. along【沿岸】ad. alongshore【沿海】a., coastal; ad. alongshore【沿途】on the way

岩 (yán)【岩洞】cave; grotto【岩石】rock

研 (yán)【研究】n., v. study, research〖～生〗postgraduate / research [graduate] student〖～所〗research institute〖～院〗academy / research institute, graduate school〖高等学术～院〗The Institute for Advanced Study

盐 (yán) salt

颜 (yán)【颜料】*a.* paint【颜色】colour〖～丰富〗*a.* colourful

掩 (yǎn) *v.* cover, hide【掩盖】*v.* cover【掩护】*v.* protect【掩埋】*v.* bury【掩饰】*v.* conceal

眼 (yǎn) eye〖一只～〗*a.* one-eyed【眼睑】*n.* eyelid【眼界】horizon, outlook / field of view【眼镜】glasses, spectacles【眼睛】eye【眼泪】tears〖～汪汪〗*a.* tearful【眼力】eyesight【眼皮】eyelid〖上～〗upper lid〖下～〗lower lid【眼前】*a.* immediate / at the moment【眼球】【眼珠】eyeball

演 (yǎn) *v.* perform, play, act【演变】*n.* evolution, development【演唱】*v.* sing【演出】*v.* show, play〖～节目〗program(me)【演技】*n.* acting【演讲】【演说】*v., n.* lecture; *n.* speech, address / make a speech〖～者〗speaker〖非正式～〗*v.* talk【演员】player, actor, actress〖～表〗cast〖电影～〗movie actor [actress]【演奏】*v.* play, perform〖～会〗concert〖～者〗player

厌 (yàn) *v.* hate, dislike【厌倦】*v.* tire (of) / be tired of〖使人～〗*a.* tiresome【厌恶】*v.* detest, abhor; *a.* sick (of)【厌烦】be tired of〖使～〗*v.* bore, annoy, weary【厌战】*a.* war-weary

咽 (yàn) *n., v.* swallow【咽下】swallow ◇ 咽 (yān)

宴 (yàn) *n.* feast【宴会】*n.* feast, banquet / dinner party〖～厅〗banquet hall〖参加～〗*v.* feast

艳 (yān)【艳丽】*a.* resplendent, gorgeous / dazzlingly beautiful, colourful

验 (yàn) *v.* examine; prove【验血】blood test【验证】*v.* verify

谚 (yàn)【谚语】*n.* proverb, (common) saying

雁 (yàn) wild-goose

燕 (yàn) swallow【燕鸥】*n.* tern【燕尾服】swallow-tailed coat

秧 (yāng) *n.* plant, seedling

羊 (yáng) sheep, goat【羊羔】lamb【羊毛】*n.* wool; *a.* wooly〖开襟～衫〗cardigan〖～毯〗blanket〖～制〗*a.* wooly〖～状〗*a.* wooly【羊皮】sheep-skin〖～纸〗parchment【羊肉】mutton

阳 (yáng)【阳光】sun, sunlight, sunshine〖～充足〗*a.* sunny〖在～下〗in the sun【阳极】positive pole【阳历】solar calendar【阳台】balcony; terrace【阳性】*a.* masculine

扬 (yáng)【扬帆】set sail【扬声器】loudspeaker, speaker

杨 (yáng)【杨柳】willow【杨木】poplar

洋 (yáng) *n.* ocean〖大西～〗the Atlantic (Ocean)〖太平～〗the Pacific (Ocean)〖印度～〗the Indian Ocean〖北冰～〗the Arctic Ocean【洋葱】onion【洋底】ocean floor【洋娃娃】doll

仰 (yǎng)【仰望】look up at; loo up to expectantly【仰泳】*n.* back-stroke

养 (yǎng) *v.* raise, keep, feed【养家】support a family【养老院】home for the aged【养胖】feed up【养育】*v.* raise, breed / bring up【养殖】*v.* cultivate

氧 (yǎng) oxygen【氧化】*v.* oxidize

痒 (yǎng)〖觉得～〗*v.* tickle; itch

样 (yàng)【样品】sample【样子】shape, model, style〖～好笑〗*a.* funny--

looking

妖 (yāo)【妖怪】goblin, genie / evil spirit【妖精】goblin; siren

要 (yāo) v. desire【要求】v. ask, require, demand; v., n. claim / ask [call] for〖迫切的～〗n. urge ◇ 要 (yào)

腰 (yāo) n. waist【腰带】belt, girdle【腰子】kidney

邀 (yāo)【邀请】v. invite, ask; n. invitation〖～赛〗invitational tournament【邀约】call for

遥 (yáo)【遥控】remote control【遥遥领先】be far ahead【遥远】a. far, remote, faraway

摇 (yáo) v. wave; shake【摇摆】v., n. wag, swing〖～不定〗a. wavering〖上下～〗v. teeter【摇动】v. shake, sway, rock, wiggle, stir; a. rocking【摇晃】v. stagger, tremble【摇铃】v. ring【摇椅】rocking-chair

咬 (yǎo) v. bite〖一点一点地～〗v. nibble; gnaw【咬牙】v. clench [grit] one's teeth

舀 (yǎo) v. ladle〖～水〗bail out water

药 (yào) drug, medicine〖毒～〗poison【药方】n. prescription, recipe〖开～〗write out a prescription【药房】drugstore, pharmacy / a chemist's shop【药粉】(medical) powder【药膏】ointment【药剂】medicine (prepared in prescribed doses)〖～师〗chemist, pharmacist【药片】tablet【药水】liquid medicine【药丸】pill【药物】medicine, drug

要 (yào) v. want, wish, should〖向…～〗ask … for【要不然】ad. otherwise【要点】main points【要紧】a. important【要么】conj. either【要是】conj. if【要素】(key) element, essential ◇ 要 (yāo)

钥 (yào)【钥匙】key

耀 (yào)【耀眼】a. glaring

噎 (yē) v., n. 'choke

爷 (yé) n. father【爷爷】grandpa

也 (yě) ad. also, too, so, either / as well as【也不】conj. nor, neither【也许】ad. possibly, perhaps, maybe; v. may, might

野 (yě) a. wild【野餐】picnic【野草】weeds【野蛮】a. savage, barbarous【野禽】wild bird【野人】savage【野生】a. wild【野兽】wild animal [beast]【野兔】hare【野外】n. field〖～考察〗n. field-work〖在～〗ad. outdoors / in the open air【野心】n. ambition【野营】n. camp【野战医院】ambulance, field-hospital

业 (yè)【业务】n. business, profession / professional work【业余】a. amateur〖～大学〗sparetime university〖在～时间〗in one's spare time, out of hours

叶 (yè) leaf【叶绿素】chlorophyll【叶子】leaf

页 (yè) page【页边】margin

夜 (yè) night, evening〖深～〗far into the night, late at night【夜班】night-shift【夜饭】supper【夜间】at night【夜校】night-school / evening school【夜莺】nightingale

液 (yè) 液化 v. liquefy【液体】liquid〖～皂〗liquid soap

一 (yī) num. one; art. a, an【第～】num. first【一半】n., a. half【一般】a. common, general; ad. commonly, generally; so-so〖～时态〗the indefinite tense 〖～说来〗 generally speaking 【一帮】 *n.* gang, band 【一包】 a parcel [sack, bundle] of 【一杯】 a glass [cup] of 【一辈子】 all one's life 【一本】 a copy of 【一部分】 a part 【一步】 a step [pace] 〖一一步〗 step by step 【一餐】 a meal of 【一册】 a copy [volume] 【一层层】 layer after layer 【一刹那】 in the twinkling of an eye 【一场】 (比赛) a game; a scene 【一串】 a string [bunch, cluster] of 【一次】 *ad.* once / at a time 【一打】 a dozen of 【一大块】 a block of 【一大群】 a flock of 【一袋】 a sack of 【一旦…就】 *conj.* once 【一道】 *ad.* together 【一滴】 a drop of 【一点】 a bit [dot, little, point], in the least 〖～也不〗 not a bit, not at all 【一点点】 a little 【一点一点】 little by little, bit by bit 〖～地咬〗 *v.* nibble 【一定】 *a.* definite, certain; *ad* surely, certainly / of course, without fail 〖～要〗 *v.* must / be sure to do 〖不～〗 not necessarily 【一度】 *ad.* once 【一段】 a passage, a section of 〖～时间〗 a while 【一队】 *n.* a group of 【一对】 a pair [couple] of 【一堆】 a crowd [pile, heap] of 〖吹积的～〗 *n.* drift 【一顿】 a meal of 【一分子】 *n.* member 【一份】 a share [portion, copy] 【一副】 a suit [set, pair] of 【一个】 *num.* one; *art.* a, an 〖～～〗 one by one; by turns 【一根】 a piece of (thread) 【一共】 *ad.* altogether / in total, in all 【一贯】 *ad.* consistently 【一行】 a line of 【一号】 *num.* first 【一盒】 a box of 【一会儿】 *ad.* soon, presently / for a moment [minute], for an instant, for a little while, in a minute 〖不～〗 in a short time 【一伙】 a band [gang] of 〖～人〗 a party 【一家】 a family 〖～人〗 family 【一件】 a piece of 〖～事〗 *pron.* something 【一…就】 as soon as, hardly … when, no sooner … than 【一局】 game 【一句话】 in a word 【一卡车】 a lorry-load of 【一刻钟】 a quarter (of an hour) 【一口】 *n.* mouthful / at a mouthful 【一块】 a piece [sheet, cake] of 【一捆】 a packet 【一篮】 a basket of 【一览表】 *n.* list, table, schedule 【一连串】 a chain [series] of 【一楼】 (英) ground floor, (美) first floor 【一幕】 one act 【一年】 *a.* annual / one year 【一排】 a row of 【一盘】 (比赛) game / a tray of 【一盆】 a basin of 【一批】 a lot [group, batch] of 【一篇】 piece of 【一片】 a piece [sheet] of 【一瓶】 a bottle of 【一起】 *ad.* together, along 〖和…～〗 together with 【一齐】 in concert 【一切】 *a.* all 【一群】 a troop [group, crowd] of, (动物) a herd of 【一闪】 *v.* flash 【一生】 *n.* lifetime / all one's life 〖～中〗 in life 【一时】 *a.* temporary 【一双】 a pair [couple] of 【一瞬】 an instant 【一束】 a bundle of 【一套】 a suit [set] of 〖～房间〗 (英) flat, apartments; (美) apartment; suite 【一桶】 a barrel of 【一碗】 a bowl of 【一万亿分之一】 *num.* billionth 【一系列】 a series [chain] of 【一下子】 all at once 【一向】 *ad.* always / all along 【一些】 *n.* bit; *a.* any, some / a little 【一样】 *a.* alike, same 〖跟…～〗 *prep.* like 【一月】 January 【一再】 once and again 【一张】 a sheet of 【一阵】 a burst [bit] of 【一支】 a piece of 【一致】 *v.* match, agree, concert / in concert 〖不～〗 *v.* disagree; *a.* inconsistent 【一直】 *ad.* always / all the time 【一种】 a kind [sort] of 〖～类型〗 a type of 【一周】 a week 【一组】 a group [suit, block, set] of

衣 (yī) clothes 〖衬～〗 shirt 〖大～〗 overcoat, coat 〖毛～〗 woolen

sweater 〖内～〗 underwear 〖上～〗 coat 〖睡～〗 pyjamas, nightgown 〖雨～〗 raincoat 〖罩～〗 overalls 【衣袋】 pocket 【衣服】 clothes, dress, garment, clothing 【衣柜】 wardrobe 【衣夹】 clothes-peg 【衣架】 coat [clothes] hanger 【衣料】 dress material 【衣领】 collar 【衣帽间】 cloak [check] room 【衣箱】 trunk 【衣袖】 sleeve 【衣着】 n. clothing, wear / wearing apparel 〖～褴褛〗 in rags, shabbily dressed

医 (yī) 【医疗】 a. medical / medical service 【医生】 doctor 【看～】 see a doctor 【医务所】 clinic 【医学】 n. medicine; a. medical 〖～院〗 medical college 【医药】 medicine 〖～费〗 medical expenses 【医院】 hospital 〖战地～〗 field hospital 【医治】 v. cure, heal, treat

依 (yī) according to 〖～…而定〗 depend on 【依次】 in turn, in proper order, one by one 〖～传给〗 hand around 【依法】 according to law 【依附】 attach oneself 【依旧】 ad. still / as before 〖～是〗 v. remain 【依靠】【依赖】 v. depend (on), rely (on); a. dependent (on) 【依照】 according to, in agreement with

仪 (yī) 【仪表】 instruments and meters 〖～厂〗 instrument and meter plant 【仪器】 instrument, apparatus 【仪式】 ceremony 【仪仗队】 guard of honour

姨 (yí) aunt 【姨父】 uncle 【姨母】 aunt, auntie

移 (yí) 【移动】 v. move, remove, shift; a. moving 〖缓慢地～〗 v. inch 〖向…～〗 move towards 【移交】 turn over 【移开】 v. remove / move away 【移民】 new-comer, settler; (移出) emigrant, (移入) immigrant; v. migrate 【移栖】 v. migrate 〖～的动物〗 migrant

遗 (yí) 【遗产】 legacy bequest 【遗传】 n. heredity 【遗憾】 v., n. regret; n. sorrow, pity; v. sorry; ad. unfortunately 〖为某人～〗 feel sorry for sb. 〖真是～〗 What a pity ! 【遗留】 v. remain / leave over 【遗漏】 v. omit 【遗失】 v. lose; n. loss; a. missing 【遗体】【遗物】 n. remains 【遗嘱】 n. will, testament

疑 (yí) 【疑惑】 v. wonder; a. doubtful and perplexed 【疑难】 a. difficult 〖～问题〗 knotty [baffling] problem 【疑问】 n. question; doubt 〖～代词〗 interrogative pronoun 〖～句〗 interrogative sentence 〖～副词〗 interrogative adverb 〖对…提出～〗 v. question 【疑心】 n. suspicion

已 (yǐ) ad. already 【已婚】 be married 【已经】 ad. already

以 (yǐ) prep. with, by 【以便】 so as, so that, so as to, in order to [that] 【以后】 ad. later, afterwards / by and by 【以及】 conj. and / as well as 【以前】 ad. before, ago, earlier / in the old days, until now 〖几个月～〗 several months ago 〖…以上〗 ad. upward / more than 【以为】 v. think, expect, consider, believe, suppose 〖…以下〗 ad. downward 【以致】 so that

蚁 (yǐ) n. ant

倚 (yǐ) lean on [against]

椅 (yǐ) chair 〖安乐～〗 easy-chair 〖扶手～〗 armchair 〖睡～〗〖长沙发～〗 couch 〖藤～〗 cane chair 〖摇～〗 rocking chair 【椅子】 chair

义 (yì) n. sense, meaning 〖褒～〗 commendatory [appreciative] sense 〖贬～〗 derogatory [depreciatory] sense 【义务】 duty, obligation

亿 (yì) hundred million

艺 (yì)【艺术】art〖～品〗work of art〖～家〗artist〖～性〗artistry【艺徒】apprentice

议 (yì)【议案】bill, proposal【议会】parliament〖地方～〗council〖市～〗town council【议论】n. discussion; v. discuss, talk, comment【议事日程】agenda / order of the day【议员】(英) Member of Parliament. (M.P.); (美) congressman【议长】president; speaker

异 (yì)【异常】a. unusual, remarkable, extraordinary【异性】opposite sex【异议】n. objection, disagreement【异于】different from

译 (yì) v. translate / turn into〖意～〗free translation〖直～〗literal [near] translation【译本】【译文】translation, version【译员】interpreter【译者】translator

抑 (yì)【抑制】v. control, check, restrain, contain

易 (yì) a. easy〖～…的〗a. liable【易于】be easy to

益 (yì)【益处】n. value, advantage, benefit, profit

溢 (yì) v. overflow【溢出】run over

意 (yì)【意大利】n. Italy; a. Italian〖～人〗n., a. Italian〖～语〗n., a. Italian【意见】idea, opinion, advice, mind, suggestion〖～不同〗v. disagree【意识】n. consciousness〖～到〗v. realize; sense【意思】n. meaning, idea, opinion〖～是〗v. mean【意图】n. purpose, intention【意外】n. accident; a. unexpected, sudden〖～的事〗accident; bombshell; revelation【意向】n. order【意义】meaning, sense, denotation〖在某种～上〗in a sense【意译】free translation【意愿】n. will【意指】v. intend, mean【意志】will; purpose〖～消沉〗a. despondent, dejected, melancholy

毅 (yì)【毅力】fortitude, perseverance【毅然】ad. firmly, resolutely, bravely

因 (yīn) n. cause【因此】ad. therefore, thus, accordingly; conj. so / with that【因而】ad. thus【因素】factor, element【因为】conj. for, because, as / on account of, because of, for the reason that【因子】factor

阴 (yīn)【阴暗】a. gloomy, grey, dark〖～部分〗shade【阴历】lunar calendar【阴凉】a. cool〖～处〗shade【阴谋】n. plot【阴天】cloudy day【阴性】a. feminine【阴影】shadow; ghost

音 (yīn) n. sound, voice〖元～〗vowel〖辅～〗consonant〖重～〗stress〖连～〗liaison〖唇～〗labial (sound)【音标】phonetic symbol【音调】tone【音节】n. syllable; a. syllabic【音信】message, news【音译】n. transliteration【音乐】n. music; a. musical〖～会〗concert〖～家〗musician〖～厅〗concert hall〖～学校〗conservatory【举行～会】give a concert〖轻～〗light music〖流行～〗popular music〖民间～〗folk music〖古典～〗classical music〖电子～〗electronic music

殷 (yīn)【殷切】a. ardent【殷勤】a. solicitous; polite〖献～〗pay attentions (to)

银 (yín) silver【银币】silver coin【银行】bank〖～家〗banker【银河】the Milky Way【银幕】screen〖宽～〗wide-screen

引 (yǐn)【引出】draw forth, lead out【引导】v. guide, lead【引号】quotation mark【引进】 v. introduce / bring in, lead into【引起】 v. arouse, create, cause, excite / bring about, give rise to【引擎】 n. engine【引入】 draw [lead] into, bring in【引文】 n. quotation【引向】 v. direct / lead to【引言】 n. introduction, preface, foreword【引诱】 n. temptation【引语】 n. speech, quotation〖直接～〗 direct speech〖间接～〗 indirect speech

饮 (yǐn) v. drink,【饮料】 n. drink【饮食店】 eating-house, restaurant

隐 (yǐn)【隐蔽】 a. secret covert / take cover【隐藏】 v. hide, bury / cover up【隐瞒】 v. conceal / keep back, cover up

印 (yìn) v. impress, print〖用盲文～〗 v. braille【印戳】 v.,n. stamp【印第安】〖～人〗 n., a. Indian〖～语〗 n. Indian【印度】 n. India; a. Indian〖～人〗 n.,a. Indian【印度洋】 the Indian Ocean【印盒】 seal box【印刷】 v.,n. print; n. printing〖～厂〗 printing house〖～机〗 printing press〖～品〗 printed matter〖～体字母〗 printed letters〖～字体〗 n. print, printing【印台】 ink-pad / stamp pad【印象】 impression〖给…以～〗 v. strike【印章】 seal, stamp

荫 (yìn) n. shade

应 (yīng)【应当】【应该】 v. aux. must, should / ought to   ◇ 应 (yìng)

英 (yīng)【英尺】 foot【英寸】 inch【英格兰】 England【英国】 n. England; a. English, British〖～女人〗 Englishwoman〖～人〗 Englishman【英吉利海峡】 the English Channel【英里】 mile【英明】 a. wise【英雄】 n. hero; a. heroic【英勇】 n. bravery a. brave, valiant【英语】 n. English〖～晚会〗 an English evening〖用～〗 in English〖美国式～〗 American English〖当代～〗 current [present-day] English〖中级～〗 intermediate English〖蹩脚～〗 broken English

莺 (yīng) n. warbler, oriole

婴 (yīng)【婴儿】 baby, infant〖～车〗 pram

樱 (yīng)【樱花】 sakura【樱桃】 cherry

鹦 (yīng)【鹦鹉】 parrot

鹰 (yīng) hawk, eagie

迎 (yíng)【迎合】 v. cater (to)【迎接】 v. meet, greet

荧 (yíng)【荧光】 fluorescence〖～灯〗 fluorescent lamp〖～屏〗 screen / television screen

营 (yíng)【营房】 barracks, quarters【营救】 v., n. rescue【营养】 n. nourishment〖～品〗 nourishment【营业】 n. business / do business〖～时间〗 shop hours

赢 (yíng) v. win【赢得】 v. win, gain, earn〖～某人尊敬〗 gain one's respect〖在…方面～〗 win … in …【赢余】 n. profit, surplus

影 (yǐng) n. shadow【影片】 film【影响】 v. affect, influence; n. effect, impact【影印】 n. photo-offset【影子】 shadow

应 (yìng)【应付】 v. deal (with)【应接】 v. receive / attend to【应用】 v.,n. use; v. apply; a. practical   ◇ 应 (yīng)

映 (yìng)【映象】 reflection; image

硬 (yìng) a. hard, stiff【硬币】 coin【硬度】 hardness【硬化】 v. harden; n. hardening【硬领】 n. collar【硬要】 insist on

拥 (yōng) 【拥抱】 v. embrace, hug 【拥护】 v., n. support 〖~者〗 n. supporter, follower 【拥挤】 v. crowd; a. crowded 【拥有】 v. own, hold, possess

永 (yǒng) 【永不】 ad. never 【永久】 a. eternal, everlasting 【永远】 ad. ever, forever, always

勇 (yǒng) 【勇敢】 n. bravery, courage; a. brave, courageous, manful; ad. manfully 【勇气】 n. courage 〖鼓起~〗 pluck up one's courage

用 (yòng) v. use; prep. with, by 【用不着】 no need; do without 【用法】 n. usage 【用功】 a. diligent / study hard 【用过】 a. second-hand 【用户】 subscriber 【用尽】 v. exhaust / run out 【用旧】 v. wear; a. worn 【用具】 n. tool 【用钱】 spend money 【用人】 n. servant 【用途】 n. use 【用完】 run out of, give out

佣 (yòng) 【佣金】 commission

优 (yōu) a. excellent 【优待】 preferential treatment 【优点】 virtue, merit, advantage / strong point 【优厚】 a. liberal, favourable 【优惠】 a. preferential 【优良】 a. excellent 【优美】 a. graceful, exquisite 【优胜】 n. championship 〖~者〗 champion 【优势】 n. superiority, odds 〖占~〗 have an ascendancy (over) 【优先】 have priority, take precedence 【优秀】 n. fine, brilliant, excellent 【优裕】 be well-off 【优越性】 superiority 【优质】 high quality

忧 (yōu) 【忧愁】 n. gloom, sadness; a. sad, worried; ad. sadly 【忧虑】 n. fear; v., n. worry; a. anxious 【忧伤】 n. distress 【忧郁】 n., a. melancholy; n. sadness

幽 (yōu) 【幽暗】 n. dusk 【幽灵】 ghost, spirit 【幽默】 n. humor; a. humorous

尤 (yóu) 【尤其】 ad. especially, particulary / above all

由 (yóu) prep. from, by 【由此】 ad. hence 【由于】 prep. at, for, of, from; conj. because, as, since / on account of, thanks [due] to, because of

邮 (yóu) n. mail, post 【邮车】 postal car, mail coach 【邮递】 v. post, mail 〖~员〗 postman, mailman 【邮费】 postage 【邮购】 mail order 【邮寄】 v. post, mail 【邮件】 n. post, mail 【邮局】 n. post, post-office 【邮票】 (postage) stamp 【邮筒】 pillar box, post-box, mailbox 【邮政】 n. post, mail; a. postal 〖~局〗 post-office 〖~局长〗 postmaster 〖~信箱〗 post-office box (P.O.B)

犹 (yóu) 【犹豫】 v. hesitate; a. hesitant; n. hesitation 【犹太人】 Jew

油 (yóu) oil 〖黄~〗 butter 〖煤~〗 kerosene 〖奶~〗 cream 〖汽~〗 petrol 〖色拉~〗 salad oil 〖食用~〗 cooking oils 〖石~〗 oil, petroleum 〖猪~〗 lard 【油菜】 rape 【油画】 n. oil-painting 【油漆】 n., v. paint 【油箱】 (fuel) tank 【油印】 v. mimeograph 〖~机〗 mimeograph 〖~蜡纸〗 stencil 【油炸锅】 frying-pan 【油脂】 n. fat

铀 (yóu) uranium

游 (yóu) v. swim 【游击队】 guerrilla forces; partisan detachment 〖~员〗 guerrilla, partisan. 【游记】 n. travels 【游览】 v., n. travel, tour 【游乐园】 amusement park, fun fair 【游历】 v., n. travel, tour 【游艇】 yacht 【游戏】 n. sport, game, play 〖~场〗 playground 【游行】 n., v. parade;

n. procession 【游泳】 *v.* swim, bathe; *n.* swimming, bathing / have a swim 〖～池〗 swimming pool

友 (yǒu) 【友爱】 *a.* kind, amiable 【友好】 *n.* friendship; *a.* kind, friendly; *ad.* kindly / in a friendly way 〖～的行为〗 kindness 〖不～〗 *a.* unfriendly 【友人】 *a.* friendly 【友谊】 friendship 〖～赛〗 friendly match

有 (yǒu) *v.* have / have got 〖～把握〗 *a.* sure 〖～帮助〗 *a.* helpful, useful 〖～道理〗 *a.* reasonable 〖～纪律〗 *a.* disciplined 〖～价值〗 *a.* worthy, valuable 〖～见识〗 *a.* wise; knowledgeable 〖～教育意义〗 *a.* instructive 〖～决心〗 *n.* determined 〖～礼貌〗 *a.* polite 〖～毛病〗 *a.* wrong 〖～耐心〗 *a.* patient 〖～能力〗 *a.* able, capable 〖～趣味〗 *n.* interesting 〖～生气〗 *n.* lively 〖～文化〗 *a.* cultured 〖～希望〗 *a.* hopeful, promising 〖～信心〗 *a.* confident / have confidence in 〖～学问〗 *a.* learned 〖～意义〗 *a.* meaningful 〖～影响〗 *a.* influential 【有病】 *a.* sick, ill; diseased 【有毒】 *a.* poisonous 【有多少】 how many, how much 【有风】 *a.* windy 【有关】 *a.* related; *v.* concern / relate to 〖和…～〗 have sth. to do with 【有轨电车】 trolley 【有害】 *a.* harmful, noxious 〖～的东西〗 pest 【有机】 *a.* organic 〖～玻璃〗 organic glass 【有空】 at leisure 【有理】 *a.* reasonable 【有力】 *a.* vigorous, powerful 【有利】 *a.* favourable 〖对…～〗 be in ... favour 【有名】 *a.* famous, well-known 【有钱】 *a.* rich 【有趣】 *a.* funny, interesting 〖～的事〗 fun 【有人】 *pron.* someone, somebody 【有色】 *a.* coloured 【有声读物】 talking books 【有时】 *ad.* sometimes / from time to time, now and then 〖～常会〗 there are times when ... 【有事】 *a.* engaged, occupied 〖～要做〗 have sth. to do 〖～要告诉某人〗 have sth. to tell sb. 【有条件】 *a.* conditional 【有限】 *a.* limited 【有效】 *a.* effective 【有一天】 *ad.* someday / one day 【有一些】 *ad., n.* something / a few 【有益】 *n.* usefulness; *a.* useful, good 〖～于〗 *v.* benefit 【有意】 *a.* intentional, deliberate; *ad.* purposely 【有意识】 *a.* conscious 【有用】 *a.* valuable, useful, helpful

又 (yòu) *ad.* again; *conj.* and / as well 【又一个】 *a., pron.* another 【又…又】 both ... and ...

右 (yòu) *n., a.* right 【右边】 *n., a.* right / right-hand side 〖在…的～〗 on the right of 【右翼】 the right wing

幼 (yòu) 【幼儿】 infant, child 〖～园〗 kindergarten 【幼苗】 seedling 【幼年时代】 infancy, childhood 【幼弱】 *a.* tender 【幼畜】 baby

诱 (yòu) 【诱饵】 bait 【诱捕】 *v.* trap 【诱拐】 *v.* kidnap 【诱惑】 *v.* tempt; *n.* temptation

迂 (yū) 【迂回】 *v.* wind; *a.* roundabout / twist and turn

于 (yú) 【于是】 *ad.* thus, then, now, accordingly, therefore / with that

余 (yú) 【余地】 *n.* room 【余留】 *v.* remain 【余数】 remainder 【余暇】 *n.* leisure / spare time

鱼 (yú) fish 〖大马哈～〗 salmon 〖鳄～〗 crocodile 〖甲～〗 turtle 〖金～〗 gold fish 〖鲸～〗 whale 〖沙丁～〗 sardine 〖鲨～〗 shark 〖鳝～〗 eel 〖鳟～〗 trout 【鱼肝油】 cod-liver oil 【鱼雷】 torpedo 【鱼类】 fishes 【鱼肉】 (the flesh of) fish 【鱼鳃】 gill 【鱼塘】 pond

娱 (yú) 【娱乐】 *n.* fun, sport, entertainment, relaxation, amusement; *v.*

amuse 〖使～〗 v. entertain

渔 (yú)【渔夫】【渔民】fisherman【渔业】fishery

愉 (yú)【愉快】n. happiness, enjoyment, pleasure; a. pleased, happy, joyful, merry,〖不～〗a. displeased〖令人～〗a. pleasant

愚 (yú)【愚蠢】a. stupid, silly, clumsy, foolish; ad. foolishly【愚弄】v. fool【愚人节】April Fool's Day〖～中受愚弄者〗April fool

榆 (yú)【榆树】elm

舆 (yú)【舆论】public opinion

与 (yǔ) conj. and; prep. with, against〖～…一样〗as … as【与众不同】a. peculiar / out of the common run

宇 (yǔ)【宇宙】universe〖～飞船〗space-craft〖～站〗space station〖～航行员〗astronaut〖在～空间〗in space

羽 (yǔ)【羽毛】feather〖～球〗badminton

雨 (yǔ) a. rain【大～】heavy rain〖多～〗a. pluvial, rainy〖雷～〗thundershower〖有～〗a. rainy〖阵～〗shower【雨季】rainy season【雨夹雪】sleet【雨伞】umbrella【雨鞋】galoshes【雨衣】raincoat

语 (yǔ) n. speech, language〖汉～〗Chinese〖外～〗foreign language〖英～〗English〖法～〗French〖德～〗German〖日～〗Japanese〖俄～〗Russian〖母～〗mother tongue〖旗～〗semaphore〖呼～〗direct address〖短～〗phrase〖主～〗subject〖宾～〗object〖状～〗adverbial〖定～〗attribute〖表～〗predicative〖谓～〗predicate〖同位～〗appositive〖补足～〗complement〖插入～〗parenthetical statement【语调】intonation【语法】n. grammar; a. grammatical【语气】n. mood; a. modal【加强～】n. emphasis〖祈使～〗the imperative mood〖直陈～〗the indicative mood〖虚拟～〗the subjunctive mood【语态】voice〖主动～〗the active voice〖被动～〗the passive voice【语言】language, tongue〖操某种～者〗n. speaker【语音】phonetics / speech sound〖～学〗phonetics

玉 (yù) n. jade【玉米】maize, corn

育 (yù)〖德～〗moral culture〖智～〗intellectual culture〖体～〗physical culture [training]

郁 (yù)【郁金香】tulip【郁闷】a. gloomy; depressed【郁郁不乐】a. dejected

浴 (yù) v. bathe【浴室】bathroom〖专用～〗private bathroom【浴衣】bathrobe / dressing gown

预 (yù)【预报】n., v. forecast【预备】v. prepare / get ready【预定】v. reserve, book【预防】v. prevent (from)【预感】n. premonition【预告】v. announce【预见】v. foresee【预期】v. expect; n. prospect / look forward to【预赛】n. tryout【预售票】advanced ticket【预算】n. budget【预先】ad. beforehand / in advance〖～通知〗v. warn【预约】make an appointment【预兆】n. omen【预支】v. advance

寓 (yù) v. lodge【寓所】n. lodging, dwelling【寓言】fable; parable

遇 (yù)【遇见】v. meet (with) / happen on〖未～〗v. miss

御 (yù) v. drive; resist【御座】n. throne

愈 (yù) ad. more; v. heal〖～多～好〗the more the better【愈加】all the more【愈⋯愈⋯】the more ..., the more ...

元 (yuán) *n.* yuan; dollar【元旦】New Year's Day【元件】*n.* element【元帅】marshal〖大～〗generalissimo【元素】element【元音】vowel〖短～〗short vowel〖半～〗semi-vowel

园 (yuán) *n.* garden〖菜～〗kitchen garden〖动物～〗zoo〖果～〗orchard〖花～〗garden〖植物～〗botanical garden〖校～〗campus〖幼儿～〗kindergarten【园丁】gardener【园林】landscape garden【园艺】gardening【园游会】garden party

员 (yuán) *n.* member〖办事～〗clerk / office worker〖报幕～〗announcer〖裁判～〗referee, umpire, judge〖参议～〗senator〖抄写～〗copyist〖乘务～〗steward; conductor; atlendant〖炊事～〗cook〖打字～〗typist〖店～〗clerk, shop-assistant〖飞行～〗pilot, aviator, flier, flyer,〖服务～〗steward, attendant〖海～〗seaman, sailor〖技术～〗technician〖驾驶～〗driver〖教练～〗coach〖警卫～〗guard〖会计～〗accountant〖列车～〗train attendant〖收票～〗ticket-collector〖售货～〗salesman, salesgirl, saleswoman〖售票～〗ticket-seller; conductor〖司令～〗commander〖通讯～〗reporter〖译～〗translator, interpreter〖邮递～〗mailman〖宇航～〗astronaut〖运动～〗player, athlete, sportsman

原 (yuán)〖草～〗grassland〖高～〗highland〖平～〗plain【原版】original edition【原稿】manuscript【原告】*n.* accuser【原级】the positive degree【原来】*ad.* originally〖～如此〗So that was it!【原理】principle【原谅】*v., n.* pardon, excuse; *v.* forgive〖～我做某事〗excuse me for doing sth.【原料】raw material【原木】log, timber【原文】original【原样】*a.* untouched【原野】field【原因】cause, reason, account【原则】principle【原子】*n.* atom; *a.* atomic〖～核〗*n.* (atomic) nucleus; *a.* nuclear〖～能〗atomic [nuclear] energy

圆 (yuán) *n.* circle; *a.* round, circular【圆点】*n.* dot【圆规】compasses【圆滑】smooth and evasive【圆满】*a.* complete, perfect【圆木】log【圆圈】circle【圆舞曲】waltz【圆形】*a.* round, circular〖～场地〗ring【圆珠笔】ball-pen, ballpoint (pen), biro〖～心〗refill

援 (yuán)【援救】*v.* rescue, save (from)【援助】*n., v.* aid, help; *v.* assist; *n.* assistance

源 (yuán)【源泉】fountainhead, origin, spring

猿 (yuán) ape

缘 (yuán)【缘故】cause, reason

远 (yuán) *a.* far, distant〖较～〗〖更～〗*a., ad.* farther〖最～〗*a., ad* farthest; *a.* utmost【远不如】not nearly【远处】*n.* distance〖在～〗*ad.* beyond / in the distance【远景】perspective【远离】far away from【远视】*a.* far-sighted【远远】*ad.* way, widely〖～落后〗far [way] behind【远征】*n.* expedition; *a.* expeditionary〖～队〗expedition〖～军〗expeditionary force【远足】*n.* hike / walking trip for pleasure

怨 (yuán) *v.* complain, grumble【怨恨】*n.* spite; *v.* resent【怨言】*n.* complaint, grumble〖没有～〗*a.* uncomplaining

院 (yuàn) institute〖参议〗senate【电影～】cinema【法～】court〖疗

养～〗 sanatorium 〖戏～〗 theatre 〖学～〗 college 〖研究～〗 research institute 〖医～〗 hospital 【院士】 academician 【院子】 yard, court

愿 (yuàn) 【愿望】 v., n. wish; n. aspiration; dream 〖强烈的～〗 n. urge 【愿意】 a. willing / be ready [willing, prepared] to 〖～做某事〗 should [would] like to do sth.

约 (yuē) 【约定】 v. engage, promise / agree on, be engaged 【约会】 n. engagement, appointment

月 (yuè) n. moon, month; a. lunar 〖本～〗 this month 〖闰～〗 leap month 〖上～〗 last month 〖下～〗 next month 〖逐～〗 month by month 〖一～〗 January 〖二～〗 February 〖三～〗 March 〖四～〗 April 〖五～〗 May 〖六～〗 June 〖七～〗 July 〖八～〗 August 〖九～〗 September 〖十月〗 October 〖十一～〗 November 〖十二～〗 December 【月刊】 monthly 【月亮】 moon 【月球】 moon 〖～探险者〗 moon-explorer 【月台】 platform

乐 (yuè) 【乐队】 band, orchestra 〖～指挥〗 conductor 〖电影～〗 film orchestra 【乐器】 musical instrument 【乐曲】 music ◇ 乐 (lè)

阅 (yuè) 【阅读】 v. read; n. reading / do some reading 〖～室〗 reading-room

跃 (yuè) v., n. leap, bound

越 (yuè) 【越过】 v. cross; ad. over / go across 【越来越】 more and more 〖～坏〗 from bad to worse 〖越…越好〗 the more … the better

云 (yún) n. cloud 〖多～〗 a. cloudy 〖间多～〗 with occasional clouds 〖无～〗 a. cloudless 【云雀】 lark

允 (yǔn) 【允诺】 n., v. promise; v. agree, consent 【允许】 v. allow, let, permit; n. permission

运 (yùn) v. move; carry 〖～出去〗 carry out 〖用船～〗 v. ship 【运动】 n. movement, motion; sports, game, exercise; campain 〖～场〗 playground, stadium 〖～队〗 team 〖～服〗 sports suit 〖～会〗 sports / sports meet [meeting] 〖～鞋〗 gym shoes 〖～员〗 athlete, sportsman player, (体操) gymnast 〖开～会〗 have a sports meet 〖爬山～〗 mountaineering 〖球类～〗 ball games 〖体育～〗 athletic sports 〖田径～〗 track and field sports 〖在～场上〗 on the sports field 〖在～中〗 in motion 【运河】 canal 〖苏伊士〗 the Suez Canal 【运货车】 wagon 【运气】 luck, fortune 〖～不佳〗 no luck 【运输】 n., v. transport; n. freight 〖～工具〗 transport 【运行】 v. move, function / be in motion 【运用】 v. handle, apply 【运载】 v. carry 【运转】 v. operate, work, go 【运走】 take away

晕 (yùn) 【晕船】 a. seasick

熨 (yùn) v. iron 【熨斗】 n. iron 〖电～〗 electric iron

Z z

扎 (zā) *v.* bind, tie, fasten ◇ 扎 (zhā)

杂 (zá) *a.* miscellaneous【杂草】weeds【杂货】groceries【杂技】acrobatics【杂乱】*a.* disorderly / in a jumble【杂文】essay【杂志】magazine, journal〖~评论〗*n.* review

灾 (zāi)【灾害】*n.* calamity【灾祸】*n.* disaster, evil【灾难】*n.* disaster, misfortune

栽 (zāi)【栽培】*v.* plant, grow, cultivate

宰 (zǎi) *v.* slaughter【宰割】cut up【宰相】Prime Minister

崽 (zǎi) *n.* offspring / young animal

再 (zài) *ad.* again【再版】second edition【再次】once more【再会】【再见】*int., n.* good-bye, farewell, See you later. So long.【再婚】*v.* remarry【再来一遍】Once again.【再来一个】*int.* Encore !【再三】over and over (again), again and again

在 (zài) *prep.* at, in, on; *v.* be (on, in, at)〖~…背后〗at the back of〖~…边上〗at the edge of〖~船上〗*ad.* aboard / on board〖~城里〗be in town〖~…当中〗*prep.* among / in the middle of〖~…的时候〗in time of〖~…底下〗*prep.* below〖~地上〗on the ground〖~地下〗*ad.* underground〖~…(河的)对岸〗on the other side of〖~…方面好得很〗do well in〖~…方面很成功〗be successful in〖~…方面取得伟大成就〗make great achievements in〖~…附近〗*prep.* by, around, near, nearby〖~…各处〗*prep.* about, around〖~…国内〗at home〖~…国外〗*ad.* abroad〖~…和…之间〗*prep.* between〖~…后面〗*prep.* behind; after / at the back of〖~家中〗be at home〖~…脚下〗at the foot of〖~…近旁〗*ad.* by / at [to] hand, within reach〖~空中〗*ad.* overhead / in the sky〖~…里面〗*prep.* within, in, inside〖~…另一面〗on the other side of〖~楼上〗*ad.* upstairs〖~楼下〗*ad.* downstairs〖~陆地〗on land〖~露天〗in the open air〖~…面前〗in the face of〖~某处〗*ad.* somewhere〖~…那一边〗*prep.* beyond〖~那里〗*ad.* there〖~那时〗at that time〖~…哪里〗*ad.* where〖~…旁边〗*prep.* beside, by〖~…期间〗*prep.* during / during the course of〖~…前面〗in front of, ahead of〖~任何地方〗*ad.* wherever〖~任何方面〗at all〖~任何时候〗*ad.* whenever, anytime〖~…上〗*prep.* on, upon〖~…上方〗*prep.* over〖~…上面〗*prep.* above, over〖~…上头〗*a.* overhead〖~…时候〗*prep.* during〖~…手里〗in the hands of〖~…岁时〗at the age of〖~头顶上〗*a., ad.* overhead〖~…外〗*prep.* outside / out of〖~屋里〗*ad.* indoors〖~…下面〗*prep.* under, below〖~…一边〗*ad.* aside〖~…一边〗on the side of〖~…以前〗*prep., conj.* before, by〖~…以上〗*prep.* over〖~远处〗*ad.* beyond / in the distance〖~这里〗*ad.* here〖~这之后的几年中〗in the years that followed〖~整个…期间〗*prep.*

throughout 【～…之后】 *prep.* after 【～…之间】 *prep.* between 【～(某事发生)之前】 by the time 【～…之上】 *prep.* above 【～…之下】 *prep.* under 【～…中间】 *prep.* among / in the middle of 【～…周围】 *prep.* around 【在场】 on the spot 【在此期间】 in the meantime 【在后】 *a.* hind; *ad.* behind; after 【在家】 *ad.* home / be in, at home 〖不～〗 be out 【在内】 *ad.* in, inside 【在旁】 *ad.* by / at hand 【在前】 *ad.* ahead, before 【在上】 *ad.* above, over 【在外】 *ad.* out, without 【在下】 *ad.* below, under 【在于】 lie in 【在职】 *a.* in-service / in office [service] 【在座】 *a.* present

载 (zài) *v.* load 【载货】 transport cargo, carry freight 〖～卡车〗 lorry 【载重量】 *n.* load

暂 (zàn) 【暂时】 *a.* temporary; *ad.* temporarily 【暂停】 *v., n.* pause; *n.* break / time out 【暂住】 *v.* stay

赞 (zàn) 【赞成】 *ad., n.* pro; *n.* favour / in favour of, on the side of, agree to 〖不～〗 *v.* disapprove; *n.* disapproval 【赞美】 *v.* praise; extol; admire 【赞赏】 *v.* appreciate, admire 【赞同】 *v.* agree (to), approve (of) 【赞许】 speak favourably of 【赞扬】 *v.,n.* praise, commend 〖高度～〗 pay a high tribute to

脏 (zāng) *a.* dirty 【弄～】 *v.* pollute 【脏东西】 *n.* dirt, filth

遭 (zāo) 【遭到】 meet with 【遭受】 *v.* suffer, have, receive, undergo 【遭遇】 *v.* suffer; *n.* experience / come upon 〖～战〗 encounte; brush 〖险些丧命的～战〗 a close brush with death

糟 (zāo) *a.* bad, awful, nasty 【糟蹋】 *v.* waste, spoil

早 (zǎo) *a.* early; *ad.* soon 【早餐】 breakfast 【早操】 morning exercised 【早晨】 morning 【早上】 morning 〖～好〗 Good morning !〖在～〗 in the morning 【早晚】 sooner or later 【早已】 long ago [before] 【早些时候】 *ad.* earlier

澡 (zǎo) 【澡堂】 bath-house

藻 (zǎo) *n.* algae 【藻海】 the Sargasso Sea

造 (zào) *v.* build; make 【造成】 *v.* create, cause 【造反】 *v.* rebel; *n.* rebellion; *a.* rebellious 【造句】 sentence making 〖用…～〗 make sentence with 【造型】 *n.* modelling 【造谣】 start a rumour 【造诣】 *n.* attainments

噪 (zào) 【噪音】 noise

责 (zé) 【责备】 *v.* scold, blame, criticize 【责任】 *n.* duty, responsibility 〖不负～〗 *a.* irresponsible 〖承担～〗 bear responsibility for 〖有～〗 responsible 【责问】 ask reproachingly

贼 (zéi) *n.* thief, robber

怎 (zěn) 【怎么】 *ad.* how, why, what 〖～办〗 What to do? 〖～啦〗 What's wrong [the matter] ? 【怎样】 *ad.* how

增 (zēng) 【增加】 *v.* increase, add, raise 【增进】 *v.* improve, enhance 【增刊】 supplement / supplementary issue 【增强】 *v.* strengthen 【增删】 make additions and deletions 【增长】 *v.* rise, grow, increase

赠 (zèng) 【赠品】 *n.* gift 【赠送】 *v.* present, give

扎 (zhā) 【扎根】 strike root 【扎实】 *a.* solid, firm; sturdy, strong 【扎痛】 *v.* prick ◇ 扎 (zā)

炸 (zhà) *v.* **burst, explode, blow (up)** 〖～成碎片〗 blow to pieces 【炸弹】 bomb 【炸毁】 *v.* blast (to pieces) 【炸药】 dynamite

栅 (zhà) *n.* **bar** 【栅栏】 *n.* railings; palings; bars

蚱 (zhà) 【蚱蜢】 grasshopper

摘 (zhāi) *v.* **pick, pluck** 【摘录】 *n.* extract / make an extract 【摘要】 *v.*, *n.* digest, brief; *v.* summarize; *n.* summary

窄 (zhǎi) *a.* **narrow, strait**

债 (zhài) *n.* **debt** 【债券】 *n.* debenture; bond

粘 (zhān) *v.* **stick** 【粘贴】 *v.* stick, paste 【粘住】 stick to   ◇粘 (nián)

斩 (zhǎn) *v.* **chop, cut** 【斩首】 *v.* behead

展 (zhǎn) 【展开】 *v.* spread (out), unfold 【展览】 *n.*, *v.* display, show; *v.* exhibit; *n.* exhibition 〖～馆〗 exhibition hall 〖～会〗 exhibition 〖～中〗 be on show [view, display] 【展示】 *v.* show 【展望】 *n.* prospect, outlook 【展延】 spread out

辗 (zhǎn) 【辗转】 from person to person; from place to place 〖～反侧〗 lie tossing about

占 (zhàn) *v.* **occupy** 【占领】 *v.* occupy; capture 【占去】 *v.* occupy, engage 【占线】 line engaged 【占用】 *v.* occupy, hold / take up

战 (zhàn) 〖为…而～〗 fight for 【战场】 battlefield 【战地医院】 field hospital 【战斗】 *v.*, *n.* fight, battle; *a.* fighting 〖～到底〗 fight to the (bitter) end 〖～机〗 fighter 【战后】 *a.* postwar 【战栗】 *v.* shudder, tremble 【战略】 *n.* strategy 【战胜】 *v.* conquer, win, overcome, defeat 【战时】 *n.* wartime 【战士】 soldier, fighter 【战术】 tactics 〖～据点〗 strongpoint 【战无不胜】 *a.* ever-victorious 【战线】 *n.* front / battle line 【战役】 *n.* compaign 【战友】 comrade-in-arms 【战争】 war 【在～中】 in the war

站 (zhàn) *n.* **stop, station;** *v.* **stand** 〖～起来〗 stand [get] up 〖～在…旁边〗 stand by 〖电车～〗 streetcar [tram] stop 〖发电～〗 power station 〖公共汽车～〗 bus stop 〖火车～〗 railway station 〖加油～〗 gas station 〖气象～〗 weather station 〖水电～〗 hydro-electric power station 〖终点～〗 terminus 【站岗】 stand guard, be at post 〖在…旁边～〗 be stationed beside 【站台】 platform 【站住】 *v.* halt, stop / stand still

蘸 (zhàn) *v.* **dip (in, into)** 【蘸水钢笔】 pen

张 (zhāng) *v.* **open; extend** 〖～得很大〗 *ad.* wide 【张贴】 put up 〖～在…上〗 put sth. up on 【张望】 look around

章 (zhāng) *n.* **chapter** 【章程】 *n.* regulations, rules, constitution

长 (zhǎng) *n.* **director, head;** *v.* **grow;** *a.* **elder** 〖～得太低〗 *a.* low-growing 〖～得太快〗 *v.* overgrow 〖班～〗 monitor / class leader 〖部～〗 minister 〖厂～〗 director 〖船～〗 captain 〖省～〗 governor 〖市～〗 mayor 〖县～〗 magistrate 〖校～〗 headmaster, principal, president 【长辈】 senior, elder 【长出】 come up 【长大】 grow up 【长满】 be overgrown with 【长女】 eldest daughter 【长相一般】 *a.* ordinary-looking 【长子】 eldest son   ◇长 (cháng)

掌 (zhǎng) *n.* **palm** 【掌管】 in charge of 【掌击】 *v.*, *n.* slap 【掌声】 applause 【掌握】 *v.* control, master, hold, grasp

丈 (zhàng) 【丈夫】 husband, man 【丈量】 *v.* measure

帐 (zhàng)【帐单】*n.* bill【帐目】*n.* account【帐篷】tent【帐子】curtain

胀 (zhàng) *v.* swell【胀破】*v.* burst

障 (zhàng)【障碍】*n.* obstacle〖～赛跑〗obstacle race〖～物〗bar, barrier

招 (zhāo)【招待】*v.* receive, entertain; *n.* entertainment〖～会〗reception 〖～所〗hostel / guest house【招呼】*v.* call, greet; attend (to)【招牌】 sign【招请】call in【招生】enroll students【招贴】*n.* poster【招致】 lead to, bring about

朝 (zhāo) *n.* morning【朝气蓬勃】*a.* vigorous【朝霞】morning sunglow ◇ 朝 (cháo)

着 (zhāo)【着急】*v.* worry / feel anxious【着凉】catch cold【着迷】be fascinated ◇ 着 (zhuó)

爪 (zhǎo) *n.* claw【爪牙】tool

找 (zhǎo) *v.* find, seek / look [ask, call] for【找遍】hunt all over【找出】*v.* discover / find out【找到】*v.* find【找工作】*n.* job-hunting【找回】*v.* recover【找钱】give change【找头】*n.* change【找寻】*v.* seek / look for

沼 (zhǎo) *n.* pond, pool【沼泽】swamp, marsh

召 (zhào)【召唤】*v.* summon, call【召集】*v.* summon; convene / call out 【召请】call in, send for

照 (zhào) *v.* shine / light up【照到】*v.* strike【照顾】*v.* care (for); *n.* consideration / take care of, give consideration to, be careful with【照 管】*v.* care / look after【照看】look after【照例】as usual; as a rule 【照亮】*v.* light (up)【照料】*v.* tend / take care of【照明】*n.* lighting 〖～弹〗flare bomb【照片】picture, photo【照耀】*v.* shine【照相】*v.* photo / take a picture, take a photo〖～馆〗(photo) studio〖～机〗 camera〖传真～〗*n.,v.* telephotograph

罩 (zhào) *n.* covering〖床～〗bedcover〖灯～〗lamp-shade【罩衣】over-alls

遮 (zhē) *v.* cover, shade【遮盖】*v.* cover; bury【遮光帘】*n.* shade【遮篷】 *n.* shade, awning

折 (zhé) *v.* fold【折叠】*v.* fold (up)【折断】*v.* break【折旧】*n.* deprecia-tion【折扣】*v.,n.* discount【折磨】*v.* harass, torment〖～人〗*a.* grind-ing【折椅】camp-chair

哲 (zhé)〖哲学〗philosophy〖～家〗philosopher

这 (zhè) *a.,pron,* this【这次】this time【这儿】*ad.* here【这个】*art.* the; *a.,pron.* this【这里】*ad.* here【这时】*ad.* now / at this time【这些】*art.* the; *a.,pron.* these【这样】*a.* such; *ad.* so, thus / in this way【这种】*a.* such / this kind of

蔗 (zhè)【蔗糖】sucrose / cane sugar

针 (zhēn) *n.* needle; hand〖回形～〗paper clip〖大头～〗pin【针对】be directed against, be aimed at; in view of【针线活】*n.* needlework 〖做～〗do some sewing

侦 (zhēn)【侦察】*v.* spy, scout; investigate〖～员〗scout【侦探】*n.* spy

珍 (zhēn)【珍宝】treasure, jewellery【珍贵】*a.* invaluabel, precious【珍 重】take care of【珍珠】pearl

真 (zhēn) *a.* real, true 【真诚】 *a.* genuine, sincere; *ad.* sincerely 【真空】 *n.* vacuum 〖～管〗 vacuum tube 【真理】 truth 【真实】 *a.* true, real; *ad.* truly 〖不～〗 *a.* false 【真相】 *n.* truth / real fact 【真正】 *a.* very, true, real, genuine; *ad.* really, indeed, truly 【真挚】 *a.* sincere, cordial; earnest

诊 (zhěn) 【诊察】 *v.* examine; *n.* examination 【诊断】 *v.* diagnose 【诊所】 *n.* clinic

枕 (zhěn) 【枕套】 pillow-case / pillow slip 【枕头】 pillow

阵 (zhèn) 【阵地】 battlefield; position 【阵亡】 die in battle, be killed in action 【阵线】 front 【阵营】 camp 【阵雨】 shower 〖下～〗 *v.* shower

振 (zhèn) 【振动】 *v.* vibrate; rock 【振奋】 *v.* cheer, inspire 【振作】 pluck [brace] up

震 (zhèn) 【震颤】 *v.* tremble 【震动】 *v.* shake; shock 【震惊】 *v.* stagger, shock

镇 (zhèn) *n.* town 【镇定】 *v.* calm; *ad.* steadily 【镇静】 *ad.* calmly, steadily 【镇压】 *v.* suppress 【镇长】 *n.* mayor 【镇纸】 *n.* paper-weight

争 (zhēng) 【争吵】 *v.* quarrel 【争夺】 fight [contend] for 【争论】 *n.,v.* debate; *v.* argue; *n.* argument / quarrel about 【争取】 strive for 【争执】 *v.,n.* dispute

征 (zhēng) 【征服】 *v.* conquer, overcome 【征求】 *v.* request / ask for 【征收】 *v.* levy 【征询】 *v.* consult / ask for advice

挣 (zhēng) 【挣扎】 *v.* struggle ◇ 挣 (zhèng)

蒸 (zhēng) *v.* steam 【蒸发】 *v.* evaporize, vaporize 【蒸锅】 steamer 【蒸笼】 food steamer 【蒸汽】 *n.* vapour 〖～机〗 steam-engine

拯 (zhěng) 【拯救】 *v.* save; deliver

整 (zhěng) *a.* whole, all, full, complete 【整队】 line up 【整顿】 *v.* rearrange; consolidate; rectify 【整个】 *a.* whole, entire 【整洁】 *n.* neatness; *a.* neat, tidy 【整理】 *v.* arrange / do up 【整齐】 *a.* neat, orderly, tidy 〖不～〗 *a.* irregular 【整体】 *n.* unity; whole, entirety 【整天】 all day 【整夜】 all night long

正 (zhèng) *a.* upright 【正餐】 dinner 【正常】 *a.* normal, right; *ad.* normally 〖～化〗 *v.* normalize 〖不～〗 *a.* abnormal 【正当】 *a.* right / just when 【正方形】 square 【正规】 *a.* normal; regular; formal 〖～学校教育〗 *n.* schooling 【正好】 *ad.* just, right / just right 【正面】 *n.* face, front 【正确】 *a.* right, proper, correct; *ad.* correctly 〖完全～〗 quite right 【正式】 *a.* regular, official, formal 〖非～〗 *a.* informal, unofficial 【正是】 *ad.* exactly 【正视】 face squarely, look in the face 【正午】 noon, midday 【正义】 *n.* justice; *a.* just 〖非～〗 *a.* unjust 【正直】 *a.* honest, upright, fair 〖不～〗 *a.* unfair

证 (zhèng) 【证词】 *n.* testimony, attestation 【证件】 credentials, certificate 【证据】 *n.* proof, evidence 【证明】 *n.* proof; *v.* prove, testify; manifest 【证人】 witness 【证实】 *v.* prove, confirm, support

政 (zhèng) 【政策】 policy 【政党】 party 【政府】 government, administration 〖～机关〗 government bodies 【政权】 political [state] power; regime 【政务】 political [government] affairs 〖～会〗 council 【政治】 *n.*

politics; *a.* political 〖～局〗 the Political Bureau

挣 (zhèng) 【挣得】 *v.* earn 【挣脱】 break away ◇ 挣 (zhēng)

支 (zhī) 【支部】 branch 【支撑】 *v.* support / hold up 〖～物〗 *n.* support 【支持】 *v.* support, encourage / in favour of, take the side of, be on the side of 〖～住〗 hold up 〖得到…的～〗 be supported by 【支队】 *n.* detachment 【支付】 *v.* pay; *n.* payment 〖应该～〗 *v.* owe 【支架】 *n.* brace, support 【支流】 *n.* tributary 【支配】 *v.* control, govern; arrange; allot 【支票】 cheque, check 〖空头～〗 bad [rubber, bounced] check; empty promise 【支援】 *v.* support, help

汁 (zhī) *n.* juice

吱 (zhī) 【吱吱】 *v.* chip 〖～嘎嘎地作响〗 *v.* creak

枝 (zhī) 【枝条】 branch, twig, stick

知 (zhī) *v.* know 〖不为人所～〗 *a.* unknown 【知道】 *v.* know 〖不～〗 *v.* wonder / have no idea, be ignorant of 〖才～〗 get to know 〖间接～〗 know of 〖你～〗 (插入语) you see 〖想～〗 *v.* wonder 【知更鸟】 robin 【知已】 *a.* trusted, bosom; *n.* intimate / a close [bosom] friend 【知觉】 *n.* sensation; consciousness 【知识】 knowledge 〖～分子〗 intellectual 〖～青年〗 educated youth 【知心】 *a.* intimate, bosom

肢 (zhī) *n.* limb

织 (zhī) *v.* weave 【织补】 *v.* darn 【织布】 weave cloth 〖～工〗 weaver 〖～机〗 loom

指 (zhī) 【指甲】 nail 〖手～〗 fingernail 〖脚～〗 toenail ◇ 指 (zhǐ)

脂 (zhī) 【脂肪】 *n.* fat

蜘 (zhī) 【蜘蛛】 spider 〖网～〗 *n.* cobweb, web

执 (zhī) 【执行】 *v.* execute, perform / carry out 【执照】 *n.* license, permit, charter 【执政】 be in power; come into power 〖～党〗 the governing party

直 (zhí) *a.* straight, direct 【直肠】 *v.* rectum 【直陈语气】 the indicative mood 【直尺】 ruler 【直到】 *prep., conj.* till, until 〖～…才…〗 not … until … 【直角】 right angle 【直接】 *a.* direct, immediate; *ad.* directly 〖～引语〗 direct speech 【直径】 *n.* diameter 【直觉】 *n.* intuition; instinct 【直立】 *a., ad.* upright / stand on end 【直流】 direct current 【直升机】 helicopter 【直率】 *a.* direct, straightforward frank; *ad.* directly 【直译】 literal [near] translation

侄 (zhí) *n.* nephew 【侄女】 niece

值 (zhí) *n.* value 【值班】 on watch [duty] 【值得】 *a.* worth 〖～纪念〗 memorable 〖～注意〗 *a.* remarkable / merit attention 【值钱】 *a.* costly, valuable 〖不～〗 *a.* cheap 【值日】 on duty for the day

职 (zhí) 【职能】 *n.* function 【职权】 *n.* authority (of office) 【职位】 position, post 【职务】 *n.* duty, responsibility, position, office 〖代替某人的～〗 take sb. place 【职业】 *n.* occupation, vocation; *a.* professional 〖～道德〗 professional ethics 〖～学校〗 vocational [business] school 【职员】 clerk, officer 〖高级～〗 official, executive 【职责】 duty, office, responsibility

植 (zhí) *v.* plant 【植物】 *n.* plant 〖～学〗 botany 〖～园〗 botanical garden

殖 (zhí) *v.* multiply; breed, cultivate 【殖民】 *v.* colonize; *n.* colonization 〖～地〗 *n.* colony, settlement 〖～政策〗 colonial policy

只 (zhǐ) *ad.* merely, only, simply, just / nothing else than 【只不过】 *ad.* only / nothing but 【只得】【只好】 cannot [help, choose] but to, have no choice [alternative] but to 【只是】 *ad.* just, but 【只要】 so long as, if only

纸 (zhǐ) paper 〖包装～〗 wrapping paper 〖复写～〗 carbon paper 〖复印～〗 duplicating paper 〖活页～〗 loose-leaves 〖牛皮～〗 kraft paper 〖吸墨～〗 blotting paper 〖纸莎草～〗 papyrus 【纸币】 *n.* note, bank-note, (美) bill 【纸牌】 card, playing-card 【纸烟】 cigarette

指 (zhǐ) *n.* finger; *v.* point (at) / refer to 【指出】 point out 【指导】 *v.* guide, direct; *n.* direction 〖～思想〗 guiding thought 〖～者〗 director 【指点】 *v.* direct / give directions 【指定】 *v.* name, assign, appoint; *a.* settled, fixed 【指挥】 *v.,n.* command; *n.* conductor 〖～员〗 commander 【指南】 *n.* guide 〖～针〗 compass 【指派】 *v.* assign 【指示】 *v.* instruct, indicate; *n.* instruction, indication 〖～代词〗 demonstrative [indicative] pronoun 【指向】 *v.* direct / point to 【指引】 *v.* direct 【指摘】 *v.* blame, reproach 【指着】 point to ◇ 指 (zhi)

趾 (zhǐ) 【趾高气扬】 on one's high horse, conceited and arrogant

至 (zhì) *v.* reach; *prep.* to 【至多】 at most 【至少】 at least 【至于】 as to, as for

志 (zhì) 【志气】 ambition, aspiration, spirit 【志向】 aspiration, ideal 【志愿】 *n.* will, wish; choice 〖～者〗 volunteer

治 (zhì) 【治安】 public order, law and order 【治理】 *v.* govern, manage 【治疗】 *v.* treat, cure, heal; *n.* treatment 【治愈】 *v.* cure, heal; *a.* cured 〖迅速～〗 *a.* quickly-cured

质 (zhì) *n.* substance 【质量】 quality 【质问】 *v.* question / call to account 【质子】 proton

制 (zhì) 【制成】 be made of [from] 【制度】 system 【制服】 uniform 【制图】 *v.* draw 【制造】 *v.* produce, make 〖用 … ～ … 〗 make ... of ... , make ... from ... 〖～者〗 maker 【制止】 *v.* prevent, check 【制作法】 process

致 (zhì) 【致富】 *n.* enrichment / get rich, make a fortune 【致敬】 *v.* salute, greet / pay tribute [respects] to, do honour to 【致命】 *a.* deadly, fatal 【致力于】 devote oneself to 【致意】 *v.* greet / give one's compliments to 【致死】 *a.* deadly

秩 (zhì) 【秩序】 *n.* order 〖有～〗 *a.* orderly

掷 (zhì) *v.* cast, throw 〖～标枪〗 javelin throw 〖～铅球〗 shot put 〖～铁饼〗 discus throw

智 (zhì) 【智慧】 *n.* wisdom 〖有～〗 *a.* wise 【智力】 intellect, intelligence, brains; *a.* intellectual 〖～测验〗 intelligence test 〖～竞赛〗 IQ (intelligence quotient) competition 【智育】 intellectual culture

置 (zhì) 【置放】 *v.* lay 【置身于】 place oneself 〖～…之外〗 keep out of

稚 (zhì) 【稚气】 *n.* childishness

中 (zhōng) *n.* middle; *a.* mid 【中部】 *n.* middle 【中等】 *a.* middling 【中断】

a. break 【中饭】 lunch 【中国】 *n.* China; *a.* Chinese 〖～人〗*n.,a.* Chinese 〖～共产党〗 the Chinese Communist Party 【中华人民共和国】 the People's Republic of China 【中间】 *n.* midst; *a.* middle 〖在…～〗 *prep.* among / in the middle of 【中空】 *a.* hollow 【中年】 *a.* middle--aged 〖～以上〗 *a.* elderly 【中篇小说】 *n.* novelette 【中途】 *n.* midway 【中午】 *n.* noon 〖在～〗 at noon 【中心】 *n.* centre, heart 〖～人物〗 soul 〖在…的正～〗 at the very heart of 【中性】 *n.,a.* neuter; *a.* neutral 【中学】 middle-school 〖～毕业〗 finish middle school 〖～生〗 middle school student 〖～校长〗 principal 〖初级～〗 junior middle school 〖高级～〗 senior middle school 【中旬】 the middle ten days of a month 〖五月～〗 mid-May 【中央】 *n.* centre, center; *a.* central 〖中止〗 *v.,n.* pause, stop 【中指】 middle finger 【中子】 neutron

忠 (zhōng) 【忠诚】 *n.* devotion; *a.* loyal, faithful 【忠告】 *n.* advice; *v.* advise 【忠实】 *n.* devotion, honesty; *a.* faithful 【忠于】 devotion to, de-vote oneself to, stick to 〖～职守〗 one's devotion to duty

终 (zhōng) *a.* end 〖～线〗 finishing line 〖～站〗 terminus 〖路之～〗 the end of the road 〖赛跑～〗 goal 【终结】 *n.* conclution, end 【终究】 after all 【终身】 *n.* lifetime / throughout one's life 【终于】 *ad.* eventually, finally / at last, in the end 【终止】 *v.,n.* end

钟 (zhōng) *n.* bell; clock 〖闹～〗 alarm clock 【钟爱】 *v.* favour / concen-trate one's love on 【钟点】 *n.* hour 【钟情于】 fall in love with

肿 (zhǒng) *v.* swell 【肿块】 lump 【肿瘤】 tumour

种 (zhǒng) *n.* kind, species 〖很多～〗 many kinds of 【种类】 *n.* sort, kind, species 【种子】 *n.* seed 【种族】 race ◇ 种 (zhòng)

踵 (zhǒng) *n.* heel

众 (zhòng) *a.* many, numerous 【众多】 *a.* numerous / a great number of 【众所周知】 *a.* well-known / be well known 【众议院】 (美) the House of Representatives

种 (zhòng) 【种田】 *v.* farm 【种植】 *v.* grow, plant, raise ◇ 种 (zhǒng)

重 (zhòng) *n.* weight; *a.* weighty, heavy; *ad.* heavily 【重大】 *a.* important, great; *n.* importance 【重担】 *n.* weight, burden / heavy load 【重点】 *n.* emphasis 【重感冒】 a bad cold 【重力】 *n.* weight, gravity 【重量】 *n.* weight 【重视】 *v.* value / importance to 〖不～〗 *v.* slight, despise / attach no importance to 【重要】 *a.* important, weighty; *n.* importance 〖～性〗 *n.* value, importance 〖不～〗 *a.* unimportant 〖最～〗 above all 【重音】 *n.* accent, stress 【重载】 heavy load ◇ 重 (chóng)

州 (zhōu) *n.* prefecture; state

周 (zhōu) *n.* week; circle 〖本～〗 this week 〖上～〗 last week 〖下～〗 next week 【周刊】 weekly 【周末】 week-end 〖度～〗 spend the week-end 【周年】 *n.* anniversary 【周期】 *n.* period; *a.* periodic 〖～性〗 *a.* periodic 【周日】 weekday 【周围】 *a.* surrounding; *ad., prep.* around, about 〖～的事物〗 *n.* surrounding 〖～环境〗 surroundings 〖在～〗 *ad.* around, round 【周游】 *v.* tour / travel around

洲 (zhōu) continent 〖亚～〗 Asia 〖欧～〗 Europe 【非～】 Africa 【美～】 America 〖澳～〗 Australia 〖南极～〗 Antarctica 〖大洋～〗 Oceania 【洲

际】*a.* intercontinental〖～导弹〗intercontinental missile

粥 (zhōu) porridge; gruel〖麦片～〗oatmeal (porridge)

肘 (zhǒu) elbow

咒 (zhòu)【咒骂】*v.,n.* curse

皱 (zhòu)【皱眉头】*v.* frown【皱起】*v.* pucker〖～双唇〗pucker one's lips【皱纹】wrinkle

珠 (zhū) *n.* pearl【珠宝】jewellery, gems〖～商〗jeweller〖～饰物〗jewel, jewellery

诸 (zhū)【诸位】*pron.* you【诸如此类】*a.* suchlike / such as, things like that, and so on [forth]

猪 (zhū) pig【猪皮】pigskin【猪肉】pork

竹 (zhú) bamboo【竹笋】bamboo shoot

逐 (zhú)【逐步】step by step【逐渐】*a.* gradual; *ad.* gradually / little by little【逐一】one by one

主 (zhǔ)【主编】chief editor【主持】*v.* conduct / take charge of〖～人〗(电视节目) master of ceremonies, host【主动】*a.* active〖～语态〗the active voice【主妇】housewife; hostess; mistress【主格】*a.* nominative / nominative case【主观】*a.* subjective【主管】be in charge of【主教】bishop【主角】hero / leading role〖男～〗hero, star / leading actor〖女～〗heroine, star / leading actress【主力】main forces【主流】main current〖非～〗*a.* non-principal【主人】master〖女～〗mistress【主任】chief, head【主食】staple food【主体】main body【主题】theme, topic【主席】chairman, president〖～团〗presidium【主演】*v.* star【主要】*a.* chief, key, main, major, greater, central, prime; *ad.* mainly, chiefly, mostly, largely【主意】idea〖出～〗offer advice【主语】subject〖～从句〗subject clause【主张】*v.,n.* claim; *v.* insist, maintain, hold, advocate; *n.* opinion, view, proposition

煮 (zhǔ) *v.* cook〖～咖啡〗make coffee【煮沸】*v.* boil

助 (zhù)【助动词】auxiliary verb【助教】*n.* assistant【助理】*n.* assistant【助手】*n.* assistant, mate【助消化】*a.* digestive【助学金】stipend

住 (zhù) *v.* live, dwell【住处】residence, lodging【住读生】boader【住宿】*v.* stay / put up【住宅】dwelling, house【住址】address

注 (zhù) *v.* pour【注射】*n.* injection; *v.* inject【注视】*v.,n.* gaze; *v.* watch, / look steadily at, fix one's eyes on〖怒目～〗glare at【注释】*n.* note; *v.* annotate【注意】*v.* mind, regard, heed; *v.* watch, notice, attention; *ad.* attentively / be careful with [of], pay attention to, watch out, take notice of〖不～〗*v.* neglect, overlook; *a.* careless, inattentive【注音】phonetic notation; phonetic transcription

贮 (zhù)【贮藏】*v.,n.* store; *n.* storage / keep in storage〖～室〗storeroom, supply

驻 (zhù) *v.* stay【驻扎】be stationed

祝 (zhù)【祝词】congratulations【祝福】*v.* bless; *n.* blessing【祝贺】*n.* congratulation; *v.* congratulate【祝酒】*v.,n.* toast【祝愿】*v.,n.* wish

柱 (zhù) *n.* post, pillar, column

著 (zhù) *v.* write【著名】*a.* famous, distinguished, well-known〖以…～〗

be famous for【著者】author, writer【著作】n. works; v. write

抓 (zhuā) v. scratch; seize, hold, catch; n. clutch【抓紧】grasp firmly〖～时间〗lose no time【抓牢】get a good hold on【抓住】v. catch, grab, grasp, snatch, seize, clutch, get, hold / catch [take, get] hold of

专 (zhuān) a. special【专长】n. speciality【专家】expert, specialist〖成为…～〗become expert at【专刊】special issue【专科】special course〖～学校〗college, academy【专门】a. special, particular〖～化〗v. specialize【专心】v. devote, concentrate; a. intent; ad. intently〖～于〗devote oneself to, wrapped up in【专业】speciality / specialized subject〖～户〗specialized household【专有】a. exclusive〖～名词〗proper noun【专政】n. dictatorship〖～者〗dictator【专职】a. full-time【专注】concentrate one's attention on

砖 (zhuān) brick

转 (zhuǎn) v. turn【转变】v. turn, change, transform; n. transformation〖～为〗make into【转播】relay broadcast【转告】take a message to【转换】v. switch【转交】pass on (to); care of (缩略：c / o)【转让】v. transfer / make over【转身】v. swing / turn round【转弯】v., n. turn / turn a corner【转向】v. swing, turn / change directions〖突然～〗v. swerve【转移】v. transfer, change, shift〖随着…～〗shift with【转载】v. reprint, reproduce　◇ 转 (zhuàn)

传 (zhuàn)【传记】n. biography, life, story　◇ 传 (chuán)

转 (zhuàn)〖～半个圈〗make a semicircle〖～过来去〗turn around〖～一圈〗make a circle【转动】v. turn【转来转去】hang around [about]　◇ 转 (zhuǎn)

啭 (zhuàn)【啭鸣】v., n. trill; whistle

赚 (zhuàn) v. gain【赚钱】v. earn, obtain

庄 (zhuāng)【庄稼】n. crop【庄严】a. solemn, majestic【庄重】a. solemn, grave, grand

装 (zhuāng)【装备】v. furnish, equip; n. equipment【装订】v. bind【装潢】v. decorate; mount【装货】v. load【装甲】a. armoured【装满】v. fill, crowd / be full of【装配】v. fix, assemble【装饰】v. paint, decorate / make beautiful〖～品〗n. ornament〖用珠宝～〗v. jewel【装载】v. load; n. loading【装帧】n. binding【装置】v. fix, instal; n. device

壮 (zhuàng)【壮丽】a. noble, majestic, magnificent【壮年】in the prime of manhood

状 (zhuàng)【状况】condition, state【状态】shape, state, way【状语】n., a. adverbial〖～从句〗adverbial clause

撞 (zhuàng) v. strike, hit, bump / run [knock] into someone【撞倒】knock down [over]【撞击】v. bump, strike (against) / run upon

追 (zhuī) v. pursue, chase【追捕】run after, hunt down【追赶】v. pursue【追悼】v. mourn; a. memorial〖～会〗a memorial meeting【追猎】v. hunt, chase【追求】v., n. chase; v. seek, pursue; n. chasing, pursuit / hunt for, run after, be after【追上】v. overtake / catch [come] up with【追随】v. follow (behind)〖～者〗follower【追逐】v. chase, hound / run after【追踪】v. trail, track

准 (zhǔn) 【准备】 v. prepare, arrange; n. preparation / get ready 〖～好〗 a. ready / on hand 〖为…作好～〗 be ready for, be prepared for 【准确】 a. exact, accurate 【准时】 on time 【准是】 v. must be 【准许】 v. allow, permit 【准则】 v. guideline, criterion, norms

捉 (zhuō) v. catch, seize 【捉迷藏】 n. hide-and-seek 【捉住】 v. seize / catch hold of

桌 (zhuō) table, desk 〖书～〗 desk 【桌子】 table

灼 (zhuó) 【灼热】 v.,n. glow; a. glowing / scorching hot

着 (zhuó) v. wear; touch 【着色】 v. paint, colour 【着手】 v. start, embark (on) / take up, set out [about] 【着重】 v. stress   ◇ 着 (zháo)

啄 (zhuó) v. peck 【啄木鸟】 wood pecker

姿 (zī) 【姿势】 n. posture 【姿态】 n. posture; attitude stance

资 (zī) 【资本】 capital 〖～家〗 n.,a. capitalist 〖～主义〗 n. capitalism; a. capitalist 〖金融～〗 finance-capital 【资产】 n. property 〖～阶级〗 the bourgeoisie 【资方】 capital 【资格】 qualifications 【资金】 funds, trea-sure 【资料】 information, data 【资源】 n. resources 【资助】 v. support, subsidize

子 (zǐ) n. son 【子弹】 bullet 【子宫】 womb

仔 (zǐ) 【仔细】 a. careful; ad. carefully 〖～查看〗 look [go] through 〖～观察〗 v. study 〖～考虑〗 v. study / think over 〖～瞄准〗 take careful aim 〖～研究〗 make a careful study

紫 (zǐ) 【紫丁香】 lilac 【紫罗兰】 violet 【紫色】 n.,a. purple

字 (zì) character; word 【字典】 dictionary 【字母】 letter 〖～表〗 alphabet 〖手语～〗 manual alphabet 〖依～顺序〗 in alphabetical order 【字幕】 caption; subtitles 【字帖】 copybook 【字纸篓】 wastebasket

自 (zì) prep. from 【自称】 call oneself, claim to be, make onself out to be 【自从】 prep. since, from 【自动】 n. automation 〖～化〗 n. automation 〖～火炮〗 a self-propelled gun 〖～推进〗 a. self-propelled 【自负】 a. coneited, vain 【自豪】 v. pride; a. proud 〖～地回答〗 answer with pride 〖感到～〗 be proud of 〖以…～〗 take pride in 【自己】 pron. one-self; a. own 〖～做〗 a. self-made 〖凭～〗 on one's own 【自觉】 a. con-scious 〖不～〗 a. unconscious 【自夸】 v. boast / praise oneself 【自来水】 tap [running] water 〖～笔〗 fountain pen 〖～管〗 water pipe 【自然】 n. nature; a. natural; ad. naturally / of course 〖～发生〗 a. self-generating 〖～界〗 n. nature; a. natural 〖～科学〗 natural science 〖～平衡〗 the balance of nature 【自杀】 n. suicide 【自身代词】 self-pronoun / reflexive pronoun 【自始至终】 all through, from beginning to end 【自首】 surrender oneself 【自私】 a. mean, selfish 【自我】 n. ego, self 【自信】 a. confident 【自行车】 bicycle, bike, cycle 〖～停放处〗 bicycle park 〖十速～〗 ten speed bicycle 【自修】 n. self-culture 【自选市场】 supermarket 【自学】 teach [educate] oneself 【自言自语】 talk to oneself 【自由】 n. freedom; a. free; uncontrolled; ad. freely 〖～化〗 n. liberalization 〖～思想〗 a. free thinking 【自愿】 a. willing, of one's own accord 【自在】 a. free; easy / at one's ease 〖逍遥～〗 at large 【自治】 n. autonomy 〖～区〗 autonomous region 【自制】 a. self-made 【自传】

n. autobiography 【自转】 *v.* rotate; *n.* rotation 【自尊（心）】 *n.* pride, self-respect

宗 (zōng) 【宗教】 *n.* religion; *a.* religious 〖～信仰〗 *n.* religion 【宗旨】 *n.* aim, purpose; principle

棕 (zōng) 【棕榈】 palm 〖～树〗 palm-tree 【棕色】 *n.,a.* brown

综 (zōng) 【综合】 *v.* synthesize 〖～大学〗 university 〖～利用〗 comprehensive utilization

总 (zǒng) *a.* total, general, overall 〖～编辑〗 chief editor, editor-in-chief 〖～产值〗 total output value 〖～方针〗 general principle 〖～工程师〗 chief engineer 〖～经理〗 general manager 〖～领事〗 consul-general 〖～书记〗 general secretary 〖～司令〗 commander-in-chief 【总督】 *n.* governor 【总额】 *n.* total, sum 【总而言之】 in a word 【总共】 *ad.* altogether / in all, in totall 【总管】 *n.* steward 【总计】 *n.,a.* total / in all, add up to 【总结】 *v.* summarize; *n.* summary 〖～报告〗 concluding report 【总理】 the Prime Minister, Premier 〖副～〗 vice-premier 【总是】 *ad.* always, ever / at all times 〖不～〗 not ... always 【总数】 *n.* total 【总统】 president 【总有一天】 someday 【总之】 in a word

纵 (zòng) *a.* lengthwise 【纵容】 *v.* indulge / connive at, wink at 【纵然】 even though

走 (zǒu) *v.* go, walk, step 〖～过来〗 come up [along] 〖～某人的路〗 make one's way 〖成群结队地～〗 *v.* troop 〖踮着脚～〗 *v.* tiptoe 〖悄悄～〗 *v.* slip 〖沿着…～〗 walk along 【走出】 go out 【走到】 〖～…跟前〗 come [walk] up to 〖～另一边去〗 go over 【走动】 move about 【走读】〖～生〗 day student 〖～学校〗 day-school 【走狗】 tool, lackey 【走过】 *v.* pass / go by 【走近】 walk up to 〖～一点儿〗 come closer 【走进】 step inside 【走开】 go away [off] 【走来走去】 walk about 【走廊】 porch, passage, corridor 【走私】 *v.* smuggle 【走向】 walk [go, come] towards

奏 (zòu) *v.* play 【奏效】 *v.* work / take effect 【奏乐】 play music

租 (zū) *v.* hire 【租金】 rent 【租用】 *v.* hire

足 (zú) *n.* foot 【足够】 *n.,a.* enough 【足迹】 *n.* track, footmark, footprint 【足球】 football 〖～赛〗 football match

阻 (zǔ) 【阻挡】 *v.* stop, obstruct, resist / keep back 【阻力】 *n.* resistance 【阻塞】 *v.* choke, block 【阻止】 *v.* stop, prevent / hold back, keep from 〖～…向前〗 keep back

组 (zǔ) *n.* group, team 【组成】 *v.* form / make up, put together 〖由…～〗 consist of, be made up of 【组合】 *n.* combination / make up 【组织】 *v.* organize, form; *n.* organization 〖生物～〗 *n.* tissue

祖 (zǔ) 【祖父】 grandfather 〖外～〗 grandfather 【祖国】 homeland, fatherland, motherland 【祖母】 grandmother, grandma, granny 〖外～〗 grandmother 【祖先】 ancestor

钻 (zuàn) *n.* bore 【钻石】 diamond

嘴 (zuǐ) *n.* mouth 【嘴巴】 mouth; jaws 【嘴唇】 lip

最 (zuì) *ad.* most / best of all 〖～大〗 *a.* utmost 〖～小〗 *n., a.* least 〖～多〗 *a.* most 〖～少〗 *n., a.* least 〖～坏〗 *a.* worst 〖～劣等〗 *a.* tenth-rate 〖～远〗 *a.* farthest, utmost 〖～重要〗 *a.* main / most important, above all

【最迟】at the latest【最初】at first【最高】*a.* supreme〖～级〗the superlative degree〖～记录〗all-time high〖～年级〗*a.* senior【最好】*a.,ad.* best〖～还是〗had better【最后】*a.* last, final; *ad.* eventually, finally / at last, in the end〖～看一看〗take a last look at〖～三天〗the last three days〖～一个〗*n.* last〖在…～〗at the end of【最近】*a.* recent; *ad.* lately, recently【最新】*a.* latest, up-to-date【最终】*a.* last, final

罪 (zuì) *n.* crime; sin【罪恶】*n.* evil【罪犯】*n.* criminal【罪行】*n.* guilt, crime

尊 (zūn)【尊敬】*n.* respect; honour; *n.,v.* worship, respect〖赢得某人～〗gain sb. respect【尊严】*n.* dignity; majesty【尊重】*v.,n.* respect

遵 (zūn)【遵守】*v.* keep, observe / abide by〖～诺言〗keep one's promiss [word]【遵循】*v.* follow【遵照】in accordance with

昨 (zuó)【昨天】*n.,ad.* yesterday〖在～〗*ad.* yesterday【昨晚】last night, yesterday evening

左 (zuǒ) *a.* left【左边】*n.,a.* left / left-hand side【左翼】the left wing【左右】*prep.* about, around / or so

坐 (zuò) *v.* sit〖～船〗(go) by boat〖～飞机〗(go) by air〖～公共汽车〗(go) by bus〖～火车〗(go) by train【坐起】sit up【坐下】sit down, take a seat, be seated【坐在】〖～…旁〗sit by [at, beside]〖～一起〗sit together

作 (zuò)【作弊】*v.* cheat【作废】be cancelled, be annulled, be declared invalid【作风】*n.* style【作家】writer, author【作品】*n.* works【作曲】*v.* compose〖～家〗musician, composer【作为】*v.* regard as, look on as【作文】*n.* composition【作物】*n.* plant, crop【作业】*n.* task, work; assignment【作用】*n.* action, function〖起～〗*v.* work / play a part【作战】*v.* fight【作者】author, writer

座 (zuò) *n.* seat【座谈】have an informal discussion〖～会〗*n.* forum / discussion meeting【座位】seat, place〖坐某人的～〗take one's place

做 (zuò) *v.* do, act, make, produce〖～报告〗give a talk, make a report〖～饭菜〗do some cooking〖～功课〗do lessons [homework]〖～鬼脸〗make a face〖～记号〗make a mark〖～练习〗do one's exercises〖～临时工〗take a job〖～实验〗make an experiment〖～早操〗do morning exercises〖为…～…〗do ... for ...【做不到】*a.* impossible【做成】succeed in; make into【做工】work, labour【做梦】*v.* dream / have a dream【做事】*v.* act; work【做完】*v.* finish, complete / be through with